HISTOIRE DE LA LITTÉRATURE FRANÇAISE

XIXe et XXe siècle

PAR

PIERRE BRUNEL
PROFESSEUR A LA SORBONNE

ET

YVONNE BELLENGER,
AGRÉGÉE DES LETTRES, PROFESSEUR A L'UNIVERSITÉ DE REIMS,
DANIEL COUTY,
AGRÉGÉ DES LETTRES, MAÎTRE DE CONFÉRENCES A L'UNIVERSITÉ DE ROUEN,
PHILIPPE SELLIER,
AGRÉGÉ DES LETTRES, PROFESSEUR A L'UNIVERSITÉ DE PARIS IV,
MICHEL TRUFFET,
AGRÉGÉ DES LETTRES, MAÎTRE DE CONFÉRENCES A L'UNIVERSITÉ DE NANTERRE
AVEC LA COLLABORATION, POUR LA LITTÉRATURE NÉGRO-AFRICAINE,
DE **JEAN-PIERRE GOURDEAU**

BORDAS

CHEZ LE MÊME ÉDITEUR :

Histoire de la littérature française, Du Moyen Âge au XVIIIe siècle, par Pierre BRUNEL et Yvonne BELLENGER, Daniel COUTY, Philippe SELLIER, Michel TRUFFET.

COUVERTURE : Valerio Adami, « Lettre de Proust », 1971. Galerie Lowenadler, Stockholm. Ph. © Galerie Maeght-Lelong © by A.D.A.G.P., 1986. Maquette : Gilles Vuillemard.

Documentation iconographique réunie par IMMÉDIATE 2

ISBN 2-04-016656-4

LE XIXe SIÈCLE

« Cette vue directe sur l'âme de Victor Hugo, sans rhétorique, paraphrase ou traduction, ce qui nous la donne le mieux, [...], ce sont les tragiques dessins [...], cette chimie maléfique du noir avec le blanc, ces sites submergés où une lumière livide et informe ne transvase que pour faire apparaître un bric-à-brac hétéroclite et confus d'objets désaffectés, un passé irrémédiable, des ruines échappant à l'opacité d'un monde maudit et que hantent les monstres et les goules » (Paul Claudel).

CRISES ET OUVERTURES SUR LE MONDE MODERNE

L'Ancien Régime aboli par la Révolution, il s'est agi d'en fonder un nouveau. Cela a pris un siècle à la France : elle a essayé toutes les formes de gouvernement — un consulat, deux empires, deux royautés et deux républiques —, et s'est révélée à elle-même à travers trois révolutions avant de s'en tenir définitivement au régime républicain.

La multiplicité des régimes

La Révolution se défait dans la prise de pouvoir personnelle de Napoléon Bonaparte, mais aussi elle s'y épanouit : si Napoléon supprime bien des libertés acquises — la liberté d'opinion et de presse en particulier, ce qui explique la médiocrité de la littérature impériale —, il assoit, en revanche, à travers la réorganisation administrative, financière, juridique, religieuse et scolaire la paix intérieure du pays ainsi que la solidité de l'œuvre révolutionnaire; il tente par ses conquêtes d'étendre l'esprit de la Révolution et de l'imposer à l'Europe entière dont il voudrait détruire la structure absolutiste et féodale. En effet, en dépit d'une sorte de retour à l'inégalité sociale pour la création d'une noblesse de parade, la société impériale est bien une société bourgeoise : l'interdiction formelle de toute grève par le Code Civil et le livret individuel de l'ouvrier montrent dans quel sens on comprend alors la liberté. Aussi la chute de l'Empire entraîne-t-elle, avec une restauration monarchique imposée par l'étranger, une tentative de l'ancienne aristocratie pour récupérer un rôle prépondérant. Cette tentative échoue du fait de la croissance économique de la bourgeoisie. Mais cette croissance se fait aux dépens d'une classe populaire qui prend conscience, au cours du siècle, de son oppression et cherche à s'en délivrer; le XIXe siècle est, de ce fait, tout entier marqué par des peurs sociales qui colorent intensément la pensée et la littérature du temps.

Sous la Restauration, la lutte entre partisans de l'Ancien Régime et défenseurs de l'ordre nouveau est vive. Louis XVIII tente un compromis entre ces deux ordres et octroie au pays la Charte, libérale et censitaire, dont se satisfait la bourgeoisie, comme le clergé se plaît à diriger de nouveau une religion d'État. Mais la noblesse « ultra » saisit l'occasion de l'assassinat du duc de Berry, en 1820, pour tenter de rétablir l'Ancien Régime : une loi est votée qui punit de mort le sacrilège, une autre accorde un milliard aux émigrés pour les dédommager des pertes subies pendant la Révolution; le successeur de Louis XVIII, Charles X, est sacré à Reims, selon la pompe de l'Ancien Régime; on expie solennellement la mort de Louis XVI. La bourgeoisie s'inquiète, d'autant que les émigrés revenus sur leurs terres y retrouvent, avec la prospérité financière, une influence sociale en milieu rural. Lorsque Charles X publie, en 1830, quatre ordonnances qui violent la Charte, la peur qui grandit alors dans le petit peuple parisien — déjà privé de tout droit politique par le système censitaire, agacé de la bigoterie du règne, plus politisé aussi que le reste de la France — éclate en une insurrection de trois jours : les « Trois Glorieuses » de juillet 1830. La bourgeoisie utilise habilement cette révolution populaire pour installer au pouvoir, à la place d'un roi Bourbon figé dans le passé, Louis-Philippe, de la maison d'Orléans, roi bonhomme et tout acquis à ses vues. La noblesse devient légitimiste, se réfugie dans une opposition de salon sans efficacité et n'a plus aucune chance de revenir à un régime de type ancien.

La littérature a retrouvé une vigueur nouvelle depuis la chute de Napoléon : la liberté d'expression ranime l'imagination, la paix utilise les énergies que la guerre ne réclame plus, les contacts multiples avec l'étranger stimulent la réflexion. Cette littérature prend parti vis-à-vis du régime. Elle le refuse : parfois comme les idéologues — dont le meilleur représentant est Destutt de Tracy — au nom des principes de 1789, créant un courant libéral qu'illustre particulièrement Benjamin Constant; parfois comme Joseph de

Maistre ou le vicomte de Bonald, par fidélité au régime d'avant la Révolution [1]. Au contraire, elle peut l'admettre, admirant cet équilibre instable, comme Chateaubriand dans *La monarchie selon la Charte*, Lamennais, Ballanche ou Louis de Maller.

Par ailleurs, la succession si rapide des événements et des régimes, la vitalité des luttes politiques éveillent une passion extrême pour l'Histoire à qui l'on demande d'expliquer le présent par le passé. Les premiers historiens modernes apparaissent, tels Augustin Thierry, Thiers ou Guizot; Michelet baigne dans cette ambiance. La passion pour le passé est renforcée par le romantisme qui commence vers les années 1820-1830 à se former en France (il existe depuis longtemps en Angleterre et en Allemagne). Révolte, malaise, insatisfaction, le romantisme croit d'abord découvrir la cause de son mal dans le régime semi-libéral de Louis XVIII : il est donc, en un premier temps, royaliste et religieux, par conséquent stigmatisé par les libéraux, classiques et voltairiens; puis, vers 1824-1825, au moment où le ministère Villèle, conservateur, se montre statique, rigide et décevant, le romantisme change d'idéologie et reflète un libéralisme à la Rousseau. Hugo se fait le porte-parole de cette tendance nouvelle, qui déclare dans la préface d'*Hernani* que liberté dans l'art et liberté dans la société sont désormais indissolubles.

La tentation de l'expansion

La brève apparition du peuple sur la scène politique lors des Trois Glorieuses achève de révéler aux romantiques son immense misère. Après 1830, en effet, la bourgeoisie assure le pouvoir grâce à la monarchie parlementaire, et à son essor politique correspond son essor économique. Le capitalisme commercial — avantagé par une sévère politique protectionniste — enrichit régulièrement fabricants, commerçants et transporteurs, bien que l'industrialisation soit encore timide, les habitudes bancaires timorées et les chemins de fer mal acceptés par la mentalité collective (la première ligne est créée entre Lyon et Saint-Étienne en 1831, mais il n'y a que 3 000 km de voies ferrées en 1848). Puissante, riche, cette classe est aussi instruite : elle fréquente les lycées et les universités réorganisés par Napoléon et peu modifiés par la

1. Voir page 389.

Une des plus célèbres gravures de Daumier Thiers, ancien journaliste, brandit sa loi sur la presse (1835). D'où le titre : « Un parricide. »

Restauration, ou les collèges privés, tandis que les classes populaires doivent se contenter d'une rare instruction primaire créée en 1833 par Guizot (qui pensait que l'ignorance nuisait à la rentabilité du travail, et avait contraint chaque municipalité à prévoir une section scolaire dans son budget; en 1848, malgré tout, 1 % à peine des enfants scolarisables sont recensés dans les écoles primaires). Influente politiquement et économiquement, consciente de sa supériorité intellectuelle, la bourgeoisie est contente d'elle.

Pourtant, cette vitalité économique n'est possible que grâce au labeur de la France populaire dont la misère est dramatique et la détresse quotidienne. Les conditions de labeur sont terribles pour les ouvriers : horaires épuisants, ateliers insalubres, salaires très bas, habitat misérable, tel est le lot tant pour les femmes et les enfants que pour les hommes. Quelques lois sociales votées par la Monarchie de Juillet restent sans effet.

Cette désespérante réalité de la vie ouvrière semble insupportable à une petite élite. Ainsi naît une pensée « sociale », mais, qu'elle préfigure le socialisme, le communisme ou l'anarchisme, qu'elle soit laïque, religieuse ou empreinte de mysticisme, elle a souvent tendance à rester dans l'utopie, à refaire un autre monde et non à améliorer celui-ci. Elle est évasion vers l'ailleurs, vers le futur [1].

1. Voir pages 390-391.

Les romantiques sont sensibles, eux aussi, à cette désespérance ouvrière. Le romantisme purement littéraire s'épuise — Musset ne produit plus, Lamartine abandonne la poésie et Hugo le théâtre — tandis que le romantisme politique s'épanouit : George Sand prend la défense des humbles, Eugène Sue connaît un grand succès, Lamartine et Michelet se font historiens de 1789. Les écrivains deviennent même hommes politiques, comme Hugo et Lamartine, dénoncent l'injustice d'une société d'argent.

Toutes ces théories, tous ces écrits touchent assez peu les milieux populaires. Pourtant, les ouvriers s'agitent beaucoup de 1830 à 1848, font des grèves, provoquent des émeutes, dont la plus grave est en 1831 la révolte des Canuts de Lyon. Un journal strictement ouvrier apparaît en 1840 — *L'Atelier* —, qui commence à définir ce qu'est la lutte de classe. Mais la plupart des ouvriers et des artisans rejettent sur la monarchie censitaire la responsabilité de leurs maux, et espèrent le salut de la République.

Lorsqu'une crise — d'abord agricole — survient, avec son cortège habituel de faillites, de chômage, d'émotions populaires, la bourgeoisie s'écarte de la monarchie qui s'est montrée impuissante. La révolution éclate en février 1848, bourgeoisie et peuple unis dans un élan enthousiaste de fraternité, de confiance en l'homme, déposent le roi et proclament la République. Les premières mesures prises par le gouvernement provisoire — suffrage universel, abolition de la peine de mort politique, création des ateliers nationaux — entretiennent le rêve d'une humanité réconciliée par-delà les conflits de classe. L'annonce des révolutions nationales et libérales dans toute l'Europe encourage ce mythe.

Le réveil est brutal et tragique. Juin 1848 : le peuple réclame sa part, la bourgeoisie entend confisquer encore une fois la révolution à son profit. Le problème des ateliers nationaux — caricature bourgeoise de l'idée de Louis Blanc — fournit prétexte à l'insurrection populaire que le gouvernement provisoire réprime très durement. Dès lors les classes se dressent l'une contre l'autre, inexorablement.

Cet éclatement dérisoire de l'illusion généreuse marque la fin du romantisme politique — Hugo est effrayé par la révolte populaire, Lamartine récolte 18 000 voix seulement aux élections présidentielles du 10 décembre — qui entraîne dans sa chute le romantisme littéraire déjà bien effiloché.

Un épisode de la révolte des Canuts lyonnais en 1831 : répression à la barrière de la Croix-Rousse. (B.N. Paris.)

Progrès technique et développement capitaliste

Dans un pays dont une moitié est écrasée et l'autre tremblante, le Second Empire s'installe en position forte. Alors commence véritablement la révolution industrielle française. Les transports se développent : il y a 17 000 km de voies ferrées en 1870; réseau routier, voies maritimes et système postal s'améliorent. Le machinisme industriel, dont la machine à vapeur est la manifestation la plus répandue, la concentration des entreprises et le complet renouvellement des modes de financement (les grandes banques se créent; les métaux précieux affluent, venus d'outre-Atlantique) assurent à l'industrie un prodigieux développement. Tout cela favorise l'essor du commerce et des villes, et l'exode des campagnes s'accélère. Ces mutations économiques entraînent un changement des mentalités. Mais au libéralisme économique souhaité par Napoléon III et les Saint-Simoniens s'oppose l'attitude protectionniste du plus grand nombre des chefs d'entreprise.

Parallèlement, la vie des ouvriers se fait plus inhumaine. L'alliance bourgeoise a révélé son inanité : les organisations ouvrières prennent désormais le relais des utopistes et des romantiques bourgeois. La loi de 1864 sur les coalitions permet la formation de syndicats. La Première Internationale révèle la force du courant ouvrier, malgré d'importantes divisions internes provoquées par le conflit entre les idées de Proudhon et celles de Marx à propos de la collectivisation des biens de production. Le problème qui se pose aux ouvriers — de plus en plus conscients de former une classe définie — est celui de la stratégie militante. Des grèves éclatent pour obtenir de meilleures conditions de travail. Le syndicalisme apparaît de plus en plus détaché de la politique; une Confédération générale du Travail (C.G.T.) est créée en 1895 pour unifier les efforts des militants et éviter les dissensions que connaît le mouvement socialiste en politique : l'opposition entre « réformistes » et « révolutionnaires » est déjà nette, qui va si longtemps déchirer la pensée ouvrière.

Les exploiteurs du peuple : l'entrepreneur, dessiné par Baron en 1845. (B.N. Paris.)

Face à ce monde bouleversé, la littérature réagit contradictoirement. Une partie des écrivains s'enferment dans un dédain hautain et cultivent l'art pour l'art, se désolidarisant totalement de la vie sociale, comme Théophile Gautier. D'autres, au contraire, séduits par la science, voyant en elle l'avenir et le bonheur de l'humanité, se font ses chantres, tels Auguste Comte et les scientistes. Quelques-uns, enfin conscients du prodigieux tourbillon dans lequel ils sont entraînés, cherchent à comprendre et à décrire tout ce qu'ils voient; ils entraînent la littérature vers le « réalisme » ou le naturalisme.

Un seul, peut-être, reste fidèle au romantisme humanitaire : Victor Hugo.

LE MOUVEMENT DES IDÉES DANS LA PREMIÈRE MOITIÉ DU XIXe SIÈCLE

1815-1830

Le relatif libéralisme du régime issu de la Restauration de 1814-1815 encourage les discussions théoriques sur les problèmes politiques, économiques et sociaux. L'aventure napoléonienne est terminée, la Révolution est lointaine déjà : les intellectuels s'interrogent sur la voie qu'il convient de choisir.

Certains, tournés vers le passé, désirent une restauration de l'ordre ancien, mêlant à des degrés divers le politique et le religieux; d'autres, les grands bénéficiaires de la Révolution, les fonctionnaires, les gros bourgeois, s'occupent simplement d'aménager au mieux le présent, veulent une monarchie constitutionnelle et, opportunistes, se préoccupent peu d'idéologie; d'autres enfin, conscients des modifications sociales qu'apportent les techniques, tentent de définir et d'organiser le futur.

Les nostalgiques de l'Ancien Régime, attribuant aux philosophes du XVIIIe siècle la responsabilité des désordres et des guerres récentes, souhaitent un retour à une monarchie de droit divin qu'ils s'attachent à justifier par de puissants systèmes métaphysiques. Le Cévenol Louis de Bonald (1754-1840), qui conçoit la Révolution comme une divagation hors de l'ordre des choses et des lois de la nature, veut retourner à une monarchie féodale, au sein de laquelle noblesse et gouvernement — intimement liés — s'appuient sur un catholicisme intransigeant. Ballanche (1776-1847) insiste davantage encore sur la nécessité de retrouver le sentiment religieux : il rejoint par là Chateaubriand. Dans cette lignée, le Savoyard Joseph de Maistre (1754-1821) s'impose à la fois comme penseur et comme écrivain : réalisant la synthèse du catholicisme le plus austère et de l'illuminisme irrationnel de la fin du XVIIIe siècle, il entend expliquer la situation politique de la France post-révolutionnaire et même prévoir l'évolution des temps à venir. Dans ses *Soirées de Saint-Pétersbourg* (1821), il justifie par la notion de péché originel l'absolutisme royal (seul frein aux exactions du mal) et confie au sang versé la régénération de l'espèce humaine. D'un style souple et coloré, sa prose se déploie aussi bien dans les tableaux apaisés que dans les visions apocalyptiques. Il fonde étroitement la vie publique sur le catholicisme, mais le catholicisme ultramontain (celui qui accorde au pape la prééminence sur le roi).

A cette noblesse cléricale s'oppose tout un courant libre-penseur, spécifiquement bourgeois, alimenté par la tradition philosophique du siècle précédent. Libéralisme et anticléricalisme s'allient dans les chansons tendancieuses de Béranger comme dans les pamphlets de Paul-Louis Courier (1772-1825). Qu'il s'agisse de problèmes politiques importants (liberté de presse, etc.) ou d'anecdotes locales (interdiction de danser dans un village), ce dernier caricature le pouvoir, présente de mordants portraits d'hommes en place (politiciens bornés, curés dépravés) : le détail ainsi observé prend sous sa plume un relief saisissant à mi-chemin entre le

Lithographie du vicomte de Bonald. (B.N. Paris.)

classicisme d'un La Bruyère et l'ironie d'un Voltaire.

Entre ces deux tendances se dresse le catholicisme libéral. L'attitude gallicane de Louis XVIII, puis le spectacle de la persécution anticatholique à laquelle se livrent les monarques en Irlande et en Belgique (lois de 1825) font, en effet, virer une fraction importante des ultramontains vers l'opposition à l'absolutisme, vers le libéralisme. Le porte-parole de ce mouvement est Lamennais (1782-1854) qui explique, en 1829, dans *Du progrès de la Révolution, et de la guerre contre l'Église*, l'inanité désormais de l'union du trône et de l'autel, et la nécessité pour l'Église de cultiver son indépendance (liberté d'enseignement et de presse) en s'appuyant sur Rome.

Les fondements moraux de la société ne sont pas les seuls thèmes auxquels s'intéresse une pensée engourdie par quinze ans de censure napoléonienne. Le développement économique, dont la monarchie ne semble pas se préoccuper, se fait anarchiquement. Les différends entre patrons et ouvriers commencent à s'accuser. Ni les uns ni les autres ne cherchent pourtant à définir l'avenir — leur avenir. Ils laissent ce soin à des penseurs, des philosophes qui visent à organiser la production pour le plus grand bonheur de tous. Les systèmes imaginés sont de caractère nettement utopique. Opposés à l'individualisme excessif des libéraux romantiques, les socialistes mettent l'accent sur l'égalité et attaquent le système de la propriété. Sismondi craint que le machinisme n'écrase l'homme, il récuse la relation patron/ouvrier, songe à une organisation du travail, mais finalement ne propose aucun système cohérent. Le comte de Saint-Simon (1760-1825), dans son *Nouveau christianisme*, prêche pour une société industriellement développée (il oppose les producteurs aux oisifs) et conduite par un pouvoir spirituel. Charles Fourier (1772-1837) propose de son côté une nouvelle société dans laquelle chacun travaillerait dans la joie, selon ses passions, avec le maximum d'efficacité. Ses idées sociales ne peuvent être séparées de la morale sur laquelle elles prennent appui : « On ne peut espérer le règne de la vertu, de la justice et de la vérité que dans un mécanisme social qui les rendra plus lucratives que le vice, l'iniquité, la fausseté. » Des cellules fouriéristes — « phalanstères » —, toujours restées dans le domaine de l'utopie, témoignent d'un premier effort d'organisation de la vie sociale selon des données nouvelles : par là elles annoncent les expériences plus poussées du socialisme scientifique de la seconde moitié du siècle.

Mais toutes ces idées socialistes ne touchent qu'un petit cénacle de bourgeois libéraux ou de nobles déclassés. Pendant ce temps, les ouvriers restent confinés dans le vieux système des compagnonnages (groupements des gens d'un même métier), essayant timidement de fonder des sociétés de secours mutuel. La grève demeure un délit; la liberté d'expression est inexistante. Aucun contact ne se fait avec les penseurs réformateurs.

1830-1848

La révolution de 1830, au cours de laquelle la bourgeoisie utilise les mouvements populaires pour se débarrasser d'une noblesse décadente et installer un roi bourgeois, marque une grave désillusion ouvrière.

Les revendications présentées en août et septembre 1830 à Paris, les grèves nombreuses, l'insurrection lyonnaise de 1831, tout cela se solde par un échec. Du moins les ouvriers commencent-ils à prendre conscience de former un groupe, une classe sociale, ce qui favorise un semblant de pénétration des doctrines socialistes en son sein, et par-delà un renouvellement du mouvement idéologique. L'Ancien Régime est mort définitivement et sans recours : il s'agit d'organiser le nouveau.

Les disciples de Saint-Simon précisent sa doctrine et intensifient leur propagande, mais se divisent bientôt : les uns, mystiques, écoutent Enfantin qui propose dans sa *Religion de l'humanité* une vision renouvelée de l'homme; les

Portrait de Lamennais Coll. privée.

Portrait de Fourier. Musée Carnavalet. « Ce phare, l'un des plus éclairants que je sache » (André Breton).

autres, réalistes, suivent Bazard, dont la théorie « s'épanouira en conseil d'administration » (Jacques Vier). L'école de Fourier connaît aussi un bref regain de popularité sous la direction de Victor Considérant (1808-1893), mais un essai de phalanstère, en 1832 dans la Seine-et-Oise, n'aboutit qu'à une catastrophe.

En même temps, le catholicisme — absolument étranger à 1830 — est pourtant confondu dans le mépris voué à la monarchie renversée, et l'anticléricalisme se développe avec violence. Lamennais, avec l'abbé Lacordaire (1802-1861) et le comte de Montalembert (1810-1870), fonde le journal *l'Avenir* pour réconcilier le peuple avec le clergé : mais le pape, par l'encyclique *Mirari Vos* (août 1830), condamne cette orientation que Lamennais reste seul à défendre. En 1834, il dédie ainsi les *Paroles d'un croyant* « au peuple » pour « le ranimer et le consoler ». Romantique de tempérament, il s'attache moins à prouver qu'à émouvoir; les symboles abondent dans ses pages, les visions succèdent aux grandes envolées pour marquer le lien entre la démocratie et la foi. Ses idées humanitaires évitent l'exode massif des républicains vers l'athéisme.

Car le problème social commence à préoccuper les républicains jusque-là uniquement soucieux de problèmes politiques, et une doctrine sociale unifiée tend à s'élaborer à travers les tentatives de Buonarotti, Buchez et Pierre Leroux.

Des manifestations ouvrières continues, puis une stabilisation de la condition ouvrière vers 1840-1841, due à un début de législation sociale, à l'emploi d'une abondante main-d'œuvre dans les constructions ferroviaires et à l'appel de colons et de soldats en Algérie, vont faire éclore une nouvelle génération de réformateurs sociaux, divisés en deux grands courants.

La moyenne bourgeoisie développe une idéologie socialiste, encore pleine de religiosité, et tente de remplacer la lutte des classes par une bonne volonté réciproque. Les deux penseurs qui représentent ce courant sont Louis Blanc (1811-1882), dont la brochure *De l'organisation du travail* suggère la création d'unités coopératives de production — les Ateliers sociaux —, et Pierre-Joseph Proudhon (1809-1865), le spécialiste des formules à l'emporte-pièce, qui prône un retour à la petite propriété, la création de coopératives de production et de consommation dans le cadre de communes autonomes.

Le courant communiste, lui, discerne la lutte des classes, souhaite une redistribution des moyens de production. Étienne Cabet (1788-1856) reste dans la tradition utopiste avec son *Voyage en Icarie* (1837) : en un lieu imaginaire une situation sociale idyllique où les besoins matériels de chacun sont satisfaits; il entend parvenir à ce stade sans recourir à la violence, par des méthodes démocratiques. A cette tradition « réformiste » s'oppose le communisme révolutionnaire de Blanqui (1805-1881) dont la doctrine est celle qui pénètre le mieux les milieux artisanaux et ouvriers, par l'intermédiaire d'une multitude de sociétés secrètes et de feuilles clandestines. Blanqui prône l'insurrection et la violence comme seules capables de bouleverser l'ordre établi.

Le courant anarchiste ne se distinguera des précédents que plus avant dans le siècle.

Tandis qu'une petite élite bourgeoise s'occupe de réformer le monde, la majorité s'installe dans une libre pensée peu virulente; la franc-maçonnerie n'est plus une antireligion, les éditions de Voltaire se vendent moins, et l'on admet que la religion apprend fort utilement au peuple la résignation. Le représentant du mode de pensée le plus répandu est Victor Cousin, dont l'éclectisme mêle savamment philosophie et croyance. On se détache de la religion, on ne la combat plus.

Certes le rationalisme çà et là prend naissance; la critique religieuse scientifique apparaît. Mais tout cela passe encore inaperçu.

La crise de 1848 va mettre à l'épreuve toutes ces théories, affronter toutes ces conceptions de la vie, et modifier profondément la vie sociale et intellectuelle de la France.

LE ROMANTISME : DES THÉORIES AUX ŒUVRES

Une fois retombés les grondements de la puissante tourmente révolutionnaire, l'esprit se met à bouillonner : peu d'époques peuvent, comme ce premier tiers du XIXe siècle, se flatter d'avoir connu une telle effervescence d'idées. Peu à peu, sous l'influence de jeunes écrivains de toutes origines et de toutes tendances, se constitue une école soucieuse de transposer les acquis politiques et sociaux de la Révolution dans le domaine littéraire. Au nom d'une nouvelle sensibilité, certains réclament une « littérature plus vaste, plus libre, plus sentimentale et surtout plus énergique », c'est-à-dire une littérature qui soit, selon le vœu de Madame de Staël, « l'expression de la société ».

Romantique n'est plus aujourd'hui qu'un vague qualificatif pour des attitudes extérieures (rêverie, sensibilité, exaltation), la surface d'un vaste mouvement dont les ambitions furent à la mesure de ses créateurs et dans lequel la littérature moderne a puisé maints éléments.

LA GUERRE CIVILE DE LA LITTÉRATURE

C'est en ces termes qu'à la veille d'*Hernani* le journal *Le Moniteur* présentait l'horizon littéraire. Et de fait, pour qui regarde l'histoire des années 1800-1850, il semble bien que l'on ait affaire à une nouvelle guerre des anciens et des modernes, et que l'opposition ne soit plus seulement esthétique mais aussi politique.

L'ère des découvertes (1800-1820)

Durant les premières années du siècle, les effets de la Révolution se font sentir sur les esprits : depuis son exil suisse de Coppet, Madame de Staël exige une littérature libérée des contraintes du classicisme dont l'effet est d'

étouffer de nobles sentiments, de tarir la source des pensées

tandis que Chateaubriand jette dans *Le génie du christianisme* les premiers thèmes spirituels du romantisme.

Mais, en même temps qu'ils revendiquent cette ouverture, les écrivains élargissent l'horizon littéraire en se tournant vers leurs collègues étrangers. C'est ainsi qu'en 1813 sont publiés les premiers ouvrages qui attaquent de front la citadelle classique. Trois essais issus du château de Coppet, refuge de Madame de Staël et de ses amis, affirment que

Germaine Necker, baronne de Staël en 1792 par Isabey. (Musée du Louvre, Paris.)

D'autres grands hommes ont existé dans d'autres langues (Sismondi)

que si

l'art et la poésie antique n'admettent jamais le mélange des genres hétérogènes, l'art romantique, au contraire, se plaît dans un rapprochement continuel des choses les plus opposées (Schlegel)

ou même que

la littérature romantique est la seule qui soit susceptible encore d'être perfectionnée, parce qu'ayant ses racines dans notre propre sol. (Mme de Staël)

Dès lors les écrivains étrangers pénètrent, malgré l'opposition des « bons esprits » : le théâtre découvre Schiller, Goethe et Shakespeare; la poésie s'oriente, sous l'influence de Byron, vers le fantastique macabre et, grâce aux *Nuits* de Young (1747), dans la voie de l'élégie; enfin, les *Waverley Novels* de Walter Scott développent le goût du merveilleux moyenâgeux.

Un climat nouveau se crée ainsi, correspondant à un « état d'âme collectif » pour lequel la publication des *Méditations poétiques*, en mars 1820, sera le premier grand triomphe.

Le temps des manifestes (1820-1830)

Des *Méditations* à *Hernani* des noms nouveaux apparaissent (Balzac, Stendhal, Nerval), les œuvres se multiplient, les manifestes surtout, qui peu à peu forment le corps de doctrine de la nouvelle génération. Toutefois, avant que l'école romantique ne s'impose, il aura fallu mettre de l'ordre dans la « boutique romantique ». En effet, face aux classiques groupés autour de l'Académie et de son directeur (Auger), les romantiques n'offrent que des bandes isolées que divise la politique : les uns, réunis au *Conservateur littéraire*, affichent des idées « bien-pensantes » (Hugo, Vigny, Deschamps); les autres, habitués du salon de Delécluze, professent des idées libérales. C'est d'ailleurs l'un de ces derniers, Stendhal, qui lancera le premier véritable assaut contre le classicisme en opposant sa conception du théâtre à celle de Racine :

Le combat à mort est entre le système tragique de Racine et celui de Shakespeare.
(Racine et Shakespeare I)

Ainsi, malgré des convictions littéraires semblables, les oppositions politiques gênent le développement du romantisme en maintenant l'équivoque. D'autant que les deux groupes semblent s'ignorer plus que jamais en créant chacun son propre journal, *la Muse Française* d'inspiration conservatrice, *le Globe* d'esprit libéral et dont les mots d'ordre sont : « liberté et respect du goût national ».

Cette situation trouble dure jusqu'au jour où, devant les attaques répétées de la droite classique, les romantiques-conservateurs s'associent aux thèses du *Globe* et réclament, en 1825, la Révolution littéraire :

Le goût en France attend son 14 juillet. [...] Le romantisme, c'est en deux mots, le protestantisme dans les lettres et les arts.

Dans son salon de la rue Notre-Dame-des-Champs, Hugo fait rapidement figure de chef d'école : et comme le fief du classicisme est le théâtre, c'est sur ce terrain que les romantiques placent d'emblée la lutte. D'où une suite de manifestes signés Hugo, Deschamps, Sainte-Beuve ou Vigny, qui, en l'espace de trois années (1827-1829), s'attachent à fixer les nouvelles aspirations littéraires des romantiques, en définissant, à travers le drame, un théâtre total :

Le théâtre est un point d'optique. Tout ce qui existe dans le monde, dans l'histoire, dans la vie, dans l'homme, tout doit et peut s'y réfléchir, mais sous la baguette magique de l'art. (V. Hugo)

Mais de la doctrine aux œuvres, il reste une distance que tous vont s'efforcer de franchir dans les plus brefs délais : chacun y va de son roman historique, de son recueil poétique ou de son drame. Cependant, malgré les succès, il n'existe pas encore d'exploit analogue au triomphe du *Cid*.

Le 25 février 1830 enfin, bravant la censure, la réserve des comédiens et la cabale des classiques, Hugo fait applaudir *Hernani*. « La brèche est ouverte, nous passerons », prétendait-il peu de temps auparavant. Et de fait, les romantiques « passèrent ». La « bataille » d'*Hernani* gagnée, il ne leur restait plus qu'à accomplir les immenses promesses dont ils étaient porteurs.

Du triomphe à l'éclatement

1830 ne fut pas seulement le triomphe romantique, ce fut également « une halte au milieu d'un siècle, semblable à un plateau de montagne entre deux versants » (Lamartine). A la crise littéraire s'ajoutent, en effet, les troubles politiques qui précipitent la chute de la Restauration et surtout une grave inquiétude spirituelle. En effet, l'apparition de nouvelles attitudes superficielles dans le sillage du romantisme triomphant crée

	POLITIQUE LITTÉRATURES ÉTRANGÈRES	ESSAIS ET THÉORIES
1800	Bonaparte Premier Consul	MME DE STAËL : *De la littérature*
1801	SCHILLER : *Marie Stuart*	
1802		
1803	COLERIDGE : *Poèmes*	
1804	Napoléon Empereur	
1805		
1806	BYRON : *Pièces fugitives*	
1807	GOETHE : *Torquato Tasso*	
1808	GOETHE : *Faust*	
1809		B. CONSTANT : *Réflexions sur le théâtre allemand*
1810	W. SCOTT : *La dame du lac*	MME DE STAËL : *De l'Allemagne* (1)
1811	BYRON : *Le pèlerinage de Childe Harold*	
1812	Campagne et retraite de Russie	
1813	KEATS : *Othon le Grand*	MME DE STAËL : *De l'Allemagne* Traduction du *Cours de littérature dramatique de* SCHLEGEL SISMONDI : *De la littérature du Midi de l'Europe*
1814	S. PELICO : *Francesca da Rimini*	
1815	Waterloo. Seconde Restauration	
1816		*L'antiromantique* (pamphlet)
1817	BYRON : *Manfred*	
1818		NODIER : trois articles romantiques
1819	SHELLEY : *Les Cenci*	Fondation du *Conservateur littéraire*
1820	MANZONI : *Le comte de Carmagnola* W. SCOTT : *Ivanhoe*	
1821	W. SCOTT : *Kenilworth*	
1822	HEINE : *Poésies* LEOPARDI : *Poésies*	
1823	W. SCOTT : *Quentin Durward* F. COOPER : *Les pionniers*	MANZONI : *Lettre à M. C°°°* STENDHAL : *Racine et Shakespeare I* SENANCOUR : *Considérations sur la littérature romantique*
1824	Charles X succède à Louis XVIII	Fondation du journal *le Globe* AUGER : *Discours* contre le romantisme
1825	POUCHKINE : *Boris Godounov*	STENDHAL : *Racine et Shakespeare II*
1826		
1827	MANZONI : *Les fiancés*	HUGO : « Préface » de *Cromwell*
1828		SAINTE-BEUVE : *Tableau de la poésie française au XVIe siècle* DESCHAMPS : *Études françaises et étrangères*
1829		VIGNY : *Lettre à Lord °°°* VIGNY : *Réflexions sur la vérité dans l'art*
1830	Révolution : Louis-Philippe roi des Français	
1831	POUCHKINE : *Eugène Onéguine*	
1832	GOETHE : *Faust* (2e partie)	NODIER : *Du fantastique en littérature*
1833	HEINE : *L'école romantique* ANDERSEN : *Contes*	

1. L'ouvrage était prêt à paraître en 1810 lorsque Napoléon en fit détruire les épreuves. Il fut publié à

THÉATRE	ROMANS ET PROSES	ŒUVRES POÉTIQUES
	Chateaubriand : *Atala*	
	Chateaubriand : *Le génie du christianisme* dont le chap. II, 3e partie, forme le récit de *René*	
	Senancour : *Obermann*	
	Mme de Staël : *Corinne*	
B. Constant : *Wallstein* Lemercier : *Christophe Colomb*	Chateaubriand : *Les martyrs*	
		Millevoye : *Élégies*
	Traductions des romans de W. Scott B. Constant : *Adolphe*	
		Traduction de Byron
	Nodier : *Jean Sbogar*	
Traduction de Shakespeare, Goethe et Schiller Ladvocat lance sa collection des *Chefs-d'œuvre du théâtre étranger*		Lamartine : *Méditations poétiques*
	Stendhal : *De l'amour* Nodier : *Trilby*	Hugo : *Odes* Vigny : *Poèmes*
	Hugo : *Han d'Islande*	Lamartine : *Nouvelles méditations* Vigny : *Eloa*
		Hugo : *Nouvelles odes*
Mérimée : *Théâtre de Clara Gazul*	Hugo : *Bug-Jargal*	Vigny : *Poèmes antiques et modernes*
	Chateaubriand : *Les Natchez* Vigny : *Cinq-Mars*	
Hugo : *Cromwell* Nerval traduit *Faust* de Goethe	Stendhal : *Armance*	Marcelline Desbordes-Valmore : *Élégies et poésies nouvelles*
Vigny : *Le more de Venise* Dumas : *Henri III et sa cour*	Balzac : *Les Chouans* Mérimée : *Chroniques du règne de Charles IX*	Hugo : *Les orientales*
Hugo : *Hernani*	Musset : *Contes d'Espagne et d'Italie* Stendhal : *Le rouge et le noir*	Lamartine : *Harmonies*
Vigny : *La maréchale d'Ancre* Dumas : *Antony*	Hugo : *Notre-Dame de Paris* Balzac : *La peau de chagrin*	Hugo : *Les feuilles d'automne*
Hugo : *Le roi s'amuse* Dumas : *La Tour de Nesle*	Vigny : *Stello* G. Sand : *Indiana*	Gautier : *Poésies*
Hugo : *Lucrèce Borgia* Musset : *Les caprices de Marianne*	Balzac : *Eugénie Grandet* G. Sand : *Lélia*	

Londres en 1813.

	POLITIQUE LITTÉRATURES ÉTRANGÈRES	ESSAIS ET THÉORIES
1834	Insurrection républicaine. Massacre de la rue Transnonain	
1835	GOGOL : *Le journal d'un fou* BÜCHNER : *Woyzeck*	
1836	Thiers président du Conseil	MUSSET : *Lettres de Dupuis et Cotonet*
1837	LENAU : *Faust*	
1838	POE : *Arthur Gordon Pym*	MUSSET : *De la tragédie*
1839	Ministère Guizot	SAINTE-BEUVE : *De la littérature industrielle*
1840	POE : *Contes*	
1841		
1842	GOGOL : *Les âmes mortes*	BALZAC : *Avant-propos* à *La comédie humaine*
1843		
1844	ZORILLA : *Don Juan Tenorio*	
1845	WAGNER : *Tannhaüser*	NETTEMENT : *Étude sur le feuilleton-roman*

une nouvelle mode (dandysme à la Musset, « Jeune-France » de Gautier et Dumas, bohème littéraire), sans qu'on cesse pour autant de partir à la recherche d'un ordre meilleur : révolte des « Petits romantiques » (Borel, O'Neddy) contre la condition humaine, aspirations intérieures d'un Nerval...

Parallèlement, cette période de crises oblige les écrivains à se tourner de façon plus nette vers le monde social qui les entoure puisque, selon l'expression de Pierre Leroux [1],

l'art n'a pu renaître que lorsque les artistes ont tourné leurs regards vers les grands problèmes.

C'est l'occasion pour le romantisme d'affirmer sa vocation « civilisatrice ». Lamartine réclame une poésie nouvelle

qui doit suivre la pente des institutions et de la presse; qui doit se faire peuple, et devenir populaire comme la religion, la raison et la philosophie.

(Des destinées de la poésie)

tandis qu'Hugo, amplifiant les aspirations que Vigny avait exprimées dans *Stello*, définit la « fonction du poète » et de la littérature

mission nationale, mission sociale, mission humaine.

1. Pierre Leroux (1797-1871), philosophe et homme politique saint-simonien.

George Sand, de son côté, s'attache même à créer une poésie « prolétarienne » :

Le ciel m'a fait poète : mais c'est pour vous faire entendre le cri de la misère du peuple, pour vous révéler ses droits, ses forces, ses besoins et ses espérances, pour flétrir vos vices, maudire votre égoïsme, et présager votre chute...

Malheureusement, cet art « engagé » sèmera les premiers ferments de divergence au sein du mouvement romantique : face aux poètes sociaux, Gautier et ses amis forment l'école de « l'art pour l'art » dont le *credo* est diamétralement opposé aux nouvelles thèses de Lamartine ou de Hugo :

Il n'y a de vraiment beau que ce qui ne peut servir à rien.

A ces dissidences s'ajoute la lassitude du public dont Sainte-Beuve se fait l'écho en 1843 :

Décidément l'École finit; il faut en percer une autre; le public ne se réveillera qu'à quelque nouveauté bien imprévue.

Lassitude qui se manifeste par l'échec du drame des *Burgraves* et le succès de la *Lucrèce* de Ponsard, fidèle à la tradition classique :

Las de tous ces efforts prétentieux, pesants, ou de ces licences immorales, on s'est rejeté au classique pur [...] Corneille, Racine, réaction pure.

(Sainte-Beuve)

THÉATRE	ROMANS ET PROSES	ŒUVRES POÉTIQUES
VIGNY : *Chatterton* MUSSET : *Lorenzaccio*	SAINTE-BEUVE : *Volupté* BALZAC : *La recherche de l'absolu*	LAMARTINE : *Les destinées de la poésie*
HUGO : *Angélo*	BALZAC : *Le père Goriot. Le lys dans la vallée*	MUSSET : les deux premières *Nuits*
	GAUTIER : *Mlle de Maupin* MUSSET : *La confession d'un enfant du siècle*	LAMARTINE : *Jocelyn*
	BALZAC : *Les illusions perdues* MÉRIMÉE : *La Vénus d'Ille* VIGNY : *Daphné*	
HUGO : *Ruy Blas*	E. SUE : *Arthur*	
	STENDHAL : *La chartreuse de Parme* BALZAC : *Splendeur et misères des courtisanes*	
NERVAL traduit le 2e *Faust* de Goethe	MÉRIMÉE : *Colomba*	Traduction de *La divine comédie* de Dante HUGO : *Les rayons et les ombres*
	BALZAC : *Ursule Mirouet*	
	E. SUE : *Les mystères de Paris* G. SAND : *Consuelo*	
HUGO : *Les Burgraves* PONSARD : *Lucrèce*		
	DUMAS : *Les trois mousquetaires* et *Le comte de Monte-Cristo* CHATEAUBRIAND : *La vie de Rancé*	VIGNY : *La maison du berger*
	MÉRIMÉE : *Carmen*	

Les chefs-d'œuvre tardifs

Même s'il se dissout en tant qu'école constituée, le romantisme a encore de belles années à vivre. Certes, Balzac oriente le roman vers le réalisme, et ni Baudelaire, ni Leconte de Lisle, ne sont de purs romantiques. C'est pourtant après 1845 que les grands romantiques donnent la pleine mesure de leur talent : outre la carrière d'un Hugo qui se prolonge jusqu'à la fin du siècle et demeure, malgré des évolutions certaines, fidèle à l'esthétique romantique, les grands poèmes de Vigny sont publiés à partir de 1843, l'œuvre de Nerval se développe autour des années 1850.

Bien plus tard, à l'aube du XXe siècle, un Villiers de l'Isle-Adam prétendra être un « romantique-classique », réconciliant en une pirouette les deux frères ennemis de la littérature.

L'ESPRIT DU ROMANTISME

Le romantique suffit seul aux âmes profondes, à la véritable sensibilité

écrit Senancour dans *Oberman*, révélant ainsi la nature réelle de ce qui fut, bien avant de devenir une école littéraire, la manifestation d'une sensibilité nouvelle et d'un désir de rendre à l'imagination ses droits.

L'âme romantique : « le livre de mon cœur à toute page écrit »

Un matin, ...me vint du ciel comme un éclair cette idée : « Je suis un moi », qui dès lors ne me quitta plus; mon moi s'était vu lui-même pour la première fois, et pour toujours.

Cette découverte de la subjectivité qu'exprime le poète allemand Jean-Paul se trouve au cœur de l'expérience romantique : d'où la floraison des genres autobiographiques (récits personnels, mémoires, journaux intimes) dans la première moitié du siècle.

Le règne exclusif du *moi* peut s'expliquer par les conditions historiques qui font de la période post-révolutionnaire des années de « crise de la conscience » et amènent de sérieuses modifications dans les rapports de l'homme au monde. Alors que les classiques considéraient la raison comme un guide infaillible et faisaient d'elle la substance même de l'homme, les romantiques laissent avant tout libre cours à leur sensibilité : à l'honnête homme monolithique, parfait et satisfait de son sort, se substitue un être divers, complexe, révolté contre le monde et la société, en proie au déséquilibre constant [1]. Tour à tour le romantique présente les diverses faces de sa personnalité, refusant le masque déshumanisé du personnage social exhibé par le classicisme.

Tel il se présente au lecteur, tel se ressent profondément le romantique : divisé, morcelé dans son intimité, il cherche à reconquérir son unité originelle (et originale) à travers l'espace et le temps. Et, bien avant Proust, il sent que la littérature (et l'art en général) peut seul le sauver de la ruine à laquelle le condamne le cours des ans.

« *La pitié, la souffrance et l'amour* »

L'importance du sentiment explique que les manifestations de la vie affective tiennent une place de choix dans la « psychologie » romantique. Et tout d'abord l'amour : ni construction raisonnée, ni impulsion sensuelle, mais principe divin, comme se plaît à le dire Musset à la suite des poètes allemands :

> L'amour c'est la foi, c'est la religion du bonheur terrestre.

Amour heureux certes, mais surtout contrarié : il n'est pas un écrivain qui n'ait exprimé les affres de la solitude et de la mélancolie qu'engendre le sentiment trahi, d'autant que

> la poésie mélancolique est la poésie la plus d'accord avec la philosophie. La tristesse fait pénétrer bien plus avant dans le caractère et la destinée de l'homme que toute autre disposition de l'âme.
>
> (Mme de Staël)

Ce bonheur que lui refuse la femme, le romantique va le chercher au milieu de la nature : car il semble bien qu'il faille mettre sur le même plan l'une et l'autre, la beauté fatale qui sème derrière elle malheur et souffrance, qui

> [...] se fait aimer sans aimer elle-même;
> Un maître lui fait peur. C'est le plaisir qu'elle [aime!

ainsi que la décrit Vigny, et la nature, paisible réconfort du poète comme le souligne Lamartine :

> Mais la nature est là qui t'invite et qui t'aime!

1. Il convient de se souvenir que l'Alceste du *Misanthrope* fut, pour toutes ces raisons, compris par la génération de 1830 comme un héros romantique.

« Elle s'évanouit entièrement dans mes bras » : vignette suggestive des mœurs romantiques (passions violentes, nature et nocturne...) (B.N. Paris.)

Parfois l'assimilation peut être suggérée par l'écrivain lui-même : ainsi dans « Tristesse d'Olympio », Hugo, ne trouvant pas le réconfort souhaité, adresse à la nature les mêmes reproches qu'à son amante :

> Que peu de temps suffit à changer toutes choses!
> Nature au front serein, comme vous oubliez!
> Et comme vous brisez dans vos métamorphoses
> Les fils mystérieux où nos cœurs sont liés!

Rien d'étonnant dès lors que la génération romantique ait vu dans un Oberman le premier véritable héros du monde nouveau [1].

Le héros romantique

L'attitude de l'homme à l'égard du monde et de ses semblables détermine en ce début du

1. Voir p. 361.

XIXe siècle la naissance d'un nouveau personnage littéraire

> qu'il serait inexact d'assimiler sans plus ample informé à ses prédécesseurs ou contemporains sur la scène littéraire. [...] Le héros romantique est un type plutôt qu'un modèle; il suscite l'intérêt ou l'admiration plutôt qu'il n'est proposé comme devant être imité (1).

Isolé dans la société, objet d'une fatalité malheureuse, le héros romantique vit avec frénésie : il hait avec démesure — comme Antony (2), aime sans frein, s'agite, mais se retrouve finalement vaincu par une implacable malédiction (voir *Cinq-Mars*) (3).

Cependant, il est possible de se demander si le véritable héros romantique n'est pas en fait « l'artiste, le créateur »,

> le héros sans armes qu'avait déjà chanté Pascal, mais que les Lumières n'avaient su présenter que d'une manière plate, intellectuelle [le civilisateur] (4),

chargé d'une mission humanitaire, pacifique, sociale — comme en témoignent l'évolution du romantisme après 1830, la tendance « socialisante » du roman et de nombreux poèmes.

Le besoin d'évasion : « les éléments extérieurs » du romantisme

Le romantisme étend le domaine de l'imagination. Et cela aussi bien dans l'espace que dans le temps, comme le souligne Gautier :

> Ce qui nous distingue, c'est l'exotisme; il y a deux sens de l'exotisme : le premier vous donne le goût de l'exotique dans l'espace, le goût de l'Amérique, le goût des femmes jaunes, vertes, etc. Le goût plus raffiné, une corruption suprême, c'est le goût de l'exotisme dans le temps.

Tout commentaire est superflu : il suffit de s'arrêter aux titres des romans ou des recueils pour voir combien l'Orient, le Moyen Age et le mystère ont séduit les générations romantiques. Mystère que l'artiste ne se contente pas de traquer dans les éléments, mais qu'il poursuit au fond de lui-même par la poétique du rêve ou du souvenir.

Les romantiques ne pouvaient donc que refuser les cadres traditionnels de la littérature, inadaptés aux nouveaux besoins, et chercher à créer un « art moderne », capable de satisfaire leurs aspirations les plus diverses.

1. Paul Van Tieghem, *Le romantisme dans la littérature européenne*, Albin Michel, pp. 253-254.
2. Voir p. 401.
3. Voir p. 404.
4. Philippe Sellier, *Le mythe du héros*, U. L. B. Thématique, p. 104.

LA TENTATION DU THÉÂTRE TOTAL

Le XIXe siècle n'a pas le privilège d'avoir été le premier à critiquer la doctrine classique : déjà les philosophes du drame bourgeois avaient tenté de créer un théâtre « engagé », libéré des contraintes rigoureuses de la tragédie louis-quatorzienne. Sans doute la réussite fut-elle moins grande que ne le laisseraient supposer l'abondance des théories et le foisonnement des pièces. Toutefois, par bon nombre de ses audaces, le drame « larmoyant » ouvrait la voie aux doctrinaires romantiques et tournait définitivement la page classique du théâtre français.

De même que le passage de la dramaturgie classique au drame bourgeois s'était effectué selon un lent processus de dégénérescence et de pièces transitoires, de même l'apparition du drame romantique fut-elle précédée de signes avant-coureurs.

Vers le drame romantique : mélodrame et tragédie historique

La Révolution sépare Diderot de Hugo, de même qu'elle sépare le public de 1760 de celui, plus étendu, de 1820. Les goûts, sous l'influence des grands bouleversements, ont changé, assurant le succès d'un genre hybride : le mélodrame (1). Successeur logique du théâtre bourgeois par son côté romanesque et sentimental, le mélodrame satisfait un besoin d'évasion : les mises en scène fastueuses et pittoresques transportaient pour le temps d'une représentation le spectateur dans des châteaux rhénans et lui faisaient connaître bien des émotions. Il y a dans cette littérature tout un arsenal qu'à la suite du maître du genre, Guilbert de Pixérécourt, les Hugo, Vigny, Dumas

1 Conformément à l'étymologie (*melos :* chant et *drama :* action), le mélodrame est à l'origine un mélange d'opérette et de pantomime dans lequel « la phrase parlée est en quelque sorte annoncée et préparée par la phrase musicale » ainsi que le définissait Rousseau.

exploiteront dans leurs drames. Si bien que Nodier a pu écrire non sans ironie que

la tragédie et le drame de la nouvelle école ne sont guère autre chose que des mélodrames relevés de la pompe artificielle du lyrisme.

Malgré son immense succès auprès du public, le mélodrame ne parvint jamais à acquérir ses lettres de noblesse et dut se contenter de rester un sous-genre littéraire. Il s'en fallut de peu, au contraire, que la tragédie historique ne devînt le grand genre dramatique du romantisme. Elle avait pour elle l'appui des théoriciens qui, tel Stendhal, prétendaient que

les règnes de Charles VI, de Charles VII, du noble François Ier doivent être féconds pour nous en tragédies nationales d'un intérêt profond et durable

et que, par conséquent, il serait temps d'abandonner les sujets de l'Antiquité pour « les grands et funestes tableaux tirés de nos annales », car, « la nation a soif de sa tragédie historique ».

Mais surtout, elle est illustrée par de grands noms, qui, à la suite des Lemercier, Ancelot et autres Casimir Delavigne, abordent le théâtre par des scènes historiques. Mérimée publie un *Théâtre de Clara Gazul* qui crée « le vide dans le camp des classiques »; Dumas fait jouer *Henri III et sa cour*, tragédie historique en prose dont la représentation en 1829 fut le premier grand événement dramatique du romantisme.

Libérée des contraintes théoriques du classicisme, la tragédie historique fournissait « une démonstration de la vanité et de l'absurdité des règles » [1] : son contenu, déjà mélodramatique, donnait une idée assez juste de ce qu'allait être le drame romantique.

L'assaut théorique

Des nombreuses préfaces, des multiples manifestes qui tentent de fonder un nouveau théâtre, trois idées maîtresses sont à retenir.

La première touche à la conception d'ensemble de l'œuvre dramatique : les romantiques refusent les unités de la tragédie classique qui « mutilent hommes et choses et font grimacer l'histoire », tronquent la perspective générale de l'illusion théâtrale puisque

nous ne voyons en quelque sorte sur le théâtre que les coudes de l'action; ses mains sont ailleurs. Au lieu de scènes nous avons des récits; au lieu de tableaux des descriptions... [2]

1. Michel Lioure, *Le drame*, A. Colin, p. 43.
2. Victor Hugo, « Préface » de *Cromwell*.

Illustration de la scène finale d'*Antony* d'Alexandre Dumas. (B.N. Paris.)

et finalement nuisent à la vérité en empêchant

de saisir entre les événements les rapports de cause et d'effet, d'antériorité et de conséquence qui les lient; de ramener à un point de vue unique [...] plusieurs faits séparés par les conditions du temps et de l'espace... [1].

Une telle attitude se conçoit d'autant plus facilement si l'on admet — et c'est là le second point important des manifestes romantiques — que le théâtre ne doit plus être le porte-parole d'un monde étranger ou antique, mais doit proposer des « fastes modernes » : pour cela, le dramaturge aura recours à l'artifice de la couleur locale qui

est ce qui caractérise essentiellement l'état de société que les compositions dramatiques ont pour but de peindre. [...] La couleur locale est la base de toute vérité; sans elle, rien à l'avenir ne réussira [2].

Enfin, pour mieux impressionner le lecteur ou le spectateur, l'auteur devra jouer de tous les registres, fondre les différents tons, composer

des scènes paisibles sans drame, mêlées à des scènes comiques et tragiques [3].

Le choc des genres fera ressortir les caractères tout comme

la salamandre fait ressortir l'ondine, le gnome embellit la sylphide.

Ainsi du moins s'explique Hugo dans son style imagé, avant de conclure en défi au monde antique :

1. Alessandro Manzoni, *Lettre à M. Chauvet*.
2. Benjamin Constant, *Réflexions sur la tragédie de « Wallstein » et sur le théâtre allemand*.
3. Alfred de Vigny, *Lettre à Lord°°° sur la soirée du 24 octobre 1829 et sur un système dramatique*.

Et il serait exact de dire que le contact du difforme a donné au sublime moderne quelque chose de plus pur, de plus grand, de plus sublime enfin que le beau antique [1].

Les romantiques peuvent alors entreprendre l'assaut des scènes parisiennes : Vigny, Hugo, Dumas lancent leurs drames, chacun rêvant de devenir le nouveau Shakespeare. Une œuvre résume par ses qualités et ses défauts leurs ambitions, et mérite à ce titre une analyse particulière : *Antony* d'Alexandre Dumas.

« *Antony* » : « *Le plus romantique de tous les drames romantiques* » *(A. Le Breton)*

De sa liaison avec Mélanie Waldor, Dumas a tiré ce drame passionnel dont le personnage principal rassemble presque tous les traits du héros romantique.

Adèle d'Hervey reçoit une lettre d'Antony, un ancien amant qu'elle n'a pas revu depuis son mariage avec le colonel d'Hervey trois ans auparavant : lorsqu'elle le retrouve, Antony vient d'être blessé en se jetant à la tête de ses chevaux emportés. Conduit dans la maison d'Adèle, il arrache son appareil pour pouvoir rester plus longtemps auprès d'elle (acte I). Sentant que son amour pour Antony n'est pas mort, Adèle décide de rejoindre son époux en garnison près de Strasbourg; d'autant que le jeune homme de son côté vient de lui avouer les raisons de sa passion impossible : bâtard et comme tel rejeté de la société, il ne pouvait prétendre l'épouser (acte II). Fou de rage, Antony rattrape Adèle dans une auberge et « l'entraîne dans le cabinet » attenant à la chambre (acte III). A leur retour à Paris, le scandale se propage : mais les deux amants se revoient sans crainte de la société (acte IV). Apprenant le retour du colonel, Antony supplie Adèle de le suivre : celle-ci hésite en songeant à sa fille, puis finalement décide de rester en suppliant son amant de la tuer. Lorsque la porte cède sous les coups du colonel, Adèle gît aux pieds d'Antony qui adresse une dernière bravade pour sauver la réputation de sa maîtresse : « Elle me résistait! Je l'ai assassinée! » (acte V).

En situant son drame dans son époque (« Le colonel Armand est parti, il y a un an, pour la guerre d'Algérie », déclare la sœur d'Adèle), Dumas rompait fortement avec la tradition classique : mais ce n'eût été qu'une timide innovation si la structure d'ensemble de l'œuvre n'avait répondu aux exigences définies par les romantiques.

1. Victor Hugo, « Préface » de *Cromwell*.

L'unité dramatique est remarquable. Les quatre premières scènes de l'acte IV sont bien autre chose qu'une plaisante soirée mondaine : les conversations ne servent qu'à isoler les deux protagonistes, enfermés par leur passion, dans un monde qui ne peut que les rejeter; la discussion littéraire rejoint le drame central, puisqu'il s'agit de tracer les conditions de création de « la comédie de mœurs et du drame de passions », et que, par ce biais, Antony peut alors lancer ses attaques à la face de la société « fausse, au cœur usé, corrompu ». Toute la maîtrise de Dumas a donc été d'organiser son œuvre autour de son héros, un homme singulier et désireux de le rester.

« Antony, c'est moi, moins l'assassinat », prétendait l'auteur. Certes, une grande part du drame pouvait se retrouver dans les *Lettres à Mélanie*. Mais cela ne suffisait pas à expliquer l'enthousiasme que souleva le personnage d'Antony à l'époque romantique. Être d'exception par sa bâtardise, Antony se sent véritablement étranger dans un monde social qui le repousse. Cette contradiction entre des aspirations —

Avec une âme qui sent, une tête qui pense, un cœur qui bat, on avait tout ce qu'il fallait pour réclamer sa place d'homme dans la société, son rang social dans le monde... Vanité! —

et l'impossibilité de les réaliser engendre un sentiment semblable à celui qu'éprouvait René : « A l'âge de l'espoir il a tout épuisé et il est dégoûté de tout » et il n'a fait qu'« élargir [s]on cœur pour que le désespoir pût y tenir ».

Dès lors sa destinée lui paraît désespérément marquée par la fatalité :

Ces deux mots *honte* et *malheur* se sont attachés à moi comme deux mauvais génies,

et c'est en vain qu'il tente de la conjurer. Une seule chose le retient à la vie : l'amour sans bornes qu'il porte à Adèle et qui, dès le premier instant, le remplit d'un immense espoir. Mais devant l'impossibilité d' « offrir un rang et un nom à celle à qui [il] aurai[t] offert [s]on sang », Antony s'éloigne dans son malheur.

« Mélancolie, passion, misanthropie, égoïsme, métaphysique, mépris, terreur, il a tout senti et tout fait sentir », affirmait Dumas de son héros. Excellente définition d'Antony et du héros romantique...

L'échec du drame romantique

Si l'on excepte le *Racine et Shakespeare* de Stendhal (1823-1825), force est de reconnaître qu'entre la « Préface » de *Cromwell* et la chute des *Burgraves* en 1843 seize années seulement se sont écoulées. C'est peu, comparé à la longévité du théâtre classique, malgré la prolixité des dramaturges romantiques. Un tel échec n'est pas l'effet d'un pur hasard.

Voulant embrasser trop de choses à la fois, ambitieux dans sa forme comme dans son contenu, le drame romantique portait en lui-même les germes qui devaient le faire éclater. Né d'une volonté livresque, il a toujours été à la limite des autres genres littéraires et devait finalement « retourner au livre », comme l'a fait remarquer Gaétan Picon.

Mais il convient de tenir compte d'un élément extérieur au drame lui-même : tout autant que des auteurs, le succès fut celui des acteurs. Boccage, Marie Dorval, Frédérick Lemaître..., autant de noms qui avaient fait triompher les grands rôles et dont l'absence condamnait le drame à une mort par asphyxie. D'autant que, au même moment, Rachel faisait applaudir les tragédies classiques et néo-classiques. Dans l'esprit des foules, l'acteur tend à passer devant l'auteur, tout comme le fera le metteur en scène quelques années plus tard.

LE SIÈCLE DU ROMAN

Si le drame fut le terrain de bataille du romantisme, c'est dans le genre romanesque qu'il a laissé la marque la plus éclatante. En effet, s'il est faux de dire que le XIXe siècle a créé le roman, du moins doit-on reconnaître qu'il lui a donné une existence indépendante et digne, qui jusqu'alors lui était refusée. Peu de grands écrivains qui n'aient d'ailleurs été tentés à un moment de leur carrière par le roman, quelle que puisse être leur orientation ultérieure (Sainte-Beuve, Michelet) ou parallèle (Lamartine, Musset).

Orientation du roman romantique

Malgré les nombreuses directions suivies par le récit en cette première moitié du XIXe siècle, il est des exigences fondamentales aussi bien chez un Constant que chez un Stendhal, chez un Vigny que chez un Balzac. Abandonnant les tourments de la psychologie classique, les romantiques recherchent en priorité le détail qui colore le récit d'une teinte de vérité. C'est en tout cas ce que prétend Stendhal dans sa *Lettre à Balzac :*

> Le public [...] veut un plus grand nombre de *petits faits vrais* sur une passion, sur une situation de la vie.

Balzac semble lui faire écho dans la « Préface » des *Scènes de la vie privée :*

> Mais, aujourd'hui que toutes les combinaisons possibles paraissent épuisées, [...] l'auteur croit fermement que les détails seuls constitueront désormais le mérite des ouvrages improprement appelés romans...

Un tel souci de vérité ne se conçoit que dans la mesure où, à la suite de Walter Scott, le romancier délaisse le cadre étroit de son choix pour se hausser à ce que Vigny appelle « un type dont le nom seul est imaginaire » puisque

> la vérité dont [l'art] doit se nourrir est la vérité d'observation sur la nature humaine et non sur l'authenticité du fait...

Cette idée, l'aristocratique auteur des *Destinées* la partage avec la populaire George Sand qui veut

> des situations vraies, des caractères vrais, réels même, se groupant autour d'un type destiné à résumer le sentiment ou l'idée principale du livre.

Tantôt l'auteur choisit pour sujet son *moi*, tantôt il décide de porter l'intérêt de son entreprise sur les « éléments extérieurs du romantisme » ([1]). D'un côté, se déroule le roman intime ou personnel; de l'autre, se développe le récit historique. Mais il existe bien des modes intermédiaires.

« Le monde saura mon histoire » : le roman personnel

L'apparition du roman autobiographique peut être datée : elle correspond en gros à la publication de *La nouvelle Héloïse* en 1761, c'est-à-dire au moment où s'est véritablement effectué le passage de l'ère classique à l'ère nouvelle, lorsque

1. L'expression est extraite de l'ouvrage de Paul Van Tieghem, *Le romantisme dans la littérature européenne*, Albin Michel, 1948.

la subjectivité s'est retrouvée au premier plan des préoccupations de l'individu.

Le roman personnel est en général la transposition d'une expérience singulière sous forme d'une histoire fictive. Cependant, comme on a pu le noter, « l'auteur d'un roman personnel est à peine un romancier; l'imagination ne l'entraîne pas, il n'anime pas le monde qui l'entoure, il ne crée pas de personnages dotés d'une vie propre, son seul personnage est lui-même » (1). En effet, tout n'existe qu'en fonction de ce héros central : les autres ne sont que la projection des phantasmes de l'auteur, car « il n'y a pas d'autrui dans de tels livres, pas plus qu'il n'y a de monde extérieur » (2).

Notons enfin que, dans l'abondante production littéraire ayant pour sujet le *moi* de l'auteur, le roman personnel tire son originalité du fait qu'il retrace un moment précis de la vie du narrateur, une crise que seule l'écriture peut résoudre, ou du moins atténuer.

L'analyse de l'*Adolphe* de Benjamin Constant pourra nous fournir une excellente illustration de la méthode et des buts du roman personnel.

Fils d'un prince allemand, Adolphe termine ses études à 22 ans lorsqu'il fait la connaissance d'Ellénore, maîtresse polonaise du comte de P°°° dont elle a eu deux enfants. De tempérament « distrait, inattentif, ennuyé », Adolphe décide de la séduire, bien qu'elle soit son aînée de dix ans. Il lui fait une cour timide, et devient son amant. Dès lors, Ellénore s'attache à lui, allant même jusqu'à rompre avec le comte de P°°°. Pour ne pas la laisser dans le dénuement, Adolphe renonce à l'abandonner bien qu'une telle résolution ne « soit soutenue par aucun sentiment qui partît du cœur ». Enchaîné, il doit même la suivre en Pologne où la rappelle l'héritage paternel : c'est maintenant au tour du jeune homme de vivre aux dépens de sa maîtresse. Un ami de son père, le baron de T°°°, fait remarquer à Adolphe qu'Ellénore « est un obstacle insurmontable » à sa carrière. Malgré cela, Adolphe ne peut se décider à partir : il écrit au baron pour lui annoncer qu'il ne saurait se résoudre à faire part à son amante de son projet de départ. Le baron transmet la lettre à Ellénore qui, de chagrin, succombe. Adolphe se retrouve donc libre, mais « étranger pour tout le monde ».

Dans son *Journal*, à la date du 30 octobre 1806, Constant note : « Lettre de Charlotte. Je ne trouverais nulle part une affection si profonde et si douce. [...] Écrit à Charlotte. Commencé un

1. Alain Girard, *Le journal intime*, P.U.F., p. 30.
2. *Ibid.*, p. 31.

Benjamin Constant et Napoléon à la Malmaison.

roman qui sera notre histoire ». On le voit bien, l'intérêt du roman résidera d'abord dans la transcription d'une crise réellement vécue; l'analyse des deux caractères centraux constituera de ce fait l'armature centrale du récit.

Pourtant — la publication des *Journaux intimes* nous l'a appris — *Adolphe* est bien autre chose que le simple décalque d'une situation véritable : c'est, selon la formule de Nerval, une « recomposition » des souvenirs, autrement dit une expérience littéraire complexe puisant sa vie à diverses sources. La fiction conserve ses droits : « le narrateur, dans le roman, n'est pas une première personne pure. Ce n'est jamais l'auteur littéralement » (1).

Tout autant qu'à l'analyse, *Adolphe* dut son succès à une parfaite maîtrise artistique : hors des deux héros, aucune description ne vient interrompre ni ralentir la narration. Tout est centré sur le drame :

> les circonstances sont bien peu de chose, le caractère est tout.

Peut-être même a-t-il trop d'importance, car, enfermé dans son monde intérieur, Adolphe est « un véritable martyr de l'introspection ». Tout comme le seront ou l'ont été les autres héros des récits d'analyse, victimes d'une « des

1. Michel Butor, *Essais sur le roman*, Idées-N.R.F., p. 76.

principales maladies morales de notre siècle, [...] cette analyse perpétuelle qui place une arrière-pensée à côté de tous les sentiments » [1].

« [...] *Un peu d'art dans l'Histoire,* [...] *un peu de philosophie dans l'art* » : *le roman historique*

L'importance des récits autobiographiques ne doit pas faire oublier que le récit romantique fut d'abord historique. Peut-être faut-il admettre avec Gaétan Picon que « la confidence, captée par la poésie, n'arrivait que presque tarie au roman ». Quoi qu'il en soit, le véritable succès du roman historique tient à deux autres raisons : le goût de l'évasion dans le temps et l'espace, l'influence de Walter Scott.

Bien évidemment, l'imagination romantique trouvait dans l'Histoire le moyen d'assouvir son besoin de mystère et d'intrigue, mais ce qui orienta de façon décisive le roman historique fut la diffusion massive des romans de Scott entre 1815 et 1830 : pas un écrivain qui n'ait reconnu ses mérites ni voulu faire son « roman à la Walter Scott ». Le journal des *Débats* peut bien écrire le 8 mai 1820 que « Scott est décidément l'auteur à la mode », il se trouve bien en-deçà de la réalité : le succès de l'auteur d'*Ivanhoe* dépassa largement la simple vogue de librairie, et l'Écossais devint le véritable modèle des Hugo, Balzac, Vigny et autres Mérimée.

Qu'apportait-il donc de nouveau? Une philosophie de l'Histoire alliée à une technique romanesque jusqu'alors inconnues.

L'Histoire n'était plus le cadre banal d'une aventure sentimentale, elle devenait le centre du récit, son ressort principal; elle imposait à l'auteur de faire de ses personnages des types représentatifs d'un temps, d'une croyance ou d'une race : ainsi nous apparaissent le noble saxon Cédric, le juif Isaac d'York, le serf Wamba. Mais c'est avant tout dans la structure dramatique même du récit que l'apport de l'écrivain écossais fut le plus marqué : en effet, « Walter Scott remplaçait le roman narratif par le roman dramatique » [2]. Après avoir brossé le cadre de son récit et mis en place ses personnages, Scott substituait le dialogue à l'analyse : ainsi l'action progressait de l'intérieur. Une telle technique fut aussitôt adoptée par les romanciers français qui entrèrent dans la voie tracée par les *Wawerley novels :* toutefois, chacun d'eux orienta le récit selon ses propres convictions. Préférant les « anecdotes » à la grande fresque dramatique, Mérimée traça dans sa *Chronique du règne de Charles IX* « une peinture vraie des mœurs et des caractères d'une époque ». Balzac, annonçant son ambitieuse entreprise, profitait du roman historique pour incarner ses premières « espèces sociales » dans *Les Chouans.* Hugo tirait *Notre-Dame de Paris* vers l'épopée et le drame. Ainsi, chacun trahissait ses soucis personnels et s'éloignait du modèle original : à cet égard, l'analyse du *Cinq-Mars* de Vigny (que précédent les *Réflexions sur la vérité dans l'art*) montre comment l'on est passé du récit historique pur au roman teinté de philosophie.

Partant rejoindre Louis XIII au siège de Perpignan, le jeune Henri d'Effiat, marquis de Cinq-Mars, vient faire ses adieux à sa famille et jurer à la princesse Marie de Gonzague qu'elle sera à lui, sinon, dit-il, « ma tête tombera sur l'échafaud ». En passant par Loudun, il apprend que son ami l'abbé Quillet est inculpé dans une affaire de magie par M. de Laubardemont, un fidèle de Richelieu. Cinq-Mars, au cours d'un procès houleux, accuse le magistrat de scélératesse (chapitres I-VII). Pendant ce temps, à Narbonne, Richelieu, sentant le roi devenir indépendant, rédige « les onze commandements » des devoirs du prince à l'égard de son Premier ministre. Puis il vient rejoindre Louis XIII, au moment où Cinq-Mars le brave en servant de témoin, avec son ami de Thou, dans un duel. Au cours du siège, les deux nobles sont remarqués par le roi. Prenant ombrage de ce succès, Richelieu fait espionner Cinq-Mars par le Père Joseph : « Qu'il me serve ou qu'il tombe! », tel est l'ordre du ministre (chapitres VIII-XIII). Trois ans se sont écoulés : Cinq-Mars est devenu écuyer du roi. Les émeutes se multiplient durant cette période entre partisans de la famille royale et amis de Richelieu. Une nuit, Marie de Gonzague révèle à la reine qu'elle est fiancée à Cinq-Mars, puis lui apprend plus tard que les ennemis du cardinal se trouvent réunis dans sa chambre : un complot est ourdi. On demandera l'aide espagnole contre le ministre. Mais ce dernier reprend son ascendant sur le roi, tandis que la reine abandonne le complot pour ne pas faire appel aux étrangers. De son côté, Marie hésite à se marier avec Cinq-Mars. Le complot est découvert : déçu, Cinq-Mars qui avait tout entrepris par amour, se rend au roi. Il est exécuté avec son ami de Thou après avoir refusé les offres de trahison de Richelieu proposées par le Père Joseph (chapitres XIV-XXVI).

Publié en 1826, le roman de Vigny est la première œuvre inspirée de Scott sur laquelle il vaille la peine de s'arrêter. A partir de la quatrième édition en 1829, le roman est précédé des *Réflexions sur la vérité dans l'art* qui se veulent un manifeste du roman historique.

1. Voir « Les éléments extérieurs du romantisme », p. 399.
2. Michel Raimond, *Le roman depuis la Révolution*, A. Colin, p. 20.

Coll. L. B. © B. N., Paris

Le serment chez Marion Delorme par Dévéria. Cinq-Mars, l'épée à la main, après avoir annoncé ses projets à de Thou, Gondi, Montrésor, et à d'autres seigneurs réunis chez Marion Delorme, seule femme présente à cette scène, leur en fait jurer l'accomplissement, aux cris de vive le Roi, vive l'union, la nouvelle union, la sainte ligue. (B.N. Paris.)

Parti d'une considération générale sur l'importance de l'Histoire dans la littérature de son temps — « l'art s'est empreint d'Histoire plus fortement que jamais » — Vigny en arrive à la question essentielle du roman historique, à son ambiguïté fondamentale : faut-il empêcher

l'imagination d'enlacer dans ses nœuds formateurs toutes les figures principales d'un siècle, [...] de faire céder parfois la réalité des faits à l'IDÉE que chacun d'eux doit représenter aux yeux de la postérité, enfin sur la différence que je vois entre la VÉRITÉ de l'art et le VRAI du fait?

C'est là le problème central du roman historique, mélange de fiction et de réalité, qui semble par avance le condamner. Michel Raimond fait remarquer à ce sujet que « si le roman fait vivre le possible, il échoue à faire revivre le révolu ». Il est donc nécessaire que l'écrivain fasse un choix et se décide à être soit romancier, soit historien. De plus,

A quoi bon les Arts, s'ils n'étaient que le redoublement et la contre-épreuve de l'existence?

demande Vigny, qui a choisi d'être artiste plutôt que traducteur des événements :

Ce que l'on veut, [...] c'est donc la VÉRITÉ de cet HOMME et de ce TEMPS, mais tous deux élevés à une puissance supérieure et idéale qui en concentre les forces.

On le voit donc, Vigny prend parti dans l'histoire qu'il raconte : les personnages sont grossis démesurément, simplifiés à l'extrême et perdent toute vie véritable. Richelieu, cruel ambitieux face à Louis XIII, ridicule loque dégénérée, n'ont que de faibles rapports avec la réalité historique : l'essentiel est qu'ils représentent aux yeux de Vigny des « types » dont la « vérité idéale » seule compte. Car l'auteur cherche avant tout à éclairer un conflit politique qui le tourmente lui-même : l'attitude de Cinq-Mars devant un ministre qui bafoue la noblesse est-elle différente de celle de Vigny à l'égard d'un temps égalitaire qui vise à réduire la caste nobiliaire? L'éclipse du sens de l'historicité au profit de prétentions morales et politiques soulignait la crise du roman historique.

La séduction de l'étrange : le récit fantastique

Après les années de raison imposées par les philosophes se développe un fort courant irrationnel : le goût pour l'occultisme témoigne d'un nouveau besoin de croire. Sous l'influence du mouvement allemand, tout entier engagé dans l'exploration du monde de la rêverie, la littérature s'ouvre peu à peu aux domaines jusqu'alors pratiquement inexplorés. Bon nombre d'écrivains y trouvent la matière essentielle de leur expérience. C'est ainsi que prend naissance (ou plutôt se développe) un nouveau « genre » littéraire : le conte fantastique dont il est difficile de cerner les limites précises. Il va de soi que les contes de Nodier n'ont rien de commun dans le fond avec les récits de Nerval; et pourtant, ils témoignent d'un même recours à l'expérience nocturne du rêve ou aux images poétiques de la folie. L'œuvre de ces deux auteurs est trop importante pour être étudiée en quelques lignes; aussi nous tournerons-nous vers Aloysius Bertrand (1) dont *Gaspard de la nuit* présente le double avantage d'être non seulement « la plus parfaite illustration de la rêverie médiévale du romantisme », mais encore d'avoir révélé à Baudelaire les ressources du poème en prose (voir la dédicace du *Spleen de Paris*).

La « Préface » de *Gaspard*, malgré une certaine obscurité voulue par le narrateur, révèle le dessein qu'il poursuit :

tantôt je frayais à mes rêveries un sentier de mousse et de rosée, de silence et de quiétude, loin de la ville

ainsi que les moyens artistiques mis en œuvre pour rendre avec justesse l'expérience vécue :

ce manuscrit vous dira combien d'instruments ont essayé mes lèvres avant d'arriver à celui qui rend la note pure et expressive [...] Là sont consignés divers procédés nouveaux peut-être d'harmonie et de couleur.

1. Aloysius Bertrand est né en 1807 dans le Piémont. Dijonnais d'adoption, il découvre Paris en 1828, ébauche une aventure sans lendemain avec Célestine F., puis erre misérablement avant de mourir phtisique en 1841. *Gaspard de la nuit*, terminé en 1836, est publié un an après la mort du poète.

Gaspard de la nuit est une suite de poèmes divisés en six grandes parties. « École flamande » se rapporte aux XVIe et XVIIe siècles. « Le Vieux Paris » évoque un Paris moyenâgeux. « La nuit et ses prestiges » échappe à toute véritable chronologie. Les « chroniques » renvoient directement par des dates aux siècles du Moyen Âge. « Espagne et Italie » se rapprochent des temps modernes dans lesquels baignent les poèmes du dernier livre, « Silves ».

Les titres mêmes des différents chapitres reflètent l'atmosphère d'ensemble de l'ouvrage, harmonieux mélange de réalisme et de fantastique. C'est ce dernier aspect qui pourtant domine et constitue la partie préférée de l'auteur : la nuit est pour Bertrand ce qu'elle sera pour Nerval, un monde de transition entre le rêve et le réel, l'ouverture sur un univers libéré de ses bornes humaines. Toutes les formes du mystère se trouvent représentées : anges et fées (1), diables aussi (2), avec leurs cohortes d'esprits, de magiciens, de lutins aux formes presque humaines, tel le nain né d'une métamorphose d'un papillon :

Soudain la vagabonde bestiole s'envolait, abandonnant dans mon giron — ô horreur! — une larve monstrueuse et difforme à face humaine! (3)

Mais au-delà de ces visions, l'univers de *Gaspard* est hanté par les hallucinations de Bertrand : témoins les charognes et les pendus que le poète rencontre sur sa route :

La voierie! et à gauche sous un gazon de trèfle et de luzerne, les sépultures d'un cimetière; à droite un gibet suspendu qui demande aux passants l'aumône comme un manchot (4)

ou qu'enfante son imagination :

Ce furent ensuite, — ainsi s'acheva le rêve, ainsi je raconte —, un moine qui expirait couché dans la cendre des agonisants, — une jeune fille qui se débattait pendue aux branches d'un chêne (5).

On sent aussi chez Bertrand l'obsession du temps. Il est comme ces malades

qui cherchaient à tromper les heures si rapides pour la joie, si lentes pour la souffrance

et qui promènent

1. *Gaspard de la nuit*, « L'ange et la fée ».
2. *Id.*, « Padre Pugnaccio ».
3. *Id.*, « Le nain ».
4. *Id.*, « Le cheval mort ».
5. *Id.*, « Un rêve ».

l'œil sur le cadran solaire dont l'aiguille hâtait la fuite de leur vie et l'approche de leur éternité (1).

Présente directement ou se profilant derrière les ombres, la mort apparaît donc comme le véritable héros de *Gaspard.* C'est elle qui assure à l'homme sa place particulière, faite de grandeur et de misère :

« Moi, vivre, moi souffrir une seconde fois. Périssent plutôt le soleil, le firmament et la terre », s'écria l'homme se retournant dans le lit du sépulcre (1).

Mieux que tout autre, Baudelaire a su définir l'originalité de cet art, le

miracle d'une prose poétique, musicale sans rythme et sans rime, assez souple et assez heurtée pour s'adapter aux mouvements lyriques de l'âme, aux ondulations de la rêverie, aux soubresauts de la conscience.

LA RENAISSANCE DE LA POÉSIE

Faisant suite à un siècle qui avait ignoré les véritables poètes, le romantisme brise avec ses prédécesseurs en accordant à la poésie une place de premier choix. Encore une telle expression ne rend-elle qu'imparfaitement compte de ce que fut le phénomène poétique dans la première moitié du XIXe siècle : en envahissant les autres genres, la poésie romantique montrait qu'aux yeux de ses adeptes elle constituait « un esprit bien plus qu'une forme » (2).

Caractères de la poésie romantique

En raison de l'omniprésence de la poésie dans la littérature de l'époque, il serait fastidieux de vouloir dégager les thèmes favoris des poètes. De plus, ils ne sont pas différents de ceux que nous avons définis précédemment et que nous avons rencontrés sur la scène ou dans les romans.

Toutefois, ce qui distingue essentiellement la poésie romantique des autres écoles poétiques, c'est la place accordée au sujet, tant comme objet du poème que comme « écho sonore » réfléchissant vers le lecteur des ambitions plus vastes :

Et, disons-le en passant, [...] le poète a une fonction sérieuse. Sans parler ici même de son influence civilisatrice, c'est à lui qu'il appartient d'élever, lorsqu'ils le méritent, les événements politiques à la dignité d'événements historiques (3).

Ce qui apparaît avec le romantisme, c'est la poésie comme existence. Si l'on cherche ses thèmes, on retrouve ceux de la poésie classique. Mais ils sont devenus expérience.

On a souvent souligné les audaces des romantiques en matière de technique poétique : une telle insistance a de quoi surprendre si l'on remarque qu'en dehors de Hugo ils n'ont pas établi de théories aussi nettes pour la poésie que pour le drame, voire le roman. Il serait toutefois injuste de ne pas noter leur souci de libérer le vers (coupes plus souples, rimes moins riches, cadences plus libérales...) et les formes.

1. *Gaspard de la nuit*, « Les lépreux ».
2. Gaétan Picon, *op. cit.*, p. 895.
3. Victor Hugo, *Les voix intérieures*, Préface.

Vers la nouvelle sensibilité : Millevoye

De Chénier à Lamartine, peu de noms à retenir dans le domaine poétique : tout au plus, un important lot de troisième ordre. On peut mentionner Parny (« le Tibulle français ») et Chênedollé qui orchestrent déjà, à l'aube du siècle, les thèmes que développeront leurs successeurs de génie : méditation, rêverie, solitude...

Ce sont les mêmes éléments que l'on rencontre dans les *Élégies* de Millevoye (1782-1816), mais on sent nettement un souffle nouveau traverser la poésie. D'ailleurs le public ne s'y trompa pas qui réserva à ses recueils un succès éclatant entre 1814 et 1816. Son poème le plus célèbre, « Le

1. *Gaspard de la nuit* « Le deuxième homme ».

Portrait gravé de Millevoye par Dévéria. (B.N. Paris.)

Page de frontispice pour les *Poésies* de Marceline Desbordes-Valmore. (B.N. Paris.)

poète mourant », chante avant Lamartine l'angoisse de la vie et la fragilité humaine :

> La fleur de ma vie est fanée;
> Il fut rapide mon destin!
> De mon orageuse journée
> Le soir toucha presque au matin.

Les « romantiques mineurs »

A côté des fortes personnalités de la poésie romantique, l'histoire littéraire a regroupé un certain nombre d'écrivains, célèbres de leur temps, mais rejetés dans l'ombre par la postérité : ce qui ne veut pas dire qu'une telle classification soit sans recours, ni même sans erreur; qu'on songe à Nerval, encore considéré comme un écrivain « mineur » avant le surréalisme. Aussi devons-nous souligner l'existence littéraire d'un Pétrus Borel, malgré la faible qualité de sa poésie, pour le témoignage vécu qu'il nous transmet sur la sensibilité de son époque.

Avec Aloysius Bertrand, dont nous avons déjà parlé, deux noms méritent de retenir l'attention : Marceline Desbordes-Valmore (1786-1859) et Maurice de Guérin (1810-1839).

Héritière de Lamartine dont elle possède la facilité et le rythme, Marceline Desbordes-Valmore annonce Verlaine par la musicalité de son vers :

> Vous aviez mon cœur,
> Moi j'avais le vôtre;
> Un cœur pour un cœur,
> Bonheur pour bonheur!

Comme l'auteur des *Méditations*, elle se plaît à dire les blessures du temps en jouant avec les époques :

> Et si je puis encor supporter l'avenir,
> C'est par le souvenir.

Chez Maurice de Guérin, ballotté entre la tradition chrétienne et le culte païen de la nature (*Le centaure*, *La bacchante*), la méditation s'élève de l'homme au mystère du monde : son rêve est

> d'être admis par la nature au plus retiré de ses diverses demeures, au point de départ de la vie universelle.

Cette ambition fut aussi celle des romantiques allemands dont Guérin semble avoir perfectionné le mode d'expression favori : la longue strophe de prose, au style concentré en des cascades de symboles, porteuse des mythes antiques chargés des espoirs du monde moderne.

LE ROMANTISME : ABOUTISSEMENT? PARENTHÈSE? OU PROLOGUE?

Outre les trois grands genres littéraires — théâtre, roman, poésie, — qu'il a contribué à former ou à développer, le romantisme s'est attaché à l'Histoire et à la critique littéraire : pour la première fois, l'explication de l'homme et l'approche d'une pensée acquièrent la dignité de l'œuvre d'art. On voit par là que le romantisme ne s'est pas contenté d'être un simple mouvement destructeur comme voulaient le faire croire ses adversaires. Tout au contraire, la littérature moderne y puise nombre de ses aspirations. Encore qu'il faille considérer, plus que le mouvement dans son ensemble, l'apport de chacun de ces grands écrivains du XIXe siècle qui, si l'on en croit Marcel Proust,

> ont manqué leurs livres, mais, se regardant travailler comme s'ils étaient à la fois l'ouvrier et le juge, ont tiré de cette auto-contemplation une beauté nouvelle extérieure et supérieure à l'œuvre, lui imposant rétroactivement une unité, une grandeur qu'elle n'a pas (1).

1. *La prisonnière.*

BIBLIOGRAPHIE

OUVRAGES GÉNÉRAUX SUR LE ROMANTISME : Le livre d'ensemble le plus récent et le plus neuf est celui de Max MILNER et Claude PICHOIS ; *Littérature française,* t. VII, *De Chateaubriand à Baudelaire,* Arthaud, 1985. On consultera aussi : Paul VAN TIEGHEM : *Le romantisme dans la littérature européenne,* Albin Michel, 1948 [rééd. 1969] (travail déjà ancien mais encore précieux par ses remarques précises). — Guy MICHAUD et Philippe VAN TIEGHEM : *Le romantisme,* Hachette, 1952 (recueil très pratique de textes doctrinaux et d'œuvres romantiques). — René BRAY : *Chronologie du romantisme,* Nizet, 1932 (pratique et bien documenté). — Pierre MARTINO : *L'époque romantique,* Hatier, 1944 (démarquage succinct du précédent). — Karl PETIT, *Le Livre d'or du romantisme,* Marabout, 1968 (bonne anthologie thématique du romantisme européen avec des extraits peu connus des littératures slaves ou nordiques). Paul BÉNICHOU, *Le sacre de l'écrivain, 1750-1830,* Corti, 1979 (les hommes, les courants, les idées : une somme moderne et magistrale). — Difficiles mais d'une richesse d'analyse très stimulante sont les volumes que Georges GUSDORF consacre au romantisme dans ses *Sciences humaines et la pensée occidentale* (Payot, vol. VIII à XII). La revue *Romantisme* paraît au SEDES. *Précis de littérature française du XIXe siècle* (sous la direction de Madeleine Ambrière), P.U.F., 1990.

OUVRAGES SUR DES ASPECTS PARTICULIERS : Pour l'étude générale des genres, on aura recours aux volumes de la collection « U » publiés chez Armand Colin : *Le drame,* par Michel LIOURE (1963), et *Le roman depuis la Révolution,* par Michel RAIMOND (1967).

Pour le roman historique et la littérature personnelle, on aura recours à deux ouvrages difficiles mais essentiels : Georges LUKÁCS : *Le roman historique,* Payot, 1965 (analyse marxiste du genre : étudie les rapports de la création littéraire et du milieu social, politique, économique de l'écrivain). — Alain GIRARD : *Le journal intime,* P.U.F., 1963 (analyse les circonstances dans lesquelles s'est développée l'étude de la subjectivité et les diverses formes qu'elle a prises au XIXe siècle).

L'approche de l'héroïsme romantique se fera à l'aide du petit livre de Philippe SELLIER, *Le mythe du héros,* Bordas, coll. « Connaissance », 1971 (l'auteur analyse dans une perspective thématique la « structure du mythe héroïque », ses formes en littérature, et consacre un long chapitre au « renouveau du XIXe siècle ». Clair, précis et plaisant).

TEXTES ET CRITIQUES PARTICULIÈRES : Éditions savantes : CONSTANT (Pléiade), 1957 ; VIGNY, *Œuvres complètes,* tome I (Pléiade), 1986.

ÉDITIONS COURANTES : *Adolphe, Cinq-Mars* existent en Folio et en Garnier-Flammarion ; *Antony* en Classiques Larousse ; *Gaspard de la nuit,* éd. M. Milner, Poésie/Gallimard.

TEXTES CRITIQUES : On se reportera à trois ouvrages consacrés à l'ensemble de l'œuvre des auteurs : Paul VIALLANEIX, *Vigny par lui-même,* Seuil, 1964. — Georges POULET, *Benjamin Constant par lui-même,* Seuil, 1968.— Fernand RUDE, *Aloysius Bertrand,* Seghers, coll. « Poètes d'aujourd'hui », 1971.

CHATEAUBRIAND (1768-1848)

Toute l'œuvre de Chateaubriand porte le signe du temps :

Je n'avais vécu que quelques heures, et la pesanteur du temps était déjà marquée sur mon front,

écrit-il au début des *Mémoires d'outre-tombe.* Rien d'étonnant chez un homme qui, né dans un monde à la recherche de son identité, ressentait l'ambiguïté que lui offrait alors l'univers; car, si

le monde actuel semble placé entre deux impossibilités, l'impossibilité du passé, l'impossibilité de l'avenir,

c'est à l'écrivain qu'il appartient d'être le catalyseur de l'ancien et du neuf. Aussi l'œuvre de Chateaubriand, à la fois histoire d'un monde et roman d'une conscience, marque-t-elle, hors de tout genre précis, la naissance d'un homme nouveau et de la littérature moderne.

Coll. L. B. © Lauros-Giraudon.

« ENTRE DEUX SIÈCLES COMME AU CONFLUENT DE DEUX FLEUVES »

C'est par une orageuse nuit de septembre 1768 que vient au monde, dans les remparts de Saint-Malo, François-René de Chateaubriand. Dernier-né d'une famille d'aristocrates bretons, il vit une enfance oisive, étudiant sans enthousiasme à Dol, Rennes ou Dinan, séjournant l'été dans le château paternel de Combourg. Lieutenant en 1786, il est présenté à la cour l'année suivante : la fréquentation des salons et des milieux littéraires l'éloigne de la foi catholique. Il applaudit aux premiers mouvements de la Révolution, mais, devant le sang répandu, il se décide à chercher ailleurs la réponse à ses interrogations : « A quoi bon émigrer de France seulement? j'émigre du monde. »

D'autant que, sa famille, inquiète des influences qui s'exercent sur lui, le pousse à partir pour l'Amérique. Il y séjourne du 10 juillet au 10 décembre 1791. A l'annonce de l'arrestation de Louis XVI à Varennes, il revient en France et se met au service de la monarchie. Dès son retour il épouse « par raison » Céleste de La Vigne, puis émigre : blessé à Thionville, il décide de s'exiler à Londres, où, sept années durant, il mène une vie misérable. Il publie en 1797 un *Essai sur les révolutions*, ouvrage hardi que lui reprochera l'Église quelques années plus tard. D'autant que la mort de sa mère puis celle d'une de ses sœurs le ramènent au christianisme : « Je pleurai et je crus » prétendra-t-il dans ses *Mémoires*.

Revenu clandestinement, il se lie avec Mme de Beaumont, puis entreprend de publier en 1802 *Le génie du christianisme* (où figure le récit de

4).Ð

René qui fera plus tard l'objet d'une édition séparée), grand ouvrage apologétique dont il avait détaché un an plus tôt le récit d'*Atala*. Ayant trouvé grâce auprès de l'Empereur, Chateaubriand devient ambassadeur à Rome (1803). Mais l'exécution du duc d'Enghien lui impose, en tant que monarchiste, de rompre tout aussitôt avec les nouveaux dirigeants. Il accomplit un périple méditerranéen (1806-1807), puis s'installe à son retour, près de Paris, dans sa retraite de la Vallée aux Loups. Il y rédige *Les martyrs* (1809) et l'*Itinéraire de Paris à Jérusalem* (1811). Élu à l'Académie, il ne peut prononcer son discours d'entrée, véritable réquisitoire contre la politique impériale. Dès lors débute son activité politique : il publie le pamphlet *De Buonaparte et des Bourbons* (1814), puis suit le roi Louis XVIII dans son exil de Gand (1815).

Déçu par l'Empire, Chateaubriand l'est aussi par la Restauration et passe à l'opposition ultra. Selon les ministères, il entre dans le gouvernement ou stigmatise ses adversaires dans son journal, *Le Conservateur*. Il trouve dans sa liaison avec Mme Récamier une consolation à ses déboires politiques. Sans renier ses convictions légitimistes, Chateaubriand se désintéresse peu à peu des affaires du monde pour se consacrer à ses travaux littéraires : en 1826, il publie ses *Œuvres complètes* et surtout poursuit la rédaction de ses *Mémoires* que des ennuis d'argent vont l'obliger à vendre au libraire Delloye. Perclus de rhumatismes, il passe ses dernières années dans la méditation, rédige en pénitence sur les conseils de son confesseur une *Vie de Rancé* (1844), et relit une dernière fois ses *Mémoires* dont Émile de Girardin vient d'obtenir les droits pour une publication en feuilleton dans *La Presse*. Il meurt à Paris en juillet 1848, trois mois avant que paraisse le début de ses *Mémoires d'outre-tombe*. Selon son propre désir, il est inhumé sur l'îlot du Grand-Bé, devant Saint-Malo, « face à la mer [qu'il avait] tant aimée ».

CHRISTIANISME ET MAL DU SIÈCLE

Frappé des abus de quelques institutions et des vices de quelques hommes, je suis jadis tombé dans les déclamations et les sophismes,

prétend Chateaubriand dans la Préface du *Génie du christianisme*.

C'était désavouer les propos (« Quelle sera la religion qui remplacera le christianisme? ») tenus quelques années plus tôt dans l'*Essai sur les révolutions*, ouvrage encore fortement marqué par les conceptions philosophiques du XVIIIe siècle. La « conversion » de 1798 a amené Chateaubriand à écrire un livre qui cherche

à prouver que, de toutes les religions qui ont jamais existé, la religion chrétienne est la plus poétique, la plus humaine, la plus favorable à la liberté, aux arts et aux lettres.

Tel se présente donc le volumineux *Génie du christianisme*, beaucoup plus important du point de vue littéraire que du point de vue religieux : si Chateaubriand échoue dans sa tentative de vouloir expliquer l'organisation du monde par la présence de Dieu dans les merveilles de la nature, il trace en revanche des voies nouvelles à la sensibilité et à la littérature. Les livres II (« Poétique du christianisme ») et III (« Beaux-arts et littérature ») brossent de grands tableaux où souffle un sentiment libéré des contraintes classiques (telles les célèbres pages consacrées à la vie naturelle, aux cathédrales). Mais c'est en s'attachant à rechercher l'esprit profond du christianisme à travers les œuvres littéraires que l'auteur montre le plus de talent : loin de s'arrêter aux faiblesses, il réussit à rendre sensible, au contraire, la beauté d'une page, d'un vers ou d'une pièce.

Ainsi l'ouvrage parlait-il plus au cœur qu'à la raison, malgré le souhait de son auteur; si *Le génie du christianisme* eut un immense succès, il le dut au style et à l'esprit, non à la rigueur de la démonstration.

Christianisme et nature : « Atala »

Atala fut publié séparément un an avant *Le génie du christianisme*. Ce court récit « consiste dans la peinture de deux amants qui marchent et causent dans la solitude ».

En Louisiane, près du Meschacebé [1], vit un vieillard aveugle nommé Chactas. Un jour il rencontre René, qui, « poussé par des passions et des malheurs », a fui la France. Au cours d'une chasse au castor, Chactas fait à son nouvel ami le récit de sa vie *(Prologue)*.

1 Le Missisipi.

Chactas, recueilli par un chrétien, Lopez, est fait prisonnier par des Indiens. Il est sauvé par Atala qui s'est éprise de lui : tous deux s'enfuient et vivent une « amitié fraternelle » au milieu de la savane. Pressée par Chactas, Atala avoue qu'elle est fille de Lopez et chrétienne : elle ne peut donc aimer un païen. Pourtant elle est sur le point de céder lorsqu'éclate un orage. Les deux jeunes gens fuient et trouvent asile à la mission du Père Aubry; c'est au retour d'une visite de cet asile de paix que Chactas découvre Atala mourante : consacrée par sa mère à la Vierge, et craignant de ne pouvoir être fidèle à cette volonté, elle s'est suicidée pour respecter « ce vœu fatal qui [la] précipite au tombeau ». Avant de mourir, elle demande à Chactas de se convertir *(Le récit)*.

Dans l'*Épilogue*, l'auteur raconte la fin de ses héros et révèle ses sources.

La thèse du récit suit de fort près l'idée générale du *Génie*. Pourtant, elle repose sur un paradoxe : concilier la religion et le « bon » sauvage, la société et la nature. Là non plus, il ne faut pas chercher un raisonnement rigoureux : l'auteur fait appel au sentiment plus qu'au sens logique. Le succès de l'ouvrage s'explique d'ailleurs avant tout par ses qualités littéraires. Classique dans la forme —

C'est une sorte de poème, moitié descriptif, moitié dramatique [...] J'ai donné à ce petit ouvrage les formes les plus antiques : il est divisé en prologue, récit et épilogue —

comme dans le style —

Je ne dissimule point que j'ai cherché l'extrême simplicité de fond et de style —

l'ouvrage suscita d'emblée l'enthousiasme des lecteurs : la peinture des mœurs, la couleur locale, l'état sauvage, harmonieusement fondus dans une prose souple et poétique révélaient un horizon nouveau. Cependant, l'auteur présent derrière ses personnages demeurait prisonnier des conventions de l'écriture. Avec *René*, le masque allait craquer définitivement.

Une scène typiquement romantique : la méditation d'Atala dans la luxuriante nature de la Louisiane.

« *René* » et les premières atteintes du temps

Publié à l'origine dans *Le génie du christianisme*, *René* fut finalement édité seul dès 1805; depuis, il est associé à *Atala* dont il reprend le schéma, les personnages principaux et la plupart des thèmes.

Recueilli par les Natchez, René mène une vie solitaire : seuls le Père Souël et le vieux Chactas partagent quelquefois ses réflexions. C'est à eux qu'il se décide un jour à raconter « non les aventures de sa vie, puisqu'il n'en avait point éprouvées, mais les sentiments secrets de son âme ». De son enfance et son adolescence bretonnes, René retrace les longues promenades en compagnie de sa sœur Amélie. Tenté par la vie monastique et par les voyages, il désire mener une existence simple comme ces « heureux sauvages » qu'exalte une « vie d'exil champêtre » détournée de Paris, « ce vaste désert d'hommes ». Ressentant « un profond sentiment d'ennui », René songe à se suicider, sa sœur l'en dissuade : « Ingrat, tu veux mourir et ta sœur existe! » Tout paraît alors rentrer dans l'ordre, jusqu'au jour où Amélie annonce sa prise de voile : René s'abandonne à la joie du malheur (« Je n'avais plus envie de mourir depuis que j'étais réellement malheureux ») et décide de quitter l'Europe. Son récit terminé, il écoute le sermon du Père Souël : « Quiconque a reçu des forces doit les consacrer au service de ses semblables. »

Conçu comme une illustration au chapitre sur « le vague des passions », *René* cherche également à « faire aimer la religion et à en démontrer l'utilité ». Le cadre est le même que celui d'*Atala*, mais nous sommes cette fois-ci ramenés directement aux préoccupations de l'époque par l'existence même du héros : il ne s'agit plus de faire seulement œuvre d'apologiste, mais de peindre « une infirmité de [s]on siècle »

Ce qui importe avant tout, c'est qu'en voulant faire la peinture du mal de son héros, Chateaubriand s'est trouvé obligé de se peindre lui-même : l'ennui dont souffre René est, en effet, le même que celui qu'étalera le narrateur des *Mémoires*. Certes, le « je » de René ne se confond pas avec celui de l'écrivain : le décalage de la rhétorique impose de ne pas pousser trop loin les rapprochements biographiques (pourtant facilités par les ressemblances entre les couples formés par René et Amélie d'une part, Chateaubriand et sa sœur Lucile de l'autre).

Dans l'ensemble de l'œuvre de Chateaubriand, *René* marque un tournant : non seulement le récit fixe l'image d'un temps, mais encore il incite le héros (et le narrateur) à chercher la réponse à « l'abîme de son existence ». Réponse qui ne se trouve pas dans la solution du suicide, mais en soi-même, à condition qu'on partage sa solitude avec Dieu.

« JE NE SUIS PLUS QUE LE TEMPS » : VIE DE RANCÉ

Attiré par la politique, Chateaubriand poursuit néanmoins sa carrière littéraire : entre les divers moments de rédaction des *Mémoires*, il termine son cycle religieux avec *Les martyrs* et l'*Itinéraire de Paris à Jérusalem*. Le premier de ces ouvrages illustre les propos du *Génie du christianisme ;* le second est un document de base pour ces mêmes *Martyrs*. Surtout, François-René s'attache à se comprendre, comme en témoignent les *Mémoires d'outre-tombe* et la *Vie de Rancé* (publiée avant les *Mémoires*, mais rédigée quatre années plus tard en 1844).

Composé pour obéir « aux ordres du directeur de sa vie », l'ultime ouvrage de Chateaubriand est un témoignage sur l'écrivain lui-même plus que sur le supérieur de La Trappe ([1]). Dès l'« Avertissement », le ton est donné :

> Le temps s'est écoulé; j'ai vu mourir Louis XVI et Bonaparte; c'est une dérision que de vivre après cela. Que fais-je dans le monde?

C'est donc à travers Rancé que Chateaubriand va partir à la recherche d'un René vieilli. Tous les thèmes jusqu'alors entrevus se retrouvent ici, amplifiés par l'âge : vanité des choses, ennui.

Il faut surtout insister sur le rapport du narrateur et de son héros : ce n'est plus le « je » de Chactas, ni même de René; ce n'est pas encore — bien que l'ouvrage soit déjà terminé — le « je » des *Mémoires :* c'est la voix de l'hagiographe. Pourtant, ce « je » est peut-être plus vrai que celui qui se cachait derrière René : entre Rancé qui quitte volontairement le monde pour gagner le couvent et Chateaubriand que la vie délaisse, les rapprochements sont nombreux :

> Le rêve, sans lequel il n'y aurait pas d'écriture, abolit toute distinction entre les voix active et passive; l'abandonneur et l'abandonné ne sont ici qu'un même homme, Chateaubriand peut être Rancé. ([1])

Toutefois il existe une supériorité de l'écrivain sur le rénovateur de La Trappe : il possède le recul de l'écriture qui lui permet de jouer avec le temps comme pour le dominer :

> Sociétés depuis longtemps évanouies, combien d'autres vous ont succédé! les danses s'établissent sur la poussière des morts, et les tombeaux poussent sous les pas de la joie... Où sont aujourd'hui les maux d'hier? Où seront demain les félicités d'aujourd'hui?

Ces « jeux finis », ces « défauts du temps » de la « voyageuse de nuit » (entendons la vieillesse), Chateaubriand s'y est pourtant adonné en polissant les deux mille pages du récit de sa vie, malgré le pessimisme qu'exhale la fin de Rancé :

> Quand vous remueriez ces souvenirs qui s'en vont en poussière, qu'en retireriez-vous sinon une nouvelle preuve du néant de l'homme?

L'OUVRAGE D'UNE VIE : MÉMOIRES D'OUTRE-TOMBE

Ce livre qui domine l'œuvre — et la vie — de son auteur, domine également son siècle et jette les semences d'une littérature nouvelle. Tout ce que Chateaubriand avait jusqu'alors abordé de manière diffuse se retrouve ici :

> Aujourd'hui que je regrette encore mes chimères sans les poursuivre, je veux remonter le penchant de

1. Rancé, après une jeunesse agitée et une désillusion amoureuse, se retira au monastère de La Trappe, en devint le supérieur et y restaura une règle stricte.

1. Roland Barthes, Préface à *Vie de Rancé*, 10/18, p. 12.

mes belles années : ces *Mémoires* seront un temple de la mort élevé à la clarté de mes souvenirs.

Ainsi, après avoir écrit le temps vécu, Chateaubriand partait à la recherche du temps écoulé.

Une lente et difficile création

De 1830 — année où fut conçu pour la première fois le projet des *Mémoires* — à 1848 — date de première publication en feuilleton —, il ne faudra pas moins de quarante-cinq ans pour que s'accomplisse

l'ouvrage qui peut seul apporter de l'adoucissement à mes pensées : les *Mémoires de ma vie...*

Car ces *Mémoires* n'ont pas été rédigés d'un unique jet continu, ni conçus d'emblée sous la forme que nous connaissons aujourd'hui. Le dessein originel, qui n'était qu'un délassement d'ordre sentimental et esthétique —

Je ne dirai de moi que ce qui est convenable à ma dignité d'homme et, j'ose le dire, à l'élévation de mon cœur. Il ne faut présenter que ce qui est beau...

— s'est élargi au fur et à mesure que le monde se détachait de Chateaubriand. Après 1830, sa retraite forcée l'incite à s'imposer aux hommes par un grand monument littéraire : dès lors il conçoit d'intégrer sa propre histoire dans le cadre de l'Histoire. En 1833, il rédige une *Préface testamentaire* qui fait état de ses « carrières » et de ses « visages » :

Mon drame se divise en trois actes. Depuis ma première jeunesse jusqu'en 1800, j'ai été soldat et voyageur; depuis 1800 jusqu'en 1814, sous le Consulat et l'Empire, ma vie a été littéraire; de la Restauration jusqu'aujourd'hui, ma vie a été politique.

Le plan général est trouvé. Le titre, *Mémoires d'outre-tombe*, l'avait été un an auparavant.

Guidé par ce nouveau dessein, Chateaubriand reprend les trois premiers livres (rédigés de façon chaotique entre 1807 et 1826) qui formeront la première partie de l'ouvrage définitif, et entreprend d'écrire les trois parties suivantes. Le 16 décembre 1841, l'auteur signe sa dernière page. Jusqu'à sa mort il retouchera son travail dans les moindres détails de manière à unifier l'ensemble. Marqués de nombreux remous dans leur rédaction, ces *Mémoires* le seront aussi dans leur publication.

En 1836, une société d'actionnaires acquiert les droits des *Mémoires* et s'engage à les publier à titre posthume. Mais en 1844 elle doit les céder au journal *La Presse* qui décide de faire paraître le manuscrit en feuilleton dans ses colonnes. Indigné, Chateaubriand prétend qu'on veut « vendre [s]es idées en détail, afin que, comme une marchandise, elles rapportent le plus possible aux vendeurs par la distribution en détail ».

Mais il doit céder : pour éviter de froisser ou de choquer ses contemporains, il consent à faire de nombreuses suppressions qui affadissent les premières publications de son ouvrage, en feuilleton d'abord (1848-1850) puis en volume (1849) [1].

Analyse des « Mémoires »

Tels que nous les connaissons, les *Mémoires* se composent de quatre « Parties », divisées en « Livres » (quarante-quatre au total), lesquels se subdivisent en « Chapitres ».

La « Première Partie » s'intitule : « Ma jeunesse. Ma carrière de soldat et de voyageur » et couvre les années 1774-1799. Chateaubriand retrace son enfance bretonne, les soirées familiales à Combourg, ses promenades et ses rêveries (épisode de la Sylphide). Avec son arrivée à Paris voici les premières expériences mondaines, les premiers grondements de la Révolution. « Ici changent mes destinées », note alors l'auteur avant d'aborder son voyage américain. Puis c'est le retour en France déchirée par la guerre civile, et l'exil (Livres I-XIII).

« Ma carrière littéraire » constitue la « Seconde Partie » : Chateaubriand s'attache à expliquer les succès de ses premiers ouvrages *(Atala, René)* et en fournit ses propres lectures. Parallèlement il raconte ses voyages, son ambassade romaine, ses revers sentimentaux et consacre un long passage à l'exécution du duc d'Enghien. La narration du voyage oriental clôt cette période (Livres XIV-XVIII).

La « Troisième Partie » qui retrace la « Carrière politique » de Chateaubriand se divise en deux « époques » : « De Bonaparte » (1800-1815) et « De la Restauration » (1815-1830) qu'encadrent un prologue et une conclusion philosophique sur la destinée et la fuite du temps. L'auteur consacre six longs livres (XIX-XXIV) à l'Empereur dont il analyse la carrière prodigieuse, cherche à expliquer les succès et les revers; il tente de saisir le caractère de cet homme « dont [il] admire le génie et dont [il] abhorre le despotisme ». Après les mélancoliques pages du Livre XXIV, Chateaubriand raconte ses déceptions politiques devant la monarchie restaurée. De nombreux portraits (Louis XVIII, Villèle, Talleyrand, Mme Récamier...) donnent un ton nouveau à ces pages. Enfin, reprenant l'ensemble de son ouvrage, le narrateur se penche avec tristesse — mais fierté — sur sa vie jusqu'en 1830 : « Ma carrière littéraire, complètement accomplie, a produit tout ce qu'elle

1. Grâce aux patients travaux de Maurice Levaillant, une édition complète des *Mémoires* a pu être entreprise d'après les manuscrits : c'est ce texte dit « du centenaire » qui fait autorité.

Chateaubriand et Pauline de Beaumont dans les ruines du Colisée. (Bibliothèque des Arts décoratifs.) « Madame de Beaumont ouvre la marche de ces femmes qui ont passé devant moi » (*Mémoires d'Outre-Tombe*, II, XIII, 7-8). L' « hirondelle », malade, avait rejoint Chateaubriand à Rome où elle mourut en 1803.

devait produire, parce qu'elle ne dépendait que de moi. Ma carrière politique a été subitement arrêtée au milieu de ses succès, parce qu'elle a dépendu des autres. »

« Quatrième et dernière carrière. Mélange des trois précédentes. Ma carrière de voyageur, ma carrière littéraire, et ma carrière retrouvée » : tel est l'objet de la « Quatrième Partie » des *Mémoires*. Encore quelques ambassades, quelques portraits, quelques aventures politiques. Mais le ton a changé : embrassant sa vie et celle du monde, Chateaubriand élargit sa réflexion jusqu'à une grave méditation. Conscient d'avoir achevé sa mission, l'auteur peut « s'asseoir au bord de [sa] fosse; après quoi [il] descendra hardiment, le crucifix à la main, dans l'éternité ». (Livres XXXV-XLIV)

Ainsi le projet de Chateaubriand diffère-t-il de celui de ses devanciers : il ne s'agit plus seulement de se justifier comme ce fut le cas pour Rousseau, ni même de chercher une règle de vie selon le désir de Montaigne, mais de mêler la peinture d'un *moi* au vaste tableau d'un monde en mouvement, de saisir et de fixer à jamais les images d'un passé regretté.

« Je veux [...] expliquer mon inexplicable cœur »

Premier trait caractéristique de ces *Mémoires*, la présence de ce narrateur qui dit « je » et cherche à se saisir à travers les événements assure d'emblée à l'œuvre un fond de vérité. Non point de vérité par rapport aux faits, mais une vertu supérieure, une essence de vérité. Certes René, déjà, parlait à la première personne : mais l'auteur devait alors user d'artifices littéraires pour conserver à son récit quelque teinte de vraisemblance, et ce « passage du “je” fictif de *René* au “je” réel des *Mémoires*... apporte l'accent et la richesse de la vie » (1).

Qu'importe en effet de savoir si Chateaubriand est ou non sincère! C'est là un problème d'historien. Pour nous compte bien davantage cette figure que nous voyons peu à peu évoluer. Celui qui se cachait derrière le masque de René abandonne les traits fabriqués du récit pour se livrer à nous mobile et divisé :

> Dans l'existence intérieure et théorique je suis l'homme de tous les songes; dans l'existence extérieure et pratique, l'homme des réalités.

Tel se présente le rêveur de la Sylphide, mais aussi l'opposant politique, cherchant toujours dans le songe le remède à son insatiable ennui :

> Je rentre dans mon for intérieur, comme un lièvre dans son gîte : là je me remets à contempler la feuille qui remue ou le brin d'herbe qui s'incline.

Mais ce rêveur n'a rien d'un enthousiaste : froid calculateur aux yeux de ses adversaires, « nature réservée » selon ses propres termes, il ne craint pas d'affirmer une morgue de grand seigneur :

> ma perception distincte et rapide traverse vite le fait et l'homme et les dépouille de toute importance

voire même une déplaisante supériorité :

> Je n'ai plus rien à apprendre, j'ai marché plus vite qu'un autre, et j'ai fait le tour de la vie.

Une telle attitude pouvait choquer plus d'un lecteur : Vigny parla d'un « faux air de génie », Sainte-Beuve d'une « vanité d'enfant ou de sauvage ». Mais c'était s'arrêter à la lettre et refuser de chercher derrière les mots l'objet véritable de l'ouvrage.

1. Gaëtan Picon : « Chateaubriand » dans *Histoire des Littératures*, III, Encyclopédie de la Pléiade, p. 1009.

« *Un intérêt public va soutenir mes confidences privées* »

Car l'Histoire donne aux *Mémoires* la profondeur et la couleur qui font d'une confession une œuvre d'art. Tantôt il s'agit de brosser un tableau pour résumer une vaste période (I, v, 14); tantôt, avec une clarté prophétique, l'auteur s'interrompt pour proposer une réflexion sur le devenir des États-Unis. Souvent un croquis fixe le personnage dans une attitude et révèle son caractère : ainsi, ~~voit-on passer~~ « le vice appuyé sur le crime » (Talleyrand et Fouché) avant que le narrateur revienne sur le prestigieux évêque d'Autun et compose cette fois-ci un portrait-charge digne du polémiste plus que de l'écrivain (IV, XLIII, 2 et 8, portraits de Thiers et de Talleyrand). L'Histoire se présente comme la juxtaposition de grandes fresques et de tableaux, de figures que Chateaubriand entrechoque au gré de sa fantaisie.

Une figure domine les autres et retient l'attention : Napoléon. Présent dès les premières lignes de l'ouvrage, le fantôme de l'Empereur reparaît à la fin : entre-temps, Chateaubriand lui a consacré la moitié de sa « Troisième Partie ». Quoi de plus normal puisqu'il s'agit avant tout de faire évoluer parallèlement deux destinées : celle de Napoléon et celle de... Chateaubriand! Car l'auteur ne regarde l'Empereur que comme un miroir de sa propre expérience; il donne l'impression d'être le pivot autour duquel s'est bâtie la politique impériale :

> [...] cet homme m'enveloppe de sa tyrannie comme d'une autre solitude; mais s'il écrase le présent, le passé le brave et je reste libre dans tout ce qui a précédé sa gloire.

Comment ne pas sentir la fascination qu'exerce la figure du « grand homme » dans ces pages qui s'élèvent de la simple prose pour gagner les hauteurs de l'épopée? La stylisation des traits, le rythme oratoire du récit contribuent à faire entrer Napoléon dans la légende, cette même légende dont Chateaubriand a su discerner la genèse :

> Bonaparte n'est plus le vrai Bonaparte, c'est une figure légendaire composée des lubies du poète, des devis du soldat et des contes du peuple.

L'Histoire apparaît ainsi comme un élément essentiel des *Mémoires :* loin d'être un simple arrière-plan coloré, elle anime l'ensemble de l'ouvrage et justifie en quelque sorte le propos de Chateaubriand. Toute une philosophie de l'Histoire se constitue peu à peu, fondée sur l'alliance prospère du mouvement et de la religion :

> Vous voyez donc que je ne trouve de solution à l'avenir que dans le christianisme. Je ne prétend pas qu'une rénovation générale ait absolument lieu, car j'admets que des peuples entiers soient voués à la destruction. [...] Mais une seconde incarnation de l'esprit catholique ranimera la société.

Un tel pessimisme, même s'il est corrigé par la foi, ne se conçoit que dans la mesure où Chateaubriand s'appuie sur une croyance en la mobilité de l'Histoire :

> Des orages nouveaux se formeront. [...] Mais, encore un coup, ce ne seront point des révolutions à part : ce sera la grande Révolution allant à son terme.

Phrases prophétiques et novatrices qui se teintent d'une brume de mélancolie : car le devenir historique signifie aussi la fuite du temps

> Les scènes de demain ne me regardent plus; elles appellent d'autres peintres. A vous messieurs!

Chateaubriand fait chevalier de Malte. Frontispice du premier tome des *Mémoires*. « Comme je ne crois en rien, excepté en religion, je me défie de tout » (I, XI, 1). Gravure de Delanoy. (B.N. Paris.)

de ce temps dont Chateaubriand vieilli sent plus que jamais l'implacable et douloureuse présence.

« *Vanité de l'homme oubliant et oublié* »

Faire revivre l'Histoire, « réveiller un monde », partir à la recherche de l'unité qui a présidé à sa vie, tel était l'objet secret de Chateaubriand. Ainsi, lorsqu'il entreprend de raconter sa carrière politique (III, XIX, 1) c'est avec mélancolie qu'il écrit ses « Adieux à la jeunesse » :

> [...] ce sont les dernières harmonies du poète qui cherche à se guérir de la blessure des flèches du temps, ou à se consoler de la servitude des années.

« Se guérir », « se consoler » : il y a là tout un vocabulaire auquel on n'a pas assez prêté attention. Sainte-Beuve peut bien écrire que « nul n'a mené si bruyamment le deuil de sa jeunesse », ce qui frappe d'abord, c'est ce ton modeste (« cherche ») et lucide devant ce qui est. Symptômes d'une maladie (Tout comme plus tard à propos de Nerval, mais dans un sens plus figuré, ne peut-on dans un tel cas parler d'écriture thérapeutique?), impression de vertige... Ballotté dans l'espace et le temps, entraîné dans la fuite de sa propre durée, Chateaubriand se sent perdu :

> Et moi qui me débats contre le temps [...] qui suis-je entre les mains de ce Temps, de ce grand dévorateur de siècles que je croyais arrêtés, de ce temps qui me fait pirouetter dans les espaces avec lui?

La réponse à cette interrogation, c'est en nous qu'il faut la chercher, non dans les choses, car

> Nos ans et nos souvenirs sont étendus en couches régulières et parallèles, à différentes profondeurs de notre vie, déposés par les flots du temps qui passent successivement sur nous.

Peu à peu s'effacera la division de l'être qui se sent morcelé entre les divers moments de son existence : d'où l'importance de l'interpénétration des époques que traduit l'épisode de la grive de Montboissier. Comme chez Proust plus tard, une sensation est à l'origine d'un phénomène de mémoire « affective » avec toutes ses caractéristiques, « brusquerie de l'appel, caractère magique de la reviviscence, irruption de l'autrefois dans la conscience actuelle » (1) :

> Je fus tiré de mes réflexions par le gazouillement d'une grive. [...] A l'instant, ce son magique fit reparaître à mes yeux le domaine paternel; j'oubliai les catastrophes dont je venais d'être le témoin, et, transporté subitement dans le passé, je revis ces campagnes où j'entendis si souvent siffler la grive.

1. Jean-Pierre Richard, *Paysage de Chateaubriand*, Seuil, p. 106.

Tout naturellement, le premier moment de surprise passé, c'est un sentiment de joie inexplicable qui envahit le narrateur dans la totalité de son être : grâce à cette grive, les années se sont abolies et le *moi* s'est retrouvé dans son unité. Une unité qui ne concerne pas uniquement le passé et le présent, mais englobe de façon subtile l'éternité, par le jeu équivoque des « moments » :

> Quand je l'écoutais alors, j'étais triste de même qu'aujourd'hui; mais cette première tristesse était celle qui naît d'un désir vague de bonheur, lorsqu'on est sans expérience; la tristesse que j'éprouve actuellement vient de la connaissance des choses appréciées et jugées.

La joie s'est transformée en mélancolie, car cette reconquête du passé n'apparaît plus déjà que comme la saisie du néant, de ces

> traces du temps qui mesurent cruellement la distance du point de départ et l'étendue du chemin parcouru.

L'Histoire fournissait à Chateaubriand prétexte à analogies, le souvenir est lui-même ce prétexte. Certaines pages réunissent en un même panorama les jeux de l'espace et du temps où contrastes et surimpressions n'ont d'autre but que de faire surgir au premier plan une figure exceptionnelle, celle du narrateur :

> Venise, quand je vous vis, un quart de siècle écoulé, vous étiez sous l'empire du grand homme, votre oppresseur et le mien; une île attendait sa tombe; une île est la vôtre : vous dormez l'un et l'autre immortels dans vos Sainte-Hélène! Venise, nos destins ont été pareils! mes songes s'évanouissent à mesure que vos palais s'écroulent. [...] Mais, vous périssez à votre insu; moi, je sais mes ruines.

En quelques lignes s'entrelacent tous les thèmes chers à l'auteur; les volumes se fondent dans « une dimension linéaire, éternellement rompue et continuée : celle d'une écriture » (1).

« *De la mesure et de la proportion dans la grandeur* » (2)

Vouloir échapper au temps par les prestiges de l'écriture, quoi de plus naturel si l'on admet comme Chateaubriand que « le style n'est pas comme la pensée cosmopolite : il a une terre

1. J.-P. Richard *op. cit.*
2. Sainte-Beuve, *Chateaubriand et son groupe*.

natale, un ciel, un soleil à lui »? Il constitue un univers solide digne de porter à jamais les éléments que la navigation du temps emporte à la dérive. C'est pourquoi le narrateur aura recours à des termes volontiers archaïques (« syndérèse », « vélivole ») dont la signification n'apporte rien de plus que les vocables courants, mais qui marquent symboliquement l'attachement et s'opposent à la fuite. De même en est-il des images, en particulier des métaphores, qui rattachent un élément isolé à l'ensemble des suggestions qu'il fait venir à l'esprit du narrateur : ainsi se superposent l'espace et le temps, le présent et le passé, le solide et le fuyant. Encore cette image est-elle capable de jouer sur tous les registres, du sérieux à l'ironique

La grande mesure décrétée contre Bonaparte fut de *courir sus :* Louis XVIII, sans jambes, *courir sus* le conquérant qui enjambait la terre,

du trivial au poétique

Le jour finissait; le soleil me remit entre les mains de sa sœur : elle mêlait sa clarté céruléenne à la lueur carminée du crépuscule : double lumière d'une teinte et d'une fluidité indéfinissables.

C'est que l'écriture n'est qu'un moyen pour atteindre la poésie : il faudrait soumettre tous les éléments du récit (vocabulaire, rythmes, sonorités) à une analyse minutieuse pour rendre compte de ce qu'est véritablement cette « prose poétique ». Des critiques l'ont tenté, mais leurs travaux, pour suggestifs qu'ils soient, ne rendent qu'imparfaitement compte du charme envoûtant de ces phrases. Quoi qu'il en soit, ne disons pas qu'un tel style imite les songes, les déceptions et les enthousiasmes de son auteur : il est ces rêves, ces états d'âme dont les humeurs se confondent avec le mouvement profond de la prose.

LE PREMIER ROMANCIER MODERNE

© Coll. L. B.

Chateaubriand par Dévéria. (B.N. Paris.)

Chateaubriand a longuement insisté sur sa situation d'homme-charnière : marqué par le contraste des temps et des civilisations —

Si je compare deux globes terrestres, l'un du commencement, l'autre de la fin de ma vie, je ne les reconnais plus —,

il est devenu le premier historien de l'époque moderne, ou plutôt il a été le premier à sentir avec netteté le devenir historique. Mais, pardessus tout, il fut le premier écrivain à comprendre que la matière privilégiée de l'écriture était sa propre expérience, ou pour reprendre le saisissant raccourci de Jean-Pierre Richard :

Horizontalité des mots, verticalité de la mémoire, volume du destin, creux des paysages, tout s'organise en somme pour Chateaubriand autour d'un *disparaître.*

Se penchant d'abord sur le temps du monde *(Le génie du christianisme*, *Les martyrs)* en y mêlant quelques propos autobiographiques déguisés *(René)*, puis s'arrêtant au temps d'un autre *(Vie de Rancé)* en y poursuivant ses propres phantasmes, il se devait de fondre en une œuvre unique la quête de son *moi* et la recherche de son propre temps : car tous ces divers moments de la carrière de Chateaubriand ne sont que l'expression d'une même expérience, de cette passion de la mémoire [qui] ne s'apaise que dans un acte qui donne enfin au souvenir une stabilité d'essence : *écrire* (1).

Formé dans le goût classique, maintenu dans la prudence, Chateaubriand n'a sans doute pas pu laisser libre cours à toute la puissance de son génie : qui sait s'il n'aurait pas été sans cela

le plus surprenant poète, le plus scandaleux assembleur de rythmes et d'images, de pensées et de folies (2)?

Il n'en reste pas moins vrai que, par son chef-d'œuvre, il ouvrait la voie à la littérature moderne :

1. Roland Barthes, Préface à *Vie de Rancé*, 10/18.
2. Maurice Regard.

Aucun livre ne nous donne avec plus de force que les *Mémoires* le sentiment qu'un homme nouveau vient de naître : qui se sent et se sait pris, à chaque instant, dans la navigation du temps, et aux yeux de qui la terre ne cesse de se déplacer. [...] De l'exemple des *Mémoires*, le roman moderne retiendra que la plus ambitieuse création peut être un tableau de la société française — ou une recherche personnelle du temps perdu (1).

Ce caractère novateur avait d'ailleurs été reconnu par l'auteur d'un « livre » qui lui non plus « ne ressemble pas du tout au classique roman » : Marcel Proust.

1. Gaëtan Picon, *op. cit.*, p. 1008.

	ŒUVRES ROMANESQUES	ŒUVRES INTIMES	TEXTES POLITIQUES ET APOLOGÉTIQUES
1797			*Essai sur les révolutions*
1801	*Atala*		
1802	*René*		*Génie du christianisme*
1809	*Les martyrs*		
1811		*Itinéraire de Paris à Jérusalem*	
1814			*De Buonaparte et des Bourbons*
1816			*La monarchie selon la charte*
1826	*Aventures du dernier Abencérage*		
1827		*Voyage en Amérique*	
1844	*Vie de Rancé*		
	Mémoires d'outre-tombe : rédaction de 1809 à 1841, publication de 1848 à 1850		

BIBLIOGRAPHIE

ÉDITION SAVANTE : la plus commode est celle de la « Bibliothèque de la Pléiade » : *Mémoires d'outre-tombe* (2 vol. par M. LEVAILLANT). — *Œuvres romanesques et voyages* (2 vol. par M. REGARD). — *Essai sur les révolutions — Génie du christianisme* (1 vol. par M. REGARD).

ÉDITIONS DE POCHE : *Mémoires d'outre-tombe,* Folio, G.-F.; *René, Atala,* G.-F.; avec *Le dernier Abencérage,* Folio; *Vie de Rancé,* coll. « 10-18 » (avec une préface de R. Barthes). Les Classiques Bordas (coll. U.L.B.) et G.-F. offrent trois volumes bien documentés sur *René* et *Atala* (textes intégraux) et les *Mémoires* (extraits).

ÉTUDES : P. MOREAU, *Chateaubriand,* Hatier, 1967 (ouvrage d'initiation qui reste très superficiel). — M. LEVAILLANT, *Chateaubriand, prince des songes,* Hachette, 1960 (fort bien documenté, met l'accent sur la rêverie et la poésie dans l'ensemble de l'œuvre). — G.-D. PAINTER, *Chateaubriand, une biographie,* 2 vol. Gallimard, 1979 et 1984 (par l'auteur d'un *Proust* célèbre, une illustration de la biographie à l'américaine). — A. VIAL, *Chateaubriand et le temps perdu,* Julliard, 1963, rééd. coll. « 10-18 », 1971 (important travail qui s'attache à montrer le rôle de la mémoire chez Chateaubriand). — Jean-Pierre RICHARD, *Paysage de Chateaubriand,* Seuil, 1967 (excellentes et pénétrantes analyses thématiques de l'œuvre vue de l'intérieur). — Jean MOUROT, *Le génie d'un style. Rythmes et sonorités dans les « Mémoires d'outre-tombe »,* Nizet, 1960 (travail d'ensemble sur la stylistique, sérieux mais un peu desséchant). — M. de DIÉGUEZ, *Chateaubriand ou le Poète face à l'histoire,* Plon, 1965 (un sujet capital abordé en profondeur).

LAMARTINE (1790-1869)

Lentement exclu des anthologies, Lamartine n'est plus guère aujourd'hui que le témoignage historique d'un moment de notre littérature : si la publication en 1820 des *Méditations* a marqué l'ouverture d'une nouvelle période littéraire, la critique contemporaine s'accorde à reconnaître à la suite de Flaubert que le discours lamartinien, ni inspiré, ni travaillé, tourne le dos à la parole moderne.

« J'ÉTAIS NÉ POUR L'ACTION »

C'est dans le domaine familial de Milly, non loin de Mâcon où il naquit, que le jeune Alphonse de Lamartine coule une enfance paisible. Attiré par les voyages et la poésie, il mène ensuite une adolescence libertine. En 1816, au cours d'une cure thermale à Aix-les-Bains, il rencontre Mme Julie Charles : elle devient sa maîtresse, l'introduit dans les salons parisiens, mais meurt l'année suivante. En 1820, Lamartine publie avec succès les *Méditations*. La même année il épouse Mary Birch, une jeune Anglaise. Il part avec elle pour l'Italie, où il doit occuper un poste diplomatique. Pour répondre à la demande du public il publie de *Nouvelles méditations* (1823), suivies des *Harmonies poétiques et religieuses* (1830).

Après la révolution de 1830 il tente une carrière politique : en 1833 il est élu député de Bergues (Nord). Partisan de l'ordre mais confiant dans le progrès, il siégera jusqu'en 1848, menant de front son mandat parlementaire et sa carrière poétique : fragments épiques (*Jocelyn* en 1836, *La chute d'un ange* en 1838), pièces engagées (*Recueillements poétiques* en 1839), ainsi qu'un ouvrage historique, l'*Histoire des Girondins* à la veille des journées de 1848.

Au lendemain des émeutes de février il fait adopter la République, refuse le drapeau rouge socialiste mais dirige en fait le gouvernement provisoire en tant que ministre des Affaires étrangères. Après l'insurrection ouvrière de juin, la popularité de Lamartine commence de décliner : son échec aux élections présidentielles de 1851 marque d'ailleurs la fin de sa carrière politique.

Il entamme alors une retraite de « galérien des lettres » et publie diverses études historiques ou littéraires pour subsister. Quelques romans sociaux, un long poème du souvenir — *La vigne et la maison* — pour compléter les œuvres autobiographiques (*Graziella* publié d'abord en 1849 dans *Confidences*, puis isolément en 1852) attestent la mélancolie du poète dans ses dernières années. C'est dans l'indifférence quasi générale qu'il mourut à Paris en 1869.

Portrait de Lamartine en 1844 par Chassériau. « Il donne le pénible spectacle d'un homme perpétuellement mystifié » (Delacroix).

LE LYRISME LAMARTINIEN

Bien qu'il ait touché aux genres les plus divers (théâtre, récits de voyages, fresques historiques, romans) et se soit révélé un brillant orateur, c'est à la poésie que Lamartine dut sa célébrité; et pourtant, ce lyrisme qui enthousiasma la génération de 1820 ne demeure plus pour nous, à de rares exceptions près, qu'un joli jeu verbal.

L'évolution poétique

D'un lyrisme étroit à l'origine, l'inspiration de Lamartine s'est élargie progressivement pour tenter d'englober et de distiller l'expérience du monde. Entre les premiers recueils des *Méditations*, qui chantent une langueur élégiaque, et les *Harmonies* de 1830, le sentiment de la nature, qui tendait à se confondre avec la mélancolie du mal du siècle, s'élève jusqu'à la réflexion cosmique dans l' « Hymne au matin ». Cette évolution était amorcée dans *La mort de Socrate* (1823) et *Le dernier chant du pèlerinage d'Harold* (1825), deux longs poèmes didactiques qui mènent la poésie aux frontières de la philosophie.

Mais c'est avec les fragments de son épopée avortée que Lamartine accède véritablement à cette poésie humanitaire dont il rêvait : chute puis rachat de l'homme, croyance en la bonté divine, souvenir des temps heureux, moments d'amour... toutes les obsessions du poète resurgissent, soutenues par des intentions moralisantes. Le même désir d'enseignement caractérise encore les *Recueillements* de 1839, sans que l'auteur parvienne à ranimer le souffle qui passait dans les meilleurs pages de *Jocelyn.*

Vers la fin de sa vie, lorsque la déception aura fait taire les velléités de la raison, Lamartine retrouvera — ou trouvera? — en lui-même l'occasion d'un poème, *La vigne et la maison* (1857) « fondé non sur le discours ou le thème, mais sur une respiration qui ne faiblit pas » [1].

Les thèmes lamartiniens : des « psalmodies de l'âme »

Hormis les préoccupations politiques et sociales qui apparaissent dans ses œuvres les moins réussies, Lamartine considère avant tout la poésie

Coll. L. B. © Roger-Viollet

Frontispice de l'édition originale des *Méditations*. (B.N. Paris.) Tirée à cinq cents exemplaires, cette édition, dont l'auteur n'attendait pas la gloire, fut une révélation.

comme le « soulagement d'un cœur qui se berc [e] de ses propres sanglots ». C'est donc égoïstement son destin que le poète modulera à l'infini.

La nature, omniprésente, n'est cependant jamais perçue comme telle; ce n'est qu'un miroir dans lequel le poète essaye de se (re)connaître : « Et moi, je suis semblable à la feuille »... Miroir donc, mais miroir tragique qui ne renvoie à l'homme qu'un portrait solitaire *(La vigne et la maison)* dominé par une inféconde tristesse (« Le lac »).

C'est par l'intermédiaire de la nature que sont introduits l'amour et la fuite du temps : l'appel à l'infini que le poète sent naître en lui ne vient que de la présence des arbres et des eaux. Les époques s'entrechoquent, mais à aucun moment on ne sent le vertige devant l'instant conquis qu'éprouvait Rousseau et que retrouveront Chateaubriand, Nerval ou Proust. Cette inaptitude à « fixer » les choses traduit l'échec d'une poésie incapable de se trouver et donc de « voir » : Lamartine reste constamment en retrait du

1. Gaétan Picon, « Lamartine » dans *Histoire des littératures* III, Encyclopédie de la Pléiade, p. 898.

Illustration pour *Jocelyn*. (B.N. Paris.)

possible. La mort ne chemine pas à ses côtés : seuls l'accompagnent la peur de mourir et le regret de l'être aimé. Une telle présence en creux se situe véritablement à l'opposé de l'expérience poétique, laquelle suppose un langage qui ne renvoie qu'à lui-même.

L'art : « une plume qui vole »

La technique de Lamartine est fille des poètes du XVIIIe siècle : le vocabulaire surchargé de périphrases, les images imitées du style noble, la construction des pièces mêmes, rigoureuse, trop intellectuelle pour un homme soucieux de laisser parler son cœur, tout trahit l'influence persistante du néo-classicisme. Une seule innovation dans ce respect de la forme : le groupement des vers en strophes originales.

Cependant, lorsque le poète cesse sa méditation pour laisser passer le « gémissement ou le cri de l'âme », il touche à cette vérité de parole que recherche l'écriture moderne :

> Mon âme est une mort qui se sent et se souffre!

Adulé à ses débuts par tous les jeunes romantiques, de Hugo à Sainte-Beuve en passant par Musset qui « sanglotait sur ses divins sanglots », Lamartine a rapidement vu son étoile s'assombrir au firmament littéraire. Stendhal écrivait à un correspondant dès 1830 :

> Lamartine a trouvé des accents touchants, mais dès qu'il sort de l'expression de l'amour, il est puéril, il n'a pas une haute pensée de philosophie ou d'observation de l'homme [1].

Mais nul n'est allé aussi loin dans la haine pour l'auteur du « Lac » que Flaubert; Lamartine et « tous les couillons de son école » féminisent par trop l'art qui devient alors incapable d'exprimer une idée « noble et haute » :

> Lamartine se crève, dit-on. [...] Je ne le pleure pas [...] C'est à lui que nous devons tous les embêtements du lyrisme poitrinaire [...] C'est un esprit eunuque [...] il n'a jamais pissé que de l'eau claire [2].

Il est probable que le poète serait tombé dans un oubli presque complet si les historiens de la littérature n'avaient redonné à Lamartine une place exagérée en raison de la position charnière de ses premières œuvres. Ainsi s'explique l'imposante présence du poète dans les recueils scolaires et les histoires littéraires de Lanson ou Faguet. Sans doute serait-il injuste de renverser totalement les valeurs et d'ignorer jusqu'au nom même de Lamartine : du moins doit-on voir en lui plus un inspirateur (pour ses contemporains) qu'un inspiré, au contraire de maints romantiques qualifiés de « mineurs » en raison de leur brève et excentrique production.

1. Stendhal, « Lettre à M. Stritch », Pléiade, tome II, p. 350.
2. Flaubert, *Correspondance*, tome III, Conard, pp. 158-159.

BIBLIOGRAPHIE

ÉDITIONS : La lecture des poésies de Lamartine peut se faire soit dans l'édition établie par M.-F. Guyard des *Œuvres poétiques complètes*, Gallimard, coll. « Bibliothèque de la Pléiade », 1963, soit dans les Classiques Garnier (4 volumes), soit enfin dans les collections de poche : Livre de Poche, Garnier-Flammarion.

ÉTUDES : Pour une bonne synthèse sur l'œuvre on aura recours à M.-F. GUYARD, *Lamartine*, Éditions universitaires, 1956 (ouvrage qui ne cache pas ses sympathies pour l'auteur tout en conservant un salutaire esprit critique). — Henri GUILLEMIN, *Larmartine, l'homme et l'œuvre*, Seuil, 1987.

VICTOR HUGO (1802-1885)

Victor Hugo semble placé sous le signe de l'abondance. Entendons par là non l'abondance des biens, — à laquelle il ne fut pourtant jamais insensible —, mais la multiplicité des visages, la richesse des dons et le flux quasi ininterrompu d'une œuvre dont l'abondance verbale est peut-être la caractéristique majeure, la plus impressionnante en tout cas. Comment s'étonner qu'il lui ait fallu comme décor l'immensité du ciel et de la mer, puisqu'il s'est senti l'esprit submergé par « une marée montante d'idées » *(Le Rhin)*? « Toute la lyre » (1) a été chez lui au service de tout lui-même, et de tout le genre humain, du passé, du présent et de l'avenir, du visible et de l'invisible. Ce gigantisme même a quelque chose d'effrayant, et l'on a souvent prédit la ruine de la tour hugolienne. Mais, contrairement à celle de Babel dont il s'est plu à chanter l'écroulement (2), elle ne doit sa solidité qu'à un seul langage, — le sien.

Coll. L. B. © Bulloz

LA MULTIPLICITÉ DES VISAGES

Il serait fastidieux de narrer par le menu une existence de 83 ans aussi bien remplis. Il suffira de faire resurgir, au fil du temps, les visages les plus frappants d'un homme riche en contradictions, qui avouait volontiers qu'il constituait une énigme pour lui-même.

« *Le conservateur littéraire* »

C'est le titre d'une revue que Victor Hugo fonda avec ses deux frères, Eugène et Abel, en 1819. Il définit assez bien ce que fut le jeune homme dans les années 1820. D'ascendance roturière, mais fils d'un général d'Empire auquel le roi Joseph a conféré en Espagne un titre nobiliaire, il est poussé par une sorte d'instinct aristocratique à se ranger du côté de la tradition. Non content de glaner les lauriers académiques par des pièces qui sentent le bon latin d'école, il recherche, en célébrant la monarchie restaurée, l'encouragement et le soutien financier du roi. Poète du parti ultra, il cultive le genre officiel de l'ode (*Odes et poésies diverses*, 1822 qui prendront en 1827 la forme définitive des *Odes et ballades*). Même ses premiers romans, *Bug-Jargal* (1820) et *Han d'Islande* (1823), sacrifient au goût du jour, c'est-à-dire à l'influence de Walter Scott. Il obtient des pensions : elles permettent une vie plus large au foyer qu'il a fondé en 1822 avec Adèle Foucher, sa fiancée de toujours. Il obtient la croix de la Légion d'honneur à vingt-trois ans. La même année, il est invité au sacre de Charles X à Reims : c'est l'occasion d'une nouvelle ode, et de nouvelles jalousies.

1. C'est le titre d'un de ses recueils.
2. Voir par exemple dans *Les Orientales*, I, « Le feu du Ciel », sixième partie.

Le chef de la bataille romantique

Aux alentours de 1827, Hugo traverse un orage (1). Le légitimiste de naguère passe du côté des libéraux et de leur journal, *Le Globe*. Il célèbre Bonaparte et se sent fasciné par la geste impériale dont l'histoire de *Cromwell*, « un de ces hommes carrés par la base, comme les appelait Napoléon, le type et le chef de tous les hommes complets » constitue, dans son premier grand drame, la transposition approximative. Hugo sait qu'il appartient, lui aussi, à la race des chefs : c'est que « l'art donne des ailes, et non des béquilles » (2). Comme le Mazeppa des *Orientales* (1829), emporté à travers la steppe par « un fougueux cheval, nourri d'herbes marines » vers la royauté, il se voit lié vivant sur la « croupe fatale » du « Génie, ardent coursier » qui l'entraîne hors des limites du monde réel (3). Un de ses contemporains parle de ses « airs d'officier de cavalerie qui enlève un poste », de sa « poignée de main d'empereur ». Et, de fait, dans la Préface de son drame *Marion Delorme* (1829), Hugo demande : « Pourquoi maintenant ne viendrait-il pas un poète qui serait à Shakespeare ce que Napoléon est à Charlemagne? » Il veut frapper un grand coup et, pour que ce coup soit plus retentissant encore, il choisit comme champ d'action le théâtre. Après le manifeste, véritable déclaration de guerre aux « classiques », — la « Préface » de *Cromwell* —, la bataille fait rage au cours des représentations d'*Hernani*, de février à juin 1830. Le fils du général Hugo et les romantiques en sortent vainqueurs.

Le pilote inspiré

Pourtant ni la salle de spectacle, ce champ clos, ni l'arène littéraire ne suffisent à Hugo. Au moment où le cercle familial est brisé par Sainte-Beuve, puis par Juliette Drouet qui, pour un demi-siècle, entre dans la vie du poète en 1832, il sent le doute l'envahir, son printemps se faner (*Les feuilles d'automne*, 1831) et sa voix disposée à murmurer simplement des *Chants du crépuscule* (1835). Cette rupture, à dire vrai, était nécessaire pour que son horizon s'élargît. Car c'est vers le genre humain tout entier que l'entraîne maintenant la pente de sa rêverie. Une nouvelle jeunesse le pousse à participer au mouvement politique et social de l'époque. Après *Le dernier jour d'un condamné*, son roman *Claude Gueux* (1834) le montre penché sur le sort des déshérités, des parias de la société : la situation du sonneur de cloches Quasimodo et d'Esmeralda la bohémienne cernés par la foule des truands que mène l'archidiacre Claude Frollo n'est, dans *Notre-Dame de Paris* (1831), que la transposition historique et mythique du drame éternel des misérables qu'un écrivain au grand cœur voudrait dénouer. Car la « Fonction » qu'il assigne au poète au début des *Rayons et les ombres* (1840) est celle d'un pilote inspiré :

Victor Hugo en exil. (Musée Victor-Hugo.)

Le poëte, en des jours impies,
Vient préparer des jours meilleurs.
Il est l'homme des utopies,
Les pieds ici, les yeux ailleurs.
C'est lui qui sur toutes les têtes,
En tout temps, pareil aux prophètes,

1. L'expression est de Henri Guillemin, *Victor Hugo par lui-même*, Seuil, coll. « Écrivains de toujours », n° 1, 1951, p. 14.
2. « Préface » de *Cromwell*.
3. *Les Orientales*, XXXIV « Mazeppa ».

Dans sa main, où tout peut tenir,
Doit, qu'on l'insulte ou qu'on le loue,
Comme une torche qu'il secoue,
Faire flamboyer l'avenir.

Le redresseur de torts devient le héros central d'un théâtre où grandit la rumeur du peuple, « le peuple qui a l'avenir et qui n'a pas le présent; le peuple orphelin, pauvre, intelligent et fort; placé très bas et aspirant très haut ». Le valet Ruy Blas, amoureux d'une reine et engageant un duel à mort contre Don Salluste, symbole d'une noblesse décadente et pervertie, a pour mot d'ordre : Sauvons le peuple,

Ce grand peuple espagnol aux membres énervés,
Qui s'est couché dans l'ombre et sur qui vous [vivez.
(*Ruy Blas*, 1838)

Le parvenu

On a pu voir dans le dévouement de Ruy Blas à la reine Marie une transposition voilée du rôle que Hugo lui-même pouvait caresser en imagination auprès de la duchesse d'Orléans et qu'il tenta effectivement de jouer en 1848 quand il se déclara partisan d'une régence assurée par elle (1). Toujours est-il que son ascension, de 1840 à la révolution de février, n'est pas sans rappeler celle du valet-ministre. Élu à l'Académie française en 1841, il considère cet honneur comme le tremplin pour une vie publique. Le discours qu'il prononce l'année suivante en qualité de directeur de ce noble corps lui vaut d'être invité maintes fois par Louis-Philippe aux Tuileries. En 1845, « Victor-Marie, comte Hugo » (2) est élevé à la dignité de pair de France et prend son rôle fort au sérieux. Peut-être deviendrait-il ministre sans le scandale de sa liaison avec la femme du peintre Biard.

Non sans raison, ses contemporains ont pu douter de ses aptitudes politiques. Du moins a-t-il su pressentir la révolution prochaine. Optant pour la « république de la civilisation » (qui, pour lui, ressemble étrangement à la monarchie constitutionnelle) contre la « république de la terreur », il est élu député de Paris en 1848 et, de nouveau, en 1849. Mais sa position est fort incertaine, il le reconnaît lui-même :

Libéral, socialiste, dévoué au peuple, pas encore républicain, ayant encore une foule de préjugés contre la Révolution, mais exécrant l'état de siège, les transportations sans jugement et Cavaignac (1) avec sa fausse république militaire.

1. Jean-Bertrand Barrère, *Victor Hugo*, Hatier, coll. « Connaissance des lettres », n° 35, nouvelle édition, 1967, p. 101.
2. Ce sera le titre d'un ouvrage de Charles Péguy.

On s'explique ainsi qu'il ait pu apporter en novembre son soutien à la candidature de son ennemi de demain, Louis-Napoléon Bonaparte. On comprend aussi que cet indépendant, confondu avec la droite, mais applaudi par la gauche, puis honni par les deux, ait cru prudent de prendre la fuite après le coup d'État du 2 décembre 1851.

Le proscrit

Selon Henri Guillemin, l'exil a rendu Hugo à lui-même (2). En fait, comme il l'a noté un jour sur un manuscrit des *Misérables*, « le proscrit a continué » le pair de France. Car ni son activité d'homme public ni le deuil douloureux de 1843 (Léopoldine, sa fille aînée, s'était noyée dans la Seine, à Villequier, ainsi que Charles Vacquerie, qu'elle venait d'épouser) n'avaient véritablement interrompu son activité d'écrivain. A cet égard, les apparences sont trompeuses (beaucoup de fragments épars, peu d'œuvres achevées) ainsi que les dates fictives qu'il affectera à ses poèmes (en particulier dans *Les contemplations*) pour laisser croire à un long silence après que « la moitié de (s)a vie et de (s)on cœur » lui eut été enlevée (3). Entre 1840 et 1850 Hugo a écrit nombre de poèmes lyriques, de « petites épopées », et sérieusement avancé un « grand ouvrage » en prose qu'il pense intituler *Les misères* et qui s'appellera finalement *Les misérables*. Seul l'homme de théâtre, affecté par l'échec des *Burgraves* en 1843, semble s'être tu.

Hugo s'était préparé à dix ans d'exil. Il y en eut vingt. Vingt années qui le mènent de Bruxelles (décembre 1851-août 1852) à Jersey (août 1852-octobre 1855) et à Guernesey où il s'installera, en 1856, dans sa propriété de Hauteville-House. La tâche urgente, pour le proscrit, est la protestation vengeresse contre *Napoléon-le-Petit* qu'il veut tourner et retourner « sur le gril » : en prose, et en vers. « Saisir l'abominable parjure couronné, sinon avec la main de la loi, du moins avec les tenailles de la vérité, et faire rougir au feu de

1. Qui réprima brutalement l'insurrection de juin 1848 et se présenta à la présidence de la République contre Louis-Napoléon Bonaparte.
2. *Victor Hugo par lui-même*, p. 17.
3. Dans « *Pauca meae* » une ligne de points de suspension suit la date du 4 septembre 1843 et le poème suivant reprend « Trois ans après ».

l'Histoire toutes les lettres de son serment pour les lui imprimer sur la face » : tel est le but du pamphlet publié à Bruxelles en août 1852 et du recueil des *Châtiments* qui parut dans la même ville l'année suivante, mais ne tarda pas à circuler en France sous le manteau. Justicier, le poète satirique tient encore le rôle de Ruy Blas. Les titres des six premières parties parodient les promesses restauratrices de l'Empire; la dernière s'intitule ironiquement : « Les sauveurs se sauveront ». L'ensemble conduit de la nuit à la lumière, de « Nox » à « Stella » et à « Lux ».

En effet, son loisir forcé permet maintenant à Hugo de se consacrer à un véritable travail de composition. C'est en architecte qu'il bâtit le recueil des *Contemplations* (1856). Au cours de « vingt-cinq années », comme il l'écrit dans la Préface, « l'auteur a[vait] laissé, pour ainsi dire, ce livre se faire en lui ». Mais il a dû ensuite s imposer un choix et opérer un classement. Deux tomes : « Autrefois », « Aujourd'hui ». Entre eux, une cassure : la mort de Léopoldine. Six parties, qui conduisent plutôt cette fois de la lumière à la nuit : « Aurore », « L'âme en fleur », « Les luttes et les rêves », « *Pauca meae* » (Quelques vers pour ma fille), « En marche », « Au bord de l'infini ». L'admirable épilogue « A celle qui est restée en France » nous fait comprendre la pire douleur de l'exilé, vainement conjurée par l'interrogation des tables tournantes : l'éloignement du tombeau de Léopoldine.

Regardant de plus loin, et comme de plus haut, tel « le pâtre promontoire au chapeau de nuées » (1), Hugo a pu, dans ce chef-d'œuvre, donner une couleur épique aux mémoires de son âme. Mais il songe à un livre plus ambitieux encore qui, écrit-il en mars 1859, « contiendra le genre humain, [...] sera la légende humaine ». Il s'agit de *La légende des siècles*, qui lui permet de rassembler ses « petites épopées » dont les premières, « Aymerillot » et « Le mariage de Roland », remontent à 1846. Il faut insister, comme il le fait lui-même, sur le lien qui existe entre la lutte du proscrit et le combat de l'Homme, à travers les âges, vers l'aurore future de « Pleine mer » et de « Plein ciel ». Ces pièces sont comme fouettées par l'air marin (« Les pauvres gens », « Les paysans au bord de la mer »), par la colère d'une victime que les vexations de l'autorité, la hantise des espions, la cuisante blessure d'amour-propre maintiennent dans un état de surexcitation (« Première rencontre du Christ avec le tombeau », « La vision de Dante », « Ire, non ambire »), par l'espoir de voir un jour les méchants châtiés (« La conscience ») et l'esprit puissant vainqueur. Le poète est devenu « l'enclume de Dieu » et c'est en son nom qu'il frappe, qu'il châtie, comme Roland, Éviradnus, Fabrice ou l'Aigle de Madruce.

1. *Les contemplations*, V, 23 « Pasteurs et troupeaux ».

L'exilé volontaire

En 1859, les conditions de l'exil de Hugo changent. La proclamation d'amnistie du 16 août lui permettrait de rentrer en France. Mais il s'obstine dans un refus qui est en même temps acceptation de ses conditions nouvelles d'existence. Car, paradoxalement, le Hugo des années 60 est un révolté réconcilié. Sa barbe, qu'il laisse pousser à partir de 1861 pour prévenir les maux de gorge, lui donne l'air à la fois de Karl Marx et d'un patriarche de la Bible. On serait tenté de reconnaître un mélange analogue dans la transformation de Jean Valjean en M. Madeleine. Sans doute l'écrivain continue-t-il à soutenir les faibles et à flétrir les puissants dans ses romans épiques. *Les misérables* (enfin achevés en 1862) et *L'homme qui rit* (1869), où Gwynplaine est le symbole monstrueux de l'humanité mutilée. Mais le mouvement de pardon, déjà exalté au terme des grands poèmes philosophiques (« Ce que dit la bouche d'ombre » dans *Les contemplations*, « Le crapaud » dans *La légende des siècles*, et les deux grands ouvrages qui ne seront publiés qu'après sa mort, *La fin de Satan*

Victor Hugo par Rodin. (Musée Victor-Hugo.) La rencontre de deux génies visionnaires.

et *Dieu*), devient essentiel, allant jusqu'à la générosité de Jean Valjean rendant sa liberté au policier Javert (*Les misérables*, cinquième partie), à l'abnégation de Gilliatt dans *Les travailleurs de la mer* (1866). L'amour triomphe encore dans ce spectacle dans un fauteuil qu'est le *Théâtre en liberté* (par exemple la grand-mère qui, attendrie par le spectacle de ses petits-enfants jouant dans l'herbe, pardonne à son fils sa mésalliance). Et c'est à une sorte de réconciliation métaphysique que nous font assister *Les chansons des rues et des bois* qu'égrène le poète depuis son séjour dans l'île de Serk en 1859 :

> Et l'aube est là sur la plaine!
> Oh! j'admire, en vérité,
> Qu'on puisse avoir de la haine
> Quand l'alouette a chanté [1].

Au révolté farouche de Jersey, au créateur forcené des premières années passées à Guernesey semble avoir succédé un homme physiquement plus las, mais moralement plus libre, plus sûr d'être écouté, plus apaisé, bientôt un prophète aveuglément confiant dans l'omnipotence et le rayonnement mondial de sa parole (en 1862, on organise à Bruxelles un banquet en son honneur qui prend des couleurs de triomphe). Mais les chagrins et les deuils s'accumulent autour de lui : fuite d'Adèle, sa seconde fille; départ de ses fils; mort du premier de ses petits-enfants; décès en 1868 de Madame Victor Hugo que Juliette n'accepte pas de remplacer.

Le « guide échoué »

Le 5 septembre 1870, après la proclamation de la République, Hugo rentre à Paris. Placé au-dessus de la mêlée par sa longue absence et par son immense prestige, il semble promis au rôle d'arbitre que le jeu des circonstances et son absence de talent politique ne lui permettent pas de jouer. Élu député en janvier 1871, démissionnaire deux mois plus tard, il ne retrouvera jamais son siège. Nommé sénateur en janvier 1876, il ne se mêle guère, en fait, à la vie publique. Pourtant il manque rarement de prendre la parole, en tant qu'écrivain : il flétrit dans *L'année terrible* (1872) — qu'un roman de la même époque invite à mettre en parallèle avec l'année *Quatrevingt-treize* — ceux qui ont conduit en 1870 la France dans l'abîme, il lutte pour l'amnistie politique, s'oppose à la dissolution de la chambre demandée en mai 1877 par le président Mac-Mahon, confronte avec ironie le pape réel et le pape idéal (*Le pape*, 1878). Deux nouvelles séries de *La légende des siècles* (1877, 1883) lui permettent de prendre, une fois encore, la défense des faibles contre les oppresseurs (en particulier dans « L'aigle du casque »). Mais le message d'Hugo est-il vraiment entendu de ses contemporains? « Je suis un guide échoué », disait-il déjà en 1870. Jamais cette constatation amère n'a été plus juste qu'en ces dernières années de sa vie où il est pourtant l'idole du public, « l'immense vieux », comme le disait Flaubert. On lui fait à sa mort de grandioses funérailles nationales qui ont beaucoup frappé l'imagination des jeunes gens (Barrès en a laissé une description célèbre dans *Les déracinés*). Mais à quel Hugo? au « vieux rôdeur sauvage de la mer », au vieux lutteur, ou au bonhomme attendri qui, auprès de Georges et de Jeanne, a éprouvé *L'art d'être grand-père*?

1. *Les chansons des rues et des bois*, II, III, 1, « Depuis six mille ans la guerre ».

LA RICHESSE DES DONS

Victor Hugo, on l'a vu, a abordé tous les genres. Ses réussites sont inégales, certes; mais en chacun d'eux il a excellé. Aborde-t-il un domaine mineur, comme le récit de voyages, il donne ce chef-d'œuvre qu'est *Le Rhin* (1842). Il illustre tour à tour la satire avec *Les châtiments*, l'épopée avec *La légende des siècles*, *Dieu* et *La fin de Satan*, alors que ses compatriotes y brillent d'ordinaire fort peu. Péguy l'a défini comme « un génie gâté par le talent ». De fait, il nous offre la rare union des deux.

Le penseur

C'est un nom que Hugo se donnait volontiers à lui-même. Il serait vain de chercher chez lui de la philosophie pure : elle se trouve toujours mêlée à la littérature [1]. Ce qui implique, en

1. Voir son ouvrage, publié en 1834, *Littérature et philosophie mêlées*.

contrepartie, la présence latente de « sa » philosophie sous chaque pièce, fût-elle fort anodine en apparence (« Saison de semailles le soir », dans *Les chansons des rues et des bois*, par exemple).

La métaphysique. La métaphysique hugolienne ne s'organise jamais en un système véritable et ne reste jamais de l'ordre du concept. Il faut beaucoup d'artifice pour présenter en un corps de doctrine cohérent des éléments hétérogènes empruntés soit à des lectures diverses et difficiles à identifier, soit à des réfugiés teintés de fouriérisme ou de saint-simonisme (1) qu'il rencontra en exil, soit à l'expérience des tables parlantes. Ces éléments sont moins surprenants si l'on prend soin de situer Hugo dans le courant de religiosité hétérodoxe qui s'est répandu en Europe depuis le milieu du XVIIIe siècle. Rappelons les plus importants d'entre eux :

— Pour être, la création devait être imparfaite; sinon, elle ne pouvait se distinguer de son créateur parfait.

— Le signe de l'existence du mal est l'existence de la matière : son poids a entraîné l'être créé dans la chute.

— Après cette dispersion, les êtres forment un ensemble continu, une échelle qui part de la matière brute et s'élève au-dessus de l'homme (milieu de la création) vers Dieu : « tout vit » (2).

— A chaque degré de l'échelle correspond un degré moral : après sa mort, tout être descend ou remonte l'échelle des êtres, selon les actions qu'il a accomplies dans sa vie antérieure. Ainsi, l'âme d'un homme criminel passe dans le corps d'un animal vil (le crapaud, l'araignée) ou dans un caillou. Un homme bon deviendra au contraire chevalier errant, mage, poète ou, plus haut encore, ange ou séraphin : « Tout est plein d'âmes » (3).

— Tout se métamorphose et tout progresse vers une rédemption universelle : les êtres inférieurs par la souffrance (le monstre garde la pleine conscience de son passé coupable et se trouve exposé aux tortures physiques); l'homme par l'action surtout, puisqu'il reste plongé dans le doute; l'ensemble des êtres par l'amour qui amène la réconciliation universelle en Dieu :

1. Voir p. 390-391.
2. *Les contemplations*, VI, 26 « Ce que dit la bouche d'ombre ». Ce long poème peut passer pour une sorte d'évangile hugolien. Et cf. ce vers de *Dieu :* « Tout vit. Création couvre métempsycose ».
3. *Ibid.*

Un seul instant d'amour rouvre l'éden fermé (1).

La philosophie de l'Histoire. Dans ces conditions, l'Histoire humaine déroule sous nos yeux les étapes des progrès de l'humanité et du monde placé sous l'égide de l'homme. On se libère progressivement de la matière (qu'on songe à Quasimodo), mais surtout de cette faute qui est pour Hugo le véritable péché originel de l'humanité : le meurtre d'Abel par Caïn (2) tant de fois répété dans l'Histoire. Cette tâche, au Moyen Âge, incombait aux chevaliers errants, dompteurs de monstres humains. A l'époque moderne, elle semble revenir aux pauvres gens et, bien sûr, au poète « en marche ».

La morale. Généreux dans son action et dans son œuvre, Hugo illustre mieux que tout autre la charité romantique :

> Un pauvre homme passait dans le givre et le vent.
> Je cognai sur ma vitre; il s'arrêta devant
> Ma porte, que j'ouvris d'une façon civile... (3).

Elle s'exerce aussi bien sur les « infâmes » que sur les « infortunés » car ils sont tous des « misérables » et tous peuvent être sauvés à force de patience et d'amour. C'est la thèse défendue dans *Les misérables* ou dans le grand poème des « Malheureux » (*Les contemplations* V, 26) qui s'achève sur une étonnante évocation de la double douleur d'Adam et d'Ève :

> Ils songeaient et, rêveurs, sans entendre, sans voir,
> Sourds aux rumeurs des mers d'où l'ouragan [s'élance,
> Toute la nuit, dans l'ombre, ils pleuraient en [silence,
> Ils pleuraient tous les deux, aïeux du genre humain,
> Le père sur Abel, la mère sur Caïn.

La religion. Hugo, qui se définit lui-même comme « libre penseur » (4), croit en Dieu et prie. Un Dieu tout-puissant, « sombre », inconnaissable pour l'homme et dont le christianisme ne nous offre qu'une approximation insatisfaisante. L'écrivain n'est tendre ni pour les matérialistes déterministes ni pour les cléricaux, à qui il reproche la grande trahison du Second empire. On a pu résumer ainsi ses certitudes essentielles : « Quelqu'un existe, entre les mains de qui nous sommes, dont nous savons qu'il nous regarde, qu'il nous appelle et qu'il nous jugera; et le moi humain, indestructible et soustrait à la mort, est

1. *La légende des siècles*, « Sultan Mourad ».
2. *Ibid.*, « La conscience ».
3. *Les contemplations*, V, 9 « Le mendiant ».
4. Réponse faite au recensement du 31 mai 1872.

© Coll. L. B.

Dessin à la plume de Victor Hugo pour servir de frontispice à son recueil : l'épave nocturne du burg ruiniforme. Fantastique et poésie. (Musée Victor-Hugo.)

responsable devant ce Dieu qui l'a créé et qui demeure présent en lui » ([1]). Pour Hugo plus que pour nul autre, Dieu est un mythe, « l'œil gouffre, ouvert au fond de la lumière » ([2])...

Le « *génie créateur de mythes* » (*G. Picon*)

C'est que le mythe est tout-puissant dans son œuvre. D'une manière générale, l'affabulation y occupe une place très importante.

Poésie. C'est déjà vrai des *Ballades* (« La fiancée du timbalier ») ou des *Orientales* (« Les Djinns »). *Dieu* et *La fin de Satan* sont le long récit d'un mythe, qui est celui du mal pardonné. Dans *La légende des siècles*, le mythe est moins le résultat d'une invention pure que de la fusion de divers éléments existants ou ayant existé en un être qui les englobe et les résume tous. Ainsi Sultan Mourad est un sultan imaginaire qui rassemble des traits épars empruntés à plusieurs tyrans historiques, en particulier à Napoléon III. Jeannie, la femme du pêcheur, incarne à elle seule les sentiments et les attentes de tous les pauvres gens. Le Satyre résume toutes les révoltes et les aspirations de l'humanité. Mythe des mythes enfin, le mur des siècles, dans « La vision d'où est sorti le livre », réunit en un seul bloc toute l'Histoire humaine.

1. H. Guillemin, *Victor Hugo par lui-même*, p. 76.
2. *Dieu.*

Roman. Les romans de Hugo constituent une mythologie parallèle ([1]). Sans doute arrive-t-il fréquemment que l'auteur ait recours à l'Histoire lointaine (*Notre-Dame de Paris*) ou récente (*Les misérables*). Mais l'évocation précise de l'événement n'est qu'un des éléments mis en œuvre pour exposer l'épopée humaine. Dans *Les misérables*, Hugo déclare avoir voulu « fondre toutes les épopées dans une épopée supérieure et définitive » qui présente « la marche du mal au bien, de l'injuste au juste, du faux au vrai, de l'appétit à la conscience, de la pourriture à la vie, de la bestialité au devoir, de l'enfer au ciel, du néant à Dieu ». A la fin du livre on devine, « dans l'ombre, quelque ange immense [...] debout, les ailes déployées, attendant l'âme » apaisée de Jean Valjean. Dans *Les travailleurs de la mer*, Gilliatt, se débattant contre la pieuvre, engage la lutte avec l'*anangkê* ([2]) et le mal. « J'ai voulu abuser du roman, j'ai voulu en faire une épopée », dira Hugo lui-même, commentant l'échec de *L'homme qui rit*. Du moins peut-on admirer le lien qui unit ses romans au reste de son œuvre : une « mythologie puissante [...] qui est la projection symbolique des problèmes et des croyances de l'auteur » ([3]).

Théâtre. On pourrait être tenté de faire une place à part au théâtre de Hugo. En effet, si l'on se réfère à la théorie des trois âges de la poésie exposée dans la « Préface » de *Cromwell*, l'époque moderne où il éclôt se distingue de l'époque primitive qui a donné l'ode et de l'époque antique qui a produit l'épopée. Le drame nouveau semble se fonder moins sur une donnée mythique que sur un principe réaliste : « tout ce qui est dans la nature est dans l'art ». En fait, la vérité du théâtre reste inséparable pour Hugo de la

1. La remarque est de Gaëtan Picon.
2. En grec, la nécessité.
3. G. Picon, *Histoire des littératures*, Encyclopédie de la Pléiade, t. III, p. 1028.

vérité de l'imagination, « quand elle invente dans le sens de l'Histoire » (1). La révolution d'Angleterre dans *Cromwell*, la France sous Richelieu dans *Marion Delorme*, l'Espagne de *Hernani* ou de *Ruy Blas*, le Moyen Age germanique des *Burgraves*, c'est encore « de l'histoire écoutée aux portes de la légende » (2). Et l'on découvrirait sans peine dans les drames hugoliens la trilogie du persécuteur, du persécuté et du protecteur qui constitue le schéma de base d'un poème comme « L'aigle du casque » (Tiphaine-Angus-l'Aigle), de romans comme *Les misérables* (Thénardier-Cosette-Jean Valjean) ou comme *L'homme qui rit* (les nobles d'Angleterre-Gwynplaine-Ursus). Persécutée par Don Salluste, la reine d'Espagne trouve par exemple un protecteur inattendu en la personne du faux don César de Bazan, Ruy Blas :

> RUY BLAS. — Marquis, jusqu'à ce jour Satan te [protégea,
> Mais, s'il veut t'arracher de mes mains, qu'il se [montre.
> — A mon tour! — On écrase un serpent qu'on [rencontre.
> — Personne n'entrera, ni tes gens, ni l'enfer!
> Je te tiens écumant sous mon talon de fer!
> — Cet homme vous parlait insolemment, [Madame?
> Je vais vous expliquer. Cet homme n'a point d'âme,
> C'est un monstre (3).

Le voyant

« Ses yeux plongent plus loin que le monde réel », a dit Gide de Hugo; « mais ce monde réel, il sait, quand il veut bien, le voir et le peindre admirablement ». Son génie visuel est en effet un génie complet qui sait passer de l'observation à la contemplation, de la contemplation à la vision.

L'observation. Doué d'une extraordinaire acuité visuelle, Hugo prenait soin de noter en quelques mots ou par un croquis des « choses vues ». Dessinateur de très grand talent, il est capable des « crayons » les plus déliés. Poète, il ne renonce nullement à cette précision : on connaît par exemple les célèbres « Soleils couchants » des *Feuilles d'automne* (XXXV), étonnantes études de la couleur, ou, dans *Les contemplations* (II, 6), cette « Lettre » où il découpe les différents plans du paysage et qui peut passer (avec « Fenêtres ouvertes », dans *L'art d'être grand-père*, I, 11) pour un des rares modèles de l'impressionnisme littéraire :

> Tu vois cela d'ici. — Des ocres et des craies,
> Plaines où les sillons croisent leurs mille raies,
> Chaumes à fleur de terre et que masque un buisson,
> Quelques meules de foin debout sur le gazon,
> Des vieux toits enfumant le paysage bistre...

Cet art de la description triomphe aussi dans la prose du *Rhin* ou dans l'étonnant « Paris à vol d'oiseau » de *Notre-Dame de Paris*.

La contemplation. En fait, dans *Le Rhin*, Hugo prend souvent la pose du contemplateur. Le spectacle d'une ruine ou d'un coin sauvage de la nature lui permet de s'élever à des méditations, telle la rêverie sur le Geissberg, dans la lettre XXVIII : la vision d'un vieux château démantelé éveille dans son âme le sentiment de la vie mystérieuse des choses. On trouverait bien des exemples de contemplations dans la poésie hugolienne avant le grand recueil qui porte ce titre : le golfe d'« Au bord de la mer », dans *Les chants du crépuscule*

Illustration pour *les Rayons et les Ombres*. (Musée Victor-Hugo.)

Voici la chaîne que je porte (p. 28).

1. J.-B. Barrère, *Victor Hugo*, *op. cit.*, p. 43.
2. Préface de *La légende des siècles*.
3. *Ruy Blas*, acte V, sc. 3.

> [...] fait par Dieu, puis refait par les hommes,
> Montrant la double main empreinte en ses contours;

« La Vache », dans *Les voix intérieures*, symbole de la mère nature désaltérant nos cœurs; le sourire de l'automne dans *Les rayons et les ombres* qui suscite la « Tristesse d'Olympio » devant la fuite du passé.

La vision. Avec « Stella », dans *Les châtiments*, on passe de la contemplation à la vision : l'étoile du matin, symbole de l'espérance et de la poésie ardente, devient l'annonciatrice de « l'ange Liberté » et du « géant Lumière ». Ainsi Hugo se laisse-t-il entraîner par l'imagination (sa faculté maîtresse, comme dirait Taine) hors du monde réel. On assiste alors à une prolifération d'images fantastiques, d'hallucinations, de visions cosmiques créées par un langage en liberté :

> La Nuit tire du fond des gouffres inconnus
> Son filet où luit Mars, où rayonne Vénus,
> Et, pendant que les heures sonnent,
> Ce filet grandit, monte, emplit le ciel des soirs,
> Et dans ses mailles d'ombre et dans ses réseaux [noirs
> Les constellations frissonnent (1).

L'ABONDANCE DU VERBE

Car le langage semble doué, dans cette œuvre, d'un pouvoir surnaturel. Hugo écrit, dans son *William Shakespeare* (1864) : « un génie est un accusé ». L'accusation la plus grave qu'une critique de bon goût a cru devoir lancer contre lui est celle de démesure, d'incontinence verbale.

Prolixité

Certes, il est impossible de nier ce défaut : la prolixité hugolienne. Dans son œuvre immense il est des déserts, des redites, des développements inutiles. L'intrigue de *Cromwell* est trop touffue et le dialogue trop chargé de monologues déclamatoires. La « luxuriance glacée » (1) de *L'homme qui rit* déconcerte. Et les « Quatre jours d'Elciis », dans *La légende des siècles*, paraissent interminables. Encore n'avons-nous emprunté ces exemples qu'à des grandes œuvres. Il prévoit 1 500 vers pour *Les châtiments* qui en réuniront 6 000, six tomes pour *Les misérables* qui en comprendront finalement dix.

Totalisme

En fait, ce gigantisme inquiétant se justifie souvent par l'ambition du sujet. Le projet de *La légende des siècles* est significatif à cet égard :

> Exprimer l'humanité dans une espèce d'œuvre cyclique, la peindre successivement et simultanément sous tous ses aspects, histoire, fable, philosophie, religion, science.

Pour son drame *Les Burgraves*, Hugo n'envisage pas moins de quatre générations successives et l'œuvre, dont il a pourtant retranché un millier de vers, souffre de pléthore. Dès *Notre-Dame de Paris*, son esthétique romanesque revendique l'art de la digression. Quant à la célèbre « Préface » de *Cromwell*, elle est, beaucoup plus qu'une théorie du drame romantique, un manifeste en faveur de cette prodigalité. Elle prône un totalisme qui représente la pointe extrême de l'ambition réaliste (2) : « tout regarder à la fois sous toutes ses faces ». L'union du « sublime » et du « grotesque », qui en découle, n'est que la forme propre au drame d'une union des contraires (gravité-fantaisie) qui marque l'ensemble de l'œuvre hugolien.

La possession par la parole

Dans un article de *Variété* intitulé « Victor Hugo créateur par la forme », Paul Valéry a vu en lui un « possédé du langage poétique » chez qui « l'acte qui fait la forme domine entièrement ». Hugo semble porté tout d'abord par la grande rhétorique classique dont il reprend tous les procédés, organisant le discours poétique en de vastes périodes propulsées par un « motif, [...] une espèce de patron dynamique ou de centrale qui impose sa forme ou son impulsion à tout un poème » (3) : « maintenant que », « considérez que » sont incessamment répétés dans « A Villequier » (*Les contemplations*, IV, 15);

1. *La légende des siècles*, « Plein ciel », v. 325-330.

1. J.-B. Barrère, *Victor Hugo*, *op. cit.*, p. 248.

2. Comme l'a remarqué A. Camus dans *L'homme révolté*.

3. Paul Claudel, digression sur Victor Hugo dans *Positions et propositions*.

POÉSIE	ROMANS	THÉATRE	ESSAIS
	1823 *Han d'Islande*		
1826 *Odes et ballades*			
		1827 *Cromwell* et la *PRÉFACE*	
1829 *Les Orientales*	1829 *Le dernier jour d'un condamné*	1829 *Marion Delorme*	
		1830 *HERNANI*	
1831 *Les feuilles d'automne*	1831 *NOTRE-DAME DE PARIS*		
		1832 *Le roi s'amuse*	
		1833 *Lucrèce Borgia* *Marie Tudor*	
	1834 *Claude Gueux*		1834 *Littérature et philosophie mêlées*
1835 *Les chants du crépuscule*			
1837 *Les voix intérieures*			
		1838 *RUY BLAS*	
1840 *Les rayons et les ombres*			
			1842 *Le Rhin*
		1843 *Les Burgraves*	
1853 *LES CHATIMENTS*			
1856 *LES CONTEMPLATIONS*			
1859 *LA LÉGENDE DES SIÈCLES* (première série)			
	1862 *LES MISÉRABLES*		
			1864 *William Shakespeare*
1865 *Chansons des rues et des bois*			
	1866 *Les travailleurs de la mer*		
	1869 *L'homme qui rit*		
1872 *L'année terrible*			
	1874 *Quatre-vingt-treize*		
			1876 *Actes et paroles*
1877 *LA LÉGENDE DES SIÈCLES* (2e s.) *L'art d'être grand-père*			
1863 *LA LÉGENDE DES SIÈCLES* (3e s)			

« il va », « où s'arrêtera » dans « Plein ciel » *(La légende des siècles)*.

Mais ce ne sont pas seulement les routines d'un métier appris qui entraînent Hugo : il est saisi par une force créatrice propre, « inépuisable et suprême matrice », comme la Terre aux premiers jours du monde dans « Le sacre de la femme » (1). On ne reconnaît plus, bien souvent, la facture traditionnelle de l'alexandrin, tant les rejets et les enjambements, tant les rythmes nouveaux (en particulier le rythme ternaire) s'entendent pour le disloquer, c'est-à-dire pour mieux l'accorder à la fièvre du héros

> Oh! par pitié pour toi, fuis!... Tu me crois, peut-[être,
> Un homme comme sont tous les autres, un être
> Intelligent, qui court droit au but qu'il rêva.
> Détrompe-toi. Je suis une force qui va! (1)

à la colère, aux souffles de la tempête, aux caprices du dialogue, pour lui faire raser la

1. Dans *La légende des siècles.*

1. *Hernani*, acte III, sc. 4.

prose dans les passages purement narratifs. Quant à la prose proprement dite, elle est multiple comme la mer, à la fois ornée et abrupte (1), tantôt hachée en séquences proclamatoires, tantôt ramassée en blocs compacts de descriptions.

La qualification est très souvent inattendue, soit que Hugo accole à un substantif abstrait des qualificatifs concrets (« l'innocence rôdant »), ou le contraire (« l'arbre était bon »), soit que l'adjectif prenne un sens nouveau dont le poète est l'inventeur (« l'horreur des forêts formidables »). Au nom est confié un rôle nouveau, qui s'exerce au détriment de celui du verbe : les substantifs abstraits sont employés pour décrire (« une immobilité faite d'inquiétude »); inversement, idées et concepts s'expriment par l'intermédiaire de comparaisons et d'images concrètes (« la vie obscure ouvrait ses difformes rameaux »). Ainsi naissent des mots doubles nouveaux (« l'homme-troupeau », la « forêt-spectre »), des alliances inconnues (« blancheur sombre »). Ce vocabulaire se fait obsédant par le retour de termes qui constituent le lexique fondamental de l'écrivain (« insondable », « ineffable », « noir », « funèbre », « farouche », « vermeil », etc.) et cherchent à nous faire frissonner devant les mystères du monde.

1. J.-B. Barrère, *op. cit.*, p. 248.

Artiste plus « baroque » que romantique, a-t-on dit. Artiste en fait étonnamment moderne et chez qui l'alliance de l'excès et de la rigueur ne constitue pas le moindre des paradoxes.

Postérité de Victor Hugo

Les funérailles de Victor Hugo avaient été le deuil d'une nation entière et sans doute aucun écrivain n'avait connu, de son vivant, une semblable célébrité. Un temps de purgatoire était inévitable : si l'admiration d'un Péguy reste enthousiaste pour Hugo, Claudel ou Gide émettent de sérieuses réserves. Pourtant son tempérament de visionnaire, l'originalité de son langage ne pouvaient que frapper les poètes modernes, un Aragon par exemple. Même si son enflure gêne les délicats, il faut surtout reconnaître que Hugo « est resté le plus populaire des poètes français. Un immense public a aimé en lui l'image éloquente et simple des sentiments humains fondamentaux, ainsi qu'une mythologie politique et sociale selon son cœur » (1).

1. G. Picon, *art. cit.*, p. 923.

BIBLIOGRAPHIE

ÉDITIONS : Hugo étant au catalogue de toutes les collections de Petits Classiques et de Livres de poche, nous nous abstiendrons de les énumérer. Remarquable édition des œuvres complètes (y compris les dessins) parue au Club français du livre. A défaut, on utilisera les quatre volumes de la monumentale édition Pauvert ou, encore incomplètes, les éditions parues dans la « Bibliothèque de la Pléiade » (Gallimard), dans « L'Intégrale » des éditions du Seuil ou dans la collection des Classiques Garnier.

L'année Hugo (1985) nous a valu l'édition en poche (Laffont, collection « Bouquins »), et conforme aux textes originaux, des *Œuvres complètes* par les soins de Jacques SEEBACHER et Guy ROSA.

ÉTUDES : Deux excellents ouvrages d'introduction : Henri GUILLEMIN, *Victor Hugo par lui-même,* Seuil, 1951 (un portrait incisif); Jean-Bertrand BARRÈRE, *Victor Hugo,* Hatier, 1967, rééd. SEDES, 1984 (une présentation savante et plaisante de l'homme et de l'œuvre au fil des années). Exceptionnellement, nous recommanderons deux éditions de *Morceaux choisis,* en raison de la richesse de l'annotation : *L'œuvre de Victor Hugo,* par Maurice LEVAILLANT, Delagrave, 1959; *Extraits choisis,* par Jean BOUDOUT et Pierre MOREAU, Hatier, 1950. — Parmi les travaux érudits les plus importants, citons ceux de J.-B. BARRÈRE, *La fantaisie de Victor Hugo,* 3 tomes, Corti, 1949-1960 (un aspect scandaleusement négligé); de Pierre ALBOUY, *La création mythologique chez Victor Hugo,* Corti, 1963 (enfin la juste perspective); de Jean GAUDON, *Le temps de la contemplation,* Flammarion, 1969, d'Anne UBERSFELD, *Le roi et le bouffon,* J. Corti, 1974 (une vision du théâtre de Hugo renouvelée grâce à la notion bakhtinienne de « carnavalesque »).

VIGNY (1797-1863)

Alfred de Vigny s'est plu à reconnaître dans sa vie trois temps distincts : « l'un fut le temps de mon éducation; l'autre de ma vie militaire et poétique; une troisième époque commence; ce sera la plus philosophique de ma vie. » (*Journal*, 1832). Est-il besoin de souligner que la vie « poétique » s'est nourrie d'une méditation constante sur la condition humaine et que l'époque « philosophique » fut marquée par la création des poèmes les plus ambitieux et les plus personnels de l'auteur? Il peut être commode de délimiter les étapes d'une existence, il serait vain d'arrêter arbitrairement le mouvement d'une pensée qui, sous des formes diverses, romans, œuvres dramatiques, poèmes, n'a cessé de quêter la « vérité sur la vie » afin de la proposer aux hommes.

Vigny en uniforme de la Garde Nationale. (Musée Carnavalet.)

L'éducation

Alfred de Vigny est né à Loches en 1797, dans une famille d'ancienne noblesse et de tradition militaire. Son enfance est assez repliée; certains heurts avec ses compagnons d'études, sous l'Empire, ont pu favoriser en lui l'éclosion d'un esprit de caste intransigeant et ombrageux. Destiné à la carrière des armes, il prépare Polytechnique, lorsque la première Restauration, en 1814, lui permet d'accéder sans concours au grade de sous-lieutenant des mousquetaires rouges. C'est le début de la vie militaire, bien décevante puisque la première mission accomplie par le jeune officier consiste à participer à la fuite du roi Louis XVIII lors du retour de Napoléon.

La vie militaire et poétique

Les mousquetaires rouges, impopulaires, sont licenciés. Vigny passe au 5e régiment de la Garde. Ses ambitions guerrières sont déçues par la monotone vie de garnison qu'il doit mener. Les premières manifestations romantiques, la rencontre de Victor Hugo dans un salon poussent le jeune officier à occuper par la littérature ses loisirs forcés. En 1822 paraît un mince recueil de poèmes assez bien accueilli. Versé dans l'infanterie, Vigny espère participer à une intervention militaire en Espagne; il ne connaîtra encore que l'ennui des garnisons de province, à Orthez puis à Oléron. En 1825, Vigny épouse une Anglaise et se fait mettre en congé. L'important travail littéraire des dernières années militaires lui permet de publier en 1826 un roman historique, *Cinq-Mars* (1) et la première édition des *Poèmes antiques et modernes*.

Cinq-Mars relate une conjuration ourdie contre le cardinal de Richelieu. Vigny y voyait le commencement d'une « suite de romans historiques qui serait comme l'épopée de la noblesse » (*Journal*, 1837). L'auteur renouvelle le genre mis à la mode par Walter Scott en introduisant dans sa fiction des personnages authentiques de premier plan et surtout en faisant servir la reconstitution d'une époque au développement d'une thèse.

1. Voir p. 404-406.

Les *Poèmes antiques et modernes*, dès leur première édition, contiennent quelques-uns des poèmes les plus significatifs de l'art et de la pensée de Vigny (« Moïse », « Éloa »). Dans l'édition définitive de 1837, les textes, plus nombreux, sont répartis en trois rubriques qui font penser à une « légende des siècles » : le Livre mystique, le Livre antique, le Livre moderne. Dans sa préface, l'auteur souligne justement l'originalité de son entreprise : « le seul mérite qu'on ait jamais disputé à ces compositions, c'est d'avoir devancé en France toutes celles dans lesquelles une pensée philosophique est mise en scène sous une forme épique ou dramatique. »

La manière et les thèmes essentiels de la poésie de Vigny sont, en effet, contenus dans les plus grands poèmes du recueil : mise en scène symbolique de personnages ou de situations (« Moïse », « Le déluge ») chargés de condenser et d'illustrer un problème d'ordre philosophique : solitude du génie, force de l'amour, misère de l'humanité soumise à une divinité aveugle et cruelle.

A partir de 1827, après le succès de *Cinq-Mars*, Vigny se tourne vers l'expression dramatique. C'est l'époque où le romantisme veut conquérir le théâtre, c'est aussi le début de sa liaison passionnée et mouvementée avec l'actrice Marie Dorval (1830). Il adapte Shakespeare en alexandrins : *Roméo et Juliette* (1828); *Le More de Venise* (d'après *Othello*) joué en 1829; *Shylock* (d'après *Le marchand de Venise*); il écrit un drame en prose, *La maréchale d'Ancre* (1831). En 1835, il obtient le succès avec son drame *Chatterton* joué à la Comédie française.

Vigny a consigné sur son *Journal*, en 1834, l'ambition qui l'animait en écrivant *Chatterton :* « J'essaye d'y faire lire [sur la scène] une page de philosophie. » En trois actes de prose, l'auteur illustre la destinée d'un poète solitaire, rebuté par une société matérialiste qui l'accule au suicide.

Dans l'acte I, nous découvrons John Bell, riche industriel sans pitié pour ses ouvriers, époux grossier et tyrannique de la mélancolique Kitty. Chatterton a loué chez lui une chambre : il dévoile à son ami le Quaker ses sentiments de poète ambitieux et idéaliste, persécuté par la société.

Pendant l'acte II, d'anciens compagnons de Chatterton révèlent ses origines et ses occupations de poète, non sans faire d'insolentes allusions à une possible intimité du jeune homme et de la femme de John Bell. Celle-ci avoue au Quaker que Chatterton l'émeut, mais le vieillard lui dépeint le trouble du jeune homme « atteint [...] d'une maladie terrible qui se saisit surtout des âmes jeunes, ardentes, et toutes neuves à la vie, éprises de l'amour du juste et du beau, et venant dans le monde pour y rencontrer, à chaque pas, toutes les iniquités et toutes les laideurs d'une société mal construite ».

L'acte III nous présente d'abord Chatterton dans sa chambre où il écrit en maudissant sa misère. Alors qu'il se dispose à s'empoisonner en buvant de l'opium, le vieux Quaker arrive et lui révèle l'amour de Kitty Bell. Apparemment résolu à vivre et à jouer le jeu du monde, Chatterton apprend qu'on l'accuse d'être un faussaire qui n'a écrit qu'en plagiant une œuvre médiévale et que le lord-maire qui devait le secourir lui offre une place de valet... Il boit alors le poison et meurt en avouant son amour à Kitty.

« J'ai voulu montrer l'homme spiritualiste étouffé par une société matérialiste, où le calculateur avare exploite sans pitié l'intelligence et le travail » (« Dernière nuit de travail », présentation de la pièce). Ce réquisitoire contre la société, avant de le porter sur la scène en composant l'un des meilleurs drames romantiques, l'un des moins vieillis en tout cas, Vigny l'avait déjà prononcé en 1832 dans *Stello*. Dans ce roman, le docteur Noir, afin de guérir le jeune Stello de son mal poétique, conte les histoires lamentables et exemplaires de Gilbert, de Chatterton et de Chénier, tous trois victimes de sociétés différentes (monarchie, monarchie constitutionnnelle, État révolutionnaire) qui ont ignoré et combattu leur génie. La consultation se termine par une véritable « ordonnance » qui prescrit en quelques formules les voies d'un possible salut : « Séparer la vie poétique de la vie politique [...] seul et libre; accomplir sa mission [...] la solitude est sainte. »

Après avoir dénoncé et plaint la condition du poète, Vigny s'est penché sur le sort d'un « autre paria moderne » : le soldat. *Servitude et grandeur militaires* (1835) contient trois nouvelles inspirées de l'expérience militaire de l'auteur, où est exaltée la vertu chère à Vigny, l'honneur conçu comme une anti-fatalité, une liberté et une énergie supérieures qui permettent à l'homme de se sauvegarder par le renoncement. Dans l'esprit de Vigny, ses œuvres en prose, *Cinq-Mars*, *Stello*, *Servitude et grandeur militaires* constituaient « les chants d'une sorte de poème épique sur la désillusion ». En 1837, il pensa y ajouter une deuxième consultation du docteur Noir consacrée aux problèmes des religions qui périclitent et se succèdent, mais sauvent, malgré leurs formes différentes, une même sagesse, une même valeur spirituelle. De ce projet, un seul élément, *Daphné*, consacré à l'empereur Julien, fut rédigé; on ne le publia qu'en 1912.

La « sainte solitude » philosophique

Cette désillusion que le poète chante, il l'éprouve cruellement à partir de 1837. La mort de sa mère l'affecte profondément, ainsi que la rupture devenue inévitable avec la trop légère Marie Dorval. Vigny s'installe en Charente dans son domaine du Maine-Giraud. Il y fera désormais de longs séjours coupés de périodes passées à Paris dans les salons où il noue de nombreuses amitiés amoureuses. Entre 1842 et 1845, il se présente cinq fois à l'Académie française où il est enfin élu le 8 mai 1845. Satisfait par la révolution de 1848, il se présente sans succès aux élections. A partir de cette date, il vit presque continuellement au Maine-Giraud. Rallié à Louis-Napoléon Bonaparte, il n'obtient pas du nouveau régime les postes de faveur qu'il espérait. Ses dernières années sont presque uniquement consacrées à la méditation; il meurt le 17 septembre 1863.

Ces vingt-cinq années pendant lesquelles l'écrivain est progressivement amené à vivre dans la « sainte solitude » qu'il avait exaltée sont consacrées essentiellement à la création poétique.

Photographie de Vigny vers 1860.

Coll. L. B. © Collection Sirot

Création réduite et toujours plus méditée qui suit et cristallise le développement d'une pensée soucieuse de ne rien laisser échapper des mutations historiques, mais de préserver les valeurs de l'esprit. Onze poèmes, dont sept furent publiés dans la *Revue des Deux Mondes*, constituent la production ultime, et la meilleure, du poète. Ils ne furent rassemblés en recueil qu'après sa mort, par Louis de Ratisbonne qui les classa, probablement selon la volonté de Vigny, sous le titre *Les destinées* et le sous-titre *Poèmes philosophiques*.

Ces deux désignations — il est vraisemblable que l'auteur a hésité entre les deux formules — rendent bien compte du contenu du recueil et de la manière dont Vigny entendait traiter les problèmes qui s'y trouvent posés. Il s'agit toujours de la condition de l'homme, saisie et dégagée à travers les conditions diverses. Les thèmes de la tyrannie (« Wanda »), de la colonisation (« La sauvage »), du parlementarisme (« Les oracles »), de la guerre des sexes (« La colère de Samson »), de l'inégalité des conditions (« La flûte »), voisinent avec des méditations plus générales sur le courage solitaire (« La mort du loup »), le silence de la divinité (« Le mont des Oliviers »), le destin (« Les destinées »), la confiance dans l'éternité de l'esprit (« La bouteille à la mer », « L'esprit pur ») et la rêverie qui englobe presque tous ces thèmes, hymne à l'amour et à la poésie, « La maison du berger ».

De tous ces textes, aux disparates inévitables, mais superficielles, on peut dégager une « philosophie » cohérente qui représente l'aboutissement de la pensée de Vigny telle qu'elle se manifestait dans les œuvres précédentes. Contre la tentation du pessimisme intégral suscitée par l'universel malheur des hommes et le silence indifférent de Dieu, le poète se forge une sagesse, sans illusion et sans complaisance larmoyante. Entre « Léthargie ou Convulsion, ennui ou inquiétude », contre le désespoir stérile ou la crédulité aveugle, il reste un recours : la puissance de l'esprit. Maintenir et toujours conquérir cette puissance exige un véritable héroïsme : l'homme victime du destin, accablé par la souffrance, domine son malheur de toute sa conscience et peut espérer alléger sa condition par un savoir accru. Cette sagesse, le poète veut la répandre, y gagner ses lecteurs, il dispose pour cela d'un moyen privilégié, le plus noble, le plus durable : la poésie qui cristallise la pensée en symboles éternels.

« Tous les grands problèmes de l'humanité peuvent être discutés dans la forme des vers. Je l'ai prouvé. » (*Journal*, 1843) Dans la forme des vers, c'est certain : mais expression versifiée et poésie sont des réalités bien différentes. Avant toute autre chose, Vigny fait passer l'idée, il part d'elle et veut la servir. La poésie est une fable qui illustre, met en scène ou résout un problème, rarement un chant où s'épanche une émotion :

> Poésie! ô trésor! perle de la pensée!
> [...]
> Comment se garderaient les profondes pensées
> Sans rassembler leurs feux dans ton diamant pur
> Qui conserve si bien leurs splendeurs condensées?
> (« La maison du berger »)

La difficulté à laquelle se heurte Vigny — celle qui explique son échec, diraient bien des modernes — c'est qu'il accorde à la poésie une valeur essentiellement formelle : elle met en forme et garde en forme. On sent trop souvent le discours conceptuel sous le rythme et la rime. Est-ce être trop sévère de signaler qu'en retour cette forme durcit un peu et limite la pensée? Valéry, qui parle en connaissance de cause, note cruellement : « Poètes-philosophes (Vigny, etc.). C'est confondre un peintre de marine avec un capitaine de vaisseau... »

Il y a dans la démarche de Vigny un véritable drame esthétique : la poésie meurt de sa grandeur usurpée. On ne doit pourtant pas méconnaître cette grandeur. Vigny est sans doute un poète fourvoyé, mais il est un grand poète : tels vers de « Moïse », telles strophes (les dernières, admirables) de « La maison du berger » nous le rappellent avec insistance.

Illustration de Ziegler pour l'*Eloa* de Vigny.
« Le jeune homme inconnu mollement [s'appuyait
Sur ce lit de vapeurs qui sous ses bras fuyait. »

BIBLIOGRAPHIE

ÉDITIONS : *Œuvres complètes,* Gallimard, coll. « Bibliothèque de la Pléiade », tome I, *Poésie et théâtre,* 1986. — *Poèmes antiques et modernes, Les destinées,* Poésie-Gallimard, 1973 ; *Œuvres poétiques,* éd. SAINT-GÉRAND, Garnier-Flammarion, 1978 ; *Servitude et grandeur militaires,* Livre de Poche, n° 1515 ; *Chatterton,* Petits Classiques Bordas, 1969. — Remarquable édition critique des *Destinées* par V.-L. Saulnier, Droz, 1946.

ÉTUDES : P.-G. CASTEX, *Alfred de Vigny,* Hatier, coll. « Connaissance des lettres », 1952 (étude d'ensemble de l'homme et de l'œuvre) ; Paul VIALLANEIX, *Vigny par lui-même,* éd. du Seuil, 1964.

MUSSET (1810-1857)

Obsédé par un drame moral issu d'une profonde crise sentimentale, Musset occupe dans la littérature de son temps une place difficile à définir : lui-même ne proclamait-il pas que, « dans un siècle où il n'y a que l'homme », il fallait qu'on « ferm[ât] les écoles » afin que « la solitude plant[ât] son dieu d'argile sur le foyer »? Telle fut en effet la destinée de Musset, qui, délivré de toute préoccupation scénique, écrivit le théâtre le plus vivant de l'époque romantique et calqua sa poésie sur sa propre vie, ignorant le bouillonnement du siècle dont ses pairs se faisaient l'écho.

« SI PEU QU'IL AIT VÉCU... »

Issu d'une famille de petite noblesse, Alfred de Musset, après de brillantes études secondaires au collège Henri IV, est introduit à l'âge de dix-sept ans dans « la boutique romantique » : là sa galanterie et son esprit font merveille. Peu de temps après, il publie les *Contes d'Espagne et d'Italie* (1830), poésies d'un romantisme tapageur malgré une volonté d'indépendance marquée par la Préface. Il va se détacher rapidement de ses premiers amis et renier sa foi romantique dans *Les secrètes pensées de Rafaël*. L'échec de sa pièce *La nuit vénitienne* achève d'en faire littérairement un isolé.

La mort de son père en 1832 le décide à se consacrer au métier d'écrivain : malgré son écœurement devant l'attitude du public, il publie *Un spectacle dans un fauteuil*, recueil d'œuvres dramatiques destinées à la lecture où il laisse libre cours à sa fantaisie, puis, toujours dans le cadre de son théâtre imaginaire, *André del Sarto* et *Les caprices de Marianne* (1833). La même année, il se lie avec George Sand : trois années de passions et d'orages, s'achevant sur l'épisode vénitien au cours duquel sa maîtresse l'abandonne pour suivre le médecin qui le soignait, vont marquer la sensibilité du poète. De ces « années de dur martyre » naissent en effet *Rolla* (1833), long poème autobiographique, *Fantasio* (1833) et *On ne badine pas avec l'amour* (1834), le chef-d'œuvre dramatique de Musset avec *Lorenzaccio* (1834).

Déçu et meurtri, Musset se tourne de nouveau vers la vie de plaisir (liaisons avec Mme Jaubert, Aimée d'Alton, la tragédienne Rachel...) et consacre son temps à exprimer son lyrisme personnel, en prose (*La confession d'un enfant du siècle*, 1836) ou en vers (*Les nuits*, 1835-1837). Il poursuit son œuvre dramatique avec quelques « comédies et proverbes » (1), et achève de marquer son indépendance littéraire (*Lettres de Dupuis et Cotonet* en 1837). A sa situation matérielle précaire s'ajoute un dernier échec sentimental avec la princesse Belgiojoso : d'où le découragement qu'expriment le « Poète déchu » et « Tristesse ».

1. Le proverbe, genre de salon hérité du XVIIIe siècle, consistait en une libre improvisation sur une phrase donnée.

Pourtant son théâtre sort de l'ombre (*Un caprice* remporte un grand succès en 1847) et sa situation s'améliore par l'obtention d'une charge de bibliothécaire. Il n'en va pas de même, hélas, pour sa santé usée par les multiples dérèglements de sa vie.

En quelques années, Musset a donc épuisé tout le souffle qui l'habitait. Personnalité complexe et souvent déroutante, il apparaît d'abord comme un homme de contrastes auquel paraissent s'appliquer ces vers de *Namouna* :

> Il était très joyeux, et pourtant très maussade [...]
> Extrêmement futile, — et pourtant très posé,
> Indignement naïf, — et pourtant très blasé,
> Horriblement sincère, — et pourtant très rusé.

LE DRAMATURGE

Dès 1827, Musset faisait part à Paul Foucher de son désir « d'être Shakespeare ou Schiller ». C'était marquer une prédilection pour le théâtre, que même l'échec de *La nuit vénitienne* ne put entamer. D'ailleurs, « lyrique ou romancier, Musset n'est jamais et toujours qu'un dramaturge qui s'essaye, se cherche, se confesse, se révèle » [1].

Un théâtre à part

Musset, qui n'a jamais lancé de manifeste comparable à ceux de Vigny ou de Hugo, ne s'est toutefois pas privé d'exprimer ses goûts et ses conceptions dramatiques. Comme sa position littéraire, son attitude à l'égard du théâtre diffère de celle de ses contemporains : s'il parle de Racine et de Shakespeare, ce n'est plus comme Stendhal pour les opposer, mais pour tenter une habile conciliation. En effet, l'artiste

> [...] comme Racine et le divin Shakespeare
> Monte sur le théâtre, une lampe à la main,
> Et de sa plume d'or ouvre le cœur humain.

Cette admiration pour Racine l'amène à préférer les caractères à l'intrigue :

> Qu'importe le combat, si l'éclair de l'épée
> Peut nous servir dans l'ombre à voir les combat-
> [tants?

Ainsi naît un théâtre doublement original : destiné à la lecture, il se construit en dehors de toute préoccupation ou de toute entrave scénique; composé à l'écart des théories, il échappe à la rhétorique classique comme à l'emphase romantique. D'où ces décors imaginaires, ces époques éthérées qui servent de toile de fond aux fantoches — ces créations authentiques de la fantaisie de Musset — comme aux héros. Il n'est que de se pencher sur deux pièces, aux tons fort différents cependant, pour voir comment s'anime le théâtre de Musset.

1. Yves Florenne, « Préface » au *Théâtre complet de Musset*, Le Livre de Poche, p. 14.

Le drame sentimental : « On ne badine pas avec l'amour »

Publié en 1834, *On ne badine pas avec l'amour* tient étroitement à la vie du poète et tire son origine de la crise qui, à Venise, a brisé sa liaison avec George Sand.

Devenu docteur, Perdican revient au château familial où il retrouve sa cousine Camille : son empressement ne rencontre que froideur chez la jeune fille. Déçu, le jeune homme ébauche une aventure avec Rosette, la sœur de lait de Camille. Cette dernière confie d'ailleurs à Perdican qu'elle va prendre le voile. Apparemment indifférent, Perdican poursuit sa cour auprès de Rosette. Toutefois, après avoir découvert une lettre adressée par Camille à une religieuse, Perdican décide de rendre sa cousine jalouse en épousant Rosette. Tour à tour chacun des deux jeunes gens essaye de faire plier l'autre, jusqu'au moment où s'avouant leur amour, ils provoquent la mort de Rosette qui assistait cachée à l'entretien. Dorénavant cette mort les sépare à jamais.

Si le ton s'assombrit au fur et à mesure que progresse la pièce, il serait faux de croire que le comique en est exclu : le drame de l'orgueil et de la jalousie que jouent Camille et Perdican a, en effet, pour spectateurs des fantoches ridicules — le Baron prétentieux, Blazius et Bridaine curés ivrognes et goulus, Dame Pluche sèche et prude — mais savoureux par la vie mécanique et caricaturale dont Musset les a animés [1]. De plus, si le monde de ces marionnettes et celui des premiers rôles s'excluent, il n'en reste pas moins vrai que l'agitation des fantoches commente ou annonce le drame principal.

1. Que l'on se reporte à l'entrée de Blazius et de Dame Pluche dont le parallélisme souligne l'aspect vide et mécanique des personnages.

L'intrigue centrale calque de fort près la tragédie que vécurent le poète et George Sand; témoin la fin de l'acte II qui reprend mot pour mot la lettre du 12 mai 1834 :

J'ai souffert souvent, je me suis trompé quelquefois, mais j'ai aimé. C'est moi qui ai vécu, et non pas un être factice créé par mon orgueil et mon ennui.

On ne badine pas avec les masques : « Lorenzaccio »

De cette pièce, « la seule shakespearienne de notre répertoire », Musset a fait le drame le plus romantique au sens où l'entendait Stendhal : un « drame historique » morcelé dans son déroulement.

Le crime et la débauche règnent dans Florence qu'opprime le duc Alexandre de Médicis. Son cousin Lorenzo, au prix de multiples corruptions, a gagné la confiance du tyran qu'il souhaite assassiner : « ce meurtre est tout ce qui reste de [s]a vertu ». A la suite d'une ruse, Lorenzo attire le duc dans un guet-apens et le tue. Un nouveau duc ayant été nommé, il se réfugie à Venise car sa tête est mise à prix : c'est là qu'il tombe sous les coups d'un meurtrier.

Parallèlement à cette intrigue principale se déroulent deux autres actions qui entremêlent leurs fils avec la première : la chute de la marquise Cibo et la révolte des Strozzi.

En multipliant les scènes et les personnages, Musset collait à la réalité historique dans la mesure où son drame reconstituait une atmosphère et ne se contentait pas de saisir un niveau fragmentaire de la vie sociale. Mais la véritable grandeur de *Lorenzaccio* est de passer du drame historique et politique au drame moral — « une magistrale étude philosophique » dira Gautier — en éclairant d'une lumière changeante les divers aspects du caractère de Lorenzo, qui devient ainsi le point de convergence des diverses actions. Sa personnalité se révèle par opposition avec celle d'un Philippe Strozzi. Tout comme Perdican, Lorenzo est l'héritier des grands héros tragiques (on a évoqué à son propos Oreste et Hamlet); mais, comme lui aussi, il est inséparable de son créateur, dont il reflète les tourments en face de l'action ou de la débauche :

L'actrice Sarah Bernhardt (1844-1923) dans le rôle de *Lorenzaccio* qu'elle créa en 1896.

Moi, pendant ce temps-là, j'ai plongé, — je me suis enfoncé dans cette mer houleuse de la vie, — j'en ai parcouru toutes les profondeurs [...].
Il est trop tard [...] : le vice a été pour moi un vêtement, maintenant il est collé à ma peau.

Ces propos sont ceux-là mêmes que le poète a développés dans son œuvre lyrique.

LE POÈTE LYRIQUE

Poète, Musset l'était consciemment, tout autant dans sa prose que dans ses œuvres versifiées :

Puisqu'il m'est donné de m'exprimer dans une langue que le premier venu ne parle pas, je veux et je dois m'y tenir,

écrivait-il en 1839. Ce langage dont il croit avoir le privilège lui permet tantôt de jeter un regard sur sa destinée, tantôt de s'interroger sur son inspiration poétique.

Le drame de la foi : « Rolla » et « La confession d'un enfant du siècle »

Si nous groupons ici le long poème de 784 vers publié en 1833 et le récit autobiographique en prose de 1836, c'est que tous deux traduisent la même angoisse devant le vide : absence de croyance religieuse, manque d'amour.

Orphelin à dix-neuf ans, Jacques Rolla se retrouve à la tête d'un petit pécule qu'il décide de dissiper en trois ans. Après quoi il se donnera la mort. C'est sa dernière nuit en compagnie d'une jeune prostituée de quinze ans, Marion, que nous présente le poème. A l'aube, Rolla annonce sa décision à sa compagne. Spontanément celle-ci s'offre à le sauver : mais le jeune homme avale le poison et donne un dernier baiser à la jeune fille.

« Dans ce chaste baiser son âme était partie,
Et, pendant un moment, tous deux avaient aimé. »

Le drame de Rolla est le même que celui de René : il a ses racines dans ce « siècle sans espoir » qui n'a plus de foi en la religion traditionnelle

> Ta gloire est morte, ô Christ! et sur nos croix [d'ébène
> Ton cadavre céleste en poussière est tombé!

et qui s'interroge sur une hypothétique révélation

> Où donc vibre dans l'air une voix plus qu'hu- [maine?
> Qui de nous, qui de nous va devenir un Dieu?

La femme pourra-t-elle remplacer le dieu absent? Le geste désespéré de Marion révèle à Rolla le débauché qu'il existe une loi d'amour; mais cette découverte est trop tardive. D'ailleurs, cette pente qui mène au vice et tue le sentiment, Musset en fera implacablement l'analyse dans *La confession* en étudiant « la désespérance totale », le « dégoût morne et silencieux » qui constituent le nouveau mal du siècle.

Déçu par un premier amour, Octave cherche consolation dans la débauche, jusqu'au jour où il rencontre Brigitte Pierson. Près d'elle il croit retrouver l'amour, mais ne peut s'empêcher d'être la proie du soupçon et de la méfiance.

« ... je la pris dans mes bras et collai mes lèvres sur les siennes » *(La confession...)* (B.N. Paris.)

Le mal du héros est celui de toute l'époque : chacun ressent « le vide de son existence et la pauvreté de ses mains ». L'insouciance, la débauche et l'incroyance pervertissent l'« enfant du siècle » au point que son mal cesse d'être sentimental pour devenir intellectuel :

> comme tous ceux qui doutent, je m'attachais à la lettre morte et je disséquais ce que j'aimais.

Ainsi, Octave expie en quelque sorte — le titre de *Confession* incite d'ailleurs au rapprochement — une faute : celle d'être sans foi ni loi. Il subit

> [...] une torture inexplicable dont Dieu poursuit ceux qui ont failli.

Poétique et inspiration : le cycle des « Nuits »

Trois ans s'écoulent entre « La nuit de mai » (1835) et « La nuit d'octobre » : c'est dire que les quatre poèmes du cycle ne développeront pas une pensée unique. Pourtant il est possible de trouver certaines constantes dans les thèmes abordés.

Le Poète et sa Muse. Illustration pour *la Nuit d'octobre*. (B.N. Paris).

Et tout d'abord, fait frappant, l'amour tient une place restreinte dans cette poésie lyrique. Non qu'il soit totalement absent, mais il se masque derrière d'autres préoccupations. Tout comme la nature, présente fugitivement dans l'ouverture d'une fenêtre. Car le véritable sujet des *Nuits*, c'est le poète lui-même, ou plus exactement « l'incidence de la souffrance sentimentale sur la création poétique » [1] : d'ailleurs, à l'exception de « La nuit de décembre », les

1. Ph. Van Tieghem, *Musset l'homme et l'œuvre*, Hatier, p. 112.

trois autres poèmes ne sont-ils pas un pur dialogue entre le Poète et sa Muse?

Approfondissant les idées en germe dans *Namouna*,

> Sachez-le, — c'est le cœur qui parle et qui soupire
> Lorsque la main écrit, — c'est le cœur qui se fond

Musset édifie une poétique de la douleur :

> Rien ne nous rend si grands qu'une grande
> [douleur. [...]
> Les plus désespérés sont les chants les plus beaux,
> Et j'en sais d'immortels qui sont de purs sanglots.

Surgit alors le problème que soulevait déjà *Rolla :* un cœur débauché peut-il encore être sensible à la douleur? La Muse s'en inquiète, qui interroge :

> De ton cœur ou de toi, lequel est le poète?
> C'est ton cœur, et ton cœur ne te répondra pas.
> L'amour l'aura brisé; et les passions funestes
> L'auront rendu de pierre au contact des méchants.

Le Poète se trouve enfermé dans un choix douloureux : pourtant, entre la vie et la poésie il choisit la première,

> Après avoir souffert, il faut souffrir encore;
> Il faut aimer sans cesse, après avoir aimé

seule possibilité pour lui de concilier l'art et le vécu, unique moyen de ne pas

> Traiter son propre cœur comme un chien qu'on
> [enchaîne
> Et fausser jusqu'aux pleurs que l'on a dans les
> [yeux!

© Coll. L. B.

« De quoi aurais-je peur? De vous ou de la nuit. » *(Il ne faut jurer de rien)*. (B.N. Paris.)

BIBLIOGRAPHIE

ÉDITIONS : Dans la « Bibliothèque de la Pléiade », trois volumes (éd. Maurice Allem) : *Poésies complètes. Théâtre complet ; Œuvres complètes en prose.* — MUSSET, *Œuvres complètes*, 1 vol., Seuil, coll. « L'Intégrale », 1963. — Dans le Livre de Poche : *Théâtre complet* en 3 volumes (nos 1304, 1380 et 1431) et *Poésies* (n° 1982).

ÉTUDES : L. LAFOSCADE, *Le Théâtre de Musset,* Hachette, 1902, rééd. 1966 chez Nizet (malgré son âge, demeure l'ouvrage de base sur le sujet). — P. GASTINEL, *Le romantisme d'Alfred de Musset*, Hachette, 1933 (essentiel pour comprendre l'évolution littéraire de Musset). — Ph. VAN TIEGHEM, *Musset,* Hatier, coll. « Connaissances des lettres », 1944, rééd. 1967 (de rapides mais pénétrantes analyses sur l'ensemble de l'œuvre). — H. LEFEBVRE, *Musset dramaturge*, L'Arche, Paris, 1955 (une étude originale sur le mécanisme dramatique). — J.-P. RICHARD, « Musset », dans *Études sur le romantisme*, Seuil, 1971 (court article, pp. 201-215, qui étudie l'œuvre du poète à travers la dialectique du double). — Bernard MASSON, *Lorenzaccio ou la difficulté d'être*, Minard, 1962 ; *Théâtre et langage ; essai sur le dialogue dans les comédies de Musset*, Minard, 1977.

NERVAL (1808-1855)

Longtemps considéré comme un écrivain mineur, Gérard de Nerval a depuis quelques décennies acquis une place privilégiée que nul ne songe à lui contester désormais. C'est qu'il incarne aux yeux des générations nouvelles, tant dans sa vie que dans son œuvre, le romantique : point d'ostentation dans son existence, mais un ardent désir de comprendre, de « diriger son rêve éternel au lieu de le subir »; point de phraséologie dans son discours, mais une prose pure et limpide comme de la poésie. Toutefois, ce qui peut-être rend Nerval si sympathique à nos yeux, c'est la fusion de la vie et de l'œuvre en une expérience unique dans notre littérature par sa sincérité : l'élaboration d'un mythe vécu jusqu'en ses conséquences extrêmes.

UNE VIE DE CRISES

Plus que de vie, c'est de destin qu'il faudrait parler. Car l'existence de Gérard ne sera qu'une suite de coups frappés à la porte du malheur.

De son enfance dans le Valois auprès de son oncle Boucher, Gérard Labrunie gardera toujours un souvenir ému. Son pseudonyme littéraire de Nerval était le nom d'un clos appartenant à sa famille maternelle. Surtout ses jeunes années ont marqué le futur poète dans sa sensibilité la plus profonde : la mort de sa mère en Silésie, en novembre 1810, devait élever l'Allemagne au rang de terre d'élection, à côté de cette douce campagne d'Ile-de-France où fleurirent ses amours enfantines, et de l'Orient qui le fascinait comme toute sa génération.

Venu à Paris poursuivre ses études au lycée Charlemagne en 1826, Nerval se lie avec Théophile Gautier. Tous deux fréquentent l'Hôtel du Doyenné où, en compagnie de jeunes écrivains et artistes (Pétrus Borel, Dumas...), s'organise une vie d'insouciance et d'élégance tapageuse destinée à « épater le bourgeois ». Mais cette vie de « dandy » ne l'empêche pas d'aborder la carrière littéraire. Après quelques plaquettes publiées sans succès, il traduit le *Faust* de Gœthe en 1828, puis se tourne vers le théâtre, sans plus de réussite qu'en poésie semble-t-il. C'est de la scène, cependant, que devait venir, en la personne d'une actrice, la première illumination de sa vie.

Jenny Colon et la formation du mythe féminin

C'est probablement en 1833 qu'elle fait irruption dans la vie de l'artiste : ce n'est alors qu'une petite actrice à la vie privée assez trouble. Mariée à un acteur dès l'âge de vingt ans, maîtresse d'un banquier hollandais, elle est l'objet « d'une cour silencieuse et lointaine » de la part

Photographie de Nerval par Nadar. (B.N. Paris.) « C'est une image que je poursuis, rien de plus. »

de Nerval. Nous en conservons une correspondance, mi-fictive mi-réelle, des années 1837-1838, que l'on regroupe sous le nom de *Lettres à Aurélia*. La passion du poète prend vite une ampleur ravageuse : pour soutenir la carrière de son idole, il se ruine en fondant *Le Monde dramatique*, revue luxueuse et sans succès; il écrit des drames pour lui confier un rôle *(Piquillo)*... Mais, lassée par le caractère romanesque de son soupirant, Jenny Colon se remarie avec le flûtiste Leplus en 1838. Nerval ne devait la revoir qu'une fois, lors de la première belge de *Piquillo* en 1840. Qu'importe de savoir si cette liaison avait été ou non platonique : l'important réside ailleurs. Elle a servi à cristalliser l'idéal féminin de Nerval :

« Cette passion est l'histoire de toutes », déclare-t-il à un ami, « je ne veux qu'indiquer l'influence qu'elle a pu avoir sur les rêves de mon esprit ».

Car c'est bien de cette même passion que proviennent les troubles psychiques dont, jusqu'à la fin de sa vie, souffrira Gérard.

« *Ma maladie* »

Après le mariage de Jenny Colon, Nerval voyage à travers l'Europe (Allemagne, Belgique), recherchant la sérénité. Exalté par le mythe féminin qu'il se compose, il est surmené et inquiet au début de l'année 1841. De cette époque date sa première crise : il subit un premier internement dans la clinique du docteur Blanche à Passy. Rétabli, il part pour l'Orient à la fin de 1842, alors qu'il vient d'apprendre la mort de Jenny Colon. Durant tout son voyage il poursuit sa chimère sous les traits des diverses déesses mythologiques. Il s'initie alors aux doctrines ésotériques dont sortiront les *Illuminés* (1852) et la plupart des *Chimères*. Revenu en France, il retrouve les paysages du Valois qu'il fixera dans ses récits. Mais de nouvelles crises surviennent en 1849 et en 1852 : il subit divers internements. Rendu à la liberté, Nerval repart une dernière fois pour l'Allemagne. L'asile l'attend de nouveau (août/octobre 1854); pendant cet ultime internement il rédige définitivement *Aurélia*. Il publie ses *Filles du feu* avant de traîner une vie misérable et errante qui s'achève à l'aube du 26 janvier 1855, où il est découvert pendu à une grille de la rue Vieille-Lanterne, près du Châtelet.

Ainsi les dernières années font alterner les périodes de déséquilibre et les moments de lucidité. Cependant, jamais Nerval n'acceptera que ses symptômes signifient folie. Plusieurs lettres, comme celle-ci, adressée à Ida Dumas, en témoignent :

Je suis toujours et j'ai toujours été le même, et je m'étonne seulement que l'on m'ait trouvé *changé* pendant quelques jours du printemps dernier.

De même, lorsqu'il commencera, comme par thérapeutique, la rédaction d'*Aurélia*, c'est avec scrupule qu'il cachera son mal sous une forme vague :

« J'entreprends », écrit-il à son père le 2 décembre 1853, « d'écrire et de constater toutes les impressions que m'a laissées ma maladie ».

Cette « maladie » qui n'est que « l'épanchement du songe dans la vie réelle », Nerval l'a transcrite dans ses œuvres comme pour faire pendant à la triste réalité de la vie. C'est cet itinéraire de pèlerin littéraire qu'il convient de suivre avant de s'interroger sur les thèmes et la signification de l'expérience nervalienne.

L'ÉLABORATION DU MYTHE

O mon ami! que nous réalisons bien tous les deux la fable de l'homme qui court après la fortune et de celui qui l'attend dans son lit. Ce n'est pas la fortune que je poursuis, c'est l'idéal, la couleur, la poésie, l'amour peut-être... Moi, j'ai déjà perdu, royaume à royaume, et province à province, la plus belle moitié de l'univers, et bientôt je ne vais plus savoir où réfugier mes rêves...

Cet extrait d'une lettre adressée d'Orient à Théophile Gautier pourrait servir de commentaire général à toute l'œuvre de Nerval. En effet, chaque nouvelle page écrite apporte à Gérard une sorte de soulagement intellectuel, mais aussi l'oblige à poursuivre son chemin en quête de l'idéal qu'il s'est toujours fixé. Le réel et le rêve refusent de se fondre et chaque ouvrage se termine par un échec. Avant même ses grands chefs-d'œuvre, Nerval, par le truchement de la littérature fantastique *(La main enchantée)* ou journalistique *(Les nuits d'octobre)*, traquait déjà le songe. Mais ce n'est qu'avec le *Voyage en Orient* que s'exprime pour la première fois son génie personnel.

L'actrice Jenny Colon, aimée de Nerval. Portrait par Maurin dans *La tribune dramatique.* (B.N. Paris.)

L'initiation : « Voyage en Orient » (1851)

Le *Voyage* ne sera publié que sept années après le retour d'Orient. Quelques pages avaient fait l'objet de feuilletons ou d'articles de périodiques divers sous les titres alléchants de *Scènes de la vie orientale;* mais la rédaction définitive bouleverse toutes les données purement documentaires : la fantaisie de l'itinéraire, les caprices de la relation historique, l'absence même de chronologie indiquent bien que ce volumineux ouvrage est avant tout un condensé de la vie de Nerval, une première étape dans l'élaboration de son mythe. Les critiques qui ont vu dans le *Voyage* un roman de formation sur le plan de l'expérience spirituelle ne s'y sont pas trompés : la marche vers l'Orient est bien pour Nerval la marche vers la lumière, vers l'initiation. Tout le récit est empreint de l'obsession du double, de préoccupations mystiques, d'un vif intérêt pour le devenir des religions. La visite aux pyramides ressemble à celle de l'initié antique : le narrateur contemple Isis sous les traits de la femme aimée, figure évanescente qui se métamorphose en une Vierge éternelle. Deux longs récits introduits dans le cours de l'ouvrage rassemblent déjà la majorité des thèmes que les œuvres postérieures développeront à loisir. « L'histoire du Calife Hakem » préfigure, par le mariage du double, certaines pages de l'*Aurélia* ou les plus beaux vers d' « Artémis ». Quant aux héros du chapitre « Les conteurs », ils annoncent les développements futurs de la narration nervalienne : l'architecte Adoniram, l'homme qui « rêve toujours l'impossible », a les traits du principal protagoniste de *Sylvie;* la reine de Saba, dévoilant l'origine de l'éternel féminin, est la mère des Chimères « Myrtho » et « Isis ».

Ainsi, le *Voyage en Orient* se présente-t-il bien plus comme un pèlerinage intérieur que comme un véritable journal de voyage. Toujours à la recherche de son identité, le narrateur n'est pas le simple rapporteur d'impressions fugitives : le *moi* profond de Nerval est l'objet et le sujet du récit. Tout comme dans *Sylvie*, mais par des méthodes différentes, c'est sa propre quête que mène celui qui se cache derrière le *je* de la narration [1].

La formation du mythe : « Sylvie » et « Les filles du feu » (1853-1854)

Avec *Sylvie* apparaît pour la première fois dans toute sa netteté l'obsession du temps. Aussi Nerval, conscient de l'importance de la durée dans la marche des événements, cherche-t-il à la dominer. Pour cela, il a recours à la magie du souvenir : car ce « rêve d'un rêve », selon l'admirable formule de Proust, n'est en fait qu'une tentative de sauvetage par le souvenir. Évoquant les paysages de son enfance, le narrateur montre comment s'est formé, dans ce lointain passé, le rêve d'amour auquel toute son existence est liée, comment l'amour pour Sylvie, la petite paysanne délaissée pour la noble Adrienne, revit aujourd'hui dans la passion pour l'actrice Aurélie. Comment surtout la quête se réduit à un triple échec : renoncement à Sylvie dans le passé, fuite d'Aurélie dans le présent, mort d'Adrienne. La conclusion est facile à tirer : celui qui aime en rêve doit se contenter des illusions, sous peine de subir dans la réalité une désillusion cruelle.

Le récit, limpide et diaphane, associe le souvenir à la fiction, le rêve à la réalité : par instants, le narrateur semble sur le point d'être entraîné dans l'univers mythique qu'il se constitue. Mais c'est pour se ressaisir aussitôt, pour « reprendre

1. Sur le *Voyage en Orient* lire l'ouvrage que G. Schaeffer a consacré à l'analyse des structures (Neuchâtel, La Baconnière, 1967).

Coll. L. B. © B. N. Paris.

Démon et victime, par Gustave Doré. Un exemple d'inspiration fantastique.

pied sur le réel ». La tentation n'est pas encore assez forte, et la réalité, malgré son apparence maussade, parvient toujours à retenir le héros penché sur le bord du gouffre.

Telle qu'elle se présente actuellement à nous, la nouvelle fut incorporée au recueil des *Filles du feu*. Ensemble hétéroclite en apparence, les nouvelles témoignent toutes de la même volonté de maîtriser le temps : au souvenir du Valois que symbolise *Sylvie* viennent s'ajouter *Émilie*, *Isis* et *Octavie* qui évoquent le souvenir de la Révolution, de Pompéi ou les séductions de l'illusion. Et ce n'est pas un hasard s'il s'agit de *Filles du feu*, non de Fils du feu : les figures féminines cristallisent l'expérience de Gérard depuis son enfance. C'est d'elles que doit venir son salut... ou son échec! Et pour l'instant, s'il a réussi à mêler la vie et la mort, le rêve et la réalité, le résultat s'inscrit en creux : l'échec de *Sylvie*, c'est la fusion dans l'absence.

Vers le salut : « Les chimères » (1853)

Regroupés à la fin des *Filles du feu*, ces douze sonnets sont à la fois la part la plus achevée et la plus secrète de Nerval. Le nombre d'exégèses que ces cent soixante-huit vers ont suscitées est considérable : lectures mythologiques, alchimiques, thématiques, structurales enfin, qui toutes tentent de cerner la magie de la Parole pour en extraire une signification cohérente. Car, si Nerval a pu en si peu de mots concentrer toute son expérience, c'est qu'il avait trouvé le secret même de la poésie : le pouvoir des mots, l'existence du verbe sans référence au monde extérieur. Dès lors il suffisait de quelques vers pour passer de l'identité du vécu :

> Je suis le Ténébreux, le Veuf, l'Inconsolé

à l'interrogation de l'existence mythique :

> Suis-je Amour ou Phœbus? Lusignan ou Biron?

Si l'on se penche sur l'organisation du recueil, on s'aperçoit que ces douze *Chimères* prolongent en les élargissant les divers thèmes que les nouvelles suggéraient : s'ouvrant sur le prélude angoissé d' « El Desdichado » pour se clore sur un hymne éternel à la sagesse pythagoricienne (« Vers dorés »), l'ensemble reconstruit le monde regretté de l'Antiquité païenne auquel fait pendant l'esprit nouveau du monde moderne (« Le Christ aux Oliviers »). Ainsi lues, les *Chimères* marquent la victoire de l'espérance sur la nostalgie et ouvrent la voie au mythe rédempteur d'*Aurélia*.

Le triomphe du mythe : « Aurélia » (1854-1855)

Rédigée entre 1842 et 1854, pendant les dernières crises de Nerval (1), *Aurélia* fut publiée entre le 1er janvier 1855 et le 15 février de la même année : dans l'intervalle se situe la fin tragique dans la rue Vieille-Lanterne. Achèvement d'une œuvre, ce dernier écrit est véritablement ce qu'il est convenu d'appeler un testament.

« L'œuvre et la vie » : tel pourrait être le sous-titre d'*Aurélia*, vaste poème onirique du rachat de l'homme. Considérant son existence et l'embrassant presque dans sa totalité, Nerval découvrait qu'elle n'avait été qu'une quête « de la lettre perdue » (2). Par l'intermédiaire

1. La chronologie d'*Aurélia* est très difficile à fixer. Néanmoins, on peut admettre avec Jean Richer, l'existence d'une *Aurélia* primitive remontant à 1842 et reprise par trois fois jusqu'à l'œuvre finale rédigée par Nerval sur les conseils du docteur Blanche. On trouvera tous les détails sur ces importants problèmes dans l'édition critique d'*Aurélia* de Jean Richer (Minard, 1965, pp. V-XVII).

2. Expression employée par Nerval dans une de ses dernières lettres, et dont la référence évidente est celle du paradis perdu.

du rêve, il s'assimilait aux héros de l'humanité et proclamait au monde son triomphe, comme il l'avait déjà fait à la fin du « Desdichado » :

> Et j'ai deux fois vainqueur traversé l'Achéron
> Modulant tour à tour sur la lyre d'Orphée
> Les soupirs de la Sainte et les cris de la Fée.

Cette traversée d'Orphée — la descente aux Enfers — lui assurait la certitude de l'immortalité, confirmait le mythe vivant qu'il s'était forgé puisqu'il retrouvait en Aurélia « radieuse et transfigurée » la « divinité de ses rêves ». Mais une telle expérience n'avait été possible que parce que le narrateur échappait d'emblée au réel, vivait immédiatement par la folie, non pas la division du rêve et de la réalité, mais leur harmonie. Au terme de sa vie, Nerval parvenait ainsi à fondre les divers éléments de « sa » réalité et à trouver la rédemption au sein d'un monde affranchi des lois de l'espace et du temps :

> Captif en ce moment sur la terre, je m'entretiens avec le chœur des astres, qui prend part à mes joies et à mes douleurs.

LE GÉNIE ET LA FOLIE : UNE POÉTIQUE DE LA RÊVERIE

L'œuvre de Nerval est donc un effort pour retrouver l'unité de son être. Plus que tout autre, il éprouve de façon tragique la fragmentation de son *moi*, et pour en rassembler les débris épars, il lui faut échapper au monde solide qui est celui de la scission et du déclin. D'où l'impossible quête que traduit l'expérience d'*Aurélia* :

> Ici a commencé pour moi ce que j'appellerai l'épanchement du songe dans la vie réelle.

Car l'originalité de Nerval ne tient pas dans le simple refus du réel, dans le refuge au sein de l'immatériel. Son dessein est à la fois plus subtil (entre ces deux mondes, le positif et le fantastique, le conflit est résolu par une rencontre) et plus ambitieux : Gérard ne vise pas moins qu'à faire « sa » Genèse ainsi qu'il le proclame dans un carnet recueilli sous le nom de *Paradoxe et vérité* :

> Je ne demande pas à Dieu de rien changer aux événements, mais de me changer relativement aux choses; de me laisser le pouvoir de créer autour de moi un univers qui m'appartienne, de diriger mon rêve éternel au lieu de le subir. Alors, il est vrai, je serai Dieu.

Cri de victoire d'un être dont l'œuvre déroule comme un leitmotiv les thèmes obsédants qui doivent le guider vers sa « vita nuova », vers cette vie « affranchie des conditions de l'espace et du temps ».

« *Le rêve est une seconde vie* » (« *Aurélia* »)

Univers vaporeux et flou, le rêve trouble toutes les pages de Nerval : lire ses récits, c'est effectuer à sa suite un pèlerinage onirique, c'est aussi accéder à cette existence libre que nous voilent les frontières du monde. Et cela n'est possible que par cet instant de bascule de la conscience que décrit le début du second chapitre de *Sylvie* : ce flottement de l'esprit permet, en effet, au *moi* de se saisir dans son originalité, de s'intégrer à tout ce qui l'entoure. Car telle est bien la signification du rêve nervalien : il ne s'agit pas seulement de s'éloigner, le temps d'un somme, de la réalité, mais de réussir « l'analogie des époques », c'est-à-dire de faire fusionner la réalité d'aujourd'hui avec l'histoire d'hier, de s'assimiler à des héros qui nous donnent plus d'épaisseur et font sentir la continuité de l'homme. L'onirisme de Nerval plonge toujours dans le passé et ne prospecte jamais l'avenir, assurant au souvenir une primauté sans égale.

« *Le sanctuaire des souvenirs fidèles* » (« *Sylvie* »)

Point de départ de l'expérience de Nerval, la prise de conscience repose sur le souvenir. Elle commence avec l'apparition, dans la monotonie de la grisaille quotidienne, d'un détail qui vient raviver les années écoulées. Alors, tout un « passé qu'il fallait oublier revient gronder à nos oreilles ». Mais ce réveil des choses n'est pas sans danger ni sans tristesse, car il risque de prolonger la division de l'être qui se sent morcelé entre le *moi* présent et le *moi* d'autrefois. Cependant, de même que chez Proust il y aura des êtres, sortes d'élus, qui sauront transformer les sensations, de même pour Nerval, cette reviviscence sera d'emblée le point de départ d'un homme nouveau, heureux, qui, en quête de la « figure oubliée », réunira la réalité d'aujourd'hui et le souvenir d'autrefois. Le souvenir sera donc le catalyseur des différents *moi* pour atteindre l'unité originelle.

Si Gérard a passé une bonne partie de sa vie à « revoir des personnages et des lieux chers à son souvenir », c'est qu'il a cherché à forcer le mécanisme de la mémoire pour guérir son esprit et son cœur malades.

Car, par-delà les aspects spirituels, la résurrection du passé se complète d'un rajeunissement total de l'être au sens le plus physique du terme. Si tous les souvenirs peuvent engendrer cette renaissance, il en est quelques-uns qui se retrouvent tout au long des pages de Nerval et que lui-même qualifie de « souvenirs fidèles ». Citons entre autres le thème de la ronde auquel il faut associer celui de la chanson et de la romance, le profil du château, la silhouette des gravures anciennes, l'attrait des déguisements anciens... Faisant resurgir en même temps toutes sortes de détails enfouis au fond de l'être, qui permettent au narrateur de réunir les fragments épars de sa personne dissociée, le souvenir efface chaque fois le doute qui naît de la dissemblance du rêve et de la réalité.

« *Moi, je suis voyageur* » *(Lettre à E. Leclerc)*

Voyager [1], c'est pour Nerval refaire un chemin déjà parcouru et dont on se souvient, c'est vérifier que la réalité est pareille à l'idée qu'on s'en est formée. Rien d'étonnant donc dans le fait que le voyage ait pour origine un souvenir (significatif est à ce sujet le titre d'un ouvrage comme *Promenades et souvenirs du Valois*) : l'un comme l'autre participent d'un même esprit. C'est pourquoi les chemins de Nerval seront toujours les mêmes, ceux avec lesquels il est familiarisé : le Valois, l'Allemagne et l'Orient.

Le souvenir permettait de prendre possession du temps; le voyage permettra de s'emparer des dimensions de l'espace. Chaque lieue franchie exalte le sentiment du voyageur, si bien que, lorsque survient un arrêt, il « échappe au monde des rêveries » et retombe dans la triste réalité (voir de ce point de vue le rôle de la « voiture » dans *Sylvie*, ch. III à VII). Mais derrière les lieux se cache ce qu'ils ont été, ce qu'ils ont signifié : ainsi, les promenades dans le Valois prennent-elles l'aspect d'un pèlerinage aux sources du monde et l'incitent-elles à une véritable intériorisation de l'Histoire.

1. Voir à ce sujet la thèse de Ross Chambers, *Gérard de Nerval et la poétique du voyage*, Corti, 1969.

Rêve, souvenir, voyage : trois aspects d'une expérience unique qui tente de superposer les lieux et les époques, qui cherche à fondre, par delà les contingences, la biographie d'un être avec l'Histoire de l'humanité. Une telle démarche n'était possible dans la vie que parce que Nerval mêlait, par sa folie, le réel et le rêve; c'est pourquoi toute son œuvre traduit cette volonté de briser les frontières traditionnelles, de réaliser par l'écriture « l'épanchement du songe dans la vie réelle ».

« *Une rêverie super-naturaliste* » *(Préface des « Filles du feu »)*

Tout naturellement, l'écriture de Nerval passe du monde de la rêverie à celui de la réalité : une telle osmose entre les deux est profondément neuve à son époque, même si pour nous, lecteurs de Baudelaire et des surréalistes, elle n'a rien d'extraordinaire : « Nerval est le seul poète romantique qui ait vécu exclusivement et rigoureusement ce que toute l'époque a senti de façon diffuse et désordonnée. [...] Rompant avec l'abondant discours romantique, il fait définitivement pencher (la poésie) vers le versant qui conduira de Baudelaire à Mallarmé » [1].

Perdu dans son rêve, Nerval éprouve le besoin de « reprendre pied sur le réel »; c'est pourquoi, au détour d'une ligne, il introduit dans son récit quelques détails rugueux, qui font tache dans ce tissu de poésie, — telle, dans le chapitre VI, la visite chez la tante de Sylvie.

Traduire le songe est plus délicat : sans ostentation, Gérard y parvient grâce à de savants jeux de lumière qui transforment formes et volumes, grâce aux reflets qui estompent les contours comme la brume matinale dans laquelle danse Adrienne. Ainsi, à une poétique du rêve correspond une poétique de la réalité : ici il s'efforce de donner un aspect concret à la réalité, là il gomme les traits de l'apparence pour ne conserver que l'esprit.

Mais comment se manifeste l'originalité de l'écriture nervalienne, comment se traduit « l'épanchement »? Il faudrait par exemple comparer la description de la petite rivière qui serpente dans *Sylvie*, la Thève, à trois moments

1. Gaëtan Picon, « Nerval », *Histoire des Littératures*, Encyclopédie de la Pléiade, III, p. 915-916.

du récit, aux chapitres VI, VIII et IX. Il serait alors possible de constater comment s'effectue de façon progressive la spiritualisation de l'événement, comment peu à peu le rêve envahit le réel : l'infiltration du songe dans le monde matériel est une altération de celui-ci, parallèle à la quête que mène le narrateur. Ce n'est pas un placage fallacieux, mais une méthode, c'est-à-dire un ensemble de démarches raisonnées en vue de serrer au plus près la réalité.

POSTÉRITÉ DE NERVAL

Il est difficile de décrire en quelques lignes toute la postérité de Gérard de Nerval. Du moins peut-on discerner deux grandes orientations : l'une va vers l'exploration du temps, l'autre met en évidence l'existence d'un monde de signes qui recomposent le réel.

La première voie, celle qui vient immédiatement à l'esprit, est celle du souvenir : elle mène à Proust et à l'immense « cathédrale littéraire » qu'est la *Recherche du temps perdu*, en passant par Baudelaire, dont certains poèmes comme « La chevelure » font jouer la réminiscence, ou George Eliot qui publia en Angleterre son *Moulin sur la Floss*. Certes, avant Nerval un Rousseau ou un Chateaubriand avaient rapporté des expériences identiques de réminiscence, mais jamais l'exploration n'avait été aussi poussée, ni surtout vécue avec autant de conséquences.

L'autre voie, moins perceptible, est sans doute la plus importante : c'est celle qui a eu le plus de résonance dans la littérature moderne, c'est aussi celle sur laquelle les critiques ont mis de préférence l'accent. Avec l'apparition de la psychanalyse, l'exploration de la vie inconsciente qu'avait menée Gérard est devenue prophétique.

Les surréalistes ont reconnu en Nerval leur premier ancêtre et se sont réclamés de lui. De même, l'œuvre cinématographique d'un Alain Resnais avec ses « flash-back » et ses hallucinations *(Hiroshima mon amour, L'année dernière à Marienbad)* plonge ses racines dans les explorations nervaliennes.

Hors de tous les grands courants constitués, Nerval s'est affirmé dans son œuvre comme « le héros d'un monde encore à naître », ainsi que le souligne Jean Richer, qui ajoute :

Dès maintenant si au lieu de se laisser impressionner par le *volume* d'une œuvre — et celle de Nerval n'est pas si mince d'ailleurs — on s'arrête aux notions d'efficacité et d'*intensité*, alors les meilleures réussites de Nerval le classent parmi les plus grands (1).

1. Jean Richer, *Nerval expérience et création*, p. 25.

BIBLIOGRAPHIE

ÉDITIONS : On trouvera en format de poche les œuvres suivantes : *Poésies*, Poésies/N.R.F., *Les filles du feu* suivi d'*Aurélia*, Livre de Poche. Les œuvres en éditions savante et critique existent dans deux grandes collections : « Bibliothèque de la Pliéade » (3 volumes prévus, par ordre chronologique ; deux sont publiés à ce jour sous la direction de J. GUILLAUME et C. PICHOIS) et Garnier (un volume par H. LEMAITRE). Léon Cellier a préfacé deux volumes en Garnier-Flammarion (*Les filles du feu* et *Les chimères* pour l'un, *Aurélia, Pandora* et les *Souvenirs* pour l'autre) qui offrent une étude extrêmement détaillée des œuvres proposées. Quelques œuvres ont été éditées à part, notamment *Sylvie, Aurélia* et *Les chimères*. Enfin, on utilisera avec profit le volume des Petits Classiques Bordas consacré à ces trois œuvres.

ÉTUDES : La bibliographie critique concernant Nerval est énorme. Quelques ouvrages méritent une attention particulière : R. JEAN, *Nerval par lui-même,* Seuil, 1964 (excellent livre d'initiation) ; G. POULET, *Trois essais de mythologie romantique,* J. Corti, 1966 (remarquable analyse de *Sylvie*) ; R.-M. ALBÉRÈS, *Gérard de Nerval,* Éditions universitaires, 1965, et J. RICHER, *Gérard de Nerval,* Seghers, 1950, 7e éd. refondue 1972 (deux volumes d'initiation différents dans leurs buts) ; J.-P. RICHARD, *Poésie et profondeur,* Seuil, 1955 (brillante analyse de la « géographie magique » de Nerval) ; Léon CELLIER, *De Sylvie à Aurélia,* Minard, « Archives des lettres modernes », 1970 (une étude comparée des structures qui, en quelques pages, oppose le roman d'éducation au récit d'initiation) ; S. FELMAN, *La folie et la chose littéraire,* Seuil, 1975 (un article très original à partir de Foucault...) ; M. JEANNERET, *La lettre perdue,* Flammarion, 1978 (une lecture serrée de l'œuvre, un point de vue qui sort Nerval des grilles ésotériques... Excellent ouvrage !). Il existe bien d'autres livres sur Nerval (thèses de Jean Richer, Paul Bénichou, Kurt Schärer, Jacques Geninasca...), mais leur aspect trop particulier les réserve plutôt aux spécialistes qu'à l'initiation, même poussée.

MICHELET
ET LES HISTORIENS ROMANTIQUES

Préoccupée de faire revivre le passé dans ses drames et ses romans, la littérature romantique a eu le grand mérite de porter au premier rang de la création artistique un nouveau genre : l'Histoire. Refusant les postulats d'un Bossuet, dépassant les tentatives d'un Voltaire, les études historiques tendent soit vers la « narration », soit vers l' « analyse », pour aboutir à la fusion grandiose de la « résurrection » voulue par Michelet.

UN SOUFFLE DE RÉNOVATION

En réagissant contre le dogme classique de l'homme éternel, le XVIIIe siècle avait fondé les véritables études historiques. Montesquieu, puis Voltaire s'attachèrent à la diversité des individus et exigèrent pour la première fois une véritable méthode :

Ce qui manque d'ordinaire à ceux qui compilent l'histoire, c'est l'esprit philosophique — la plupart, au lieu de discuter des faits avec des hommes, font des contes à des enfants (1).

Seulement, pour établir leurs travaux, ils n'eurent à leur disposition qu'un nombre restreint de documents. D'ailleurs, la thèse d'ensemble importait plus pour eux que le détail minutieux.

Tout au contraire, la « couleur locale » si chère aux romantiques imposait une connaissance des faits dans leurs aspects les plus secrets. Aussi est-ce avec enthousiasme que l'on se précipite dans les écoles nouvellement créées (École des Chartes, École d'Athènes), que l'on s'inscrit aux sociétés savantes (Société de l'Histoire de France, Société des Antiquaires de France) ou que l'on compulse les revues spécialisées comme la *Revue des études historiques*. De nouveaux champs d'étude s'ouvrent à la curiosité : l'égyptologie est fondée par Champollion (1790-1832), tandis que la connaissance de l'Extrême-Orient fait de rapides progrès. Parallèlement, des érudits développent les sciences auxiliaires de l'Histoire comme la paléographie, la papyrographie. Il y a donc au début du siècle une convergence d'éléments (auxquels il convient d'ajouter la publication de diverses œuvres historiques comme l'*Histoire de France* d'Anquetil ou l'*Histoire des Croisades* de Michaud). Partout, l'on sent « l'ambition d'atteindre au vrai sous toutes ses formes », selon la remarque de Thierry. C'est justement ce que les écrivains de talent vont tenter en transformant la science en art.

AUGUSTIN THIERRY
ET « LE CHEF-D'ŒUVRE DE NARRATION »

Normalien dès 1811 à l'âge de 16 ans, Augustin Thierry, secrétaire de Saint-Simon, se lance d'abord dans le journalisme libéral, puis se consacre définitivement à l'Histoire à partir de 1820. Jusqu'à sa mort en 1856 — et malgré une cécité qui le frappe en 1827 — il s'adonnera à ses travaux, publiant notamment une *Histoire de la conquête de l'Angleterre*, un *Essai sur l'histoire de la formation et des progrès du tiers état* et surtout les *Récits des temps mérovingiens*.

La révélation des *Martyrs* de Chateaubriand a contribué à éveiller la vocation de Thierry. Une grande idée devient pour lui la clef de l'Histoire : le rapport du dominant et du dominé, par exemple celui du Celte romanisé et du Germain.

1. Voltaire, *Essai sur les mœurs*, éditions sociales, p. 255.

Nous croyons être une nation, mais nous sommes deux nations sur la même terre. Deux nations ennemies dans leurs souvenirs, inconciliables dans leurs projets; l'un a autrefois conquis l'autre, et ses desseins, ses vœux éternels, sont le rajeunissement de cette vieille conquête énervée par le temps, par le courage des vaincus...

Michelet avait raison qui, remarquant l'omniprésence de ce thème obsédant dans l'œuvre de Thierry, parle « d'asservissement à un tyran ».

Le grand mérite de Thierry ne réside pas dans cette vision trop systématique et trop dogmatique de l'Histoire, mais dans l'art avec lequel il compose ses ouvrages. « Le grand précepte qu'il faut donner aux historiens, c'est de distinguer au lieu de confondre; car, à moins d'être varié, on n'est point vrai », prétend-il dans une *Lettre sur l'histoire de France*. Cela suppose un travail fondé sur le détail caractéristique. D'où la composition de ses *Récits*, suite de tableaux qui lui permet de « présenter en action les hommes, les mœurs et les caractères ».

Certes, l'unité de composition est absente; mais Thierry la recherche moins que l'unité d'impression. Son but n'est pas d'ordre philosophique : comme Scott dans *Ivanhoe* ou Musset dans *Lorenzaccio*, il entend d'abord faire revivre des hommes en les opposant à tout un arrière-plan grouillant de détails pittoresques. Le récit devient alors pour lui « la partie essentielle de l'histoire ». Aussi s'inquiétera-t-il de voir Michelet aventurer l'Histoire dans des « hardiesses synthétiques ».

Autres représentants de l'histoire narrative		
Prosper de Barante (1782-1866)	*Histoire des ducs de Bourgogne* (1824-1828)	Ouvrage d'intérêt purement littéraire : l'auteur veut « restituer à l'histoire elle-même l'attrait que le roman historique lui a emprunté ».
Adolphe Thiers (1796-1884)	*Histoire de la Révolution* (1823-1827) *Histoire du Consulat et de l'Empire* (1845-1862)	Œuvres sans vie, qui pour être objectives en arrivent à une simplification trop systématique des événements.
François Mignet (1796-1884)	*Histoire de la Révolution française* (1824)	Livre écrit dans l'ombre de Thiers, et de même style.
Henri Martin (1810-1883)	*Histoire de France* (1833-1836)	Comme Thierry, il voit dans notre histoire l'affirmation de l'élément celtique de notre race.

TOCQUEVILLE (1805-1859)

Né en 1805, le comte Alexis de Tocqueville fit une carrière politique sous la Restauration, puis sous la Monarchie de Juillet, avant de terminer ministre des Affaires étrangères sous la présidence de Louis-Napoléon. Avec le coup d'État prit fin sa vie publique. Ce n'est que huit années plus tard, en 1859, qu'il s'éteignit à Cannes, laissant, outre de nombreux discours, rapports et autres textes politiques, deux ouvrages importants : *De la démocratie en Amérique* (1835-1840) et *L'Ancien régime et la Révolution* (1856).

Écrit au retour d'un voyage d'étude sur le régime pénitentiaire du Nouveau Monde, le premier ouvrage témoigne d'une vision vaste et dynamique de l'Histoire : à travers l'évolution du pays, les mœurs de ses habitants, les composantes sociologiques et démographiques, Tocqueville s'efforce de montrer que l'Amérique contient en germe les destinées du monde futur. Mais par de constants parallèles avec l'Europe, il propose finalement à ses concitoyens une leçon de morale civique et d'optimisme : « pour être honnêtes et prospères, il suffit aux nations de le vouloir. »

Tocqueville se situe dans la tradition de Montesquieu. Comme lui, il aime à développer de larges synthèses à partir de faits simplement rapportés. D'ailleurs, lui-même met son lecteur en garde : son livre est une analyse, et non une suite de scènes colorées.

Le livre que je publie en ce moment n'est point une histoire de la Révolution [...]; c'est une étude sur cette Révolution.

Mais, contrairement à l'auteur de *L'esprit des lois*, il se préoccupe peu du passé; seul l'attire

Charles Alexis de Tocqueville. (B.N. Paris.)

le monde contemporain dans la mesure où il peut suivre et étudier le dynamisme des forces en présence :

Je m'arrêterai au moment où la Révolution me paraîtra avoir à peu près accompli son œuvre et enfanté la société nouvelle. Je considérerai alors cette société même ; je tâcherai de discerner en quoi elle ressemble à ce qui l'a précédée, en quoi elle en diffère, [...] et j'essayerai enfin d'entrevoir notre avenir.

Le ton est modeste quoique ferme, mais le vocabulaire traduit bien le but de Tocqueville : l'Histoire n'existe que sous la forme d'un devenir, et les faits ne servent qu'à confirmer logiquement la thèse d'ensemble. Ainsi l'auteur est-il finalement amené à conclure par un chapitre au titre terriblement audacieux pour l'époque : « Comment la Révolution est sortie d'elle-même de ce qui précède. »

Malgré leur apparente sévérité et leur grande densité, les ouvrages de Tocqueville sont écrits d'une façon vivante et animés d'un feu intérieur à travers lequel transparaît la personnalité de l'homme. En composant des œuvres qui mêlent « la philosophie de l'Histoire à l'Histoire même », Tocqueville tirait néanmoins l'Histoire hors de la littérature pour la plonger dans le domaine des sciences humaines. La génération positiviste ne devait pas s'y tromper qui le prit pour ancêtre.

QUELQUES REPRÉSENTANTS DE L'HISTOIRE PHILOSOPHIQUE		
François GUIZOT (1787-1874)	*Histoire de la Révolution d'Angleterre* (1826-1856) *Histoire de la civilisation en Europe* (1845) *Histoire de la civilisation en France* (1845)	Dominant les faits pour en tirer l'esprit, il voit dans la bourgeoisie le garant de l'Histoire tant politiquement ou économiquement que moralement.
Edgar QUINET (1803-1875)	*Le génie des religions* (1842) *Les révolutions d'Italie* (1848-1852) *La Révolution* (1865)	L'Histoire s'analyse pour lui comme un ensemble de symboles qu'il s'applique à déchiffrer en poète.
Louis BLANC (1812-1882)	*Histoire de dix ans* (1841-1844) *Histoire de la Révolution française* (1847-1862)	Disciple saint-simonien, il s'attache à démontrer que le courant bourgeois élimine le courant démocratique.

MICHELET ET « LA RÉSURRECTION DE LA VIE INTÉGRALE »

Né en 1797 dans une humble famille d'imprimeurs, Jules Michelet accomplit de brillantes études qui le conduisent à l'agrégation (1819) et au doctorat (1821). Successivement professeur au collège Sainte-Barbe, à l'École Normale Supérieure, à la Sorbonne et au Collège de France, il obtient en 1831 le poste de chef de la division historique aux Archives nationales. Là il dispose de documents rares et inédits qu'il utilise pour écrire son *Histoire de France* (les six premiers volumes de 1833 à 1844). En 1846, il publie *Le peuple*, ouvrage dans lequel il s'attache à décrire les souffrances populaires. En 1848, il applaudit à la défaite de la royauté. Dans l'enthousiasme, il entreprend son *Histoire de la Révolution*. Après le coup d'État du 2 décembre

1851, Michelet, jugé indésirable, est destitué de ses fonctions : il n'en continue pas moins la rédaction de l'*Histoire de France* (1855-1867), mais, sous l'influence des déceptions politiques, le ton se fait amer et partial. Désormais, c'est à la nature que l'écrivain, véritable poète lyrique, demande la consolation de ses tristesses (*L'oiseau* en 1856, *La mer* en 1861, *La montagne* en 1868). Avant de mourir en 1874, Michelet donne une *Bible de l'humanité*, testament politique et social qui marque la confiance de son auteur dans l'avenir.

La méthode historique

De son enfance misérable, Michelet a toujours conservé le goût du travail et l'amour des classes populaires. De là une véhémence pour parler des problèmes politiques, qui s'oppose à sa douceur et à sa sensibilité naturelles.

Toute l'*Histoire* de Michelet est sortie de « l'éclair de Juillet » (il s'agit de la révolution de 1830). Le système et l'objet de l'étude eurent une naissance commune que résume un seul terme : la vie. En effet, la méthode est née de la présence physique de la France dans l'imagination et la sensibilité de Michelet :

Une grande lumière se fit, et j'aperçus la France. [...] Nul ne l'avait encore embrassée du regard dans l'unité vivante des éléments naturels et géographiques qui l'ont constituée. Le premier, je la vis comme une âme et une personne.

Portrait de Michelet par Couture. (Musée Carnavalet.)

Et de fait, il s'agit bien d'un être réel, doué d'un corps et d'un esprit, d'une femme en quelque sorte. Et Michelet va se comporter à son égard comme un amant modèle. C'est pourquoi devant une telle sympathie les études traditionnelles ne sont pas de mise :

Elle avait des annales, et non point une histoire. [...] La vie a une condition souveraine et bien exigeante. Elle n'est véritablement la vie qu'autant qu'elle est complète.

Alors surgit l'immense projet de « la résurrection de la vie intégrale » : tout s'anime

les membres du grand corps, peuples, races, contrées, s'agencèrent de la mer au Rhin, au Rhône, aux Alpes, et les siècles marchèrent de la Gaule à la France.

Il semble que l'Histoire, selon Michelet, tourne effectivement autour de cette notion de « vie » : ainsi, lorsqu'il critique — tout en lui rendant hommage — l'expérience d'Augustin Thierry, c'est au nom du principe vital.

La vie a sur elle-même une action de personnel enfantement. [...] La France a fait la France. Elle est fille de sa liberté. Dans le progrès humain, la part essentielle est à la force vive.

Les techniques

Tout autant que par sa méthode Michelet fait œuvre originale par ses procédés de narration. Il excelle en premier lieu à dégager l'âme d'un vaste ensemble, qu'il s'agisse d'une bataille ou d'une grande réunion, la fête de la Fédération, par exemple : les faits ne sont pas rapportés chronologiquement mais organisés de manière à évoquer un mouvement spirituel, tel

ce peuple avançant vers la lumière, sans loi, mais se donnant la main. Il avance, c'est assez : la simple vue de ce mouvement immense fait tout reculer devant lui.

Cependant, au sein de ces grandes fresques, certains portraits retiennent l'attention, tantôt lyriques, tantôt psychologiques, ramassés en formules brillantes qui condensent en quelques mots tout un caractère. Ainsi la fin de l'analyse du masque mortuaire d'Henri IV :

Ce qui est sûr et certain en cet homme, ce qui est visible, c'est l'amour. Les yeux fermés couvent de tendres pensées et continuent toujours leur rêve.

On est ici proche d'un autre trait marquant du style de Michelet : le symbolisme. Derrière le monument, le personnage ou l'œuvre quelle

Michelet et Edgard Quinet reprenant possession de leur cours en 1848.

qu'elle soit, se profile toujours une réalité insaisissable. Une cathédrale n'est pas regardée pour elle-même, mais suggère le « souffle de l'esprit ». Quant à Jeanne d'Arc, toutes les pages qui lui sont consacrées ne constituent qu'une longue comparaison symbolique :

Le sauveur de la France devait être une femme. La France était femme elle-même.

Rien d'étonnant que la Pucelle inspire à Michelet d'admirables pages dans lesquelles vibre tout son être : il l'aime pour elle-même, mais surtout il l'aime parce qu'elle incarne le peuple et la France.

« *Le poète et le prophète du peuple* »

La passion de Michelet pour le peuple n'est pas d'ordre intellectuel, mais existentiel : il fait corps avec la grande masse des paysans et des ouvriers, et ne se prive pas de le dire. Ainsi, dans la Dédicace à Edgar Quinet qui ouvre *Le peuple*, l'auteur ne craint pas de s'assimiler à son sujet :

Ce livre je l'ai fait de moi-même, de ma vie, et de mon cœur. Il est sorti de mon expérience, bien plus que de mon étude.

Il réclame même le droit d'être, parmi les écrivains et les historiens, LE porte-parole du peuple :

Et moi, qui en suis sorti, qui ai vécu avec lui, travaillé, souffert avec lui, qui plus qu'un autre ai acheté le droit de dire que je le connais, je viens poser contre tous la personnalité du peuple.

Certes le peuple existe en tant que tel dans l'œuvre de Michelet; mais surtout il s'offre à nos yeux sous les traits des multiples travailleurs que l'auteur se plaît à croquer dans le coin d'un tableau pour les porter peu à peu sur le devant de la scène. Une promenade lui est prétexte à méditer sur la servitude du paysan « qui se retourne et jette sur sa terre un dernier regard, regard profond et sombre; mais pour qui sait bien voir, il est tout passionné, ce regard, tout de cœur, plein de dévotion ».

Une telle vision serait en effet pessimiste si elle n'était corrigée par des sentiments utopiques : l'avilissement de l'homme par le travail et la machine doit être racheté par la coopération des classes :

Comment vivre sans savoir la vie? Or, on ne la sait qu'à un prix : souffrir, travailler, être pauvre, ou bien encore se faire pauvre de sympathie, de cœur, s'associer de volonté au travail et à la souffrance

ou, plus exactement, par une compréhension mutuelle que Michelet appelle « héroïsme ». On comprend dès lors que la critique marxiste se soit montrée sévère à l'égard de l'auteur du *Peuple* et lui ait reproché d'être « fils de la bourgeoisie ».

« *Ma grande France* »

Tout autant que dans la collaboration des classes, Michelet voit dans la patrie le grand remède aux misères de l'homme. Il est vrai que, de même que pour le peuple, l'écrivain s'est assimilé à son pays :

Il y a bien longtemps que je suis la France, vivant jour par jour avec elle depuis deux milliers d'années.

Cette vie commune les a unis d'un amour indescriptible, presque mystique :

La France est une religion [...] c'est la fraternité vivante.

C'est pourquoi Michelet ne peut supporter de voir la France déchirée, avilie, repliée sur elle-même : à ses yeux, elle a une « mission » qui est d'être « le salut du genre humain ». D'où la prophétie qui dirige toute son œuvre et son inspiration :

Nous avons vu ensemble les plus mauvais jours, et j'ai acquis cette foi que ce pays est celui de l'invincible espérance.

Par-delà son patriotisme, Michelet retrouve ainsi l'inspiration romantique de la foi en l'humanité.

Portrait d'Augustin Thierry par Ary Scheffer.

Le Baron de Barante.

Guizot à la fin de ses jours.

BIBLIOGRAPHIE

ÉDITIONS : J. MICHELET : Dans l'attente de la monumentale édition des *Œuvres complètes* entreprise aux Éditions Flammarion sous la direction de Paul Viallaneix (dont la magistrale thèse, *La voie royale*, « essai sur l'idée de peuple dans l'œuvre de Michelet », sert d'introduction à l'ensemble), il n'existe pas de bonne édition critique de l'*Histoire de France* (on lira le livre II, *Tableau de la France*, dans la Bibliothèque de Cluny, A. Colin) ; *Histoire de la Révolution*, 2 vol., Gallimard, coll. « Bibliothèque de la Pléiade », 1952 ; *Journal*, vol., Gallimard, 1968 ; *L'étudiant*, Seuil, 1970 ; *La sorcière*, Garnier-Flammarion, 1966 ; *Le peuple*, Julliard, coll. « Littérature », 1965.

II. TOCQUEVILLE : *Œuvres complètes* (13 vol.), Gallimard ; *L'Ancien Régime et la Révolution*, Gallimard, coll. « Idées ».

ÉTUDES : EHRARD et PALMADE, *L'Histoire*, A. Colin, coll. « U », 1964 (ouvrage d'ensemble de qualité qui remplace les travaux plus anciens d'Halphen ou de Moreau). — BARTHES, *Michelet par lui-même*, Seuil, 1954 (l'auteur a « cherché à décrire une unité » à travers un « réseau d'obsessions » : cela donne un ouvrage brillant mais déroutant pour un lecteur non averti). — G. PICON, *Michelet et la parole historienne*, Seuil, 1970 (en préface à *L'étudiant*, quelques pages sur la fonction de l'Histoire dans l'œuvre de Michelet et dans le siècle romantique) — Thierry MOREAU, *Le Sang de l'histoire*, Flammarion, 1982. — Peter MAYER, *Alexis de Tocqueville*, Gallimard, 1948 (ouvrage d'ensemble qui replace la pensée dans la vie et l'époque). — Jean-Claude LAMBERTI, *Tocqueville et les deux démocraties*, P.U.F., 1983. — R. FOSSAERT, « La théorie des classes sociales chez Guizot et Thierry », *La Pensée*, janvier 1955 (article qui tente de définir le rôle de la dynamique interne des peuples).

BALZAC (1799-1850)

Chacun admire en Balzac un aspect du romancier : les naturalistes ont reconnu en lui le maître d'une technique; Baudelaire, le premier, a vanté « le visionnaire » inspiré; d'autres enfin ont été surtout sensibles à la force dramatique qu'il a su conférer au récit. En fait, l'exceptionnelle et géniale réussite d'Honoré de Balzac vient de la convergence au sein d'une œuvre unique, — le roman conçu comme absolu esthétique, — de tous ces éléments jusqu'alors séparés.

UNE INTRÉPIDE FOI EN L'AVENIR

Né à Tours dans une famille de petite bourgeoisie provinciale, le jeune Balzac passe six pénibles années au collège de Vendôme (1807-1813), puis vient poursuivre ses études de droit à Paris où ses parents se sont récemment installés. Pendant deux ans clerc d'avoué, puis de notaire, il se détourne bientôt de la carrière juridique et se tourne vers les lettres, rédige des ébauches romanesques, achève une tragédie (*Cromwell*, 1820) et publie sous divers pseudonymes des récits d'inspiration historique, fantastique ou comique.

Célèbre portrait de Balzac.

En 1822, il est lié avec Laure de Berny, deux fois plus âgée que lui, qui sera son initiatrice dans la vie : grâce à son soutien il peut acheter une petite imprimerie en 1826, mais doit la céder deux ans plus tard dans des conditions désastreuses.

En 1829 enfin, il publie sous son propre nom *Le dernier chouan* (qui deviendra par la suite *Les chouans*). Révélé au public, il peut désormais se consacrer au métier d'écrivain. Il donne deux séries de *Scènes de la vie privée* (1830 et 1832) ainsi que des romans philosophiques comme *La peau de chagrin*. Déjà manifeste dans certaines des *Scènes de la vie privée (Gobseck)*, la maîtrise du romancier s'affirme avec *Eugénie Grandet* (1833) et surtout *Le Père Goriot* (1835) où, pour la première fois, réapparaissent des personnages déjà rencontrés dans des romans antérieurs. Les œuvres se multipliant, Balzac envisage, dès 1834, de les regrouper en un « monde complet » : en 1841 il arrête le titre de *La comédie humaine*.

Harassé de travail, déçu dans ses tentatives dramatiques et dans certaines de ses aspirations sentimentales, Balzac trouve auprès d'une « amie » polonaise le grand réconfort de sa vie. Lorsqu'il peut enfin épouser Madame Hanska, son « étrangère », il n'a plus que quelques mois à vivre. Le 21 août 1850, il est salué par Victor Hugo, dans un vibrant éloge mortuaire, comme l'un des génies les plus puissants du monde moderne.

Doué d'une énergie peu commune, Balzac ajoutait à sa vitalité une féconde imagination que l'ambition et la naïveté ont poussée sans résultat dans les affaires, mais qui a trouvé dans la littérature un domaine à sa mesure.

L'ÉPOPÉE DU GENRE ROMANESQUE : « LA COMÉDIE HUMAINE »

Avant de signer une œuvre de son propre nom, Balzac a écrit sept ou huit romans, — des exercices romanesques plutôt —, tous publiés sous le masque du pseudonyme. Cet artifice semble indiquer le désir de reconnaître sa dette à l'égard des formes romanesques existantes : péripéties invraisemblables dans le goût du « roman noir » anglais *(La dernière fée)*, fascinantes figures à la Byron *(Le vicaire des Ardennes)*, tableaux historiques à la manière de Walter Scott *(Clotilde de Lusignan)*. Dans toutes ces « œuvres de jeunesse », sans jamais se différencier nettement de ses modèles, Balzac laisse déjà entrevoir que la destinée de ses personnages et les mobiles qui les animent comptent autant que la seule narration des aventures.

La période de recherche

De 1829 à 1834 Balzac prend progressivement ses distances à l'égard de ses devanciers, tant dans la matière de ses ouvrages que par la manière de construire son récit.

Avec *Les chouans* (1829) il écrit un roman historique déjà orienté vers l'étude sociale.

1799, dans la lande de Fougères : les troupes républicaines du commandant Hulot tentent de pacifier la Bretagne rebelle, mais se heurtent aux hordes chouannes du marquis de Montauran, dit le Gâs. Ce dernier rencontre Marie de Verneuil, espionne au service de Fouché, avec laquelle il se lie d'un amour partagé. Amoureux éconduit, le policier Corentin fait croire à Marie que le Gâs la trompe : celle-ci ordonne aussitôt à Hulot de réduire la rébellion. Mais découvrant finalement la vérité, elle rejoint le chef chouan assiégé, l'épouse sous les balles des « bleus » et meurt à ses côtés.

Le roman fait apparaître des types chers à Walter Scott. Mais c'est d'une façon absolument originale que Balzac mêle l'amour à l'Histoire : Marie de Verneuil est ainsi la première héroïne balzacienne dévorée par sa passion malgré un caractère d'une force exceptionnelle. Le romancier inaugure en même temps la structure tripartite qui caractérisera son récit : exposition lente, tension progressive par convergence d'éléments, précipitation du drame.

Avec *La peau de chagrin* (1831), que précèdent et suivent divers contes ou romans philosophiques, Balzac propose le contre-point des *Scènes de la vie privée* (1830 et 1832) : à la description des mœurs s'ajoute l'explication de la destinée. Tous les héros de ces récits sont en quête d'un idéal — mystique *(Louis Lambert, Séraphita)*, esthétique *(Le chef-d'œuvre inconnu)* ou scientifique *(La recherche de l'absolu)* — qui entretient en eux une flamme illuminant leur vie, mais consumant leur existence. Témoin l'aventure de Raphaël dans *La peau de chagrin*.

En 1830 à Paris, Raphaël de Valentin se ruine au jeu. Il veut se suicider quand, entrant chez un antiquaire, il reçoit une peau de chagrin magique liée à la vie de son propriétaire : capable de réaliser tous les désirs qu'il formule, elle rétrécit à chaque souhait exaucé, réduisant d'autant la vie de son possesseur.

En sortant, Raphaël est entraîné par des amis dans un banquet. Au cours de l'orgie il raconte à un compagnon ce qu'ont été sa vie passée, ses amours avec la cruelle comtesse Foedora, sa tendre affection pour la pure Pauline. Son récit terminé, Raphaël souhaite redevenir riche : vœu aussitôt accompli, tandis que la peau s'est réduite. Peu après, il retrouve Pauline et vit heureux en sa compagnie; mais à chaque désir le talisman se contracte. Rien ne peut s'y opposer : ni l'abandon, ni la science, ni l'isolement. La santé de Raphaël s'altère, la peau diminue jusqu'à disparaître avec la dernière volonté du héros, qui s'est ainsi lui-même condamné.

« Porche central de *La comédie humaine* » [1], ce roman baroque, malgré la rigueur de son

1. Pierre Citron, Préface à *La peau de chagrin*, éd. Garnier-Flammarion.

organisation, symbolise dans son foisonnement la puissance de la pensée, « le plus violent de tous les agents de destruction, [...] le véritable ange exterminateur de l'humanité ».

En 1833, la maîtrise de Balzac s'affirme dans *Eugénie Grandet* : analyse détaillée d'un milieu, emprise d'une passion dévorante, description minutieuse des décors, stylisation des portraits, tension contenue de l'action, qui parfois éclate avec violence.

A Saumur, de 1819 à 1833, vit la famille Grandet : le père, après avoir commencé à s'enrichir sous la Révolution, mène une vie recluse d'avare dans laquelle il enferme sa femme, sa servante Nanon et sa fille Eugénie. Celle-ci, riche héritière, est convoitée par les familles Cruchot et Des Grassins, mais demeure indifférente aux prétendants. Arrive son cousin Charles, jeune dandy parisien, ruiné par la faillite de son père : Eugénie se sent attirée par le nouveau venu; sa personnalité s'affirme en même temps que son cœur découvre l'amour. Tandis que son père manœuvre pour racheter les créances de son frère, elle offre à son cousin son or pour qu'il puisse partir rétablir sa fortune en Inde : les deux jeunes gens se jurent fidélité pour toujours.

Le jour de l'an suivant, Grandet reproche violemment à sa fille d'avoir donné son argent : il la séquestre, mais doit bientôt assouplir son attitude pour obtenir d'Eugénie qu'elle renonce à sa part d'héritage maternel. Cinq ans plus tard, l'avare meurt à son tour en contemplant fiévreusement ses écus. Peu après, Eugénie reçoit une lettre de Charles qui, fortune faite, a épousé par intérêt une aristocrate. Déçue, elle se résigne à épouser le président Cruchot. Mais, bientôt veuve, elle consacre sa fortune aux œuvres de charité, « marchant au ciel accompagnée d'un cortège de bienfaits. »

Illustration pour une scène célèbre d'*Eugénie Grandet* : l'avare moribond réchauffé à la vue de ses louis. Publié dans les *Œuvres Illustrées* de Balzac, Paris, Michel Lévy Frères, 1867. (Maison de Balzac.)

Comme tant d'autres romans balzaciens futurs, *Eugénie Grandet* mêle à l'intrigue le récit de mœurs provinciales et l'aventure des caractères : c'est « le triomphe de la mécanique bien montée » (1), avec ses préparations minutieuses, ses oppositions et ses correspondances savamment organisées, ses ruptures de rythme puissamment orchestrées et ses portraits méthodiquement composés.

Dès ce moment, Balzac songe à élargir son projet en regroupant ses romans en *Études de mœurs au XIXe siècle* et en *Études philosophiques*, les unes peignant la « Société dans tous ses effets », les autres « constatant les causes ». Enfin, l'écrivain prévoit des *Études analytiques* qui « creuseront les principes »; mais le projet ne sera qu'esquissé.

L'idée centrale était donc née : il ne restait plus qu'à trouver, au niveau du récit, un lien entre les diverses « scènes ».

La maturité et l'organisation du système

La conception de « tout un monde fictif » une fois adoptée, il fallait encore lui « donner la vie et le mouvement ». Pour cela Balzac eut « l'idée de génie » d'appliquer le retour systématique des personnages. Ainsi s'explique la place privilégiée que nous accordons au *Père Goriot* dans l'économie d'ensemble de l'œuvre.

A Paris, en 1819, vivent dans la triste pension Vauquer une vieille demoiselle en retraite (Mlle Michonneau), une jeune orpheline (Victorine Taillefer), un jeune étudiant ambitieux (Eugène de Rastignac), un énigmatique gaillard (Vautrin) et un vieillard miné par un mystérieux chagrin (Goriot). Rastignac est intrigué par les retours nocturnes de Vautrin et par les visites que reçoit Goriot.

Introduit par sa cousine, Mme de Beauséant, dans les salons parisiens, Eugène découvre peu à peu le secret du Père Goriot : il s'est ruiné pour assurer une vie agréable à ses filles. L'une est devenue la comtesse Anastasie de Restaud, l'autre la baronne Delphine de Nucingen : toutes deux, frivoles et égoïstes, ne voient plus leur père que pour lui extorquer les quelques sous qui lui restent.

Pendant ce temps, Vautrin propose à Rastignac d'accélérer son ascension en épousant Victorine Taillefer et en elle l'héritière d'une grosse fortune : lui-même, moyennant compensation, s'offre à supprimer le frère de Victorine. Bien que séduit, Rastignac refuse, préférant tenter sa chance auprès de Mme de Nucingen. Vautrin, qui n'est en réalité que le forçat Trompe-la-Mort, est arrêté peu après, dénoncé à la police par Mlle Michonneau.

1. Maurice Bardèche, *Balzac romancier*, Plon.

Illustration de Daumier pour *Le Père Goriot*.

Apprenant les compromissions de ses filles, Goriot est victime d'une crise d'apoplexie : il agonise en les bénissant, tandis qu'elles sont au bal, indifférentes au drame qui se joue. Il meurt entre les bras de Rastignac, qui suivra seul le convoi funèbre jusqu'au Père-Lachaise. De là, dominant la capitale, Eugène lance un défi à la société : « A nous deux maintenant ».

L'importance de ce roman tient d'une part aux personnages, de l'autre à la structure du récit. Pour la première fois, des héros déjà aperçus dans des romans antérieurs trouvent ici la consécration de leur carrière ou découvrent l'origine de leur fortune (Mme de Beauséant); d'autres reparaîtront (Vautrin); certains enfin, tel Rastignac dont on a entrevu la silhouette dans *La peau de chagrin*, commencent leur prodigieuse existence à travers la jungle parisienne. Par ailleurs, Balzac au fil de la narration, éclaire successivement des centres d'intérêt divers en mêlant des destins apparemment étrangers que des liens invisibles rapprochent et font interférer. Par le truchement des personnages on passe ainsi sans difficulté du roman sentimental de Goriot au roman d'aventures de Vautrin ou au roman d'éducation de Rastignac.

L'univers balzacien se trouvait constitué : le retour des personnages assurait en profondeur l'unité d'œuvres qu'animait un même conflit d'énergies et que liait déjà un plan d'ensemble. Du *Lys dans la vallée* (1835) au *Cousin Pons* (1847), Balzac édifie donc avec plus de cinquante romans un ensemble « plus vaste, littérairement parlant, que la cathédrale de Bourges architecturalement ». Il lui donne en 1842 le titre de *La comédie humaine* réunissant aussi bien des textes de pure fiction que le compte rendu de ses propres expériences.

Le lys dans la vallée occupe une place particulière dans l'existence de son créateur et dans la dynamique interne de *La comédie humaine*.

Le récit se présente comme une longue confession épistolaire faite en 1827 par Félix de Vandenesse à la comtesse Natalie de Manerville qu'il aime.

Après une enfance sans affection, le jeune Félix a rencontré au cours d'un bal tourangeau, en 1814, une femme dont la beauté l'a fasciné. Quelques mois plus tard, il la retrouve en son domaine de Clochegourde au bord de l'Indre : elle s'appelle Blanche de Mortsauf et vit entourée du comte son mari et de ses deux enfants. Rapidement, Félix pénètre dans l'intimité des Mortsauf; une passion pure et discrète lie bientôt le jeune homme à celle qu'il appelle Henriette. Une suite de séparations et de retours renforce cet amour spirituel et muet.

Au cours de son ascension parisienne, Félix est subjugué par une jeune « lionne » anglaise, Lady Dudley. Henriette apprend cette liaison, pardonne à son protégé, mais, tombe mortellement malade. Félix accourt à Clochegourde pour recueillir les dernières paroles de la comtesse, paroles d'amour que confirme une lettre qu'elle lui a laissée. Félix revient à Paris, et abandonné de Lady Dudley trouve une diversion à son chagrin dans les lettres et la politique, jusqu'au jour où il rencontre Natalie de Manerville, qui, en réponse à la lettre de Félix, préfère renoncer à lui plutôt que de tenter « d'être à la fois Madame de Mortsauf et Lady Dudley ».

Si, comme l'indiquait Balzac lui-même, Madame de Mortsauf est « une pâle épreuve » de Laure de Berny, c'est avant tout en tant que roman qu'il convient de lire *Le lys*. Balzac a enfin réussi à y créer ce type « de femme vertueuse fantastique » dont il parlait dans la préface du *Père Goriot* du 6 mars 1835. L'éducation de Félix, comme celles de Rastignac et de Lucien de Rubempré *(Illusions perdues)*, brosse un tableau de l'arrivisme social et montre, si besoin en était, que l'amour-passion et l'ambition s'excluent. Surtout, l'ensemble est nimbé de poésie : scènes délicates, paysages impressionnistes.

Le « secrétaire » de la « société française »

L'*Avant-propos* de 1842 prétend que le projet de *La comédie humaine* « vint d'une comparaison entre l'Humanité et l'Animalité »; plus précisément de « l'unité de composition ». Comme l'animal, l'homme est un; mais de même que les différences de milieu ont engendré les espèces, de même la société a sécrété les individus. Ainsi s'explique le grand axiome qui dirige la pensée de Balzac

Il a donc existé, il existera de tout temps des espèces sociales comme il y a des espèces zoologiques.

C'est donc à la manière des naturalistes que l'écrivain a conçu l'étude de base de son « histoire des mœurs » : en analysant la vie parisienne et provinciale de la Révolution à la Monarchie de juillet, en scrutant les divers milieux sociaux alors observables, Balzac s'est transformé en « archéologue du mobilier social », en « nomenclateur des professions ». Il a, en fait, été beaucoup plus, surpassant ainsi Walter Scott son maître : au-delà de l'apparence il s'est attaché à comprendre « la raison du mouvement de la société ». Décrire, émouvoir, expliquer : Balzac proposait pour la première fois un « roman total » digne de « plaire à la fois au poète, au philosophe et aux masses ».

LA COMÉDIE HUMAINE

1. ÉTUDES DES MŒURS « l'histoire générale de la Société »		
Scènes de la vie privée	Scènes de la vie de province	Scènes de la vie parisienne
Gobseck (1830) *Le Père Goriot* (1834) *Le colonel Chabert* (1832) *Mémoires de deux jeunes mariées* (1841)	*La vieille fille* (1836) *Eugénie Grandet* (1833) *La Rabouilleuse* (1841-1842) *Illusions perdues* (1837-1843)	*Histoire des Treize* (1834-1835) *César Birotteau* (1837) *La maison Nucingen* (1838) *Splendeurs et misères des courtisanes* (1838-1847) *La cousine Bette* (1846) *Le cousin Pons* (1847)
Scènes de la vie politique	Scènes de la vie militaire	Scènes de la vie de campagne
Une ténébreuse affaire (1841)	*Les chouans* (1829)	*Le curé de village* (1841) *Le médecin de campagne* (1833) *Le lys dans la vallée* (1835) *Les paysans* (roman inachevé)
2. ÉTUDES PHILOSOPHIQUES		
La peau de chagrin (1831) *Louis Lambert* (1832) *La recherche de l'Absolu* (1834)		
3. ÉTUDES ANALYTIQUES		
Physiologie du mariage (1829)		

LA TECHNIQUE ROMANESQUE

A Lucien de Rubempré qui vient, dans *Illusions perdues*, lui présenter un roman historique dans le goût du temps, d'Arthez reproche d'être « le singe de Walter Scott ». Et de conseiller : « Renversez-moi les termes du problème. [...] Entrez tout d'abord dans l'action ». C'était là pour Balzac défendre une esthétique romanesque qui allait à l'encontre de la sienne propre.

Une structure complexe : de l'exposition narrative...

Le roman est une œuvre de construction, un ouvrage « réfléchi, coordonné, combiné ». Balzac prend pour modèle le théâtre : « un roman est une tragédie ou une comédie écrite ». Mais l'univers romanesque n'est pas en tous points identique au monde tragique : il possède ses impératifs et les impose à l'écrivain. De là le mouvement général du récit balzacien; d'abord statique (dans sa présentation), il devient ensuite dynamique (par l'organisation de l'intrigue).

L'exposition n'est plus chez Balzac un simple hors-d'œuvre : elle fonde véritablement l'action dont elle contient les forces encore enchaînées. Parfois dialoguée *(César Birotteau)*, elle se présente le plus souvent sous forme d'une longue description *(La maison du chat-qui-*

Augustine Guillaume dans *La maison du chat-qui-pelote*. Gravure de G. Staal (1851). (B.N. Paris.)

pelote) où s'exprime l'interdépendance des personnages et de leur milieu : ainsi de l'usurier Gobseck et de sa demeure dont l'écrivain prétend que l'on eût « dit de l'huître et de son rocher. »

Ces descriptions sont elles-mêmes soumises à certains procédés. Partant du plus général (une rue de Saumur dans *Eugénie Grandet*, la rue Neuve-Sainte-Geneviève dans le *Père Goriot*), le narrateur réduit progressivement son champ de vision, s'arrêtant à une maison particulière (la demeure Grandet, la Pension Vauquer). Il pénètre alors à l'intérieur, prête attention aux moindres détails, fait du plus petit objet un signe révélateur de la psychologie des personnages. Avant qu'ils aient paru devant nous, les habitants du lieu sont déjà trahis par le décor qui porte la marque de leurs goûts, de leurs passions ou de leurs caprices. Lorsqu'ils se montrent enfin, solidement ancrés dans leur entourage, nulle surprise : tout au plus leur physionomie se précise-t-elle pour le lecteur. Alors ils s'animent par le jeu des contrastes (Eugénie/le Père Grandet), les retours en arrière qui nous renseignent sur les antécédents et donnent aux héros une assise historique et sociologique, les multiples optiques (ragots, réputations, jugements des proches) qui achèvent de projeter sur les protagonistes des faisceaux de lumière convergents.

... à la dramatisation de l'intrigue

Lentement préparée, l'action peut enfin s'engager, éclatant en crises successives : entre ces caractères opposés une intrigue (manœuvres financières, complots, drames) se noue fatalement, déchaînant les passions et soulevant les luttes d'intérêt. Sa progression peut être linéaire (*Eugénie Grandet)*; le plus souvent, elle s'accomplit par une suite de tableaux *(La femme de trente ans)* ou d'aventures qu'une figure centrale relie *(Le Père Goriot)*. Dans *Illusions perdues*, Balzac va plus loin encore et combine deux destinées dans des décors différents.

D'emblée, le lecteur du récit est frappé par l'accélération de son rythme due à l'emploi de techniques proprement théâtrales : utilisation du monologue qui grossit les traits dans les moments de tension, dialogues saisis sur le vif, mélange des tons dans le style mélodramatique. En vertu de la force acquise pendant la longue préparation, seules quelques touches suffisent à l'auteur pour précipiter son drame. D'autant que le temps, dirigé et contenu par l'écrivain, poursuit ses ravages et mine inexorablement les assises sur lesquelles reposent les personnages.

LE PERSONNAGE BALZACIEN : TYPE ET INDIVIDU

La comédie humaine regroupe, selon l'estimation de son créateur, « deux ou trois mille figures saillantes d'une époque », c'est-à-dire « la somme des types que présente chaque génération ». On retrouve, mais atténuée, la célèbre distinction des « individualités typisées » et des « types individualisés » dont parlait Balzac à Mme Hanska : car c'est bien là le trait dominant du personnage balzacien, être original et bien défini, mais tributaire de situations typiques.

Il y a ainsi interférence entre l'homme et sa position, si bien que chacun puise chez l'autre l'élément qui lui assure la « vie ». Il est donc possible d'aborder le héros, soit par son humanité générale, soit par sa présence personnelle.

La combustion vitale

Si les personnages balzaciens ont valeur de types, c'est parce qu'ils « chaussent une idée et n'en démordent pas », comme le proclame Vautrin : en eux s'incarne une passion maîtresse qui concentre tous les efforts de leur pensée, anime leur action et finit par les consumer eux-mêmes. Consumer est bien le terme qui convient : « Toute vie implique une combustion », prétend Balthazar Claës dans *La recherche de l'absolu*, justifiant ainsi les nombreux exemples de la symbolique du feu, de la brûlure ou du volcan par laquelle Balzac illustre l'existence de ses héros (1). Rien d'étonnant à ce que leur mode d'action favori soit l'à-coup : la passion se fixe sur un détail, couve longuement, puis jaillit soudain par jets successifs, par spasmes.

Types, les personnages balzaciens le sont encore dans la mesure où la manifestation, différente chez chacun d'eux, de la force vitale permet une présentation exhaustive des « phases typiques » de la vie. Qu'elle s'exprime par les sens (viveurs et jouisseurs comme Raphaël de Valentin), par l'intelligence (êtres faustiens des romans philosophiques), par la volonté de puissance (conquêtes de l'aventurier en révolte contre la société) ou par le cœur (attitude de dévouement des êtres sublimes), la soif de vivre contribue à individualiser le personnage dont elle s'est emparée.

La « présence »

Ce qui intéresse Balzac, ce n'est pas un caractère dans son absolu, mais *l'incarnation* de cet absolu dans un individu particulier : il ne s'agit pas seulement d'être, encore faut-il exister. Non sans satisfaction, il disait de son Père Grandet : « Molière a fait l'avare, mais j'ai fait l'avarice ». Bien plus, il a été capable de renouveler le personnage de l'homme fasciné par l'argent au sein même de sa création, assurant la primauté de la

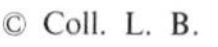

© Coll. L. B.

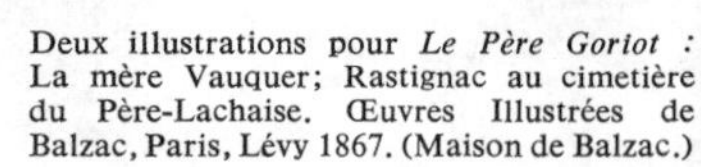

Deux illustrations pour *Le Père Goriot* : La mère Vauquer; Rastignac au cimetière du Père-Lachaise. Œuvres Illustrées de Balzac, Paris, Lévy 1867. (Maison de Balzac.)

variété sur l'espèce. De Grandet « avare comme le tigre est cruel » à Rigou « l'avare égoïste », en passant par Gobseck « le jésuite de l'or » et le banquier Nucingen qui « élève les fraudes de l'argent à la hauteur de la politique », tous ont en commun un vice identique que sous-tendent les passions secondaires : l'écrivain peut échapper, de ce fait, à la tentation de la caricature et donner à ses héros le relief de la vie.

— Présence physique d'abord : campés dans des attitudes remarquables, les héros s'animent par le regard et la parole. Disciple des doctrines physiognomoniques et phrénologiques (1), Balzac entend expliquer par des traits choisis le caractère de ses personnages, et même rendre compte de leur destinée par des « protubérances significatives ». D'où la minutie des portraits, celui de Benassis, dans le *Médecin de campagne*, par exemple :

> Cet homme avait un visage semblable à celui d'un satyre : même front légèrement cambré [...], même nez retroussé, spirituellement fendu par le bout; mêmes pommettes saillantes. La bouche était sinueuse, les lèvres étaient épaisses et rouges. Le menton se rele-

1. On lira à ce sujet l'analyse de J.-P. Richard consacrée à Balzac dans ses *Études sur le romantisme* (Seuil, 1971), pp. 5-139.

1. La *physiognomonie* est une science qui a pour objet de connaître le caractère d'un individu d'après sa physionomie. Très en vogue au XIXe siècle, elle fut essentiellement illustrée par le Suisse Lavater (1741-1801) qui expliquait l'influence du tempérament sur les traits physiques : « Tout en nous a une cause interne ». La *phrénologie*, doctrine du médecin allemand Franz-Joseph Gall, prétendait que le caractère et les fonctions intellectuelles d'un homme dépendent de la forme extérieure de son crâne.

vait brusquement. Les yeux bruns et animés [...] exprimaient des passions amorties. Les cheveux jadis noirs et maintenant gris, les rides profondes de son visage...

De même qu'il examinait les intérieurs dans leurs moindres détails, l'auteur se plaît à scruter le visage de ses héros pour y découvrir une existence secrète en désaccord avec l'apparence du personnage.

— Enracinement dans le milieu ensuite : le tempérament de chaque individu, bien que situé dans sa lignée héréditaire, acquiert une indépendance et une vérité que viennent renforcer influences historiques et géographiques. Que l'on se reporte à la présentation de la cousine Bette, cette « sauvage Lorraine », incomprise de son entourage, mais dont le caractère devient limpide pour qui sait y retrouver l'attachement à sa terre et à sa condition d'origine.

— Évolution dans le temps enfin : par le retour des personnages, Balzac a réussi à briser le cadre étroit de la psychologie « monolithique » pour lui substituer une succession d'images propres à engendrer chez le lecteur cette « troisième dimension » dont Proust se fera le défenseur.

BALZAC LE VISIONNAIRE

Créateur au sens plein du terme d'un monde romanesque, Balzac se sent « égal et peut-être supérieur à l'homme d'État : non seulement il donne naissance à une société, mais il la dote de lois qui sont l'expression de ses convictions intimes. Il se révèle par ses personnages plus que par ses confidences privées; il n'est « pas seulement un démiurge : il est l'ensemble des passions dont se nourrit sa démiurgie » [1].

Mysticisme, illuminisme et catholicisme

Dans son *Avant-propos*, Balzac a prétendu écrire « à la lueur de deux vérités éternelles : la religion et la monarchie ». Réduire sa philosophie au seul terme de « religion » serait méconnaître la complexité de sa pensée. Longtemps influencé par les illuministes — Saint-Martin [2], Swedenborg [3] —, Balzac a cru pouvoir fondre en une croyance unique les divers systèmes religieux : dans *Séraphita*, il expose par la bouche de l'ange sa foi en la supériorité de l'âme sur l'esprit. Grâce au « don de Spécialité », l'illuminé voit les correspondances qui régissent le monde : « il devine l'avenir et le passé en pénétrant la conscience ».

Cependant, le catholicisme n'est pas absent de son œuvre. Il répond à un double objectif. Objectif esthétique d'abord : tout comme Chateaubriand, Balzac a su utiliser les beautés de l'inspiration chrétienne pour donner à son récit une couleur poétique; c'est ainsi que le personnage féminin du *Lys dans la vallée* acquiert une présence troublante. Objectif apologétique aussi : dans un monde allant à la déroute, la religion « constitue la seule force qui puisse relier les espèces sociales » et présente « un système complet de répression des tendances dépravées de l'homme ».

1. Gaétan Picon, *Balzac par lui-même*, Seuil.
2. Saint-Martin (1743-1803) organisa des sectes mystiques et traduisit ses visions en versets bibliques.
3. Swedenborg (1688-1772), philosophe suédois qui édifia une cosmologie fondée sur la correspondance entre l'univers matériel et le monde spirituel. Sa doctrine pénétra en France grâce à Dom Pernéty qui créa une loge swedenborgienne en Avignon.

Politique

Second flambeau de l'inspiration balzacienne : la monarchie. Non point une royauté appuyée sur une constitution élaborée par la volonté populaire, mais bel et bien une monarchie absolue de droit divin. C'est là le sujet même de la longue conversation du dîner du *Médecin de campagne* dans laquelle Bénassis expose ses « pensées étranges ». Tout s'enchaîne logiquement : un pays a besoin d'un pouvoir; celui-ci ne peut être que fort (« fort jusqu'à l'absolutisme »); or tout pouvoir divisé entre les mains de notables semble affaibli : « le pouvoir, la loi doivent donc être l'œuvre d'un seul ».

Ainsi s'explique la condamnation du suffrage universel : les masses populaires sont aux yeux de Balzac incapables de juger sainement d'une situation (« les prolétaires me semblent les mineurs d'une nation, et doivent toujours rester en tutelle »). Héritées de la fréquentation de Bonald et de Maistre [1], ces attitudes sont

1. Voir p. 389.

essentiellement le résultat des réflexions inspirées à Bénassis et son créateur par « les catastrophes de nos quarante dernières années » : Balzac voyait dans le passage du pouvoir monarchique au pouvoir bourgeois issu de la Révolution l'extension de la minorité possédante, non la disparition de l'inégalité sociale. Bien plus, il stigmatisait la force grandissante de l'argent dont aucune loi ne pouvait endiguer le flot.

Morale et société

Dans cette société fondée sur l'inégalité (Balzac voit même dans les lois bourgeoises une légalisation des injustices) [1] émergent quelques êtres d'exception que poussent l'ambition ou la révolte. L'énergie du héros balzacien trouve ainsi dans cette société « truquée » un terrain d'expérimentation à sa mesure : à l'école des Vautrin, les Rastignac et Rubempré comprennent rapidement que l'argent est ce qui fait mouvoir le monde au XIXe siècle :

> Il vit le monde comme il est, les lois et la morale impuissantes chez les riches, et vit dans la fortune l'*ultima ratio mundi (Le Père Goriot).*

Que dire, en effet, d'une fortune acquise comme celle de Nucingen sur le dos des petits — et des gros — épargnants, au moyen de frauduleuses combinaisons? Et surtout, que dire d'une justice impuissante à réprimer les abus et les crapuleries des potentats? La morale de *La maison Nucingen* est à l'opposé du dénouement de *Tartuffe :* par ce biais, Balzac trouvait la confirmation de sa foi en un absolutisme qui serait capable de rétablir la justice en contrebalançant le pouvoir de l'argent.

UN STYLE CONTESTÉ, UN ÉCRIVAIN ADMIRÉ

Malgré son désir de tracer de grands types, Balzac a su éviter l'ennui et la monotonie en adaptant son art à son inspiration. Les besoins de la production expliquent les défauts du feuilletoniste (longueurs, redites, incorrections) plus que les réussites du romancier. Incontestables, celles-ci furent reconnues par de nombreux écrivains qui trouvèrent dans *La comédie humaine* un aiguillon puissant, et crurent y apprendre leur métier.

« *Plus une voix qu'une écriture* » [2]

A la suite de Flaubert, la critique a jugé avec sévérité l'écriture balzacienne. Il est vrai que Balzac fut un écrivain inégal; mais un tel jugement (qui fut et demeure dans bien des cas celui des universitaires) s'explique surtout parce qu'on ne recherchait dans l'œuvre qu'un style neutre; en réalité, la narration se module ici selon les besoins du récit; chaque personnage semble ainsi échapper par la parole à son créateur. A côté de la précision des descriptions et de la netteté des portraits, les « tons » de la conversation contribuent à différencier les individus, tout en donnant au roman cette vie qui est la réussite des grands artistes.

Dans son *Contre Sainte-Beuve*, Proust reprochait à Balzac son style qui « ne suggère pas, ne reflète pas, [...] ne se subordonne à aucun but de beauté et d'harmonie ». Il semble que le jeune Marcel ait lu *La comédie humaine* comme une introduction à sa *Recherche du temps perdu;* or le roman balzacien est dans sa conception à l'opposé du récit proustien, et l'auteur de *Swann* aurait pu trouver chez Baudelaire la réponse à sa critique :

> Les défauts de Balzac. Pour mieux parler, c'est justement là ses qualités.

Fils du romantisme et père du roman moderne

Salué comme chef, voire même annexé, par les écoles de la seconde moitié du siècle, Balzac a longtemps souffert d'une classification hâtive qui mutilait son œuvre en la tirant vers un système particulier.

Parmi ceux qui, nombreux, n'ont voulu voir dans le roman balzacien que le résultat d'un obscur travail scientifique, les Goncourt offrent sans doute un des exemples les plus caricaturaux qui soient :

1. « Les lois sont les toiles d'araignées à travers lesquelles passent les grosses mouches et où restent les petites » *(La maison Nucingen).*
2. La formule est de Gaëtan Picon.

Le roman depuis Balzac n'a plus rien de commun avec ce que nos pères entendaient par roman. Le roman actuel se fait avec des documents racontés ou relevés d'après nature, comme l'histoire se fait avec des documents écrits [1].

C'est avec le même esprit que Taine réduira le génie de Balzac à un talent d'analyste :

C'est un artiste puissant et pesant, ayant pour serviteurs et pour maîtres des goûts et des facultés de naturaliste. A ce titre il copie le réel, il aime les monstres grandioses, il peint mieux que le reste la bassesse et la force [2].

Baudelaire lui-même va jusqu'à louer le « savant » autant que le romancier; mais en 1859, dans un important article consacré à Théophile Gautier, le poète, revenant sur ses premières impressions, a pu s'étonner que « la grande gloire de Balzac fût de passer pour un observateur ». S'attachant au « visionnaire passionné », il écrit :

1. *Journal*, 24 octobre 1864.
2. *Journal des Débats*, 23 février 1858.

Toutes ses fictions sont aussi profondément colorées que les rêves. Depuis le sommet de l'aristocratie jusqu'aux bas-fonds de la plèbe, tous les acteurs de sa comédie sont plus âpres à la vie, plus actifs et plus rusés dans la lutte, plus patients dans le malheur, plus goulus dans la jouissance, plus angéliques dans le dévouement, que la comédie du vrai monde ne nous les montre. Bref, chacun, chez Balzac, même les portières, a du génie. Toutes les âmes sont des âmes chargées de volonté jusqu'à la gueule.

Car Balzac est bien « le fils de l'ère romantique », même s'il est tourné vers l'avenir :

Créateur du roman moderne, il le tire tout entier de l'imagination exaltée, de l'étreinte confuse et totale du romantisme [1].

1. Gaëtan Picon, *Histoire des littératures*, Encyclopédie de la Pléiade, t. III, p. 1055.

BIBLIOGRAPHIE

Éditions : Plusieurs éditions de *la Comédie humaine* sont aujourd'hui disponibles : en 12 volumes la Bibliothèque de la Pléiade propose une nouvelle version (1976-1981) sous la direction de P.-G. Castex avec dans chaque tome un volumineux appareil critique dû aux meilleurs balzaciens ; en 7 volumes sous la direction de P. Citron (L'Intégrale, Le Seuil, 1965-1966). L'édition du Club français du livre n'est plus considérée comme valable par les balzaciens. La meilleure édition actuelle, en club, est celle des Bibliophiles de l'Originale, éd. du Delta, 26 volumes dirigés par J. A. Ducourneau.

La Correspondance (à l'exception des lettres à Mme Hanska) a été réunie en 5 volumes chez Garnier, 1960-1968. Les *Lettres à Mme Hanska* ont été publiées en 4 volumes aux Bibliophiles de l'Originale, éd. du Delta, 1969-1971 et dans la collection « Bouquins », éd. Robert Laffont.

Diverses éditions critiques séparées de romans existent, notamment dans les Classiques Garnier (26 vol. à ce jour). De même, les collections de poche (surtout Folio, qui reprend l'édition de la Pléiade bien souvent, et Garnier-Flammarion) offrent-elles de très nombreux titres, avec de substantielles introductions, des notes et des documents.

Signalons enfin pour les spécialistes l'existence d'une revue, *L'Année balzacienne,* qui publie depuis 1960 des inédits de Balzac ainsi que des études sur son œuvre (éd. Garnier, puis P.U.F.).

Études d'ensemble : Maurice Bardèche, *Balzac romancier,* Plon, 1940 (des débuts au *Père Goriot,* l'analyse méthodique d'une pensée et d'une technique). – Philippe Bertault, *Balzac,* Hatier, coll. « Connaissances des lettres », 1947, rééd. 1968 (une étude scolaire de l'œuvre à partir d'exemples précis. Exposé clair des divers aspects — art, structure, techniques, mais aussi des « courants d'idées » — qui facilite la compréhension du monde balzacien). — Gaëtan Picon, *Balzac par lui-même,* Seuil, 1956, rééd. 1969 (un brillant essai, parfois difficile. Plus une réflexion qu'une introduction). — André Maurois, *Prométhée ou la vie de Balzac,* Hachette, 1965 (une biographie un peu romancée mais dans laquelle le lecteur pourra glaner quelques remarques à approfondir). — Albert Béguin, *Balzac lu et relu,* Seuil, 1965 (finesse et pénétration d'une lecture de Balzac dans l'optique dessinée par Baudelaire). — Pierre Barbéris, *Balzac et le mal du siècle,* Gallimard, 1970 (les années de formation du romancier étudiées à la lumière de la sociologie marxiste). — Jean-Pierre Richard, « Corps et décors balzaciens », dans *Études sur le romantisme* (pp. 5-139), Seuil, 1971 (la première application d'ensemble de la critique thématique à l'œuvre de Balzac : d'une lecture parfois pénible, mais d'une richesse remarquable par le fourmillement des notations). — Pierre Barbéris s'est consacré à l'étude de l'œuvre balzacienne à partir des travaux de la critique marxiste : à côté d'ouvrages difficiles, on trouvera chez Larousse, dans la collection « Thèmes et textes », deux petits volumes abordables, l'un consacré au *Père Goriot,* l'autre à l'ensemble de la production de Balzac (*Une mythologie réaliste,* 1971). La liste serait trop longue des travaux remarquables publiés par l'école des balzaciens français (P.-G. Castex, Madeleine Ambrière-Fargeaud, Pierre Citron, René Guise, André Lorant, Arlette Michel, Rose Fortassier, Jean-Hervé Donnard, Roland Chollet, Maurice Ménard, Nicole Mozet, etc.).

STENDHAL (1783-1842)

Le recours d'Henri Beyle au pseudonyme de Stendhal est révélateur : c'est la marque d'un travail sur soi, entrepris par l'homme et poursuivi par l'écrivain dans son œuvre. Le premier, en effet, Stendhal a renversé les termes du roman : le monde n'apparaît plus comme un objet figé, mais se trouve analysé, passé au filtre d'une conscience dont le récit se fait l'écho. Cette omniprésence du narrateur derrière ses héros et dans son écriture explique l'incompréhension presque générale du XIXe siècle devant la modernité du roman stendhalien : « recherche » au sens proustien du terme, l'œuvre, au lieu de se replier sur elle-même, s'élargit en un art de vivre « des âmes élevées ».

LA CHASSE AU BONHEUR

L'enfance grenobloise d'Henri Beyle ne fut pas le « triste drame » dont il a parlé. Certes, il n'aime pas son père, « le bâtard, le Jésuite », ni sa tante Séraphie, « diable femelle », encore moins son précepteur, le tyrannique abbé Raillanne, mais, s'il a la douleur de perdre sa mère à sept ans, il se plaît auprès de son grand-père, attaché aux idées libérales du XVIIIe siècle, de sa grand-tante, à laquelle il croit devoir son « espagnolisme » généreux, et de sa jeune sœur Pauline.

L'École Centrale de Grenoble devait le mener à Polytechnique. Mais, une fois à Paris, il renonce au concours. Son cousin Pierre Daru le fait nommer sous-lieutenant, et il entre en Italie, à dix-huit ans, avec les troupes françaises. Après « cinq à six mois de bonheur céleste, complet », la vie militaire lui pèse. De 1802 à 1806 il vit à Paris dans une mansarde, suit une jeune actrice à Marseille; mais surtout, il forme des projets littéraires (« faire des comédies comme Molière et vivre avec une actrice »), s'imprègne des idéologues ([1]), Destutt de Tracy et Cabanis.

Il reprend du service en 1806 et ne quittera l'armée qu'à la chute de l'Empire. Avec les fonctions enviées d'intendant, il suit (en chaise de poste) les campagnes d'Autriche, de Russie, de Saxe, du Dauphiné. Entre les expéditions, sa charge d'auditeur au Conseil d'État lui laisse des loisirs. Ses *Vies de Haydn, de Mozart et de Métastase*, publiées en 1814 relèvent de la compilation et parfois du plagiat.

Mis en demi-solde au retour des Bourbons, il se fixe à Milan, qui va devenir sa patrie d'élection. C'est le temps des passions pour Angela Pietragrua et Métilde Dembowski, des soirées à la Scala (« le premier théâtre du monde »), des conversations avec les romantiques italiens.

1. Groupe de philosophes qui ont repris en les poussant à l'extrême les thèses des Encyclopédistes. Le doctrinaire du groupe fut Destutt de Tracy (1754-1836), auteur des *Éléments d'idéologie* (1817-1818). Quant au docteur Cabanis (1757-1808), il professa que la pensée est un produit du cerveau (*Rapports du physique et du moral de l'homme*, 1803).

Dans *Rome, Naples et Florence* (1817), publié pour la première fois sous le pseudonyme de Stendhal, il célèbre le bonheur de vivre en Italie. Succès très limité.

La police autrichienne le soupçonne de carbonarisme ([1]) : la mort dans l'âme, il quitte Milan en 1821 pour mener à Paris une vie d'élégant dilettante. Lié avec Delacroix, Courier, Mérimée, il fait briller son esprit chez Mme d'Argent, Viollet-le-Duc, Destutt de Tracy; plus spirituel que sympathique, il a « une manière cruelle de dire les choses ». Peu soucieux de se faire dans la presse des relations utiles, il publie dans l'indifférence générale plusieurs essais : *De l'amour* (1822), *Racine et Shakespeare* (1823-1825), *La vie de Rossini* (1823), *Promenades dans Rome* (1829) et son premier roman, *Armance* (1829).

Les Journées de juillet (1830) apportent à Beyle un poste de consul à Trieste. Il fait publier avant son départ *Le rouge et le noir*. Le livre déconcerte la critique plus qu'il ne la conquiert. De nouveau suspect à la police autrichienne, Beyle est envoyé à Civitavecchia, dans les États pontificaux, où il se sent menacé d'« asphyxie morale ». Il abandonne un roman autobiographique, *Lucien Leuwen*, entreprend le récit de son dernier séjour parisien *(Souvenirs d'égotisme)* et de son enfance *(Vie de Henri Brulard)*.

Du congé obtenu en 1836, il tire profit pour voyager en France (*Mémoires d'un touriste*, 1838), écrire un roman (*La chartreuse de Parme*, 1839) et des *Chroniques italiennes*, « récits d'aventures tragiques » tirés de textes de la Renaissance.

Après un nouveau séjour à Civitavecchia, il meurt d'une attaque d'apoplexie en 1842, laissant en chantier un dernier roman, *Lamiel*. A partir de 1888, on publie les manuscrits conservés à la bibliothèque de Grenoble : le *Journal*, *Lamiel*, la *Vie de Henri Brulard*, *Lettres intimes*, *Souvenirs d'égotisme*, *Lucien Leuwen*, *Napoléon*.

	ROMANS	RÉCITS DE VOYAGES	ŒUVRES INTIMES	DIVERS
1817		*Rome, Naples et Florence*		
1822				*De l'amour*
1823 / 1825				*Racine et Shakespeare I et II*
1827	*Armance*			
1829		*Promenades dans Rome*		
1830	*Le rouge et le noir*			
1838		*Mémoires d'un touriste*		
1839	*Chroniques italiennes*			
1840	*La chartreuse de Parme*			
POSTHUME	*Lamiel* *Lucien Leuwen*		*Souvenirs d'égotisme* *Vie de Henri Brulard* *Journal*	

« QU'AI-JE DONC ÉTÉ? » OU L'AUTOBIOGRAPHIE SELON STENDHAL

On pourrait soutenir sans paradoxe que la vie de Henri Beyle fait partie de son œuvre. Vie passionnée mais réfléchie, parfois dépendante mais toujours gouvernée; surtout, vie soumise à un regard rétrospectif, ému mais critique, et épris de vérité : celui de l'autobiographie. Si Beyle, à plusieurs reprises, entreprend de se raconter, ce n'est pas pour laisser une chronique embellie de son existence, figée pour la postérité; les défaillances de sa mémoire lui interdisent même de se piquer d'exactitude quant aux faits et aux dates. Le projet de Beyle, c'est de faire « le tableau des révolutions d'un cœur ». Il n'a pas, comme Rousseau, le souci de se justifier, pas même celui de se juger, mais simplement de montrer, ne serait-ce qu'à lui-même, quel il fut : « on est ce qu'on peut, mais on sent ce qu'on est ».

1. Mouvement politique italien qui luttait dans la clandestinité pour l'indépendance nationale. Le nom est dérivé de *carbonaro* (charbonnier en italien) qui servait à désigner les conspirateurs, souvent réunis dans des huttes de charbonniers.

Il commence en 1801 un *Journal*, interrompu en 1819. A Civitavecchia il avait entrepris puis, au bout de deux semaines, abandonné ses *Souvenirs d'égotisme*, par dégoût, peut-être, de l'usage constant du « je, moi » qui l'exaspère tant chez Chateaubriand. Enfin, de novembre 1835 à mars 1836, il nous livre son enfance et sa jeunesse jusqu'à son arrivée exaltante en Italie, « deux jours après le premier Consul » : c'est la *Vie de Henri Brulard.*

Les trois œuvres, chronologiquement, se complètent. Que la première, à la différence des deux autres, ne soit pas destinée à la publication importe en vérité assez peu. Stendhal écrit sans doute les *Souvenirs d'égotisme* et la *Vie de Henri Brulard* pour un lecteur, mais pour un lecteur futur, pas pour ses contemporains; en outre la technique est la même : c'est celle du premier jet, volontairement non corrigé; des croquis, des initiales souvent obscures, des passages en anglais, en italien ajoutent à la couleur du récit la saveur de l'improvisation. Aucun souci d'ordre, aucun plan prémédité; « le présent y alterne avec le passé, l'impression avec les faits, l'effort méfiant avec le laisser-aller du songe » (1). Moins d'analyses, en effet, que d'anecdotes caractéristiques, qui fixent en quelques mots toute une psychologie; récits concrets, mais révélateurs de l'âme : « [...] au fond, cher lecteur, je ne sais pas si je suis bon, méchant, spirituel, sot. Ce que je sais parfaitement, ce sont les choses qui me font peine ou plaisir, que je désire ou que je hais. » L'émotion du vécu — du revécu — est parfois si forte que « le *sujet* surpasse trop le *disant* »; la limite de la sincérité est beaucoup moins la pudeur que l'intensité indicible du bonheur :

Je ne sais si je ne renoncerai pas à ce travail. Je ne pourrais, ce me semble, peindre ce bonheur ravissant, pur, frais, divin, que par l'énumération des maux et de l'ennui dont il était l'absence complète. Or ce doit être une triste façon de peindre le bonheur.

A cette contradiction du langage et du vécu s'en ajoute une autre : la volonté d'être soi-même et le goût du masque. Comment celui qui écrit : « Être vrai et simplement vrai, il n'y a que cela qui tienne » peut-il se cacher sous... 109 pseudonymes différents? Hypocrisie? Oui, mais dans son sens étymologique de comédie : curieusement, la métamorphose est moins un instrument de dissimulation que le « haut et magnanime retentissement d'un bonheur parfait ». En s'installant dans une fiction, Stendhal tente non pas d'oublier son *moi* originel, mais d'en faire miroiter les facettes, de le multiplier; « il se donne à soi-même une centaine de pseudonymes, note Valéry, moins pour se dissimuler que pour se sentir vivre à plusieurs exemplaires ». La permanence du *moi* ne se révèle que par cette multiplicité, car l'affectation est gage de souvenir :

Il est très difficile de peindre ce qui a été *naturel* en vous, de mémoire. On peint mieux le *factice*, le *joué*, parce que l'effort qu'il a fallu faire pour *jouer* l'a gravé dans la mémoire.

L'autobiographie instaure un jeu de regard qui transforme le récit du bonheur en bonheur du récit. « Être vu, mais être vu en perfection, et par le détour du regard des autres, se plaire à soi-même : ainsi se construit comme une œuvre d'art, une personnalité et une cohérence au second degré. » (1)

1. Jean Prévost, *La création chez Stendhal*, Mercure de France, 1951.

1. Jean Starobinski, « Stendhal pseudonyme » dans *L'œil vivant*, Gallimard, 1961.

DE L'ESSAYISTE AU ROMANCIER

Stendhal ne songeait pas essentiellement à faire carrière de romancier. Tenté tout au long de sa vie par l'autobiographie, il la délaisse moins souvent pour la pure fiction que pour l'essai historique, esthétique ou philosophique, voire pour le journal de voyage, qui mêle au témoignage personnel des considérations générales. Dans cette partie de l'œuvre, un peu délaissée, on voit Stendhal combattre pour ses idées, enrichir sa vision du monde par des expériences artistiques, posant ainsi les fondations de son œuvre romanesque.

« *Racine et Shakespeare* » : *la littérature selon Stendhal*

Hybrides d'apparence, les deux *Racine et Shakespeare* témoignent très tôt de l'individua-

Dessin de Stendhal pour la *Vie de Henri Brulard* : le moi de Stendhal écrit par lui-même. (Musée Stendhal de Grenoble.) Le mot de « beylisme » a fini par définir l'attitude de l'égotiste.

lisme stendhalien. Loin d'être, comme l'ont cru nombre de critiques, le manifeste d'une école, les deux pamphlets (1823, 1825) sont l'expression du sentiment d'un homme isolé.

Isolé politiquement : alors que tous les nouveaux écrivains tentent de concilier le réformisme littéraire et le conservatisme politique, Stendhal, influencé par les exemples italiens, juge que l'expression artistique est complémentaire de l'attitude politique.

Isolé esthétiquement : au moment où la France s'engoue pour les romans de Walter Scott, Stendhal dénonce le « bric-à-brac » qui tient lieu au romancier écossais d'univers romanesque. De même, alors que le vers est l'instrument privilégié des Hugo, Vigny et autres jeunes loups, Stendhal déclare que « de nos jours, le vers alexandrin n'est le plus souvent qu'un cache-sottise ».

Isolé philosophiquement enfin : alors que le théâtre paraît devoir être un lieu de combat isolé, Stendhal, à l'image de Mme de Staël, montre l'influence des conditions sociales sur le goût qui « examine l'état moral du pays et de l'époque, les préjugés répandus, les opinions en vogue, les passions régnantes » et qui, d'après le résultat de cet examen, indique au génie « comme il doit ordonner ses compositions, sous quelles formes il doit présenter ses idées pour faire sur le public l'impression la plus vive et la plus agréable ».

Ainsi, l'ouvrage de Stendhal n'a rien de comparable avec les manifestes postérieurs; l'auteur n'écrit pas pour prendre la tête d'un mouvement (il renonce d'ailleurs au terme de romantisme pour lui substituer l'appellation italienne de « romanticisme »), mais s'attache à montrer que seule compte en définitive la sincérité sur laquelle se fonde l'illusion parfaite. A Racine, attaché aux canons traditionnels d'un art poétique, il faut préférer le théâtre shakespearien, libre, naturel et passionné.

Le psychologue et la passion : « De l'amour »

A la fois l'œuvre préférée de son auteur et son plus grand échec de librairie (17 exemplaires vendus en 10 ans), *De l'amour* se présente comme la description « exacte et scientifique d'une sorte de folie très rare en France », une étude « circonstanciée de toutes les phases de la maladie de l'âme nommée amour ».

De prime abord, le plan paraît méthodique et le ton impersonnel. En étudiant « la nature et les phases de l'amour », l'auteur distingue « quatre espèces » et « sept époques », dont la plus célèbre est sans doute la « cristallisation », « opération de l'esprit qui tire de tout ce qui se présente la découverte que l'objet aimé a de nouvelles perfections », comme le rameau que l'on retire « recouvert de cristallisations brillantes » des mines de sel de Salzbourg. Dans une seconde partie, Stendhal se fait historien et géographe de l'amour, appliquant à la vie sentimentale la théorie des climats.

Mais cette impassibilité n'est que de façade :

> Je fais tous les efforts pour être sec. Je veux imposer silence à mon cœur qui croit avoir beaucoup à dire. Je tremble toujours de n'avoir écrit qu'un soupir, quand je crois avoir noté une vérité.

Aussi est-ce par sa ferveur bien plus que par sa rigueur que le livre reste attachant; par sa fidélité aussi à l'idéalisme courtois, à la passion sans souillure : « L'amant aime mieux rêver à celle qu'il aime plutôt que de recevoir d'une femme ordinaire tout ce qu'elle peut donner. » Une telle conception trouvera une vivante illustration dans l'œuvre romanesque.

De même, les si nombreuses pages de Stendhal sur la peinture et la musique n'ont pas la sécheresse érudite des compilations vulgaires, elles annoncent la couleur et le rythme du roman stendhalien : la lumière du Corrège, un *allegro* de Mozart.

« LA VÉRITÉ, L'ÂPRE VÉRITÉ » : LE ROUGE ET LE NOIR

Armance, composé trois ans avant *Le rouge et le noir*, n'est pas seulement le roman du malentendu sentimental, lié à l'impuissance du héros; au-delà du « détail curieux », on y trouve « une nouvelle vue sur l'ensemble des choses » (1). C'est cependant l'histoire de Julien Sorel qui s'impose comme un incontestable chef-d'œuvre.

Du fait divers au roman

A l'origine se trouvent deux faits divers — l'affaire Lafargue (un ébéniste assassin de sa maîtresse) et l'affaire Berthet (un ancien séminariste devenu l'amant puis l'assassin de la femme chez laquelle il était précepteur) — qui déclenchèrent chez Stendhal « l'idée de Julien depuis appelé *Le rouge et le noir* ». Mais c'est en lui-même que l'auteur a puisé pour donner un « rythme » à son récit et transformer en héros les personnages falots du fait divers.

I. Dans la petite ville franc-comtoise de Verrières que déchirent les passions politiques, le maire, M. de Rênal, choisit pour précepteur le fils d'un rude scieur, Julien Sorel. Dévoré d'ambition, d'une intelligence remarquable, Julien fait tache dans le milieu familial; très rapidement, il sympathise avec la pure Mme de Rênal, que ronge l'ennui; il devient son amant et s'initie à la vie mondaine de province. Prévenu de ses infortunes et gêné par les bruits qui courent, M. de Rênal se sépare de Julien. Celui-ci gagne le séminaire de Besançon et s'évanouit devant l'accueil froid de l'abbé Pirard. Par la suite, il se lie d'amitié avec son supérieur, suscitant la haine de ses condisciples. Mais les manœuvres politiques de la Congrégation obligent l'abbé Pirard à démissionner; soutenu par le puissant marquis de la Mole, il obtient une cure près de Paris et place Julien comme secrétaire du marquis. Avant de gagner Paris, Julien fait une dernière visite nocturne à Mme de Rênal au risque, évité de peu, de se faire surprendre.

II. Au contact du salon « ultra » de la Mole, Julien fait sa véritable « entrée dans le monde ». Estimé de son protecteur, il suscite la curiosité admirative de Mathilde, la fille du marquis. Par goût du scandale, mais aussi par ferveur pour « l'individualité originale » de Julien, elle décide de s'en faire aimer. Par orgueil, elle s'amuse à flatter l'amour-propre de son amant qui, à son tour, adopte une attitude donjuanesque. Leur mariage devenant inévitable, le marquis fait anoblir Julien; mais à une demande de renseignement de M. de la Mole, Mme de Rênal, poussée par son confesseur, dénonce en Julien un arriviste sans scrupules. Sorel se rend aussitôt à Verrières et blesse en pleine messe son ancienne maîtresse. Arrêté, il attend deux mois son jugement, mais « fatigué d'héroïsme », il reste indifférent aux démarches de Mathilde et de Mme de Rênal pour le sauver. Au cours de son procès, bravant ses juges, il revendique la préméditation. Condamné à mort, il est guillotiné après avoir connu dans sa cellule quelques rares moments de bonheur intime avec Mme de Rênal.

La fidélité du récit aux faits relatés par la presse de l'époque rend absurde toute interprétation biographique. Rien n'est plus sensible pourtant que la parenté du héros et de son créateur. Le fait divers réel est plus qu'un simple argument, choisi pour ses qualités dramatiques : en le transposant, le romancier l'élève à la hauteur d'une destinée imaginaire.

Une « Chronique de 1830 » : un réalisme critique

« Chronique de 1830 », le roman ne porte pas en vain un tel sous-titre.

> Dans la mesure où le réalisme sérieux des temps modernes ne peut représenter l'homme autrement qu'engagé dans une réalité globale, politique, économique et sociale en constante évolution [...] Stendhal est son fondateur (1).

Quoi qu'il en ait dit, Stendhal va bien au-delà de la méthode pointilliste du « petit fait vrai ». Par la peinture d'une situation sociale précise, d'une conjoncture politique historiquement datée, il détermine l'attitude du héros. Autant que dans le tempérament de Julien, la dynamique du roman réside dans le phénomène objectif de l'ascension sociale et de ses obstacles. Le héros fait partie de

> cette classe de jeunes gens qui, nés dans un ordre inférieur, et en quelque sorte opprimés par la pauvreté, ont le bonheur de se procurer une bonne éducation, et l'audace de se mêler à ce que l'orgueil des gens riches appelle la société.

L'initiation qu'il reçoit aux basses manœuvres de la politique locale, à l'influence occulte de la Congrégation (2), aux complots de la haute noblesse situe le personnage dans une société instable, en proie à l'incertitude quant à son avenir. C'est cette instabilité qui donne vie au

1. Jean Prévost, *op. cit.*

1. F. Auerbach, *Mimésis, la représentation de la réalité dans la littérature occidentale*, Gallimard, coll. « Bibliothèque des Idées », 1968, p. 459.
2. Organisation qui, sous le couvert de la religion, entretenait des desseins politiques.

roman : elle justifie et condamne l'ambition du héros, favorable à son essor autant qu'à sa chute.

Passions et personnages

Les personnages ne sont pas donnés *a priori*, ils se font dans le combat : pas de portraits, mais les points de vue successifs et changeants des uns sur les autres. Les deux héroïnes, en particulier, ne se définissent que par rapport à Julien : plus exactement, elles s'opposent : Verrières et Mme de Rênal, c'est le monde de l'apprentissage candide, de la sensibilité juvénile du héros; Mathilde, au contraire, et la haute société parisienne, sont liées à la part ambitieuse de son *moi*, à son goût de l'apparence flatteuse. Les deux femmes sont le symbole de la violente contradiction qui déchire Julien : d'une part, il met une intelligence brillante, une énergie peu commune, voire une fougue passionnée à conquérir la haute position qu'il juge lui être due; d'autre part, cette âme sensible, ce « cœur facile à toucher » s'abandonne parfois à un idéal de bonheur calme et pur, éloigné du monde et de ses vanités. Au dénouement, l'ambition et l'énergie soudain bafouées trouvent un exutoire dans la vengeance, puis, quand tout est consommé, Julien redevient fidèle à l'autre part de son *moi* et meurt dans la sérénité.

Un regard et une présence : le héros et le romancier

On chercherait en vain, dans le roman, les traces d'une composition calculée; l'action se déroule au rythme d'une durée linéaire qui fait songer au roman picaresque. L'unité profonde de l'œuvre réside dans « les restrictions de champs » : le plus souvent, le monde est vu par les yeux du héros, vision qui passe le réel au filtre d'une subjectivité. Le romancier installe le

Illustration d'époque pour *Le rouge et le noir*. (B.N. Paris.) Le motif de la main, ou comme dit G. Blin, de la « mainmise » est essentiel dans le roman depuis la scène célèbre (I, 9) où Julien, assis un soir à côté de Mme de Rênal, se fait un devoir de lui prendre la main.

lecteur dans l'âme même de Julien, lui donne, par le monologue intérieur, accès aux mouvements de sa conscience. Le personnage cesse d'être un pantin dont le romancier tire les ficelles et connaît d'avance la destinée. Improvisée, la création romanesque épouse le rythme d'une découverte, et l'auteur, pénétrant dans le roman, exprime sa surprise, porte des jugements. Ces intrusions n'ont pas lieu aux dépens de la crédibilité; au contraire, c'est la voix du romancier, « sa subsistance personnelle, sa présence comme individu, qui commandite l'imaginaire » [1].

UNE SOMME ROMANESQUE ET PRESTIGIEUSE : LA CHARTREUSE DE PARME

Autant *Lucien Leuwen*, resté inachevé et inédit du vivant de Stendhal, se ressent du long travail dont il est le fruit, autant avec *La chartreuse de Parme*, « le mouvement de l'invention [...] est le même que le mouvement de la passion chez le héros, et que le mouvement de sympathie chez le lecteur » [2].

Milan 1796 : les troupes françaises font leur entrée dans la ville; le peuple est en liesse. Le jeune Fabrice del Dongo, issu d'une noble famille, est fasciné par

1. Georges Blin, *Stendhal et les problèmes du roman*, Corti, 1954.
2. Jean Prévost, *op. cit.*

la figure de Napoléon. Il finit par rejoindre les troupes françaises en déroute et assiste par hasard, sans rien y comprendre, à la bataille de Waterloo. Devenu suspect à son retour, il use du crédit de sa tante, la duchesse Sanseverina, pour se faire admettre à Parme. Il gagne aussi l'appui du comte Mosca, Premier ministre du tyranneau qui règne sur la principauté, Ernest-Ranuce IV. Mais Fabrice devient la principale cible des ennemis de Mosca; à la suite d'une rixe mortelle avec le comédien Giletti, ils font interner le jeune homme dans la sinistre tour Farnèse. En entrant dans la prison, il croise le regard de Clelia Conti, la fille de son geôlier. Malgré les rigueurs de la captivité, les deux jeunes gens parviennent à s'exprimer leur amour. Cependant, la Sanseverina s'ingénie à faire évader son protégé, en dépit des réticences de Fabrice, qui refuse de s'éloigner de Clelia. Une brève révolution renverse le tyran de Parme. Mosca et la Sanseverina ont plus de crédit que jamais; Fabrice est nommé coadjuteur de l'évêque. En cachette, il revoit Clelia, devenue entre-temps la marquise Crescenzi. Il enlève Sandrino, un fils qu'il a eu d'elle, mais l'enfant meurt bientôt; Clelia ne lui survit pas. Fabrice se retire à la chartreuse de Parme, où il meurt peu après.

Si toutes les difficultés d'exécution se trouvent aplanies, c'est « moins parce que l'auteur est ici au sommet de ses dons d'écrivain que parce qu'il a enfin ouvert la porte par où peuvent s'engouffrer toutes les images vécues ou rêvées de son bonheur (1) ». Et le bonheur, pour Stendhal, ne se conçoit qu'en Italie. Il trouve dans une chronique de la Renaissance les « habitudes et les usages suivant lesquels on cherchait le bonheur en Italie en 1515 », et il les transpose à l'époque où lui-même se sentait « milanese » de cœur.

Un microcosme politique

L'exaltation napoléonienne des Milanais ou du jeune Fabrice, la proscription du bandit révolutionnaire Ferrante Palla, la captivité du héros accusent le contraste entre l'Italie heureuse et l'Italie politiquement asservie. La violence est aussi bien du côté de la liberté que du côté de l'oppression, mais l'auteur ne dissimule pas ses préférences. Si le roman est loin d'être un pamphlet politique, si par rapport au *Rouge et le noir*, la satire semble mitigée d'humour, voire de franche bouffonnerie, la principauté de Parme offre en réduction un tableau complet des luttes d'influence, des hypocrisies courtisanes, des procédures impitoyables et expéditives de l'État policier. « *Le prince* moderne, s'exclame Balzac, le roman que Machiavel écrirait s'il vivait banni de l'Italie au XIXe siècle. » L'auteur du *Père Goriot* admire en particulier les portraits d'hommes politiques, tel celui du comte Mosca :

> Avoir osé mettre en scène un homme de génie de la force de M. de Choiseul, de Potemkin, de M. de Metternich, le créer, prouver la création par l'action même de la créature, le faire mouvoir dans un milieu qui lui soit propre

atteste, selon Balzac, le génie du romancier.

Mais le héros n'est plus déterminé, comme dans *Le rouge et le noir*, par la situation sociale et politique. Si Fabrice, comme Julien, est soumis aux contingences de la vie en société, il conserve, dans son exigence de bonheur individuel, une autonomie souveraine.

L'amour de l'amour

Fabrice, en effet, est inaccessible au malheur; courageux, beau, intelligent, il vit d'action plus que de réflexion, d'émotion plus que d'interrogation sur soi-même. Stendhal suit d'un œil affectueusement amusé les péripéties de sa dissipation juvénile, plus égotiste, somme toute, que généreuse. Personnage séduisant surtout, objet, comme l'était Julien, de la rivalité de deux femmes.

Clelia reste une figure inaccessible, entr'aperçue, un rêve d'amour que la possession accomplit sans le briser. Quant à la Sanseverina, « le génie féminin le plus étendu caché sous une beauté merveilleuse » (Balzac), c'est un personnage tout en demi-teintes dont le romancier suggère avec tact la secrète faiblesse, la passion inavouée et finalement déçue, qu'elle prend pour un dévouement maternel.

L'amour est le seul souci de ces êtres qui prennent leur distance, ironiquement parfois, vis-à-vis des « affaires sérieuses ». Il n'est pas jusqu'à Mosca qui n'abandonnerait ses hautes fonctions pour suivre la duchesse loin de Parme et de sa cour hypocrite.

Création romanesque et poésie

Il est une poésie de *La chartreuse* que ne suffit pas à expliquer la prenante beauté des paysages du lac de Côme. Cette poésie

> ne s'exprime pas par des mots comme on croit que s'exprime toute poésie, mais elle est plus indéfinis-

1. Gaëtan Picon, « Stendhal » dans *Encyclopédie des Littératures*, tome III, Gallimard, 1957.

sable, plus diffuse, elle se laisse percevoir dans la qualité de l'invention, dans l'inflexion d'une tendresse secrète. Elle est dans un don de soi plus libre, plus indiscret (1).

A partager l'optique du héros tout en souriant de la candeur de son regard, on accède à une double lecture, qui n'est ni assimilation parfaite, ni détachement devant une fiction fabriquée, mais séduction à laquelle, lucidement, on s'abandonne. Si le lecteur épouse à tel point le mouvement de la création stendhalienne, c'est peut-être que « l'aventure y est comprise et présentée comme l'expression poétique d'une moralité intime dans laquelle elle trouve sa résolution ».

1. Maurice Bardèche, *Stendhal romancier*, Plon, 1941.

UNE FÉCONDE ORIGINALITÉ

Stendhal avait dédié *La chartreuse de Parme* « to the happy few », au petit nombre de ses contemporains qui pourraient le comprendre. Le romancier, pourtant, n'était pas étranger au mouvement romantique en pleine floraison : son dégoût du prosaïsme bourgeois, la stature de ses personnages, rêveurs et passionnés, ironiques et sensibles, sont bien ceux qui prévalaient dans la nouvelle école. Mais le public, en quête de traits d'éloquence, d'élans lyriques, de périodes et d'alexandrins, est déconcerté par la simplicité et le naturel du style de Stendhal, qui s'astreint à la sobre clarté de Montesquieu ou de Fénelon, voire à la méticuleuse froideur du *Code civil;* style sans recherche, souvent d'un premier jet miraculeusement limpide.

Quand Stendhal écrit, dans *Henri Brulard* : « Je mets un billet de loterie dont le gros lot se réduit à ceci : être lu en 1935 », peut-être ne soupçonne-t-il pas la ferveur et le nombre de ceux qui, depuis, cherchent dans son œuvre un art de vivre au-delà du bonheur de la lecture; ceux-là désignent sous le nom de « beylisme » un individualisme, une exaltation du moi dans la recherche des sensations nouvelles et des ivresses de la passion. Cet égotisme dynamique n'est possible que grâce à l'énergie, à la « virtù », qui fait du héros stendhalien, même vaincu, un conquérant, qui ignore l'hypocrisie et se joue des conventions de la vie en société.

Mais l'œuvre, prise en tant que telle, frappe par sa modernité. Elle « soulève des problèmes qu'aujourd'hui toute une école de romanciers tend à résoudre ou, plus exactement, à abolir » (1). Le rapport de trois consciences (celle de l'auteur, du lecteur et du personnage) avec le temps, prend chez Stendhal une forme nouvelle :

> Cette coïncidence entre le moment de l'action et celui du récit, [...] cette présence du présent : voilà ce que Stendhal révèle, et s'il demeure si étonnamment moderne, c'est sans doute que le roman le plus récent ne cesse de poursuivre ce présent pur, qui ne cesse de lui échapper (2).

Avec Stendhal, le roman acquiert son autonomie, trouve son langage propre, porteur d'une vision nouvelle de la réalité.

1. Raymond Jean.
2. Gaëtan Picon, *op. cit.*

BIBLIOGRAPHIE

ÉDITIONS : Il convient de se reporter aux éditions savantes données par Henri Martineau et par Victor del Litto soit dans les Classiques Garnier, soit dans la « Bibliothèque de la Pléiade » (8 vol. : *Romans et nouvelles,* 2 vol. ; *Œuvres intimes,* 2 vol. ; *Correspondance,* 3 vol. et *Voyages en Italie,* 1 vol.). En outre, il est toujours possible d'avoir recours à des éditions de poche qui ont publié les principaux romans et des œuvres diverses.

ÉTUDES : Sur l'ensemble de l'œuvre on se reportera à : Henri MARTINEAU, *L'œuvre de Stendhal,* Albin Michel, 1955 (un travail poussé mais abordable). — Jean PRÉVOST, *La création chez Stendhal,* Mercure de France, 1951 (une analyse de la maturation des techniques romanesques). — Pour comprendre plus particulièrement le romanesque stendhalien, on se référera aux deux ouvrages suivants, de lecture parfois difficile : Georges BLIN, *Stendhal et les problèmes du roman,* José Corti, 1954 (aussi intéressant par ses conclusions sur le réalisme que par la démarche critique même) ; Gilbert DURAND, *Le décor mythique de la Chartreuse de Parme,* Corti, 1961 (le romancier face à la psychanalyse et à l'ethnologie ; passionnant mais aride). — On pourra également trouver de précieuses remarques dans l'essai de Jean STAROBINSKI, « Stendhal et les problèmes de la connaissance de soi », dans *L'œil vivant,* N.R.F., 1961 (la transparence du regard, l'obstacle de la conscience). Le renouveau des études stendhaliennes est en grande partie l'œuvre de Michel CROUZET à qui l'on doit entre autres une *Poétique de Stendhal,* Gallimard, 1981 et un *Stendhal et le langage,* Flammarion, 1983. On lira en particulier sa remarquable biographie, *Stendhal ou Monsieur moi-même,* Flammarion, 1990.

VISAGES ROMANTIQUES

Autour des grandes figures qui retiennent d'abord l'attention du commentateur moderne pullulent les auteurs d'un jour, témoins d'une époque et de ses mœurs : c'est le cas d'un Claude Tillier, auteur du tendre et amer *Mon oncle Benjamin* (1843), d'un Alphonse Karr, créateur d'héroïnes superficielles comme *Geneviève* (1838) ou *Clotilde* (1839), d'un Joseph Méry avec ses récits exotiques des *Nuits d'Orient* (1854) ou d'un Henri Monnier qui parvint avec son *Joseph Prudhomme* à fixer en traits immortels la solennité et la stupidité du bourgeois triomphant du XIXe siècle. D'autres, plus ambitieux, souffrent de la présence de certains de leurs contemporains qui osèrent pénétrer les mondes à la porte desquels Nodier, Mérimée ou George Sand s'étaient arrêtés.

Nodier (1780-1844) et la mort intermittente

Après une jeunesse marquée par la Terreur, Charles Nodier vit une adolescence exaltée sous l'influence de *Werther*. Nommé bibliothécaire de l'Arsenal en 1824, il réunit dans son salon les jeunes écrivains romantiques. En 1830, ceux-ci se détournent de lui pour se regrouper chez Hugo : découragé, Nodier se réfugie alors dans un univers fantastique que peuple son imagination.

Aux récits d'inspiration goethéenne de ses débuts (*Jean Sbogar*, 1818) Nodier a vite préféré les contes frénétiques et oniriques : dès *Smarra* (1821) il s'intéresse aux cauchemars qui troublent les rapports du réel et du rêve. Mais c'est avec *Trilby* (1821), et *La fée aux miettes* (1832) qu'il se révèle un précurseur original.

A travers les amours du lutin Trilby et de la batelière Jeannie, Nodier ouvre la littérature au monde du rêve : l'allégorie est encore maladroite, mais dépasse le simple artifice. Pour l'héroïne comme pour l'écrivain, il y a une véritable révélation tragique dans la rupture du réel et du monde nocturne. L'ordre des valeurs traditionnelles se trouve inversé : le sommeil est non seulement l'état le plus puissant mais encore le plus lucide de la pensée.

Plus clairement, Nodier adopte une devise paradoxale — « Rien n'est vrai que le faux » — dont Jeannie fera sa ligne de conduite : sa passion coupable pour le lutin (rêve ou réalité?) témoigne de l'envoûtement de la rêverie et du réconfort qu'elle apporte dans un univers terne et monotone.

La fée aux miettes est encore plus symbolique : l'accession de Michel au monde du lunatisme (entendons de la folie) n'est en fait qu'un autre moyen de transcender les bornes du rationnel pour vivre « d'invention, de fantaisie et d'amour dans les plus pures régions de l'intelligence ». Il est ainsi amené à fréquenter des êtres fantastiques (vampires, lutins) qui marquent les limites de l'expérience de Nodier : jamais le rêve n'atteint chez lui cette dimension mythique et cette profondeur vécue que saura lui donner Nerval.

Mérimée (1803-1870) et l'ironie d'une prose ciselée

En 1825, Prosper Mérimée publie le *Théâtre de Clara Gazul* [1] : cette mystification littéraire fait de lui, — dans l'ordre chronologique —, le premier dramaturge romantique. Puis, avec la *Chronique du règne de Charles IX* (1829), il sacrifie au goût naissant pour le roman historique; mais il se différencie déjà de ses contemporains en préférant les « petits faits révélateurs des mœurs et des caractères d'une époque » aux fresques organisées d'un Vigny ou d'un Balzac. L'intrigue disparaît au profit d'une succession de scènes sans lien apparent. Ce besoin de fractionnement laisse prévoir la prédilection de l'écrivain pour la nouvelle.

1. Nom de la comédienne espagnole à laquelle il attribue l'ouvrage.

Avec *Matéo Falcone* (1829, l'honneur et l'hospitalité) s'ouvre la série des grandes nouvelles — *La Vénus d'Ille* (1837, un crime peut-être commis par une statue), *Colomba* (1840, la passionnaria de la vendetta), *Carmen* (1845, amour, déshonneur et mort en Andalousie), *Lokis* (1869, la nuit de noces anthropophagique d'un homme-ours) — dans lesquelles, rompant avec la tradition romantique, l'auteur se sépare de sa création. Allant plus loin que Stendhal dans l'ironie, Mérimée laisse en quelque sorte les protagonistes de ses nouvelles libres d'agir à leur guise pour mieux les juger dans le dialogue indirect qu'il entretient avec le lecteur. Parfois, l'ironie va même jusqu'à la démystification du romantisme : le début du troisième chapitre de *Colomba* en fournit un double exemple. Présentant l'aristocratique Miss Lydia, l'auteur pastiche d'abord un célèbre poème des *Orientales* :

> La nuit était belle, la lune se jouait sur les flots, le navire voguait doucement au gré d'une brise légère

puis se moque d'une génération formée dans le goût du conventionnel :

> Miss Lydia n'avait point envie de dormir, et ce n'était que la présence d'un profane qui l'avait empêchée de goûter ces émotions qu'en mer et par un clair de lune tout être humain éprouve quand il a deux grains de poésie dans le cœur.

Cette distance explique la réussite artistique de Mérimée : spectateur de son roman, il scrute le détail pittoresque qui fait couleur locale, le transcrit dans une prose légère, suggestive, que vient relever une note satirique coulée dans l'ensemble. Ainsi il parvient à unir la sobriété classique et la perception réaliste dans des récits romantiques par le ton et l'agencement dramatique.

Prosper Mérimée en 1853 d'après un dessin de Rochard. (B. N. Paris.) « Un des romantiques de la première heure, un des plus vaillants, un des plus marquants » (Sainte-Beuve).

Chaque semaine *Le charivari* présentait la caricature d'une célébrité de l'époque : ici Charles Nodier. (B.N. Paris.) « Nodier passait d'engouements en engouements, mais à la superficie et sans y tenir » (Sainte-Beuve).

George Sand (1804-1876) et l'idéalisme romanesque

Aurore Dupin, après être devenue par son mariage la baronne Dudevant, connut la célébrité sous le pseudonyme de George Sand. A côté d'une vie sentimentale agitée dont témoignent ses liaisons avec Musset, Chopin et d'autres, elle s'attacha à diffuser « l'évangile socialiste » de Pierre Leroux (1), et tenta de jouer un rôle politique notamment pendant les journées de juin 1848. Mais avec l'âge, retirée dans sa terre berrichonne de Nohant, elle s'éloigna des préoccupations populaires et mourut vénérée par les nouveaux talents du monde littéraire, au premier rang desquels le jeune Flaubert.

On a coutume de diviser l'inspiration de George Sand en quatre moments dominés par un thème majeur :

— 1832-1837, romantisme sentimental : *Indiana, Lélia, Mauprat.*

— 1838-1845, socialisme mystique : *Spiridon, Consuelo, Le meunier d'Angibault.*

1. Pierre Leroux (1797-1871) désirait établir une religion de l'humanité en supprimant les privilèges et en affranchissant la femme. On lui doit la première adaptation française du mot *socialisme*.

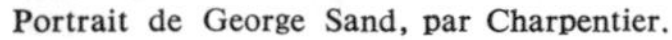

Portrait de George Sand, par Charpentier.

Eugène Sue, l'auteur des *Mystères de Paris*, par Euhr.

Eugène Fromentin, peintre et romancier romantisme finissant.

— 1846-1853, vocation rustique : *La Mare au Diable, François le Champi, La petite Fadette, Les maîtres-sonneurs.*

— 1854-1868, retour au romanesque : *Jean de la Roche.*

En réalité, l'œuvre présente, à de rares exceptions près, un constant mélange des thèmes. Tout au plus peut-on remarquer que d'une inspiration à l'autre certains aspects se feutrent : *La Mare au Diable* contient toujours des revendications sociales, mais celles-ci se mêlent au décor romanesque au lieu d'être prêchées comme c'était le cas dans les récits antérieurs.

S'il faut trouver une unité dans l'œuvre de Sand, c'est plutôt dans le sentiment, l'amour en particulier, qu'il convient de la chercher. Le désir du bien et du bon explique le passage du récit personnel au roman mystico-socialiste de la fraternité humaine (mariage de la noble Yseult de Villepreux avec le menuisier Pierre Huguenin dans *Le compagnon du tour de France*, 1841) puis le recours à la vie rustique. C'est la source de ce qu'on appelle l'*idéalisme* de Sand par opposition au réalisme d'un Balzac : à l'imagination du romancier qui sonde les « scélérats à effet dramatique » elle préfère la recherche de « la vérité idéale » qui révèle l'homme dans sa grandeur.

Malgré d'incontestables qualités narratives et une grande fécondité d'imagination, le style de George Sand demeure entaché d'un didactisme gênant pour le lecteur moderne.

Le roman de la prolixité

Le développement de la presse à bon marché dans la première moitié du XIXe siècle a fait naître un nouveau genre : le roman-feuilleton. Exception faite de plusieurs chefs-d'œuvre de Balzac ([1]), il s'agit dans l'ensemble d'une véritable écriture industrielle, soucieuse avant tout de ravir (aux deux sens du terme : plaire et violer) la sensibilité du lecteur dans ce qu'elle a de plus superficiel. Les deux grands pôles d'attraction du feuilleton, outre les « ghosts-stories » héritées d'Angleterre ([2]), sont les récits de cape et d'épée et les fresques populistes, sous-genres dégradés des romans historiques et sociaux. De très médiocre qualité littéraire, faisant appel à de nombreuses et maladroites ficelles que seule l'imagination des créateurs pouvait faire passer, les romans-feuilletons firent la fortune de Paul Féval (*Le bossu*, 1858), de Frédéric Soulié (*Les mémoires du Diable*, 1837-1838) et surtout d'Alexandre Dumas et Eugène Sue. Les romans de Sue ne sont plus guère prisés du public — malgré un certain regain ces dernières années — en raison de leur actualité trop restreinte. En revanche, les longs récits de Dumas sont toujours

1. *La vieille fille* fut, en 1832, le premier roman publié dans un quotidien.
2. Les *ghosts-stories* sont des récits de fantômes au ton noir et fantastique. Leur vogue fut grande à la fin du XVIIIe siècle en Angleterre (Lewis : *Le moine*, Anne Radcliffe : *Les mystères d'Udolphe*, Walpole : *Le château d'Otrante*...)

appréciés par un public épris de merveilleux historique.

Outre ses drames (1) Alexandre Dumas (1802-1870) a laissé 257 volumes de romans! Aidé de l'historien Maquet, il a, de 1844 à 1852, cherché à romancer l'histoire de France de Louis XIII (*Les trois mousquetaires*) à la Restauration (*Le comte de Monte-Cristo*). Faisant fi de la vérité historique, il construit à partir d'une trame simpliste un roman touffu où l'intrigue ne le cède en rien au rythme des aventures ni à la somptueuse coloration hollywoodienne de l'époque reconstituée.

C'est le cœur même de son époque qu'Eugène Sue (1804-1857) choisit pour cadre de ses romans qui prétendent, sous le couvert d'une intrigue sordide, poser et éclairer les problèmes sociaux. *Les mystères de Paris* (1842) et *Le Juif errant* (1844-1845) sont on ne peut plus schématiques : il y a les bons et les mauvais, les pauvres et les riches, les quartiers bourgeois éclairés et les sombres ruelles populaires avec leurs bouges fréquentés par la pègre. Cette sommaire opposition symbolique de la lumière et du noir, transcrite en un style très insuffisant, apportait à un public friand de sensations un horizon différent de l'atmosphère subtile des récits d'analyse.

Fromentin (1820-1876) ou le romantisme maîtrisé

D'une existence monotone que vint troubler dans son adolescence une passion pour une jeune créole, Eugène Fromentin a tiré un roman d'analyse, *Dominique* (1862), qui clôt la grande lignée des récits autobiographiques. Pourtant, dans cette aventure dont le schéma d'ensemble fait songer à *Adolphe*, Fromentin prend ses distances par rapport au romantisme : le mariage du héros prend la valeur d'un renoncement à la passion. Surtout, avec *Dominique* apparaît dans la confession lyrique le besoin, non plus seulement de vivre et de comprendre un sentiment, mais de l'expliquer : les héros ne sont plus livrés aux flots passionnels comme chez Sainte-Beuve (*Volupté*) ou Balzac (*Le lys dans la vallée*) ; ils parviennent à maîtriser leur sensibilité.

La campagne rochelaise où se déroule l'action est peinte avec cet art minutieux que Fromentin (1) admirait tant dans les tableaux flamands et hollandais des *Maîtres d'autrefois* (1876) : comme les grands coloristes du Nord, l'écrivain cherche à « exprimer l'invisible par le visible ». En un certain sens son roman témoigne d'une technique impressionniste : l'atmosphère feutrée de couleurs pastel, formes estompées dans un flou qui s'harmonise avec le trouble des personnages. Les sensations, tamisées par le souvenir, semblent avoir déjà quelque chose de proustien :

> Je pensai aux Trembles! il y avait si longtemps que je n'y pensais plus! Ce fut comme une lueur de salut. Chose bizarre, par un retour à des impressions si lointaines, je fus rappelé tout à coup vers les aspects les plus calmants et les plus austères de ma vie champêtre.

1. Voir p. 401.

1. Fromentin fut également peintre.

BIBLIOGRAPHIE

ÉDITIONS : NODIER, édition des *Contes* procurés par P.-G. Castex chez Garnier ou par J.-L. Steinmetz en Garnier-Flammarion. — MÉRIMÉE, *Romans et nouvelles,* Gallimard, coll. « Bibliothèque de la Pléiade » ; *Romans et nouvelles,* 2 vol., Garnier ; *Colomba et dix autres nouvelles, Carmen et treize autres nouvelles, Chronique du règne de Charles IX,* Livre de Poche, nos 1217, 1480 et 2630 ; *Théâtre de Clara Gazul,* Garnier-Flammarion, Livre de Poche, n° 173. — SAND, *Indiana, Lélia, Consuelo, Les maîtres sonneurs, La mare au diable, La petite Fadette,* 6 vol., Garnier ; *Correspondance générale,* éd. Georges Lubin, Garnier. — DUMAS, *Les trois mousquetaires ; Vingt ans après,* coll. « Bibliothèque de la Pléiade » ; *Le comte de Monte-Cristo,* Garnier ; *Le vicomte de Bragelonne et autres récits,* 24 vol., Livre de Poche. — SUE, *Les mystères de Paris,* Marabout. — FROMENTIN, *Dominique,* Garnier, Livre de Poche, n° 1981 ; *Les maîtres d'autrefois,* Livre de Poche illustré, n° 1927. *Œuvres complètes* dans la Bibliothèque de la Pléiade (éd. Guy Sagnes).

ÉTUDES : Pierre SALOMON, *Sand,* Hatier, 1933, rééd. 1959 (une synthèse complète, mais vieillie). — P.-G. CASTEX, *Le conte fantastique en France de Nodier à Maupassant,* Corti, 1951 (un ouvrage d'ensemble de plaisante lecture). — Brian ROGERS, *Charles Nodier et la tentation de la folie,* Slatkine, 1985. — Georges ZARAGOZA, *Charles Nodier, le dériseur sensé,* Klincksieck, 1992.

BAUDELAIRE (1821-1867)

Aux attaques dont Baudelaire avait été l'objet de son vivant a succédé, après 1867, un concert d'éloges. Idole des décadents, maître à penser des symbolistes, salué par Rimbaud comme « le vrai Dieu », par André Breton comme « le premier surréaliste dans sa morale », par Paul Valéry comme « le plus important » des poètes français, par Pierre-Jean Jouve comme un « saint », il passe pour « le plus grand archétype du poète à l'époque moderne et dans tous les pays » (1). Cette accumulation d'épithètes et la diversité de leurs auteurs invitent à quelque méfiance : chacun semble prêt à faire de Baudelaire le porte-parole de sa foi. Pour mieux apprécier son indéniable grandeur et sa nouveauté, il convient de lui rendre sa place : à la charnière de deux époques, — l'Ancien Régime poétique et l'âge moderne —, à la charnière de deux mondes, — le Spleen et l'Idéal.

« UNE VIE EXEMPLAIRE »

On a pu dire de la vie de Baudelaire qu'elle avait été « une vie exemplaire » (2). S'étant trouvé « séparé, par l'incompréhension de son temps, des occasions vulgaires, des fins médiocres », le poète a été « réduit au meilleur — au plus obscur de lui-même, sculpté en forme d'esprit. Contraint d'être l'essentiel au profit bientôt de chacun ». Chacune de ses tortures entre non seulement dans le complexe d'une crise, d'un « mal », mais encore dans ce mystérieux réseau : les chances du poème, le possible épanouissement des « fleurs ».

La « trahison » de la mère

Charles avait six ans quand son père mourut, plus que sexagénaire. Vingt et un mois passèrent,

1. T. S. Eliot.
2. Yves Bonnefoy.

et madame Baudelaire, la jeune veuve, se remari avec un militaire, Aupick, qui devait finir se jours en 1857 ambassadeur et général d'Empir Voilà l'enfant chassé du « vert paradis des amour enfantines » (1) et des tendresses maternelle Contre celle qui aura été la première à le trahir aura des élans de rancune : « Quand on a u fils tel que moi, on ne se remarie pas », écrira-t- plus tard. Son agressivité à l'égard de son beau père ira croissant jusqu'à ce paroxysme : la révo lution de 1848. En parlant de « fusiller le génér Aupick », Baudelaire entendra abolir toutes le prétendues valeurs que l'intrus incarne à ses yeux la discipline, la morale bourgeoise, la religio établie.

J.-P. Sartre a vu dans le remariage de Ma dame Baudelaire la « fêlure » psychologique qu

1. *Les fleurs du mal* (désignées ici par FM), éd. 186 LXII « Moesta et errabunda ».

ar le choix de l'adulte, est devenue séparation olontaire. « L'étranger » (1), le « maudit » (2) a onsciemment opté pour l'échec et l'irrémédiable. ar un bizarre mécanisme d'autopunition naît t croît un sentiment de culpabilité qui tournente l'artiste, mais qu'il cultive « avec jouisance et terreur » (3). Moderne Œdipe, bourreau le soi-même (4), Baudelaire est aussi un moderne Narcisse dont l'existence se réduit au

> Tête à tête sombre et limpide
> [D']un cœur devenu son miroir (5).

Par une étrange fatalité, son « guignon » sans loute, Baudelaire se trouve progressivement xclu des cercles sociaux où pourrait s'atténuer a brutalité de ce tête-à-tête. En avril 1839 il est envoyé du collège Louis-le-Grand. Au printemps de 1841, le conseil de famille, convoqué ar Aupick, décide de l'arracher à la bohème arisienne en l'embarquant sur le Paquebot-des-Mers-du-Sud en partance pour Calcutta. Le assager malgré lui n'ira pas au-delà de l'île Maurice et de l'île Bourbon (la Réunion).

Les problèmes d'argent

A son retour, Baudelaire est majeur et il 'exclut, volontairement cette fois, du foyer seudo-familial. Il s'installe dans l'île Saint-Louis et reçoit la part qui lui revient de l'héritage aternel : 75 000 francs-or, une somme considérable. En quelques mois, il en dissipe la moitié. Aussi, en septembre 1844, se voit-il doté d'un onseil judiciaire en la personne de Me Ancelle, otaire à Neuilly. C'est pour lui une « humiliaon affreuse », qu'il ressentira toute sa vie. De plus, les petites mensualités qui lui sont onsenties se révéleront très insuffisantes. « Misère, et toujours misère » : mal logé, mal chauffé, nal nourri, traînant toujours ses créanciers à es trousses, il tente de se suicider en juin 1845, eut-être pour impressionner par un simulacre M. et Mme Aupick.

Ainsi commence une longue « vie de gargote t d'hôtel garni », « entre une saisie et une querelle, une querelle et une saisie ». Les mille et n tracas de la vie quotidienne, la tutelle du otaire paralysent Baudelaire. Mais il sait bien urtout que l'oisiveté fait corps avec lui, même si elle est compensée par une vie intérieure intense et par l'activité perpétuelle de ses idées.

Écrire, tel est le véritable travail. Travail désintéressé? il le dit parfois. Mais comment serait-ce possible? En fait, la création littéraire, issue d'une nécessité intérieure, répond aussi à une nécessité économique. Aussi les premières publications importantes seront-elles quelque peu alimentaires : des articles de critique d'art (*Salon de 1845*, *Salon de 1846*), une nouvelle — le genre est à la mode —, *La Fanfarlo* (1847), des traductions d'Edgar Poe : une « grosse affaire », — où il se fait escroquer par l'éditeur. Avec un profond sentiment de dégradation et de dégoût, il s'incline même devant la nécessité où il se trouve de prostituer sa Muse « pour faire épanouir la rate du vulgaire » (1).

En 1857, la publication en recueil des poésies qu'il a égrenées tout au long des années antérieures va-t-elle enfin lui permettre de surmonter la crise financière? Hélas, *Les fleurs du mal* ne font qu'augmenter ses tracas : moins d'un mois après la mise en vente, le livre est saisi par le Parquet et, en août, son auteur est condamné à une amende pour « délit d'outrage à la morale publique et aux bonnes mœurs ». Devenir riche, Baudelaire n'y songe plus. Il veut seulement payer ses dettes. Et c'est encore sur son travail d'écrivain qu'il compte pour cela : il porte dans sa tête « une vingtaine de romans et deux drames ». Mais comment les composer quand, par la volonté des magistrats, il doit remanier le recueil condamné pour l'édition de 1861, quand il doit « redevenir poète, artificiellement, par volonté, rentrer dans une ornière qu'on croyait définitivement creusée, traiter de nouveau un sujet qu'on croyait épuisé » (2)?

Baudelaire se pique pourtant au jeu. Il remanie *Les fleurs du mal*, ajoutant, retranchant, sans parvenir à réaliser l'édition définitive de ce chef-d'œuvre. La fièvre créatrice qui s'est emparée de lui après le procès de 1857 n'aboutit pas à des œuvres achevées. Les « poèmes nocturnes », commencés cette année-là, ne seront réunis que pour une édition posthume (1869) : et encore n'en a-t-on retrouvé qu'une cinquantaine, au lieu des cent promis; le titre choisi, *Le spleen de Paris*, n'est qu'un de ceux qu'avait envisagés le poète. La postérité a d'ailleurs plutôt retenu celui de *Petits poèmes en prose*. Ouvrages posthumes aussi que *Les paradis artificiels*, les *Curio-*

1. *Petits poèmes en prose* (notés ici PP), éd. 1869, I, L'étranger ».
2. Voir FM, I, « Bénédiction ».
3. *Fusées*, 23 janvier 1862.
4. Tel est le sens du titre de FM, LXXXIII, « L'Héauontimoroumenos ».
5. FM, LXXXIV, « L'irrémédiable ».

1. FM, VIII, « La muse vénale ».
2. Lettre à sa mère du 18 février 1858.

sités esthétiques, *L'art romantique* : regroupement, plus ou moins artificiel, des essais et des articles de Baudelaire sur ceux qu'il appelait, d'un terme large, ses « Contemporains ».

Scrupuleux à l'extrême, il avançait très lentement dans la préparation de ses publications. Menant plusieurs ouvrages de front, il devait abandonner bien des projets. Il en résulte un sentiment d'impuissance créatrice qui augmente sa rage contre les autres et contre lui-même. Sa correspondance, les étonnantes notes intimes regroupées sous le titre de *Fusées* (1855-1862) et de *Mon cœur mis à nu* (1859-1866), disent et redisent les velléités et les abandons : « des dettes énormes, ma volonté perdue, gâchée » (1861), « rien, jamais rien » (février 1865), « je ne suis plus maître de mon temps » (décembre 1865).

Quand, le 24 avril 1864, Baudelaire part pour Bruxelles, il compte « récupérer beaucoup d'argent » en Belgique [1] : il doit faire une tournée de conférences et il espère découvrir un éditeur pour la publication de ses œuvres complètes. Mais il n'y rencontre qu' « une très grande avarice » [2] dont il se venge en écrivant *Pauvre Belgique :* comme les autres, cet ouvrage restera inachevé. A sa mort, Baudelaire aura encore sur son compte intouchable des restes de l'héritage paternel. Le 22 novembre 1867, la propriété de ses œuvres complètes sera mise en vente publique et adjugée pour la somme dérisoire de 1 750 francs. La pauvreté semblait le poursuivre jusque dans l'autre monde.

La maladie

La fin prématurée de Baudelaire était depuis longtemps prévisible. Usé par une vie de désordres, son corps avait subi une première atteinte grave en 1850. En 1857, ce sont des étouffements et des troubles digestifs. Comme Thomas De Quincey [3], il a recours à l'opium, sans s'en dissimuler les « graves inconvénients » [4]. En janvier 1860, une crise cérébrale fugace est une première alerte : le « rhumatisme à la tête » ne le quitte plus en Belgique et, en mars 1866, il est pris à Namur d'un étourdissement qui le laisse à demi-paralysé et aphasique. Le « regard

1. Lettre à sa mère du 3 mars 1864.
2. Lettre à sa mère du 6 mai 1864.
3. Célèbre opiomane anglais (1785-1859) dont Baudelaire analyse les *Confessions d'un mangeur d'opium* dans *Les paradis artificiels.*
4. Lettre à sa mère du 11 janvier 1858.

Baudelaire par lui-mêm

d'une fixité navrante » frappera tous ceux qu viendront lui rendre visite dans la clinique d docteur Dumas, à Paris, où il s'éteint le 31 aoû 1867 après une longue agonie.

Avant d'être un remède contre la souffranc physique, l'opium avait été, comme le vin, un remède contre le chagrin, l'ennui, le spleen, c sentiment de dégoût qui s'explique par la fatigu d'une vie dissolue, par le sentiment d'êtr abandonné à sa solitude et à ses fautes, par l délicatesse de l'artiste blessé par le monde morn et grossier qui l'entoure. Mais, « féconde e caresses », la fiole de laudanum est aussi fécond en « traîtrises » [1] : l'oubli d'un instant es acheté au prix du dégoût plus grand qui suivra Il en va de même pour l'amour et la dégradant liaison avec Jeanne Duval, une mûlatresse qu est entrée dans la vie de Baudelaire en 1842 e n'en est sortie que vingt ans plus tard : « ma seul distraction, mon seul plaisir, mon seul cama rade »...

Mais surtout, Baudelaire a cherché dans le « paradis artificiels » un remède contre sa véri-

1. PP, V, « La chambre double ».

table maladie : l'impuissance créatrice. Il assimile les milieux et les atmosphères qu'il admire chez Edgar Poe aux « sensations profondes de l'opium ». Dans les peintures de Boudin, dans la musique de Wagner, il croit retrouver « les vertigineuses conceptions de l'opium ». Et, pour avoir lu De Quincey, il sait quelle mutation la drogue fait subir aux facultés proprement poétiques, la sensibilité et l'imagination. Ne lui permettra-t-elle pas, à lui aussi, de trouver la « note éternelle » dont il rêve? « Le poison », dans *Les fleurs du mal*, magnifie cet espoir d'un instant. Mais la désillusion n'est pas longue à venir : « l'implacable vie » reparaît avec l'ennemi, le Temps (1); les visions deviennent terrifiantes (2) et le pouvoir de création semble aboli. La littérature de la puissance n'est plus que le rêve d'un créateur rendu à son impuissance. « Opiomane » devient, sous la plume de Baudelaire, une injure, — une injure qu'il s'adressa peut-être à lui-même.

L'EFFORT CRÉATEUR

« Subir le spleen, mais savoir le peindre, c'est passer d'une extrême faiblesse à l'effort créateur »: cette remarque pénétrante (1) nous introduit au cœur du mystère baudelairien.

Le dandysme

L'effort créateur est déjà sensible dans la toilette du dandy. Depuis l'Anglais George Brummel, dont en 1845 Barbey d'Aurevilly a fait l'éloge, le mot désigne une sorte d'élégance à la fois hautaine et désinvolte. Il y a du dandy dans le Don Juan aux enfers des *Fleurs du mal* (XV), « regard[ant] le sillage et ne daign[ant] rien voir ». Et plus encore dans Samuel Cramer, le héros de *La Fanfarlo*, en qui Baudelaire s'est peint lui-même, « ultra-fashionable », voué à l'habit noir et à la cravate sang-de-bœuf (2). Il ne s'agit pas seulement d'un culte du moi et d'une recherche de l'originalité à tout prix, mais bien du « dernier éclat d'héroïsme dans les décadences », d'un véritable stoïcisme moderne :

> Un dandy peut être un homme blasé, peut être un homme souffrant; mais dans ce dernier cas, il sourira comme le Lacédémonien sous la morsure du renard (3).

« *Architecture secrète* » *des* « *Fleurs du mal* »

Le même héroïsme préside à la composition des *Fleurs du mal*. On a parlé, à tort, de la « structure biographique du livre » (4), comme s'il était une confession crue et non une confession apprêtée. A des pièces nées selon le caprice d'un destin mauvais, Baudelaire a voulu imposer un ordre « impeccable ». Dans l'édition de 1857, Barbey d'Aurevilly découvrait déjà une « architecture secrète ». Elle est plus nette encore dans l'édition de 1861 — la dernière que le poète ait achevé d'établir de son vivant. « Le seul éloge que je sollicite pour ce livre est qu'on reconnaisse qu'il n'est pas un pur album, et qu'il a un commencement et une fin », écrivait-il cette année-là à Vigny. Ce commencement, cette fin, on peut les assimiler à l'exposition et au dénouement d'une tragédie en cinq actes.

L' « exposition » requiert toute la première partie, la plus longue, où Baudelaire découvre et décrit la dualité où il est pris : « Spleen et Idéal », dont l'opposition est le ferment même du drame.

1. *Dualité de l'expérience de l'artiste* (I-XXI). Placé, dès sa naissance, entre la malédiction et la bénédiction, entre le ciel qui l'attire et le sol qui le retient, entre les deux sources, divine et infernale, de la beauté.

2. *Dualité de l'amour* (XXII-LXIV). Le poète connaît tour à tour, puis simultanément, l'amour charnel, maudit (Jeanne Duval), qui est lui-même à la fois « grandeur » et « ignominie », et l'amour spirituel, culte rendu à « l'ange gardien, la muse et la Madone » (Madame Sabatier) (3). En définitive, l'amour est équivoque, comme celle qui en est l'objet : Jeanne

1. Elle est de Jean Prévost.
2. Voir les témoignages cités par Bandy et Pichois au début de *Baudelaire devant ses contemporains*.
3. *L'art romantique*, « Le peintre de la vie moderne » [Constantin Guys], 1863.
4. Gaëtan Picon dans l'*Histoire des littératures* de la coll. « Encyclopédie de la Pléiade », t. III, p. 943.

1. Voir la fin de « La chambre double » et cf. FM, X, « L'ennemi », LXXXV, « L'horloge ».
2. Voir FM, VII, « La muse malade ».
3. Apollonie Sabatier tenait un salon littéraire. Baudelaire l'adora en silence de 1852 à 1857. Leur liaison fut ensuite très brève.

peut être célébrée comme l'« ange au front d'airain » (XXXIX); Madame Sabatier, lasse sans doute d'être traitée en déesse, revendique la banalité de la « belle femme » (XLV) et Marie Daubrun (1), la femme aux yeux verts, est tour à tour l'« enfant », la « sœur » tendrement aimée de « L'invitation au voyage » (LIII) et la Madone noire, la Marie aux sept péchés sur laquelle s'exerce la haine cruelle de l'amant déçu (LVII).

3. *Dualité de l'expérience de la solitude* (LXV-LXXXV). Emporté par un rêve léger ou accablé par le poids du spleen, le poète savoure le goût « doux et amer » du souvenir, et découvre la fêlure de son âme (LXXIV) au terme d'une terrifiante progression qui conduit de la plainte désinvolte au corps-à-corps de « L'Héautontimorouménos », au tête-à-tête de « L'irrémédiable », au dialogue tragique du poète avec lui-même et avec le Temps.

Les « cinq actes » sont les cinq tentatives de Baudelaire pour échapper à cet insupportable tête-à-tête.

1. *La tentative de la charité romantique* correspond à la seconde partie du recueil, « Tableaux parisiens » (LXXXVI-CIII). Le poète, las de l'introspection, tourne son regard vers le monde extérieur et veut, comme le soleil, « descendre dans les villes », « s'introdui[re] en roi [...] dans tous les hôpitaux et dans tous les palais » (LXXXVII). Il prend en pitié la mendiante rousse qui passe, la négresse phtisique éloignée de son Afrique natale, les vieillards empêtrés dans la neige et dans la boue, les petites vieilles qui se traînent comme des animaux blessés. Mais ces êtres souffrants le ramènent à sa propre souffrance et, en les plaignant, c'est lui-même qu'il plaint. Il est, comme la négresse, exilé de son lieu natal, l'Idéal; il se traîne, hébété, comme les aveugles. Les tableaux parisiens ne lui présentent plus, bientôt, que ses hallucinations (XC), son rêve d'amour (XCIII), son inquiétude sur l'au-delà de la mort (XCIV, XCVII) et il se retrouve seul dans l' « horreur de [s]on taudis » (CII), avec une pénible impression de fatigue physique et de lassitude morale (XCV, CIII).

2. *La tentative des paradis artificiels* est présentée sous le nom d'un seul d'entre eux, « Le vin », troisième partie des *Fleurs du mal* (CIV-CVIII). Consolateur des chiffonniers, de l'assassin, des amants, sera-t-il aussi celui du solitaire et fera-t-il naître « la poésie/Qui jaillira vers Dieu comme une rare fleur » (CIV)? On peut en douter. Il ne produit qu'un effet passager et, au lieu d'étancher la soif, il ne fait que l'augmenter :

> L'horrible soif qui me déchire
> Aurait besoin pour s'assouvir
> D'autant de vin qu'en peut tenir
> Son tombeau; — ce n'est pas peu dire (CVI).

3. *La tentative de la débauche*, la recherche des voluptés interdites, des fleurs vénéneuses, des « Fleurs du mal » : car Baudelaire reprend, pour la quatrième partie, le titre du recueil tout entier, en lui donnant un sens plus étroit, plus sadien (CIX-CXVII). Ici affleurent le goût du sang (CX), la curiosité malsaine pour l'homosexualité (CXI) et les « sale[s] caresse[s] » (CXV). Mais pas plus que le vin dont elle a pris le relais, la débauche ne saurait « endormir la terreur » qui « mine » le poète (CXIII. « La fontaine de sang »). Tout au plus fait-elle de lui un objet de dérision pour les autres (CXV. « La Béatrice ») et de dégoût pour lui-même (CXVI. « Un voyage à Cythère »). Instrument de sa destruction (CIX), elle le livre désarmé à cette autre « bonne sœur », à cette autre « cruelle fille », sa commère la Mort (CXII, CXVII).

4. *La tentative du blasphème :* trois cris éclatent, les trois poèmes qui constituent la cinquième partie, « Révolte » (CXVIII-CXX). Apologie du « Reniement de saint Pierre » (CXVIII), préférence accordée à la race de Caïn sur la race d'Abel (CXIX), gloria chanté vers « le plus beau des anges », Satan (CXX), autant de rites de la messe noire célébrée par le poète. Mais pour quel résultat, sinon grossir le flot d'anathèmes et le bruit des blasphèmes dont se délecte le Seigneur Dieu?

5. *Dernière tentative*, ultime recours, suprême espoir : « *La Mort* » (CXXI-CXXVI). Baudelaire énonce des hypothèses successives sur son sort futur sans s'arrêter à aucune : le rideau se lèvera-t-il sur une palingénésie (1) fabuleuse (CXXI. « La mort des amants »), sur un havre de repos (CXXII. « La mort des pauvres »), sur la réussite de l'artiste (CXXIII), — ou sur une scène vide (CXXV. « Le rêve d'un curieux »)? Peut-on se raccrocher à « l'inconnu » (CXXVI)?

Le « dénouement » est constitué par cette pièce CXXVI, « Le voyage ». Non seulement elle récapitule les principaux thèmes développés

1. Une actrice qui fut aimée de Baudelaire et lui fit connaître les tourments de la jalousie (liaison avec Banville en 1857).

1. Nouvelle naissance.

dans l'ensemble du recueil, non seulement elle redit l'échec des tentatives successives, mais encore elle laisse pressentir que la dernière tentative se soldera, elle aussi, par un échec. L'espoir en la mort n'est qu'un « poison », — un nouveau paradis artificiel dont il ne faut attendre qu'un réconfort illusoire.

Le discours poétique

Comme la structure, l'écriture des *Fleurs du mal* est forte. Elle reste de l'ordre du discours et Baudelaire tire la même fierté de sa rhétorique que de sa cravate sang-de-bœuf. Suite d'exclamations oratoires, allégories, comparaisons, allitérations et échos vocaliques, mots-refrains et vers-refrains, autant de coquetteries qui peuvent passer pour surannées. « Harmonie du soir » (XLVII), pantoum ([1]) à la mode du temps, les rassemble presque toutes et c'est pourtant un poème admirable. Rimbaud a reproché à Baudelaire sa « forme mesquine »; sans elle, pourtant, la poésie baudelairienne ne serait pas ce qu'elle est : une poésie fardée mais où le fard exprime la douleur qu'il recouvre par le fait même qu'il cherche à la cacher.

La libération de la forme, indéniable, dans les *Petits poèmes en prose* est moins grande qu'on ne l'a dit. La volonté de transposition, qui est à l'origine d'au moins six de ces morceaux, prouve bien qu'il s'agit encore d'un exercice de style. Dans les pièces à caractère lyrique (III. « Le *confiteor* de l'artiste », V. « La chambre double », X. « A une heure du matin », etc.), les procédés de rhétorique ne sont pas absents et la prose garde des traces de la cadence du vers. « Sans rime », certes, elle n'est pas « sans rythme », comme l'affirmait Baudelaire dans une lettre à Arsène Houssaye, et, en tout cas, elle reste « musicale ». Comment oublier, d'ailleurs, que Samuel Cramer, le dandy de *La Fanfarlo*, trouvait un plaisir raffiné dans l'art de « mettre en prose » et de « déclamer quelques mauvaises stances composées dans sa première manière »? L'usage du masque, à peu près constant dans ce nouveau recueil où abondent les portraits (« Le vieux saltimbanque »), les apologues (« Une mort héroïque »), les saynètes (« Portraits de maîtresses », « Mademoiselle Bistouri »), indique que Baudelaire hésite plus que jamais devant la confession directe, qui lui paraît inélégante. Il est aussi stoïque dans les *Petits poèmes en prose* que dans *Les fleurs du mal* : « L'ivresse de l'art est plus apte que toute autre à voiler les terreurs du gouffre; [...] le génie peut jouer la comédie au bord de la tombe avec une joie qui l'empêche de voir la tombe, perdu, comme il est, dans un paradis excluant toute idée de tombe et de destruction » (XXVII. « Une mort héroïque »).

POÉSIE ET SPIRITUALITÉ

Satanisme et christianisme

Cet usage du masque, Baudelaire lui-même l'a souligné. A l'occasion d'une lettre à Me Ancelle, il prétend avoir mis dans *Les fleurs du mal* « toute [s]a *religion* [travestie] », car « la *vraie* poésie » est « froidement diabolique [en apparence] » ([2]). Le satanisme ne serait donc qu'un masque nouveau derrière lequel il conviendrait de rechercher la religion profonde de l'auteur :

> Mais non! ce n'est qu'un masque, un décor [suborneur,
> Ce visage éclairé d'une exquise grimace,
> Et, regarde, voici, crispée atrocement,
> La véritable tête, et la sincère face
> Renversée à l'abri de la face qui ment
> (XX, « Le masque »).

Baudelaire « adore Dieu, et il nomme Satan » ([1]).

C'est pourquoi Charles du Bos a tenté de le présenter comme une créature de Dieu qui se savait telle. Il remarque en effet la permanence, dans le discours poétique de Baudelaire, du mouvement de la prière (dans *Les fleurs du mal* I. « Bénédiction », VI. « Les phares »; dans *Petits poèmes en prose*, X. « A une heure du matin »; XLVII. « Mademoiselle Bistouri »; dans *Mon cœur mis à nu*, etc.). Il montre que la douleur et l'humiliation sont finalement interprétées comme des grâces de Dieu. Il insiste sur le sens du péché si caractéristique de Baudelaire et suggère que la foi en l'esprit du mal implique sa contrepartie.

1. Poème à forme fixe, librement imité de la poésie malaise. Les deuxième et quatrième vers du premier quatrain deviennent les premier et troisième vers du quatrain suivant, et ainsi de suite.
2. Lettre du 18 février 1862.

1. Pierre-Jean Jouve.

Illustration d'Auguste Rodin pour « la Béatrice » (*Fleurs du mal* LXXXV).

La religion du beau

Mais il existe peut-être une autre religion qui, elle, entre véritablement en concurrence avec le christianisme : le dandysme dont Baudelaire parle, dans *L'art romantique*, comme d'« une sorte de religion » : le culte du beau, l'esthétique divinisée. Il est trop facile d'en faire [1] un nouveau masque. Le poète accapare et détourne aux fins essentielles de l'art l'énergie de la prière [2]. Le recours que fait Baudelaire à la sorcellerie est moins une pratique de la magie noire que l'invention d'une magie blanche fondée sur la tension des forces spirituelles, l'exercice du vouloir et l'exploitation des ressources incantatoires du Verbe. En prenant le parti de la contrition préalable, il s'efforce de mettre de son côté le pouvoir transcendant, — « Enfer ou Ciel qu'importe? » [3]. Il s'applique à un ensemble de gestes et de paroles rituels qui doivent lui permettre de gouverner le divin par une sorte d'« opération magique » qu'il appelle, dans *Fusées*, « la sorcellerie des sacrements ». C'est pourquoi il peut déclarer : « Quand Dieu même n'existerait pas, la Religion serait encore Sainte et *Divine* » [4]. En définitive, elle ramène au culte du moi, et l'acte religieux essentie devient le recueillement :

> Sois sage, ô ma Douleur, et tiens-toi plus tran
> [quille [1]

Aussi la rhétorique baudelairienne prend-ell un sens nouveau : elle s'affirme comme « sorcellerie évocatoire » [2]. En utilisant fréquemmen le sonnet (non sans prendre des libertés avec lui) en soignant la rime et la coupe, en enchâssan avec soin le mot rare (« calenture ») ou savan (son vocabulaire est volontiers abstrait, voir théologique), le poète vise à l'efficacité : suggérer toucher, aboutir à une création absolue, teni sous le charme Dieu et le Diable, la vie et la mort, son « hypocrite lecteur » [3] et lui-même « charmeur charmé » [4] qui retrouve ainsi la grande loi du lyrisme.

1. Comme le fait Pierre-Jean Jouve.
2. Comme l'a montré Georges Blin.
3. FM, CXXVI, « Le voyage ».
4. *Fusées*, I.

L'évangile des correspondances

Critique d'art, Baudelaire ne saurait isole le langage poétique d'une poésie universelle dont Wagner et Delacroix sont les représentants éminents au même titre que Théophile Gautier le dédicataire des *Fleurs du mal*, ou que Victo Hugo. De plus, l'expérience des paradis artificiels lui a confirmé une intuition qu'il avai remarquée chez les romantiques allemands, che Hoffmann en particulier : l'existence de correspondances entre les sensations, la « ténébreuse et profonde unité » du sensible. Comme « les parfums, les couleurs et les sons se répondent » [5] les harmonies de la couleur sur un tableau éveillen des « fanfares étranges » [6].

La conséquence de cette révélation est double :

Premièrement, la poésie doit traduire les correspondances entre les sensations (correspondances « horizontales ») soit qu'elle se contente de les décrire (« Il est des parfums frais comme des chairs d'enfant, / Doux comme les hautbois ») [7] soit qu'elle invente, en vertu d'une poétique du transfert, des alliances de mots hardies : « des parfums [...] verts » [8], des « cheveux bleus » [9], des « bijoux sonores » [10].

1. FM, « Recueillement » (pièce ajoutée).
2. *Les paradis artificiels*.
3. FM, « Au lecteur » (pièce liminaire).
4. G. Blin, *Le sadisme de Baudelaire*, p. 99.
5. FM, IV, « Correspondances », v. 8.
6. FM, VI, « Les phares », v. 31.
7. FM, IV, « Correspondances », v. 9-10.
8. *Ibid.*
9. FM, XXIII, « La chevelure », v. 26.
10. FM, « Les bijoux » (v. 2), pièce retranchée.

Deuxièmement, la poésie doit être en correspondance avec les autres arts. Baudelaire passe de la gravure (Callot, Goya, Vernet) à la sculpture (« Le masque », « Danse macabre »), à la musique, à la peinture : il consacre huit quatrains, dans « Les phares », à l'évocation d'un artiste (Rubens, Léonard de Vinci, Rembrandt, Michel-Ange, Puget, Watteau, Goya et son cher Delacroix [1], — huit médaillons plutôt où il procède par métaphores suggestives; celle du miroir, appliquée à Léonard de Vinci, permet d'évoquer sa lumière si particulière.

1. L'artiste admiré entre tous par Baudelaire, qui lui a consacré de nombreuses pages dans ses articles recueillis sous le titre *L'art romantique*. Son œuvre lui apparaît comme « une espèce de mnémotechnie de la grandeur et de la passion native de l'homme universel ».

Les formes sensibles ne sont elles-mêmes que des représentations, des symboles d'une réalité idéale. Le « secret douloureux » dont parle le sonnet « La vie antérieure » (XII), c'est le désir caché d'arriver à cet état suprême d'élévation qui permet de « plane[r] sur la vie » et de « comprend[re] sans effort »

Le langage des fleurs et des choses muettes [1].

Le passage du réel au spirituel, entrevu dans l'expérience des paradis artificiels, s'opère en poésie à la faveur de l'insolite, de la bizarrerie, qui est, selon Baudelaire, la condition du beau [2].

1. FM, III, « Élévation », v. 20.
2. « Exposition universelle de 1855 », article repris dans *Curiosités esthétiques*.

	FM	PP
ART		
• vocation de l'artiste	I « Bénédiction »	XX « Les dons des fées » XXXI « Les vocations »
• indifférence de la beauté de pierre	XVII « La beauté »	VII « Le fou et la Vénus »
CHARITÉ		
• les pauvres	LXXXVIII « A une mendiante rousse »	XXVI « Les yeux des pauvres » XXVIII « La fausse monnaie » XXXV « Les fenêtres » XLIX « Assommons les pauvres »
• les vieillards	XC « Les sept vieillards » XCI « Les petites vieilles »	II « Le désespoir de la vieille » XIV « Le vieux saltimbanque » XIII « Les veuves »
ÉVASION	XXIII « La chevelure » LII « L'invitation au voyage » XIV « L'homme et la mer » CXXVI « Le voyage »	XVII « Un hémisphère dans une chevelure » XVIII « L'invitation au voyage » XXXIV « Déjà » XLI « Le port » XLVIII « Anywhere out of the world »
FEMME		
• femme aux yeux verts	XLIX « Le poison » LVI « Chant d'automne »	XXVI « Les yeux des pauvres » XLIV « La soupe et les nuages »
• la passante	XCIII « A une passante »	XXXVI « Le désir de peindre »
• l'indolente	XXVIII « Le serpent qui danse » LII « Le beau navire » « Bien loin d'ici » (pièce ajoutée)	XXV « La belle Dorothée »
IVRESSE	XLIX « Le poison » CIV-CVIII « Le vin »	V « La chambre double » XXXIII « Enivrez-vous »
SATAN	XCVI « Le jeu » CXX « Les litanies de Satan »	XXIX « Le joueur généreux »
SOLITUDE	XCV « Le crépuscule du soir » « L'examen de minuit » (pièce ajoutée)	XXII « Le crépuscule du soir » X « A une heure du matin »
TEMPS	X « L'ennemi » LXXXV « L'horloge »	V « La chambre double » XVI « L'horloge »

Le poète ne reculera ni devant le mot trivial, ni devant l'image saugrenue — ce que Laforgue appelait l'art de mettre le pied dans le plat — : la comparaison entre la femme et une charogne puante est le point de départ du poème le plus platonicien des *Fleurs du mal* (1). Grâce à « la reine des facultés, l'Imagination » (2), l'artiste peut percevoir les rapports intimes des choses, les correspondances « verticales », cette fois, qui s'établissent entre le monde sensible et le monde de l'esprit.

Rares sont pourtant les moments où Baudelaire voit clair à travers la « forêt de symboles » (3). Son œuvre est plus une description

1. FM, XXIX, « Une charogne ».
2. « Salon de 1859 » (repris dans *Curiosités esthétiques*).
3. FM, IV, « Correspondances », v. 3.

de la quête qu'un compte rendu du résultat : une quête hésitante, pleine de retours, alourdie par la lassitude, minée par le découragement; un « duel » (1) dont l'enjeu est la spiritualité de l'homme. Grand déchiffreur de correspondances, l'artiste a peut-être surtout découvert celles qui existent entre le monde et lui :

> toutes ces choses pensent par moi, ou je pense par elles (car dans la grandeur de la rêverie, le *moi* se perd vite!); elles pensent, dis-je, mais musicalement et pittoresquement, sans arguties, sans syllogismes, sans déductions (2).

Par là, Baudelaire se situe loin du symbolisme intégral. Il reste un romantique, mais un romantique moderne.

1. PP, III, « Le *confiteor* de l'artiste ».
2. *Ibid.*

Baudelaire sous l'influence du haschisch : dessin de l'auteur. Dans *Voyage dans un grenier* de Ch. Cousin (1878). (B.N. Paris.)

BIBLIOGRAPHIE

ÉDITIONS : Éditions savantes : *Les fleurs du mal,* éd. Crépet-Blin-Pichois, Corti, 1968 ; *Petits poèmes en prose, L'art romantique, Curiosités esthétiques,* éd. H. Lemaître, Garnier, 1963 ; *Petits poèmes en prose,* éd. R. Kopp. J. Corti, 1968 ; *Fusées, Mon cœur mis à nu, La Belgique déshabillée,* éd. A. Guyaux, Folio, 1986.

Édition complète : *Œuvres complètes,* 3 vol., éd. Y. Florenne, Club français du livre, 1966 (le classement est fait selon l'ordre chronologique). Dans la Bibliothèque de la Pléiade deux volumes d'*Œuvres* et deux volumes de *Correspondance,* éd. de Claude Pichois.

Éditions de poche : Le Livre de Poche, Garnier-Flammarion, Folio ; dans la sélection littéraire Bordas manquent les pièces rentranchées.

ÉTUDES : W.-T. BANDY et C. PICHOIS, *Baudelaire devant ses contemporains,* éd. du Rocher, 1957, repris en « 10-18 ». — Georges BLIN, *Baudelaire,* Gallimard, 1939 ; *Le sadisme de Baudelaire,* Corti, 1948 (des essais profonds et précis qui renouvellent notre connaissance du poète). — Yves BONNEFOY, « Les fleurs du mal », dans *L'improbable,* Mercure de France, 1949 (quelques pages particulièrement pénétrantes sur le « discours » baudelairien). — E. et J. CRÉPET, *Charles Baudelaire, étude biographique,* 1906 (biographie riche, mais vieillie). — Charles DU BOS, « Introduction à *Mon cœur mis à nu* », dans *Approximations.* — Pierre EMMANUEL, *Baudelaire,* Desclée de Brouwer, 1967, coll. « Les Écrivains devant Dieu » (un essai suggestif, mais parfois contestable sur la religion de Baudelaire). — Pierre Jean JOUVE, *Tombeau de Baudelaire* (au-delà de l'hagiographie). — Roger KEMPF, *Dandies, Baudelaire et Cie,* éd. du Seuil, 1977. — Max MILNER, *Baudelaire, enfer ou ciel, qu'importe ?* Plon, 1967. — Claude PICHOIS et Jean ZIEGLER, *Baudelaire,* Julliard, 1987 (une biographie très précise). — Jean PRÉVOST, *Baudelaire, essai sur l'inspiration et la création poétiques,* Mercure de France, 1953. — Jean-Pierre RICHARD, « Profondeur de Baudelaire », dans *Poésie et profondeur,* Seuil, 1955 (au-delà des prétendus échecs, un Baudelaire heureux). — Marcel RUFF, *Baudelaire, l'homme et l'œuvre,* Hatier-Boivin, 1955 (un ouvrage d'initiation clair, mais marqué par la thèse d'un Baudelaire janséniste). — Jean-Paul SARTRE, *Baudelaire,* Gallimard, 1947 (peut-être plus révélateur sur Sartre que sur Baudelaire).

LE RÉALISME DE 1850

« Le canard lancé, il a fallu y croire » : voilà comment Baudelaire racontait l'histoire du réalisme. Contre le mot de ralliement « Romantisme », certains blagueurs, comme le peintre Gustave Courbet, comme le romancier Champfleury, ont lancé ce « mot d'ordre, ou de passe ». Parce qu'ils se sont mis en tête d'étudier minutieusement le réel, ils ont cru qu'ils allaient le saisir. Illusion, proclame le poète des *Fleurs du mal.* Illusion, répéteront après lui tous ceux qui s'acharneront à démontrer l'impossibilité d'un réalisme intégral, — Albert Camus, par exemple, dans *L'homme révolté.* Mais Camus reconnaît que, si « en fait, l'art n'est jamais réaliste, il a parfois la tentation de l'être ».

C'est l'histoire de cette tentation qui doit constituer l'essentiel d'un panorama de la littérature française dans la seconde moitié du XIXe siècle. D'un côté, on y trouve un réalisme de l'observation dont le roman, de Flaubert à Zola, est le domaine privilégié, mais qui marque aussi la poésie parnassienne. De l'autre, un réalisme de la découverte qui place ailleurs qu'en notre monde matériel la vraie réalité : « La poésie, écrit Baudelaire, est ce qu'il y a de plus réel, c'est ce qui n'est complètement vrai que *dans un autre monde* ». Réalisme, alors, que le symbolisme, en sa quête du moins...

Que Baudelaire le veuille ou non, la tentation du « réalisme d'observation » s'est exercée avec une force singulière sur les écrivains et, plus largement, sur les artistes de sa génération :

> Les romanciers qui avaient grandi avec le siècle, et qui avaient vingt ans en 1820 [...] portent tous dans le roman une force hors pair d'imagination créatrice. Ils ont beau utiliser leurs souvenirs, et leur milieu, leur invention n'en devient que plus libre et plus nourrie. Leur mot d'ordre est celui de leur chef, Balzac : la concurrence à l'état civil. Vers 1850, cette concurrence s'apaise. Devant l'état civil, les romanciers passent de la condition de concurrents à la condition d'employés. C'est le réalisme [1].

1. Ces lignes sont d'Albert Thibaudet, qui a souligné fortement, — trop fortement peut-être, — la « coupure » de 1850.

Les conditions historiques

On est tenté de chercher une explication réaliste du réalisme en invoquant le déterminisme historique.

Le romantisme avait été l'âge de l'individu. La révolution de 1848 a rappelé l'existence du peuple et inauguré peut-être l'âge de la masse. Une présence qui effraie, qui inquiète. Taine, dans la Préface des *Origines de la France contemporaine*, avouera qu'il fut bien embarrassé en 1849 pour voter. Flaubert, dans *L'éducation sentimentale*, ironise, avec le bohème Hussonnet, sur le mythe du « peuple souverain » et « les héros » qui « ne sentent pas bon » : mais le héros du livre, Frédéric Moreau, les trouve « sublimes ». Le roman ne devra plus présenter une collection d'individus, comme chez Balzac, ou des types populaires, comme chez Eugène Sue, mais rendre sensible une présence collective.

Le plébiscite, devenu depuis le 21 décembre 1851 l'instrument suprême du pouvoir du « Prince président » et bientôt de l'Empereur, est une manière de conserver des apparences démocratiques à un régime qui ne l'est plus. Si les romantiques, les idéalistes, les cœurs purs sont déçus, le bourgeois (dont au même moment Henri Monnier immortalise le type avec son Joseph Prudhomme) y trouvera son compte. Cet « être de formation récente » qui, comme l'a expliqué Taine, est le « produit des grandes monarchies bien administrées », permet à la puissance d'argent de s'installer. Napoléon III, qui a naguère écrit un traité saint-simonien sur *L'extinction du paupérisme* (1844), n'agit pas en théoricien une fois maître du pouvoir. Mais, autoritaire, libéral ou parlementaire, l'Empire accorde beaucoup d'attention à la vie économique et matérielle dont l'essor extraordinaire (création des banques, des grands magasins, extension du commerce, travaux d'urbanisme, développement des voies de communication, expositions) a pour résultat de résorber le chômage et de faire progresser le niveau de vie de tous les Français.

Satisfaits et insatisfaits accordent désormais à ces réalités une attention accrue.

Le climat intellectuel

Chez les penseurs, le recul du romantisme est sensible. Aux utopies des socialistes du début du siècle succède l'analyse plus mordante de Proudhon (1809-1865). Sainte-Beuve (1804-1869), qui s'était d'abord mêlé au mouvement romantique, se présentant tour à tour sous les traits du poète timide Joseph Delorme et d'Amaury, voluptueux repenti, découvre maintenant dans la critique sa véritable vocation : mais il ne fait plus, comme jadis au *Globe* ou à la *Revue de Paris*, cette critique passionnée et virulente qu'il appelait lui-même la « critique d'invasion ». Les *Causeries du lundi* (1851-1862), suivies par les *Nouveaux lundis* (1863-1870), se proposent une tâche plus « positive » : « étudier chaque être, c'est-à-dire chaque auteur, chaque talent, selon les conditions de sa nature, [...] en faire une vive et fidèle description, à charge toutefois de le classer ensuite et de le mettre à sa place dans l'ordre de l'art ». Interrogeant la biographie, considérant l'œuvre littéraire comme un document humain, il demande à la personnalité du créateur le secret de l'œuvre : « tel arbre, tel fruit ». Car dans le verger de notre littérature, ce sont bien des espèces qu'identifie ce naturaliste égaré, ce botaniste des lettres à qui Marcel Proust a su dire son fait dans son *Contre Sainte-Beuve :* « Cette méthode méconnaît ce qu'une fréquentation un peu profonde avec nous-mêmes nous apprend : qu'un livre est le produit d'un autre *moi* que celui que nous manifestons dans nos habitudes, dans la société, dans nos vices. » Pourtant, Sainte-Beuve a laissé une œuvre imposante, ne serait-ce que la magistrale histoire de *Port-Royal* (1840-1859), et une grande partie de la critique française a été, jusqu'à nos jours, marquée par son influence [1].

Taine (1828-1893) a contribué, mais avec beaucoup plus de raideur, à la constitution de la critique positive. Dès 1853, son *Essai sur les fables de La Fontaine* (dont le titre définitif sera, en 1860, *La Fontaine et ses fables*) explique l'œuvre littéraire par la trinité de la race, du milieu et du moment et par la présence d'une faculté maîtresse qui, dans le cas du Champenois, est l'imagination poétique. Il étend son champ d'investigation à la littérature ancienne (*Essai sur Tite Live*, 1864-1872), étrangère (*Histoire de la littérature anglaise*, 1856), à l'art grec, italien, hollandais (*La philosophie de l'art*, 1865) avant d'aborder une carrière d'historien avec le même esprit de système, ramenant le devenir historique à un problème de mécanique (*Les origines de la France contemporaine*, 1873-1894).

1. Sur ce point, voir p. 731.

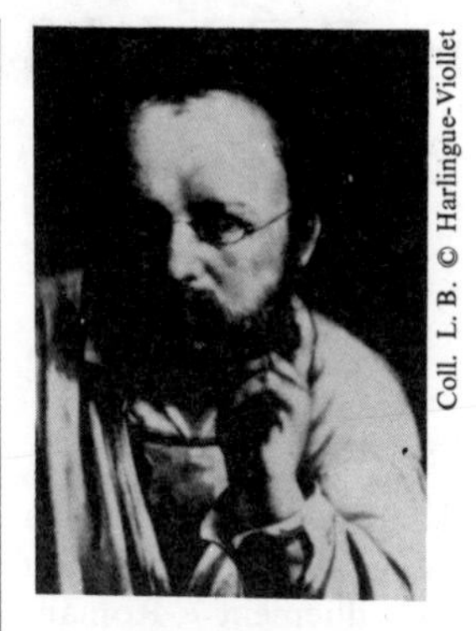

Coll. L. B. © Harlingue-Viollet

Coll. L. B. © B. N. Paris

Quelques figures de l'âge positiviste : en haut à gauche, Proudhon, théoricien du socialisme, tableau de Courbet; en haut à droite, le critique Sainte-Beuve, aquarelle par Girard; en bas à gauche, le critique et historien Taine; en bas à droite, Émile Littré, l'auteur du célèbre dictionnaire, dit « le littré ».

Derrière tant de dogmatisme, on devine l'ombre toujours agissante de l'ancêtre et du « prêtre » [1] du positivisme, Auguste Comte (1798-1857), devenu, il est vrai, depuis sa passion pour Clotilde de Vaux, un mystique de l'humanité. La doctrine issue du *Cours de philosophie positive* (1830-1842), vaste effort de coordination des sciences, s'est rapidement propagée : après l'état théologique et l'état métaphysique, voici

1. La doctrine d'Auguste Comte a, en effet, évolué vers une véritable religion avec, en 1852, le *Catéchisme positiviste* « onze entretiens systématiques entre une femme et un prêtre de l'humanité ». D'ailleurs, à la fin de sa vie, Comte a mené la vie d'un véritable ascète.

l'état positif où l'esprit humain ne doit plus s'attacher qu'à découvrir les lois effectives des phénomènes, voici la foi nouvelle, - le scientisme. Fustel de Coulanges (1830-1889) fonde l'histoire comme « science pure » (*La cité antique*, 1864). Émile Littré, comtiste de stricte observance, élève un monument philologique, son *Dictionnaire de la langue française* (1863-1877). Quant à Ernest Renan (1823-1892), qui demande à cette foi nouvelle de remplacer la foi chrétienne qu'il a perdue, il se fait le chantre vigoureux du scientisme dans un ouvrage composé en 1848, mais publié seulement en 1890, *L'avenir de la science* : il s'agit de « résoudre l'énigme », de « dire définitivement à l'homme le mot des choses », de « lui donner, au nom de la seule autorité légitime, qui est la nature humaine tout entière, le symbole que les religions lui donnaient tout fait et qu'il ne peut plus accepter ». Conduite par une équipe d'esprits qui se relaieront pour se compléter, l'humanité trouvera, au terme de son progrès, un nouveau Dieu. Historien des religions, philologue, critique, Renan est le premier à participer à cette immense tâche collective. Sa *Vie de Jésus*, premier volume des *Origines du christianisme*, apparaît en 1863 comme une véritable bombe, malgré la suavité du style : passant au crible les récits évangéliques, l'exégète refuse au Christ le caractère divin.

© Coll. L. B.

Eau-forte de Montader pour les *Scènes de la vie de bohème*, le célèbre ouvrage de Henri Murger. (B.N. Paris.)

Le climat artistique

Delacroix, porte-parole de la peinture romantique, insiste sur le danger qu'il y aurait à confondre l'art et la réalité. La nature n'est pour lui qu'un dictionnaire et « les peintres qui obéissent à l'imagination », comme lui, doivent y chercher « les éléments qui s'accommodent à leur conception » pour les « ajuster avec un certain art » en leur donnant « une physionomie toute nouvelle ». Aux déclarations que l'on relève dans son *Journal* jusqu'en 1863, et qui situent l'art au-delà de la réalité, il convient d'opposer la profession de foi de Gustave Courbet (1819-1877) : « L'art en peinture ne saurait consister que dans la représentation des objets visibles et tangibles pour l'artiste. » L'exposition de ses toiles, en 1855, a « l'allure d'une insurrection » [1]. Pourtant, pas plus que Flaubert, Courbet n'accepte cette étiquette de « réaliste » qu'on lui a imposée. C'est le signe d'une ambiguïté qui marquera, tout autant, le réalisme littéraire.

Ernest Renan, par Brouillet : une pose pour la célèbre prière sur l'Acropole d'Athènes. Portrait de Champfleury.

Coll. L. B. © Sirot

Les débuts du réalisme littéraire

La bohème, à laquelle appartenait Courbet, comprenait aussi des hommes de lettres, comme Henri Murger (1822-1861) et Champfleury

1. Baudelaire, *Salon de 1855*.

(pseudonyme de Jules Husson, 1821-1889). Le premier, fils d'un concierge et chassé de chez lui pour avoir dit qu'il voulait être écrivain, a vécu une jeunesse misérable qu'il a immortalisée dans ses *Scènes de la vie de bohème* (1848), un succès considérable. Le second, commis dans une librairie, a écrit plusieurs romans, *Les aventures de Mademoiselle Mariette* (1853), *Les bourgeois de Molinchart* (1854), *M. de Boishyver* (1856), *La succession Le Camus* (1858), qui sont autant de chroniques exactes, impitoyables, péchant malheureusement par la forme dont, contrairement à Flaubert, il se vante de n'avoir nul souci. Champfleury est le premier théoricien du mouvement avec *Le réalisme* (1857). La même année, il contribue à lancer, avec Duranty (1833-1880), une revue qui porte le même titre et qui prône « la reproduction exacte, complète, sincère, du milieu où on vit, parce qu'une telle direction d'études est justifiée par la raison, les besoins de l'intelligence et l'intérêt du public, et qu'elle est exempte du mensonge, de toute tricherie ». Avec *Le malheur d'Henriette Gérard* (1860), Duranty a peut-être laissé le meilleur témoignage de ce réalisme des théoriciens qui est également un réalisme de la pègre. On a pu voir en lui « le Saint du roman et du réalisme » et même « un vrai primitif du roman naturaliste » (1). Il est vrai que l'histoire de cette jeune fille, mariée de force à un sexagénaire qu'elle précipite dans la tombe, aurait pu tenter Zola. La manière sèche, stricte de Duranty se situe pourtant aux antipodes de la manière épique de l'auteur des *Rougon-Macquart*.

1. Ces expressions sont de Jean Paulhan.

Illustration pour le roman d'Edmond Duranty, *Le malheur d'Henriette Gérard*, eau-forte de Legros. (B.N. Paris.)

BIBLIOGRAPHIE

ÉTUDES : Sur la notion de réalisme en littérature, voir *Théorie de la littérature*, textes des formalistes russes réunis par T. Todorov, Seuil, 1966. — Ouvrages d'ensemble : René DUMESNIL, *Le réalisme*, de Gigord, 1936, rééd. 1955 ; *L'époque réaliste et naturaliste*, Tallandier, 1946. — Sur Duranty : Marcel CROUZET, *Un méconnu du réalisme, Duranty*, Nizet, 1964. — Sur Sainte-Beuve : Maurice REGARD, *Sainte-Beuve*, Hatier, 1960 ; Roger FAYOLLE, *La critique*, A. Colin, coll. « U », 1964. — Sur Renan : Philippe VAN TIEGHEM, *Renan*, Hachette, 1968. — Laudyce RETAT, *Religion et imagination religieuse*, Klincksieck, 1977.

FLAUBERT (1821-1880)

Musée de Croisset Coll. L. B. © Ellebé-Rouen

La gloire de Flaubert repose sur deux légendes : le réalisme des faits *et* le labeur de l'écriture. D'où le malentendu que l'écrivain dénonçait lui-même lorsqu'il déclarait écrire par « haine des réalismes » et qui a conduit la critique à juger du rapport du mot avec l'objet qu'il désigne, alors que le romanesque flaubertien ne renvoie à rien d'extérieur : univers clos qui tire ses lois de la conquête pénible du style, il n'appelle selon les vœux de son créateur qu'une lecture de « l'œuvre *en soi* ».

LE CALVAIRE SALVATEUR : LA CLAUSTRATION

« *Mais d'abord, pourquoi es-tu né?* »

L'enfance de Flaubert se déroule monotone à Rouen dans une famille de chirurgiens sceptiques et convertis au positivisme. En même temps qu'il éprouve une passion muette à seize ans pour Elisa Schlésinger, une femme de quinze ans son aînée, le jeune homme s'éveille à la littérature en composant des récits fantastiques fortement teintés de romantisme flamboyant. En 1843, il est atteint par une maladie nerveuse qui provoque une rupture dans sa vie.

En 1846, il s'installe seul avec sa mère dans la propriété de Croisset : quelques voyages et sa liaison avec Louise Colet l'arracheront momentanément à son travail d'écrivain. Après une première version de *La tentation de saint Antoine* désapprouvée par ses amis, Flaubert s'acharne à la rédaction de *Madame Bovary* dont la publication fait scandale (1856). Par détente il entreprend ensuite une « étude antique » : il va se documenter en Afrique du Nord, puis vient terminer son récit dans sa monastique résidence normande. A sa sortie en 1862, *Salammbô* reçoit un accueil mitigé de la critique, malgré un gros succès populaire.

Désormais célèbre, Flaubert fréquente quelques salons d'intellectuels et se lie avec George Sand. Il poursuit en même temps son travail et donne en 1869 *L'éducation sentimentale*. C'est un échec dont l'écrivain ne se relèvera pas : s'isolant de plus en plus, laissant couler son amertume dans une nouvelle *Tentation de saint Antoine* (1874), retrouvant par instants le souffle de sa maturité (*Trois contes*, 1877), il n'en est pas moins célébré comme le chef de la naissante école naturaliste. Il meurt subitement en 1880, laissant inachevé un roman, *Bouvard et Pécuchet*, publié l'année suivante.

L'homme et son œuvre : un « être-pour-l'art » (Sartre)

Flaubert s'est volontiers présenté comme un homme double, — « il y a en moi, littérairement parlant, deux bonshommes distincts » — tiraillé entre un immense besoin de lyrisme et le désir de reproduire « presque matériellement » ce qu'il voit : il n'en fallait pas plus pour que se dessinât l'image d'un Flaubert oscillant entre le romantisme et le réalisme. A l'appui de cette thèse, la critique s'attacha à rechercher dans l'œuvre un balancement significatif entre les textes d'imagination (récits de jeunesse, *Salammbô*) et les romans d'observation *(Madame Bovary, L'éducation sentimentale)*, tandis que

Arch. E. B. © Giraudon

Flaubert vu par Giraud.

les dernières productions, alliant les deux inspirations, réaliseraient la synthèse tant recherchée. C'était accorder trop d'importance au sujet, au détriment de la narration elle-même qui seule permet d'expliquer l'unité fondamentale de l'œuvre : à la fois statique (il n'y a pas d'évolution des thèmes) et mouvante (chaque phrase est une étape dans la conquête du style), elle marque ses distances à l'égard du genre romanesque dont elle semble prendre le contrepied en affirmant l'existence du roman comme écriture plutôt que comme aventure.

Flaubert tel qu'en lui-même : la correspondance

L'isolement volontaire de l'écrivain marque sa volonté délibérée de se consacrer à son travail dans ce qu'il a de plus « matériel » : d'où l'importance que revêt pour le lecteur la connaissance d'une correspondance, reflet fidèle (1) de la lutte de Flaubert pour parvenir à la maîtrise de son art. Régulatrice dans la mesure où elle rétablit le personnage dans sa vie et sa complexité interne, créatrice par la lente élaboration des œuvres en chantier, révélatrice car l'écrivain s'y découvre lui-même à travers ses propres créations, cette correspondance avec Louise Colet, George Sand ou Maxime Du Camp permet à Flaubert d'acquérir le dédoublement critique essentiel sur lequel repose son esthétique romanesque.

L'existence d'une telle œuvre épistolaire confirme bien que le problème du réalisme (ou du romantisme) de Flaubert est une question secondaire auprès de celle de l'écriture comprise comme « le mysticisme le plus ardent » (2).

IRONIE ET LYRISME : MADAME BOVARY

L'échec de la première *Tentation* conduit Flaubert à traiter un « sujet terre-à-terre » : durant deux années il cherche, hésite entre plusieurs directions, puis se met au travail en septembre 1851. Cinq ans plus tard, *Madame Bovary* peut être livrée aux éditeurs.

Au point de départ, on trouve un fait divers, l'affaire Delamare, avec le souvenir d'autres dossiers comme celui de l'épouse du sculpteur Pradier. Mais c'est avant tout par son labeur acharné dans son laboratoire que les multiples documents, tamisés par l'écrivain, ont donné naissance à cette « hallucination vraie » (Taine).

Devenu officier de santé après de laborieuses études, Charles Bovary a épousé en secondes noces Emma Rouault, la fille d'un riche cultivateur normand. Rêveuse de tempérament, Emma s'ennuie rapidement dans le paisible village de Tostes, en compagnie d'un mari médiocre et borné. Le couple vient s'installer à Yonville-l'Abbaye.

A côté du pédant Homais, le pharmacien local, Emma découvre Léon Dupuis, un jeune clerc de notaire auquel l'unit une « mystérieuse sympathie » toute platonique. Mais Léon doit partir pour Rouen où l'appellent ses affaires : Emma, troublée par ce vide, se laisse alors séduire par un Don Juan banal, Rodolphe Boulanger, en compagnie duquel s'assouvissent ses désirs romanesques : elle projette de fuir en Italie avec son amant, mais ne trouve au jour fixé qu'une lettre de rupture.

1. La fatigue d'un Flaubert écrivant à la fin d'une journée de travail a suffi pour que certains mettent en doute sa sincérité; mais ce désir d'écrire sa joie ou sa peine après le labeur quotiden n'est-il pas en fin de compte la garantie de cette sincérité?
2. Charles Du Bos, « Sur le milieu intérieur chez Flaubert », repris dans *Approximations*, Fayard.

Désemparée, Emma sombre désormais : elle se lie avec Léon retrouvé, puis, de nouveau délaissée, s'amourache d'un chanteur. Lassée, elle contracte des dettes pour mener son insouciante vie, jusqu'au jour où, pressée par ses créanciers, elle se suicide à l'arsenic devant son mari hébété. Incapable de réagir, Bovary se laissera mourir lentement tandis qu'Homais poursuit son ascension.

Le roman parut dans la *Revue de Paris* avec des coupures imposées par les éditeurs; ce qui n'empêcha pas Flaubert d'être traîné devant les tribunaux. Acquitté, il sortit grandi de ce scandale malgré lui, tandis que son roman poursuivait une étincelante carrière.

Les techniques romanesques

La multiplication des chapitres (trente-cinq en tout dans le roman) oppose d'emblée le récit de Flaubert à celui de ses contemporains : loin de nouer dramatiquement une crise par la convergence d'effets ou de thèmes, il se plaît à passer en revue la succession des épisodes d'une vie. A la forte tension de l'instant balzacien, Flaubert préfère le jeu savant des moments.

Pourtant, cette composition par tableaux ne se laisse pas facilement percer : puisque la « prose doit se tenir droite d'un bout à l'autre » pour faire « dans la perspective une grande ligne unie », l'artiste aura recours à un subterfuge, les « joints », transitions insensibles qui permettent le déplacement dans l'espace sans briser l'unité du moment étudié. L'un des meilleurs exemples se trouve dans la dernière scène d'amour entre Emma et Rodolphe (II, 12) : le regard de Madame Bovary établit seul le lien entre l'instant écoulé et le début du chapitre suivant dans la chambre du Don Juan. Dans cette possession qui n'en est plus une se manifeste l'échec de l'héroïne.

De la même manière, la profondeur temporelle du récit se trouve modifiée : par la fragmentation de l'action, le roman ne se déroule plus, mais au contraire s'enroule autour d'une multitude de foyers qui tentent de réaliser, chacun leur tour, la synthèse des espérances et du présent qui les nie.

« Elle se déshabillait brutalement » planche gravée à l'eau-forte d'après Albert Fourié pour *Madame Bovary*.

L'auteur et ses personnages : une « vision binoculaire »

Si *Madame Bovary* est un roman de l'échec, c'est qu'il ne saurait en être autrement : aucun salut n'est possible dans un univers où règne la médiocrité. Ainsi le *bovarysme* d'Emma n'est-il qu'un trompe-l'œil : entre ses rêveries et son existence, la différence est de degré, non de nature; sa vie n'est qu'un jeu au milieu de miroirs qui lui renvoient toujours la même image d'insatisfaction. Il n'existe donc que deux attitudes possibles devant cette médiocrité (Charles ne possède pas de recul et *vit* sa piètre existence) : la refuser (suicide d'Emma) ou l'assumer (triomphe d'Homais).

Cet univers de l'échec ne constitue pas un thème, mais se confond avec le récit lui-même auquel il donne son existence : de ce fait, le lien entre le lecteur, l'auteur et ses personnages n'implique plus obligatoirement l'identification, chère au roman traditionnel. Flaubert refuse le dilemme : être dans ses héros *ou* agir en démiurge qui domine ses créations. Il choisit d'opérer sur les deux plans ensemble; tout ce qui semble vu par les personnages n'est qu'interprétation du spectacle par l'auteur : l'emploi fréquent de l'imparfait lui sert à moduler de « savantes rotations d'aspect » (1) qui donnent au roman ce curieux visage d'intériorité et d'objectivité.

1. La formule est de l'écrivain anglais Henry James.

Du « livre sur rien » au roman : le style

Flaubert présentait le roman qu'il s'appliquait à rédiger comme « un livre sur rien, [...] où le sujet serait presque invisible si cela se peut » (lettre du 16.1.1852) : l'histoire — la plus banale assurément : un adultère — lui « est égale ». Toute son attention, tous ses efforts se concentrent sur l'art du roman, sur ce style « qui fait le Beau » : ainsi, par le seul prestige de la langue, ce rien originel est devenu quelque chose. La place que l'écrivain accorde au style est, en effet, significative de son esthétique romanesque : s'il est à « lui tout seul une manière absolue de voir les choses », c'est en lui que résideront la signification et le réalisme de l'œuvre. D'où l'importance pour Flaubert de cette « angoisse de la forme » [1] : concilier des exigences supérieures pour l'art avec une banalité telle que le travail ne soit pas ressenti par le lecteur. Des mots jetés pêle-mêle au hasard d'une feuille, à la rédaction finale acquise au prix d'un labeur titanesque (« Ça s'achète cher, le style! »), tout est l'objet d'un soin particulier : rythme de la parole, sonorité des mots, effets des coupes, agencement grammatical des groupes... La langue n'apparaît plus comme liée à la pensée : elle *est* ici cette pensée sans laquelle l'œuvre demeurerait irréalisée.

Madame Bovary dans la pharmacie de Monsieur Homais, dessin de Richemont. Le pharmacien d'Yonville-l'Abbaye personnifie la médiocrité bourgeoise et la sottise du « demi-savant » qui croit tout connaître.

1. Maurice Blanchot, article de la N. R. F., 1963.

LES DEUX VISAGES DE L'ÉPOPÉE

Par son déploiement stylistique, l'épique était de nature à tenter Flaubert. *Madame Bovary* s'était circonscrit au personnage d'Emma, témoin idéal d'un petit monde étriqué. Avec ses deux romans suivants, l'écrivain allait libérer, dans des directions opposées, les mondes que portaient sa plume et son cœur.

« Salammbô » et la négation du roman historique

Délivré du « pensum » bovaryen, Flaubert entreprend par délassement un roman qui le retiendra cinq ans (1857-1862) : une « étude antique » mêlant décors, masses humaines, aventures sentimentales et mystiques. Pour se documenter, il s'enferme dans les bibliothèques, s'acharne sur les textes antiques, va même jusqu'à se rendre sur les lieux de son action. De même que Balzac pour ses *Chouans* avait scruté la région de Fougères, de même Flaubert s'imprègne de la Tunisie pour retrouver Carthage.

C'est encore au roman balzacien que fait songer l'apparente composition d'ensemble de *Salammbô :* un arrière-plan, une ville et sa campagne (Fougères/Carthage), sur lequel bougent des masses (chouans et bleus/mercenaires-troupes d'Hamilcar); on voit s'en détacher des individualités (Hulot/Hamilcar, Marche-à-Terre/Spendius) témoins d'une passion mouvementée (Marie et Montauran/Salammbô et Mâtho). De plus, dans les deux récits on note la présence d'éléments symboliques (République-Royauté/zaïmph [1] de Tanit) qui donnent à l'ensemble l'aspect d'une quête mystique.

Mais les ressemblances superficielles ne sauraient masquer les différences fondamentales dans la conception des deux romans : Balzac cherchait à rendre compte d'un devenir historique, Flaubert trouve dans l'Histoire un dépaysement décoratif. Par là il rompt avec le roman historique romantique et cherche « à faire *éprouver* plutôt qu'à faire comprendre » [2]. Il retrouve ainsi le véritable sens romanesque. L'Histoire joue donc pour Flaubert le même rôle que le rêve pour Emma : un moment d'éva-

1. Le *zaïmph* est le voile de la déesse Tanit (la lune) protectrice de Carthage. Son manteau, talisman de la cité africaine, dérobé par Mâtho et Spendius, sera à l'origine de la lutte entre les mercenaires et les Carthaginois.
2. Michel Raimond, article sur Flaubert dans *Le roman depuis la Révolution*, A. Colin, 1967.

sion dont la rupture avec l'instant présent n'est qu'apparence. D'où l'échec de Salammbô toujours en décalage avec l'époque qui l'entoure : née au XIXe siècle, elle étouffe dans une Antiquité marginale qui ne vit pas au même rythme qu'elle.

Encore une fois, c'est grâce au style que l'écrivain parvient à dompter un ensemble déséquilibré : plus qu'un roman uni, *Salammbô* donne, en effet, l'impression d'être une suite de morceaux de bravoure dignes des épopées homériques. Le secret de sa réussite tient dans la formule qui résume son ambition esthétique : faire « à travers le Beau, vivant et vrai, quand même! »

L'épopée de l'échec : « L'éducation sentimentale »

Par deux fois Flaubert avait tenté vainement de se défaire du souvenir de Madame Schlésinger : dans les *Mémoires d'un fou*, épisode ultra-romantique de la rencontre de l'adolescent et de son égérie (1838); dans une première *Éducation sentimentale* (1843), fort différente par l'intrigue et les personnages du chef-d'œuvre que nous connaissons.

De 1864 à 1869, l'écrivain revient à son sujet, mobilise ses souvenirs (les carnets en portent témoignage) pour écrire une œuvre « exposante » (entendons par là qu'il s'agit autant d'une fiction que d'une autobiographie romancée).

En 1840, Frédéric Moreau, jeune bachelier à la vocation artistique, fait la connaissance du couple Arnoux sur un bateau. A Paris il entreprend des études de droit en compagnie de Deslauriers, un ami qu'attire la politique. Il fréquente le salon des Dambreuse, retrouve Jacques Arnoux dont il découvre la vie multiple, et tombe franchement amoureux de sa femme, Marie Arnoux. De retour dans sa province natale il apprend ses revers de fortune, puis hérite d'un riche oncle. Il regagne Paris pour y mener une vie luxueuse (Première partie).

Frédéric, déçu par la froideur de Mme Arnoux, se lie avec une coquette mondaine, Rosanette Bron. Désormais son existence se trouve tiraillée entre les séductions de la vie facile (Rosanette), les tentations du grand monde (les Dambreuse) et l'amour qu'il sent, malgré les résistances, chez Marie Arnoux. A la suite d'un rendez-vous manqué (Mme Arnoux retenue au chevet de son fils malade), Frédéric furieux devient l'amant de Rosanette (Deuxième partie).

Lorsqu'éclatent les journées de 1848, Frédéric s'éloigne en compagnie de sa maîtresse avec laquelle il file le parfait amour en forêt de Fontainebleau. Quelque temps après il rompt avec Rosanette, connaît une brève liaison avec Mme Dambreuse devenue veuve et perd la trace de Mme Arnoux qu'il ne reverra qu'en 1867. Ils s'avouent enfin leur amour réciproque. Cet échec trouve son écho dans la conversation de Deslauriers et de Frédéric deux ans plus tard : eux comme leurs amis ont tout raté, sauf leurs souvenirs (Troisième partie).

L'éducation sentimentale est un livre fortement enraciné dans une tradition chère au romantisme : l'échec d'un homme servait déjà de sujet aux *Illusions perdues* de Balzac, à *Volupté* de Sainte-Beuve, à *Dominique* de Fromentin. Mais le traitement que Flaubert imposait à son récit donnait à son roman une originalité profonde dans tous les domaines.

D'abord, il entendait faire « l'histoire morale des hommes de sa génération » : de ce fait *L'éducation sentimentale* n'était plus l'aventure d'un homme, mais le constat d'une époque qui voyait s'écrouler, impuissante, ses dernières espérances. L'échec des trois « politiques » du roman (Deslauriers, Sénécal et Dussardier) signifiait la faillite des espérances entretenues depuis le début du siècle.

Plus profondément encore, la nouveauté de Flaubert résidait dans la négation de l'action : Frédéric, contrairement à ses prédécesseurs balzaciens, demeurait un spectateur (le mot est employé par l'écrivain tant dans les premières pages que dans le récit des journées de 48). Incapable d'agir, il ne pouvait que modeler son attitude sur celle des autres : il « pense tout ce qu'*on* pense et rêve tout ce qu'*on* rêve », se contentant d'une contemplation négative. La critique thématique a justement mis l'accent sur cette présence en creux d'un héros impuissant à s'évader d'un cercle qui le retient prisonnier [1]. Ballotté entre une passion irréalisable et de passagères liaisons, Frédéric ne peut qu'effectuer l'aller-retour de l'une aux autres en constatant amèrement l'impossibilité de trouver une issue : les valeurs incarnées par Marie Arnoux d'une part, Rosanette, Mme Dambreuse et Louise Roque [2] de l'autre se dévalorisent par accumulation.

Dans la succession des épisodes, Lucien de Rubempré trouvait matière à réaliser ses « illusions » : son échec final venait non de sa passivité mais d'un besoin d'action, qui, devenu trop puissant, le débordait. L'existence de Frédéric est exactement à l'opposé : les diverses phases que rapporte le roman ne constituent pas une

1. Voir en particulier l'essai de Georges Poulet dans *Les métamorphoses du cercle*, Plon, 1965.

2. Une jeune provinciale, sa voisine, que Frédéric faillit épouser.

somme. L'inactivité du héros, toujours en quête d'un possible espoir, conduisait paradoxalement Flaubert à faire de l'échec une valeur : l'épilogue, par la magie du souvenir, transformant cette médiocrité linéaire en un des sommets d'une vie (« C'est là ce que nous avons eu de meilleur ! »).

Dans *L'éducation sentimentale*, le style parvenait à donner cette impression d'écoulement et de passivité qui imprimait au roman une monotonie inhabituelle : la fréquence des verbes « trouver », « paraître », « sembler »..., la répétition d'expressions feutrées traduisant une pensée à la limite de l'action (« avoir envie », « se dire que »...) venaient renforcer l'allure uniforme d'un récit dont le temps était rendu inexistant par l'usage quasi permanent de l'imparfait.

FLAUBERT ET LE ROMAN : DE L'ACTION A L'IMPRESSION

Avec Flaubert, l'orientation du roman paraît changer : de plus en plus dépouillée au fur et à mesure qu'elle augmentait, l'œuvre trouvait dans *Bouvard et Pécuchet* l'aboutissement qu'elle laissait prévoir. Non que ce récit ébauché fût d'une facture supérieure aux grands romans de la maturité, mais il affirmait avec éclat la possibilité d'écrire un roman qui niât le romanesque. L'aventure des deux bourgeois était une nouvelle épopée (celle de la bêtise en quelque sorte !) qui se déroulait dans leur esprit et ne parvenait jamais à se figer en actes. Véritablement, comme le notait Marcel Proust, « ce qui jusqu'à Flaubert était action devient impression ».

La doctrine de Flaubert

Le romancier part de la documentation qu'il a rassemblée : bannissant l'imagination créatrice (« Il faut se méfier de tout ce qui ressemble à de l'inspiration »), il entend écrire à partir d'un donné éprouvé. Pourtant, malgré la légende et les caricatures d'un Flaubert anatomiste, *Madame Bovary* est aussi éloignée des *Rougon-Macquart* que de *La comédie humaine*.

Le rapport de l'artiste avec sa création doit être selon Flaubert d'ordre extérieur : l'œuvre n'est plus le reflet de l'écrivain (« Un romancier n'a pas le droit d'exprimer son opinion sur quoi que ce soit. Est-ce que le Bon Dieu l'a dite, son opinion? ») qui se comporte en démiurge à l'égard de sa création. Cependant, cette impersonnalité que souhaite Flaubert n'exclut pas une présence de l'auteur en pointillé : par le travail même du style, l'écrivain retrouve place dans son œuvre. Le mouvement de Flaubert est donc à l'opposé de celui de ses contemporains : il ne trouve pas sa création en lui, mais se retrouve en elle.

C'est en effet par l'art que l'œuvre se réalise pleinement : la pénible maturation des chefs-d'œuvre vient de ce lien mystique que Flaubert entretient avec l'écriture [1]. C'est pourquoi le style tient une place aussi importante dans sa vie et dans son œuvre : il est le creuset où se réalise la synthèse des contraires (le beau/le vrai) qui permet à l'artiste d'aborder n'importe quel sujet (« Yvetot vaut Constantinople », « Chaque pavé de la rue a peut-être son sublime !») Mais justement, le style n'est pas un instrument quelconque : il exprime la poésie de la réalité, même dans sa laideur ou sa banalité. Il est ce par quoi l'auteur affirme sa présence (« Il n'y a pas de Vrai. Il n'y a que des manières de voir ») en éprouvant l'existence de sa création : Flaubert « entre » dans les objets qu'il décrit de la même manière qu'il agonise avec Emma. Par là, le roman flaubertien est à l'opposé du réalisme dont il nie même la possibilité.

Situation de Flaubert

Si l'on excepte les premières réactions d'une critique désemparée par la nouveauté des tentatives (Sainte-Beuve), si l'on fait abstraction du jugement de Zola qui, voulant à tout prix annexer Flaubert parmi les naturalistes, a projeté dans *Madame Bovary* ses propres aspirations littéraires,

> Quant au romancier [...] il pense que sa propre émotion gênerait celle de ses personnages, que son jugement atténuerait la hautaine leçon des faits [1],

toutes les lectures intelligentes ont suivi la voie tracée par Proust pour s'attacher au style de

1. Jean-Pierre Richard a pu parler à ce propos de la « prière de Flaubert » pour qualifier le travail de la forme chez l'écrivain.
2. Zola, *Les romanciers naturalistes*.

l'œuvre et montrer le renversement qu'il introduit dans l'esthétique romanesque. Auerbach, dans *Mimesis*, a montré comment le roman moderne se trouvait en quelque sorte inclus dans les tentatives de Flaubert :

Par son niveau stylistique, son sérieux foncier et objectif, [...] Flaubert a surmonté la véhémence et l'incertitude romantiques dans le traitement des sujets contemporains. Sa conception de l'art présente déjà nettement quelques traits positivistes.

Plus précisément, Maurice Blanchot s'attache à rechercher la nouvelle problématique du langage que fait naître le discours de Flaubert. La torture de la forme est analysée avec minutie par l'auteur du *Livre à venir*, qui trouve là un terrain rêvé pour son champ d'étude :

L'engagement de l'écrivain Flaubert est engagement — responsabilité — à l'égard d'un langage encore inconnu qu'il s'efforce de maîtriser ou de soumettre à quelque raison afin de mieux éprouver le pouvoir hasardeux auquel l'inconnu de ce langage l'oblige à se heurter [1].

1. Maurice Blanchot, article de la N. R. F. (nov. 1963) repris dans *L'entretien infini*, Gallimard, 1969.

A l'expérience du langage [reprise par Sartre [1] et Gérard Genette [2]] il convient d'ajouter l'expérience du livre dans lequel il ne se passe rien : Jean Rousset l'a étudiée dans un très bel article [3]. Le critique, remontant aux sources de la tradition de l'*anti-roman*, s'arrête à Flaubert en qui il voit « le grand romancier de l'inaction, de l'ennui, de l'immobile ».

C'est là que triomphe l'art de Flaubert; le plus beau dans son roman, c'est ce qui ne ressemble pas à la littérature romanesque usuelle, ce sont ces grands espaces vacants; ce n'est pas l'événement, qui se contracte sous la main de Flaubert, mais ce qu'il y a entre les événements, ces étendues stagnantes où tout mouvement s'immobilise. Le miracle, c'est de réussir à donner tant d'existence et de densité à ces espaces vides, c'est de faire du plein avec du creux.

1. Jean-Paul Sartre, *L'idiot de la famille*, 2 vol., Gallimard, 1971. Pour la critique sartrienne de Flaubert, voir plus loin « l'existentialisme », p. 674.
2. Gérard Genette, *Figures*, ch. XVI « Silences de Flaubert », Seuil, 1966.
3. Jean Rousset, *Forme et signification*, ch. V « Madame Bovary ou le livre sur rien », José Corti, 1963.

Salammbô invoque la déesse Tanit; dessin de Poirson pour *Salammbô* de Flaubert.

Coll. L. B. © B. N. Paris.

BIBLIOGRAPHIE

ÉDITIONS : L'édition de référence est celle des *Œuvres complètes* procurée par R. Dumesnil, 10 vol., Les Belles Lettres. A défaut on se reportera aux éditions courantes : Garnier, 6 vol., Seuil, 2 vol. « l'Intégrale ». Les collections de poche ont également édité les grands romans de Flaubert (Livre de Poche, Folio, et Garnier-Flammarion). *Correspondance* dans la « Bibliothèque de la Pléiade » (éd. Jean Bruneau).

ÉTUDES : Pour un aperçu des grands textes critiques on aura recours à *Flaubert*, coll. « Miroir de la critique », Firmin-Didot et Didier, 1970. — Parmi les lectures marquantes, outre celles citées en note, on retiendra : BAUDELAIRE, *Madame Bovary* [article intégré dans *L'art romantique*] (la première interprétation de l'œuvre de l'intérieur. Devant demeurer longtemps la seule intelligente). — Henry JAMES, *Gustave Flaubert*, L'Herne, trad. de M. Zéraffa (texte de 1902 qui méconnaît *L'éducation* mais analyse avec finesse les problèmes de la forme qui se posaient également au romancier anglais). — Albert THIBAUDET, *Gustave Flaubert*, Gallimard, 1935, rééd. 1968 (un texte capital, vieilli par certains côtés, mais qui demeure une des approches les plus pénétrantes de l'ensemble de l'œuvre flaubertienne). — Jean-Pierre RICHARD, « La création de la forme chez Flaubert », dans *Littérature et sensation*, Seuil, 1954, rééd. « Points » 1970 (une brillante étude du style à partir des aspects de la sensibilité de l'écrivain). — Jean-Paul Sartre, *L'idiot de la famille*, Gallimard, 1971-1972, 3 vol. (une somme qui explique autant Flaubert que l'auteur des *Mots*). De nombreux ouvrages collectifs de date récente prouvent l'intérêt que présente le texte flaubertien pour la critique moderne.

LE THÉÂTRE ET LE RÉALISME

Le prodigieux succès de la comédie sociale, sous le Second Empire, pourrait laisser croire que le théâtre n'a pas échappé au réalisme. Pourtant, si les dramaturges refusent de se laisser tenter par les prestiges de l'imagination romantique, aussi morte à leurs yeux que la tragédie académique, ils sont trop complaisants à l'égard de la société bourgeoise qu'ils représentent — leur public — pour la découvrir, au sens fort du terme. Sérieux ou plaisants, ils usent de ficelles dramatiques trop grosses pour ne pas paraître conventionnels. Du moins ont-ils le mérite d'avoir gardé vivace le flambeau du théâtre en attirant beaucoup de monde à la représentation de leurs pièces.

LES ACTUALITÉS POLITIQUES ET SOCIALES

Menant contre le romantisme la campagne de l'« école du bon sens », Émile Augier (1820-1889) ne s'est pas contenté de présenter les événements simples de la vie bourgeoise. Sans aller jusqu'à la satire, car il entend rester dans les limites permises, il fait mainte allusion à des questions d'actualité : la montée vers 1860 des nouveaux bourgeois gentilshommes (*Le gendre de M. Poirier*, 1854), la vénalité de la presse (*Les effrontés*, 1861), l'opposition du « parti de l'ordre » et « du parti de la révolution » (*Le fils de Giboyer*, 1862).

En haut : Armand Duval et Marguerite Gautier. Gravure de Los Rios pour *La dame aux camélias*.
En bas : Émile Augier. Caricature de Mme Caverlet.

B. N. Paris. © Coll. L. B.

Augier se rencontre avec Alexandre Dumas fils (1824-1895) quand il aborde sur scène un certain nombre de problèmes qui étaient à l'ordre du jour dans la société du Second Empire : le danger représenté par les courtisanes, même quand elles sont touchantes comme *La dame aux camélias* (1852) de Dumas; la question des enfants naturels qui tenait particulièrement à cœur au fils bâtard de l'auteur des *Trois mousquetaires* (*L'enfant naturel*, 1858), et qu'Augier reprend vingt ans plus tard dans *Les Fourchambault*; le nécessaire recours au divorce quand la famille pâtit des conséquences d'un mariage manqué (Augier : *Madame Coverlet*, 1876); la folie de l'argent (Augier : *La ceinture dorée*, 1855; Dumas : *La question d'argent*, 1857).

Ce théâtre s'avoue volontiers moralisateur. Dumas le proclame bien haut : « Toute littérature qui n'a pas en vue la perfectibilité, la moralisation, l'idéal, l'utile en un mot, est une littérature rachitique et malsaine, née morte. » La thèse est, dans ces pièces, d'autant plus gênante qu'elle se confond la plupart du temps avec l'apologie de la tradition raisonnable et bourgeoise ou qu'elle va dans le sens des slogans politiques du régime impérial.

LE TRIOMPHE DES CONVENTIONS

Victorien Sardou (1831-1908) jette lui aussi sur la société de son temps un regard qui, pour être critique, n'en est pas moins chargé de complaisance : c'est la veine des *Ganaches* (1862), de *La famille Benoiton* (1865), de ce *Rabagas* (1872) où l'on a cru reconnaître le portrait caricatural de Gambetta.

Mais ces pièces sont aujourd'hui bien oubliées. On ne connaît plus guère de Sardou que *Madame Sans-Gêne* (1893), une comédie historique où la cour napoléonienne est sommairement caractérisée mais permet de mettre en valeur la verdeur et l'audace de Catherine la blanchisseuse, devenue la maréchale Lefebvre. Ce n'est pas seulement au triomphe de cette héroïne pittoresque que nous assistons, mais au triomphe des conventions dramatiques. Car Sardou, ce pseudo-réaliste, ne se soucie guère de la réalité. Son but avoué est de toujours ramener les sujets qu'il traite aux conditions du théâtre, et de tout voir du point de vue de la scène, — qui se confond pour lui avec le point de vue de la salle.

C'est encore faire beaucoup d'honneur aux amuseurs, Meilhac (1831-1897) et Halévy (1834-1908), Eugène Labiche (1815-1888), ou Édouard Pailleron (1834-1899), que de découvrir dans leur œuvre une satire féroce de la bourgeoisie. Les vices font partie de l'attirail du vaudevilliste, et il montre à leur égard une indulgence dont son sourire, — et le rire qu'il suscite —, sont l'expression. L'amour d'Henriette pour Armand ne sera pas finalement sacrifié à la vanité de M. Perrichon, qui a pourtant bien failli l'emporter (*Le voyage de M. Perrichon*, 1860). Tout est entraîné d'ailleurs dans le mouvement d'une intrigue aux mille rebondissements et le mécanisme de la machine comique : qu'on songe à la folle course de la noce Fadinard-Nonancourt après un chapeau de paille d'Italie orné de coquelicots (1851). Il est si peu antibourgeois, ce théâtre, qu'il finira par passer pour l'un des symboles du monde bourgeois, le monde où l'on s'ennuie [1], le monde où l'on s'amuse : au début de *Nana*, Zola nous montre la société parisienne à la première d'une opérette, « La blonde Vénus », qui ressemble étrangement à *La belle Hélène* (1864), le grand succès d'Offenbach et de ses librettistes ordinaires, Meilhac et Halévy.

1. *Le monde où l'on s'ennuie*, c'est le titre d'une comédie célèbre de Pailleron (1881) où l'auteur nous présente un grand salon littéraire de la Troisième République qui est « la porte des ministères et l'antichambre des académies ».

La gravure représente le beau-père, Nonancourt, pépiniériste à Charentonneau, avec bien sûr un myrte sous le bras. Quant au chapeau, ce n'est pas encore... le chapeau de paille d'Italie.

BIBLIOGRAPHIE

ÉDITIONS : Eugène LABICHE, *Théâtre*, éd. de J. Robichez, collection « Bouquins », Robert Laffont.

LA POÉSIE PARNASSIENNE

A un moment où Baudelaire proclamait l'incompatibilité de la poésie avec l'esprit positif, des artistes allaient au contraire tenter une semblable conciliation. Le Parnasse fut une manière de « naturalisme poétique ». Issu du romantisme par l'intermédiaire de Théophile Gautier, il conduit paradoxalement au symbolisme, puisque Mallarmé fut l'un des collaborateurs du *Parnasse contemporain.* Mais il est, avant tout, l'accompagnement poétique du réalisme.

THÉOPHILE GAUTIER (1811-1872) ET L'ART POUR L'ART

Théophile Gautier fut un romantique de la première heure et il se fit remarquer, avec son fameux gilet rouge, lors de la bataille d'*Hernani.* Déjà, pourtant, il s'inscrit en marge du mouvement par un tempérament satirique qui le pousse à railler les modes romantiques (*Les Jeune-France*, 1833) auxquelles il lui arrive de sacrifier (*Albertus*, 1832; *La comédie de la mort*, 1838). Devenu journaliste en 1836, grand voyageur, il semble se convertir au monde extérieur. Sa poésie va se présenter comme une « étude » (1) du réel, transposant des scènes vues ou des paysages (*España*, 1845), des œuvres plastiques (« Le poème de la femme, marbre de Paros »). Ses *Émaux et camées* (1852) devront avoir la solidité de l'airain

Tout passe. — L'art robuste
Seul a l'éternité. (« L'art »)

Pour y parvenir, le poète recherche la pureté de la forme, cultivant la difficulté et instaurant la religion de « l'art pour l'art ».

Cette poésie de la plastique, qui apparaît comme un antidote au poison romantique, connaît un vif succès aux alentours de 1850. La formule, pourtant, était étroite. Le mérite de Leconte de Lisle est de l'avoir élargie.

LECONTE DE LISLE (1818-1894)

Le désespéré

Charles-Marie-René Leconte de Lisle est né à la Réunion, d'une famille bretonne. Il n'a guère résidé dans l'île, « parmi les tamarins et les manguiers épais », que de sa dixième à sa dix-huitième année, à un moment de l'existence où les impressions sont les plus fortes et les plus durables. Il prétendra plus tard avoir été saisi, dès cette époque, et au contact d'une nature exubérante, par un sentiment d'épouvante devant la vie; mais on peut penser qu'il projetait alors sur son passé son « angoisse future ».

En effet, comme beaucoup de ses contemporains, Leconte de Lisle a éprouvé une grande déception : l'effondrement de la République au moment du coup d'État en 1851, et avec lui l'effondrement du rêve socialiste. Après avoir fait des études de droit à Rennes, il s'est installé en 1845 à Paris et s'est enflammé pour la doctrine de Charles Fourier et son idéal du phalanstère, groupement humain pratiquant une communauté de vie presque totale. Il collabore aux journaux fouriéristes, *La Phalange* et *La Démocratie pacifique*, où il publie des articles,

1. Par exemple « Études de mains », dans *Émaux et camées.*

des nouvelles et déjà des « poèmes antiques », tel « Niobé » : car il interprète les mythes antiques comme des symboles républicains et socialistes.

Désabusé par l'avènement de Napoléon III, le poète, menacé par la misère, se consacre à son art. Il est persuadé que son œuvre, comme celle d'Homère, « comptera un peu plus dans la somme des efforts moraux de l'humanité que celle de Blanqui » [1]. En 1852, il publie les *Poèmes antiques*. La signification symbolique des mythes grecs s'est élargie à des sentiments et des idées universels; mais dans son ensemble, le recueil exprime l'insatisfaction laissée par un retour au passé qui n'est pas parvenu à panser les plaies du présent. Comme les trois brahmanes qu'il met en scène dans « Bhâgavât », Leconte de Lisle semble mal dégagé des tourments de la vie terrestre et n'envisage pas d'autre solution que l'anéantissement dans le sein du dieu hindou ou dans la « divine Mort » (« Dies Irae »).

Les *Poèmes barbares* (1862) ne présentent pas une vision moins noire de la destinée humaine. A travers les légendes religieuses des peuples non grecs, le poète évoque d'épouvantables crimes et il voit dans l'Histoire, comme Dom Guy, prieur de Clairvaux, le « champ clos immense de la haine » (« Les paraboles de Dom Guy »). Quant aux « Modernes », ils ne lui inspirent que du mépris. Une fois encore, ce sont ses désillusions qu'exprime Leconte de Lisle; et il lance un appel à la mort pour qu'elle dissipe définitivement la vanité de l'existence (« Le vent froid de la nuit ») et fasse taire la « voix sinistre des vivants » (« Solvet seclum »). Pas plus que les autres rêves, le rêve exotique ne parviendra à vaincre le désespoir du poète. Le « charme des premiers rêves », la jeune fille aimée, sont enterrés dans le « sable aride » des grèves (« Le Manchy »). La forêt vierge qui a gardé sa force primitive (« La forêt vierge ») semble aussi implacable que les fauves qui la peuplent — le jaguar. la panthère noire —, dont la « sacra fames » [2] est la loi du monde. Et les chiens qui hurlent sur les plages font entendre un « cri désespéré » qui est tout aussi bien celui de l'humanité et de son porte-parole, le poète, dans un

1. Blanqui (1805-1881), l'un des agitateurs républicains sous la Monarchie de Juillet. Plus tard, il participa à la Commune. Son but lointain semble avoir été le communisme.
2. « Auri sacra fames » (Virgile) = l'exécrable soif de l'or.

Coll. L. B. © Collection Viollet

Un front de penseur, véritablement hugolien : cette caricature équivaut, pour Leconte de Lisle, à une promotion.

> Monde muet, marqué d'un signe de colère,
> Débris d'un globe mort au hasard dispersé
> (« Les hurleurs »).

Plus que ses poèmes, ses nombreuses traductions d'œuvres antiques ont valu en 1864 une pension impériale à l'opposant de naguère. On lui reprochera vivement après 1870 de l'avoir acceptée. La République ne lui en procurera pas moins une activité rétribuée en 1872 et en 1886 un siège à l'Académie française. Elle lui aura surtout permis d'exhaler la haine qu'il voue à l'Église (*Histoire populaire du christianisme*, 1871). Car sa passion et son désespoir n'ont pas disparu, même s'il semble devoir s'orienter définitivement vers les conclusions de la sagesse hindoue. Les *Poèmes tragiques* (1884), les *Derniers poèmes*, publiés par Heredia en 1895, ne montrent pas d'évolution sensible depuis les premiers recueils.

L'impassible

Paradoxalement, ce poète désespéré s'est posé en poète impassible. Dans les *Poèmes barbares*, il s'en prend aux « montreurs » qui livrent leur « cœur ensanglanté » à la « plèbe carnassière ». Aux romantiques, il oppose sa dignité parnassienne :

> Dans mon orgueil muet, dans ma tombe sans [gloire,
> Dussé-je m'engloutir pour l'éternité noire,
> Je ne te vendrai pas mon ivresse et mon mal,
>
> Je ne livrerai pas ma vie à tes huées,
> Je ne danserai pas sur ton tréteau banal
> Avec tes histrions et tes prostituées.

A l'indifférence de la nature (« Midi », « La fontaine aux lianes »), il répondra par sa propre indifférence. Le poète doit se réfugier « dans la vie contemplative et savante », en un « sanctuaire de repos et de purification ». Se détournant des problèmes sociaux, puisqu'il vit dans un monde où l'action n'est pas la sœur du rêve, il doit offrir à une élite le résultat de ses méditations sereines, la contemplation nostalgique, mais sans espoir de retour, du « temps où l'homme et la terre étaient jeunes et dans toute l'éclosion de leur force et de leur beauté ».

Sans doute « l'impure laideur » est-elle « la reine du monde ». Mais Leconte de Lisle entend bien retrouver le chemin de la beauté, le « chemin de Paros » en « réalisant le beau dans la mesure de ses forces et de sa vision interne par la combinaison complexe, savante, harmonique, des couleurs et des sons, non moins que par toutes les ressources de la passion, de la réflexion, de la science et de la fantaisie ».

LE PARNASSE CONTEMPORAIN

Les recueils

La naissance du Parnasse est postérieure aux deux grands recueils de Leconte de Lisle, *Poèmes antiques* et *Poèmes barbares.* C'est leur existence et la présence de ce maître qui ont rendu possible la création d'un groupe de jeunes gens; ils l'ont considéré comme « le grand moteur du mouvement poétique » et l'ont pris pour modèle du poète futur : « un penseur sérieux, qui conçoit fortement et qui entoure ses conceptions d'images hardies et longuement ciselées ».

Mais on ne saurait négliger cet autre élément favorable : l'accueil fait à l' « école nouvelle » par un petit éditeur, Alphonse Lemerre, 47, passage Choiseul. Après l'échec de l'hebdomadaire *L'Art*, on s'oriente en 1866 vers une formule moins coûteuse, le recueil ou, comme on disait au XVIIe, le « parnasse ». On en verra paraître trois :

1. Le *Parnasse contemporain* de 1866 : 300 pages, 40 poètes environ depuis les aînés (Gautier, Banville, Leconte de Lisle, Baudelaire, Heredia) jusqu'aux hérétiques de demain (Verlaine, Mallarmé). Il donne naissance à une polémique, garantie d'un succès qui permet à Lemerre de lancer des volumes de Coppée, de Sully Prudhomme et les *Poèmes saturniens* de Verlaine.

2. Le *Parnasse contemporain* de 1869 (qui n'a été mis en vente qu'après la guerre, en 1871) : 400 pages, 60 collaborateurs. Parmi les nouveaux on trouve Anatole France et Charles Cros. Rimbaud a tenté en vain d'y publier ses premiers vers [1].

3. Le *Parnasse contemporain* de 1876, plus composite, plus incertain encore que les deux précédents. Mallarmé et Verlaine n'y figurent plus.

Le précurseur, Théophile Gautier (à gauche); l'animateur, Théodore de Banville (à droite) : deux poètes qui assurent la continuité du romantisme au Parnasse.

B. N. Paris. © Coll. L. B.

Coll. L. B. © Collection Viollet

Principaux représentants du Parnasse

Les aînés : outre Leconte de Lisle, Théodore de Banville (1823-1891). Il a déjà fait preuve d'une virtuosité brillante et gracieuse dans *Les cariatides* (1842), *Les stalactites* (1846), les *Odelettes* (1856), les *Odes funambulesques* (1857). Le goût de la difficulté vaincue l'amène à imiter les formes fixes du Moyen Age et à exposer une doctrine particulièrement rigoureuse dans son *Petit traité de poésie française* (1872). Il y recommande la rime riche, « clou d'or » de la poésie. Son influence a été très grande et même les ennemis du Parnasse ont fait preuve d'indulgence à son égard.

Les « purs » : Albert Glatigny (1839-1873) imita tour à tour Banville (*Les vignes folles*, 1857) et, avec moins de bonheur, Leconte de Lisle (*Les flèches d'or*, 1864). Léon Dierx (1838-1912), né à la Réunion comme Leconte de Lisle dont

1. Voir ses lettres à Théodore de Banville.

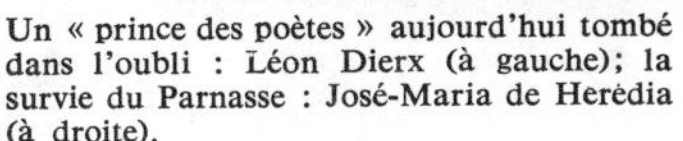
Un « prince des poètes » aujourd'hui tombé dans l'oubli : Léon Dierx (à gauche); la survie du Parnasse : José-Maria de Heredia (à droite).

La veine humanitaire : François Coppée (à gauche); la veine philosophique : Sully Prudhomme (à droite).

il fut un disciple ardent, fut élu « prince des poètes » à la mort de Mallarmé, recueillant ainsi l'hommage de deux générations. Sully Prudhomme (1839-1907), ingénieur venu aux lettres, tenta de mettre en vers ses méditations sur la science et la philosophie. Il reçut le premier prix Nobel de littérature en 1901. Mais son didactisme a depuis longtemps rebuté ses lecteurs. Catulle Mendès (1841-1909), écrivain prolifique, fut plus actif qu'original. François Coppée (1842-1908) conquit un public très large par sa sentimentalité (*Les intimités*, 1868; *Les humbles*, 1872). José-Maria de Heredia (1842-1905), originaire de Cuba, a patiemment ciselé les sonnets somptueux des *Trophées*. La publication du recueil, en 1893, apparaîtra comme un anachronisme, mais un acte de touchante fidélité.

Les « hérétiques » : Verlaine, Mallarmé.

La doctrine

Malgré une évidente disparate, on peut définir en quelques points la doctrine de ce qui ne fut pas à proprement parler une école, mais tout au plus un groupement éphémère. L'hostilité à Lamartine et à Musset n'est que l'expression particulière d'un refus de l'inspiration romantique. A cette image facile de la création poétique on substitue une apologie du travail, allant jusqu'à la recherche de la difficulté. Le choix d'une forme impassible n'exclut pas la sensibilité du poète, mais impose comme la première des règles la pudeur. D'une manière générale, l'art parnassien tend à l'objectivité soit par la minutie de la description, soit par l'union de la poésie et de la science (prônée par Leconte de Lisle, illustrée en particulier par Sully Prudhomme), soit par le réalisme populaire dont Coppée a donné le meilleur exemple.

Les parnassiens partaient à la conquête de l'éternité, mais très tôt leur échec fut patent. On peut l'expliquer par « l'incompatibilité totale [...] entre la poésie et le formalisme, le positivisme ou le naturalisme » [1]. Disons qu'il était étrange de fixer la beauté comme but de la poésie et de la rechercher hors de la poésie.

1. Henri Lemaître, *La poésie depuis Baudelaire*, A. Colin, coll. « U », 1965, p. 20.

BIBLIOGRAPHIE

ÉDITIONS COURANTES : GAUTIER, *Émaux et camées,* suivi d'*Albertus,* coll. Poésie/Gallimard; *Choix de poèmes de Leconte de Lisle* dans les Nouveaux Classiques Larousse; *Poèmes barbares* de LECONTE DE LISLE, *Les trophées de* HEREDIA, coll. Folio. Éditions savantes aux Belles-Lettres.

ÉTUDES : Pierre MARTINO, *Parnasse et symbolisme,* A. Colin, 1925 (sommaire et vieilli). — Pierre FLOTTES, *Leconte de Lisle,* Hatier-Boivin, 1954 (par un des rares spécialistes de l'auteur). — J.-M. PRIOU, *Leconte de Lisle,* Seghers, coll. « Écrivains d'hier et d'aujourd'hui », n° 27, 1966 (avec une anthologie). — Edgar PICH, *Leconte de Lisle et sa création poétique,* Chiret, 1975 (une thèse érudite qui renouvelle notre connaissance du poète).

LE NATURALISME

Dans la Préface de *Thérèse Raquin* (1868), Zola parle des « écrivains naturalistes ». Le mot va faire fortune, galvanisant l'énergie de ses défenseurs et de ses détracteurs. Si le réalisme restait une tendance diffuse, le naturalisme qui le continue en l'exagérant apparaît bien comme un mouvement littéraire avec une doctrine et une école. Zola, le chef du groupe, n'hésite pas à énoncer des postulats vigoureux : « Toute l'opération consiste à prendre les faits dans la nature, puis à étudier le mécanisme des faits en agissant sur eux par les modifications des circonstances et des milieux. » [1] Cette tâche scientifique qu'il assigne au romancier nouveau était déjà préparée par les Goncourt, attentifs à l'importance du physiologique et même du pathologique dans la conduite des êtres.

En fait, ce « scientisme » est probablement la part la plus caduque du naturalisme. Huysmans, en 1877, rappellera que ses confrères et lui sont avant tout « des artistes assoiffés de modernité » [2]. Cette modernité, ils la cherchent le plus souvent dans les bas-fonds de la société. Mais le réalisme de la laideur est un poncif naturaliste plus qu'il ne représente le naturalisme tout entier. « Nous allons à la rue, à la rue vivante et grouillante, aux chambres d'hôtels aussi bien qu'aux palais, aux terrains vagues aussi bien qu'aux forêts vantées », précise Huysmans [3]. On passe de la zone au boudoir (des Goncourt à Edmond de Goncourt), de la sentine à la Provence parfumée d'Alphonse Daudet ou au « Paradou » de *La faute de l'abbé Mouret*. Mieux encore : du pessimisme « mal digéré, [...] la grande poésie noire de Schopenhauer » [1] à un optimisme fondé sur la confiance dans la nature et la vie. Cet élargissement était insuffisant, toutefois, pour permettre au naturalisme de surmonter sa crise.

Caricature d'Émile Zola par Jean Veber, faite à l'occasion de la publication, en 1886, de son roman *La Terre*. Cette œuvre sera à l'origine de la dislocation du groupe naturaliste.

1. *Le roman expérimental.*
2. *Émile Zola et « L'assommoir ».*
3. *Ibid.*

1. É. Zola, *La joie de vivre*. Sur Schopenhauer, voir p. 512.

JULES (1830-1870) ET EDMOND (1822-1896) DE GONCOURT

Le grand public ne connaît guère les Goncourt, aujourd'hui, que par l'Académie et le prix auxquels l'un d'eux, Edmond, a laissé leur nom par testament. On parle aussi volontiers de leur *Journal* qui, resté inédit jusqu'à 1956, en raison de sa rosserie, n'est en fait connu que par les neuf volumes d'extraits publiés par Edmond. En revanche, on ne lit plus leurs œuvres, et leur conception du roman semble, dans l'histoire littéraire, plus marquante que ces romans eux-mêmes.

De l'Histoire au roman

Les Goncourt sont venus de l'Histoire au roman. Ils s'étaient fait remarquer d'abord par leurs monographies sur la société et l'art du XVIIIe siècle et ils ont joué un rôle déterminant dans la vogue de Watteau et des « fêtes galantes ». Il était donc naturel qu'ils reprissent, pour leur création romanesque, les méthodes de l'Histoire, s'appliquant à réunir une documentation précise pour un montage où l'intrigue ne semble occuper qu'une place secondaire. Car si « l'Histoire est un roman qui a été, le roman est de l'Histoire qui aurait pu être » et si « les historiens sont des raconteurs du passé », les romanciers sont « des raconteurs du présent ».

L'ensemble de leur œuvre romanesque, suite d'études faites « sur le saignant », nous présente donc un tableau des différentes classes de la société contemporaine. Ils ont voulu prouver que les « basses classes » avaient « droit au roman » avec *Germinie Lacerteux* (1865), histoire d'une servante qui passe du gantier Jupillon au peintre en bâtiment Gautruche. « Le livre fait entrer le peuple dans le roman », notera Zola : « pour la première fois, le héros en casquette et l'héroïne en bonnet de linge y sont étudiés par des écrivains d'observation et de style ».

Après la mort de son frère Jules (1870), Edmond, peut-être piqué par le succès de *L'assommoir*, abandonne la peinture de la « canaille » pour appliquer la même méthode au « milieu des élégances, de la richesse, du pouvoir, de la suprême bonne compagnie » (Préface de *Chérie*, 1884). Mais, entre ces deux extrêmes, « ce qui pue » et « ce qui sent bon », les romans des Goncourt nous font pénétrer dans le milieu des hôpitaux (*Sœur Philomène*, 1861), de la bourgeoisie (*Renée Mauperin*, 1864), du cirque (*Les frères Zemganno*, 1879), du théâtre (*La Faustin*, 1882), des gens de lettres (*Charles Demailly*, 1860), des peintres (*Manette Salomon*, 1867).

L'étude d'un cas

Ces titres eux-mêmes indiquent déjà que l'attention des romanciers se dirige vers un seul personnage et se porte sur un cas qui est, à proprement parler, un cas pathologique.

Germinie Lacerteux nous présente un cas d'hystérie. Seule la maladie peut expliquer les contradictions relevées par les deux écrivains dans la conduite de la servante (leur propre

Coll. L. B. © Bulloz

Jules et Edmond de Goncourt. On notera la ressemblance des deux frères.

servante, Rose) et les phases successives de sa dégradation : ivrognerie, dissimulation, vol, crasse, débauche, consomption et mort. *Charles Demailly* est la longue analyse d'une démence précoce. Et c'est une malade encore que la mystique *Madame Gervaisais*, dont l'itinéraire spirituel est secrètement lié au progrès de la phtisie.

Cette perspective n'est pas sans influer sur la structure même du roman. Les Goncourt usent volontiers des longs retours en arrière qui éclairent le passé du personnage pour expliquer sa crise présente (enfance et adolescence de Sœur Philomène dont les exaltations mystiques ont trouvé leur source dans les troubles de la puberté; chronique conjugale de Marthe et Charles Demailly). La marche dramatique se confond avec le processus d'une lente dégradation. On a souvent l'impression que la narration disparaît au profit des analyses, des tableaux, des éléments proprement documentaires.

L'écriture artiste

« Notre talent de romanciers, écrivaient les Goncourt dans leur *Journal*, se compose du mélange bizarre et presque unique qui fait de nous à la fois des physiologistes et des poètes. »

Ces esthètes, même quand ils se penchent sur les milieux populaires, témoignent toujours d'un sentiment de curiosité aristocratique et, — comme se chargera de le démontrer l'évolution d'Edmond de Goncourt —, gardent leur prédilection pour la « réalité élégante ». On s'explique sans peine qu'ils soient les inventeurs d'une « écriture artiste » que les naturalistes de stricte obédience devaient plus tard leur reprocher.

Pas de meilleur exemple de cet impressionnisme littéraire que la célèbre promenade de Germinie Lacerteux en compagnie de Jupillon dans une

« campagne » qui n'est que la proche banlieue, la zone : « étrange campagne où tout se mêlait, la fumée de la friture à la vapeur du soir, [...] la barrière à l'idylle et la foire à la nature ». Pour rendre la vulgarité du paysage et exprimer le sentiment de la nature tel qu'il peut se manifester, aux yeux d'un « littérateur bien né », dans une âme populaire, le style se charge de substantifs inédits, de tours volontairement impropres ou incorrects, de détails inattendus, de rythmes et d'allitérations. La subtilité de l'écriture confine à la préciosité. Et le procédé de la juxtaposition, la « méthode de mosaïque » (1), s'il rend sensible la « fugitivité » des choses et des êtres, contient ce danger de morcellement, de « collage », que révélait déjà la composition.

On a appelé les Goncourt des « réalistes de l'art pour l'art ». Et l'expression rend bien compte du caractère paradoxal de leur création romanesque. Leur réalisme artiste est un réalisme ambigu. Bien plus, le roman même ne sort pas indemne de leurs mains : il évolue vers la chronique, vers le « livre de pure analyse » pour lequel Edmond recherchait une nouvelle dénomination.

ZOLA (1840-1902)

Les éditions complètes des *Rougon-Macquart* se multiplient. Après avoir souffert d'être accaparé, comme modèle ou comme repoussoir, par telle ou telle idéologie, Émile Zola connaît aujourd'hui un succès qui ne va pas sans quelque paradoxe : car rien ne semble plus éloigné de nos modes littéraires que le naturalisme dont il s'est fait le théoricien et le promoteur. C'est que, peut-être, il faut aller au-delà des querelles d'école et savoir déceler, sous la doctrine, une vision du monde originale.

Le théoricien du naturalisme

Le mot, Zola ne l'a pas inventé. Baudelaire et Flaubert l'avaient utilisé à propos de Balzac. A dire vrai, les acceptions en étaient fort diverses et, même aux plus beaux temps des soirées de Médan (1), persistera un léger flottement. La théorie littéraire à laquelle il sert d'enseigne ne s'est d'ailleurs formée que lentement, et au prix de mainte hésitation.

Les débuts d'un romantique attardé. A l'aurore de la carrière de Zola, tout semble rassemblé pour l'apparition d'un nouveau poète maudit : la mort prématurée du père (1847), l'échec au baccalauréat (1859), la gêne et l'apprentissage des petits métiers, la force d'une vocation qui, en 1866, se révèle si exclusive qu'elle exige l'abandon de l'emploi occupé à la librairie Hachette. De fait, cet admirateur de Musset commence par l'art des vers, par l'affirmation impatiente du « moi », par le refus du matérialisme, du déterminisme et même du réalisme : « nous voyons la création, dans une œuvre, à travers un homme, à travers un tempérament, une personnalité ». Ses premières productions, les *Contes à Ninon* (1864), la *Confession de Claude* (1865), *Le vœu d'une morte* (1866), sont d'un lyrisme fort intempérant. Et son premier ouvrage critique, *Mes haines* (1866), révèle, ne serait-ce que par son titre, une nature de créateur particulièrement explosive.

Les influences décisives. En 1867, *Thérèse Raquin* faisait apparaître, pourtant, une manière tout autre et le romancier nouveau la présentait comme l'analyse quasi scientifique d'un cas curieux de physiologie : celui de « deux brutes humaines », Thérèse et Laurent, deux personnages « souverainement dominés par leurs nerfs et leur sang, dépourvus de libre arbitre, entraînés à chaque acte de leur vie par les fatalités de leur chair ». Sans doute l'œuvre gardait-elle le caractère d'un paroxysme; mais on sent qu'elle doit à l'étude clinique menée par les Goncourt dans *Germinie Lacerteux* (2), à la croyance de Taine en l'influence des milieux, à son assimilation de sentiments violents comme le remords avec des désordres organiques. Zola pouvait désormais se considérer comme un écrivain naturaliste qui étudie les espèces humaines comme on étudie les espèces animales. Sa formation sera bientôt complétée par la lecture des ouvrages du docteur Lucas sur l'hérédité et, plus tardivement (probablement pas avant 1878), par l'*Introduction à la médecine expérimentale*

1. Réunions qui avaient lieu le jeudi dans la maison que Zola avait achetée à Médan en 1877, et où il passait la plus grande partie de l'année.

1. Robert Ricatte, *La création romanesque chez les Goncourt*.
2. Voir page 505.

de Claude Bernard à qui il empruntera la théorie de l'expérimentation.

La théorie du « roman expérimental ». Dans *Le roman expérimental* (1879), Zola entend en effet « [s]e retrancher derrière Claude Bernard » à tel point que, le plus souvent, il lui suffira de le citer en remplaçant le mot « médecin » par le mot « romancier ». Au lieu de se contenter de photographier le réel, le romancier doit intervenir d'une façon directe pour placer son personnage dans des conditions dont il reste le maître :

Le problème est de savoir ce que telle passion, agissant dans tel milieu et dans telles circonstances, produira au point de vue de l'individu et de la société; et un roman expérimental [...] est simplement le procès-verbal de l'expérience, que le romancier répète sous les yeux du public. En somme, toute l'opération consiste à prendre les faits dans la nature, puis à étudier le mécanisme des faits en agissant sur eux par les modifications des circonstances et des milieux.

L'analogie est évidemment bien hasardeuse puisque, à la différence du savant, le romancier crée à la fois les causes et les effets, aussi bien les milieux que les personnages. Tout le contenu de l'expérimentation vient de lui-même.

Mais il faut savoir faire la part de l'esprit de système et tenir compte des nécessités de la polémique. Plus que la méthode de l'expérimentation, plus que la loi de l'hérédité, c'est sans doute la volonté d'insérer l'art dans le courant vital de l'époque qui caractérise le naturalisme de Zola, la vie étant conçue comme une prodigieuse logique, qu'il s'agira de retrouver.

Le chef-d'œuvre du naturalisme : « Les Rougon-Macquart »

Pour illustrer cette théorie, il n'a pas fallu à Zola moins de vingt volumes, ceux qui composent la somme romanesque des *Rougon-Macquart.*

Le projet. Au point de départ, un modèle : Balzac. *La cousine Bette* était présentée comme le meilleur exemple possible de « roman expérimental ». Mais le projet des *Rougon-Macquart* sera plus précis que celui de la *La comédie humaine*, et le champ d'étude plus limité : Zola ne considérera que la période convulsive du Second Empire et, dans ce cadre, « les ambitions et les appétits d'une famille » déterminée par « les fatalités de la descendance » et par « les fièvres de l'époque ». Conçu pendant l'hiver 1868-1869, ce projet d'*Histoire naturelle et sociale d'une famille sous le Second Empire* n'arrivera à son terme qu'en 1893.

LES ROUGON-MACQUART

1871	*La fortune des Rougon*
—	*La curée*
—	*Le ventre de Paris*
1874	*La conquête de Plassans*
1875	*La faute de l'abbé Mouret*
1876	*Son Excellence Eugène Rougon*
1877	*L'assommoir*
1878	*Une page d'amour*
1880	*Nana*
1882	*Pot-Bouille*
1883	*Au bonheur des dames*
1884	*La joie de vivre*
1885	*Germinal*
1886	*L'œuvre*
1887	*La terre*
1888	*Le rêve*
1890	*La bête humaine*
1891	*L'argent*
1892	*La débâcle*
1893	*Le docteur Pascal*

La double chronologie. Cet ensemble romanesque obéit à une double chronologie : celle de l'Histoire, et celle de la genèse de l'œuvre.

Les Rougon-Macquart, dont Zola nous présente tour à tour cinq générations successives, « racontent [...] à l'aide de leurs drames individuels » le Second Empire, « une étrange époque de folie et de honte ». Le romancier ne s'est guère appesanti sur le coup d'État (seule l'action de *L'assommoir* débute avant 1851), mais il a établi une analogie frappante entre la fortune des Rougon (c'est le titre du premier roman de la série) et celle du régime : le parvenu qui, à la faveur des émeutes de décembre 1851, conquiert la cité de Plassans répète, à une autre échelle, l'aventure du prince Louis-Napoléon. Cet empereur morne et veule dont Renée, dans *La curée*, entrevoit le « visage blême, [l]a paupière lourde et plombée qui retombait sur son œil mort », ce souverain apathique qui, dans *Son Excellence Eugène Rougon*, préside d'un air absent le Conseil des ministres, s'effondre dans *La débâcle* de 1870-1871. Dans ces vingt années, Zola a choisi d'éclairer surtout deux périodes : celle qui va de 1856 à 1861 où une première velléité d'Empire libéral se trouve ruinée

B. N. Paris. © Coll. L. B.

Illustration pour *Le ventre de Paris*, dessin de Georges Bellenger, 1879.

par l'attentat d'Orsini *(Son Excellence Eugène Rougon)* ; les quatre dernières années de l'Empire, après l'éclat triomphal et factice de l'exposition de 1867, où les banquiers se portent des coups mortels *(L'argent)*, tandis que le pouvoir, hésitant entre ses soutiens naturels et ses adversaires, les libéraux, chancelle jusqu'à la catastrophe finale. Comme involontairement, le romancier joue avec le temps de l'Histoire, plaçant par exemple avant 1870 dans *Germinal*, *L'argent* et *La terre*, la grave crise économique qui n'a guère touché la France qu'après 1880.

C'est là qu'interfère la chronologie propre à l'écrivain lui-même, de plus en plus sensible au spectacle de l'actualité, de plus en plus attentif au renouveau d'activité des partis socialistes (*Germinal* atteste l'influence des idées de Jules Guesde). Les incidents de sa carrière de chef d'école (le groupe de Médan ([1]), le manifeste des Cinq ([2]) après *La terre*), les changements intervenus dans sa vie privée (à partir de 1888, et parallèlement à la vie conjugale, sa liaison avec une jeune ouvrière, Jeanne Rozerot, qui lui donnera deux enfants) ont également infléchi le dessin général des *Rougon-Macquart* : le seul souci de variété n'explique pas l'évocation des problèmes de l'artiste, dans *L'œuvre* (1886) — où Zola prête beaucoup de ses traits au romancier Sandoz —, ou ces fusées de lyrisme amoureux : l'épisode du Paradou dans *La faute de l'abbé Mouret* (1875), *Une page d'amour* (1878), l'union du vieux savant et de sa nièce Clotilde dans *Le docteur Pascal* (1893).

La double ascension. L'évolution de l'écrivain permet de comprendre qu'au fur et à mesure que se déroule cette « peinture » d'une « société de décadence » succède à la montée des forces mauvaises la montée de l'espoir.

Dans les premiers *Rougon-Macquart*, on assiste à la marche en avant de la bourgeoisie, malgré ses tares, ou peut-être à cause d'elles : conquête de Plassans par Pierre et Félicité Rougon *(La fortune des Rougon)* ; spéculations ahurissantes de Saccard dans le Paris du baron Haussmann *(La curée)* ; triomphe des Gras sur les Maigres *(Le ventre de Paris)* ; conquête du pouvoir *(Son Excellence Eugène Rougon)*.

Mais bientôt la société se dégrade, et les êtres se défont. C'est dans *L'assommoir* (1877), « la déchéance fatale d'une famille ouvrière dans le milieu empesté de nos faubourgs » (Préface) : Gervaise et Coupeau forment un ménage modèle jusqu'à l'accident de l'ouvrier zingueur qui déclenche le processus d'un « lent avachissement », d'un abandon progressif à « la machine à saouler » (l'alambic du père Colombe), à la misère, à la prostitution et, finalement, à la folie et à la mort. Avec les ravages exercés par la courtisane *Nana* (1880), c'est toute une société qui se décompose.

Peut-être fallait-il descendre au fond de l'abîme pour voir reparaître l'espoir d'une aurore. C'est en tout cas ce que démontre *Germinal* (1885). Au terme de la révolte des mineurs qui vient de rouler à travers la campagne nue avec la force accrue d'un torrent, au sortir du « noir de la nuit, noir de la mine et du charbon » qui est comme « une espèce de nuit de la matière », échappant à l'engloutissement du Voreux, Étienne Lantier s'en va vers un avenir plus clair :

Mais à présent, le mineur s'éveillait au fond, germait dans la terre, une vraie graine; et l'on verrait un matin ce qu'il pousserait des hommes, une armée d'hommes qui rétabliraient la justice.

1. Voir page 513.
2. Voir page 514.

Un naturalisme philosophique

Fécondité. Les romans ultérieurs vont rendre plus insistante encore l'image de la germination : dans *La terre* (1887) recommence, comme insensible aux désastres et aux crimes, le cycle végétal; *Le docteur Pascal* (1893) s'achève, — et avec lui tout l'ensemble des *Rougon-Macquart*, sur la maternité de Clotilde. Même dans *L'œuvre* (1886) éclatait un hymne à la nature « mère commune », « unique source de vie », seule « éternelle », seule « immortelle », seule porteuse de « l'âme du monde » qui circule, « sève épandue jusque dans les pierres et qui fait des arbres nos grands frères immobiles ». Le premier des *Quatre Évangiles*, *Fécondité* (1899), exaltera « l'expression de tous les germes ». Le terme de naturalisme retrouve alors, appliqué à Zola, son sens philosophique : celui d'une doctrine présentant la nature comme le premier principe, comme la puissance et la valeur dernières.

La lutte. Mais ce naturalisme est un naturalisme militant. Il doit d'abord lutter contre la religion chrétienne qui, par le dogme du péché originel, a souillé la nature. Zola n'avait guère épargné le clergé dans *Les Rougon-Macquart :* qu'on songe à *La conquête de Plassans* et à la tyrannie exercée par l'abbé Faujas tant sur la ville tout entière que sur l'âme de la faible Marthe Mouret. Dans *Les trois villes* (1894, 1896, 1898), il entreprend de dénoncer l'influence de l'Église qui tente de séduire l'homme par de vaines superstitions *(Lourdes)*, qui est incapable de répondre aux sollicitations du progrès *(Rome)*, qui échoue dans son effort de charité *(Paris)*.

Hésitant entre le socialisme et l'anarchisme, Zola entreprend aussi la lutte sur le plan politique. Contre le capital, il défend l'évangile du *Travail.* Contre toutes les tyrannies, ceux de la *Justice* et de la *Vérité*. Il le prouva au moment de l'affaire Dreyfus [1] quand, le 13 janvier 1898, il fit paraître dans le journal de Clemenceau, *L'Aurore*, un article retentissant, « J'accuse » :

Mon devoir est de parler, je ne veux pas être complice. Mes nuits seraient hantées par le spectre de l'innocent qui expie là-bas, dans la plus affreuse des tortures, un crime qu'il n'a pas commis.

A la fin de ce pamphlet, il défiait la Cour d'assises. Elle n'oublia pas de le convoquer, de le condamner une première fois; et elle aurait sans doute recommencé (après l'arrêt de la Cour de cassation) si, prenant les devants, le célèbre romancier ne s'était réfugié en Angleterre. Il ne rentrera en France qu'en 1900. Sa mort par asphyxie, le 28 septembre 1902, reste empreinte d'un certain mystère.

Un art philosophique. On a trop souvent présenté Zola comme un tâcheron des lettres, amassant patiemment une abondante documentation sur chaque milieu nouveau où il devait placer ses personnages. En fait, son information était hâtive (quelques jours à Anzin lui suffisent pour *Germinal*), souvent indirecte (il interroge surtout des bourgeois). Pour chaque roman, il se hâte

En 1866, Zola avait réuni sous le titre *Mes haines* les articles qu'il avait publiés dans divers journaux, en particulier dans *Le Salut Public* de Lyon. Cette simili-aquarelle de H. Lebourgeois rappelle ce jeu de massacre.

1. Série d'incidents échelonnés de 1894 à 1906 à la suite du procès et de la condamnation du capitaine Alfred Dreyfus, accusé d'avoir livré des secrets militaires. Dreyfus avait été condamné aux travaux forcés et purgeait sa peine à l'île du Diable. Une campagne fut engagée pour la révision du procès et il fut prouvé que le véritable coupable était le commandant Esterhazy. Mais le conseil de guerre acquitta le nouveau prévenu. Zola intervint, en prétendant que le conseil avait agi « par ordre ». Le grand écrivain dut comparaître en cour d'assises et fut condamné. Du moins son action n'avait pas été inutile, et Dreyfus fut finalement acquitté.

de poser, dans une ébauche, le thème général qui est, la plupart du temps, un projet philosophique (pour *Au bonheur des dames* : « changement complet de philosophie, plus de pessimisme d'abord, ne pas conclure à la bêtise et à la mélancolie de la vie, conclure au contraire à son continuel labeur, à la puissance et à la gaieté de son enfantement [...]; aller au siècle, exprimer le siècle, qui est un siècle d'action et de conquête »). La matière romanesque elle-même s'organise, suivant une progression d'une rigueur implacable, en de vastes conflits où entrent en jeu des forces symboliques, celle qui précipite la catastrophe menaçant la nouvelle Sodome, celle qui, au contraire, ranime l'espérance. Art moins réaliste, comme on l'a dit, que mythique : le style même du romancier, où le substantif abstrait tend à remplacer le verbe et l'adjectif, où la phrase se disloque, où les répétitions se font de plus en plus insistantes, est celui d'une épopée philosophique. Épopée de la haine? Épopée de l'horreur? Tous ceux qui considèrent l'art naturaliste comme « une vraie fureur de montrer la nature et l'homme dans ce qu'ils ont de plus vulgaire et de honteux » (1) se sont acharnés à le montrer. Nietzsche prétendait que l'exemple de Zola nous avait rendus « plus cyniques, mais plus francs ». En fait, s'il a voulu, comme il l'a dit à propos de *L'assommoir*, mettre à nu « les plaies d'en haut » et « les plaies d'en bas », l'auteur des *Rougon-Macquart* a su ménager des moments d'éclaircie, jouer des contrastes, donner peu à peu plus d'assurance au progrès en sa marche, orienter son œuvre vers ce qu'il considérait comme sa « conclusion naturelle » : « un optimisme éclatant » (2).

MAUPASSANT (1840-1893)

Malgré le grand succès qu'il a obtenu déjà de son vivant, Guy de Maupassant a longtemps été considéré en France comme un écrivain de second ordre. « Ce qui nous retient de considérer Maupassant comme un vrai maître, écrivait Gide en 1938, c'est, je crois, l'inintérêt presque total de sa propre personnalité : n'ayant rien de particulier à dire, ne se sentant chargé d'aucun message, voyant le monde et nous le présentant un peu en noir, mais sans indice de réfraction originale, il reste, pour nous (ce qu'il prétendait être), un remarquable et un impeccable ouvrier des lettres. Il est à chacun de ses lecteurs la même chose et ne parle à aucun d'eux en secret. » Le jugement est sévère, mais la destinée posthume du conteur normand était d'être mieux apprécié par les étrangers (Stefan Zweig, les Russes) que par ses compatriotes. De plus, il est erroné car sous le métier d'un disciple de Flaubert, sous l'objectivité du réaliste, se cache un tempérament original avec ses prises de position violentes, avec aussi l'angoisse grandissante d'un être voué à la folie.

Un disciple...

... de Flaubert. Par sa mère, amie d'enfance de Flaubert, par le poète Louis Bouilhet qui fut son correspondant quand il fut admis comme interne au lycée de Rouen en 1867, Maupassant entra très tôt en contact avec l'ermite de Croisset. Le célèbre écrivain lui inculqua sa haine du bourgeois, son culte du travail et de la forme; surtout, il lui apprit à « regarder tout ce qu'on veut exprimer assez longtemps et avec assez d'attention pour en découvrir un aspect qui n'ait été vu et dit par personne » (Préface de *Pierre et Jean*). Il le fit collaborer à *Bouvard et Pécuchet*, il corrigea sévèrement ses premiers essais littéraires. C'est lui qui protégea ses débuts dans la carrière quand celui qui n'était encore qu'un employé de ministère décida d'obéir à sa vocation d'écrivain. Il lui donna accès à des journaux, à des revues; il l'introduisit, directement ou indirectement, auprès des maîtres de l'heure, en particulier d'Émile Zola.

... de Zola. Avec Henry Céard, Léon Hennique, Paul Alexis et J.-K. Huysmans, Maupassant complète le petit groupe qui, après le succès de *L'assommoir*, se réunit chaque jeudi chez Zola. En avril 1880, ils font paraître un volume collectif qui va faire grand bruit, *Les soirées de Médan*, résultat — si l'on en croit Maupassant — d'une gageure tenue l'été précédent dans la propriété du maître : chacun devait inventer, après Zola, une histoire en conservant le cadre qu'il aurait lui-même choisi pour la sienne. « L'attaque du

1. Pierre Martino, *Le naturalisme français*, p. 6.
2. Ébauche des *Quatre Évangiles*.

Guy de Maupassant. Photographie de Nadar.

moulin » lança le thème de la guerre. Maupassant le reprit avec « Boule-de-Suif », petite nouvelle « antipatriotique » qui le rendit immédiatement célèbre et que Flaubert lui-même qualifia de chef-d'œuvre. Elle nous présente une fille qui, pendant l'occupation allemande, voyage dans la diligence de Dieppe, entourée de compagnons de route fort dédaigneux. Un officier allemand fait arrêter la voiture. Boule-de-Suif lui plaît, mais elle refuserait de lui accorder les faveurs qu'elle prodigue si volontiers d'ordinaire si les autres voyageurs (y compris les bonnes sœurs) ne l'y encourageaient pour obtenir le droit de continuer leur chemin. Elle s'exécute, la diligence repart, le mépris renaît pour la pauvre fille qui n'a pour consolation que ses larmes. On reconnaît l'indignation de Zola devant l'hypocrisie des « bien-pensants », le regard de pitié qu'il jette sur les humbles. Mais la manière de Maupassant est plus incisive, plus négative peut-être.

... *de Balzac*. Il faut aussi considérer Maupassant comme un héritier de Balzac, pour qui il a toujours professé la plus vive admiration. Il voit en lui le premier des réalistes, « un novateur étrangement puissant et fertile », un « inventeur de personnages immortels, qu'il faisait se mouvoir comme dans un grossissement d'optique » [1]. L'un de ses six romans, *Bel-Ami* (1885), présentera un Rastignac nouvelle manière, Duroy, aventurier sans scrupule évoluant dans un milieu que l'auteur des *Illusions perdues* n'avait pas épargné non plus : celui des journalistes.

1. Article paru en 1876 dans *La République des lettres*.

Défense et illustration du réalisme

C'est dans la préface d'un autre roman, *Pierre et Jean* (1888), que Maupassant s'est fait le théoricien du réalisme, ou plutôt d'un nouveau réalisme qui se situe aux antipodes de l'art du daguerréotype :

Le réaliste, s'il est un artiste, cherchera, non pas à nous montrer la photographie banale de la vie, mais à nous en donner la vision plus complète, plus saisissante, plus probante que la réalité même.

Ce dessein suppose un choix dans la multiplicité du réel, un art de mettre en relief les détails caractéristiques utiles au sujet, bref, une vision personnelle plus vraie que la vérité.

Plus que le roman, c'est la nouvelle qui a permis à Maupassant d'illustrer son idéal. Un conte comme *Les deux amis* fait apparaître les traits principaux de l'art réaliste de Maupassant : jamais de description documentaire, mais une série de notations rapides qui suffisent pour évoquer un décor (« Paris était bloqué râlant »), pour dresser une silhouette (la haute taille de Morissot, l'embonpoint de Sauvage), pour décrire une attitude familière (« la ligne à la main et les pieds ballants au-dessus du courant »), pour laisser deviner son émotion et sa colère sous une ironie mêlée de tendresse. On songe à Racine et à l'art de faire quelque chose de rien.

L'écrivain et ses hantises

Les quelque trois cents nouvelles écrites par Maupassant ne sont pas toutes dans la même tonalité. Mais cette tonalité est toujours expressive et rend sensible la présence d'un témoin de plus en plus concerné, et même cerné, par son récit.

Ce campagnard, sportif et bon vivant, ne recule pas devant la gaillardise et excelle à montrer le paysan normand avec ses gros instincts (*La ficelle*, *La bête à maître Belhomme*). On ne peut oublier le vieux Toine, paralysé dans son lit, à qui sa femme donne des œufs à couver (*Toine*). Mais la colère rageuse est certainement la note dominante des premières nouvelles de Maupassant : elle s'exerce sur la guerre, sur la religion, sur les préjugés modernes, sur l'exaltation romantique de la femme, sur l'avarice, sur les bourgeois.

La diligence qui va emporter Boule-de-Suif et ses « compagnons ». Fig. de F. Thévenot. Gravure sur bois de A. Romagnol pour une édition de ce conte parue en 1897 chez A. Magnin à Paris.

Bientôt s'insinue l'émotion, la sympathie pour les petites gens et pour les misères humaines. Maupassant évoque tour à tour la vie misérable des vieilles filles *(Miss Harriett)*, des pères à la paternité douteuse *(M. Parent)*. *Une vie* décrit le calvaire d'une femme, Jeanne Le Perthuis des Vauds, trompée par son mari, déçue par son fils, ruinée et meurtrie, qui continuera une existence morne en compagnie de sa vieille servante Rosalie. Que conclure? « La vie, voyez-vous, ça n'est jamais si bon ni si mauvais qu'on croit. » L'écrivain reste partagé entre la pitié et l'horreur, comme le prouve son attitude devant le meurtre crapuleux de *La petite Roque :* « tout le monde est capable de ça, tout le monde en particulier et personne en général ».

C'est que, dans l'œuvre de Maupassant, l'inquiétude monte. Cet homme apparemment jovial, déjà marqué par Flaubert, est, à partir de 1883, attiré par le pessimisme de Schopenhauer [1], ce « saccageur de rêves » qui, dit-il, « a tout traversé de sa moquerie et tout vidé » *(Auprès d'un mort)*. Cette « souffrance de vivre », il l'explique, dans son propre cas, par le don de seconde vue, qui est celui de l'écrivain :

> J'écris parce que je comprends et je souffre de tout ce qui est, parce que je le connais trop, et surtout parce que, sans pouvoir le goûter, je regarde en moi-même dans le miroir de ma pensée.
>
> *(Sur l'eau)*

Cette dualité va jusqu'au dédoublement dans des nouvelles hallucinées qui évoquent la mystérieuse présence d'un être inconnu *(Lui?, Solitude)*. La plus remarquable est certainement *Le Horla* (1886-1887) : le héros de l'histoire se croit fou et sous le pouvoir d'une créature effrayante qui doit chasser l'homme de la terre. Il l'enferme dans sa demeure, y met le feu. En vain; il est repris par sa hantise : « il n'est pas mort... Alors... Alors... il va donc falloir que je me tue, moi! »

La destinée de Maupassant confère une résonance particulièrement tragique à ces lignes. Souffrant depuis longtemps de troubles nerveux, plein de curiosité et de crainte à la fois pour la folie, il tenta de se suicider à Cannes le 1er janvier 1892. Au terme de dix-huit mois d'internement, dont douze mois d'agonie, il mourut sans avoir retrouvé sa lucidité.

Zola et ses disciples du « groupe de Médan » (voir le tableau de la page suivante). En haut, et de gauche à droite : J.-K. Huysmans, Paul Alexis, Guy de Maupassant. En bas, et de gauche à droite : Léon Hennique, Émile Zola, Henry Céard.

1. Schopenhauer (1788-1860), auteur d'une philosophie pessimiste qui est une des sources du nihilisme européen.

LE « GROUPE DE MÉDAN »

Ce groupe, réunissant Zola et ses disciples les plus proches (voir p. 510) a publié en avril 1880 un volume collectif, *Les soirées de Médan*, qui en reflète bien l'esprit.

AUTEURS	PARTICIPATION AUX *SOIRÉES DE MÉDAN*	AUTRES ŒUVRES
Émile Zola	*L'attaque du moulin* : août 1870, un moulin de Lorraine est repris aux Allemands par les Français. Le capitaine salue joyeusement du cri de « Victoire » la fille du meunier qui a perdu son père et son fiancé dans le combat.	Voir p. 506-510.
Guy de Maupassant	*Boule-de-Suif* : voir p. 511.	Voir p. 510-512.
J.-K. Huysmans (1848-1907)	*Sac au dos* : scènes d'hôpital vues par un mobile de la Seine qu'une dysenterie a mis hors de service. Le seul bon moment de la guerre, ce sont les congés de convalescence.	*Les sœurs Vatard* (1879) *En ménage* (1881) *A vau l'eau* (1882), ensuite s'éloigne du naturalisme, voir p. 516
Henry Céard (1851-1924)	*La saignée* : épisode du siège de Paris. Pour plaire à sa maîtresse, le général Trochu décide une grande sortie, où meurent beaucoup de graves gens.	*Une belle journée* (1881), histoire d'un adultère qui aurait pu avoir lieu.
Léon Hennique (1851-1935)	*L'affaire du grand 7* : un soldat a été tué dans un mauvais lieu; pour le venger, on massacre les pensionnaires de l'endroit.	*La dévouée* (1878) *L'accident de M. Hébert* (1884)
Paul Alexis (1847-1901)	*Après la bataille* : une veuve de guerre trouve consolation, à côté du cercueil de son mari, auprès d'un blessé qui est un prêtre.	*La fin de Lucie Pellegrin* (1880) *M*[me] *Meuriot* (1890)

LE NATURALISME AU THÉÂTRE

Du roman, la bataille naturaliste s'est étendue à la scène. La transition est d'autant plus aisée que les pièces de théâtre naturalistes sont souvent dues à des romanciers ou même se présentent simplement comme des adaptations d'œuvres romanesques : *Henriette Maréchal* des Goncourt (1865), *Thérèse Raquin* de Zola (1873).

Becque (1837-1899). Il y eut pourtant au moins un auteur original : Henry Becque. Cet écrivain solitaire et pauvre a laissé une dizaine de pièces dont deux au moins ont mérité de survivre : *Les corbeaux* (1882), *La Parisienne* (1885). L'une présente une famille devenue la proie de fripons respectables, l'autre montre une petite bourgeoise, coquette et sotte, prise entre un mari fantoche et un amant jaloux. La peinture est âpre et le regard du dramaturge impitoyable. Il refuse la convention d'un dénouement heureux : Marie Vigneron se sacrifie en épousant l'un des « corbeaux » triomphants. Le langage dramatique, dépouillé de tout ornement, se révèle d'une singulière efficacité.

Antoine et le Théâtre-Libre. Plus important que les auteurs et que les œuvres apparaît le Théâtre-Libre fondé en 1887 par Antoine (1858-1943) qui, en neuf ans, donnera 62 spectacles grâce à une formule originale de souscription. Bénéficiant d'un public réduit d'invités, Antoine pouvait éviter la censure et faire de son théâtre un véritable théâtre d'essais. Chaque pièce n'était présentée que trois fois au public.

Au début le Théâtre-Libre accueillit des œuvres fort diverses, du drame romantique à la comédie rosse. Mais bientôt il devint naturaliste. A côté des grands étrangers (Tolstoï, Ibsen, Strindberg, Hauptmann), Zola, Becque, Goncourt devinrent les auteurs favoris. Sur les 124 pièces qui furent jouées de 1887 à 1896, les comédies de mœurs bourgeoises sont de loin les plus nombreuses. Généralement le père est faible et porté sur le beau sexe, la mère acariâtre et âpre au gain, la fille dévergondée et le fils en chasse d'une belle dot. Ce répertoire nous semble bien démodé.

En revanche, l'art d'Antoine metteur en scène conserve des vertus qui, elles, sont bien vivantes, même si elles sont contestées. Une mise en scène minutieuse, au service de la vérité intégrale, va dans le sens de la protestation lancée par Zola contre les conventions que défendait au même moment le critique Francisque Sarcey. Le grand principe du Théâtre-Libre était de faire comme si l'une des quatre faces de la scène n'eût pas été ouverte vers le public. Antoine transformait pourtant, et pour de longues années, le goût de ce même public.

Antoine, le fondateur du Théâtre libre. Photographie de Carjat.

LA CRISE DU NATURALISME

A l'époque même de son apogée, le naturalisme avait été en butte aux critiques. Elles émanaient soit des traditionalistes (Barbey d'Aurevilly, Léon Bloy, Villiers de l'Isle-Adam), soit des universitaires (Brunetière), soit des délicats (Anatole France). Bien plus, des divergences apparaissaient dans le groupe des réalistes : Flaubert n'appréciait guère les théories pseudo-scientifiques de Zola; Edmond de Goncourt, et après lui Paul Bourget, prônaient un réalisme du « joli »; Maupassant laissait de plus en plus place à ses hallucinations. Et que dire d'Alphonse Daudet (1840-1897) : « d'après nature! proclame-t-il, je n'eus jamais d'autre méthode de travail ». Mais, plus que des « copies », comme il le prétend, il nous donne des transpositions poétiques du réel, attendries (*Jack*, 1876; *Le petit Chose*, 1868), passionnées (*Sapho*, 1884), satiriques (*Fromont jeune et Risler aîné*, 1874, *Le Nabab*, 1877, *L'immortel*, 1885), humoristiques (cycle de Tartarin [1]) et, dans le plus célèbre et le meilleur de ses livres, fleurant le thym et la lavande (*Les lettres de mon moulin*, 1872). Tant de disparate laissait prévoir une crise prochaine.

Les attaques

Le « Manifeste des Cinq ». Après la publication de *La terre* (1887), les attaques vinrent non seulement des adversaires de Zola, mais de certains de ses disciples. Cinq d'entre eux (P. Bonnetain, J. H. Rosny, L. Descaves, P. Margueritte, G. Guiches) firent paraître un manifeste où ils reprochaient au maître d'être « descendu au fond de l'immondice » et refusèrent, au nom de l'art, de « participer à une dégénérescence inavouable ». Huysmans, qui lui aussi se désolidarisait de ses anciens compagnons, les « médanistes » [2], fustigea leur esthétique dans les premières pages de *Là-bas* (1891) avant de déclarer bien haut, en 1903, que « le naturalisme s'essoufflait à tourner la meule dans le même cercle » et qu'il n'aboutissait qu'à une impasse.

Paul Bourget et « Le disciple ». L'une des attaques les moins directes mais les plus efficaces vint de Paul Bourget quand, en 1889, il fit paraître un roman dont on parla beaucoup, *Le disciple*. Le héros du livre, Robert Greslou, est conduit à une sorte de crime : il a séduit une jeune fille dans l'unique intention de se documenter sur les ressorts de l'amour. Avec le disciple, c'est le maître, le philosophe Sixte (en qui l'on reconnaît aisément Taine) qui est condamné. Car, par-delà le naturalisme, le climat intellectuel qui lui a permis de s'épanouir se trouve contesté. Les républicains modérés se montrent partisans

1. *Tartarin de Tarascon*, 1872; *Tartarin sur les Alpes*, 1885; *Port-Tarascon*, 1890.
2. Voir page 513.

d'une réconciliation avec l'Église et, en 1895, le grand chimiste Marcelin Berthelot note qu'on assiste « à un retour offensif du mysticisme contre la science ».

Les chances d'un renouveau

Le naturalisme n'était pas mort pour autant. Zola lui-même, sensible aux critiques et achevant non sans peine la série des *Rougon-Macquart*, proposait comme remède à l'épuisement du naturalisme « une sorte de classicisme du naturalisme », c'est-à-dire, expliquait-il, « une peinture de la vérité plus large, plus complexe, [...] une ouverture plus grande sur l'humanité ».

L'exemple de Vallès. Avant même que Zola eût donné ce mot d'ordre nouveau, Jules Vallès (1852-1885) en avait donné une illustration avec la trigolie de *Jacques Vingtras*, tristement autobiographique.

L'enfant (1879) présente une éducation qui ressemble plutôt à une crétinisation : « ma mère dit qu'il ne faut pas gâter les enfants, et elle me fouette tous les matins; quand elle n'a pas le temps le matin, c'est pour midi, rarement plus tard que quatre heures ». Aigri, Jacques Vingtras quitte la famille et le collège.
Le bachelier (1881) se retrouve à Paris à 17 ans, sans emploi, sans argent. Il exerce des emplois de fortune (pion en particulier, comme son père) sans parvenir à sortir de la misère. Il se place du côté des pauvres au moment de la révolution de 48 et contre Louis-Napoléon Bonaparte, l'empereur des nantis.
L'insurgé (1886). C'est l'époque de la Commune, dont Vingtras est devenu l'un des membres les plus influents. Au terme de l'effroyable semaine où Thiers reconquiert le pouvoir, il parvient à échapper au peloton d'exécution en prenant la fuite sous un ciel semblable à « une grande blouse inondée de sang ».

L'œuvre a l'âpreté de la révolte. Pourtant cette prose ardente n'est pas exempte de tendresse pour les victimes (en particulier les ouvriers misérables), et parfois même pour les bourreaux. Elle ne tend nullement à l'objectivité, sans renoncer pour autant à nous donner une vision frappante des êtres et des choses.

C'est contre « la tyrannie de la vie » que s'insurgent aussi un Lucien Descaves (l'antimilitarisme de *Sous-Offs*, 1889) ou un Abel Hermant (l'attaque contre l'Université dans *Monsieur Rabosson*, 1884). Octave Mirbeau (1850-1917) et Jules Renard (1864-1910) sont l'un et l'autre des peintres de l'enfance malheureuse. *Poil-de-Carotte* (1894) est à cet égard une manière de chef-d'œuvre. Celui qui s'écrie « Personne ne m'aimera jamais, moi » dénonce la cruauté de son entourage (en particulier celle de sa mère). Mais en sera-t-il lui-même exempt?

Jules Renard et le « réalisme du silence ». L'écriture de Jules Renard ne ressemble guère à celle de Vallès. Aux outrances de *Jacques Vingtras* succède une manière sèche où des formules

En haut, Jules Renard. En bas, à gauche, Alphonse Daudet, photographié par Nadar. A droite, Jules Vallès. ... En marge du naturalisme.

Arch. E. B. © Coll. Viollet

Coll. L. B. © Coll. Sirot

Arch. L. B. © Archives photographiques

impitoyables rendent compte d'un regard lucide. Parti du naturalisme avec *Les cloportes* (1889), Renard a inauguré dans *L'écornifleur* (1892) une présentation nouvelle, procédant par juxtaposition de scènes brèves, d'une ironie corrosive, mais d'une indéniable poésie. Dans son *Journal*, il a dénoncé le bavardage et le mensonge de la littérature. De fait, il tend vers un « réalisme du silence ».

Nous voulons dire avec des mots ce que les mots ne peuvent pas exprimer. Incarner l'idée dans des syllabes, puisque c'est impossible, puisque le mot vrai n'existe pas. Allons de l'avant! Moins de scrupules. Écrivons nos à-peu-près! — Ou n'écrivons rien [...] (1).

J.-K. Huysmans et le « naturalisme spiritualiste ». Naturaliste repenti, Huysmans a également dénoncé dans *A rebours* (1884), l'impasse où conduit une certaine forme d'idéalisme (2). La vigueur de ses attaques ne l'empêche pas de tendre vers une formule d'apparente conciliation :

Il faudrait [...] suivre la grande voie si profondément creusée par Zola, mais il serait nécessaire aussi de tracer en l'air un chemin parallèle, une autre route, d'atteindre les en-deçà et les après, de faire, en un mot, un naturalisme spiritualiste (1).

1. *Journal* de Jules Renard, 17 janvier 1908.
2. Voir page 543.

La formule se trouve illustrée dans ce qu'on peut appeler le cycle de Durtal, où il transpose sa propre aventure spirituelle depuis sa conversion, préparée par sa curiosité pour les phénomènes surnaturels (*Là-bas*, 1891), favorisée par le décor de la vie monastique minutieusement décrite dans *En route* (1895) et poursuivie, après une hésitation (*La cathédrale*, 1898), jusqu'à la retraite de *L'oblat* (1903).

Malgré le changement de climat, la technique du romancier n'accuse pas de véritable rupture depuis ses premiers romans, qu'il n'a d'ailleurs jamais reniés. Il n'en reste pas moins que, par l'appel qu'elle lance à l'âme, l'œuvre « catholique » de Huysmans se trouve comme « en porte-à-faux entre deux univers spirituels, en cette époque où coïncident l'expansion du naturalisme et les développements de la réaction surnaturaliste » (2).

1. Préface de *Là-Bas*.
2. H. Lemaître, Th. Van der Elst, R. Pagosse, *La littérature française*, t. III, *Les évolutions du XIXe siècle* Bordas-Laffont, 1970, p. 467.

DU CÔTÉ DE JULES VERNE (1828-1905)

Jules Verne (gravure de A. Hauger, XIXe s.)

A ceux qui pouvaient craindre l'essoufflement du roman Jules Verne offrait l'exemple d'une autre voie. Avec lui, c'était d'abord le roman populaire qui connaissait son apogée. Soutenu à ses débuts, qui furent difficiles, par Alexandre Dumas, il bénéficia de la rencontre avec l'éditeur Hetzel et d'un contrat pour quarante volumes, qui suivit le succès de *Cinq semaines en ballon* (1862). Pendant près d'un demi-siècle il produisit régulièrement des livres qui concilient le propos éducatif (grâce à une documentation très rigoureuse), la foi dans la science et le progrès, le goût de l'aventure et de l'imprévu. Héritier du saint-simonisme, Jules Verne était un pionnier de la science-fiction. Mieux, il était un romancier de la science. Aujourd'hui les spécialistes de l'imaginaire se penchent avec émerveillement sur une œuvre qui se situe bien au-delà de la littérature de consommation pour un public de tous âges amoureux du roman d'aventure.

Bibl. Nat. Paris. Ph. Jeanbor © Photeb/T.

Dessin de Neuville et Riou pour l'édition Hetzel de *Vingt mille lieues sous les mers* de Jules Verne (1871).

BIBLIOGRAPHIE

ÉDITIONS : Pour ZOLA, nombreux titres dans les collections (Folio, Garnier-Flammarion). Éditions intégrales : Gallimard, coll. « Bibliothèque de la Pléiade » ; Seuil, coll. « L'Intégrale » ; Club français du Livre ; Club du Livre précieux ; éd. Rencontre.

Pour MAUPASSANT, édition classique avec *Scènes de la vie de province, scènes de la vie parisienne*, Sélection littéraire Bordas. En éditions de poche, plusieurs titres dans le catalogue du Livre de Poche : n°s 478, 583, 619-620, 650, 760, 840, 955, 1084, 1191, 1539, 1962, 2157, 2402, 2554, 2636. — Éditions complètes chez Albin Michel et aux éditions Rencontre. — Remarquables éditions récentes dans les classiques Garnier par M.-C. Bancquart et dans la « Bibliothèque de la Pléiade » par Louis Forestier.

On trouvera, d'autre part : Henry BECQUE, *Les corbeaux*, éd. du Delta, 1970, ainsi que la trilogie de Jules VALLÈS en Garnier-Flammarion.

Œuvres de HUYSMANS : Certaines ont été rééditées, en particulier dans la coll. « 10/18 » et en Folio (*A rebours*, dans une remarquable présentation de Marc Fumaroli).

OUVRAGE D'ENSEMBLE : remarquable synthèse par Yves CHEVREL, *Le naturalisme*, P.U.F., 1982.

ÉTUDES : Sur les Goncourt, Pierre SABATIER, *L'esthétique des Goncourt*, Hachette, 1920. — Robert RICATTE, *La création romanesque chez les Goncourt*, A. Colin, 1953 ; *La genèse de la Fille Elisa d'après des notes inédites*, P.U.F., 1960. — Éric AUERBACH, « Germinie Lacerteux », dans *Mimésis, la représentation de la réalité dans la littérature occidentale*, trad. Cornélius Heim, Gallimard, coll. « Bibliothèque des idées », 1968, pp. 489 et suiv. (marque bien la limite du naturalisme des Goncourt).

Sur Zola : Guy ROBERT, *Émile Zola*, Les Belles Lettres, 1952 (une étude d'ensemble sobre et précise). — Jean BORIE, *Zola et les mythes*, 1971 (une approche nouvelle). Voir les remarquables travaux de Henri MITTÉRAND, Roger RIPOLL, Colette BECKER, etc.

Sur Maupassant : René DUMESNIL, *Guy de Maupassant*, Tallandier, 1946. — André VIAL, *Guy de Maupassant et l'art du roman*, Nizet, 1954.

Sur le naturalisme théâtral : Chapitre sur « le naturalisme au théâtre » dans Pierre MARTINO, *Le naturalisme français, op. cit.* — Maurice DESCOTES, *Henry Becque et son théâtre*, Minard, 1962. — Sur Antoine, l'ouvrage le plus complet est celui de Francis PRUNER, *Aux sources de la dramaturgie moderne*, I. *Les luttes d'Antoine au Théâtre-Libre*, Minard, 1964.

Restent encore à citer : Michel RAIMOND, *Le roman depuis la Révolution*, A. Colin, coll. « U », 1967. — Gaston GILLE, *Jules Vallès*, Flammarion, 1941. — Pierre COGNY, *Huysmans à la recherche de l'unité*, Nizet, 1953. — Cahier de l'Herne *Huysmans*, sous la direction de P. Brunel et A. Guyaux, 1985.

LES ROMANCIERS DU SURNATUREL

« Supernaturalisme », on trouverait déjà le mot chez Nerval ou Baudelaire. On aurait tort de le confondre, comme on le fait trop souvent, avec l'idéalisme pur. L'exemple de Huysmans (pour ne pas parler du poète des *Fleurs du mal*) a déjà montré que le surnaturel est inséparable du « réel ». C'est donc plutôt contre l'esprit positif, contre le matérialisme ambiant que partent en guerre ces écrivains vigoureux : Barbey d'Aurevilly, Villiers de l'Isle-Adam, Léon Bloy. On pourrait ajouter à ce trio un autre polémiste, Ernest Hello (1828-1885) : dès 1858, il engageait la lutte contre la philosophie de Renan (*M. Renan, l'Allemagne et l'athéisme au XIXe siècle)* et il s'est plu à invectiver « l'homme médiocre » ainsi que ceux qui l'ancrent dans sa médiocrité (*L'homme*, 1872). Hello est un mystique, et tous sont marqués par le catholicisme, parlant volontiers en son nom, même quand leur orthodoxie est douteuse. Ils sont marqués aussi par l'absolutisme passionné de Joseph de Maistre ([1]), voire de Louis Veuillot ([2]). Ils n'ont pas seulement rétabli les droits de l'âme, comme le souhaitait Huysmans, mais réintroduit le fantastique dans le roman, renouant avec l'une des traditions du romantisme flamboyant.

BARBEY D'AUREVILLY (1808-1889)

Barbey d'Aurevilly avait à peine dix ans de moins que Balzac. Et pourtant on a l'habitude de le placer parmi les écrivains de la fin du XIXe siècle. C'est qu'il lui fallut attendre la soixantaine pour connaître enfin la notoriété, sinon la célébrité. Or à cette date, sa fougue, son catholicisme, son « surnaturalisme » en faisaient un adversaire redoutable pour les tenants du positivisme. La signification historique du « phénomène Barbey » ne doit pas pour autant nous cacher son importance littéraire, qui est grande.

Vers un épanouissement tardif

Dans l'une de ses premières nouvelles, *Léa* (1832), Barbey nous présente en son héros Réginald « une de ces hautes et fécondes natures tout écumantes de spontanéité et d'avenir ». La définition s'appliquerait fort bien à lui-même et l'on peut se demander s'il ne s'est pas juré, comme Réginald, « qu'il ne serait jamais qu'un artiste »; « mais on ne commence pas par être artiste : on finit par là... Ce n'est que quand la passion a labouré notre cœur avec son soc de fer rougi que nous pouvons réaliser les préoccupations qui nous avaient obsédé jusque-là ».

« *La volupté et la douleur* ». Jules Barbey est né dans la Manche, à Saint-Sauveur-le-Vicomte, le jour des morts 1808. Il appartient à une famille noble dont l'ascension a été interrompue par la Révolution de 1789. Milieu plein de rancœurs, terre chargée des légendes de la chouannerie : qui veut comprendre l'atmosphère de ses romans doit tenir compte de ces deux éléments. Sera-t-il simple hobereau de province? militaire? C'est vers le droit finalement qu'on l'oriente. Quand, en 1829, il s'inscrit à la faculté de Caen, il est républicain, refuse la particule et le nom d'Aurevilly (il ne les prendra qu'en 1837, quand son frère Léon entrera dans les ordres), restant peut-être sous l'influence de son oncle Pontas du Méril, médecin de Valognes, et voltairien, chez qui il a longtemps été en pension.

1. Voir page 389.
2. 1813-1883. Après sa conversion, il fit figure du plus intransigeant des écrivains ultra-montains et fut, après 1848, rédacteur en chef de l'*Univers*. Polémiste redoutable, il est l'un des plus grands pamphlétaires du XIXe siècle.

A Caen, il fait la double expérience de l'amitié et de l'amour. L'ami, c'est le libraire Trébutien avec qui il échangera, jusqu'à leur rupture définitive, en 1858, une admirable correspondance. Le « premier bonheur de [s]a vie », c'est Louise, la jeune femme d'un de ses cousins, avec qu'il entretient une difficile, une orageuse liaison de sept ans. « J'ai des passions en tant que sensations », écrit-il alors. Il sait qu'il ne peut pas les détruire et pourtant, héros tragique, il veut entreprendre contre elles l'impossible lutte.

Le dandy. Le rempart protecteur, c'est peut-être au dandysme qu'il va le demander dans ce Paris où il s'est installé en 1833, nanti d'un petit héritage bientôt dilapidé, et contraint à l'existence d'un journaliste besogneux. En 1845, il fait paraître *Du dandysme et de George Brummel.* Dans cet ouvrage auquel servent de prétexte la personne et la personnalité du célèbre dandy anglais on trouve cette formule décisive : « *Paraître*, c'est *être* pour le dandy comme pour les femmes ». Les costumes de Barbey entreront dans la légende.

Mais le dandysme voile plus qu'il n'élude le tragique de l'existence. A-t-il tué toutes les passions, celui qui confesse : « Je ne puis plus vivre seulement de ma propre vie, quand une passion ne me lance pas » ? Peut-il se satisfaire d'un public, lui, le solitaire par excellence?

Barbey en « connétable des lettres ». « M. Barbey d'Aurevilly est un superbe sans ambition et sans timidité qui, d'un geste bienveillant de sa cravache armoriée, écarte de lui bourgeois et princes... » (Léon Bloy).

« *L'Ange blanc* » *et* « *La maîtresse rousse* ». Vers la quarantaine, Barbey se reconnaît « affamé de choses religieuses, comme un homme qui n'a pas mangé depuis longtemps ». En 1846, il se convertit et va bientôt déployer une activité infatigable de militant pour la cause catholique et légitimiste (son bonapartisme ne sera jamais que du royalisme résigné). Son intransigeance irrite les uns, son indépendance déçoit les autres. Là encore, le rédacteur en chef de *La Revue du monde catholique* se trouve en porte-à-faux.

Il ne vient guère d'ailleurs à une pratique religieuse fervente et régulière qu'après la rencontre de « l'Ange blanc » en 1851. Il s'agit d'une veuve, la baronne Rafin de Bougicn, qui lui inspira un amour d'où semblent retranchés les entraînements de la chair. Le projet de mariage qu'ils avaient formé échoua finalement. Éloignement de la veuve qui songe d'abord à établir ses enfants et se replie progressivement dans sa bastide d'Armagnac? Éloignement de Barbey repris par ses anciennes passions, et en particulier par sa « maîtresse rousse », l'alcool? On ne sait trop, mais on devine une incompatibilité d'humeur entre la prude baronne et le fougueux romancier...

« *Le Connétable des lettres* ». La dernière période de la vie de Barbey, dont on peut fixer le départ vers 1870, fait bien apparaître comme un intermède l'épisode de l'Ange blanc. L'élément nouveau, c'est l'entrée véritable du romancier dans l'arène littéraire. En 1874, l'édition des *Diaboliques* est saisie par le Parquet. Le procès est évité de justesse. Mais l'archevêché de Paris prend la relève et cherche à empêcher la réédition d'*Un prêtre marié.* Les polémiques n'effrayaient pas Barbey. Il pouvait en retirer du moins une satisfaction : celle de n'être plus un inconnu. Entouré de l'admiration de jeunes écrivains, — au premier rang desquels on trouve Paul Bourget et Léon Bloy —, il est devenu le « Connétable des lettres ». Quand, à quatre-vingts ans passés, le vieux lutteur s'effondre, un autre combat commence, — analogue à celui qui devait se dérouler autour de Tolstoï : l'Ange blanc dispute son héritage à la secrétaire et l'amie des dernières années, Louise Read.

Une œuvre passionnée

La véhémence, l'excès sont certainement les caractéristiques majeures de l'œuvre de Barbey. Le revers est le mauvais goût dont elle est quelquefois entachée. Mais, sous les apparences

Eau-forte de Félicien Rops pour l'une des *Diaboliques* de Barbey d'Aurevilly, « Le plus bel amour de Don Juan ». Le Don Juan en question est le comte Ravilla de Ravilès. Son plus bel amour : la fillette d'une dame du Faubourg Saint-Germain. S'étant assise par mégarde dans le fauteuil du Don Juan, elle déclare qu'elle a eu l'impression d'être tombée dans le feu.

d'une provocation, elle poursuit un dessein plus haut : la révélation du surnaturel.

Barbey critique. Barbey a été fortement marqué par son métier de journaliste. Dans la préface des vingt-six volumes où se trouvent réunis ses articles, sous le titre général *Les œuvres et les hommes*, il explique lui-même que le journalisme a « introduit dans la littérature une forme de plus, — une forme svelte, rapide, retroussée, presque militaire, et que cette traîneuse de robe à longs plis, dans les livres, ne connaissait pas ». Contrairement à Sainte-Beuve, — qui fut à la fois son collègue et son adversaire —, et à Taine, Barbey est surtout un critique d'humeur. Certains de ses « éreintements » sont célèbres : *Les contemplations*, *Les misérables*, *L'éducation sentimentale*. C'est que les prises de position de l'homme contre la démocratie, la philanthropie, le matérialisme contraignent le critique à une agressivité un peu aveugle. Mais on ne saurait oublier que Barbey a eu l'intuition des vraies valeurs et qu'il a en particulier soutenu admirablement Baudelaire.

« *Le Walter Scott normand* »*?* Balzac, son aîné et son maître, avait écrit *Les chouans*. En 1849, Barbey d'Aurevilly conçoit l'idée d'un ensemble de romans dont le titre serait *Ouest*. Il n'a laissé que des fragments de ce grand œuvre. Le plus significatif, — ce qui ne signifie pas le meilleur —, est *Le chevalier des Touches* (1864) où, bien longtemps après, des « devisants » ressuscitent les années glorieuses de la chouannerie et la figure fascinante d'un héros intrépide, beau et cruel, dont la libération fut un exploit inoubliable. *L'ensorcelée* (1852) devait également faire partie de cet ensemble : le personnage principal de ce roman, l'abbé de la Croix-Jugan, est en effet un ancien chouan, « un homme de l'ancien temps » dont la « grosse tête, [...] solide comme le créneau qui couronne une tour, ne s'était pas laissé lézarder par ces fausses idées qui courent le monde ». Mais l'essentiel du livre n'est pas là. C'est rendre un mauvais service à Barbey que de le considérer comme un « Walter Scott normand » et c'est assurément s'engager sur une fausse piste : le roman historique n'est qu'une tentation à laquelle il échappe pour recréer dans toute sa force un univers tragique, dominé par une mystérieuse fatalité.

Un romancier satanique. Le tragique de la passion est déjà l'essentiel du premier grand roman de Barbey, *Germaine* (1836) qui ne sera publié que quelque cinquante ans plus tard sous le titre *Ce qui ne meurt pas*. Le sujet en est scabreux (un jeune homme devient successivement l'amant de la mère et de la fille; les deux femmes sont enceintes, et la mère meurt en couches), comme seront scabreux celui de *L'ensorcelée* (une femme amoureuse d'un prêtre) ou ceux des *Diaboliques* (dans « Le rideau cramoisi », une femme meurt dans les bras de son amant; dans « Vengeance d'une femme », une grande dame espagnole, pour se venger du sien, devient prostituée).

Mais il ne s'agit pas seulement pour Barbey de scandaliser. Il veut rendre sensible la présence du surnaturel satanique dans le monde réel. L'abbé de la Croix-Jugan, qui rend folles d'amour ces deux Phèdres modernes, Dlaïde Malgy et Jeanne-Madelaine de Feuardent, les entraînant dans la « perdition éternelle », apparaît comme un héros luciférien. Dans *Une vieille maîtresse* (1851), Ryno de Marigny se trouve également ensorcelé par la Vellini : elle exerce sur lui « une fascination de l'être entier, qui n'est précisément ni dans l'esprit ni dans le corps : qui est partout et nulle part ». « Diaboliques » sont encore les héroïnes dans le célèbre recueil de nouvelles qui porte ce titre : « N'ont-elles pas assez de diabolisme en leur personne pour mériter ce doux nom-là? » écrit l'auteur dans sa préface : « Diabolique, il n'y en a pas une seule ici qui ne le soit à quelque degré. Il n'y en a pas une seule à qui on puisse dire le mot de " mon ange " sans exagérer. Comme le Diable qui était un ange aussi, mais qui a culbuté, si elles sont des anges encore, c'est la tête en bas, le reste... en haut! » Du reste, ces histoires, n'est-ce pas, à en croire Barbey lui-même, le Diable qui les a dictées à un romancier satanique?

VILLIERS DE L'ISLE-ADAM (1838-1889)

Parmi les admirations littéraires du Des Esseintes de Huysmans, on trouve la « poignante ironie » de Villiers de l'Isle-Adam. C'est dire que cet artiste maudit, apparaît, à la fin du XIXe siècle, comme l'un des fondateurs de la nouvelle littérature. Non pas du réalisme, pour lequel il n'a que sarcasmes, mais bien plutôt du « surnaturalisme » dont il est l'un des représentants les plus exemplaires.

Un artiste maudit

Sa destinée est cruelle, comme ses contes, et les témoins de ses dernières années garderont de lui le souvenir d'une épave. Le lecteur d'aujourd'hui ne peut pas davantage se détacher de la biographie d'un artiste qui, à chaque instant, se reflète dans son œuvre. Comme le dit Axël, dans la meilleure de ses pièces, « sous le voile de ce dont il parle, nul ne traduit, n'évoque et n'exprime jamais que lui-même » (1).

Un noble ruiné. Auguste Villiers de l'Isle-Adam, né à Saint-Brieuc, est issu d'une famille de vieille noblesse bretonne. « J'appartiens à cette race de marins, dit-il lui-même, fleur illustre d'Armor, souche de bizarres guerriers, dont les actions d'éclat figurent au nombre des joyaux de l'histoire » (2). Prenant le relais de ses ancêtres, il est un légitimiste fervent, aussi hostile à la démocratie qu'au positivisme. Mais le blason des Villiers est dédoré. Le marquis son père s'est ruiné à chercher de prétendus trésors enfouis; la marquise, lasse de cette manie, a demandé et obtenu la séparation de biens. Une grand-tante subvient aux besoins de la famille; mais, quand elle meurt, en 1871, c'est la misère. Villiers ne voudra vivre que de sa plume : il en vivra mal.

1. *Axël,* deuxième partie, scène 3. Sur *Axël,* voir plus bas p. 556.
2. « Souvenirs occultes », dans les *Contes cruels.*

Un amoureux déçu. Pendant quelque temps il avait espéré un riche mariage avec une Anglaise, Anna Eyre (d'où son séjour à Londres de décembre 1873 à janvier 1874). La tractation échoua, laissant à Villiers une vive déception qui s'exprime dans la création du personnage de miss Alicia Clary, la femme moderne séduisante mais médiocre, dont se détache lord Ewald dans *L'Ève future.* A défaut d'andréïde (1), il fit sa vie, à partir de 1879, avec une humble femme de ménage, Marie Dautine, dont il eut un fils et qu'il épousa peu avant de mourir, sur les instances de Huysmans.

Un artiste dédaigné. Sa carrière d'écrivain fut particulièrement difficile et, allant d'échec en échec, Villiers a senti croître en lui son mépris pour le public bourgeois et pour cette changeante « Vox populi » qui dans l'un de ses *Contes cruels* lance ses *vivats,* « aux hasards de l'espace », aux maîtres de l'heure, sans prendre garde à l'aveugle qui demande l'aumône. Grand admirateur de Baudelaire, il avait commencé par faire paraître des vers, oubliables et oubliés. Le théâtre ne lui réserva que des déconvenues (*Axël* ne sera joué avec succès qu'après sa mort). Le conte, plus facile à placer dans un journal ou dans un périodique, lui réussit davantage, surtout à partir de la réunion en recueil des *Contes cruels* en 1883, que suivront *L'amour suprême* (1886), *Tribulat Bonhomet* (1887), les *Histoires insolites* (1888), les *Nouveaux contes cruels* (1888). Sans doute correspondait-il mieux au talent d'improvisateur que tous les contemporains de Villiers se sont plu à louer tant comme causeur que comme musicien.

1. Dans le roman *L'Ève future* (1886), l'illustre savant Edison sauve Lord Ewald grâce à un merveilleux automate, construit à la ressemblance d'une femme, l'andréïde Hadaly, qui prend les traits de la décevante miss Alicia Clary.

Le refus du réalisme

Maître de la nouvelle, ce contemporain de Maupassant peut-il échapper à la tentation réaliste? On trouverait chez lui, comme chez Zola, l'évocation des prostituées parisiennes, « ces ouvrières qui vont en journée la nuit » (« Les demoiselles de Bienfilâtre », dans les *Contes cruels*). Il rejoint Flaubert et M. Homais, Henri Monnier et Joseph Prudhomme, quand il crée le docteur Tribulat Bonhomet, le bourgeois positiviste, héros d'une longue geste qui commence en 1867 avec le conte de *Claire Lenoir*. Ce personnage a d'ailleurs eu sans doute en modèle, le docteur C..., rencontré par Villiers dans l'entourage de son oncle, à l'hôtel d'Orléans. Et l'on retrouve sans mal dans les contes de Villiers l'image du vieux manoir familial, ou le Paris des boulevards avec le café de Madrid que l'écrivain lui-même fréquentait.

Pourtant Villiers a toujours crié bien haut son mépris pour les réalistes, ces « éternels provinciaux de l'esprit humain » qui « ont raison comme le fossoyeur a raison. Ils ont beau fouetter leurs rosses noires, ils n'arriveront jamais qu'au cimetière. Nous connaissons les cimetières aussi bien qu'eux; mais nous connaissons autre chose aussi, qu'ils ignorent à tout jamais ». A l'inverse de Tribulat Bonhomet qui demande à l'écrivain de dire « des choses vraies! — des choses qui arrivent! — des choses que tout le monde sait par cœur! qui courent, ont couru et courront éternellement les rues! des choses sérieuses, enfin! », il veut éveiller « des impressions intenses, inconnues et sublimes » et prouver que l'homme « tien[t] d'un monde supérieur ».

Le « portier de l'idéal »

Villiers s'arrache brusquement au réel, soit qu'il cède au mirage oriental *(Isis*, *Akëdysseril)*, soit qu'il use des inventions de la science-fiction *(L'Ève future*, *La machine à gloire)*. Il est l'un des maîtres du conte fantastique, à la suite d'Edgar Poe que Baudelaire lui avait révélé et auquel il se réfère à plusieurs reprises : Véra, au jour anniversaire de sa mort, se ranime devant le comte d'Athol, son époux qui n'a jamais voulu admettre sa disparition (« Véra », dans les *Contes cruels*); l'ombre réincarnée de Lenoir vient trancher la tête de sir Henry Clifton, l'amant de sa femme *(Claire Lenoir)*.

Mais il ne faut pas considérer l'invraisemblable comme gratuit, chez Villiers de l'Isle-Adam. Il croit aux « intersignes », ces coïncidences qui suggèrent l'existence de relations mystérieures entre la terre et l'au-delà, tel ce cauchemar qui avertit le baron Xavier de la V... de la mort prochaine de son vieil ami l'abbé Maucombe (« L'intersigne » dans les *Contes cruels)*. Le rationalisme de Tribulat Bonhomet lui-même est battu en brèche, puisque le savant a peur du bruit du vent, de l'ombre d'un oiseau qui passe, et puisqu'il est tenté de chercher la signification de ce « caravansérail d'apparitions » que constitue notre univers.

Coll. L. B. © Collection Viollet

Villiers de l'Isle-Adam, par Loys Delteil « Il ne comprit jamais le pressentiment grandiose dont il suffoqua trente ou quarante ans » (Léon Bloy).

A cette tentation, Villiers cède sans hésiter. Êtres, choses, événements sont bien pour lui une « forêt de symboles ». Le dernier regard de Lysiane d'Aubelleyne avant sa consécration lui apparaît comme la promesse d'un rendez-vous éternel dans ce monde idéal auquel il aspire et dont le renoncement au monde est le prix. Comment y atteindre : par la voie de l'ésotérisme, comme Tullia Fabriana, dans *Isis*? par le suicide, comme Axël et Sara? par le détachement chrétien, comme Lysiane d'Aubelleyne, dans *L'amour suprême*? Villiers hésite, en raison d'un héritage multiple et des contradictions qu'il entraîne : catholique par tradition, hégélien par occasion, épris de sciences occultes. On lui a reproché de ne fonder la croyance en Dieu que sur un choix personnel. Son choix, à lui, fut celui du combat quotidien dans un monde qui ignore l'absolu.

LÉON BLOY (1846-1917)

Des trois romanciers du surnaturel dont traite ce chapitre, Bloy est assurément le plus violent, et pourtant le plus engagé dans l'Église. C'est qu'à côté de la fureur contre son siècle, il y a place dans cette vie de damné pour une fureur plus grande : celle de n'être pas un saint.

Une vie de damné

Né à Périgueux, il se destine d'abord à la peinture, mais ne tarde pas à comprendre qu'il doit s'abandonner au démon de la littérature. Encouragé par Barbey d'Aurevilly, il collabore à divers journaux, et la violence de ses articles lui vaut des haines tenaces. En 1877, il recueille une prostituée, Anne-Marie Roulé, dont il obtient la conversion et avec qui il vit jusqu'à ce qu'elle devienne folle, en 1882. Cette aventure sera transposée dans un roman paru en 1886, *Le désespéré.* Elle recommence avec la rencontre de Berthe Dumont (Clotilde, dans l'autre roman de Bloy, *La femme pauvre*, 1897) qui meurt du tétanos en 1885. Marié en 1890 à la fille d'un peintre danois, Jeanne Molbech, il est contraint par la misère à s'expatrier pendant quelque temps dans le pays de sa femme, où il supporte mal la vie protestante. En 1895, il a la douleur de perdre ses deux fils. L'abandon de ses amis les plus chers le blesse aussi profondémen/. Et c'est peu de temps après avoir publié ses *Méditations d'un solitaire* qu'il meurt à Bourg-la-Reine en 1917.

Le polémiste

Bloy s'est défini lui-même comme un « entrepreneur de démolitions » (1), et il a proclamé son « irrévocable volonté de manquer essentiellement de modération, d'être toujours imprudent et de remplacer toute mesure par un perpétuel débordement ». Ses romans sont des romans à clefs où, sous des déguisements transparents, il rend ridicules ou odieux tels de ses contemporains : Daudet, Maupassant, Bourget, etc., dans *Le désespéré*, Péladan, Huysmans, Villiers de l'Isle-Adam (Bohémond de l'Ile-de-France) dans *La femme pauvre.* Son œuvre de polémiste proprement dite est considérable. Il s'en prend aux adversaires de l'Église, — Zola, par exemple, qu'il appelle « le crétin des Pyrénées » dans un pamphlet paru en 1900, *Je m'accuse* — mais aussi aux catholiques eux-mêmes qui, à quelques exceptions, sont selon lui à la solde de la Banque (*Les dernières colonnes de l'Église*, 1903; *Belluaires et porchers*, 1905).

Le « pèlerin de l'absolu »

C'est en « pèlerin de l'absolu » qu'il se trouve « en communion d'impatience avec tous les damnés de ce monde ». « Communard converti au catholicisme », comme il le dit encore lui-même, il n'a rien perdu de son intransigeance. Dans *Le désespéré*, il définit le sentiment religieux comme « une passion d'amour », un « tison incendiaire lancé tout à coup, du plus inaccessible des sommets, dans le misérable torchis humain ». L'image du feu est d'ailleurs l'image dominante dans son œuvre : dans *La femme pauvre*, au moment même où Léopold périt dans un incendie, Clotilde est en extase devant une fournaise de flammes spirituelles.

Rongé par l'attente devant « le grand miroir aux énigmes » (l'univers entier, mais aussi l'Histoire), il part à la recherche de ce Dieu dont il est parti : tel est le paradoxe de son pèlerinage « sur des routes mal éclairées ». Et si la face de Dieu sort parfois des ténèbres, c'est celle d'un Dieu souffrant dont Bloy ne peut se détacher.

Léon Bloy.

Collection particulière. © Coll. L. B.

1. *Propos d'un entrepreneur de démolitions*, 1884.

Coll. L. B. © Collection particulière

Coll. L. B. © Collection particulière

Le pal et la croix : deux symboles de la personnalité de Léon Bloy.

Le Pal hebdomadaire, pamphlet hebdomadaire qui eut quatre numéros (mars à avril 1885). La plupart des écrivains en renom (Hugo, Zola, Maupassant, Renan) y étaient fort maltraités.

Le Désespéré, projet de couverture; dessin de Léon Bloy.

BIBLIOGRAPHIE

ÉDITIONS : Éditions courantes : plusieurs romans de BARBEY D'AUREVILLY ont été repris dans la coll. Folio. — Léon BLOY, *Le désespéré ; La femme pauvre* en Livre de Poche.

Éditions complètes : BARBEY d'AUREVILLY, *Œuvres romanesques complètes*, 2 vol., éd. J. Petit, Gallimard, coll. « Bibliothèque de la Pléiade », 1967-1968. — Léon BLOY, Édition des *Œuvres complètes*, établie par J. Bollery et J. Petit, au Mercure de France, 1964-1971. — VILLIERS DE L'ISLE-ADAM, *Œuvres complètes*, 2 vol., éd. Raitt-Castex, Pléiade, 1986.

ÉTUDES : Roger BESUS, *Barbey d'Aurevilly*, Éditions universitaires, 1958 (ouvrage d'initiation clair et séduisant, mais la distinction des « trois périodes » dans l'œuvre de Barbey est contestable). — Jean-Paul BONNES, *Le bonheur du masque, petite introduction aux romans de Barbey d'Aurevilly*, Casterman, 1947 (essai pénétrant, avec une préface d'Albert Béguin). — Jean CANU, *Barbey d'Aurevilly*, R. Laffont, 1945 (ouvrage exhaustif... à sa date). — Jacques PETIT, *Barbey d'Aurevilly critique*, Annales de l'Université de Besançon, 1963 (une thèse due au meilleur des aurevilliens actuels, qui a renouvelé notre connaissance de l'écrivain). J. Petit a dirigé d'autre part une série « Barbey d'Aurevilly » de la *Revue des Lettres modernes* (éd. M.-J. Minard). — Joseph BOLLERY, *Léon Bloy*, Albin Michel, 1947-1954 (une biographie très complète). — Albert BÉGUIN, *Léon Bloy l'impatient*, Fribourg, L.U.F., 1944 (une précieuse analyse). — Jacques PETIT, *Léon Bloy*, Desclée de Brouwer, coll. « Les Écrivains devant Dieu », 1966 (une introduction pénétrante, avec une anthologie des textes essentiels). — Philippe BERTHIER, *Barbey d'Aurevilly et l'imagination*, Droz, 1978. — Pierre TRANOUEZ, *Fascination et narration dans l'œuvre romanesque de Barbey d'Aurevilly*, Minard, 1987.

ÉDITIONS : Extraits : *Contes et récits* de Villiers de l'Isle-Adam, présentation de Jacques Chupeau, Classiques contemporains Bordas, 1970 (choix très significatif, information remarquablement précise).

ÉDITIONS SAVANTES : *Contes cruels et Nouveaux contes cruels*, éd. P.-G. Castex, Garnier, 1968. — *Tribulat Bonhomet*, avec des inédits, éd. P.-G. Castex et J.-M. Bellefroid, Corti, 1967.

ÉDITION COMPLÈTE : Au Mercure de France, 11 volumes, plus 2 volumes de *Correspondance générale et documents inédits*.

ÉTUDES : P.-G. CASTEX, *Le conte fantastique en France*, Corti. — P.-G. CASTEX et J. BOLLERY, *Les Contes cruels — étude historique et littéraire*, Corti, 1956. — A. LEBOIS, *Villiers de L'Isle-Adam, révélateur du verbe*, Neuchâtel, Messeiller, 1952. — A.-W. RAITT, *Villiers de L'Isle-Adam et le mouvement symboliste*, Corti, 1965.

LAUTRÉAMONT (1846-1870)

Poète adolescent, Lautréamont meurt à vingt-quatre ans, laissant deux œuvres déconcertantes : *Les chants de Maldoror* (1869) et les *Poésies* (1870). Peu connu pendant près d'un demi-siècle, il est célébré par les surréalistes comme leur archangélique précurseur. La splendeur des images, la lucidité ironique et l'humour font des *Chants de Maldoror*, épopée de la révolte, l'un des phares de l'art moderne.

« *Sans autres renseignements* »

Le 24 novembre 1870 meurt à Paris Isidore Ducasse : « sans autres renseignements », dit l'acte de décès. Un siècle plus tard, ses lecteurs n'en savent guère plus : né à Montevideo le 4 avril 1846, il vient effectuer ses études secondaires aux lycées de Tarbes (1859-1862) et de Pau (1863-1865). Après un voyage à Montevideo, il reparaît à Paris vers l'automne de 1867.

En août 1868 est publié à Paris, sans nom d'auteur, le *Chant premier* des futurs *Chants de Maldoror*. Le manuscrit complet de l'œuvre est imprimé à Bruxelles au cours de l'été 1869, mais il effraie par son audace l'éditeur, qui en suspend la diffusion. Ducasse a choisi comme nom d'auteur « comte de Lautréamont », en s'inspirant du roman d'Eugène Sue, *Latréaumont* (1838).

Au début de 1870, il annonce à son éditeur qu'une révolution esthétique et morale s'est opérée en lui : « J'ai renié mon passé. Je ne chante plus que l'espoir. » En avril et juin paraissent deux fascicules énigmatiques intitulés *Poésies*.

C'est en 1874 seulement que *Les chants* sont mis en vente à Bruxelles, où, à partir de 1885, se dessine un premier mouvement en faveur du poète. L'œuvre est connue par un nombre restreint, mais croissant, de critiques, jusqu'en 1919, où l'admiration sans bornes des surréalistes la porte au-dessus de toutes les autres. C'est André Breton qui publie, cette même année, le texte intégral des *Poésies*. Depuis lors Lautréamont connaît un succès grandissant : éditions et études se multiplient.

LES « CHANTS DE MALDOROR »

Le dessein des « Chants de Maldoror »

Deux lettres de Lautréamont indiquent l'orientation générale de ces soixante strophes en prose poétique, réparties en six chants :

> J'ai chanté le mal comme ont fait Mickiewicz, Byron, Milton, Southey, A. de Musset, Baudelaire, etc. Naturellement, j'ai un peu exagéré le diapason pour faire du nouveau dans le sens de cette littérature sublime qui ne chante le désespoir que pour opprimer le lecteur, et lui faire désirer le bien comme remède (23 octobre 1869).
>
> C'était quelque chose dans le genre du *Manfred* de Byron et du *Konrad* de Mickiewicz, mais cependant bien plus terrible (12 mars 1870).

Lautréamont sait que son poème innove, tout en se situant dans le prolongement du romantisme le plus exaspéré.

L'obsession du mystère du mal, la révolte, le blasphème, l'inspiration nocturne, la solitude d'un héros dressé contre Dieu, contre les hommes et contre lui-même, l'obscure ou claire présence des grandes figures de Satan, de Prométhée ou de Caïn... tout cela caractérise à l'évidence *Les chants*.

Mais l'œuvre elle-même ne cesse de se commenter. Par son titre et sa division en Chants, elle s'affirme comme une épopée, et une épopée de la haine : « Lecteur, c'est peut-être la haine que tu veux que j'invoque dans le commencement de cet ouvrage! » (I, 2). Lautréamont a conscience de sa puissance créatrice et de l'ampleur de son projet poétique, puisqu'il recourt au genre littéraire le plus ambitieux et se situe dans le sillage d'Homère et de Milton.

Épopée de la haine, *Les chants* s'opposent à l'épopée de l'amour, la Bible. Le Dieu de l'Ancien Testament ne cesse d'être pris à partie avec une violence inconnue jusqu'alors. De nombreux versets bibliques sont parodiés, « retournés ». Mais, étrangement, Maldoror oublie parfois son satanisme pour s'identifier fugitivement (comme tous les grands romantiques) au Christ. Profonde ambiguïté que celle de ce héros oscillant entre la cruauté et la pitié, une haine affichée et une tendresse inguérissable, la fureur contre le Créateur et un attrait incertain pour la figure de Jésus!

Enfin Lautréamont « ricane de chaque phrase qu'il écrit. En sorte que cet ouvrage, qui se juge et se détruit à mesure qu'il se développe, apparaît naturellement comme le contraire d'un ouvrage littéraire » (R. Caillois). Le recours à l'emphase — personnelle et héritée des grands romantiques — est suivi de considérations humoristiques ou ironiques sur cette emphase même. Les ficelles qui meuvent les personnages sont narquoisement exposées au lecteur. Tel récit est soudain interrompu par une intrusion burlesque de l'auteur :

Je vais d'abord me moucher, parce que j'en ai besoin; et ensuite, puissamment aidé par ma main, je reprendrai le porte-plume que mes doigts avaient laissé tomber (VI, 2).

Ainsi se révèle un dessein fondamental : discréditer l'art d'écrire, le savoir-faire des professionnels des lettres, et l'expression des grands sentiments.

Œuvre romantique qui se moque du romantisme, épopée qui parodie les procédés épiques (épithètes homériques, formules dantesques...), *Les chants de Maldoror* défient toute réduction à un sens défini : « Une porte s'ouvrait sur la mer... » (R. Crevel). Demeurer à la surface d'un pareil texte, c'est à coup sûr se perdre dans ses ironiques reflets. L'ironie interdit toute synthèse sur le contenu manifeste des *Chants.* Il faut, pour déjouer ses pièges, aller au contenu latent, découvrir les métaphores obsédantes, restituer l'univers imaginaire du créateur, faire apparaître la récurrence de certains mots... Avec *Les chants* comme avec *Les illuminations* de Rimbaud « surgit le pur inconscient. Pour la première fois l'inconscient surgit avec un caractère sacré » (L. Pierre-Quint). Un tel surgissement révèle combien le terme de « dessein », utilisé à propos de cette œuvre, se charge lui-même d'un sens nouveau.

Couverture de la première édition des *Chants de Maldoror* en août 1868. Elle ne contenait que le chant premier. On notera les trois étoiles à la place du nom de l'auteur.

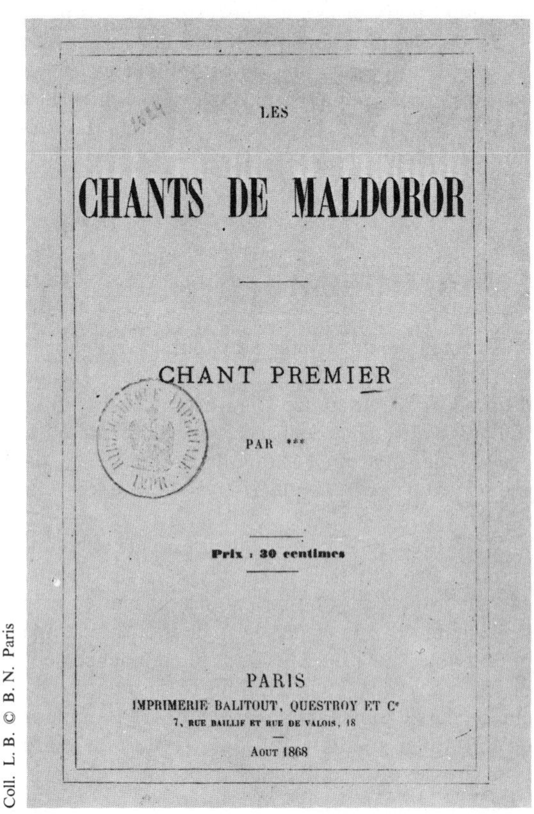

La captation des sources

Lautréamont a énormément lu. Il cite plus de cent écrivains dans les *Poésies.* Poète à peine sorti de l'adolescence, il n'a pas oublié les auteurs étudiés au lycée : Homère, les tragiques grecs, du Bellay, Racine, Corneille, Pascal, La Fontaine... Il est tout nourri de Chateaubriand, Senancour, Nerval, Musset, Lamartine, Gautier, Leconte de Lisle, Hugo. Il semble avoir fait ses délices des romans-feuilletons d'Eugène Sue, et de Ponson du Terrail (*Rocambole*, 1859). Peut-être a-t-il lu Sade. En tout cas il éprouve un goût prononcé pour les ouvrages scientifiques : mathématiques, médecine et surtout sciences naturelles. Il a réfléchi sur l'essai de Naville, *Le problème du mal.* Il utilise aussi la matière que lui fournissent journaux et magazines.

Si son romantisme paraît cependant plus anglais que français, c'est sans doute que — connaissant bien l'anglais — il possède Shakespeare et Milton, Shelley, Southey, Scott, et voue un culte à Young et à Byron. Le roman noir d'Ann Radcliffe et surtout de Maturin a marqué *Les chants*. Lautréamont admirait aussi les *Contes* de Poe.

Enfin, la Bible, et notamment les livres prophétiques, les passages apocalyptiques, *Job*, les *Psaumes*, offre sa richesse à ce Job révolté.

La connaissance de leurs sources aide-t-elle à pénétrer dans *Les chants*? M. Blanchot a mis en garde contre « le mirage des sources ». Le primitivisme de son imagination entraîne Lautréamont vers les grands centres d'irradiation de l'inconscient collectif, déjà atteints par les grands visionnaires.

Pourtant la dénonciation du « mirage des sources » ne suffit pas. Il existe de nombreux emprunts indubitables. Que Lautréamont se souvienne des tragédies cruelles et pathétiques, déchirantes (dans les deux acceptions du terme) de Racine, qu'il peigne Maldoror avec les traits de Néron (I, 3), cela est révélateur du poète lui-même. Mais surtout, dans son souci d'ironie et de parodie, Lautréamont ne cesse de jongler avec les grands ou les petits auteurs. L'identification des emprunts fait apparaître aussi deux procédés : le retournement et le collage. Tantôt un verset biblique, par exemple, reçoit une portée diamétralement opposée à son sens réel (déjà perce le goût de l'auteur des *Poésies* pour le retournement des maximes célèbres), tantôt plusieurs lignes d'un développement didactique de dictionnaire ou de manuel sont recopiées et insérées telles quelles dans un poème. Des strophes entières sont peut-être nées de certains retournements. La pratique des collages met en cause, plus radicalement que tout autre procédé, la recherche esthétique et la « littérature ». Pour la plus grande joie des surréalistes.

La lucidité et l'humour

Aucun écrivain qui se révèle plus lucide que Lautréamont! Aucune œuvre qui paraisse plus claire, plus accessible que *Les chants de Maldoror*! L'admirable est que cette agilité d'esprit, cette maîtrise supérieure vont de pair avec l'invasion des plus denses ténèbres. L'éloge des mathématiques accompagne celui du vieil océan.

La composition semble discontinue. Comme chez les grands imaginatifs (Isaïe, l'auteur de l'*Apocalypse*, Dante...), des visions variées se succèdent. En fait, d'une strophe à l'autre des liens invisibles existent, des obsessions se découvrent : la ressemblance, les couples d'adolescents, le condamné, la vermine, la prostitution, la chevelure, le tourbillon, le crime de Caïn... A l'intérieur de maint poème, le thème initial paraît oublié, une apparente digression se développe, mais la fin réunit thème et digression dans une unité inattendue. Dans bien des cas — notamment au chant VI — Lautréamont est si conscient de « l'art » de composer qu'il parodie les ficelles les plus éprouvées du roman populaire. Il a même perçu les demi-ruptures qui interviennent entre le chant I (que d'ailleurs il a publié à part) et la suite de l'œuvre, puis entre l'ensemble onirique des chants II à V et l'allégresse sarcastique du chant VI. Mais cette souveraineté n'est maintenue qu'au prix d'une incroyable distension de l'esprit, constamment menacé par le sombre déluge des images. Pourtant, d'un bout à l'autre, l'œuvre poursuit une quête obscure de la lumière, gravite autour d'un secret, selon une loi que Lautréamont expose au début du chant V, avec humour, en utilisant un bout d'article de dictionnaire. De là, sans doute, cette hantise du tournoiement, des retours cycliques, des refrains (« Je te salue, Vieil océan »...), du tourbillon... qui trouve sa plus prodigieuse expression dans la strophe finale.

Le recours aux figures de rhétorique procède de la même ambiguïté : surgissement obscur et prise de conscience ironique. Comme bien des romantiques, Lautréamont a tendance à l'emphase, mais il le sait et en joue : « Je me propose, sans être ému, de déclamer à grande voix la strophe sérieuse et froide que vous allez entendre (I, 9). Grandiloquence, adjectifs pompeux, guirlandes d'épithètes creuses, exordes interminables et embrouillés, abus des substantifs abstraits, tout cela est connu, voulu. Souvent le récit est interrompu par des remarques sur la phrase qui vient de s'achever : « Si le lecteur trouve cette phrase trop longue, qu'il accepte mes excuses... » Lautréamont semble moins soucieux de se corriger que de se moquer de ceux qui se moquent de son enflure ou de ses incorrections. Il va ici plus loin que Rimbaud, qui déjà jugeait que chez l'impeccable Baudelaire « la forme si vantée en lui est mesquine » (lettre du 15 mai 1871). L'emploi des métaphores provient parfois d'une telle poussée intérieure que la métaphore se fait métamorphose; mais bien souvent cette figure est raillée (IV, 2); et la raillerie dans les « Beau comme », va si loin que « la suspicion [est] portée sur l'émotion esthétique », sur le beau lui-même (M. Pleynet). « Dans tout le cours de l'œuvre, l'ironie a joué un rôle suprême et tel que dans aucun autre ouvrage on ne peut lui découvrir d'analogue » (Blanchot). Reste l'humour.

L'humour implique un recul qui permet de multiplier, sur un réel dans lequel nous sommes habituellement englués, les prises de vues (ainsi II, 13, où triomphe l'humour noir). Dès lors tout devient neuf, insolite. Un cheveu apparaît gigantesque (effet de zoom). Sur une chouette « qui vole au loin » (plan d'ensemble), la caméra pratique soudain un gros plan :

> Une chouette, volant dans une direction rectiligne, et dont la patte est cassée, passe au-dessus de la Madeleine..., en s'écriant : « Un malheur se prépare » (VI, 3).

On ne sait plus très bien qui parle : Lautréamont ou Maldoror (passage du « je » au « il »). Ou dans un récit conventionnel, l'auteur intervient et donne son « point de vue », ce qui brise les conventions romanesques ou épiques. M. Pleynet a signalé « les différences de lieu d'émission qui se révèlent dans chaque discours, les différences auxquelles d'une page sur l'autre, voire d'une ligne à l'autre, le lecteur se trouve en butte » : apparent réalisme, puis fantasmagorie... (III, 5; VI, 5). Cet humour va jusqu'au *nonsense*, qui, sur un canevas de questions et réponses logiques, développe un discours absurde. Après avoir vu couler dans un lac une petite fille qui cueillait des lotus, Lautréamont réfléchit :

> Conséquence étrange, elle ne cueillit plus aucune nymphéacée. Que fait-elle au-dessous?... je ne m'en suis pas informé (IV, 6).

Une telle mobilité pour prendre les distances les plus variées par rapport au monde et à soi-même est unique dans notre littérature.

Un naturaliste visionnaire

La plus rapide lecture des *Chants* manifeste le règne des sciences naturelles au cœur de l'univers de Lautréamont. Mais leurs différents domaines s'y trouvent inégalement représentés.

La flore, complice d'une imagination du développement lent et heureux ou de l'adhérence aux habitudes ou de l'épanouissement splendide, n'occupe pas une place de premier plan. Elle apparaît cependant de façon caractéristique dans la strophe de l'immobilité (IV, 4). Le plus souvent, les fleurs ne sont qu'un décor. « L'odorat est un sens trop passif pour que Lautréamont s'occupe des odeurs » (Bachelard).

Les symbolismes du minéral (dureté, permanence, autonomie...) expliquent sans doute sa rareté dans un univers qui a été défini comme le « royaume de la viscosité » (Blanchot). Les mentions du saphir, de l'émeraude, de l'opale... proviennent de la Bible et soulignent l'éclatant isolement de Maldoror.

En revanche, le corps humain est intensément présent dans *Les chants*. Non que les visages soient décrits avec beaucoup de précision. On pense plutôt aux descriptions anatomiques, aux tables de dissection, aux squelettes et aux écorchés (détails sur les os, les muscles, les artères) : V, 2... Membres brisés, lacérations, viols, meurtres! Le sang humain ne cesse de couler.

Mais ce qui domine dans l'œuvre, c'est le bestiaire. On y a relevé 185 noms d'animaux, dont certains reviennent plusieurs fois, et 400 actes vraiment animalisés, soit en moyenne près de deux par page. L'animalité est vécue de l'intérieur, dans sa violence agressive, et sert à symboliser les possibilités vitales de l'homme, ce « suranimal » (Bachelard).

Les « Chants » et le surréalisme

Le groupe surréaliste a voué un culte à Lautréamont, qu'il considérait comme un « dynamiteur archangélique » (J. Gracq). Il a affirmé la transcendance des *Chants* de façon abrupte.

Les chants lui apparaissent comme la preuve expérimentale de la fécondité de l'écriture automatique, qui permet de libérer l'imagination grâce à « une accélération volontaire, vertigineuse, du débit verbal » (Breton, Préface aux *Œuvres complètes*, 1938). Ce desserrement de l'étreinte de la raison se produit aussi dans le rêve, le demi-sommeil, l'hypnotisme. Or *Les chants* se révèlent comme « l'œuvre la plus imprégnée de sommeil de notre littérature » (Blanchot). De nombreuses strophes se déroulent la nuit et s'achèvent quand menace la lumière.

Dès que l'inconscient se libère, surgissent les magnifiques métaphores (fin du *Premier manifeste du surréalisme*), celles qui recèlent « une dose énorme de contradiction apparente » *(Ibid.)*, les plus profondes parce que les plus insolites. Les somptueuses images de *Maldoror*, et pas seulement les « beau comme », émerveillent tout le groupe de Breton et lui semblent vérifier la théorie de l'image surréaliste. Une telle primauté accordée par Lautréamont et les urréalistes à l'imaginaire explique leur goût ommun pour le roman noir, le fantastique et le nerveilleux (présent dans la strophe de l'hermahrodite). Ce qu'il y a dans *Les chants* de fanastique urbain devient chez Breton, Aragon, Éluard... du merveilleux urbain : poésie de Paris, le la rue, de la rencontre, du passant plein de nystère.

Rejeter la raison, c'est mépriser ses recettes sthétiques, c'est-à-dire la « littérature ». A bon roit *Maldoror* est considéré par le surréalisme omme la plus formidable bombe jamais jetée lans le jardin littéraire. L'ironie, la parodie des ersonnages, des techniques, des ornements, de 'expression littéraires, sont manifestes d'un bout l'autre du livre. Le commentaire humoristique qui s'attache à nombre de phrases, d'images u de trucs littéraires sape toute adhésion du ecteur à ce qu'il lit, et met en pleine lumière le idicule de ces conventions, de cette « esthéique ». Grâce à Lautréamont, il est bien des ectures qu'on ne supporte plus. Comment Breton t Soupault n'auraient-ils pas vu en lui un parent, eux qui se lancèrent dans la rédaction automatique des *Champs magnétiques* « avec un louable mépris de ce qui pourrait s'ensuivre littérairement »? Au surplus, la série des « beau comme », qui nous apparaît aujourd'hui comme une parodie de la métaphore conventionnelle (et non comme de suprêmes métaphores), contribue éminemment à cette démolition des « belles œuvres ». Elle sert donc encore le surréalisme.

Enfin la révolte de Maldoror ne pouvait que parler à ces révoltés, réchappés du « plus grand massacre de l'histoire ». Révolte contre Dieu que *Les chants*, plus qu'aucune œuvre au monde, bafouent. Révolte contre les tabous sexuels : Éluard rapproche Lautréamont et Sade. Dénonciation de la guerre et de la corruption. Contestation de toutes les institutions : famille, Église... Éclatement du réalisme quotidien et de la logique courante sour l'effet de l'humour. L'humour, dont les surréalistes, à la suite de Jacques Vaché, avaient bien vu la prodigieuse puissance de dislocation (Breton, *Anthologie de l'humoir noir*).

L'ÉNIGME DES « POÉSIES »

Lautréamont confère le titre provocant de *Poésies* à de « prosaïques morceaux » (dédicace) qui paraissent rompre avec la révolte et le romanisme des *Chants*. Le premier fascicule procède à ine extraordinaire revue des écrivains lus par e poète, à une satire violente du romantisme:

> O dadas de bagne! Bulles de savon! Pantins en baudruche! Qu'il s'approchent, les Konrad, les Manfred, les Lara...

Dans le second règne un procédé déjà présent lans *Les chants :* le retournement. Une foule le formules de La Bruyère, de Vauvenargues et urtout de Pascal se trouvent contredites. « L'homme est un chêne... », et non plus « un oseau pensant », assure ce moraliste d'un nouveau genre, avec un clin d'œil à La Fontaine « Le chêne et le roseau »).

Les *Poésies* représentent-elles un reniement des *Chants* ou la dernière étape d'un cheminement vers la lumière? Lautréamont, héros du mal, se ferait-il héraut du bien, du courage, de la foi? L'ouvrage demeure, aujourd'hui encore, ambigu. La célébration de la vertu s'y trouve par moments si outrée qu'elle semble se métamorphoser en moquerie. Le caractère lapidaire, la dispersion et parfois la contradiction des maximes ne contribuent pas à dissiper les incertitudes. « C'est toujours le bien qu'on chante en somme », écrivait Lautréamont à propos des *Chants*. Aurait-il seulement changé — en partie — de « méthode »? Derrière le contraste spectaculaire, les deux œuvres révèlent constamment leur unité. Peut-être que « Lautréamont — après avoir passé en enfer une saison toute semblable, même par la nature de la hantise érotique — en est exactement à cet « Adieu » qui va jeter Rimbaud dans le désert du Harrar » (M. Blanchot).

BIBLIOGRAPHIE

ÉDITIONS ET ÉTUDES : LAUTRÉAMONT, *Œuvres complètes,* Paris, Corti, 1963. — *Les chants de Maldoror,* Poésies, Lettres, Paris, Bordas, U.L.B., 1970. — M. BLANCHOT, *Lautréamont et Sade,* Paris, éd. de Minuit, 1949 et 1963, réédité dans la collection de poche « 10-18 » en 1967. — Michel PHILIP, *Lectures de Lautréamont,* Paris, Colin, 1970. — Claude BOUCHÉ, *Lautréamont du lieu commun à la parodie,* Larousse, 1974. — Michel PIERSSENS, *Lautréamont. Éthique à Maldoror,* Lille, 1984. — Julia KRISTEVA, *La Révolution du langage poétique,* Seuil, 1985.

RIMBAUD (1854-1891)

Comme Lautréamont, Rimbaud est un inclassable. Il a lu les romantiques et les parnassiens, mais tout aussi bien les romans grivois et les livrets d'opéra-comique du XVIIIe siècle. Il a admiré la poésie de Verlaine, mais toute réminiscence se colore dans son œuvre de reflets ironiques ou grinçants. « Il est le père de bien des écoles, il n'est le parent d'aucune » (1). C'est donc dans sa singularité et dans son mystère qu'il faut s'efforcer de saisir « l'homme aux semelles de vent », sans pour autant ajouter aux pages innombrables du « mythe ».

Les enfances d'Arthur Rimbaud

On parle des « enfances du Cid ». Parler des « enfances de Rimbaud », ce n'est pas nécessairement en faire le héros d'une nouvelle geste, ce n'est pas non plus partir en guerre contre les versions multiples (et parfois délirantes) que les biographes ont données des premières années du poète. Mais il faut bien comprendre que Rimbaud fut un enfant aux traits contradictoires, et que ces contradictions furent déterminantes pour sa destinée d'homme et de poète.

Déjà, la tradition familiale dans laquelle il s'inscrit est double : sa mère incarne le conformisme bourgeois; son père, un militaire fasciné par l'Afrique, eut le goût de l'aventure et de la « liberté libre », qui le poussa à abandonner femme et enfants. Arthur, l'enfant sage de l'institution Rossat, le fort en thème du collège de Charleville, a pu « su[er] d'obéissance » (« Les poètes de sept ans ») tout en « pressentant violemment la voile » du « Bateau ivre » dont il a rêvé les errances.

Le 29 août 1870, Rimbaud quitte le foyer familial, prend le train pour Paris, est arrêté à la gare du Nord parce qu'il n'a pu payer sa place que jusqu'à Saint-Quentin, et est emprisonné à Mazas, boulevard Diderot. De là, il lance un appel pathétique à son jeune professeur, Izambard, alors en vacances à Douai, qui l délivre, le recueille, et finalement doit le rendr à sa mère. « Est-il possible de comprendre l sottise de cet enfant, lui si sage et si tranquille? se demande-t-elle. On peut avancer différente explications : l'influence d'Izambard (qui en réalit semble avoir fait tous ses efforts pour dissuade Rimbaud de faire cette sottise), la puberté, l guerre surtout qui vient d'éclater et qui a déchaîn le « patrouillotisme » des citadins. Il faudrai aussi faire place à l'échec essuyé par Rimbau auprès des parnassiens : il a envoyé à Banvill

Verlaine a laissé plusieurs portraits d Rimbaud, qui sont autant de témoignage précieux sur la personnalité de son étrang compagnon. Ici un « Rimbaud à la pipe » Cf. la lettre de Rimbaud à son ami Ernes Delahaye de Jumphe (juin) 1872 : « Je fumai ma pipe-marteau, en crachant sur les tuile car c'était une mansarde, ma chambre. »

1. Henry Miller, *Rimbaud.*

des vers que celui-ci n'a pas voulu imprimer, des vers sages précisément (« Ophélie », en particulier). Le conformisme ne lui a pas porté chance; de plus, il est dépourvu de sens dans un monde bouleversé. La fureur du révolté va pouvoir se déverser sur le milieu clérical dans lequel il a vécu, sur « l'atmosphère empuantie de l'étude », sur sa ville natale « supérieurement idiote entre les petites villes de province », sur la poésie traditionnelle et ses beaux sujets : Vénus, « Divine Mère, Aphrodité marine », célébrée en vers convenus dans « Soleil et chair », devient la « Vénus Anadyomène »

> Belle hideusement d'un ulcère à l'anus.

Rimbaud ne sera jamais le révolté pur. Certes, il ne reviendra jamais au lycée. Mais chacune de ses fugues (en Belgique, en octobre 1870, en février-mars 1871 à Paris) s'achève sur un retour à Charleville, à la « flache » désirée par le « Bateau ivre » au terme de son aventure. Départs, retours : cette alternance, la vie entière de Rimbaud la reproduira. La même dualité se retrouve dans les *Poésies :* les poèmes du sarcasme, cette « parole close » (1), « chargée de toutes les scories de ses haines et de ses peurs » (« Les assis », « Les douaniers », « Les pauvres à l'église », « Les Sœurs de charité ») voisinent avec les poèmes de la transparence que le « Petit Poucet rêveur » a égrenés dans sa course (« Au Cabaret-Vert », « La maline », « Le buffet », « Ma bohème », « Les effarés »). La rancune contre l'obstacle n'exclut point la ferveur de la quête.

« *Une saison en enfer* »

Le 15 mai 1871, Rimbaud écrit à un ami d'Izambard, le (médiocre) poète Paul Demeny, pour lui faire un cours de « littérature nouvelle ». Après avoir répudié la « prose rimée », « avachissement et gloire d'innombrables générations idiotes », et l'idéal de « vie harmonieuse » qui lui était attaché, il invite l'artiste nouveau à se faire « voyant », « par un long, immense et raisonné dérèglement de tous les sens ».

L'absinthe, le hachisch, la liaison avec Verlaine sont autant d'instruments de cet encrapulement qu'il juge nécessaire à la délivrance de sa poésie et au retour à l' « état primitif de fils du Soleil ». Les lieux de ces expériences seront Paris, où Rimbaud, accueilli par Verlaine en septembre 1871, fuit de logis en logis et irrite, après les avoir éblouis, les parnassiens, ses idoles déchues; Londres, où il séjourne par trois fois avec Verlaine et finit par s'enliser dans une existence médiocre; Bruxelles où, le 10 juillet 1873, tentant en vain de retenir son ami, Verlaine tire sur lui deux coups de revolver. Rimbaud est légèrement blessé, Verlaine est emprisonné pour deux ans. L'échec est complet.

Une saison en enfer, achevée en août 1873, est à la fois le compte rendu et la conclusion de cet échec : échec de l'aventure avec Verlaine (« Vierge folle »), échec de l'entreprise du Voyant (« Alchimie du verbe »). Rimbaud, en réalité, semble avoir écrit ce livre en deux temps. Avant le drame de Bruxelles, il avait composé deux ou trois « histoires atroces » pour un « Livre païen », un « Livre nègre » où il voulait clamer, encore une fois, sa haine de la civilisation européenne, mercantile, cléricale, militaire, et démontrer l'impossibilité d'un retour au paganisme des « enfants de Cham », cernés de tous côtés par les Blancs qui débarquent. Premier échec dont l'échec du Voyant n'est, au fond, que la répétition. Pas plus que la fugue, pas plus que la vie en marge de la morale bourgeoise, la poésie du « délire » n'a pu aboutir à autre chose qu'à une catastrophe :

> Ma santé fut menacée. La terreur venait. Je tombais dans des sommeils de plusieurs jours et, levé, je continuais les rêves les plus tristes. J'étais mûr pour le trépas et par une route de dangers ma faiblesse me menait aux confins du monde et de la Cimmérie, patrie de l'ombre et des tourbillons.

Rimbaud décrit toutes les phases de sa tentative pour trouver la beauté par l'hallucination volontaire : il a commencé par inventer la couleur des voyelles (« A noir, E blanc, I rouge, O bleu, U vert »), il a cherché à fixer des vertiges (« Larme »), il a dressé des épouvantes à partir d'un simple titre de vaudeville (« Michel et Christine »); mais bientôt il a senti le monde lui échapper, au moment même où il lui disait adieu dans d'espèces de romances (« Chanson de la plus haute tour »). Plutôt dire adieu à cette « alchimie du verbe », dût-on être « rendu au sol »! Rimbaud est pris entre l'adolescence manquée, la « saison en enfer », et l'âge adulte, « la saison du confort », entre un passé qu'il exècre et un avenir qu'il craint. L' « heure nouvelle » — le présent — a beau être « très sévère », il veut la considérer comme un état de veille, comme un prélude à une aurore possible.

1. Dont a parlé Yves Bonnefoy.

Portrait-charge de Rimbaud en costume de bébé, occupé à peindre les voyelles : assis sur la lettre U il badigeonne la lettre O. Dans *Les hommes d'aujourd'hui*, fascicule n° 318, Léon Vanier, 1888.

L'entrée aux « splendides villes »

« Nous entrerons aux splendides villes » : cette parole, l'une des dernières d'*Une saison en enfer* revêt, comme toujours chez Rimbaud, un accent prophétique. Villes réelles? Villes imaginaires? Tout le problème est là.

A travers l'Europe. De l'automne 1873 à l'automne 1878, Rimbaud court l'Europe, non sans revenir périodiquement à Charleville. De mars 1874 à décembre de la même année, il est à Londres. Puis on le trouve à Stuttgart, où il aura une dernière entrevue, fort orageuse, avec Verlaine au début de l'année 1875. A Milan, il a peut-être été hébergé chez une veuve, près de la cathédrale. Au printemps 1876, il se fait voler ses papiers, son argent et son pardessus à Vienne. Après s'être engagé dans l'armée coloniale hollandaise pour réprimer une révolte à Java, il a sans doute recruté des mercenaires à Brême en mai 1877. A Hambourg, il est engagé dans l'administration d'un cirque, qu'il suit jusqu'à Stockholm. Et, si l'on en croit certains critiques, on retrouverait dans les *Illuminations* la trace de ces grandes villes où est passé Rimbaud, du « Tube » londonien (« Métropolitain ») à l'appartement milanais de « Madame », trop douillet pour l'aventurier (« Bottom »).

« *Villes* ». De fait, l'inspiration urbaine est très importante dans ce recueil de poèmes en prose. Un poème s'intitule « Ville », deux s'intitulent « Villes ». « Ouvriers » nous parle encore de « la ville, avec sa fumée et ses bruits de métiers ». La civilisation urbaine semble gagner peu à peu avec la prolifération des ponts (« Les ponts »), la construction d'un hôtel dans la nuit polaire (« Après le Déluge »), l'installation de « boulevards de cristal » sur toutes les mers du monde (« Métropolitain »).

On voit donc qu'il s'agit de tout autre chose que de la description de cités réelles. Ces villes titanesques qui établissent des passerelles sur les abîmes (« Villes I ») sont bien plutôt à l'image du poète qui suscite des « accords » (« Les ponts »). Les villes rimbaldiennes ne sont pas seulement des faubourgs reliés par des rues, mais des paysages entiers, tantôt montagneux, tantôt sylvestres, tantôt exotiques, réunis en une prodigieuse symphonie. Une fois passé le déluge, le chaos prend forme : telle est la « tentative harmonique » qui semble succéder à la « tentative du Voyant » dans la poétique rimbaldienne.

Détruit, recréé par un nouveau démiurge, le monde sera pourtant détruit encore une fois. Au moment même où il construit, le poète des *Illuminations* nous parle de « l'écroulement des apothéoses », des « avalanches », des « éclats mortels » dont se pare la mer céleste (« Villes I »). La « musique » finit par être définie comme « virement des gouffres et chocs des glaçons aux astres » (« Barbare »). Comme la précédente, la tentative harmonique est vouée dès l'abord à l'échec, un échec que confirmera, dans « Solde », « la braderie de tous les espoirs de Rimbaud » (1) :

> A vendre [...].
> Les Voix reconstituées; l'éveil fraternel de toutes les énergies chorales et orchestrales et leurs applications instantanées; l'occasion, unique, de dégager nos sens!
> [...]
> A vendre les Corps, les voix, l'immense opulence inquestionable, ce qu'on ne vendra jamais. Les vendeurs ne sont pas à bout de solde! Les voyageurs n'ont pas à rendre leur commission de si tôt!

1. La formule est d'Yves Bonnefoy.

Le silence de Rimbaud

Très tôt, Rimbaud s'est tu. Les érudits ont proposé des dates différentes pour ce silence : il est très probable qu'aucun poème ne fut écrit après 1875. Quel fut son dernier ouvrage, *Une saison en enfer*, comme on l'a longtemps prétendu, ou les *Illuminations*, comme tend à l'affirmer la critique moderne? Il est difficile de répondre avec assurance et, sans vouloir reprendre l'épineux « problème des *Illuminations* », nous nous contenterons de dire que la succession de la « tentative du Voyant » et de la « tentative harmonique » présente une image plus vraisemblable, et en tout cas plus saisissante, de l'évolution rimbaldienne. L' « adieu » sur lequel se clôt *Une saison en enfer* est une attente, une « veille », un appel. L'adieu des *Illuminations*, « Solde », ne fait plus apparaître le moindre signe d'espoir en la parole. « Je ne pense plus à ça », répondra Rimbaud à son ami Delahaye en 1879.

Place est faite alors à l'aventure africaine. Elle se trouve consignée dans des lettres écrites à la hâte et qui semblent souvent se répéter, dans des rapports et des inventaires effarants. En octobre 1878, Rimbaud a quitté l'Europe : il travaille d'abord à Chypre, comme chef de carrière, puis à Aden, où il est employé dans une maison de commerce. Cette maison a une succursale au Harrar, où Rimbaud fera de longs, d'épuisants voyages. Las de ne recevoir, pour prix de ses fatigues, que de maigres salaires, il s'engage dans une entreprise de spéculation hasardeuse : revendre de vieux fusils au roi du Choa, Ménélik. Il se heurte à mille difficultés et, après la mort de son associé, il est assailli par la horde des créanciers de celui-ci. Même en affaires, il semble voué à l'échec. En 1888, il revient au Harrar, où il représente une nouvelle maison; et la vie harassante continue, toujours la même, toujours sans véritable perspective d'avenir. Une année ici en vaut cinq, confie-t-il aux siens, dans ses lettres. Et en effet, sa vie s'use rapidement. En 1891, atteint d'une tumeur au genou, il se fait rapatrier. A l'hôpital de Marseille, il est amputé de sa jambe malade, puis revient dans sa famille, près de sa mère et de sa sœur Isabelle, les « femmes » qui « soignent [l]es féroces infirmes retour des pays chauds » dont il avait parlé, prophétiquement, dans *Une saison en enfer*. Incapable de supporter la claustration, toujours attiré par « le soleil, dieu de feu » — son seul espoir de guérison désormais, il repart vers le Sud. Mais c'est de nouveau l'hôpital de Marseille qui l'accueille, pour le voir mourir après d'atroces souffrances physiques et morales (ses dernières lettres en sont le témoignage bouleversant), le 10 novembre.

Au cours de ces années, avait-il oublié son œuvre ancienne? Jamais en tout cas il n'en parle. Vers le début de l'année 1887, un de ses camarades d'autrefois, Paul Bourde, lui a écrit pour lui apprendre que ses proses et ses vers ont été publiés et que, grâce à Verlaine, il est devenu « une sorte de personnage légendaire ». Mais c'est comme si on lui parlait d'un autre homme. « Je est un autre », avait-il écrit dans la « Lettre du Voyant », tout étonné de « s'éveille[r] clairon » ou, comme l'a expliqué Jacques Rivière, d' « assiste[r] à ce qu'il exprim[ait] ». Cette parole a changé de sens : le poète est relégué dans le passé, dans le silence, au profit de l'« horrible travailleur » perdu dans son obstination.

Lire Rimbaud

Rien n'est plus difficile, peut-être, que de lire Rimbaud. On l'a considéré comme un décadent, comme le représentant éminent d'une génération perdue, et on a voulu l'expliquer par son histoire, c'est-à-dire, le plus souvent, par sa légende. Tel Delahaye, quand il a vu dans la « Vierge folle » d'*Une saison en enfer* une jeune fille de Charleville, et dans le séminariste des *Déserts de l'amour* un condisciple qui prêtait des livres au futur poète.

On a voulu le considérer comme un symboliste, malgré cette parole qui lui est attribuée :

> J'ai voulu dire ce que ça dit, littéralement et dans tous les sens.

Et, de fait, l'illumination rimbaldienne est bien le triomphe du concret et consomme le divorce avec Baudelaire par un refus du profond au profit de la simple réalité du monde.

La critique thématique [1] a ouvert la voie à des recherches plus fécondes : elle nous fait assister, dans les *Illuminations*, à une destruction de l'espace traditionnel qui confirme l'ambition démiurgique du poète, et à la composition d'un monde de soie (« Barbare ») et d'un monde de théâtre (« Scènes », « Fairy ») qui, par sa qualité d'antipaysage, ramène Rimbaud à l'impasse de l' « Alchimie du verbe ». S'il est faux de parler

1. Inaugurée par Jacques Rivière et illustrée en particulier par l'essai de Jean-Pierre Richard, « Rimbaud ou la poésie du devenir ».

de symboles à propos de Rimbaud, il convient en revanche d'insister sur les images fondamentales, comme celle de l'arche (avec ses variantes : l'arc-en-ciel), point d'appui au milieu du déluge pour une possible reconstruction.

La voie est ouverte aussi aux linguistes et aux stylisticiens pour étudier les métamorphoses du vers rimbaldien, d'abord traditionnel, avec tout au plus des audaces hugoliennes, puis devenant de plus en plus fluide jusqu'à son éclatement dans la prose poétique; pour cerner aussi le procédé si fréquent chez lui du double sens, procédé déjà présent dans le titre des *Illuminations* (« gravures coloriées », « enluminures », comme l'a dit Verlaine; mais tout aussi bien « éblouissements »), procédé caractéristique de l'ambiguïté qui marque toute la démarche et toute la poétique de Rimbaud.

Mais, avant tout, il faut être sensible au caractère fulgurant de ses meilleures réussites. Apprendre à lire Rimbaud c'est, comme l'a écri Henry Miller, apprendre à lire « le langage d l'âme. Dans ce domaine, il n'y a ni alphabet n grammairiens. Il n'y a qu'à ouvrir son cœur jeter par-dessus bord toute préconceptio littéraire [...], à se révéler en d'autres mots Ce qui [...] équivaut à une conversion. C'es une mesure radicale, et qui présuppose u état de désespoir. Mais, si toutes les autre méthodes échouent, comme elles doivent inévitablement échouer, pourquoi pas cette mesur extrême : la conversion? »

Fragment de la toile célèbre de Fantin-Latour, *Coin de table* (janvier 1872). Elle groupe avec Verlaine et Rimbaud, qu'on voit ici, d'autres littérateurs.

BIBLIOGRAPHIE

ÉDITIONS : Éditions de poche de l'œuvre poétique : Presses Pocket, Garnier-Flammarion, Poésie-Gallimard.

Édition complète : « Bibliothèque de la Pléiade », éd. Antoine Adam, Gallimard, 1972 ; éd. Borer, Arlea 1991 ; éd. Forestier, coll. Bouquins, 1992.

Édition commentée : *Œuvres de Rimbaud,* éd. Suzanne Bernard et André Guyaux, Garnier 1981.

ÉTUDES : *Album Rimbaud,* Gallimard, 1967 (une bonne biographie par H. MATARASSO et P. PETITFILS). — Jean-Pierre RICHARD, « Rimbaud ou la poésie du devenir », dans *Poésie et profondeur,* Seuil, 1965 (excellent étude thématique). — Yves BONNEFOY, *Rimbaud,* coll. « Écrivains de toujours », Seuil, 1967 (présentation neuv et convaincante de l'itinéraire rimbaldien par un critique qui est aussi l'un de nos meilleurs poètes). — ÉTIEMBLE *Le mythe de Rimbaud,* Gallimard, 1954-1961 (un garde-fou). — Jean-Pierre GIUSTO, *Rimbaud créateur,* P.U.F 1981 (une exploration de l'imaginaire). — Pierre BRUNEL, *Rimbaud, projets et réalisations,* Champion, 1983 (u nouvel examen du *corpus* rimbaldien) ; *Arthur Rimbaud ou l'éclatant désastre,* Champ Vallon, 1983 (un essai d mythocritique). — André GUYAUX, *Poétique du fragment, essai sur les « Illuminations » de Rimbaud* à l Baconnière, 1985 (à la lumière d'une lecture très attentive des manuscrits, une thèse savante et novatrice).

VERLAINE (1844-1896)

« Vieux vagabond des routes et des faubourgs » (Anatole France), Verlaine n'a pas été seulement rejeté par la société de son temps. Il est aujourd'hui proscrit par les délicats qui lui reprochent sa mièvrerie quand il est ému, sa grossièreté quand il célèbre les plaisirs de la chair. On l'accuse tantôt d'être tartuffe et tantôt d'être cru. Il faudrait tenter de retrouver la continuité d'un poète qui eut horreur du discontinu et, au lieu de faire tomber ses masques, faire la somme de ses visages et de ses voix. Alors on s'apercevra peut-être qu'il est un grand poète, non pas celui qui fut adulé par les salonnards de la « Belle Époque », mais celui qui a su s'exprimer tout entier.

« LE PAUVRE LÉLIAN »

Le premier biographe de Verlaine fut sans doute Verlaine lui-même, dans des proses peu connues et fort inégales, *Mémoires d'un veuf* (1886), *Mes hôpitaux* (1891), *Mes prisons* (1893), *Confessions* (1895), sans oublier *Les poètes maudits* où il se place au terme d'une lignée qui comprend Tristan Corbière, Rimbaud, Mallarmé, Marceline Desbordes-Valmore, Villiers de l'Isle-Adam et « Pauvre Lélian », — entendez, par anagramme, Paul Verlaine.

Dessin de Verlaine illustrant son passage comme professeur à Rethel en 1877. Ici, le directeur du collège lui montre sa chambre. Les années de Rethel (1877-1879) nourriront la furieuse rancœur du *Voyage en France par un Français*, écrit aux alentours de 1880.

Une enfance heureuse

Ce « fils de l'Ardenne et de l'ardoise » (P. Claudel), né à Metz en 1844 dans un vieux ménage sans enfant, eut une enfance qu'il a lui-même qualifiée de « joyeuse » (*Bonheur*). Choyé par une mère trop indulgente et par une cousine orpheline, Élisa Moncomble, de huit ans son aînée, il devait trouver rude le premier contact avec les difficultés de la vie. Son père, un militaire, prit sa retraite en 1851, et la famille s'installa à Paris : pensionnaire à l'institution Landry, Paul prend la fuite. Certes, le temps de l'adaptation viendra, mais avec les conséquences que cela implique : les « enfantillages sensuels » et aussi ce repli sur soi, sur les paysages familiers de l'enfance et des vacances, d'où naîtra bientôt la poésie.

Un petit-bourgeois

Après des études secondaires quelconques, Verlaine est employé à l'Hôtel de Ville. Rond-de-cuir passablement dépravé et déjà ivrogne, il n'a pas perdu cette sensibilité féminine qui le voue à « une suite maussade d'événements contradictoires » *(Confessions)*. Lecteur d'ouvrages obscènes, il n'en fréquente pas moins les poètes « artistes » et collabore au premier *Parnasse* (1). La mort de son père (1865) et surtout celle de sa cousine Élisa (1867) le laissent désemparé, et pourtant il ameute le voisinage en battant sa mère en 1869. Est-ce un rêve compensatoire, le « rêve familier » des *Poèmes saturniens*, qui le pousse à épouser le 11 août 1870 une jeune fille de seize ans, la demi-sœur de son ami Charles de Sivry, Mathilde Mauté? « Oh! j'aime beaucoup les poètes, Monsieur » : ces premières paroles de Mathilde à Verlaine indiquent assez sur quel malentendu allait reposer leur brève union. Snobisme de petite-bourgeoise, pour l'une. Recours à la bourgeoisie pour conjurer ses démons chez l'autre. Impitoyablement, la guerre, le siège de Paris, la Commune allaient arracher les rubans de *La bonne chanson* : comment Mathilde découvrirait-elle « son » poète en Verlaine, garde-national en goguette, plus violent dans son ménage que guerrier dans la rue?

Le « grand péché radieux »

Pour quitter cet « at home obèse » et la « Princesse Souris », il fallait Rimbaud. Recueilli par Verlaine chez lui en septembre 1871, semant le scandale dans la famille et parmi les amis, abandonné puis repris, « le plus beau d'entre tous les mauvais anges » (2), n'entraîna pas seulement Verlaine en Belgique, puis en Angleterre, pour se venger de Mathilde, mais pour rendre son faible compagnon « à l'état de fils du soleil » (3). Par un nouveau malentendu, Verlaine ne vit guère dans l'aventure que « le roman de vivre à deux hommes » (4), l'occasion de satisfaire à la fois ses passions et des aspirations sentimentales qui, déçues au foyer, le furent tout autant dans le garni londonien.

Quand, en juillet 1873, Verlaine est emprisonné à Bruxelles, puis à Mons, pour près de deux ans, tout s'effondre : Rimbaud est parti, Mathilde a demandé et obtenu la séparation, le Parnasse exclut son ancien collaborateur. L'ex-communard, le pédéraste suscite partout la méfiance et la réprobation. Ne reste plus qu'à peler des pommes de terre ou à trier du café entre quatre murs.

1. Voir page 502.
2. « Crimen Amoris », dans *Jadis et naguère*.
3. Rimbaud, « Vagabonds » dans les *Illuminations*.
4. « Laeti et Errabundi », dans *Parallèlement*.

L'effort de redressement

Habitué dès l'enfance à « fix[er] tout », à chasser les formes et les couleurs, fasciné par le jour (1), Verlaine, dans sa prison, ne pouvait pourtant rester insensible au « ciel si bleu, si calme » (2), au poudroiement du soleil à quelque trou (3), au tintement d'une cloche, à tous les symboles d'un espoir qui va chercher comme soutien la « sagesse » puisée dans la conversion. Plus rêvé que vécu, peut-être, ce retour à la foi... Il n'en permet pas moins à Verlaine de tenter de remonter la pente après sa sortie de prison. Agriculteur dans le nord de la France, professeur en Angleterre, à Stickney et à Bournemouth, il mène une vie correcte et rangée. En 1877, les démons reparaissent : il perd son poste d'enseignant à l'Institution Notre-Dame de Rethel parce qu'il a recommencé à boire; il s'éprend — platoniquement peut-être —, d'un de ses élèves, Lucien Létinois, qu'il emmène en Angleterre, comme naguère Rimbaud. Mais surtout l'échec le guette : son entreprise agricole fait faillite en 1882; son protégé, Lucien Létinois, est emporté par la typhoïde en 1883; ses efforts pour retrouver son ancienne place à l'Hôtel de Ville de Paris restent vains.

Les bas-fonds

De 1883 à 1885, Verlaine s'enlise : il a racheté une petite ferme dans le Nord, mais pour y cacher son ivrognerie et les « galopins aux yeux de tribades » qu'il fait venir de Paris; il est arrêté et emprisonné pour avoir battu sa mère qui meurt misérablement en 1886. Lui-même est malade, sans le sou (les Mauté sont venus lui arracher son maigre héritage). Il erre d'hôpital en hôpital, de taudis en taudis, passant de Philomène Boudin à Eugénie Krantz, deux femmes de petite vertu, deux « Euménides » plutôt, qui l'exploitent à tour de rôle. Car ce clochard claudicant connaît maintenant la célébrité, et l'on n'hésite pas à lui donner de confortables cachets pour ses conférences. C'est dans la chambre glacée d'Eugénie Krantz qu'il s'effondre en janvier 1896, mais le ministre des Beaux-Arts se fera représenter à ses funérailles et Barrès prononcera un discours sur sa tombe.

1. *Confessions*.
2. *Sagesse*, III, 6.
3. *Sagesse*, III, 3.

LA GUIRLANDE DE VERLAINE

> Voici des fruits, des fleurs, des feuilles et des [branches,
> Et puis voici mon cœur, qui ne bat que pour [vous... (1).

Ces vers des *Romances sans paroles* sont comme une présentation de l'œuvre de Verlaine. Une œuvre sur laquelle on porte presque toujours le jugement que Voltaire portait sur Shakespeare : « quelques perles sur du fumier » et qui, pourtant, forme un tout et dont la courbe est aussi émouvante que précieux le détail.

L'indécision du « saturnien »

Le premier recueil de Verlaine, les *Poèmes saturniens* (1866) semble, par son épilogue, d'obédience parnassienne. De fait, Leconte de Lisle est passé par là, encore qu'on ne sache pas très bien si Verlaine l'a pris au sérieux ou parodié (« Çavitri »). Le titre et le prologue sont, eux, résolument baudelairiens. Mais le « saturnien » n'hésite pas seulement entre des influences contradictoires. Vivant dans un univers « brumeux », « fumeux » (2), parmi les arbres qui frissonnent (3), les nénuphars blêmes balancés par le vent (4), il se sent lui-même emporté « deçà delà » par le vent mauvais, comme la feuille morte (5). Peut-être hésite-t-il surtout entre un passé illuminé par Élisa qui le retient (6) et l'avenir où l'attendent d' « affreux naufrages » (7).

Propos galants

Les *Fêtes galantes* (1869) et *La bonne chanson* (1870), que l'on oppose si souvent, ont au moins deux points communs : la musique verlainienne, là plus subtile, ici plus fervente, et les propos galants. « Propos fades » que ceux de Tircis et d'Aminte, et des autres personnages de la comédie italienne dans des décors de Watteau. Propos fades encore que ceux de Verlaine fiancé à Mathilde. Mais dans cette atmosphère équivoque, baignée de lune, se mêlent, pour un jeu de dupes, les vrais et les faux ingénus.

1. « Green », dans les *Romances sans paroles.*
2. « L'heure du berger ».
3. « Le rossignol ».
4. « Promenade sentimentale ».
5. « Chanson d'automne ».
6. Voir la suite « Mélancholia », avec des pièces célèbres comme « Nevermore », « Après trois ans », etc. J. H. Bornecque a vu dans Élisa la figure à laquelle se rattachent toutes les figures féminines évoquées dans le recueil.
7. « L'angoisse ».

L'art de la fadeur

Les *Romances sans paroles* (1874), que l'on peut considérer comme le plus parfait chef-d'œuvre de Verlaine, élèvent la « fadeur » à la hauteur d'un art (1) : pour conjurer la menace que la sensation fanée laisse peser sur le moi et sur les choses, il importe de rechercher la dissonance, de réunir le « vague » et l' « aigu » ou, comme le dira le célèbre « Art poétique » d'avril 1874 (2), le « précis » et l' « indécis ». La série des « Ariettes oubliées » constitue l'exemple privilégié de la langueur verlainienne où l'être s'épuise, s'écœure, au point de passer du personnel à l'impersonnel

> Il pleure dans mon cœur
> Comme il pleut sur la ville (III).

La « conversion » poétique

Sagesse (1881) passe pour le plus bel exemple de la poésie de la conversion, avec la suite émouvante de sonnets « Mon Dieu m'a dit... ». L'âme du pécheur, tout à sa nouvelle ferveur, tantôt l'affirme avec l'intransigeance du néophyte (I, 10) et tantôt sent gronder en elle la voix des tentations anciennes, voix de l'Orgueil, voix de la Haine, voix de la Chair (I, 19).

Il faut surtout remarquer la conversion poétique de Verlaine dans ce recueil, le tournant : l'abandon de la neutralité où le moi se perd, l' « essai pour se ressaisir et pour ressaisir les choses selon les habitudes du sens commun » (3). Rendu responsable de l'échec vécu, l'artifice littéraire doit faire place à l'étreinte de la rugueuse réalité, au dessin net et parfois fruste de l'image d'Épinal. Bientôt, Verlaine en arrivera à parodier sa manière précédente

> Des romances sans paroles ont,
> D'un accord discord ensemble et frais
> Agacé ce cœur fadasse exprès,
> O le son, le frisson qu'elles ont (4).

1. J.-P. Richard en a fait une analyse décisive, dont nous donnons ici l'essentiel.
2. Publié dans *Jadis et naguère.*
3. J.-P. Richard, article cité.
4. « A la manière de P. V. », dans *Parallèlement.*

Parallèlement

Après *Sagesse,* Verlaine vide ses fonds de tiroir et compose de nouvelles pièces. Dans cet ensemble disparate il essaie de mettre de l'ordre : ordre chronologique *(Jadis et naguère)*, ordre logique plutôt, l'alternance des deux aspects conjoints de sa personnalité. C'est pourquoi l'on pourrait reprendre, pour tous les derniers livres de Verlaine, le titre de l'un d'eux, *Parallèlement.*

L'inspiration religieuse se poursuit dans *Amour* (1888), *Bonheur* (1891), *Liturgies intimes* (1892) qui composent une « trilogie de la Grâce ». Dans le premier de ces recueils, on trouve le « lamento » pour Lucien Létinois, une suite de vingt-cinq pièces qui commence dans le ton des sonnets chrétiens de *Sagesse.*

> Mon fils est mort. J'adore, ô mon Dieu, votre loi.

L'hymne à l'amour charnel s'élève à son tour dans *Parallèlement* (1889), où, dernière fête galante, il invite à « l'embarquement pour Sodome et Gomorrhe »; *Chansons pour elle* (1891) où dans des vers sans pudeur Verlaine célèbre, tout en restant conscient de sa déchéance, sa liaison avec Eugénie Krantz; *Ode en son honneur* (1893) où il vante encore la « lascivité » de la compagne de ses derniers jours. « Est-elle brune, blonde, ou rousse », demandait-il en parlant de l'Aimée mystérieuse dans les *Poèmes saturniens.* La question resurgit :

> Es-tu brune ou blonde?
> Sont-ils noirs ou bleus,
> Tes yeux? (*Chansons pour elle*, XIII).

Mais qu'importe, puisqu'il s'agit seulement d'aimer « drûment, et verdement » (XVII).

On aurait tort de vouloir traiter par le mépris les derniers recueils de Verlaine. Très inégaux sans doute, ils recèlent certaines de ses plus exquises réussites (« Kaléidoscope » dans *Jadis et naguère*, « Bournemouth » dans *Amour*). Surtout, ils attestent la volonté, ininterrompue depuis Mons, de sortir de l' « impression fausse » et la permanence pourtant de l'oscillation entre des appels contradictoires, ce mouvement d'escarpolette dont parlait la troisième des « Ariettes oubliées » et qui, Gabriel Fauré l'a bien compris, est l'accompagnement même de la mélodie verlainienne.

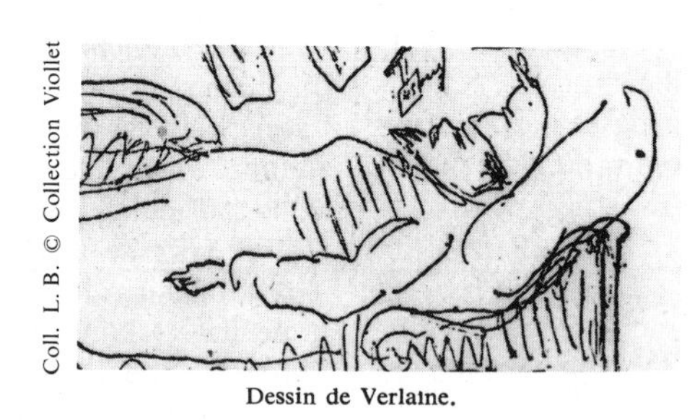

Dessin de Verlaine.

BIBLIOGRAPHIE

ÉDITIONS : Extraits des *Œuvres poétiques,* éd. E. Richer, Sélection littéraire Bordas, 1967. En Livre de Poche *La bonne chanson, suivie de Romances sans paroles et de Sagesse ; Jadis et naguère ; parallèlement ; Poèmes saturniens suivis de Fêtes galantes.* La plupart des recueils ont été repris dans la coll. Poésie-Gallimard. – *Poésies complètes* dans la coll. Bouquins (éd. Y. A. Favre).

Œuvres complètes : l'édition Messein (8 vol.) est introuvable. — La Pléiade a publié l'Œuvre poétique (éd Y.-G. Le Dantec et J. Borel, 1962) et les Œuvres en prose (éd. J. Borel, 1972). — Éd. des *Œuvres complètes* par H. Bouillane de Lacoste et J. Borel, Club des Libraires, 1949.

Éditions critiques : *Poèmes saturniens,* éd. J.-H. Bornecque, Nizet, 1952. — *Fêtes galantes,* éd. J.-H. Bornecque, Nizet, 1959. — *Sagesse,* éd. L. Morice, Nizet, 1948. — Les huit premiers recueils ont paru dans l'édition J. Robichez, la meilleure (Garnier, 1970).

ÉTUDES : Antoine ADAM, *Verlaine,* Hatier, 1953 (biographie précise, étude de l'œuvre un peu sèche). — Jean-Pierre RICHARD, « Fadeur de Verlaine », dans *Poésie et profondeur,* Seuil, 1955 (une analyse en profondeur). — Octave NADAL, *Paul Verlaine,* Mercure de France, 1961 (présentation sensible et fervente). — Jacques ROBICHEZ, *Verlaine entre Rimbaud et Dieu,* SEDES, 1982.

LA DÉCADENCE

Ce mouvement confus qui prend la relève du romantisme et ranime le « mal du siècle » est difficile à analyser : trop longtemps confondu avec le symbolisme, carrefour d'influences diverses récentes (Verlaine) ou plus lointaines (Baudelaire), il réunit des éléments disparates sans jamais constituer à proprement parler une école.

LE POINT DE DÉPART : UNE ANALOGIE

Le mot de décadence s'applique normalement à l'état de dégradation d'une société. C'est ainsi que Montesquieu présentait, dans ses *Considérations sur les causes de la grandeur des Romains et de leur décadence*, l'histoire d'un grand corps politique périssant de l'excès même de sa grandeur. Implicitement, il comparait à la décadence de l'Empire romain celle de la France au XVIIIe siècle. Or, cette comparaison, les hommes qui vécurent à la fin du XIXe siècle l'ont faite à leur tour. Baudelaire parle dans son étude sur Constantin Guys (1863) des « décadences », c'est-à-dire de ces époques troublées, transitoires, « où la démocratie n'est pas encore toute-puissante, où l'aristocratie n'est que partiellement chancelante et avilie ». Celle où il vit est de ce type et il se reconnaîtrait parfaitement dans le siècle d'Apulée. Le « Sâr » [1] Péladan (1859-1918) compose un vaste cycle romanesque, une « éthopée », pour représenter et condamner les mœurs modernes corrompues par le matérialisme : il l'intitule *La décadence latine*.

Péladan condamne la décadence. D'autres, au contraire, éprouvent pour elle un invincible attrait. « Je suis l'Empire à la fin de la décadence », proclame Verlaine dans le sonnet « Langueur » (1883). Entre ces deux attitudes, le dandy se trouve dans une situation ambiguë. En cherchant à se substituer à « l'aristocratie chancemante et avilie », en voulant donner à son époque et grâce à l'art un éclat qui lui manque, il s'oppose à la vie moderne. Et pourtant il en est le produit. Doit-il s'adorer, se mépriser lui-même? Telle est au fond l'incertitude qui entourera le Des Esseintes de Huysmans, type, mais aussi caricature du « décadent » (*A rebours*, 1884).

L'attitude de Paul Bourget est significative à cet égard. Il se veut objectif, en 1881, quand, à la fin d'un article sur Baudelaire, il tente de mettre en forme la « théorie de la décadence » issue du poète des *Fleurs du mal*. Le « langage de décadence », explique-t-il, est comparable à une société de décadence, comme le fut l'Empire romain : à la subordination des ordres (là : cité, familles, individus; ici : livre, pages, phrases, mots) a succédé l'anarchie. Le politicien, le moraliste condamnent cette situation ruineuse. Le psychologue pur met en valeur la singularité du détail : « le grand argument contre les déca-

Paul Bourget (à droite) chez la baronne de Poilly.

Coll. L. B. © Harlingue-Viollet

1. Nom de mage oriental. Voir p. 557, n. 3.

dences, c'est qu'elles n'ont pas de lendemain et que toujours une barbarie les écrase. Mais n'est-ce pas le lot fatal de l'exquis et du rare d'avoir tort devant la brutalité? ». En 1881, Bourget semble accorder sa confiance aux « corruptions de style », source de délectation pour les raffinés, et aux décadents de demain. En 1885, au contraire, préfaçant ses *Essais de psychologie contemporaine* dont l'article sur Baudelaire constitue le premier, il déplore l'état de crise où se trouve placée l'actuelle génération d'écrivains celle des « décadents ». Passer de cette confiance à ce regret, c'est marquer les deux temps de l'histoire de la décadence :

— 1883-1885 : une mode.
— 1886-1890 : une lutte.

LES PRÉMICES

Limitée dans le temps, la décadence a pourtant une préhistoire. « L'Empire à la fin de la décadence », pour reprendre l'expression de Verlaine, ce fut peut-être d'abord le Second Empire, celui de Badinguet, de « Napoléon le Petit ». Parmi les flonflons, les déploiements de drapeaux et les détonations d'artillerie, « tout flotte à la dérive », constate l'un des futurs décadents, Ernest Raynaud. La guerre sera une belle démonstration de ce déclin. Le « patrouillotisme » (Rimbaud) s'achève sur une débâcle qui frappe l'imagination pour longtemps (Verhaeren, *Les débâcles*, 1888; Zola : *La débâcle*, 1892). L'avènement de la République ne change pas grand-chose. Selon Gobineau, il ne fait qu'accélérer le processus de dégradation. Avant, après 1870, on couvre cette course à l'abîme du même voile d'insouciance et de frivolité.

La bohème : du salon au cabaret

La bohème de la fin du Second Empire et des premières années de la Troisième République illustre cette insouciance et réagit pourtant contre l'insouciance du bourgeois. On trouve en elle l'ambiguïté si caractéristique du dandysme : un apparent détachement qui peut passer pour de l'héroïsme, un « parti pris stoïque » [1]. « C'est bien nous qui croyons toujours à l'art, à la royauté de l'esprit, après que de si grands désastres nous isolent et nous distinguent d'autrefois », écrit Charles Cros; et c'est pour cela qu'il faut dire « zut » au monde matérialiste, à l'argent, au bon sens.

Le salon de Nina de Villard, « atelier de détraquage cérébral », si l'on en croit les Goncourt, a longtemps été le lieu de réunion de la bohème littéraire et artistique. Mais le lieu de prédilection de celle qu'on a appelée « la dernière bohème » (1878-1883) est plutôt le cabaret. Renouant avec une tradition qui semblait interrompue depuis les « Vilains Bonshommes », prolifèrent les groupes : les « Hydropathes » (1878), les « Hirsutes » (1881), les « Zutistes », les « Jemenfoutistes », sur la rive gauche, sombrent dans un chahut improductif; à Montmartre, le « Chat Noir », brasserie artistique dirigée par le peintre Rodolphe Salis, « gentilhomme cabaretier » depuis la fin de l'année 1881, attire en grand nombre les bourgeois et fait bientôt figure de véritable entreprise commerciale. Une mode est née.

1. L'expression est de Guy Michaud.

Charles Cros (1842-1888)

Charles Cros, dans tous ces groupes et dans le salon de Nina de Villard, sa maîtresse, fait figure d'animateur, de boute-en-train burlesque et infatigable. Diable d'homme que ce méridional savant (il fut professeur de chimie, il inventa le phonographe), érudit (il savait le sanscrit et l'hébreu), musicien, ami des peintures impressionnistes, il a trop embrassé peut-être pour bien étreindre :

> J'ai tout rêvé, tout dit, dans mon pays
> J'ai joué du feu, de l'air, de la lyre.
> On a pu m'entendre, on a pu me lire.
> Et les gens s'en vont dormir, ébahis [1].

Il s'est mêlé au Parnasse, il a fréquenté Verlaine et Rimbaud, pour rompre avec les uns et avec les autres. Car bizarrement, cet homme papillonnant dans la société bohème qui s'esbaudit en entendant son monologue cocasse du « Hareng saur » est un poète de la solitude. Quand « tout le monde est chez soi, égoïstement et lourdement endormi », alors, à « l'heure froide », à « l'instant vrai de minuit » s'insinue l' « horreur » [2]

1. *Le collier de griffes*, « Indignation ».
2. *Le coffret de santal*, « L'heure froide » (l'une des « Fantaisies en prose »).

Caricature de Charles Cros parue dans le journal *Les Hydropathes*. Le groupe des Hydropathes, animé par le Périgourdin Émile Goudeau, eut une existence éphémère (1878-1880), mais réunit jusqu'à 150 personnes. Leurs réunions furent interrompues par un chahut colossal organisé (entre autres) par l'humoriste Alphonse Allais.

a crainte d'être englouti dans le vertige d'une 'ie factice, dans le flot de l'absinthe, dans le ournoiement d'une pensée perpétuellement hésiante [1]. Un poète délaissé aussi : il faudra ıttendre André Breton pour que *Le coffret de antal* (1873) soit enfin découvert.

Tristan Corbière (1845-1875)

C'est un inconnu encore que Tristan Corbière, 'auteur des *Amours jaunes* (1873) dont Verlaine, Huysmans (le livre occupe une place de choix dans la bibliothèque de Des Esseintes) et Laforgue célèbreront à tour de rôle les louanges, après 1883. Breton bretonnant, et peut-être notre meilleur poète de la mer, il suit à Paris son Yseult, « Marcelle », c'est-à-dire l'actrice Armida-Josefina Cuchiani qu'il a rencontrée à Roscoff au printemps 1871, alors qu'elle y séjournait en compagnie de son amant, le comte Rodolphe de Battine. Corbière peut bien se déguiser en dandy, se tailler la barbe et se raser la moustache, se mêler à la vie de bohème : déformé par les rhumatismes, rongé par la phtisie, il ne se reconnaît que dans ce « poète tondu, sans aile, rossignol de la boue », — le crapaud [1]. Ses poèmes : « des ricochets sur son cœur en tempête ». L'expression lyrique est constamment interrompue par des sarcasmes, des ricanements, et Gaétan Picon n'a pas tort d'y voir une sorte de « ventriloquie » pitoyable, mais riche d'effets neufs.

Germain Nouveau (1851-1920)

Natif de Provence, Nouveau quitte Marseille en 1872 pour Paris, où il fréquente la bohème. Il accompagne Rimbaud à Londres en 1874 (certaines des *Illuminations* semblent recopiées de sa main). Ses poèmes, qu'il signe Néouvielle, le font bientôt connaître. Il est alors fortement imprégné de Baudelaire, de Verlaine et de Rimbaud.

En 1878, il traverse une crise morale, rompt avec la bohème et occupe un emploi au ministère de l'Instruction publique. En 1881, il achève un recueil d'inspiration mystique, *La doctrine de l'amour*, qu'il signe « Humilis ». La rencontre de Valentine Renault lui inspire les *Valentines* (publ. 1922). Une crise de mysticisme délirant le conduit en 1891 à Bicêtre. Ensuite, il connaîtra une étrange destinée de vagabond.

Son œuvre est émouvante par ses élans fiévreux et ses accents naïfs. André Breton lui a rendu hommage en ces termes :

> A cette discipline à laquelle nous nous sommes soumis et que Rimbaud toute sa vie a désespérément secouée, Nouveau propose de remédier par l'observation volontaire d'une discipline plus dure. L'esprit se retrempe peu à peu dans cet ascétisme et il n'en faut pas davantage pour que la vie reprenne un tour enchanteur.

UN ADVERSAIRE DE LA DÉCADENCE : GOBINEAU (1816-1882)

Longtemps méconnu, puis mal connu, Gobineau a été, après 1925, l'objet d'un véritable snobisme. Alain découvrait en lui un nouveau Stendhal, et ceux qui, de près ou de loin, accompagnèrent Hitler dans son apologie démente de la race aryenne, crurent découvrir dans l'*Essai sur l'inégalité des races humaines* un étonnant précurseur de leur thèse. Aujourd'hui, on retrouve enfin, sous les masques d'un homme aux multiples vocations, le visage d'un poète maudit.

1. *Ibid.*, « L'heure verte ».

1. *Les amours jaunes*, « Le crapaud ».

Les vocations

Gobineau jeune présente les traits d'un héros de Balzac, ou plutôt un côté Rastignac et un côté Lucien de Rubempré.

On le voit en effet jouer des coudes et des protections pour faire sa place au soleil dans une société qu'il méprise : de Suisse (1849) en Perse (deux fois, en 1855 et en 1861), en Grèce (1864), au Brésil (1868), en Suède (1872) il poursuit une carrière de diplomate qui ne s'achèvera qu'en 1876, l'année de sa brutale mise à la retraite par Decazes.

Parallèlement, il s'agite pour réussir dans le monde des lettres. De 1837 à 1849, il harcèle revues et journaux de médiocres productions, — romans-feuilletons, drames, poèmes — et, après un détour peut-être imposé par sa situation de fonctionnaire aux Affaires étrangères, il revient à la littérature narrative après 1869, au moment où le saisit la « fièvre académique », mais pour donner, cette fois, des œuvres pleines d'un charme original : les *Souvenirs de voyage ;* une nouvelle d'une psychologie pénétrante, *Adélaïde ;* un roman dont les longueurs ne parviennent pas à atténuer l'éclat, *Les pléiades* (1874); et les *Nouvelles asiatiques* (1876) où il renoue heureusement avec l'une de ses premières admirations, *Les mille et une nuits.*

Gobineau attachait pourtant plus de prix au reste de son œuvre où il apparaît tour à tour comme historien, comme philosophe, comme savant orientaliste penché sur les écritures cunéiformes, comme numismate, etc.

Les échecs

Quelle que soit la voie qu'emprunte cet homme aux talents si divers, sa carrière semble vouée à l'échec :

— Fonctionnaire indocile, qui ne s'entend ni avec ses chefs ni avec ses subordonnés, qui couvre de sarcasmes les régimes qu'il sert, qui, après l'euphorie de la découverte, prend en horreur les pays où il se trouve affecté, il a été un diplomate médiocre.

— La valeur scientifique de ses ouvrages est à peu près nulle. L'Histoire, telle qu'il la présente, n'est qu'un tissu d'extravagances et sa philosophie ne constitue qu'une étrange association d'idées disparates.

— Il n'a connu le succès littéraire qu'il escomptait ni avant 1849 ni après 1869, et il a dû renoncer à se présenter à l'Académie française.

— Plus grave encore est l'échec de l'homm dans sa vie privée. Celui qui, le 12 octobre 188 meurt seul dans une chambre d'hôtel à Turi a repoussé tour à tour ses parents — couple pe harmonieux d'une bonapartiste et d'un légit miste, bientôt désuni par une liaison de Madam de Gobineau avec le précepteur de son fils —, s femme, qui a cessé de l'accompagner dans se missions pour mener la vie dispendieuse d'un châtelaine, ses deux filles. Et ce ne sont pas se amours, plus rêvées que vécues, qui ont pu l consoler de son foyer, cet « enfer permanent ».

Misanthrope, Gobineau a, comme Jean-Jacque Rousseau, présenté l'histoire de l'humanit comme l'histoire d'une décadence. Mais explique cette dégradation par d'autres causes qu l'auteur du *Discours sur l'inégalité :* la démocrati qu'il abomine, et qu'il voit triompher après l guerre de 1870; le mélange des sangs qui a raval les races supérieures au niveau des races infé rieures. Et, contrairement à Rousseau, il ne voi pas de remède possible.

Le « Fils de roi »

Parmi tant d' « imbéciles », de « drôles », d « brutes », il existe peut-être encore des « fil de roi » en qui s'est conservée la pureté de l race aryenne ou qui sont nés miraculeusemen

Gobineau à vingt-cinq ans, par G. Bohn.

les « conjonctions fortuites d'éléments ethniques lispersés » : les trois héros des *Pléiades*, Louis de .audon, Conrad Lanze et Wilfrid Nore, partis ı la chasse au bonheur, et celui qui en est revenu redouille, Arthur Gobineau, après s'être élevé ıu rang d'Arthur, comte de Gobineau, et avoir nené la quête patiente d'une généalogie qui l'a onduit jusqu'au Viking Ottar Jarl et à Odin, le lieu des mythologies scandinaves.

Mais la race des Seigneurs, des purs Aryens, lont Gobineau pleure la disparition dans l'*Essai ur l'inégalité des races humaines* (1853-1855), u'il anime dans l'*Histoire des Perses* (1855-1869) t à laquelle il veut se rattacher dans l'*Histoire d'Ottar Jarl et de sa famille* (1879), a-t-elle encore quelque chose à faire dans le monde actuel, « mourant, souffrant, épuisé, indigne, gémissant qui, battu et battant, égorgeant et près de mourir, se vante de ce qu'il est, de ce qu'il représente, de ce qu'il fait »? Gobineau juge sa présence inutile désormais, et son rôle à jamais terminé. Il est prêt lui-même à disparaître et il peut écrire à sa sœur, le 30 octobre 1879 : « Je remercie le ciel de n'avoir pas de fils, je ne sais comment ils auraient tourné ».

Ainsi s'achève ce « tête-à-tête tragique avec la Race » [1], reflété dans une œuvre chaotique, irritante, mais bouleversante.

LA MODE

Après une prise de conscience qu'on peut dater le l'année 1883, la décadence s'affirme avec le éros de Huysmans, Des Esseintes (1884). Les arodies qu'on en fait déjà ne servent encore que on succès.

'883 : l'année de la prise de conscience

Verlaine, de retour à Paris, lance son cri : ‹ Je suis l'Empire à la fin de la décadence ».)ublié pendant de longues années, il revient au remier rang de l'actualité littéraire, en partiulier avec *Les poètes maudits*, trois études consarées à Tristan Corbière, Arthur Rimbaud et téphane Mallarmé, dont l'influence, si l'on en roit Laurent Tailhade « épanouie en traînée le poudre, éclata comme un feu d'artifice et, lu soir au matin, métamorphosa la chose littéaire ». 1883, c'est aussi l'année des *Névroses* de Maurice Rollinat, annoncées à grand fracas par ın article de Barbey d'Aurevilly, et des *Syrtes* le Jean Moréas, recueil baudelairien et verlaiien qu'on peut considérer comme le premier ecueil poétique de la décadence.

'884 : apparition de Des Esseintes

Comme Chateaubriand avec *René*, Huysmans ı contre son gré lancé une mode avec le personage qu'il étudie dans *A rebours*, Des Esseintes : e type sera pris pour modèle. En ce dernier ejeton d'une famille noble en voie de dégénérescence, le romancier a mêlé certains de ses propres traits (son admiration pour Baudelaire, son inquiétude religieuse) et ceux qu'il pouvait connaître par ouï-dire du comte de Montesquiou, l'un de ses contemporains.

Pour avoir usé sans mesure des plaisirs que lui procurait sa richesse, Jean des Esseintes a pris la société en dégoût. Il a décidé de s'enfermer dans la solitude de sa demeure de Fontenay-aux-Roses où il savoure les sensations rares d'une vie placée tout entière sous le signe de l'artifice (l'orgue à liqueurs, les fleurs naturelles imitant les fleurs fausses). Épris de la décadence latine et de ses écrivains (le *Satiricon* de Pétrone), il goûte au même titre l'art et la littérature modernes et voit en Mallarmé l'incarnation de « la décadence d'une littérature, irréparablement atteinte dans son organisme et pressée de tout exprimer à son déclin ». Mais, poursuivi par sa névrose, et contraint à quitter son existence dorée de cénobite, Des Esseintes implore le Dieu des chrétiens : « ses tendances vers l'artifice, ses besoins d'excentricité » n'étaient peut-être rien d'autre, au fond, que « des transports, des élans vers un idéal, vers un univers inconnu, vers une béatitude lointaine ».

1885 : satire ou apologie?

L'année suivante paraissait un livre à la manière de Huysmans, *Les déliquescences*, *poèmes*

1. Jean Gaulmier, *Spectre de Gobineau*.

décadents, d'Adoré Floupette : les auteurs, qui cachaient soigneusement leur nom, étaient Henri Beauclair et Gabriel Vicaire, et ils entendaient railler la mode lancée par *A rebours*. L'effet fut inverse et l'ouvrage contribua à lancer le mot « décadent ».

LA LUTTE

La bataille contre les décadents n'allait pourtant pas tarder à s'organiser. Mais il s'agit d'une mêlée confuse où revues et manifestes ont un rôle essentiel à jouer.

Défections et désaffection

Une mode s'use vite. Un article paru dans *le Temps*, le 6 août 1885, taxant les décadents de misanthropie, de névrose, de mysticité perverse et de fumisterie fut le signal d'une curée. Craignant le ridicule, l'un des premiers porte-parole de la décadence, Jean Moréas, proposa un mot nouveau qui allait bientôt faire fureur : « symboliste ». En 1886, Verhaeren proclamait « la fameuse Décadence aussi morte déjà que le rat de la place Pigalle ».

Les revues

Réagissant contre ces attaques, le décadent devient homme d'action avec Anatole Baju qui, en avril 1886, fonde *Le décadent*, d'abord journal, puis revue. Sans nier l'existence d'une « doctrine symbolique », il s'en désolidarise et veut présenter « le verbe quintessencié du décadisme triomphant ». En 1887, le même Baju publie un manifeste, *L'école décadente*. Verlaine lui apporte son soutien. Les symbolistes sont présentés comme des « pseudo-décadents », comme « l'ombre » des décadents. Curieusement, c'est un symboliste, René Ghil qui, au même moment, dirigeait une feuille rivale et éphémère, *La Décadence*. Mallarmé, à qui il avait demandé d'y collaborer, lui répondit : « Quel titre abominable que *La Décadence*, et comme il serait temps de renoncer à tout ce qui y ressemble! » Verlaine lui-même, qui avait aimé ce mot « tout miroitant de pourpre et d'ors », s'exclame maintenant « le bête mot! » et avoue, en 1891, que « décadent, au fond, ne voulait rien dire du tout ».

LE MESSAGE DÉCADENT

Le mot ne voulait peut-être pas dire grand-chose, mais ce qu'il désignait avait bel et bien existé. La décadence est la phase négative du symbolisme. Au cours de cette phase, l'âme se trouve réhabilitée, son « paysage choisi » est dessiné — décor de lune et d'automne, de marbres et de vasques —, son mode d'expression est choisi, indécis mais concret, musical mais avec de secrètes dissonances, des ruptures de ton qui peuvent aller jusqu'à la cocasserie véritable.

BIBLIOGRAPHIE

ÉDITIONS : Charles CROS, Tristan CORBIÈRE, *Œuvres complètes,* Gallimard, « Bibliothèque de la Pléiade », 1970. —J.-K. HUYSMANS, *A rebours,* Folio, 1977. — GOBINEAU, *Adélaïde* (Livre de Poche, n° 469) ; *Nouvelles asiatiques* (coll. « 10-18 », éd. critique Garnier) ; *Les pléiades* (Livre de Poche, n° 555). Trois volumes d'*Œuvres* dans la Pléiade, 1983-1985.

ÉTUDES : Guy MICHAUD, *Message poétique du symbolisme,* Nizet, 1947 (voir surtout le tome II). — Noël RICHARD, *A l'aube du symbolisme,* Nizet, 1961 ; *Le mouvement décadent,* Nizet, 1968 (études historiques très précises, beaucoup d'éléments anecdotiques ; manque une véritable synthèse).

Sur Charles Cros : Louis FORESTIER, *Charles Cros,* éd. Minard, 1970. Sur Gobineau : Jean GAULMIER, *Spectre de Gobineau,* J.-J. Pauvert, 1965 (à partir de documents inédits, la découverte du vrai Gobineau ; une étude magistrale et passionnante). Jean BOISSEL, *Gobineau,* Hachette, 1981 (une biographie très vivante). — Pierre-Louis REY, *L'univers romanesque de Gobineau,* Gallimard, 1981 (une analyse fine et profonde).

LAFORGUE (1860-1887)

« Je vis d'une philosophie absolue » : cette profession de foi peut surprendre de la part d'un poète qu'on a trop souvent considéré comme un amuseur ou comme un symbolard. Elle indique qu'une intention profonde préside à une création verbale, unique dans notre langue, que les Français ont trop souvent laissé le soin d'admirer aux étrangers (le T. S. Eliot de *La chanson d'amour de J. Alfred Prufrock* en fait foi).

Une existence éphémère

Jules Laforgue est né en Uruguay, à Montevideo, le 16 août 1860. Six ans plus tard, ses parents reviennent en France et repartent sans lui : ils l'ont laissé à Tarbes avec son frère aîné, sous la garde de cousins, puis, pendant six ans, dans l'austère pensionnat du lycée. On songe aux débuts dans la vie de Lautréamont. En 1875, la famille Laforgue, enfin reconstituée, s'installe à Paris, pour peu de temps. Mme Laforgue meurt prématurément (1877); le père, malade, retourne à Tarbes. Abandonné à la capitale, Jules Laforgue l'est aussi au caprice de sa volonté et de sa destinée : après avoir échoué trois fois au baccalauréat, il renonce aux études officielles pour lire et écrire à sa guise. Il fréquente les décadents et en particulier le théoricien de la « décadence », Paul Bourget, s'intéresse aux beaux-arts, grâce aux cours de Taine et à ses fonctions temporaires de secrétaire d'un riche collectionneur, Charles Ephrussi.

En novembre 1881, il part pour l'Allemagne. Ses amis lui ont procuré le poste de lecteur français de l'impératrice Augusta. Laforgue va passer dans ce pays la plus grande partie de son existence littéraire. Le cycle des déplacements de la souveraine, l'existence dorée qu'elle lui fait semblent agréer à la passivité de ce révolté. Quelques « flirtations », des amours épistolaires avec la poétesse Sanda Mahali (Mme Multzer), une aventure mystérieure, probablement un peu plus orageuse, avec R... ne constituent que de menus incidents dans l'existence de ce jeune homme épris de pureté. En décembre 1886, son mariage avec miss Léah Lee, une Anglaise rencontrée à Berlin, est le terme de plusieurs mois d'hésitations qu'expliquent sa timidité et sa crainte d'un engagement définitif.

Ayant démissionné de son poste de lecteur, Laforgue se retrouve avec sa jeune épouse dans un Paris peu accueillant. Aux ennuis d'argent viennent s'ajouter des ennuis de santé. Atteint de phtisie, Laforgue meurt le 20 août 1887, à vingt-sept ans. Léah aura le même âge quand elle sera enlevée, huit mois plus tard, par la même maladie.

Portrait de Jules Laforgue par Skarbina,
« Propre et correct en ses ressorts,
S'assaisonnant de modes vaines,
Il s'admire, ce pauvre corps... »
(« Complainte du pauvre corps humain »)

DES INFLUENCES DIVERSES

Dans cette période qui suit l'effondrement de la Commune et où la République semble vacillante, règne une atmosphère de pessimisme à laquelle Laforgue n'a pas échappé. Ce pessimisme s'est cherché des fondements philosophiques et des modes d'expression.

Les fondements philosophiques

En 1879, sous l'influence de Bourget peut-être, Laforgue a perdu la foi catholique. Au dogme défaillant il substitue le scientisme contemporain, hérité de Taine et de Renan [1]. Attiré par l'astronomie, séduit par l'évolutionnisme de Darwin et de Spencer, il se trouve placé dans une étrange contradiction : au nom de la science, il accepte le monde qu'on lui propose; mais ses exigences intérieures le poussent, comme Baudelaire, à le refuser.

L'influence majeure sur lui est celle de la *Philosophie de l'inconscient* de l'Allemand Hartmann (1842-1906). Nouvelle contradiction, puisque cette philosophie néo-romantique s'inscrit en réaction contre le positivisme triomphant. Elle affirme, comme « principe absolu » du monde, l'inconscient, où, se distinguant par là du talent, le génie puise toutes ses inspirations. Chez Hartmann, Laforgue a cherché « un espoir désespéré » [1]. L'intention philosophique préside à la gestation du poème, à l'élaboration du recueil. Et s'il recherche l'extrême singularité, c'est qu'il la considère comme la seule chance de capter les sources insconcientes.

Les modes d'expression

En dédiant *Les complaintes* à Paul Bourget, Laforgue saluait non seulement l'ami, mais le maître. Et rien en effet ne ressemble plus à ses premiers vers que les poèmes de Bourget, aujourd'hui bien oubliés, *La vie inquiète* ou *Edel*. Comme tout poète jeune, Laforgue a été très perméable aux influences : à côté de Hugo, de Baudelaire, de Verlaine et même de Mallarmé, il faut faire place à Heine, « ce bouffon de génie », dont on retrouve chez lui le « sourire amer », et à des contemporains mineurs, comme Richepin, Charles Cros, Rollinat, avec qui il a accepté de s'encanailler en accordant sa muse à la muse populaire, mais pour mieux exprimer son désarroi.

L'ITINÉRAIRE POÉTIQUE

L'art laforguien de la « clownerie », apparemment si original, n'est pas donné mais conquis. Dans sa quête de sa note propre, le poète accomplit un itinéraire qui apparaît comme une suite, malheureusement inachevée, de métamorphoses. Non de brutales transformations, mais de subtiles modifications : car Laforgue reprend sans cesse ses ébauches anciennes pour créer ses œuvres nouvelles.

Le sanglot de la terre (1880-1882) n'a pas été publié de son vivant. Le poète a lui-même défini ce recueil comme « l'histoire, le journal d'un Parisien de 1880 qui souffre, doute et arrive au néant, et cela dans le décor parisien, les couchants sur la Seine, les averses, les pavés gras, les Jablochkoff [2], et cela dans une langue d'artiste, fouillée et moderne, sans souci des codes du goût, sans crainte du cru, du forcené, des dévergondages, du grotesque ». Le modernisme, directement issu de Baudelaire, se confond ici avec un naturalisme poétique qui ne va pas sans excès.

La « chanson du petit hypertrophique » indiquerait pourtant déjà une manière nouvelle : non plus les cris, les sanglots maladroits, mais *Les complaintes*. Elles ont été publiées en 1885. Laforgue en avait eu l'idée dès le 20 septembre 1880 en entendant de misérables chanteuses de foire lors des fêtes qui marquèrent l'inauguration du Lion de Belfort, place Denfert, — ou plutôt « place d'Enfer ». Réuni entre novembre 1882 et novembre 1883, le recueil ne fut véritablement composé qu'après une nuit décisive à Coblence, véritable « nuit d'Idumée » qui apporta au poète la révélation des « principes métaphysiques » de l'esthétique nouvelle. Laforgue ne veut plus ici « faire la grosse voix » et « jouer de

1. .Voir pages 488-489.
2. Les réverbères.

1. Pierre Reboul, *op. cit.*, *Laforgue.*

'éloquence ». Ayant le sentiment de posséder sa angue « d'une façon plus minutieuse, plus clownesque », il écrit de « petits poèmes de fantaisie n'ayant qu'un but : faire de l'original à tout prix » (1). Certes on passe de la révolte des « Préludes autobiographiques » à la « mansuétude » du « Sage de Paris », mais cette sagesse est folie, entendez bouffonnerie, clownerie savante, digne et silencieuse :

Un fou
S'avance
Et danse.
Silence...
Lui, où?
Coucou (2).

En 1885, parallèlement aux proses des *Moralités légendaires*, où il brode de vieux canevas (Hamlet) d'âmes à la mode (la sienne), Laforgue écrit, rapidement cette fois, un nouveau recueil, *L'imitation de Notre-Dame de Lune*. Sous la lumière blafarde de l'astre stérile, habillé en hostie et symbole de la mort, palabrent, parmi les fêtes galantes énervées, les pierrots « dandys de la Lune » (3).

Le recueil *Des fleurs de bonne volonté*, composé au cours des mois passés à se demander s'il épouserait ou non miss Léah Lee, montre Laforgue « s'arlequinant » encore de multiples « défroques » (4) pour traduire ses hésitations. Derrière lui (les épigraphes en font foi) se profile de nouveau l'ombre de Hamlet. La forme curieusement plus resserrée des poèmes de ce recueil cède la place, dans les *Derniers vers*, au vers libre dont « L'hiver qui vient » constitue le meilleur exemple :

Blocus sentimental! Messageries du Levant!...
Oh, tombée de la pluie! Oh tombée de la nuit,
Oh! le vent!
La Toussaint, la Noël et la Nouvelle Année,
Oh, dans les bruines, toutes mes cheminées!...
D'usines...

Laforgue n'en est probablement pas plus l'inventeur que Gustave Kahn. On peut penser que les traductions de Whitman qu'il a réalisées en 1886 avec la collaboration de miss Lee ont joué un rôle déterminant dans l'adoption de cette forme nouvelle, adoption encore timide, puisque, de temps à autre, il revient, dans le cours même du poème, aux sortilèges plus connus de l'alexandrin et de la rime, comme s'il restait hamlétique dans sa manière même de composer.

Depuis le début, le langage poétique de Laforgue tendait vers la libération : prétendant appartenir, non à la conscience, comme le langage quotidien, mais à l'inconcient, il « constitue une indispensable agression », disloquant la phrase, multipliant les rejets, éliminant les mots superflus (« je », par exemple), créant des néologismes par l'accouplement plein de signification de deux vocables connus (« l'éternullité », « violuptés »), mêlant le terme le plus rare aux vulgarismes. Si l'on peut être irrité du climat décadent où se meut la poésie de Laforgue, de son monde dilué dans le vent, la pluie et la clarté lunaire, on ne peut qu'admirer la richesse d'une création verbale pleine d'avenir.

1. Lettre à sa sœur Maria, mai 1883.
2. « Complainte-Épitaphe » sur laquelle s'achève le recueil.
3. « Pierrots »
4. « Esthétique ».

BIBLIOGRAPHIE

ÉDITIONS : Exceptionnellement, l'édition de poche est ici la seule véritable édition savante : Jules LAFORGUE, *Poésies nouvelles*, éd. Pascal Pia, Livre de Poche, n° 2109 ; à compléter par les *Moralités légendaires*, Mercure de France, 1964. Édition en cours à L'Age d'homme.

ÉTUDES : François RUCHON, *Jules Laforgue, sa vie, son œuvre*, Ciana, Genève, 1924 (thèse solide, mais vieillie). — Marie-Jeanne DURRY, *Jules Laforgue*, Seghers, s. d. (une anthologie, précédée d'un essai pénétrant). — Pierre REBOUL, *Laforgue*, Hatier, coll. « Connaissance des Lettres », n° 56, 1960 (étude chronologique précise et indispensable).

MALLARMÉ (1842-1898)

Insulté, ridiculisé par une critique aveugle, pieusement honoré par quelques fervents disciples, Mallarmé ne connut de son vivant qu'une gloire réduite et équivoque. L'histoire littéraire lui en assure-t-elle une plus juste en faisant de lui le champion d'une perfection abstraite et hermétique, l'amant blessé d'une beauté inaccessible, la victime d'un idéal inhumain, le père et le maître d'un symbolisme aux frontières imprécises? Mallarmé est un cas unique; son œuvre exemplaire fascine, et l'esprit qui veut la pénétrer tout aussitôt s'enchante, mais s'égare et s'affole, il sait qu'il frôle un des points extrêmes de la poésie, l'expression la plus achevée d'un langage purifié et l'entreprise la plus tragiquement vécue d'un salut. Au martyrologe de la poésie « moderne » — celle qui s'écrit et se vit après les expériences décisives de Baudelaire —, Mallarmé est la figure la plus héroïque peut-être par sa discrétion obstinée.

Une vie « retranchée »

« Sa vie — je cherche rien qui réponde à ce terme : véritablement et dans le sens ordinaire, vécut-il? » Cette question, posée par Mallarmé à propos de Villiers de l'Isle-Adam, retournons-la à l'auteur d'*Hérodiade* : « dans le sens ordinaire », il ne vécut point, ou si peu! Né à Paris en 1842, le jeune Stéphane fait ses études secondaires et, « âme lamartinienne » comme il l'avouera à Verlaine, écrit des poèmes dès son enfance; la lecture des *Fleurs du mal*, en 1861, est pour lui une bouleversante révélation. Parti en Angleterre pour perfectionner ses connaissances en anglais, il traduit des poèmes de Poe et écrit des vers inspirés de Baudelaire. Il devient professeur d'anglais et enseigne successivement à Tournon, Besançon, Avignon et Paris. Lorsqu'il meurt, en 1898, l'un des plus grands aventuriers de l'esprit n'a vécu, semble-t-il, que par concession aux exigences économiques et sociales, en acceptant une existence médiocre, professionnellement monotone, sentimentalement peu troublée.

Portrait de Mallarmé par Manet. (Musée du Louvre.)
« Cet œil – Manet – [...] neuf, [...] gardait naguères l'immédiate fraîcheur de la rencontre » (Mallarmé, *Médaillons et portraits*).

C'est que la « vraie vie » est ailleurs pour Mallarmé, dans la « vague et jalouse pratique » qui consiste à écrire, et « qui l'accomplit, intégralement, se retranche ». Cette vie « retranchée », elle, ne saurait souffrir de concessions; ni l'appât de l'argent, ni le mirage de la gloire ne peuvent en infléchir le cours ascétique. On est frappé, quand on songe au temps, à l'énergie consacrés par Mallarmé à la création poétique, par la toujours plus faible production de son activité. A mesure que le poète approfondit sa réflexion, maîtrise son art, il durcit son exigence. Mallarmé pensa infiniment, parla beaucoup à ses quelques fidèles, écrivit quelques milliers de pages de prose, mais ne laissa paraître de son vivant qu'un peu plus de mille vers! Encore ne voyait-il en eux que des « études en vue de mieux »!

La période baudelairienne, celle pendant laquelle le poète maîtrise ses dons mais ne possède qu'imparfaitement sa voix propre, est la plus féconde. En 1866, *Le Parnasse contemporain* publie dix poèmes — dont « Les fenêtres » et « Brise marine ». Dès 1864, Mallarmé avait décidé d'aller au delà de cette voie qui pouvait lui assurer un trop facile succès. Il travaille alors obstinément; les fragments d'*Hérodiade*, drame lyrique qui restera inachevé, sont élaborés, une première version de *L'après-midi d'un faune* est rédigée (la version définitive, établie en 1875, sera publiée en 1876). Cette expérience nouvelle de la création, tout à fait dégagée des influences exercées jusqu'alors par Baudelaire et Poe est capitale. Mallarmé traverse en « creusant le vers » d'*Hérodiade* une crise profonde, tant esthétique que spirituelle : « Malheureusement, en creusant le vers à ce point, j'ai rencontré deux abîmes qui me désespèrent. L'un est le Néant [...] L'autre vide que j'ai trouvé est celui de ma poitrine », avoue le poète dans une lettre; il précise : « heureusement je suis parfaitement mort [...]. Je suis maintenant impersonnel [...] une aptitude qu'a l'univers spirituel à se voir et à se développer, à travers ce qui fut moi. » C'est avec terreur que Mallarmé entreprend *Hérodiade*, car il est conscient d'inventer une langue et une poétique nouvelles qu'il définit : « Peindre, non la chose, mais l'effet qu'elle produit. » Le drame de l'esprit vécu pendant ces années trouve son expression, sinon sa solution, dans un conte inachevé, publié après la mort de l'auteur, *Igitur*.

Jusqu'en 1883, la production poétique est très réduite. Mais le roman de Huysmans, *A rebours*, paru en 1884, attire l'attention sur le poète qui réplique en 1885 par sa « Prose pour Des Esseintes » (le héros de Huysmans), art poétique particulièrement hermétique. Reconnu comme maître par de nombreux jeunes écrivains, Mallarmé réunit chez lui, rue de Rome, le mardi, des disciples enthousiastes qui l'écoutent disserter librement sur la poésie et la musique. De rares et précieux poèmes sont composés à un rythme très lent, en guise d'exercices si l'on en croit Mallarmé lorsqu'il présente, peu avant sa mort, l'essentiel de sa poésie : « études en vue de mieux, comme on essaie les becs de sa plume avant de se mettre à l'œuvre... » Quelle œuvre? Celle que l'auteur poursuit depuis trente années de labeur et de réflexion, celle qui doit rendre compte de tout l'univers, apporter « l'explication orphique de la Terre, qui est le seul devoir du Poète et le jeu littéraire par excellence » *(Autobiographie)*, c'est-à-dire saisir une cohérence spirituelle là où tout n'est que hasard et diversité. Mallarmé pensait-il vraiment achever ce livre, « le Livre »? Le poème — la longue phrase poétique, plus exactement — *Un coup de dés jamais n'abolira le hasard*, publié en 1897, est peut-être l'amorce déconcertante de la grande entreprise. Lorsque le poète mourut brutalement en 1898, il avait demandé à ses familiers de détruire ses notes [1] : « Il n'y a pas là d'héritage littéraire... Croyez que ce devait être très beau. » L'ensemble de l'œuvre se présente donc comme le lieu de l'inaccompli, mais laisse à la poésie une vocation de l'impossible.

Poétique

Le lecteur des poèmes rassemblés par l'auteur à la fin de sa vie croira volontiers du Livre que « cela devait être très beau », tant est sensible l'exceptionnelle maîtrise du poète. « Ses petites compositions merveilleusement achevées s'imposaient comme des types de perfection, tant les liaisons des mots avec les mots, des vers avec les vers, des mouvements avec les rythmes étaient assurées; tant chacune d'elles donnait l'idée d'un objet en quelque sorte absolu dû à un équilibre de forces intrinsèques... » (Valéry, *Variété*). La perfection formelle, l'autonomie qu'elle confère au texte — l'absolu souligné par Valéry — sont les caractères les plus évidents des poèmes de Mallarmé. Ces qualités sont certes dues à un patient travail (il est arrivé que le poète n'écrive qu'un sonnet par an), à des dons incontestables, mais elles sont conquises plus qu'acquises, par une méditation approfondie sur le langage et l'objet de la poésie. L'esthétique si rigoureusement élaborée dans l'ascèse ne va pas sans prolongements éthiques et même métaphysiques.

On ne jugera cette esthétique que par une patiente lecture des poèmes, éclairée par les précisions que l'auteur a concédées au public dans divers articles *(Crise de vers, Quelques médaillons et portraits en pied, La musique et les lettres)* réunis en 1897 dans *Divagations*. Quelques-unes des dizaines d'exégèses, savantes et ferventes, suscitées par une œuvre réputée obscure parce qu'elle brille de trop de feux, apportent au lecteur une aide qu'il ne doit pas dédaigner. Surtout si ces exégèses proposent des interprétations différentes! Comme le remarque

1. Fort heureusement pour la critique, ce vœu n'a pas été totalement respecté.

Coll. L. B. © B. N., Paris

Ex-libris par Félicien Rops pour *Pages* de Stéphane Mallarmé, 1887.

l'un des meilleurs commentateurs de Mallarmé : « Rien de plus glissant que ces poèmes dont le sens semble se modifier d'une lecture à l'autre et n'installe jamais en nous la rassurante certitude de les avoir vraiment, définitivement saisis. Mais cette variabilité du sens doit justement être reconnue comme la signification véritable du poème » (1).

L'effort du poète qui veut parvenir au poème pur, absolu, est encore, comme dans la vie, un « retranchement ». Mallarmé dépasse l'attitude lyrique qui ne sait exprimer que le moi, soumis comme le monde à la contingence. Son expression doit être l' « hyperbole » de la « Prose pour Des Esseintes », qui, par-delà l'être insatisfaisant et déchu, vise la pureté. Cet effacement de soi a des conséquences plus profondes, et plus tragiques, que la simple impassibilité parnassienne : il s'agit de compenser l'insuffisance de l'homme par le pouvoir créateur virtuellement contenu dans le langage : « l'œuvre pure implique la disparition élocutoire du poète qui cède l'initiative aux mots... » Aussi le premier travail du poète est-il de fonder à nouveau un langage libre de ses fonctions vulgaires, de « séparer comme en vue d'attributions différentes le double état de la parole, brut ou immédiat ici, là essentiel ». Une dialectique cruelle de la dépossession et de la repossession, de l'anéantissement du monde impur et de sa reconstruction idéale, gouverne la création poétique; par un agencement subtil des mots, en tenant compte des multiples significations qu'ils peuvent simultanément libérer, des accords inouïs de leurs sonorités, le poète annule une présence insatisfaisante et propose une absence qui comble, passe de l'objet imparfait à l'idée sans défaut. L'art, et nous voyons que le terme désigne aussi bien le patient exercice d'un métier difficile que le saut métaphysique permis par ce métier, est de « transposer un fait de nature en sa presque disparition vibratoire selon le jeu de la parole [...] pour qu'en émane, sans la gêne d'un proche ou concret rappel, la notion pure » (2).

A la limite, pour remonter d'un univers déchu vers l'univers premier, il est nécessaire de constituer une parole neuve qui, contrairement au langage donné, corresponde charnellement (c'est-à-dire musicalement) à l'objet qu'elle suscite : ce sera le vers, conçu non plus comme une suite discontinue de termes, mais comme un mot absolu : « le vers qui de plusieurs vocables refait un mot total, neuf, étranger à la langue et comme incantatoire », le vers qui « rémunère le

1. Jean-Pierre Richard.
2. Dans le même texte, *Crise de vers*, Mallarmé précise : « Je dis : une fleur! et, hors de l'oubli où ma voix relègue aucun contour, en tant que quelque chose d'autre que les calices sus, musicalement se lève, idée même et suave, l'absente de tous bouquets. »

défaut des langues ». Mallarmé voudrait que le vers créât, non seulement par suggestion de sens, mais dans sa substance matérielle même, la réalité qu'il évoque. Alors la victoire de l'esprit et de l'art sur le hasard serait totale; abolissant la gratuité de la parole, ils réduiraient la contingence de l'univers.

« Étranger à la langue », le vers est obscur. L'hermétisme qui caractérise la poésie mallarméenne est voulu, méthode élémentaire de sacralisation qui tient à distance le profane; il est surtout accepté, conséquence inévitable de la création authentique. Le poème s'agence par implications successives, de sens, de sons, de rythmes, non par explications. Son rôle n'est pas de signifier quelque chose, mais d'exister comme un objet idéal, un fragment (en attendant mieux) de vie parfaite, opposés à l'impureté du monde. Il n'est obscur que parce que nous sommes obscurs, produits de l'incohérence d'ici-bas, incapables de percevoir immédiatement la totalité d'une vie neuve.

Une telle expérience poétique est unique : elle exercera sur les écoles et les jeunes poètes qui se pressaient aux mardis de la rue de Rome une influence profonde, mais aucun, pas même Valéry, ne prétendra la poursuivre. L'inachèvement de cette expérience accuse son caractère tragique. La quête désespérée de l'essence aboutit au silence, mais elle est exemplaire. La parole de Mallarmé, la plus exigeante de nos lettres, aura proposé à la poésie ses plus hauts devoirs.

Illustration d'Édouard Manet pour *L'après-midi d'un faune* de Mallarmé, frontispice de l'édition de 1876.

BIBLIOGRAPHIE

ÉDITIONS : MALLARMÉ, *Œuvres complètes,* Gallimard, coll. « Bibliothèque de la Pléiade », 1970. — MALLARMÉ, *Poésies,* coll. « Poésie/Gallimard », 1992, éd. de B. Marchal avec une Préface d'Yves Bonnefoy. — *Œuvres,* éd. Yves-Alain Favre, Garnier, 1985.

ÉTUDES : Albert THIBAUDET, *La poésie de Stéphane Mallarmé,* Gallimard, 1926 (l'une des premières grandes tentatives d'exégèse). — Henri MONDOR, *Vie de Mallarmé,* Gallimard, 1941 (biographie très complète). — Jean-Pierre RICHARD, *L'univers imaginaire de Mallarmé,* Seuil, 1961 (remarquable étude des thèmes poétiques et des ambitions de l'auteur). — Charles MAURON, *Mallarmé par lui-même,* Seuil, 1964 (présentation de la vie et de l'œuvre dans une perspective psychanalytique). — Charles MAURON, *Mallarmé l'obscur,* Corti, 1968 (exégèse des poèmes). — Claude ABASTADO, *Expérience et théorie de la création poétique chez Mallarmé,* Minard, 1970. — J.-L. BACKÈS, *Poésies de Mallarmé,* coll. « Poche critique », Hachette, 1973. — Bertrand MARCHAL, *Lecture de Mallarmé,* Corti, 1985.

LE SYMBOLISME

Au moment où la « décadence » est en butte à ses plus vives attaques, en 1885-1886, le symbolisme s'en dégage. Tel est ce « mouvement tournant, le plus curieux du siècle », comme l'écrit Barrès dans sa revue *Les Taches d'encre*. Le point commun entre « l'école décadente » et celle que Mallarmé appellera « l'école mystique » est l'idéalisme. Cela suffirait à expliquer qu'on les ait confondues, s'il n'y avait d'autre part un extraordinaire enchevêtrement dans le jeu des hommes et des circonstances. Pour comprendre ce que fut le symbolisme, il est bon de s'en tenir à une définition étroite, dût-on, au terme, s'étonner de la minceur de l'événement, de la rareté de son message et des œuvres qu'il inspira véritablement.

NAISSANCE DU SYMBOLISME

Le mot « décadent » s'était usé. Par son ambiguïté même, il finissait par sembler péjoratif, et il sembla bon à certains de l'écarter au profit d'un vocable avec lequel il s'était parfois confondu, celui de « symboliste ». Cet échange fut conclu à la faveur d'une déclaration fracassante de Jean Moréas publiée dans *Le Figaro* du 18 septembre 1886 sous le titre : « Un manifeste littéraire ».

L'échange était d'autant plus aisé que le maître dont allaient se réclamer les symbolistes avait été l'une des idoles des décadents : Stéphane Mallarmé. D'une manière tout à fait significative, c'est au décadent Des Esseintes [1], son lecteur fictif (et à travers lui à Huysmans qui avec Verlaine et Barrès lui avait permis d'accéder à la gloire), que Mallarmé dédiait en janvier 1885 une « Prose » (autre paradoxe : en vers) qu'on peut considérer comme le plus pur « art poétique » du symbolisme.

Le mot-clef en est également le premier mot : « Hyperbole ». Il faut entendre par là non plus l'exagération des précieux mais, par un retour au sens étymologique (hyper : par-dessus; ballein : jeter), le saut audacieux de celui qui passe du monde sensible au monde intelligible, découvrant par-delà chaque chose « l'idée » dont elle n'est que l'apparence. Car le poète ne saurait se contenter de « visions » incertaines : il lui faut la « vue ». Et, Baudelaire l'avait déjà annoncé dans l'évangile des « Correspondances », seul il peut déchiffrer le « grimoire » des symboles qui nous entourent pour dire à quelle réalité authentique chacun d'eux renvoie.

Idéalisme sans doute. Mais il ne s'agissait plus seulement d'écarter le monde au profit de la représentation subjective, du « paysage choisi » dans l'âme décadente. Le symbolisme, dans une démarche quasi platonicienne, veut découvrir et faire découvrir, grâce aux signes que nous proposent nos sens, un monde plus vrai que celui dans lequel nous vivons.

GRANDS PRÊTRES ET HÉRÉTIQUES

Mallarmé conviait ainsi à une « tâche spirituelle » les dévots qui, délaissant la bohème de la Rive Gauche, passaient sur la Rive Droite pour fréquenter son salon de la rue de Rome et recueillir chaque mardi sa parole. A cette foule il fallait un grand prêtre. A cette école il fallait un chef d'école. Or Mallarmé, trop soucieux de poursuivre sa quête solitaire, n'entendait nullement jouer ce rôle.

1. Voir page 543.

Le mieux placé, parmi les candidats, sembla être d'abord René Ghil (1862-1925). Mallarmiste de la dernière heure, il n'en avait pas moins exposé fort doctement la « théorie du symbole », d'abord dans la revue *La Basoche* en 1885, puis dans son *Traité du verbe*, publié en 1886 avec un « Avant-dire » de Mallarmé lui-même. Il y définissait la tâche du patient poète comme la recherche, parmi les « ordinaires et mille visions », de « l'Idée », qui « en la vie est éparse », afin d'en composer « la vision seule digne : le réel et suggestif Symbole d'où, palpitante pour le rêve, en son intégrité nue se lèvera l'Idée prime et dernière, ou vérité ». On notera déjà la fissure : Mallarmé appelait de son « long désir » les « Idées », au sens platonicien du terme; Ghil cherche seulement à dégager du monde des vivants une idée intellectuelle qui, pour ce darwinien, n'est autre que l'idée d'évolution. Il convient d'ajouter que cette théorie du symbole occupe peu de place dans un ouvrage où Ghil est plus soucieux d'exposer sa propre théorie de l'instrumentation verbale. On conçoit sans peine qu'il ait pu aisément supprimer ces quelques pages dans la troisième édition du *Traité du verbe*, en 1888, quand il rompra avec le symbolisme et se détachera de Mallarmé.

L'autre candidat était Jean Moréas, décadent de la veille, qui, tout en dirigeant avec Gustave Kahn l'éphémère *Symboliste* (pour faire pièce à la revue de Ghil, tout aussi éphémère, *La Décadence*), tente en réalité de concilier avec l'étiquette nouvelle les tendances de la poésie verlainienne. Quand en 1891 il organise un banquet à l'occasion de la publication du *Pèlerin passionné* — son prétendu chef-d'œuvre symboliste —, nul n'est dupe, même si la fête tourne à la gloire du mouvement. Et nul ne s'étonne quand, au lendemain de ce jour mémorable, Moréas annonce que son idéal l'a obligé à rompre avec Mallarmé et à n'être plus symboliste. Il ne l'avait jamais été. En fondant l'école romane avec l'aide de décadents repentis (Raynaud, du Plessis, Raymond de la Tailhède) et de Charles Maurras, pour restaurer les vertus de la clarté hellène, le futur poète des *Stances* revenait du moins à ses sources, et trouvait peut-être enfin la voie qu'il n'aurait jamais dû quitter.

Dans l'intervalle, le rôle de porte-parole du symbolisme venait d'échoir à Teodor de Wyzewa ou à Édouard Dujardin; mais ces « wagnériens » comprenaient mieux la doctrine du maître de Bayreuth que celle du maître de la rue de Rome; à Gustave Kahn, qui milita pour le vers-librisme plus que pour le symbolisme. On put croire en 1889 que l'école avait trouvé son « cerveau » avec Charles Morice qui, éclairé par la vogue soudaine de l'occultisme en France (c'est l'année où Édouard Schuré publie *Les grands initiés*), a eu le mérite de tenter, dans *La littérature de tout à l'heure*, d'intégrer la doctrine littéraire nouvelle dans le cadre plus large des traditions ésotériques. Mais Morice n'avait jamais cherché à faire figure de chef d'une école à la réalité de laquelle il ne croyait pas. Quand, en 1891, Jules Huret fit sa fameuse *Enquête sur l'évolution littéraire*, il lui répondit : « L'école symboliste? Il faudrait d'abord qu'il y en eût une. Pour ma part, je n'en connais pas. »

Une pareille réponse est, à elle seule, le signe d'un échec dont on peut essayer de rechercher les causes principales.

FAIBLESSES DU SYMBOLISME

La disparate du groupe

Autour de Mallarmé se sont rassemblés des auditeurs venus d'horizons divers. Parmi eux on trouve trop de « gens de lettres » désireux de faire parler d'eux ou de profiter d'une mode pour en faire bénéficier leur œuvre personnelle ou leur propre théorie. La chapelle a été le refuge de décadents inquiets ou honteux qui n'ont pas cessé pour autant de chanter en vers languides leur mal d'être : Ephraïm Mikhaël, poète de *L'automne* (1886) et de l'ennui, Albert Samain (1858-1900) qui « rêve de vers doux mourant comme des roses » *(Au jardin de l'infante*, 1893), Henri de Régnier (1864-1936), désireux de « ressusciter les heures closes », et même le Maeterlinck des *Serręs chaudes* (1889) n'ont pas dépassé le stade du lyrisme personnel.

D'autres, sans se soucier de la métaphysique symboliste, ont cru que le symbolisme pouvait se confondre avec le vers-librisme dont Mallarmé ne fut nullement le promoteur même si, après 1885, il en vint à admettre ces « jeux » qu'il eût considérés naguère comme un « sacrilège ignare », mais que ne cesse de hanter, à son avis, « la réminiscence du vers strict » : une fois de plus,

Paul Verlaine et Jean Moréas. Affiche par Cazals. (B.N. Paris. Estampes.) A cette date de 1894 tous les deux se sont éloignés des symbolistes.

Moréas prétendit au titre d'inventeur et le disputa à Kahn, en oubliant ces prédécesseurs illustres : Jules Laforgue ou le Rimbaud de « Marine » et « Mouvement ». Quelle que soit la forme qu'il prît, mélange de « mètres divers notoires » (Régnier, Verhaeren) ou « dissolution du mètre officiel » (Kahn, Vielé-Griffin), le poème en vers libre ne prétendait à rien d'autre qu'à traduire d'une manière plus souple et plus expressive un état d'âme.

Mallarmé l'incompris

D'une manière générale, on vit se ranger du côté des symbolistes les poètes qui recherchaient une plus grande musicalité du vers. Mallarmé n'avait-il pas exigé, en effet, qu'on reprît à la musique son bien? Mais, même sur ce point, on peut se demander si ses disciples ne lui étaient pas infidèles.

Car Verlaine, après tout, avait lui aussi réclamé « de la musique avant toute chose ». Or l'exigence mallarméenne était tout autre que l'exigence verlainienne. Elle n'envisage nullement l'accord de la « chanson grise » et du « rêve », mais l' « arrière prolongement vibratoire de tout » [1]. Elle se soucie moins de mélodie que d'harmonie, — « l'ensemble des rapports existant dans tout ». Si la poésie est l' « art d'achever la transposition, au Livre, de la symphonie », c'est qu'elle sait refaire « de plusieurs vocables [...] un mot total, neuf, étranger à la langue et comme incantatoire », une *composition* souveraine échappant au hasard et replaçant « l'objet nommé [...] dans une neuve atmosphère » [2].

La doctrine et la quête

Même par ceux qui semblent avoir compris la doctrine, Mallarmé a été trahi. En effet, alors qu'il poursuit une quête qui s'achève tragiquement sur l'échec du « coup de dés », les disciples figent la doctrine, surtout après 1891 où les mêmes formules simples reviennent trop souvent et s'affadissent : chez Remy de Gourmont par exemple ou, encore en 1900, dans une conférence prononcée par Henri de Régnier :

Le Symbole [...] est la plus parfaite, et la plus complète figuration de l'Idée. C'est cette figuration expressive de l'Idée par le Symbole que les poètes d'aujourd'hui tentèrent et réussirent plus d'une fois.

Le temps des vulgarisateurs est venu pour une doctrine qui était fondée sur le dédain du vulgaire.

La théorie et les œuvres

Curieusement, ceux qui l'exposaient avec le plus de clarté semblaient aussi ceux qui l'avaient le moins mise en pratique : Verhaeren en 1887 dans un article publié par *L'Art moderne* et opposant le symbole classique, qui va de l'abstrait au concret, et le symbole moderne, qui va du concret à l'abstrait; Régnier en 1900. Entre les deux, un nouveau venu chez Mallarmé, André Gide qui, dans son *Traité du Narcisse*, donnait sa vraie couleur platonicienne à la « théorie du symbole » (c'est le sous-titre de

1. *Richard Wagner, rêverie d'un poëte français* (1885).
2. *Crise de vers.*

l'ouvrage) : le poète devine à travers les formes-symboles les vérités qui peuplent le Paradis perdu et dont l'homme s'est détourné pour contempler sa propre image dans le miroir. « L'œuvre d'art est un cristal » — un autre miroir peut-être —, « paradis partiel où l'Idée refleurit en sa pureté supérieure ».

En fait, sinon chez Mallarmé, où trouverait-on une œuvre, autre que théorique, illustrant la doctrine symboliste?

MORT ET SURVIE DU SYMBOLISME POÉTIQUE

Paradoxalement, en effet, l'œuvre symboliste était dans son ensemble beaucoup plus décadente que symboliste. Et l'on peut dire que l'état d'âme fin de siècle ne tarde pas à reprendre ses droits : tristesses de Georges Rodenbach, rêveries de Régnier, luttes spirituelles de Charles Guérin ou de Louis le Cardonnel. Ainsi qu'une nouvelle préciosité : celle de Robert de Montesquiou et du premier Proust, celle de Pierre Louÿs et de Marcel Schwob.

La réaction contre les déliquescences croit liquider le symbolisme. Elle ne liquide peut-être que la décadence. C'est le fait du « naturisme » de Saint-Georges de Bouhélier, des nietzschéens (dont le Gide des *Nourritures terrestres*), du jammisme. D'une manière générale, une conversion à la vie s'opère chez les « symbolistes » eux-mêmes, soit qu'ils chantent la joie après la peine (Stuart-Merrill, Vielé-Griffin), soit qu'ils jettent à pleine main les images d'une vie exubérante (Saint-Pol Roux), soit qu'ils chantent le monde moderne (le Verhaeren des *Campagnes hallucinées* — 1893 —, des *Villes tentaculaires* et des *Villages illusoires* — 1895).

Elle ne liquide pas toujours en tout cas une imagerie symboliste qui est persistante et irritante. Même si elle a pu sembler enrichie par rapport à l'imagerie décadente (en particulier par l'héritage des décors de Wagner et par un certain « médiévalisme ») et douée d'une ambition plus haute (le recours, par le mythe, à l'inconscient collectif), elle ne tarde pas à y revenir et à ramener les mêmes clichés.

Ce qui fut le plus solide fut peut-être en définitive la doctrine elle-même, bien qu'elle eût fait si peu d'adeptes dans le groupe proprement dit. D'une manière vague et éparse, tout d'abord : le message durable qu'avait apporté le symbolisme était que l'attitude poétique n'est pas seulement affective, mais « à la fois affective et cognitive » [1]. Connaissance qui procède de l'intuition plus que du raisonnement (et sur ce point la philosophie bergsonienne venait apporter son soutien au symbolisme) et que le poète « savant » fait partager à son lecteur par la voie de la suggestion. Cette tâche de connaissance sera encore celle que Claudel affectera à la poésie, celle que Milosz chantera dans son « Cantique de la connaissance », après avoir découvert que « la source des lumières et des formes » se trouvait derrière lui, dans « le monde des profonds, sages, chastes archétypes ».

Symbolisme pas mort. C'est au moment où chacun semblait prêt à le déclarer défunt, en 1905 (le moment de l'enquête menée par Georges le Cardonnel et Charles Vellay sur la littérature contemporaine), que l'on assiste à une tentative pour démentir ces dires ou pour ressusciter celui qui en était l'objet. Tancrède de Visan, en particulier, s'efforcait d'associer la philosophie bergsonienne et la doctrine symboliste. Jean Royère tente de réunir ceux qui, après sa mort, sont restés fidèles à Mallarmé et ranime le « rêve de saisir l'Essence » : moins les essences platoniciennes, à dire vrai (l'échec de Mallarmé l'a peut-être instruit), que l'essence de la poésie, — la poésie pure réduite à une musique exprimant le mystère de l'âme. Poésie pure dont, après un long silence, un ancien auditeur des Mardis va se faire bientôt le champion : Paul Valéry.

1. Guy Michaud.

BIBLIOGRAPHIE

ÉTUDES : Albert-Marie SCHMIDT, *La littérature symboliste,* P.U.F., 1947. — Guy MICHAUD, *Message poétique du symbolisme,* Nizet, 1948. — Henri PEYRE, *Qu'est-ce que le symbolisme?* P.U.F., 1974, *La littérature symboliste,* P.U.F., 1976.

LE SYMBOLISME ET LE THÉÂTRE

Le drame wagnérien, qui a fasciné tous les symbolistes, les invitait à prolonger leur expérience au théâtre. Cette expérience a été tentée à la fois par les écrivains et par les metteurs en scène, séduits par l'idée d'un spectacle total. Comme pour la poésie, elle a abouti à des théories plus souvent qu'à des œuvres, les véritables réussites se situant en marge du mouvement. C'est que peut-être, comme l'affirmait Camille Mauclair (1), le symbolisme était « incapable, de par ses principes mêmes, de se manifester au théâtre ».

LES THÉORIES

Le problème de l'union des arts

Drame complet, l'opéra wagnérien réalisait une véritable union des arts : poésie, musique, danse, décor. A son tour, Teodor de Wyzewa (1) rêve d'un pareil accord et, si l'on en croit son auditeur Camille Mauclair, « dans l'œuvre telle que Mallarmé la rêvait [...] la fusion de la parole, du geste, du décor, du ballet et de l'expression musicale était indispensable » (2). Cette ambitieuse réalisation était en fait à peu près impossible, parce qu'elle entraînait des frais trop importants. Aussi vit-on les symbolistes prôner, à l'inverse, une esthétique du dépouillement. De plus, la direction du spectacle devait, selon Mallarmé, revenir au poète qui, reprenant à la musique son bien, faisait du drame le temple du verbe. Aussi Édouard Schuré (3) déclare-t-il qu'il préfère au drame musical « le drame parlé avec musique intermittente ».

L'ambition du drame total

La quête de la totalité se poursuit donc dans une autre direction. Le drame symboliste sera la représentation « de la pièce écrite au folio du ciel et mimée avec le geste de ses passions par l'Homme » (2). Il tentera « de relier l'humain au divin, de montrer dans l'homme terrestre un reflet et une sanction de ce monde transcendant, de cet Au-delà » auquel il faut croire (3). Impossible au sens strict, l'application de la doctrine se fera de manière diffuse : on suggèrera « le côté ténébreux de l'existence » comme l'a fait le grand dramaturge norvégien Ibsen (4) dans *Les revenants* ou dans *Le canard sauvage ;* on réalisera « par les moyens scéniques les imaginations de l'auteur s'adressant à l'imagination du lecteur », comme Villiers de l'Isle-Adam au cours de son « poème philosophique et dialogue » d'*Axël* (publié à titre posthume en 1890, représenté en 1894).

Un théâtre idéaliste

Le héros de Villiers, Axël d'Auërsperg avait, en dépit des efforts de son précepteur, maître Janus, commencé par choisir la réalité contre l'idéal. Le désir de l'or et de la vie avait envahi son âme. Mais l'idéalisme le plus absolu, révélé par le passage dans « le monde passionnel », triomphait à la fin. C'est à cette évasion vers l'idéal, plutôt qu'à la conciliation de l'apparence et de l'idée (sa tâche propre, celle que lui fixait

1. 1863-1917, fondateur avec Édouard Dujardin de *La Revue wagnérienne* en 1884.
2. Camille Mauclair, *L'art en silence.*
3. 1841-1929, défenseur acharné des théories wagnériennes, il fut l'un des principaux théoriciens du drame symboliste. On sait l'intérêt qu'il porta par ailleurs à l'occultisme.

1. Camille Mauclair (1872-1945), essayiste et écrivain d'art, participa activement au mouvement symboliste et fut avec Lugné-Poe le fondateur du Théâtre de l'Œuvre.
2. Mallarmé, *Crayonné au théâtre.*
3. E. Schuré.
4. 1828-1906; récemment traduit par le comte Prozor, Ibsen, après avoir été servi par Antoine, le sera par Lugné-Poe.

l' « idéoréalisme » de Saint-Pol Roux) (1), que le théâtre symboliste nous invite : à

> [...] l'envol
> De l'âme au delà de l'apparence par le symbole

comme le dit Édouard Dujardin (2) dans sa trilogie *La légende d'Antonia* (1891).

Le recours au mythe

Édouard Schuré affirme que le « théâtre idéaliste », le « théâtre du rêve, [...] racontera le Grand Œuvre de l'Ame dans la légende de l'Humanité ». Faudra-t-il pour cela reprendre des mythes classiques, comme le Sâr Péladan (3) va le faire dans *La Prométhéide*, *Œdipe et le Sphinx* ou *Sémiramis*? créer des mythes nouveaux comme Claudel dans *Tête d'or* (1890), Maeterlinck dans *Pelléas et Mélisande* (1892) et même Alfred Jarry dans la geste d'*Ubu*? Sur ce point encore, Mallarmé s'écarte de l'exemple wagnérien. Car, selon lui, « l'esprit français, strictement imaginatif et abstrait, donc poétique, [...] répugne, en cela d'accord avec l'Art dans son intégrité, qui est inventeur, à la Légende ». Ce qui ne signifie pas qu'il exclue les mythes. Bien au contraire,

> Le Théâtre les appelle, non : pas de fixes, ni de séculaires et de notoires, mais, un, dégagé de personnalité, car il compose notre aspect multiple : que, de prestiges correspondant au fonctionnement national, évoque l'Art, pour le mirer en nous (1).

Une sorte de mythe abstrait, quelque *Igitur* dramatique dont nous manque, précisément, la réalisation.

Mais Mallarmé avait-il besoin d'écrire ce drame? Tout livre, pour lui, est drame; tout drame n'est qu'un livre, et il n'est nul besoin de le représenter. A la limite, la théorie du théâtre symboliste nie la nécessité du théâtre.

1. Sur Saint Pol-Roux, voir p. 577.
2. 1861-1949, disciple de Mallarmé et autre fondateur de *La Revue wagnérienne*, essayiste, poète, dramaturge et aussi romancier (voir p. 624).
3. Joséphin Péladan (1859-1918), qui se donna lui-même le titre de « Sâr », est un des plus curieux personnages de l'époque symboliste. Wagnérien convaincu, tenté par l'ésotérisme sous toutes ses formes, il fut membre de l'ordre cabbalistique des « Rose-Croix » restauré en 1888 par Stanislas de Guaita. Il fonda le Théâtre de la Rose-Croix, qui joua des pièces d'inspiration mystique. C'est pourtant dans le domaine romanesque qu'il a donné son œuvre la plus abondante, — et la plus importante : l' « éthopée » de *La décadence latine* (voir p. 538).
4. Voir p. 577.

1. Mallarmé, « Richard Wagner, rêverie d'un poëte français ». Ce texte avait paru dans *La Revue wagnérienne* du 8 août 1885.

LES THÉÂTRES

Paul Fort et le Théâtre d'Art

Pour que le théâtre symboliste échappât au livre, il lui fallait précisément une scène. Le grand mérite de Paul Fort (1872-1960), le futur poète des *Ballades françaises* (4), est d'avoir tenté le premier de dresser en face du théâtre de Boulevard et du Théâtre-Libre d'Antoine son « Théâtre Mystique », puis son « Théâtre d'Art, théâtre idéaliste ». L'expérience ne dura que deux ans (1890-1892) et on eut à peine le temps d'entamer une liste impressionnante de projets. A côté du *Théâtre en liberté* de Hugo, d'adaptations des Anglais Marlowe et Shelley, les symbolistes furent à l'honneur : Remy de Gourmont avec *Théodat*, Maeterlinck avec *Les aveugles* et *L'intruse*, Charles Morice avec *Chérubin* (un four) furent tour à tour servis par Paul Fort qui songea même quelque temps à jouer *Tête d'or* de Claudel.

Lugné-Poe et le Théâtre de l'Œuvre

C'est un jeune acteur, transfuge du Théâtre-Libre, Lugné-Poe (1869-1940), qui allait prendre la relève. Le 16 décembre 1892, la représentation qu'il avait donnée de *La dame de la mer*, d'Ibsen, au Théâtre Moderne, avait décidé de l'orientation nouvelle de l'art dramatique en France. Les gestes hiératiques, la diction solennelle soutenue par les intonations lyriques, la stylisation du décor contribuaient à créer une atmosphère de mystère, à souligner l'analogie existant entre l'héroïne, l'Étranger et la mer, à transformer la tragédie en une vaste allégorie. Ce fut le prélude à la représentation historique de *Pelléas et Mélisande* en mai 1893 et à la fondation du Théâtre de l'Œuvre en octobre de la même année.

Lugné-Poe voulait « faire du théâtre [...] ŒUVRE D'ART » et « remuer des Idées ». Pour cela, le « clergyman somnambule » (c'est ainsi que l'appelait un critique de l'époque, Jules Lemaitre) comptait sur un jeu « religieux ».

L'acteur doit s'effacer pour ne pas rompre le charme dans l'âme du spectateur et interposer une réalité gênante entre deux rêves. Le décor, réduit à des éléments simples et envahi par l'ombre, devra seulement, comme le veut Pierre Quillard (1), « complét [er] l'illusion par des analogies de couleurs et de lignes avec le drame ». Car le théâtre n'est qu' « un prétexte au rêve ».

Le Théâtre de l'Œuvre s'est efforcé de servir de jeunes auteurs dramatiques : Quillard, Henri de Régnier, Judith Cladel, André-Ferdinand Hérold, Romain Rolland à ses débuts *(Les loups)*. Trop souvent il a dû se rabattre sur les étrangers — des Élisabéthains aux Scandinaves — dont il donna des interprétations discutables. Il a souffert de la médiocrité de la littérature dramatique issue du symbolisme. Du moins a-t-il su confirmer les mérites de Maeterlinck, révéler à grand fracas le génie d'un débutant, Alfred Jarry. Il sera le premier, plus tard, à servir Claudel en montant *L'annonce faite à Marie* en 1912 et *L'otage* en 1914.

MAETERLINCK DRAMATURGE

Écrivain abondant et divers, prix Nobel, Maurice Maeterlinck (1862-1949) fut célèbre en son temps. Aujourd'hui, il est bien oublié, sauf des Belges ses compatriotes. Le poète des *Serres chaudes* (1889) n'est qu'un décadent parmi d'autres. Son pessimisme philosophique, qui se cherche une issue hors de ce monde, mais puise une consolation dans la contemplation de la nature et de la vie des animaux (*La vie des abeilles*, 1901; *La vie des fourmis*, 1930) n'est guère original. Le dramaturge lui-même a vieilli. Mais cette couleur historique que revêt aujourd'hui le théâtre de Maeterlinck indique précisément qu'il constitue un événement important dans l'histoire du théâtre mondial.

Révélation d'un dramaturge

La première pièce de Maeterlinck, *La princesse Maleine*, a été publiée en 1889 d'une manière artisanale, à trente exemplaires. Elle serait sans doute passée inaperçue, ainsi que son auteur, si Octave Mirbeau (2) ne lui avait consacré l'année suivante dans *Le Figaro* un article où l'éloge était poussé jusqu'au dithyrambe : le débutant était placé au-dessus de Shakespeare. Il allait bientôt passer pour le dramaturge de génie qu'attendait le symbolisme.

Deux pièces plus courtes, *L'intruse* et *Les aveugles*, furent présentées par Paul Fort au Théâtre d'Art en 1891. Mais c'est Lugné-Poe qui créa *Pelléas et Mélisande* en 1893. L'œuvre

Deux figures de proue du théâtre symboliste : le metteur en scène Aurélien Lugné-Poe (à gauche), l'auteur dramatique Maurice Maeterlink (à droite); photo de 1935, à un moment où la tentative de théâtre symboliste n'était plus qu'un souvenir.

suscita de vives controverses, moins cependant que l'admirable drame musical de Debussy (1902) qui, à la suite d'un différend entre l'auteur et le compositeur, fut désavoué par Maeterlinck lui-même. Il ne se rendait pas compte que c'était sa seule chance de passer à la postérité.

En 1894, les « trois drames pour marionnettes » (1), *Alladine et Palomides*, *Intérieur* et *La mort de Tintagiles*, poussaient au noir le pessi-

1. 1864-1912. Poète parnassien à ses débuts, il est l'un des théoriciens du théâtre symboliste. Il a donné son mystère, *La fille aux mains coupées*, au Théâtre d'Art (1891) et *L'errante*, poème dialogué, à l'Œuvre (1896).
2. Sur Mirbeau, voir p. 515.

1. Cette substitution rêvée de la marionnette à l'acteur est caractéristique du théâtre symboliste; voir Jarry.

nisme du poète. Ayant atteint le fond du désespoir, Maeterlinck semble désormais chercher une
ssue, « l'oiseau bleu, c'est-à-dire le grand
secret des choses et du bonheur » ([1]). Cette
ssue, il la trouve dans la lecture du mystique
lamand Ruysbroeck l'Admirable ([2]), de Nova-
is ([3]), d'Emerson ([4]), et dans la certitude d'une
'ie intérieure plus profonde qui fait de nous
« des dieux qui s'ignorent » ([5]). La rencontre de
'actrice Georgette Leblanc (la sœur du créateur
l'Arsène Lupin), qui partagera son existence
usqu'en 1919 et sera sa principale interprète,
n'est peut-être pas étrangère à cette sérénité
plus grande dont *Aglavaine et Sélysette* (1896)
porte la trace. L'amour triomphe dans *Monna
Vanna* (1902) et *Joyzelle* (1903). Mais l'auteur
semble maintenant s'éloigner du symbolisme et
chercher à se renouveler, s'essayant tour à tour
à la tragédie historique (*Monna Vanna* se passe à
Pise, au XVe siècle), au drame évangélique
Marie-Magdeleine, 1913), au drame patriotique
Le bourgmestre de Stilmonde, 1920), à la farce
Le miracle de saint Antoine, 1920). Au moment
où les honneurs officiels s'accumulent sur lui,
son œuvre dramatique ne rencontre plus que
'indifférence du public : *La princesse Isabelle*
1935) échoue, et Maeterlinck ne publie même
pas ses dernières pièces, écrites en Amérique
pendant la Seconde Guerre mondiale.

Le théâtre du mystère

Les premières œuvres de Maeterlinck s'efforcent d'exprimer la vie profonde de l'homme
aux prises avec les forces inconnues de sa destinée,
« les puissances inconnues qui régissent le monde »
et « que nous sentons tous peser sur notre vie » ([6]).
Ces « puissances des ténèbres » ([7]) se confondent
avec le Destin, « le troisième personnage, énigmatique, invisible, mais partout présent, qu'on
pourrait appeler le personnage sublime » ([8]).
En face de lui, les humains ne sont que des aveugles
qui se laissent gagner par une invincible torpeur.
Comme Mélisande vue par le vieil Arkel, ils ont

1. *L'oiseau bleu*, pièce féerique (1908), l'un des grands
succès de Maeterlinck.
2. Maeterlinck a traduit *L'ornement des noces spirituelles* de ce mystique flamand du XIVe siècle.
3. Romantique allemand (1772-1801) dont Maeterlinck
a traduit *Les disciples à Saïs*.
4. Philosophe américain (1803-1882).
5. *Le trésor des humbles* (1896), recueil d'essais.
6. Préface de son *Théâtre*.
7. C'est le titre d'une pièce de Tolstoï qui a eu beaucoup
d'influence sur Maeterlinck.
8. Préface citée.

« A Lugné-Poe », par Toulouse-Lautrec, 1894. L'un des mérites de Lugné-Poe est d'avoir fait appel à des peintres de chevalet pour peindre les décors de théâtre, renouant par là avec la tradition du XVIIIe siècle.

« l'air étrange et égaré de quelqu'un qui atten-
drait toujours un grand malheur au soleil, dans
un beau jardin ». S'ils se débattent (Maleine
partie à la conquête de son fiancé Hjalmar;
Ygraine essayant de sauver son petit frère
Tintagiles des griffes d'une reine cruelle), la
mort, « l'intruse », ne les écrase pas moins.

Ce terme catastrophique se trouve annoncé par
des présages qui ponctuent en quelque sorte
l'action. L'auteur lie le drame intérieur de ses
personnages aux phénomènes atmosphériques,
signes du grand drame inconnu que les hommes
soupçonnent à certains moments. Il y a « de
constantes et subtiles correspondances, d'extraordinaires rapports entre les âmes et les astres »
et « entre les choses et les êtres, un absolu
parallélisme qui autorise la fréquence extrême
des pressentiments » ([1]). « Prenez garde » :

1. J.M. Carré.

cette invite de Pelléas à Mélisande au bord de la fontaine pourrait s'adresser à tous les personnages de ce théâtre.

Pour rendre sensible l'invisible menaçant, Maeterlinck compte moins sur « la violence de l'anecdote » que sur la trame indécise de la légende. A la limite, l'action pourrait se réduire à la seule attente d' « un vieillard assis dans son fauteuil, écoutant sous sa conscience toutes les lois éternelles qui règnent autour de la maison » (1), — tel l'aïeul aveugle, mais plus lucide que les autres, dans *L'intruse*. De même, pour faire prendre conscience de notre « tragique quotidien », le dramaturge exploite les silences (le dialogue est semé de points de suspension) plus que les paroles qui se glissent entre eux.

Ce théâtre de l'attente attend lui-même une issue, une « autre force », mais, quand il l'a trouvée, il devrait s'effacer dans le silence qu'il a appelé. « A quoi bon continuer? » demandait Georgette Leblanc en 1907. Materlinck a peut-être eu le tort de vouloir continuer à tout prix.

ALFRED JARRY (1873-1907) ET LE CYCLE D'« UBU »

A relire le cycle d'*Ubu*, on se prend à se demander si la vogue dont il jouit n'est pas excessive et si l'importance accordée à Jarry (surtout depuis le *Premier manifeste* de Breton) est bien réelle. Simple pochade de potaches, après tout, revue et améliorée. Pourtant le jeu des hasards et des circonstances n'est peut-être pas seul à expliquer le retentissement durable du drame pour marionnettes.

La genèse du cycle

Dans les années 80, les élèves du lycée de Rennes avaient fait leur tête de turc d'un professeur de physique, M. Hébert, qui incarnait à leurs yeux « tout le grotesque qui est au monde ». Ils l'avaient affublé de surnoms divers : le Père Héb, Eb, Ebé, Ebon, Ebance, Ebouille, ou encore tout simplement le P.H. (ainsi la mère Ubu appellera-t-elle parfois son digne époux le P.U.). Bien plus, ils en avaient fait le héros d'une abondante geste potachique, enrichie en 1885 par un épisode nouveau rédigé par l'élève Charles Morin, et intitulé *Les Polonais* car le P.H. y devenait roi de Pologne.

Enfin vint Alfred Jarry. En octobre 1888, il a quinze ans et entre en classe de première dans ce même lycée. Son camarade Henri Morin (le frère de Charles) lui fait connaître *Les Polonais*. Jarry en fait une comédie pour les marionnettes de son « Théâtre des Phynances ». On la représente chez les Morin, chez les Jarry, à Rennes puis à Paris où, en 1891, Alfred est venu suivre les cours de première supérieure du lycée Henri IV. C'est alors qu'il donne au P.H. le nom de Père Ubu. Déjà il songe à un cycle : à *Ubu roi* (issu des *Polonais*) doit succéder ce qui sera *Ubu cocu*. Des fragments de cette seconde pièce sont bientôt publiés dans une revue. Le gros personnage ne tarde pas à attirer l'attention des gens de lettres, en particulier du directeur du *Mercure de France*, Alfred Vallette, chez qui Jarry présente pour la première fois *Ubu roi* sous sa forme définitive en 1894. Le *Mercure* en fait une publication partielle, puis complète. En 1896, Lugné-Poe monte la pièce au Théâtre de l'Œuvre, où Jarry occupe un emploi administratif. La première représentation, le 10 décembre, avec Gémier dans le rôle principal, donne lieu à un beau chahut.

Au cours des années suivantes, Jarry ne se contente pas de défendre sa pièce et de la faire jouer à l'occasion. Il travaille à compléter le cycle par une nouvelle version de *Ubu cocu ou l'archéoptéryx* (1897), *Ubu enchaîné* (1899). *L'almanach du Père Ubu*, en 1889 et 1901, présente un regard ubuesque sur l'actualité politique, coloniale, littéraire et artistique. Enfin, en 1901, les marionnettes du Théâtre Guignol des Gueules de Bois présentent, aux 4 Z'Arts à Montmartre, *Ubu sur la butte* qui paraît peu de temps avant la mort prématurée de Jarry.

La geste d'Ubu

Ubu roi apparaît dès l'abord comme une parodie des drames historiques de Shakespeare. C'est, comme *Richard II*, l'histoire d'une usurpation et, comme *Richard III*, l'histoire de la déconfiture d'un tyran. Mais, en plaçant la mère

1. Préface citée.

Alfred Jarry, quittant sa maison de Corbeil à bicyclette pour se rendre à Paris.

Jbu à côté du « Maître de Phynances », Jarry sans doute songé surtout à lady Macbeth. .e déroulement de l'action est net :

Acte I : la conjuration. La Mère Ubu, ne se satisaisant point des honneurs dont le roi de Pologne 'enceslas couvre son mari, pousse le Père Ubu à lui rendre son trône. Il s'assure la complicité du capiaine Bordure et de ses partisans.

Acte II : le régicide. Au cours d'une revue de l'arnée polonaise, Ubu donne le signal de l'attaque. .e roi est tué ainsi que deux de ses fils. Le troisième, ßougrelas, âgé de 14 ans, est resté au palais. Il entrerend une défense héroïque et parvient à s'enfuir. .es Ombres de ses ancêtres lui apparaissent et lui emettent l'épée de la vengeance.

Acte III : Ubu maître des Phynances. A grand eine, Ubu a accepté de faire à son peuple un don de oyeux avènement, mais à condition qu'on lui pronette de bien payer les impôts. Nobles, magistrats, inanciers ne vont pas tarder à passer tous dans la rappe pour le laisser, seul possédant et seul percepteur, eul maître des Phynances. Mais Bordure, emprisonné, arvient à s'échapper et à gagner la cour de Russie ù s'organise, sous la conduite du czar Alexis, une xpédition militaire contre l'usurpateur. Ubu, non ans peine, s'apprête à la riposte.

Acte IV : La campagne de Russie. Pendant qu'Ubu et ses troupes entrent en campagne, la Mère Ubu tente de dérober, pour son compte, le trésor des rois de Pologne. Mais elle doit fuir devant les partisans de Bougrelas. En Ukraine, les troupes d'Ubu sont décimées par les Russes. Ubu se réfugie avec deux de ses gardes, Pile et Cotice, dans une caverne de Lithuanie. Les deux Palotins, écœurés par sa lâcheté, ne tardent pas à l'y abandonner pendant son sommeil.

Acte V : La fuite hors de Pologne. La Mère Ubu retrouve le Père Ubu dans la grotte. Attaqués par Bougrelas et ses partisans, ils sont défendus par les Palotins et parviennent à s'enfuir. On les retrouve sur le pont d'un navire qui les conduit en France, où le Père Ubu a l'intention de se faire nommer Maître des Phynances.

Ubu cocu commence aussi par une spoliation. Père Ubu s'est invité lui-même dans la maison du savant Achras, le spécialiste des polyèdres. Il lui annonce qu'il projette de se venger de l'Égyptien Memnon, qui l'a fait cocu. Il veut faire subir à son ennemi le supplice du pal. Pour vérifier si l'instrument du supplice fonctionne bien, il empale Achras avec l'aide des Palotins. La Conscience d'Ubu (qu'il avait tenté d'enfermer dans sa valise) désempale Achras et l'incite à se venger : il tente de l'engloutir dans la trappe mais Ubu, trop gros, reste coincé. Achras acceptera seulement, pour le désennuyer, de lui lire les passages caractéristiques de son traité sur les les mœurs des polyèdres. Mais, plus secourable, la Conscience accepte de le délivrer : il la remercie en l'envoyant à sa place dans la trappe. La scène est envahie par ceux qui se plaignent des agissements du Père Ubu : Achras et Rebontier, un rentier ruiné par le Maître de Phynances. Au terme de scènes burlesques, ils sont précipités dans le tonneau-socle de la statue de Memnon. La statue de Memnon a rejoint la Mère Ubu. Mais, entendant la voix d'Ubu, elle s'engouffre dans la trappe où elle cogne le crâne de la Conscience d'Ubu qui en sortait. Ubu attrape sa Conscience pour lui demander conseil. Il est temps que la pièce s'achève : un crocodile traverse la scène. Chacun s'interroge : est-ce un oiseau? une baleine? un serpent? Pour Achras, une chose est certaine : « ça n'est point un polyèdre ».

Ubu enchaîné est, de l'aveu même de l'auteur, la « contrepartie d'*Ubu Roi* ». Père Ubu n'aspire plus ni à la royauté ni même au poste de maître des Phynances en France : il veut être esclave — mais son intention destructrice n'a pas changé pour autant.

Je veux être bon pour les passants, être utile aux passants, travailler pour les passants, mère Ubu.

Puisque nous sommes dans le pays où la liberté est égale à la fraternité, laquelle n'est comparable qu'à l'égalité de la légalité, et que je ne suis pas capable de faire comme tout le monde et que cela m'est égal d'être égal à tout le monde puisque c'est encore moi qui finirai par tuer tout le monde, je vais me mettre esclave, Mère Ubu!

Trois temps

---

1. Le travail d'esclave (actes I et II). Ubu cherche à cirer les chaussures de trois hommes libres qui prennent la fuite, et d'Éleuthère, cantinière des hommes libres, qu'accompagne son oncle Pissembock, alias marquis de Grandair. Mais son oncle n'ayant accepté qu'elle soit décolletée que par les pieds, Éleuthère n'a pas de chaussures. Ubu s'avise de lui cirer les pieds, la brutalise au point qu'elle s'évanouit et croit tuer Pissembock. Après lui avoir fait les poches, il la reconduit en diligence chez elle, sans oublier — dans le coffre — le corps de Pissembock.

Voici donc Père Ubu laquais chez Éleuthère. Elle peste contre ce couple abject et assassin qui s'est imposé à son service, engloutit ses victuailles et le vin de sa cave sans se soucier de répondre à ses coups de sonnette. Le caporal Pissedoux, qui prétend à la main d'Éleuthère sous le nom de marquis de Granpré, se présente à la porte de la maison. Il fouette Ubu, qui se réjouit de s'enfoncer dans l'esclavage, et le fait arrêter au moment où il tente de faire valser Éleuthère au cours d'un bal chez Pissembock ressuscité.

Affiche pour *Ubu enchaîné*.

2. La prison (actes III et IV). Père Ubu, que la fidèle Mère Ubu a suivi en prison, se réjouit d'être nourri par les Maîtres. Interrompant son Défenseur, lors du procès, il étale ses innombrables forfaits et réclame le bagne, — qui lui est aisément accordé. Après avoir regagné sa prison, il étale les avantages de sa condition. Le bruit s'en répand et on commence à démolir des quartiers entiers pour agrandir les prisons et loger les captifs volontaires.
Lord Catoblépas attend la sortie du « King » et de la « Queen » Ubu. De fait, au moment où les portes s'ouvrent pour laisser partir le cortège des forçats, Ubu est salué comme roi par ses compagnons d'infortune, — ou plutôt de fortune.
3. Le bagne (acte V). Sous la conduite de Pissedoux, tous les hommes libres cherchent à gagner les prisons et à troquer leur liberté contre l'esclavage. Ils forcent la porte de la prison de la Mère Ubu, qui gagne le large. Quant au Père Ubu, il commence à trouver bien lourd le boulet qu'il traîne aux pieds lors de la traversée de la Sclavonie, et il en fait volontiers cadeau à un argousin qui aspire à la servitude. D'ailleurs Pissedoux le contraint par la force à être libre. Tandis que les hommes libres viennent garnir les rangs des galères de Soliman, le sultan, pour se débarrasser d'Ubu, en qui il a cru reconnaître un frère, le fait reconduire sur le Bosphore par les galériens. Ubu ne sera plus esclave que de sa Gidouille.

Ubu sur la butte n'est guère qu'un raccourci d'*Ubu roi*. Un changement à noter dans le dénouement : Bougrelas fait arrêter Ubu par la seule institution qui soit impérissable, la gendarmerie nationale.

Et vous, gendarmes, accompagnez le Père Ubu. Conduisez-le à Paris, dans une prison ou plutôt dans un abattoir où, en punition de tous ses crimes, il sera décervelé.

Telle est la fin du cycle, et en même temps son recommencement.

Signification d'Ubu

Jarry semble s'être lui-même étonné de tous les « satiriques symboles » dont les critiques se sont plu à gonfler le ventre d'Ubu (1). Pour sa part, il ne voit dans cet « être ignoble » que le semblable (« par en bas »), le frère de chacun d'entre nous (2). Premier contact entre le personnage et son public :

J'ai voulu que, le rideau levé, la scène fût devant le public comme ce miroir des contes de Mme Leprince de Beaumont, où le vicieux se voit avec des cornes

1. Voir sur ce point le Discours d'Alfred Jarry prononcé à la première représentation d'*Ubu roi* au Théâtre de l'Œuvre, le 10 décembre 1896. Édition citée, p. 19.
2. Autre présentation d'*Ubu roi*, *ibid.*, p. 23.

de taureau et un corps de dragon, selon l'exagération de ses vices; et il n'est pas étonnant que le public ait été stupéfait à la vue de son double ignoble, qui ne lui avait pas encore été entièrement présenté; fait, comme l'a dit excellemment M. Catulle Mendès, « de l'éternelle imbécillité humaine, de l'éternelle luxure, de l'éternelle goinfrerie, de la bassesse de l'instinct érigée en tyrannie; des pudeurs, des vertus, du patriotisme et de l'idéal des gens qui ont bien dîné » ([1]).

Ce reniement ne va peut-être pas sans quelque sympathie. On devine derrière Ubu le destructeur un Jarry anarchiste avide de tout démolir, « même les ruines » ([2]), et de rendre au monde, comme Rimbaud, la pureté de la mer sur laquelle ouvre la fin d'*Ubu roi* et d'*Ubu enchaîné*.

Dans ces conditions, le comique ne saurait être que grinçant, et c'est commettre un contresens sur chacune des pièces que de la considérer comme une pièce drôle. Aussi Jarry impose-t-il l'usage du masque, qui est « l'effigie du personnage » ([3]) et soulignera que « le comique doit [...] être tout au plus le comique macabre d'un clown anglais ou d'une danse des morts » ([4]).

A dire vrai, le masque n'est qu'un des éléments sur lesquels Jarry compte pour une rénovation du théâtre, qui est en même temps un retour à l'antique. Il réclame l'abolition du décor trompe-l'œil au profit d'un décor « héraldique », « c'est-à-dire désignant d'une teinte unie et uniforme toute une scène ou un acte, les personnages passant harmoniques sur ce champ de blason » ([1]). Au lieu du langage mimé conventionnel, il demande des expressions simples, renforcées par le jeu des lumières de la rampe sur les masques. L'acteur doit se faire une voix et un corps, qui soient la voix et le corps du rôle.

Admirateur de Guignol, Jarry tente d'y ramener le théâtre. Son évolution est nette à cet égard, ainsi que l'indique le prologue d'*Ubu sur la butte* (dialogue entre Guignol et le Directeur des 4-Z'Arts). « Nous ne savons pourquoi, avoue-t-il, nous nous sommes toujours ennuyés à ce qu'on appelle le Théâtre. Serait-ce que nous avions conscience que l'acteur, si génial soit-il, trahit — et d'autant plus qu'il est génial — ou personnel — davantage la pensée du poète? Les marionnettes seules dont on est maître, souverain et Créateur, car il nous paraît indispensable de les avoir fabriquées soi-même, traduisent, passivement, et rudimentairement, ce qui est le schéma de l'exactitude, nos pensées. [...] On est devant — ou mieux au-dessus de ce clavier comme à celui d'une machine à écrire [...] et les actions qu'on leur prête n'ont point de limites non plus » ([2]). En réduisant « la beauté du théâtre à phynances » au « bon fonctionnement des trappes » ([3]), n'était-ce pas le théâtre lui-même que Jarry faisait passer dans la trappe? Du moins avait-il rappelé des principes essentiels, en particulier celui de la participation du public à l'occasion d'une véritable « fête civique » ([4]).

1. « Questions de théâtre », article paru dans *La Revue Blanche* du 1er janvier 1897, éd. cit., p. 153.
2. Voir la déclaration du Père Ubu mise en épigraphe à *Ubu enchaîné*, éd. cit., p. 269.
3. « De l'inutilité du théâtre au théâtre », article paru dans le *Mercure de France* de septembre 1896, éd. cit., p. 142.
4. « Questions de théâtre », éd. cit., p. 153.

1. « De l'inutilité du théâtre au théâtre », éd. cit., p. 141.
2. Conférence sur les pantins (mars 1902), éd. cit., p. 496.
3. *Ubu cocu*, Acte II, sc. 2, éd. cit., p. 215.
4. « Douze arguments sur le théâtre », éd. cit., pp. 147-148.

© Coll. L. B.

BIBLIOGRAPHIE

ÉDITIONS : Le Livre de Poche présente une remarquable édition complète du cycle d'*Ubu* établie par Maurice Saillet, *Tout Ubu*. (Nos 838-839). *Œuvres complètes* dans la Pléiade, éd. M. Arrivé.

ÉTUDES : Jacques ROBICHEZ, *Le symbolisme au théâtre, Lugné-Poe et les débuts de l'Œuvre*, L'Arche, 1957.

CLAUDEL (1868-1955)

Symbole fréquent dans l'œuvre de Claudel, l'arbre pourrait être l'emblème de son génie. Des premiers drames aux dernières proses bibliques, un tronc vigoureux pousse des branches et des rameaux extrêmement divers qui témoignent d'une puissante vitalité. La foi catholique anime l'ensemble comme elle ranime l'homme aux heures de crise. Certes, il serait aisé de souligner la présence de plantes parasites dans l'arbre proliférant. Mais « le vieux monstre de sa mâchoire de granit tire vers le ciel sa bride de ronces », entravé comme « l'arbre du crucifix » [1].

L'ÉRUPTION

Natif d'un petit village proche de Soissons, fils d'un fonctionnaire — receveur de l'enregistrement, puis conservateur des hypothèques — élève studieux, « bête à concours » (longtemps ses amis l'ont appelé « Cacique »), engagé dans la carrière diplomatique (1890 : attaché au Quai d'Orsay; 1893-1894 : vice-consul à New York, gérant du consulat de Boston; 1895-1899 : vice-consul à Shanghaï, Fou-Tchéou, Hankéou, puis consul à Fou-Tchéou), Paul Claudel se présente d'abord comme un homme tranquille, attentif à sa réussite sociale, rangé dans sa vie privée.

Mais ce n'est là qu'un visage parmi d'autres, quatre en tout si l'on en croit *L'échange* (1893-1894), ce drame américain où l'auteur s'est représenté dans un quatuor de personnages : Marthe, l'épouse-servante, mais aussi Lechy Elbernon, l'actrice hystérique; Thomas Pollock Nageoire, l'homme d'affaires, mais aussi Louis Laine, le rêveur toujours en quête d'horizons nouveaux. Ce dialogue intérieur donne naissance au premier théâtre claudélien dont la violence éruptive ferait oublier la patiente construction : Tête d'or l'aventurier, pour secouer « la nation des poules d'eau », tue un roi et lance jusque vers le Caucase ses hordes déchaînées (*Tête d'or*, première version, 1890); Avare, irrité contre l'humanité pourrie, livre Paris aux anarchistes (*La ville*, première version, 1890); Bibiane martyrise sa sœur, Violaine, « ce doux narcisse » (*La jeune fille Violaine*, 1892); Lechy Elbernon fait assassiner par son nègre Louis Laine, son amant (*L'échange*, 1893-1894); l'Empereur de Chine brise la limite entre les vivants et les morts et descend aux Enfers (*Le repos du septième jour*, 1896). Claudel recommence les trois premiers de ces cinq drames pour en réaliser une seconde version, généralement plus sobre. De l'un à l'autre, il change de manière comme s'il travaillait à des exercices de style successifs. Si Rimbaud, dont il a découvert le génie en 1886, exerce sur lui une influence « séminale », Eschyle, Dante, Shakespeare et Dostoïevski sont des maîtres dont il accueille l'influence « formatrice ». Et les proses de *Connaissance de l'Est* (1896-1907) gardent quelque chose de la minutie mallarméenne.

Impatience et patience : cette antinomie si caractéristique du premier Claudel ne s'explique que par sa conversion. A la Noël 1886, le chant du *Magnificat* sous les voûtes de Notre-Dame de Paris révèle à un jeune homme de dix-huit ans que le positivisme conduit au désespoir de Zola et que la religion chrétienne seule peut redonner la joie et la pureté de l'enfance. Mais cette révolution intime ne conduit pas à la sérénité. Quatre ans s'écoulent avant la soumission à l'Église (Noël 1890). Révélation, révolte, acceptation : trois temps que l'on retrouve dans chacun des premiers drames réunis en 1901 dans le recueil de *L'arbre*.

1. *Tête d'or*, première version, premier acte.

LA PASSION DE MIDI

Le 19 octobre 1899, Claudel rencontre pour la première fois, en Chine, M. et Mme V... Lui, commerçant en eau trouble, sera le De Ciz de *Partage de midi.* Elle, deviendra Ysé dans ce drame, et, de Rosalie, surgira la « rose » des *Cinq grandes odes* ou de *La cantate à trois voix*.

Le drame des années méridiennes

Fort imprudemment, le consul de France à Fou-Tchéou a soutenu M. V... dans ses spéculations hasardeuses. Sa liaison avec Mme V... rend sa position plus difficile encore. Elle suscite en Claudel un conflit intérieur particulièrement douloureux : la rupture intervient en août 1904. Imposée par les circonstances, elle est ressentie par le poète comme une « horrible trahison » et laissera une plaie impossible à refermer. A défaut de la clôture monacale, à laquelle il a songé en 1901, lors d'une retraite à Ligugé, la clôture du mariage avec une autre femme, en mars 1906, lui apportera peut-être la paix.

« Partage de midi »

Cette passion vécue, Claudel l'a transposée dans un drame nouveau publié dans une édition hors commerce en 1906 : *Partage de midi.*

Comme dans *L'échange*, il y a ici quatre protagonistes réunis par le hasard d'un voyage sur un paquebot qui les conduit en Extrême-Orient. Autour d'Ysé, « femme superbe », « grande bête piaffante », trois hommes : De Ciz, son mari, « maigre Provençal aux yeux tendres, ingénieur à la manque », qui n'a su que lui donner des enfants; Amalric, l'homme « bien assis sur ses propres ressorts » et « sûr de sa place en tout lieu », qui pourra croire un instant qu'il est parvenu à la dompter; Mesa, l'homme vierge dont Dieu a refusé de faire son prêtre et qui va connaître le goût amer de l'adultère, l'épreuve de la séparation et du refus. Ysé ne reviendra vers Mesa qu'au moment de la mort. Au cœur de la révolte indigène, dans la maison minée, va se produire non plus le partage de midi, mais le « partage de minuit », non plus seulement la séparation des amants, mais la séparation de l'âme et du corps, — pour quelle transfiguration? Pour décrire ce jeu de la mer, de l'amour et de la mort, la grande rhétorique claudélienne trouve son plein emploi : « versets » gonflés d'une grande passion inapaisée, brasier d'images où se consument les illusions de l'amour humain pour mettre à nu le scandale de l'amour de Dieu.

Les « Cinq grandes odes »

Les *Cinq grandes odes*, composées de 1900 à 1908, constituent un autre poème du feu, et le plus haut sommet dans l'œuvre poétique de Claudel. Ysé, c'est encore Érato, la dernière des neuf Muses, non plus patiemment sculptée dans le marbre, mais ivre, mais folle, mais « toute brûlante! toute mourante! toute languissante! », avec dans les yeux une réponse qui est une nouvelle question. Mesa, c'est encore le poète qui, pour avoir « possédé l'interdiction », est rempli d' « eaux désirantes » (« L'esprit et l'eau »), le « lourd compère » que « la Muse qui est la Grâce » tente en vain d'arracher au sol. Mais la « maison fermée » du mariage est à l'image du monde créé par Dieu et c'est avec un cœur catholique qu'il veut maintenant l'envisager : comme si son regard était lavé par les larmes de la pénitence, il voit le « credo entier des choses visibles et invisibles ». Son art poétique lui-même ne fait que répéter l'*Art poétique* de l'univers : il est religieux parce qu'il fait triompher le chant jubilant du « Magnificat », mais surtout parce qu'il rend sensible le lien qui unit les choses de Dieu.

« La cantate à trois voix »

La cantate à trois voix (1911-1912) pourrait passer pour une sixième ode même si la forme — le dialogue lyrique coupé de cantiques — en est différente. C'est l'apaisement que chante ici Claudel par la voix de trois femmes, — Laeta la fiancée, Fausta l'épouse dont le mari est absent, Beata la veuve, — à l'heure du solstice d'été

> Cette heure qui est entre le printemps et l'été [...]
> Nuit sans aucune nuit...
> Pleine d'oiseaux mystérieux sans cesse et du chant qu'on entend quand il est fini...
> ... De feuilles et d'un faible cri, et de mots tout bas, et du bruit...

Le vers moins long, le retour à la rime indiquent une évolution poétique que confirment les recueils *Corona benignitatis anni Dei* (1915), *La messe là-bas* (1919), *Feuilles de saints* (1925).

LA MAÎTRISE DE LA MATURITÉ

Cette évolution est confirmée par le théâtre de Claudel entre les années 1906 et 1929. En 1909, le diplomate a quitté définitivement la Chine et il va occuper plusieurs postes en Europe : il est successivement consul à Prague (1909-1911), à Francfort (1911-1913), à Hambourg où le surprend la guerre, et chargé d'une mission économique à Rome (1915-1916). Parallèlement, il semble renouer avec les traditions du théâtre européen. *L'annonce faite à Marie* (1912), où il reprend la touchante histoire de Violaine, mais en la situant cette fois au Moyen Age, la « trilogie des Coûfontaine » qui replace trois générations d'une même famille sous l'Empire (*L'otage*, 1909-1910), sous la Monarchie de Juillet (*Le pain dur*, 1913-1914), à la fin du Second Empire (*Le père humilié*, 1915-1916), sont des drames historiques et des tragédies classiques. Mais, d'une manière originale, ils relient l'histoire du passé à celle du présent et rompent la solitude tragique grâce à la communion des saints.

De 1916 à 1935 le tour du monde de Claudel s'achève : ministre plénipotentiaire à Rio-de-Janeiro (1916-1919), ambassadeur à Copenhague (1919-1921), à Tokyo (1921-1927), à Washington (1927-1933), et enfin à Bruxelles (1933-1935), il passe d'un continent à l'autre comme au XVIe siècle Christophe Colomb ou le Rodrigue du *Soulier de satin*.

Une distribution célèbre pour *Partage de Midi* au Théâtre Marigny en 1949 : Jean-Louis Barrault (Mesa), Pierre Brasseur (Amalric), Edwige Feuillère (Ysé), Jacques Dacqmine (De Ciz).

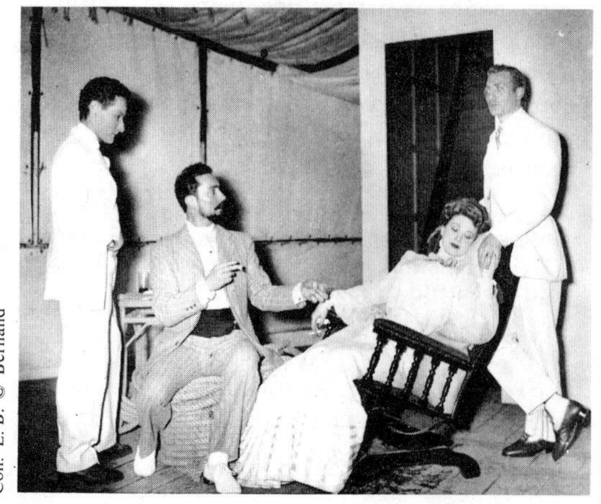

On peut considérer ce grand drame, cet « opus mirandum » comme le chef-d'œuvre de Claudel. Conçu de 1919 à 1924, il suscita lors de sa publication, en 1928-1929, quelques réactions irritées qui se perdirent dans une conspiration du silence. Gide lui-même conclut d'une première lecture : « Consternant ». Depuis, l'ouvrage a fait son chemin, mais uniquement dans une version abrégée pour la scène, dont la première représentation, en 1943, fut un événement mémorable.

La célébrité dont jouit aujourd'hui *Le soulier de satin* est, à dire vrai, quelque peu suspecte. On en a retenu essentiellement l'histoire de Prouhèze et de Rodrigue dont les amours contrariées invitent à un parallèle facile avec Tristan et Iseult. Et comme l'Ange gardien de l'héroïne obtient d'elle l'ultime sacrifice de son bonheur sur terre, on a fait de la pièce un drame théologique : Prouhèze et Rodrigue, qui sont l'un et l'autre des êtres de désir, ne peuvent échapper à la garde des saints et au courant de la Grâce qui les entraîne ; tentés par le péché que constituerait leur union, ils se débattent contre la volonté du juge Pélage (le vieux mari de Prouhèze), contre la volonté du roi d'Espagne; plus encore, contre la volonté de Dieu. Mais les « grandes forces continues [...] de toutes parts [les] adoptent et [les] engagent » : le monde ouvert où chacun d'eux a vocation, Prouhèze à Mogador et Rodrigue en Amérique, la mer et les étoiles, la charité d'un Père Jésuite martyr et, plus largement, la communion des saints qui ne cesse d'apporter son implacable soutien. Car Rodrigue et Prouhèze choisissent sans doute, comme en témoignent la remise à la Vierge de ce petit soulier de satin qui empêchera Prouhèze de s'élancer vers le mal autrement qu' « avec un pied boiteux », ou l'ambassade qui achève la Troisième Journée [1] sur une véritable cérémonie du renoncement. Mais on ne peut s'empêcher de garder l'impression qu'ils sont contraints au salut.

Peu importe, au fond. Les contradictions internes de l'œuvre et de la théologie claudélienne, les interprétations divergentes auxquelles elles prêtent rendent au lecteur et même à l'auteur leur liberté. *Le soulier de satin* trouve sa source dans le grand drame intérieur de Claudel et

1. La division en « Journées », et non en actes, est empruntée à la *comedia* espagnole. Une « Journée » est une série d'épisodes qui ne correspond pas nécessairement à la durée d'une journée.

veut être l'expression d'un « apaisement » à la suite d'une rencontre tardive — seize ans après — avec l'amante de jadis. L'explication se dilue alors dans un ruissellement d'émotion et le sentiment triomphal, qu'il faut bien se garder de confondre avec l'orgueil, a la valeur humaine d'une volonté de joie dans un cœur à jamais meurtri.

Mais le plus important est le traitement que Claudel a imposé à son sujet. On s'est étonné de la longueur du drame (neuf heures), de sa « surabondance spectaculaire », de l'enchevêtrement complexe de plusieurs intrigues parallèles, parfois complètement hétérogènes, et surtout du détachement dont le dramaturge semble faire preuve à l'égard de ses personnages qu'il manœuvre comme des marionnettes. Si Claudel se réfère à la *comedia* espagnole du Siècle d'Or ou au drame élisabéthain, s'il choisit le patronage de José-Maria Sert [1], le peintre des fresques « baroques » de la cathédrale de Vich, c'est qu'il opte pour une audacieuse stylisation, voyante et même trop voyante : l'Annoncier est interrompu par le vacarme du public, l'Irrépressible [2] bouscule les machinistes « à la manière d'un clown de cirque », précipite les personnages sur scène ou les refoule insolemment dans la coulisse, fait le geste de pédaler sur une bicyclette invisible pour souligner le changement de lieu et fredonne le commencement de la célèbre sonate de Beethoven pour évoquer le clair de lune :

> Il faut que tout ait l'air provisoire, en marche, bâclé, incohérent, improvisé dans l'enthousiasme! Avec des réussites, si possible, car même dans le désordre il faut éviter la monotonie.
> L'ordre est le plaisir de la raison, mais le désordre est le délice de l'imagination.

Claudel avouera plus tard à Jean-Louis Barrault la volonté de « retrouver le théâtre à l'état naissant ». L'improvisation incongrue du *Soulier de satin* en est la première illustration, la meilleure aussi. Ni *Le livre de Christophe Colomb* (1927), ni les nouvelles versions de ses drames antérieurs ne permettent de retrouver, dans la prolifération d'artifices théâtraux présentés comme tels, le théâtre pur dont il a rêvé.

Arch. E. B. © Collection Viollet

Paul Claudel prononçant un discours. On a conservé les textes de nombreux discours et conférences de l'ambassadeur-poète. Certains sont inédits, en particulier les discours en anglais.

LA MÉDITATION

En 1935, Claudel prend sa retraite. Il va partager ses jours entre Paris et son château de Brangues, en Dauphiné. La capitale aura son dernier souffle, le parc de Brangues ses « restes et [s]a semence » [3]. Ces vingt ans sont vingt ans d'une méditation multiple qui alimente une œuvre tardive considérable et presque inconnue du grand public.

Cette méditation, à dire vrai, n'a cessé de se poursuivre tout au long de sa longue vie. En témoignent le *Journal* (le premier cahier conservé date de 1904, et le dixième s'achèvera à la mort du poète), la Correspondance (avec Gide, Suarès, Jammes, Frizeau, Rivière, Larbaud, etc.), les premières œuvres en prose (*Conversations*

1. Peintre catalan ami de Claudel.
2. Personnage que l'auteur ne parvient pas à retenir.
3. Épitaphe inscrite sur son tombeau.

dans le Loir-et-Cher, Positions et propositions, etc.). Mais en 1929 un fait nouveau se produit : Claudel annonce qu'il renonce à la littérature profane pour se consacrer exclusivement à l'exégèse de la Bible. Certes, il prendra quelques libertés à l'égard de cette décision; mais les commentaires de l'Écriture sainte restent bien l'essentiel de l'œuvre de sa vieillesse : *Au milieu des vitraux de l'Apocalypse* (1929-1932), *Un poète regarde la croix* (1935), *Figures et paraboles* (1936), *Les aventure de Sophie* (1937), *Introduction au « Livre d Ruth »* (1938), *L'épée et le miroir* (1939), *Pré sence et prophétie* (1942), *Seigneur, apprenez nous à prier* (1942), *Le Livre de Job* (1946) *Paul Claudel interroge le Cantique des cantique* (1948), *Emmaüs* (1949), *L'Évangile d'Isaïe* (1951) *Paul Claudel interroge l'Apocalypse* (1952) *J'aime la Bible* (1955). Le discours, très libre où l'humour voisine avec le sarcasme, où éclaten tour à tour les cris irrités d'un prophète et l'exul tation d'un mystique, tisse un réseau de corres pondances entre la Parole et l'Histoire, entre le figures de l'Ancien Testament et les visages d Nouveau Testament, entre les événements passé et les événements futurs jusqu'à la fin du monde

Pendant ce temps, la veine poétique sembl s'être tarie. Médiocrement inspiré par les cir constances, Claudel a recours, comme Rimbaud aux « refrains niais », aux « rythmes naïfs » pour retrouver une inspiration perdue. En vain Au théâtre, il s'acharne à réaliser de nouvelle versions de ses œuvres anciennes, au moment o l'on commence à les jouer partout; mais ce refontes ressemblent souvent à des destructions Quant aux œuvres dramatiques nouvelles, ce n sont guère que des œuvrettes ou des tentative passablement avortées. Mais c'est qu'il faut sur tout les considérer comme les signes de l méditation de Claudel sur sa propre production une production qui le laisse à la fois insatisfai et satisfait. Insatisfait, parce qu'il voudrait tou recommencer, tout refaire. Satisfait, parce qu'i lit dans son œuvre, comme dans la Bible, l prophétie de ce qu'il devait être et de ce qu deviendra le monde.

PRINCIPALES ŒUVRES DE PAUL CLAUDEL
(les dates sont celles de la publication)

	POÉSIE	THÉÂTRE	PROSE
1890		*Tête d'or*	
1900	*Connaissance de l'Est*		
1901		*L'arbre*	
1906		*Partage de midi*	
1907			*Art poétique*
1910	*Cinq grandes odes*		
1911		*L'otage*	
1912		*L'annonce faite à Marie*	
1913	*La cantate à trois voix*		
1918		*Le pain dur*	
1920		*Le père humilié*	
1929		*Le soulier de satin*	
1936			*Figures et paraboles*
1948			*Paul Claudel interroge le cantique des cantiques*
1949			*Emmaüs*
1952			*Paul Claudel interroge l'Apocalypse*

BIBLIOGRAPHIE

ÉDITIONS : Éditions de poche : Plusieurs titres dans la collection « Folio », *Cinq grandes odes et poésies* dan la collection « Poésie/Gallimard ».

Éditions critiques : Plusieurs volumes dans la « Bibliothèque de la Pléiade » (*Œuvre poétique, Théâtre,* 2 vol. *Œuvres en prose, Journal,* 2 vol.). Édition des *Œuvres complètes* en cours de publication chez Gallimard et L'Age d'homme. Éditions critiques par les Publications de l'Université de Besançon (Belles-Lettres), sou l'impulsion de J. Petit, puis de M. Malicet.

ÉTUDES : Pierre BRUNEL, *Claudel et Shakespeare,* Colin, 1971 (une influence essentielle). — Paul-André LESORT *Paul Claudel par lui-même,* Seuil, 1963 (une présentation sensible et vivante). — Michel LIOURE, *Le drame d Paul Claudel,* A. Colin, 1971 (une étude qui renouvelle complètement l'examen de l'œuvre dramatique). — Jacques PETIT, *Claudel et l'usurpateur,* Desclée de Brouwer, 1971 (une présentation originale de l'auteur). — André VACHON, *Le temps et l'espace chez Paul Claudel,* éd. du Seuil 1968 (une étude parfois contestable, mais souven profonde, de la structure liturgique du temps et de l'espace chez Claudel). — Jean-Bertrand BARRÈRE, *Claudel le destin et l'œuvre,* SEDES, 1979 (une introduction à l'œuvre précise et nourrie).

Périodiques : *Cahiers Paul Claudel,* éd. Gallimard ; *Revue des lettres modernes,* série Paul Claudel, éd. Minard *Cahiers canadiens Claudel,* édition de l'Université d'Ottawa.

LE XXe SIÈCLE

La dernière rencontre de doña Prouhèze et de don Rodrigue devant Mogador, dans la troisième journée du *Soulier de satin*. Représentations données au théâtre de France en 1963, sous la direction de Jean-Louis Barrault avec Geneviève Page et Sami Frey.

Coll. L. B. © Bernand

LE JEU DE L'HOMME ET DE L'HISTOIRE

En 1900, Claudel n'est qu'au milieu du chemin de sa vie, d'une vie qui, par les fonctions mêmes qu'il sera amené à exercer, l'engage dans l'Histoire. Pourtant, le « Processionnal » par lequel, en 1907, il « salue le siècle nouveau », est fort étranger à l'événement : il est plutôt l'occasion d'un retour au « commencement du monde », dans un long défilé de patriarches et de saints, comme s'il n'était pas d'autre regard en avant, pour lui, que le regard en arrière. D'autres, au contraire, attendent de grands bouleversements avec tant d'intensité qu'ils croient déjà les vivre : Romain Rolland évoquera « le tremblement de terre des années 1900, et les éruptions de pensée qui [...] incendièrent l'esprit du siècle commençant ».

A dire vrai, les idéologies régnantes trahissent cette hésitation entre passé et avenir. Prospectif, le nationalisme que raniment Barrès et Maurras au début du siècle, qui suscite l'agitation des ligues de droite dans l'entre-deux-guerres ou sous la Cinquième République, et qui a guidé l'action du général de Gaulle? Révolutionnaire, le radicalisme qui, selon son maître Alain, entend « chasser l'occupant sans briser la coquille »? La vie politique française, au cours de ces soixante-dix années, suit son cours parmi maintes survivances et, même si les constitutions changent (1946, 1958) ainsi que le numéro des républiques, la législation de la Troisième République continue dans la plupart des cas à faire autorité. Les crises ministérielles de la Quatrième, qui aboutissent en mai 1958 à une crise du régime, rappellent celles qui, dans l'entre-deux-guerres, ont déchaîné les attaques contre le Parlement, fait échouer l'expérience du Front populaire (1936-1937) et opposé à Hitler en 1939 une France divisée.

Les deux guerres franco-allemandes elles-mêmes donnent l'impression d'un recommencement. L'élément nouveau, c'est l'élargissement du conflit au monde tout entier. D'une manière générale, tout événement important a désormais un retentissement international et c'est dans le concert des nations que la France cherche à se situer, tentant, sous la Cinquième République, de se maintenir au rang des grandes puissances mondiales, des puissances « atomiques », malgré ses crises intérieures, la débâcle de 1940 et la perte de son empire colonial (abandon de l'Indochine en 1954 à la suite de la chute de Dien-Bien-Phu, indépendance de la Tunisie et du Maroc en 1956, des pays de l'Afrique noire en 1960, de l'Algérie à la suite des accords d'Évian en 1962).

L'évolution économique, irrépressible, se poursuit malgré les coups de frein donnés par les crises mondiales (le contrecoup de celle de 1929, pour être tardif, n'en est pas moins rude, surtout en 1933-1934) et par l'archaïsme de certaines structures, surtout dans le monde rural. Les secousses sociales que provoque la rapidité des transformations économiques peuvent secouer le pays tout entier. Pourtant elles ne l'ébranlent pas véritablement, malgré l'effort des partis de gauche (1905 : formation du Parti socialiste unifié; 1920 : fondation du Parti communiste français), de plus en plus divisés, et s'émiettant en groupes plus restreints.

Si, en conjuguant le passé et l'avenir pour tisser le présent, la collectivité semble jouer avec le temps, l'individu, — et en l'occurrence l'écrivain, — semble ruser avec l'Histoire. En 1947, essayant de définir la situation de l'écrivain contemporain, Sartre distinguait dans le déroulement de son siècle trois générations.

— 1° « Celle des auteurs qui ont commencé de produire avant la guerre de 14 » [1]. Ils sont fortement intégrés dans la société bourgeoise (la plupart du temps, même si le métier d'écrivain leur rapporte beaucoup d'argent, ils n'ont pas besoin de leur plume pour vivre : voir Gide, Proust, Claudel, Mauriac), mais cette bourgeoisie elle-même a changé. Ce ne sont plus les

1. « Qu'est-ce que la littérature? — Situation de l'écrivain en 1947 », dans *Situations II*, Gallimard, 1948. Sartre est, le premier, conscient du caractère approximatif de ce découpage.

bourgeois conquérants du XIXe siècle : leurs fils ou leurs petits-fils sont désormais installés dans leurs conquêtes. Même s'ils critiquent cette société, ils tentent de la sauver « en profondeur », en dégageant le lien poétique qui les unit à elle (voir Barrès). Perdus dans ce beau rêve, ils créent une « littérature d'alibi », donc hors de l'Histoire : l'exemple le plus éclatant en est sans doute la « fête étrange » du *Grand Meaulnes*.

— 2° La génération qui « vient à l'âge d'homme après 1918 ». Après le cauchemar de la guerre, dont l'absurdité se dévoile peu à peu, c'est une « période de décompression » (l'expression est d'Albert Thibaudet), celle des « années folles » (1919-1929), la grande époque de Montparnasse et du « Bœuf sur le toit », avec l'invasion des rythmes venus d'Amérique et les débuts du cinéma. Ces années voient, selon Sartre, le retour offensif de l'esprit de négativité, tendant à la destruction non seulement de l'objectivité, mais aussi du moi et du langage. Destruction du monde nivelé par la vitesse dans les romans de Paul Morand (né en 1888), destruction de soi-même chez Drieu la Rochelle (1893-1945) qui se laissera prendre par le mirage nazi comme le papillon par la flamme, destruction encore et surtout chez les surréalistes, même si elle s'effectue, paradoxalement, par la multiplication des pamphlets et des livres :

> [...] comme il était plus facile de discerner dans l'Europe d'après-guerre les signes de la décadence que ceux du renouveau, ils ont tous choisi la liquidation. Et pour tranquilliser leur conscience, ils ont remis en honneur le vieux mythe héraclitéen selon lequel la vie naît de la mort. Tous ont été hantés par ce point imaginaire *gamma*, seul immobile dans un monde en mouvement, où la destruction, parce qu'elle est pleinement destructrice et sans espoir, s'identifie à la construction absolue.

En fait, c'est une manière de sauter non plus seulement hors de la classe bourgeoise (où, d'ailleurs, se recrute le public des surréalistes), mais hors du monde, donc encore une fois hors de l'Histoire : d'où l'échec d'une alliance entre Breton et le communisme.

— 3° « La troisième génération [...] a commencé d'écrire après la défaite (de 1940) ou peu avant la guerre ». En fait, c'est vers 1930 que Sartre serait tenté de placer la découverte par l'écrivain de l'historicité. On ne se sent plus « au lendemain de » quelque chose, mais « à la veille de » quelque chose. La crise économique et ses conséquences sociales, la montée des fascismes mettent fin aux grandes vacances de la littérature. L'écrivain se sent « situé », il sait que l'aventure collective qui se dessine dans l'avenir sera *son* aventure. « Brutalement réintégré dans l'Histoire », il est acculé à faire « une littérature de l'historicité », « une littérature des situations extrêmes », « la littérature des grandes circonstances » (voir la poésie de la Résistance). L'une des questions essentielles qui se pose à cette littérature existentialiste est « Comment peut-on se faire homme dans, par et pour l'Histoire? »

Est-il permis d'ajouter que la quatrième génération semble, du moins dans le vœu des plus avancés, tentée d'échapper une fois de plus à l'Histoire? « L'écriture, écrit Philippe Sollers, est liée à un espace où le temps aurait en quelque sorte *tourné*, où il ne serait plus que le mouvement circulaire et opératoire » du langage [1]. Point d'autre temps que celui du texte où l'œuvre s'enclôt...

1. « Le roman et l'expérience des limites », dans *Logiques*.

LA LITTÉRATURE DE LA « BELLE ÉPOQUE »

Dans les premières années du XXe siècle, les Français nagent dans l'optimisme de ce qu'on a appelé la « Belle Époque ». L'exposition de 1900 à Paris pourrait être le symbole de cette satisfaction et de la frivolité qu'elle entraîne. De l'affaire Dreyfus est sortie triomphante, en définitive, la « classe moyenne », et c'est cette petite bourgeoisie volontiers anticléricale qui applaudit à la lutte du président du Conseil, Combes, contre les Congrégations religieuses et, en 1905, à la séparation de l'Église et de l'État. Les difficultés existent pourtant, à l'intérieur (agitation sociale entre 1905 et 1910, à la suite de la fondation de la C.G.T. et du Parti socialiste unifié, stagnation démographique, instabilité ministérielle), à l'extérieur surtout : l'Entente cordiale (1904) a permis de régler les différends coloniaux avec l'Angleterre, mais la menace allemande se précise (première crise marocaine, 1905-1907; deuxième crise marocaine, 1911). La guerre va surgir des crises balkaniques. Elle surprend les libéraux (Anatole France), comble les vœux des nationalistes (Barrès, Péguy) et c'est dans l'enthousiasme qu'elle est accueillie, « fraîche et joyeuse ». Mais la dernière fête de la « Belle Époque » est un carnage sans précédent.

La littérature de cette période est, dans l'ensemble, une « littérature de survivance » [1], quelquefois ouverte sur le monde, plus souvent repliée sur la vie intérieure (grâce en particulier à l'influence de Bergson). Le couronnement en est probablement le chef-d'œuvre de Marcel Proust.

1. Henri Lemaître, *Les métamorphoses du XXe siècle*, Bordas-Laffont, 1971, p. 9.

LE THÉÂTRE

Ni le naturalisme ni le symbolisme n'avaient pu véritablement s'épanouir au théâtre. Malgré la réussite d'un Henry Becque ou d'un Maeterlinck (1), malgré ces foyers de rénovation scénique que constituaient le « Théâtre Libre » ou « L'Œuvre », le bilan était médiocre et les tentatives semblaient avortées. Au début du xxe siècle, la situation de la scène française est plus confuse que jamais. Au moment où les seuls dramaturges de génie, Jarry et Claudel, se tiennent comme à l'écart d'un public singulièrement retardataire, la scène est partagée entre des tendances confuses. La seule caractéristique commune est peut-être la servilité à l'égard des goûts du spectateur.

DES TENDANCES CONFUSES

Le théâtre néo-romantique

Le théâtre d'Edmond Rostand (1868-1918) pourrait se situer à mi-chemin entre Victor Hugo et Victorien Sardou. On passe de l'inspiration évangélique (*La Samaritaine*, 1897) à l'évocation des amours du trouvère Geoffroy Rudel (*La princesse lointaine*, 1895), aux gasconnades de *Cyrano de Bergerac* (1897), à l'héroïsme de *L'Aiglon* (1900), à la basse-cour allégorique de *Chantecler* (1910). La forme atteste, parfois avec bonheur, la survie d'un théâtre en vers passablement anachronique.

L'héritage naturaliste

Du naturalisme on conserve des thèmes : la mesquinerie de la vie de famille chez Jules Renard (1864-1910) — (*Le pain de ménage*, 1897; *Poil de carotte*, 1900) —, la tyrannie de l'argent chez Octave Mirbeau (1850-1917), (*Les affaire* *sont les affaires*, 1903) ou Émile Fabre (1869 1955) (*L'argent*, 1895; *La vie publique*, 1901 *Les ventres dorés*, 1905; *Les sauterelles*, 1911 On maintient aussi les vertus d'une manièr sèche qui pèche souvent par excès de pointi lisme.

Le théâtre d'idées

Avec le théâtre d'idées on revient plutôt à l conception, chère à Émile Augier ou à Alexandr Dumas fils, de pièces à thèse et au moralism militant. Les problèmes du mariage, du foye des enfants retiennent en priorité l'attentio d'Eugène Brieux (1858-1922) ou de Paul Her vieu (1857-1915) qui se montrent soucieu d'apporter une solution : il faut que les mère élèvent elles-mêmes leurs enfants (Brieux : *Le* *remplaçantes*, 1901) et qu'elles sachent les aime tout en leur laissant l'autonomie souhaitabl (Hervieu : *La course du flambeau*, 1901). Plu ambitieux, François de Curel (1854-1929) abord

1. Voir pp. 513-514 et 558-560.

les problèmes sociaux : l'attitude d'un patron à l'égard de ses ouvriers (*Le repas du lion*, 1897), l'utilisation comme cobaye d'un être humain (*La nouvelle idole*, 1899). Il reconnaît lui-même que les personnages de ses drames ne sont que les confidents de sa méditation (Préface de 1918 à l'édition de son *Théâtre complet*).

Le théâtre d'amour

C'est le titre sous lequel Georges de Porto-Riche (1849-1930) a réuni son œuvre dramatique. Il y analyse les exigences de la passion et leurs conséquences fatales, comme le fait aussi Henry Bataille (1872-1922) dans *La marche nuptiale* (1905) ou dans *La vierge folle* (1910). A leur théâtre « faisandé » on a opposé le théâtre « brutal » de Henry Bernstein (1876-1953), qui a mêlé intérêts d'amour et intérêts d'argent chez des personnages à l'âme basse, le journaliste de *La griffe* (1906) ou le joueur de *La rafale* (1905). Sur un mode souvent plus léger, l'amour a également fait les beaux jours du théâtre de Maurice Donnay, d'Alfred Capus, d'Henri Lavedan, d'Abel Hermant.

La comédie

Car la comédie reste un genre bien vivant où se trouvent reprises les diverses traditions connues : comédies amusées de Flers et Caillavet (*Le roi*, 1908; *L'habit vert*, 1912); vaudevilles follement amusants de Georges Feydeau (1862-1921) (*Le dindon*, 1896; *La dame de chez Maxim*, 1899; *Occupe-toi d'Amélie*, 1908; *Mais ne te promène donc pas toute nue*, 1912); comédies de caractères de Tristan Bernard (1866-1947), l'un des maîtres de l'humour (*Triplepatte*, 1905); comédies de mœurs de Georges Courteline (1861-1929) qui sont autant de charges, courtes mais percutantes, contre la vie militaire (*Les gaietés de l'escadron*), les bureaucrates (*Monsieur Badin*, sans parler de la comédie tirée en 1911 par Dieudonné et Aubry de son roman *Messieurs les ronds de cuir*), contre les gens de justice *(Un client sérieux)*.

Page de gauche, entracte au théâtre du Vaudeville en 1898. Le théâtre du Vaudeville était un des hauts-lieux de la comédie de Boulevard.
Ci-dessus, l'acteur Coquelin dans le rôle de Cyrano, dont la création en 1897 fut un triomphe.

UN THÉÂTRE SERVILE

L'écrivain et son public

Tous ces auteurs « doivent leur succès immédiat à l'harmonie préétablie qui existe entre eux et le public. Rien, dans leur œuvre, des tâtonnements, de l'audace, de la solitude initiale des créations véritables. Si ce n'est pas toujours un théâtre bourgeois (celui de Rostand et de Courteline est un théâtre populaire), c'est toujours un théâtre public — qui ne se fait si bien entendre que pour être d'abord lui-même à l'écoute » [1]. Peut-être a-t-on le droit de définir par cet accord facile, plus que par la géographie des salles ou le recours à un genre déterminé, le « théâtre de Boulevard » avec lequel on a tendance à confondre le « théâtre de la Belle Époque ».

1. G. Picon, dans l'*Histoire des littératures*, Encyclopédie de la Pléiade, t. III, pp. 1125-1126.

L'unité d'atmosphère

Car c'est bien la « Belle Époque » et son atmosphère qui confèrent à l'ensemble de cette production son unité : un univers factice, décor d'une vie facile où se mêlent, étrangement ressemblants, les « travailleurs du plaisir » et les « fêtards du travail » (Lavedan, *Viveurs*), où s'embrouille à plaisir le jeu de l'amour et de l'argent, où passent avant les autres les solutions de la morale bourgeoise jusqu'en sa complaisance hypocrite pour le concubinage, devenu chose fort ordinaire. « Il y a[vait] une jolie place à prendre entre George Dandin et Othello » (Donnay, *Amants*) : elle est prise désormais.

Le triomphe de la convention

Composées dans la hâte, le plus souvent, ces pièces usent et abusent des conventions dramatiques : cadres en trompe-l'œil, psychologie stéréotypée, ficelles de l'intrigue, effets comiques mécaniques. Les procédés se ressemblent tant qu'on a l'impression d'une masse anonyme, comme si « le Boulevard se nourri[ssait] de sa propre substance » (1). Et pourtant on croit atteindre à un véritable génie de la facilité dan ces succès d'hier et d'aujourd'hui : les vaude villes de Feydeau où la gaieté devient épiqu à force d'être mécanique; la fantaisie concertée et pourtant apparemment débridée, de *Cyran de Bergerac*. Cherchant à expliquer la célébrit mondiale de cette pièce, un critique découvrai qu' « elle contient en elle tout ce que le public — quelles que soient la nature, la compositio et la nationalité de ce public — va chercher a théâtre. Elle est en conformité parfaite avec l goût du plus grand nombre des spectateurs Elle réunit tout ce qui plaît et qui plaît à tous tout ce qu'on aime et dont on ne se lasse pas » (1)

C'est peut-être la forme supérieure de la vul garité.

1. Pierre Voltz, *La Comédie*, *op. cit.*

1. René Doumic, *Le théâtre nouveau*, Perrin, 1908.

Tristan Bernard au théâtre; gravure d'Abel Faivre (1867-1945), dédiée à Tristan Bernard.

BIBLIOGRAPHIE

Œuvres et études : *L'Aiglon* et *Cyrano de Bergerac* d'Edmond Rostand ont paru en Livre de Poche (nos 1267-1268, 873). — René Lalou, *Le théâtre français depuis 1900*, P.U.F., 1951. — Pierre Voltz, *La comédie*, A. Colin, coll. « U ».

LA POÉSIE : DE L'HÉRITAGE SYMBOLISTE A LA RÉVOLTE

Il serait trop satisfaisant pour l'esprit épris de classifications faciles qu'au début du XXe siècle corresponde un renouveau poétique. La réalité est moins simple; beaucoup plus qu'une rupture, les premières années du siècle révèlent une évolution souvent assez confuse. Avec plus ou moins de bonheur, l'héritage symboliste est exploité par des poètes qui ont fait leurs débuts dans le monde des lettres vers 1880, cependant que les futurs maîtres, Valéry, Claudel, Péguy s'apprêtent à dépasser cet héritage, à s'en servir comme d'un acquis pour en dégager des œuvres riches et originales qui échappent aux classifications d'écoles. Le prestige qui entoure l'activité poétique, son audience, favorisent les rencontres, les créations de groupes, de revues, les recherches. Les mouvements foisonnent : naturisme, unanimisme, fantaisisme cherchent de nouvelles formules poétiques, mieux adaptées à l'évolution des idées. C'est de cette effervescence intellectuelle et esthétique, telle qu'elle se manifeste surtout à Montmartre et à Montparnasse où les poètes rencontrent les peintres modernes, que surgissent les nouveautés les plus fécondes : l'œuvre si diverse de Guillaume Apollinaire est un adieu, encore mélancolique, aux temps anciens, mais elle révèle la définitive victoire de l'esprit moderne, au terme de l'évolution, elle promet la révolution poétique.

L'évolution d'une tradition

Les derniers livres de Maeterlinck, de Verhaeren, d'Henri de Régnier ne font que préciser les caractères individuels que tous trois avaient apportés au symbolisme [1]. Plus caractéristiques d'une évolution, les œuvres d'Anna de Noailles, de Paul Fort et de Saint-Pol-Roux marquent une certaine distance par rapport aux théories du mouvement.

Anna de Brancovan, comtesse de Noailles (1876-1933) représente avec le plus de puissance et d'éclat ce que Charles Maurras appelait le « romantisme féminin ». Depuis *Le cœur innombrable* (1901) jusqu'à *L'honneur de souffrir* (1927), Anna de Noailles se laisse emporter par un élan sensuel vers l'univers naturel; mais la joie de cet élan, à mesure que l'œuvre progresse, est altérée par l'inquiétude devant le fragile destin humain, par la douleur et la mélancolie que suscite la mort.

Paul Fort (1872-1960), qui fonda en 1912 une revue néo-symboliste, *Vers et prose*, doit assez peu, en fait, aux théories du mouvement. Son lyrisme, teinté de panthéisme, s'ouvre largement aux souffles de la nature et accueille toute une tradition folklorique et vaguement médiévale. La longue suite des *Ballades françaises* valut à l'auteur un immense succès (il fut nommé en 1912 « prince des poètes »). Les thèmes les plus variés et les plus généreux y sont développés dans une métrique originale, prose cadencée dont les mouvements respectent le plus souvent la structure de l'alexandrin régulier, qui entend « marquer la supériorité du rythme sur l'artifice de la prosodie » et qui n'est peut-être qu'un artifice au second degré.

Saint-Pol-Roux (Paul Roux, devenu Saint-Pol-Roux le Magnifique, 1861-1940) est le fondateur de l'Idéoréalisme, idéalisme platonicien qui s'inspire des recherches les plus intéressantes du symbolisme. La tâche du poète est de restituer l'éclat de la beauté cachée sous les apparences : « L'homme me paraît n'habiter qu'une féerie d'indices vagues, de légers prétextes, de provocations timides, d'affinités lointaines, d'énigmes... L'univers est une catastrophe tranquille; le poète démêle, cherche ce qui respire à peine sous les décombres et le ramène à la surface de la vie » (*Reposoirs de la procession*, 1901). Tentant de réaliser la synthèse de l'idée et de la chose sensible, Saint-Pol-Roux accorde à l'image une fonction expressive privilégiée. Les surréalistes reconnaîtront en lui un précurseur dans ce domaine comme dans celui de l'exploration des rêves et de l'esprit. Le poète s'était isolé dans un

1. Voir pp. 554-557.

Photo X. Coll. Jean Denoël.

manoir dominant Camaret lorsqu'il fut victime des violences allemandes en 1940.

Le naturisme

Certaine ferveur vigoureuse pour la nature et la vie simple, telle qu'elle se manifeste chez Anna de Noailles, chez Paul Fort, chez Francis Jammes et dans *Les nourritures terrestres* de Gide, fut opposée aux subtilités symbolistes et à l'impassibilité parnassienne par le mouvement « naturiste ». « Dans l'étreinte universelle, nous voulons rajeunir notre individu. Nous revenons vers la nature. Nous recherchons l'émotion saine et divine. Nous nous moquons de l'art pour l'art » (1). Mais la vocation morale du mouvement, proclamée par l'un de ses fondateurs, Saint-Georges de Bouhélier, l'emportait trop sur les soucis esthétiques pour que l'école pût s'imposer par des productions majeures.

Le groupe fantaisiste

C'est aussi contre les excès néo-symbolistes et au nom de la sincérité que des poètes divers, comme Tristan Klingsor (1874-1966), Francis Carco (1886-1958), Tristan Derême (1889-1941) fondèrent le mouvement fantaisiste en se réclamant d'un précurseur, Paul-Jean Toulet (1867-1920). Celui-ci, dans ses *Contrerimes* publiées en 1921, après sa mort, exprime un profond désenchantement avec une pudique ironie. Sa sincérité désabusée est le modèle du groupe bohème dont Tristan Derême, dans *La verdure dorée* (1922), définit les intentions : « Par l'éclat exagéré d'une rime, par la rouerie d'une épithète, ou le jeu trop sensible des allitérations, donner volontairement à sourire des sentiments graves qu'au même instant il [le poète] chante et sans cesser d'être sincère. » L'importance de

1. Maurice Le Blond, *Essai sur le naturisme* (1896), cité par M. Raymond, *De Baudelaire au surréalisme*.

En haut, à gauche : la comtesse de Noailles, photographiée dans son salon.
En haut, au milieu : photographie de Saint-Pol Roux, dit « Saint-Pol Roux le Magnifique », à la fin de sa vie, reproduite en tête d'un *Hommage à Saint-Pol Roux*.
En haut, à droite : Francis Carco, dans le décor de ce Paris qu'il a chanté.
En bas : Francis Jammes, devenu le patriarche.

l'école fantaisiste n'est pas à négliger; on peut rapprocher ses recherches de l'humour de Georges Fourest (1867-1945; *La négresse blonde*, 1909), et l'esprit qui l'anime n'est pas étranger à Apollinaire.

L'unanimisme

En 1906, un groupe d'écrivains fonde une communauté dans le domaine de l'Abbaye à Créteil. Soumis à des influences diverses, celle de la pensée démocratique et socialisante, celle du poète américain Walt Whitman (1819-1892), Georges Duhamel (1884-1966), Charles Vildrac (1882-1971), René Arcos (1881-1959) entendent exalter la noblesse de l'existence réelle contre l'intellectualisme et les refus du monde. En 1908, les éditions de l'Abbaye publient *La vie unanime* de Jules Romains (né en 1885), véritable charte de l'unanimisme, où une « poésie immédiate » veut traduire le « sentiment religieux » éprouvé « devant la vie qui nous entoure et nous dépasse ». Le message unanimiste n'a guère convaincu dans ses formes poétiques trop alourdies de didactisme, mais il soutient les amples domaines romanesques de Duhamel et de Romains [1].

L'INSPIRATION RELIGIEUSE

Jammes (1868-1938)

Retiré à Orthez après des études à Bordeaux, Francis Jammes s'est volontairement tenu à l'écart de la vie littéraire parisienne. Proche de la nature et de la vie rustique (« Les poètes copient avec conscience un joli oiseau, une fleur ou une jeune fille »), son œuvre mêle l'idéal du mouvement naturiste à une sensibilité toute personnelle. *De l'angélus de l'aube à l'angélus du soir* (1898), *Le deuil des primevères* (1900) illustrent une poétique de la simplicité, de la banalité même, qui pouvait passer à l'époque pour révolutionnaire. Sans rien renier de cette poétique, les recueils qui suivent, *Clairières dans le ciel* (1906), *Géorgiques chrétiennes* (1912), intègrent la méditation religieuse aux évocations de l'innocence campagnarde. Mais le poète, désireux de revenir à la prosodie classique après avoir pratiqué un vers libre d'une savante naïveté, perd de son originalité.

Péguy (1873-1914)

Lire Péguy, c'est être frappé par un art et une pensée, choqué ou conquis par leur originalité sans grâce, c'est aussi suivre l'itinéraire sans détours de la vie d'un homme pour qui la création littéraire fut avant tout engagement total, champ d'un combat incessant contre l'injustice, la mauvaise foi, la paresse intellectuelle.

L'itinéraire de Péguy. Charles Péguy est né à Orléans en 1873. Fils d'un menuisier et d'une rempailleuse de chaises, orphelin de père, il fait ses études comme boursier. Après son service militaire, il entre à l'École normale supérieure. Alors qu'il a abandonné les pratiques religieuses de son enfance, il affirme au contact de ses camarades de promotion et surtout du bibliothécaire de l'école, Lucien Herr, ses convictions socialistes et publie deux manifestes, *De la cité socialiste* (1897) et *Marcel, premier dialogue de la cité harmonieuse* (1898). Il est l'un des plus intransigeants défenseurs de Dreyfus, refuse d'admettre que la vérité et la justice puissent être les objets de compromis politiques. A la même époque, avec la collaboration de son ami Marcel Baudoin dont il épouse la sœur en 1897, il rédige un drame fort touffu, *Jeanne d'Arc*, dédié « A toutes celles et à tous ceux qui auront vécu. A toutes celles et à tous ceux qui seront morts pour tâcher de porter remède au mal universel » et où se mêlent les inspirations majeures de l'écrivain : la mystique socialiste, le patriotisme populaire et la religiosité.

En 1900, Péguy rompt avec ses amis socialistes et fonde les *Cahiers de la quinzaine* qu'il animera presque seul pendant quatorze ans, malgré de graves difficultés financières. Il n'a pas renoncé à son idéal, mais il refuse la dégradation de la mystique en politique et condamne vigoureusement les orientations matérialistes et anticléricales du mouvement socialiste. Sensibilisé très tôt (1905) aux menaces que font peser sur la France les ambitions allemandes, il s'éloigne davantage du pacifisme et de l'internationalisme socialistes, et tente de revivifier une tradition nationale corrompue par la vie moderne et la froideur des intellectuels. Le retour à la foi catholique, avoué en 1908, l'enracine plus profondément dans cette tradition nationale; toute

1. Voir p. 634.

son œuvre, en prose et en vers, confond désormais les valeurs patriotiques et les valeurs religieuses, fait revivre l'idéal ancien de la France « fille aînée de l'Église ». Mobilisé le 1er août 1914 pour la guerre qu'il avait annoncée, à laquelle il avait voulu préparer ses lecteurs, le lieutenant Péguy est tué à Villeroy le 5 septembre de la même année.

L'œuvre en prose. C'est dans ses innombrables écrits en prose que nous suivons le mieux le long combat spirituel de Charles Péguy. Ces écrits comprennent les multiples articles des *Cahiers*, des lettres, dans lesquels sont menées les batailles « au jour le jour » et quelques grands ouvrages composés qui réalisent la synthèse de la pensée, font le bilan des luttes.

On peut distinguer d'abord les textes qui débattent du socialisme et de ce que l'auteur considérait comme des déviations. De l'apostolat passionné des premiers manifestes, le solitaire intraitable des *Cahiers* passe bientôt à la condamnation des compromissions de partis. Dans *Notre jeunesse* (1910), l'auteur tente de justifier son éloignement des groupes socialistes en opposant la pureté et l'absolu de tout idéal, la « mystique », dit-il, aux basses pratiques de la politique.

Puis le patriote, qui dénonçait dans *Notre patrie* (1905) le danger allemand, étend son combat. Il continue de lutter contre l'antimilitarisme des socialistes, mais il s'en prend plus généralement à l'esprit moderne qui lui paraît renier les valeurs nationales. De cet élargissement de la polémique témoignent *L'argent* (1913) et surtout *Clio* (entrepris en 1909, repris en 1912), réflexion sur l'histoire qui comprend deux parties : « Dialogue de l'histoire et de l'âme païenne » « Dialogue de l'histoire et de l'âme charnelle ». Contre le détachement scientifique des intellectuels modernes, contre une histoire « d'inscription », Péguy, s'inspirant de l'exemple de Michelet, exalte une histoire de « résurrection », de « remémoration » qui serait une communion du présent avec le passé : « ... Restant situé dans la même race, et charnelle et spirituelle, et temporelle et éternelle, il s'agit d'évoquer simplement *les anciens*. Et de les invoquer. Les anciens de la même race. Les anciens *dans* la même race. »

Charles Péguy dans la boutique des *Cahiers de la quinzaine* (en face de la Sorbonne).

Cette communion avec l'âme nationale, Péguy l'obtient lui-même par la lecture des auteurs français, Hugo (*Victor-Marie, comte Hugo*, 1910) et surtout Corneille qu'il médite sans cesse, reconnaissant dans *Polyeucte* le couronnement d'un effort proche du sien, l'union du surnaturel et du naturel, de la mystique et de l'existence charnelle dans « un héroïsme de sainteté qui monte de la terre mais qui n'est point préalablement déraciné de la terre ». Sa pensée se fonde sur la lecture et la relecture de l'Évangile, mais aussi sur la philosophie de Descartes et surtout de Bergson qu'il avait écouté à l'École normale. La *Note sur M. Bergson et la philosophie bergsonienne*, publiée en 1914, la *Note conjointe sur M. Descartes et la philosophie cartésienne*, rédigée la même année, dont les incroyables digressions rassemblent dans une réflexion unique les sujets apparemment les plus divers, sont les dernières mises au point de la pensée de Péguy. Tous ses grands thèmes s'y trouvent : foi dans la noblesse de la pensée, pourvu qu'elle soit passionnée et vivante (« Il y a quelque chose de pire que d'avoir une mauvaise pensée. C'est d'avoir une pensée toute faite. »); souci de ne jamais séparer la spiritualité de la réalité la plus élémentaire, d'incarner véritablement la pensée dans la vie et dans un style.

Celui-ci est certainement l'un des plus originaux qui soient, l'un des plus harassants aussi. Péguy s'exprime par accumulations de synonymes, répétitions, amplifications. Le lecteur ne reçoit pas de formule claire et définitive, il assiste à l'effort de formulation. La pensée vit véritablement, cerne avec de plus en plus de précision son objet et à mesure qu'elle s'élève, elle gagne en épaisseur, en pesanteur, s'enfonce dans le réel le plus familier dont elle épuise les aspects.

La poésie. C'est après avoir retrouvé la foi que Charles Péguy revient à l'expression poétique abandonnée depuis sa *Jeanne d'Arc* de 1897.

Ce drame en trois pièces *(À Domrémy, Les batailles, Rouen)* mêlait les vers libres aux versets et à la prose rythmée. *Le mystère de la charité de Jeanne d'Arc* (1910), *Le porche du mystère de la deuxième vertu* (1911), *Le mystère des Saints Innocents* (1912) sont écrits en prose et surtout en versets. Le titre de ces longs poèmes manifeste une double ambition : renouer avec le genre médiéval des Mystères ([1]), exprimer les profonds mystères de la religion. Avec une étonnante familiarité, ennemie des pompes officielles qui tiennent les fidèles à distance, ennemie du respect glacé et de la prudence des exégèses trop savantes, le poète développe les redoutables sujets qui lui tiennent à cœur, l'amour divin, l'espérance, l'innocence. Il n'hésite pas à donner la parole à Dieu pour louer la vertu théologale qu'il place au-dessus de tout :

> Cette petite espérance qui n'a l'air de rien du tout.
> Cette petite fille espérance.
> Immortelle.

En 1912, Péguy revient à la pratique du vers régulier. *La tapisserie de sainte Geneviève et de Jeanne d'Arc* (1912), *La tapisserie de Notre-Dame* (1912), *Ève* (1914) sont, pour l'essentiel, composés de quatrains d'alexandrins.

La ferveur mystique de Péguy soutient les poèmes de « longue haleine » qui composent les Tapisseries. L'évocation des saintes figures de la Vierge, de Geneviève et de Jeanne aboutit toujours à la prière. Humblement, le poète formule son vœu le plus cher, le plus généreux, mais le plus audacieux, théologiquement parlant : que par l'intercession de Celles qui incarnèrent l'amour, la douleur et l'héroïsme, soient sauvés tous les hommes, que soit ramené « Le troupeau tout entier à la droite du Père ». Dans ces textes aux proportions souvent épiques (*Ève* magnifie le rôle salvateur de la femme en plusieurs milliers de vers), Péguy approfondit les quelques problèmes spirituels qui orientent toute sa pensée, qui sont déjà au centre de son œuvre en prose : le salut, la grâce, le retour à l'innocence. Nul excès de science théologique, nul raffinement verbal dans cette entreprise; ni seulement savant, ni seulement poète, l'auteur essaie de réaliser l'unité du sacré et du profane, du spirituel et du réel. Son mysticisme est inséparable d'un grand réalisme selon l'idée, la plus importante sans doute chez lui, de la « double racination » :

> Car le surnaturel est lui-même charnel
> Et l'arbre de la grâce est raciné profond
> Et plonge dans le sol et cherche jusqu'au fond
> Et l'arbre de la race est lui-même éternel.
>
> *(Ève.)*

Les quelques remarques faites sur le style du prosateur valent pour le poète. Même piétinement de la pensée, mêmes répétitions accentuées par le rythme des vers. Des dizaines de quatrains sont construits sur un schéma identique, reprennent les mêmes formules initiales, constituent d'interminables litanies jusqu'à ce que la grâce d'une image nouvelle allège la pesante démarche de l'auteur. Délibérément, Péguy a choisi cette esthétique qui humilie tous les principes de l'esthétique. Avouons que c'est un pari difficile à tenir; le prosateur a pu y gagner en efficacité, le poète s'est mis à l'écart de tous les courants poétiques contemporains.

AU-DELÀ DU SYMBOLISME : VALÉRY

Des œuvres issues du symbolisme, nulle ne fascine plus, par l'actualité des questions qu'elle pose, que celle, si diverse, de Paul Valéry. Rigoureuse aventure intellectuelle, elle éblouit et fait frémir. L'analyse désabusée d'une civilisation devance, sans coquetterie prophétique, le temps où elle s'exprime. La production poétique comble ou irrite par trop d'achèvement, de perfection calculée, mais ne laisse personne indifférent : Valéry est de ces maîtres qu'on ne peut honorer que par la critique, voire le reniement, non par l'imitation, qui sont allés trop loin pour être suivis. La réflexion théorique qui accompagne et veut expliquer cette production ou les chefs-d'œuvre du passé est peut-être la plus féconde. Elle fraye les voies modernes d'une théorie de la littérature comme exercice du langage, débarrassée des illusions, des « superstitions », que la critique, voire les créations récentes tentent de réduire avec une rigueur dont Valéry fut le héros.

Des ferveurs symbolistes à l'héroïsme intellectuel

Paul Valéry est né à Sète en 1871. Il fait ses études au collège de la ville, puis au lycée de

1. Voir Le théâtre aux XIVe et XVe siècles, p. 70-72.

Montpellier. Attiré par la peinture et par la poésie, il a déjà composé quelques poèmes lorsqu'il entre à la faculté de droit en 1888. En 1889 et 1890, diverses rencontres vont affirmer sa vocation : la lecture d'*À rebours* de Huysmans lui révèle Verlaine et Mallarmé; il se lie avec Pierre Louÿs qui l'introduit auprès de Heredia, Gide et Mallarmé. Le jeune étudiant écrit des poèmes symbolistes dont quelques-uns sont publiés en revue.

C'est à Gênes, en 1892, que Valéry abandonne la voie qui semblait lui être tracée. Profondément troublé par une crise passionnelle, secrètement déçu par une activité littéraire qui reste en deçà de ses ambitions et de l'exemple achevé d'un Mallarmé, le jeune auteur renonce à la création poétique. Au confusionnisme de la vie sentimentale et de l'activité littéraire, il va opposer, sans complaisance, la rigueur du fonctionnement de l'intelligence.

Installé à Paris en 1894, d'abord rédacteur au ministère de la Guerre, puis, à partir de 1900, secrétaire particulier d'un administrateur de l'agence Havas, Valéry se consacre exclusivement à l'étude de l'activité intellectuelle. Il reprend l'étude des mathématiques et commence à remplir de notes le premier des deux cent cinquante-sept cahiers où se trouvera consignée la plus singulière entreprise de l'intelligence. Rétrospectivement, Valéry confiera en 1940 à l'un de ses exégètes : « Ma vie intellectuelle s'est développée depuis 1892 le long d'un axe de recherche de mon propre fonctionnement mental. » Les *Cahiers*, régulièrement rédigés le matin, publiés après la mort de l'auteur entre 1957 et 1961, témoignent sans apprêts de cette recherche essentielle.

Pendant une vingtaine d'années, il semble que Valéry ait rompu définitivement avec la poésie. Ses préoccupations nouvelles apparaissent dans des œuvres en prose, essais comme *L'introduction à la méthode de Léonard de Vinci* (1895), *La conquête allemande* (1897) ou fiction comme *La soirée avec M. Teste* (1896). L'étude consacrée à Léonard de Vinci s'occupe moins du personnage que de la figure idéale de l'esprit supérieur : « Un nom manque à cette créature de pensée, pour contenir l'expansion de termes trop éloignés d'ordinaire et qui se déroberaient. Aucun ne me paraît plus convenir que celui de Léonard de Vinci... J'essaie de donner une vue sur le détail d'une vie intellectuelle, une suggestion des méthodes que toute trouvaille implique... » Une ambition comparable explique la création de l'imaginaire Monsieur Teste, reflet narcissique de l'auteur, parfait intellectuel « qui se livre tout entier à la discipline effrayante de l'esprit libre » pour devenir « le maître de sa pensée ».

La rupture de l'activité poétique n'a pas détourné Valéry de la fréquentation des poètes, des peintres et des musiciens. Il est l'intime de Mallarmé jusqu'à la mort de celui-ci en 1898; il rencontre Louÿs et Gide ou correspond avec eux; il est devenu l'ami de Degas et de Renoir. C'est sous la pression de Gide et de l'éditeur Gaston Gallimard, en 1912, qu'il se décide, en vue de leur impression, à classer et retoucher ses poèmes de jeunesse. Il veut y ajouter un court poème, un « exercice », qui, après un travail acharné, mené de 1913 à 1917, devient *La jeune Parque*. La publication de ce poème difficile vaut à l'auteur une rapide célébrité. L'extraordinaire maîtrise des propriétés d'association musicale et significative de la langue y organise le symbole complexe d'une « conscience consciente » en lutte contre ses tentations contradictoires de retranchement sur soi et d'ouverture sur le monde sensible. Le regroupement dans l'*Album de vers anciens* des poèmes de la période symboliste (1890-1892) et surtout la publication de *Charmes* en 1922, où sont rassemblés des poèmes nouveaux écrits après *La jeune Parque*, confirment la gloire poétique de Valéry.

Après *Charmes*, l'écrivain revient à la prose. Son statut d'auteur à succès, presque officiel, lui impose d'innombrables travaux de circonstances, essais, préfaces, articles, discours. Il rédige des « dialogues » inspirés de l'Antiquité, *L'âme et la danse* (1923), *Eupalinos, ou l'architecte* (1923) auxquels viendront s'ajouter plus tard *L'idée fixe* (1932), *Le dialogue de l'arbre* (1943) et, dans une forme plus nettement dramatique, les fragments de *Mon Faust* (1945). Les différents articles et essais parus en revue sont rassemblés en 1924 dans *Variété*. Suivent *Variété II* (1929), *Variété III* (1936), *Variété IV* (1938), *Variété V* (1944). On y trouve traités des sujets divers qui seront regroupés dans l'œuvre complète sous les rubriques « Études littéraires », « Études philosophiques », « Essais quasi politiques », « Théorie poétique et esthétique », « Enseignement », « Mémoire du poète ». D'autres recueils — (*Tel quel (1941)*, *Mauvaises pensées et autres (1942)*, *Regards sur le monde actuel (1931)*, *Pièces sur l'art (1931)*) — contiennent divers écrits, dont plusieurs passages des *Cahiers*.

Académicien depuis 1925, le prosateur n'a

Paul Valéry dans l'attitude du penseur.

cessé jusqu'à sa mort, dans les textes qu'il livrait au public comme dans le secret des *Cahiers* (où il se montre plus passionné et plus libre), de pratiquer cet « art de Re-penser » auquel, dès sa jeunesse, il s'était voué.

L'homme de l'esprit

Sur les traces de ses maîtres, Poe et Mallarmé, à l'exemple de ces intercesseurs mi-réels, mi-rêvés, à la fois images désirées et aspects authentiques de lui-même, que sont M. Teste et Léonard de Vinci, Paul Valéry a tenté de conquérir « l'attitude centrale à partir de laquelle les entreprises de la connaissance et les opérations de l'art sont également possibles » ([1]). Connaître et créer : les deux pôles — mais sont-ils antagonistes? — de l'activité spirituelle de Valéry.

Depuis la crise profonde de 1892, l'écrivain s'est voué à l'esprit, ou plutôt à l'esprit de l'esprit, tel M. Teste qui se voyait se voir « et ainsi de suite ». Dans un de ses derniers écrits, il reconnaît : « Je ne me suis jamais référé qu'à mon MOI PUR, par quoi j'entends l'absolu de la conscience... » comme si toute sa vie n'avait été que l'approche ascétique d'un idéal précisé dans *Note et digression :* « Le caractère de l'homme est la conscience; et celui de la conscience, une perpétuelle exhaustion, un détachement sans repos et sans exception de tout ce qu'y paraît, quoi qui paraisse. Acte inépuisable, indépendant de la qualité comme de la quantité des choses apparues, et par lequel *l'homme de l'esprit* doit enfin se réduire sciemment à un refus indéfini d'être quoi que ce soit. » Il y a chez Valéry une tentation pour s'élever jusqu'au divin (« Il est moins qu'un homme, celui qui n'a pas tenté de se faire semblable aux dieux » *Choses tues*), tentation du néant aussi bien, puisque la conscience pure ne saurait se réaliser sans s'abolir, qu'elle a besoin pour exister d'autres objets qu'elle-même. La grandeur de l'expérience valéryenne réside dans cette impossible démarche pour se prendre soi-même pour objet. Le souverain détachement que suppose un tel effort fait tout le prix des « regards » de l'auteur, qu'ils se portent sur le « monde actuel » ou plus généralement sur les faits esthétiques et moraux d'une civilisation.

Cette exigence de détachement ne pouvait que s'exercer sur les moyens d'expression du penseur : son langage, qui est aussi le langage de tous, qui tend à lui imposer, malgré qu'il en ait, la pensée d'autrui. Le langage, parce qu'il est un donné collectif, « façonne » la pensée au lieu de simplement l'exprimer, la détourne de son sens, pire, pose de faux problèmes dont la spécieuse importance n'est que logomachie. Aussi l'écrivain prend-il soin, avant d'aborder un sujet, de se livrer à un véritable « décapage » linguistique au terme duquel la légitimité et l'intérêt du sujet apparaîtront. C'est pourquoi la pensée rigoureuse de Valéry est d'abord un style, exemplaire de pureté, de précision durement gagnées.

La réflexion valéryenne sur la littérature procède, semble-t-il, de la même rigueur intellectuelle. Ce que l'auteur reproche à l'œuvre littéraire, c'est d'être un amas d'illusions inavouées; non pas d'être un pur objet de langage — c'est au contraire sa grandeur —, mais de se vouloir autre : reproduction du réel (alors qu'elle n'est qu'artifice et arbitraire), expression de l'homme qui écrit. On reconnaît dans ce schéma les éléments essentiels de la réflexion la plus moderne sur le phénomène littéraire. Reste à préciser ce que le créateur — malgré lui, dirait-on — doit au théoricien, et s'il le suit passivement ou le contredit.

Poétique et poésie

L'homme qui déclarait : « La littérature n'est rien de désirable si elle n'est un exercice supérieur de l'animal intellectuel » *(Rhumbs)*, passe pour le type même du poète fabricateur, soucieux de maîtriser les techniques de son art et de leur devoir tout, plutôt que de s'abandonner à on ne

1. *Note et digression* (1919) est un texte rajouté à *L'introduction à la méthode de Léonard de Vinci.* Il nous paraît être, par sa rigueur et sa lucidité, l'un des témoignages essentiels sur les ambitions de Valéry.

sait quelle force obscure nommée inspiration : « J'aimerais infiniment mieux écrire en toute conscience et dans une entière lucidité quelque chose de faible, que d'enfanter à la faveur d'une transe et hors de moi-même un chef-d'œuvre d'entre les plus beaux » (*Variété*, « Lettre sur Mallarmé »). Nombreux sont les textes où Valéry s'efforce d'analyser le phénomène poétique, soit qu'il interroge les œuvres du passé (écrits sur La Fontaine, Hugo, Baudelaire, Mallarmé, etc.), soit qu'il fasse la synthèse de son expérience critique et pratique dans un cours de poétique professé au Collège de France. Tout en accordant une juste considération au don des dieux, le poète insiste généralement sur le « métier », sur l'élaboration d'un langage de suggestion, soumis aux règles les plus strictes de la prosodie classique, où sens et beauté sont indissociables, où l'intelligible devient délectation. Car le poème peut être « une fête de l'intellect », il suppose toujours une adhésion à l'univers sensible. L'intellectualisme de Valéry transparaît parfois dans *La jeune Parque* et surtout dans *Charmes*, il n'est pas ce « refus indéfini d'être quoi que ce soit » de « l'homme de l'esprit ». L'organisation du chant peut être un exercice supérieur qui met en jeu toutes les facultés critiques d'un esprit cultivé, son souffle même émane de « la forêt sensuelle » (« Aurore », dans *Charmes*), sa lumière étudiée est le lieu d'une communication obscure, irrationnelle : « La poésie est l'essai de représenter, ou de restituer, par les moyens du langage articulé, *ces choses* ou *cette chose*, que tentent obscurément d'exprimer les cris, les larmes, les caresses, les baisers, les soupirs, etc., et que *semblent vouloir exprimer les objets*, dans ce qu'ils ont d'apparence de vie, ou de dessein supposé » *(Littérature)*. Entre le refus de la conscience pure et l'adhésion aux forces vitales tumultueuses, Valéry a hésité et ses meilleurs poèmes portent la marque de ce balancement ou l'illustrent (*La jeune Parque*, et surtout, « Le cimetière marin »). Il est faux de voir en Valéry un poète-philosophe, mais on entend dans sa poésie l'accent de tristesse d'un homme déchiré qui serait poète et philosophe (cette étiquette, toujours rejetée par l'auteur, n'est ici qu'une commodité), profondément attiré par une existence sensible dont il refuse non moins profondément le caractère précaire et peut-être illusoire. Entre l'injonction du *Cimetière marin* « il faut tenter de vivre » et « la tentation de l'esprit », la souffrance anime un jeu raffiné qui ne propose pas de salut. C'est cette stérilité d'une poésie qui s'est voulue trop pure que nombre de poètes venus à la littérature après Valéry condamnent en l'admirant.

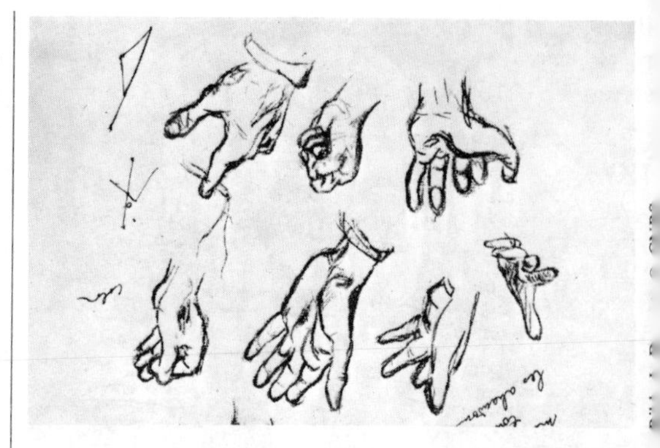

Une page des *Cahiers* de Paul Valéry, datant de l'année 1897. La majeure partie de ce cahier est consacrée aux recherches de Valéry sur la mathématique de l'intelligence. *Cahiers*, éd. de C.N.R.S., Paris, 1957, t. I., p. 255.

« LAS DE CE MONDE ANCIEN... » APOLLINAIRE ET L'ESPRIT NOUVEAU

L'audience de Guillaume Apollinaire ne cesse de croître, mais de manière encore anarchique. Il semble qu'on ne sache trop que retenir d'une personnalité aussi diverse, d'une œuvre aussi variée, apparemment contradictoire. Le chanteur élégiaque du « Pont Mirabeau »? Le néo-symboliste? Le poète « cubiste » (ou « orphique », ou « simultanéiste ») de *Calligrammes?* « Non content d'appuyer les entreprises artistiques les plus audacieuses de son temps, il avait éprouvé le besoin de s'intégrer à elles, de mettre à leur service tout ce dont il disposait de haut savoir, d'ardeur... et de rayons » : cet hommage d'André Breton rend bien compte de la singularité d'un poète qui ne pouvait se fixer à des victoires provisoires. Apollinaire est de son temps, mieux, il est son temps : celui des hésitations, des recherches audacieuses et des trouvailles décisives.

Wilhelm de Kostrowitzky, dit Guillaume Apollinaire

Guillaume Apollinaire naît à Rome en 1880. Il est le fils naturel d'Angelica Kostrowitzky et d'un officier italien. Il connaît une enfance particulièrement agitée, soumise aux fortunes diverses de l'existence équivoque de sa mère. Il fait ses études à Monaco, puis à Nice et à Cannes. En 1899, il s'installe à Paris et, pour vivre, exerce différents métiers, tous aussi précaires et peu rémunérateurs : il écrit des feuilletons pour les journaux, prend un diplôme de sténographe, devient secrétaire-commissionnaire d'un boursier. Surtout, il compose des poèmes que les revues refusent et des récits érotiques qui se vendent sous le manteau. En 1901, il devient précepteur de la fille de la vicomtesse de Milhau, et l'accompagne en Allemagne. Ce séjour est déterminant à bien des égards pour le poète : le contact avec les paysages et les traditions germaniques enrichissent son inspiration; l'amour, peu payé de retour, qu'il voue à Annie Playden, la gouvernante anglaise de Mademoiselle de Milhau, fait de lui le « mal aimé ». Près de la moitié de son grand recueil *Alcools* portera la marque plus ou moins nette des expériences allemandes, un tiers environ du livre est composé pendant le séjour.

De retour à Paris, Apollinaire commence à fréquenter les milieux littéraires; il fait la connaissance en 1903 de Salmon, de Jarry et de Paul Fort. Il publie dans diverses revues *(La Plume, La Revue blanche)* et fonde sa propre revue, *Le Festin d'Ésope*. En 1903 et 1904, il se rend par deux fois en Angleterre pour retrouver Annie Playden qui va partir pour toujours en Amérique. Son échec amoureux inspirera au poète deux de ses chefs-d'œuvre, « La chanson du mal aimé » et « L'émigrant de Landor Road ». A Paris, il rencontre les peintres Vlaminck, Derain et Picasso; avec ses amis poètes André Salmon et Max Jacob, il assiste, au « Bateau Lavoir » (1), à la gestation du cubisme. En 1907, il collabore à *La Phalange*, revue néo-symboliste de Jean Royère et rencontre le peintre Marie Laurencin; c'est le point de départ d'une liaison agitée qui durera jusqu'en 1912. Les premières œuvres de l'écrivain sont publiées à la même époque. *L'enchanteur pourrissant* dans lequel le poète prête à la figure mythique de l'enchanteur Merlin quelques-uns des soucis majeurs qui orienteront toute son œuvre, la solitude, l'amour, la poésie, paraît en 1908. En 1909, « La chanson du mal aimé » est publié par le Mercure de France. En 1910 paraissent les contes de *L'hérésiarque et Cie*, et en 1911, *Le bestiaire ou cortège d'Orphée*, illustré par Dufy, courts poèmes où sont évoquées les valeurs emblématiques d'animaux fort humanisés.

En 1912, impliqué à tort dans une affaire de vols au musée du Louvre, Apollinaire passe une semaine à la prison de la Santé. Profondément affecté par cette erreur judiciaire, le poète compose une suite de textes, « À la Santé », qui trouveront place dans *Alcools*. En 1913, l'écrivain ami des peintres réunit divers articles consacrés à la défense de l'art moderne et dispersés dans plusieurs revues et journaux, et fait paraître *Peintres cubistes, méditations esthétiques*. La même année, le Mercure de France publie son premier grand recueil de poèmes, *Alcools*.

« *Alcools* »

Les dates, 1898-1913, que le poète a tenu à faire figurer sous le titre de son recueil sont significatives. Le livre est le fruit de quinze années de curiosités, d'expériences, pendant lesquelles le jeune homme indécis de 1898 est devenu le héraut de l'avant-garde esthétique, l'auteur du *Manifeste de l'anti-tradition futuriste* paru en 1913. On s'explique le caractère quelque peu disparate des poèmes réunis, l'exceptionnelle richesse de leur diversité : « Merlin », « L'ermite », « Le larron » doivent beaucoup, mais avec une discrète ironie, au symbolisme; les pièces élégiaques comme « Le Pont Mirabeau » et « Marie » semblent participer d'un « romantisme » quasi intemporel, la suite « À la Santé » illustre un douloureux intimisme verlainien, alors que « Le brasier » et « Vendémiaire » témoignent d'une ambition poétique aventureuse, que « Zone », « La chanson du mal aimé », « L'émigrant de Landor Road » doivent leur profondeur à la rencontre du modernisme le plus audacieux et de la tradition lyrique la plus sûre, unifiés dans l'aveu d'une détresse toute personnelle. Apollinaire ne pouvait pas et ne désirait certainement pas éliminer les variations obligées d'une sensibilité et d'un art soumis pendant

1. Le « Bateau lavoir » était un immeuble de Montmartre, aux murs de planches, où travaillaient les peintres.

quinze ans à de multiples sollicitations. Il n'a tenu aucun compte de la chronologie de ses poèmes (« Zone », placé en tête du recueil est à la fois le plus récent et le plus moderne de l'œuvre) pour aboutir à un ordre qui ne serait autre « que celui des affinités esthétiques et sentimentales ressenties par l'auteur ou de leurs discrètes dissonances... » [1]. La variété des influences, des inspirations, n'a d'égale que la diversité de leur expression : les vers réguliers, à quelques licences près qui sont d'authentiques libérations des contraintes classiques devenues artificielles, voisinent avec les vers libres, le chant soutenu s'oppose à l'expression brute et disloquée, les allusions érudites s'associent aux formulations les plus simples, les plus nues.

Une critique malintentionnée a voulu voir dans le recueil une « boutique de brocanteur » recueillant des objets « hétéroclites » [2]. C'était ne pas comprendre quel extraordinaire « appétit » lyrique animait l'auteur, ne pas entendre le ton d'une voix identique en ses modulations diverses, mais qui ne veut rien laisser perdre de la multiplicité de la vie, de la culture la plus raffinée comme des merveilles brutes, de la légende de la Loreley comme de « la grâce de cette rue industrielle »... Il n'est pas d'exemple, avant la révolution surréaliste, d'une poésie aussi « ouverte », aussi résolue à ne pas se répéter.

L'activité poétique moderne devient, grâce à Apollinaire, un effort pour concentrer les réalités en revendiquant à la fois le passé et le présent, en proposant un futur de merveilles. Le titre suggestif *Alcools* peut être glosé dans ce sens et le poète nous y invite lorsqu'il effectue dans « Vendémiaire » — significativement placé à la fin du recueil — la vendange du monde, lorsqu'il chante « l'univers tout entier concentré dans ce vin ». Les « chants d'universelle ivrognerie » qui composent le recueil manifestent l'ébriété d'une conscience neuve, usant dans la joie des pouvoirs qu'elle se découvre sans cesse.

« *Exalter la vie sous quelque forme qu'elle se présente* »

Lorsque paraît *Alcools*, Apollinaire a déjà expérimenté une poétique nouvelle dans ses formes et son inspiration (« Zone »); au contact de l'agitation esthétique qui règne à Montmartre et à Montparnasse, il approfondit ses

1. Michel Décaudin.
2. Georges Duhamel.

Guillaume Apollinaire au café de Flore le 24 mai 1914, par Larionov : « Cette période d'avant la guerre vit l'apogée de son influence. A ses réunions hebdomadaires du *Café de Flore* se pressaient les peintres et les poètes. A ses côtés marchaient sur les trottoirs de Montparnasse et de Saint-Germain-des-Prés, tout un état major cosmopolite » (André Billy).

recherches. Il écrit des poèmes-conversations où sont juxtaposées des bribes de dialogues (« Lundi rue Christine »), des textes « simultanés » où des notations fragmentaires finissent par constituer une cohérence nouvelle, (« Les fenêtres ») et des « idéogrammes lyriques » dans lesquels le poète dessine un ou plusieurs objets avec les lettres de ses vers. Lorsque la guerre éclate, Apollinaire s'engage. D'abord artilleur, puis sous-lieutenant d'infanterie, il est blessé à la tête en 1916 et trépané. A Paris où on l'a soigné, il reprend progressivement ses activités littéraires; *Le poète assassiné*, autobiographie mythique, paraît en 1916; les revues publient ses poèmes; Apollinaire fait figure de chef de file de la génération nouvelle. En 1917, son drame « surréaliste », *Les mamelles de Tirésias* [1], est représenté, et l'auteur prononce une importante conférence sur *L'esprit nouveau et les poètes* où, après avoir proclamé que « poésie et création ne

1. Sur *Les mamelles de Tirésias*, voir p. 661.

sont qu'une même chose », il montre que le « poète d'aujourd'hui ne méprise aucun mouvement de la nature » et que son rôle est d'« exalter la vie sous quelque forme qu'elle se présente ». En 1918, la publication de *Calligrammes, poèmes de la guerre et de la paix*, illustre — et dépasse — ses théories. On y retrouve les expériences esthétiques, poèmes-conversations et « calligrammes », de l'auteur, mais aussi des textes sur la guerre, sur ses merveilles — Apollinaire fut très sensible au « beau spectacle » — et sur ses horreurs. C'est encore la diversité des tons et des formes qui frappe dans ce recueil : Apollinaire est resté le sentimental, l'élégiaque qui manie en virtuose le vers régulier et harmonieux, mais il est plus que jamais le novateur avide de s'emparer des « grands domaines neufs proposés à l'homme par l'activité des machines et les découvertes scientifiques » *(L'esprit nouveau)*, et qui pressent quelles richesses l'homme peut libérer de lui-même :

> Profondeurs de la conscience
> On vous explorera demain
> Et qui sait quels êtres vivants
> Seront tirés de ces abîmes
> Avec des univers entiers
> (*Calligrammes*, « Les collines »)

On sait que ce pressentiment trouvera une confirmation éclatante dans les pratiques surréalistes.

Affaibli par sa blessure, Apollinaire ne peut résister à l'épidémie de grippe infectieuse de 1918. Il meurt le 9 novembre à Paris. Après sa mort, on publiera quelques textes demeurés inédits, en particulier *Ombre de mon amour* (devenu *Poèmes à Lou*), suite de poèmes souvent très érotiques adressés pendant la guerre à une maîtresse volage.

Les entreprises novatrices d'Apollinaire ne furent point isolées. Nombreuses sont les œuvres de la même époque témoignant d'une sensibilité nouvelle qui trouve dans l'univers industriel triomphant les éléments d'une beauté moderne, qui va les chercher dans un cosmopolitisme favorisé par les moyens de transport, ou sympathise avec la vie grouillante et inquiétante des émigrants, des prostituées et des mauvais garçons.

Valery Larbaud, dans les *Poésies de A. O. Barnabooth* (1908), révèle les vertus poétiques des grands voyages en train ou en paquebot. Victor Ségalen (*Les immémoriaux*, 1907; *Stèles*, 1912) trouve dans l'exotisme une « esthétique du divers ». André Salmon renoue dans *Prikaz* (1919) avec l'épopée, grâce à la révolution soviétique. Blaise Cendrars, surtout, dans ses poèmes (*Pâques à New York*, *Prose du transsibérien*, 1913) et ses romans (*L'or*, 1925; *Moravagine*, 1926), laisse le témoignage d'une vie d'aventures tant réelles que spirituelles où se mêlent et se découvrent les beautés et les angoisses d'un monde neuf.

BIBLIOGRAPHIE

ŒUVRES : Charles PÉGUY, *Œuvres poétiques complètes,* Gallimard, coll. « Bibliothèque de la Pléiade » ; *Œuvres en prose* (2 vol.), *id. ; Les tapisseries,* « Poésie/Gallimard », n° 35. — Paul VALÉRY, *Œuvres* (2 vol.), Gallimard, coll. « Bibliothèque de la Pléiade » ; *Poésies,* « Poésie/Gallimard », n° 6 ; *Regards sur le monde actuel,* Gallimard, coll. « Idées », n° 9 ; *Monsieur Teste, id.,* n° 183 ; *Tel quel* (t. I et II), *id.,* n°s 240-241. Cahiers, anthologie dans la Pléiade, publication intégrale en cours chez Gallimard. — Guillaume APOLLINAIRE, *Œuvres poétiques complètes* et *Œuvres en prose,* Gallimard, coll. « Bibliothèque de la Pléiade » ; *Alcools,* « Poésie/Gallimard », n° 10 ; *Calligrammes, id.,* n° 4 ; *Poèmes à Lou, id.,* n° 44. — Blaise CENDRARS, *Du monde entier,* « Poésie/Gallimard », n° 17 ; *Au cœur du monde, id.,* n° 29.

ÉTUDES : Marcel RAYMOND, *De Baudelaire au surréalisme,* Corti, 1969 (fondamental : excellente étude des tendances diverses qui partagent la poésie jusqu'au surréalisme. — Henri LEMAÎTRE, *La poésie après Baudelaire,* A. Colin, 1965. — Bernard GUYON, *Péguy, l'homme et l'œuvre,* Hatier, 1961. — A. BERNE-JOUFFROY, *Valéry,* Gallimard, 1960. — Jean BELLIMIN-NOËL, *Les critiques de notre temps et Valéry,* Garnier, n° 4. — Daniel OSTER, *Monsieur Valéry,* éd. du Seuil, 1981. — Michel JARRETY, *Valéry devant la littérature,* P.U.F., 1991. — Marie-Jeanne DURRY, *Guillaume Apollinaire, « Alcools »* (3 vol.), SEDES, 1956-1964 ; *Les critiques de notre temps et Apollinaire,* Garnier, n° 5. — Michel DECAUDIN, *La crise des valeurs symbolistes (1895-1914). — Vingt ans de poésie française,* Privat, 1960, rééd. Slatkine, 1981.

LE ROMAN

Poursuivant les expériences du XIXe siècle ou recherchant des voies nouvelles, le roman commence à traverser une crise qu'aggrave l'encombrante présence des maîtres de l'heure. L'espoir vient de *La Nouvelle Revue française* avec Gide et bientôt Proust.

LA RELÈVE DU NATURALISME

On n'avait pas attendu la « crise de 1887 » pour proposer au roman d'autres voies que ce naturalisme que Huysmans confond avec le « cloportisme » dans la Préface de *Là-bas*, et dont Léon Bloy a, en 1892, prononcé les « funérailles ».

Le roman psychologique

Ce n'est pas seulement à Zola, mais à Hugo, voire à Balzac, qu'on reprochait de se contenter d'une psychologie sommaire, celle dont se moquait Robert Greslou, le « disciple » de Bourget. Celui-ci nous inviterait plutôt à concevoir « nos états de conscience » comme « des îles sur un océan de ténèbres qui en dérobe à jamais les soubassements ».

Si l'on ne peut sonder cet insondable, du moins cherche-t-on à illustrer la thèse de la multiplicité de la personne, et à révéler cette créature qui « se cache en nous » et que « nous ne connaissons pas ». Victor Cherbuliez (1829-1899) a présenté des âmes incertaines, comme celle du *Comte Ghislain*. Pierre Loti (Julien Viaud, 1850-1923) dessine d'un trait trop net l'évolution du caractère de Yann dans *Pêcheurs d'Islande* (1886). Bourget lui-même, dans *L'irréparable*, montre comment, chez Noémie, la personnalité de la femme scrupuleuse se substitue à celle de la mondaine assez libre.

On a beaucoup reproché à Bourget de n'avoir remplacé le « corps sans âme » des naturalistes que par des « âmes sans corps », de disséquer la psychologie de ses personnages avant qu'on n'ait eu le temps de les voir vivre. A la limite, l'enquête psychologique pouvait devenir envahissante au point de tuer le roman, soit qu'elle fît une trop large place à l'autobiographie, comme chez Loti, soit qu'elle abolît l'intrigue comme dans *En route* de Huysmans (1895), « longue inscription fidèle », selon Valéry, du drame de conscience vécu par Durtal dans sa solitude. A la limite, on se détourne du roman, comme l'a fait Barrès dans *Le culte du moi*.

Veut-on s'obstiner à « montrer », au lieu d'« analyser », comme Bourget? On risque de se heurter aux limites des préjugés naturalistes, — en particulier au principe de l'hérédité : c'est le cas d'Octave Mirbeau dans *Le calvaire* (1887) ou *L'abbé Jules* (1888). Peut-être était-il sage de se contenter de suggérer, à la manière de Jules Renard dans *L'écornifleur* (1892), le décalage subtil qui existe entre les êtres et la définition qu'on en donne trop vite. En attendant ce « romancier hardi », appelé par Bergson dans son *Essai sur les données immédiates de la conscience* (1889), qui saurait « déchir[er] la toile habilement tissée de notre moi conventionnel ».

Le roman poétique

Une autre tradition, née au temps du symbolisme, est celle du roman poétique. Remy de Gourmont [1], se fondant sur les origines du genre et sur l'exemple de Gabriele d'Annunzio [2], posait en 1893 ce principe :

Le roman est un poème. Tout roman qui n'est pas un poème n'existe pas.

1. 1858-1915, critique érudit et avisé de l'époque.
2. Célèbre romancier italien (1863-1938).

Le principe était vague; les applications, antérieures ou postérieures à son énoncé, sont donc fort diverses. Georges Rodenbach (1855-1898), dans *Bruges-la-morte* (1892) a recherché un décor poétique, un paysage choisi pour les âmes de ses héros; d'autres, au contraire, mêlent les formes d'expression (*Thulé des brumes*, de Retté, en 1891; *La passante*, de Remacle, en 1892). Les « naturistes », à l'instar de leur chef de file, Saint-Georges de Bouhélier (1876-1947), transforment le roman en une suite de méditations lyriques qui rappellent de loin *Le culte du moi* ou *Les nourritures terrestres*. Francis Jammes, avec *Clara d'Ellébeuse* et *Almaïde d'Étremont*, est l'un des rares à savoir conjuguer, dans une harmonie un peu fade, le mode narratif et le mode poétique.

La meilleure réussite ([1]) en ce genre est sans conteste *Le grand Meaulnes* (1913) d'Alain-Fournier (1886-1914). Pendant longtemps, l'auteur a tâtonné pour réaliser son grand dessein littéraire : confier au lecteur, au fil d'un récit fictif, sa propre histoire (la rencontre d'une jeune femme sur le Cours-la-Reine, à Paris, le jour de l'Ascension 1905) et l'ineffaçable impression laissée en lui par les paysages de son enfance solognote. « Un beau soir » de 1910, il a trouvé son « chemin de Damas », comme il le confiait dans une lettre à sa sœur Isabelle : « Je me suis mis à écrire simplement, directement, comme une de mes lettres [...] une histoire assez simple qui pourrait être la mienne. » De fait, ce roman d'amour (la quête d'une visage aperçu par un adolescent) et d'aventure (la fidélité à la parole donnée et la fin tragique de l'héroïne, Yvonne de Galais), en apparence banal, transpose les diverses expériences de l'écrivain et du jeune homme. Il ne faut pas moins de trois personnages pour qu'Alain-Fournier parvienne à s'exprimer lui-même : au « bohémien » Frantz il confie son besoin d'évasion et son goût du romanesque; à Augustin Meaulnes son échec sentimental; à François Seurel, le narrateur, sa sensibilité et sa

Eau-forte de Demetrius Galanis pour le chapitre XV de la troisième partie du *Grand Meaulnes* (éd. Gallimard, 1927, p. 313). Elle illustre un séjour à la campagne d'Augustin Meaulnes et de Valentine Blondeau, la fiancée de Frantz de Galais.

passion pour l'amitié dont témoigne par ailleurs l'admirable correspondance avec Jacques Rivière. Peut-être est-ce cette impossibilité à dépasser la division pour atteindre l'unité du mythe qui a conduit la critique à juger avec sévérité cette œuvre. Pourtant, par sa structure (incessante fusion des époques) et son style qui confère à l'ensemble une « dose latente de merveilleux », Alain-Fournier est parvenu à donner un récit transparent où l'esthétique classique filtre le rêve symboliste. « De l'étrange avec du simple », demandait Jules Renard. La formule proposée par l'auteur du *Grand Meaulnes* n'était pas très différente.

LA CRISE DU ROMAN

Une pareille réussite restait en tout cas exceptionnelle. La plupart du temps, le roman n'avait dépassé l'écueil naturaliste que pour courir un danger plus grave : celui de sombrer corps et biens.

1. Sans parler encore de Proust et en laissant de côté les paradoxales réussites de Zola dans le genre du roman poétique (*Le Rêve*, ou l'épisode du Paradou dans *La Faute de l'abbé Mouret*).

La prolifération

Dans sa propre masse d'abord. Favorisé par l'appât des grands prix (le Goncourt à partir de 1903), par la presse, par les appétits du public petit-bourgeois, par l'inquiétante fécondité de certains auteurs aussi, la production devient industrielle : on compte bientôt plus d'un millier de romans par an, et Albert Thibaudet voit dans la consommation du roman une habitude pas très différente, au fond, de celle du tabac.

Prolifération des tentatives et des recettes aussi, qui aboutit à une grande confusion. L'enquête de Jules Huret, en 1891, celle d'André Billy en 1910 sur *L'évolution actuelle du roman* sont riches d'enseignements à cet égard. On conclut que « le roman n'a pas d'avenir » (Édouard Rod, 1891), ou que les Français n'ont pas plus la tête romanesque que la tête épique (Gide, 1910), parce qu'on a l'impression de stagner.

Le problème de définition

Peut-être surtout parce qu'on ne sait plus très bien, dans cet état de vertige, ce qu'est le roman. Là encore, la prolifération constituait un sérieux obstacle : multiplication des étiquettes par ceux qui ont cru devoir remettre de l'ordre dans le musée du roman; multiplication des critères qui permettraient de distinguer le roman des autres genres littéraires. En 1887, dans la Préface de *Pierre et Jean*, Maupassant avait déjà souligné cette incertitude. Dire « ceci est un roman, cela n'est pas un roman » lui semblait faire preuve « d'une perspicacité qui ressemble fort à de l'incompétence ».

Le critère le plus généralement retenu était encore celui de l'affabulation. En 1893, le critique P. Sirven voyait dans Cherbuliez le modèle du romancier parce que, disait-il, « il sait raconter des histoires » et « nous intéresser à des êtres de pure convention ».

La crise de l'affabulation

Or, à cette époque, cette définition est d'autant plus insuffisante qu'il existe une « crise de l'affabulation » (1). A l'origine, on trouverait peut-être les Goncourt et l'idéal du « livre de pure analyse » prôné par Edmond dans la Préface de *Chérie*. Huysmans, Jules Renard affaiblissaient l'intrigue, chacun à sa façon, et le second croyait pouvoir conclure : « la formule du roman, c'est de ne pas faire de roman ». De fait, l'ère des romans non-romans était brillamment ouverte avec *La soirée avec M. Teste* de Paul Valéry (1896).

M. Teste a refusé de donner, « en échange du pourboire public », « le temps qu'il faut pour se rendre perceptible ». Il a donc tué en lui la marionnette et, n'attachant de prix qu'à l'intellect, il mène, dans un logis quelconque, l'existence de l'esprit pur. Plus de livres, plus de papiers : la seule attention à soi-même pour y découvrir les lois de l'esprit :

> Il était l'être absorbé dans sa variation, celui qui se livre tout entier à la discipline effrayante de l'esprit libre et qui fait tuer ses joies par ses joies, la plus faible par la plus forte, — la plus douce, la temporelle, celle de l'instant et de l'heure commencée, par la fondamentale — par l'espoir de la fondamentale. Et je sentais qu'il était le maître de sa pensée.

Je, c'est le narrateur. Et l'on peut s'étonner de sa présence. Comment M. Teste, qui vit sur le mode du « pour soi » et non du « pour autrui » a-t-il pu accepter que ce témoin importun l'accompagnât dans un garni? Sans doute Valéry ne pouvait-il rendre sensible le génie de son personnage que par ce regard admiratif jeté par un tiers, car on n'est un génie que pour les autres, — ce qui réduit singulièrement la portée de l'expérience, du « test ».

En fait, M. Teste est-il aussi désincarné qu'il le paraît? Sans doute, il résiste victorieusement à l'épreuve de la souffrance qu'il analyse avec

Aquarelle de Paul Valéry pour *Monsieur Teste* : « J'ai rêvé alors que les têtes les plus fortes, les inventeurs les plus sagaces, les connaisseurs le plus exactement de la pensée devaient être des inconnus, des avares, des hommes qui meurent sans avouer. »

1. Michel Raimond, *op. cit.*

curiosité à défaut de pouvoir l'abolir. Mais le décor où il vit, même s'il est meublé d'un « morne mobilier abstrait », reste un décor. Bien plus, Valéry laisse deviner, par cette part de lui-même qu'il a tenté de désincarner « pendant une ère d'ivresse de [s]a volonté et parmi d'étranges excès de conscience de soi », l'autre part de lui-même, ou plutôt l'impossibilité de procéder à cette division. Le texte écrit, le livre, le papier est là pour en témoigner.

La concurrence

Un autre contempteur du roman, à cette date, le Gide de *Paludes* (1895), invite toutefois à nuancer la question : y a-t-il crise du roman, ou crise du roman français? Car, de tous côtés, on entend vanter les romans étrangers : les Russes, mis à l'honneur par le vicomte de Vogüé en 1886, puis par Gide et Suarès; les Anglais, Stevenson, Hardy, Conrad, Browning même, dont, après Marcel Schwob, les collaborateurs de *La Nouvelle Revue française*, en particulier Larbaud, vont se faire les champions. A un journaliste qui en 1913 le pressait de donner les titres des dix romans français qu'il préférait, Gide ne sut fournir que des titres de romans étrangers.

Le débat devint plus vif en 1912 quand on vit le critique Albert Thibaudet, qui commençait à donner à la *N.R.F.* ses *Réflexions sur le roman*, répondre à Bourget qui, dans un article sur Tolstoï paru deux ans plus tôt, avait rappelé les vertus du roman composé à la française. « Les Français ne sont guère romanciers », réplique Thibaudet : quand ils veulent l'être, ils hésitent entre le théâtre et l'essai. En tout cas, « l'esthétique propre du roman est [...] une esthétique de composition desserrée, de temps, d'espace ». Les classiques, d'ailleurs, l'avaient bien senti.

Était-ce donc à la tradition qu'il fallait revenir? Au bon sens, — celui dont Thibaudet faisait preuve quand il rappelait que le temps est le génie propre du roman, genre long par excellence, — ou celui de Jacques Rivière rappelant en 1913 les vertus du « roman d'aventure »? Fallait-il plutôt aller de l'avant et exploiter des formules inconnues? La distance entre ces deux voies n'était peut-être pas si grande qu'il pouvait le sembler à la veille de la Grande Guerre...

LE PONTIFICAT DES « MANDARINS »

Dans le domaine romanesque, la littérature française de l'avant-guerre est dominée par des maîtres officiels qui font quelque peu figure de « mandarins » et, ne serait-ce que par le prestige dont ils jouissent auprès du public, ralentissent le renouveau esthétique.

Bourget (1852-1935)

Bien vivante au temps de la décadence, la personnalité de Paul Bourget semble s'être figée au moment même où il passe pour l'un des plus grands écrivains français. Du roman d'analyse (l'hamlétisme d'*André Cornélis*, 1887), il est passé au roman d'idées (*Le disciple*, 1889) et, plus soucieux désormais de proposer que de contester, au roman à thèse. Fougueux défenseur de la tradition catholique [1], il dénonce les conséquences funestes du progrès de la démocratie (*L'étape*, 1902) ou du droit au divorce (*Un divorce*, 1904). Le dédain des règles admises ne conduit qu'au scandale installé dans *Le démon de midi* (1914) jusqu'à la catastrophe salutaire, — le coup de pistolet de l'ex-abbé Fauchon.

1. René Bazin (1853-1932), Henry Bordeaux (1870-1963) ont défendu des thèses analogues.

Barrès (1862-1923)

La personnalité de Maurice Barrès est plus fascinante et, en ce début du XXe siècle, il exerce une influence très grande. A dire vrai, que retient-on de lui? L'égotisme de ses débuts, cet « humanisme barrésien » qui, si l'on en croit son admirateur Henri Gouhier, « convient à ce jeune XXe siècle qu'une fièvre d'analyse dévore » [1]? ou le nationalisme dont il est avec Charles Maurras le véritable fondateur, et qui cherche, dans l'attente du prochain conflit avec l'ennemi héréditaire, à « convoquer les énergies françaises »?

En fait, il serait artificiel et faux d'établir une coupure entre les deux moments principaux de la carrière de Barrès : le dilettantisme du *Culte du moi* (1888, *Sous l'œil des barbares ;* 1889, *Un homme libre ;* 1891, *Le jardin de Bérénice*) et le nationalisme des deux autres trilogies *Le roman*

1. *Notre ami Maurice Barrès*, p. 171.

de l'énergie nationale (1897, *Les déracinés;* 1900, *L'appel au soldat;* 1902, *Leurs figures*) et *Les bastions de l'Est* (1905, *Au service de l'Allemagne;* 1909, *Colette Baudoche;* 1921, *Le génie du Rhin*). Entre-temps, il est vrai, se situent les grands scandales (scandale de Panama, affaire Dreyfus) qui l'amènent à organiser la Ligue de la patrie française et à défendre à la Chambre des députés, sur les bancs de la droite, les valeurs traditionnelles. Mais « la terre et les morts » sont déjà présents dans *Le culte du moi*, et l'exaltation de ses origines (la famille, la Lorraine, la race) s'inscrit dans « la ligne de la grande entreprise de connaissance et de récupération du *moi* » (1).

Ici et là, il cherche et il invite à se protéger des « Barbares » : les autres, tout d'abord, ceux qui entourent Philippe (le double de Barrès, dans *Le culte du moi*), les « êtres qui de la vie possèdent un rêve opposé à celui qu'il s'en compose » (2); mais aussi les étrangers qui ont annexé la Lorraine et contre lesquels il convient d'organiser une croisade des vivants et des morts, même si l'on doit, pour cela, renoncer à sa chère solitude. Des deux provinces occupées, il peut écrire, comme il le dirait de lui-même : « J'admire en elles la volonté de ne pas subir, la volonté de n'accepter que ce qui s'accorde avec leur sentiment intérieur » *(Colette Baudoche)*. Le nationalisme résulte d'un approfondissement de l'égotisme.

C'est la raison même pour laquelle Barrès est plein de contradictions : barricadé contre l'étranger, mais ouvert à l'exemple des nationalismes étrangers; voulant donner à la France un avenir, et le cherchant dans le passé. C'est qu'il est essentiellement un lyrique : il obéit au souffle du sentiment, aussi dangereux que ce souffle de *La colline inspirée* (1913) qui, faute de discipline, précipite dans l'erreur et dans la folie les frères Baillard. Taine, après avoir lu *Un homme libre*, prédisait à Barrès la folie. Une folie dont la politique, croit-il, l'a protégé. Une folie où, diront bientôt ses adversaires, la politique l'a entraîné.

Anatole France (1844-1924)

A Barrès le militariste on peut être tenté d'opposer Anatole France le pacifiste qui, jusqu'au dernier moment, refuse de croire à l'imminence de la guerre mondiale. Au conservatisme politique et social du premier, l'appel lancé par le second à un socialisme utopique :

> Un jour viendra où le patron, s'élevant en beauté morale, deviendra un ouvrier parmi les ouvriers affranchis, où il n'y aura plus de salaire, mais échange de biens. La haute industrie, comme la vieille noblesse qu'elle remplace et qu'elle imite, fera sa nuit du 4 août *(M. Bergeret à Paris)*.

L'un fut antidreyfusard, l'autre est dreyfusard. Pourtant, en matière d'art, le plus conservateur des deux est probablement Anatole France.

Défense et illustration du classicisme. C'est qu'on ne peut imaginer une formation plus classique que la sienne. Son père, M. Thibault, était libraire à Paris, quai Malaquais : le cadre était rêvé pour une enfance studieuse et douce, celle qu'il a évoquée dans *Le livre de mon ami* (1885). Ses études au collège Stanislas, ses fonctions chez l'éditeur Lemerre ou à la bibliothèque du Sénat le montrent toujours soucieux de rester enclos dans les humanités. Il semble voué au Parnasse, et les *Vers dorés* (1873), son poème dramatique *Les noces corinthiennes* (1876) sont bien d'un admirateur de Leconte de Lisle.

Le goût de l'Antiquité classique et, plus généralement, de l'Histoire, n'a jamais quitté Anatole France. Son œuvre, bien souvent, semble s'inscrire « en marge des vieux livres » (1). Essayiste, il étudie *Le génie latin* (1913). Romancier, il fait revivre *Thaïs* (1890), courtisane célèbre de l'Antiquité; il dessine la silhouette de Robespierre dans *Les dieux ont soif* (1912). Ou encore, il raconte à sa manière *La vie de Jeanne d'Arc* (1908) et l'histoire du peuple français jusqu'à l'affaire Dreyfus dans une piquante allégorie, *L'île des pingouins* (1908).

Chroniqueur littéraire du journal *Le Temps* de 1887 à 1893, il s'y montre adversaire résolu de la nouveauté, qu'elle se réclame du naturalisme ou du symbolisme. Il sera toujours le défenseur d'un idéal classique qui fait passer avant le souci d'originalité les exigences du goût. On a vanté la clarté extrême de son style qu'il voulait « blanc » comme « un rayon de lumière qui entre par [l]a fenêtre » *(Le jardin d'Épicure)*.

Ses porte-parole seront des hommes de livres, comme lui : Sylvestre Bonnard, aimable érudit,

1. Jean-Marie Domenach, *Barrès par lui-même*, p. 30.
2. « Examen des trois romans idéologiques », préface écrite par Barrès pour l'édition du *Culte du moi* parue en 1892 chez Perrin.

1. C'est le titre d'un livre célèbre où le critique Jules Lemaitre fait revivre à sa manière certains des personnages de la littérature du passé. Ce divertissement de lettré a paru en 1905.

En haut, à gauche : Paul Bourget, à l'entrée de l'Institut.
En haut, à droite : Barrès, le 6 mai 1914, distribue des autographes au cours de sa visite de l'établissement des frères du Collège Sainte-Catherine, à Alexandrie.
En bas, Anatole France en 1898.

membre de l'Institut, qui appréciera plus que nul autre cadeau un manuscrit rare caché dans une bûche (*Le crime de Sylvestre Bonnard*, 1881); l'abbé Jérôme Coignard, le « bon maître » dont les opinions rappellent celles des philosophes du XVIIIe siècle (*La rôtisserie de la reine Pédauque*, 1892; *Les opinions de M. Jérôme Coignard*, 1893); M. Bergeret, professeur de littérature latine à l'Université, « un esprit distingué, mais bizarre », le protagoniste des quatre romans de la série *L'histoire contemporaine* (1896, *L'orme du mail*; 1897, *Le mannequin d'osier*; 1899, *L'anneau d'améthyste*; 1901, *M. Bergeret à Paris*).

Le témoignage d'un dilettante. Pourtant, l'attention de l'écrivain en chambre s'est tournée maintenant vers le monde qui l'entoure. On peut situer ce tournant en 1897, l'année où s'ouvre la campagne pour la révision du procès Dreyfus. France est l'un de ceux qui soutiennent l'action de Zola, et il va dès lors faire figure d'intellectuel de gauche. Défenseur de la République, il dénonce les tyrannies qui la menacent, et se déclare partisan de la séparation de l'Église et de l'État. Ses sympathies vont au socialisme qui le pousse à prendre la défense des humbles, celle par exemple d'un pauvre marchand de quatre-saisons injustement accusé d'avoir insulté l'autorité publique (*L'affaire Crainquebille*, 1902). Dans les dernières années de sa vie, il se range même du côté du Parti communiste.

En fait, il est trop sceptique pour être un militant véritable. Il ne se fait guère d'illusion sur la République, dont il apprécie seulement la « facilité » :

> Pourvu qu'elle vive, elle est contente. Elle gouverne peu. Je serais tenté de l'en louer plus que de tout le reste. Et, puisqu'elle gouverne peu, je lui pardonne de gouverner mal (1).

L'événement est surtout pour lui prétexte à raillerie, mais son ironie elle-même reste mesurée. L'Église en fait souvent les frais, encore qu'il soit, comme M. Bergeret, « irréligieux avec décence et bon goût » (2). Ce qui lui permet de se faire passer pour libéral.

Il se contente, pour lutter contre « les maux des hommes », de lutter contre leurs préjugés, « de promener la tête-de-loup et le balai un peu à l'aveuglette dans tous les coins obscurs » (3). Mais il ne s'attaque nullement aux fondements de la société, qui lui paraissent inébranlables. C'est qu'au fond, « toute réflexion faite, [il s]e sen[t] très attaché à nos institutions » (4). On n'est pas très éloigné d'un conservatisme à la Montaigne.

1. *L'orme du mail*, ch. XIII.
2. *L'orme du mail*, ch. VII.
3. *Les opinions de M. Jérôme Coignard*, ch. XI.
4. *L'orme du mail*, ch. XIII.

LA RÉACTION CONTRE LES MANDARINS : LA NOUVELLE REVUE FRANÇAISE

En février 1909 était créée à Paris *La Nouvelle Revue française.* Dirigée par Jacques Copeau, André Ruyters et Jean Schlumberger, elle compta Gide parmi ses animateurs de la première heure, et bientôt Valery Larbaud et Jacques Rivière. Parmi ces noms, on relève déjà ceux de quatre romanciers, et non des moindres. Tous ont en commun le désir de réagir contre le confo misme des maîtres de l'heure, et du public.

Pontigny, dans l'Yonne, fut un des hauts-lieux de la littérature dans l'entre-deux-guerres. Chez Paul Desjardins étaient organisées des « décades ». Ici, en 1922, se trouve réunie l'équipe des « dirigeants » de la N.R.F. (de gauche à droite) Jean Schlumberger, Roger Martin du Gard, Jacques Rivière et André Gide.

En littérature, *La Nouvelle Revue françai* stigmatise le « genre caressant » et la recherch du succès mondain. Elle insiste sur la nécessi et sur la vertu d'une création lucide. Rompa à la fois avec le naturalisme et avec le symbolism les romanciers qui se groupent autour d'el semblent opérer un retour en arrière, vers u « classicisme » qui rappelle parfois les moralist du grand siècle. Gide, Rivière, Larbaud, Schlun berger, auxquels il faudra joindre bientôt Rog Martin du Gard, Chardonne, Lacretelle, ont e commun le goût de l'analyse psychologique et u technique rigoureuse qui n'est pas toujou exempte de sècheresse.

La Nouvelle Revue française a joué un rô considérable dans la révélation des écrivain étrangers. Mais il serait injuste d'oublier qu'el a lancé des œuvres nouvelles : *La porte étroi* de Gide, dès son premier numéro; *Charl Blanchard* de Charles-Louis Philippe (1); *L grand Meaulnes*, d'Alain-Fournier. A partir d 1911, elle devient le siège d'une maison d'éditio qui, sous l'impulsion de Gaston Gallimar va être le creuset de la littérature moderne. O s'étonne encore de constater qu'elle n'a accueil qu'en 1917 le premier tome d'*A la recherche d temps perdu.*

1. Disparu prématurément (1874-1909), Charles-Lou Philippe est une sorte de romancier populiste avant lettre qui a transposé dans des récits pathétiques so image et les figures des êtres chers, celle de son père, p exemple dans *Charles Blanchard. La mère et l'enfa Bubu de Montparnasse*, sont, avec ce roman, ses œuvr les plus connues.

BIBLIOGRAPHIE

ÉTUDES : L'ouvrage d'ensemble essentiel est de Michel RAIMOND, *La crise du roman des lendemains du nat ralisme aux années vingt*, Corti, 1966. — Sur les principaux auteurs : Jean-Marie DOMENACH, *Barrès par lu même,* Seuil, 1954; Michel MANSUY, *Un moderne : Paul Bourget,* Les Belles-Lettres, 1961; Jean LEVAILLAN *Essai sur l'évolution intellectuelle d'Anatole France,* A. Colin, 1966. — Marie-Claire BANCQUART, *Anatole Franc un sceptique passionné,* Calmann-Lévy, 1984.

ŒUVRES : On trouvera dans Le Livre de Poche des romans de Pierre LOTI (*Aziyadé*, nº 2604; *Pêcheur d'Island* nº 2271; *Ramuntcho*, nº 2334), ALAIN-FOURNIER (*Le grand Meaulnes*, nº 1000), Maurice BARRÈS (*Colette Baudoch* nº 2324; *La colline inspirée*, nº 773; *Le culte du moi*, nº 1964; *Les déracinés*, nº 2148), Anatole FRANCE (e particulier *Le crime de Sylvestre Bonnard*, nº 2129; *Les dieux ont soif*, nº 833; *L'île des pingouins*, nºs 1279-128 *M. Bergeret à Paris*, nº 1974; *Les opinions de Jérôme Coignard*, nº 2542; *L'orme du mail*, nº 1403). — Dans le séries de petits classiques, on trouvera *Le disciple* de Paul BOURGET (Larousse), *Les dieux ont soif* et *L'île d pingouins* d'Anatole FRANCE (Bordas), *Le culte du moi* (Bordas) et *La colline inspirée* (Larousse) de Mauric BARRES. Les *Œuvres* d'Anatole France sont publiées dans la «Bibliothèque de la Pléiade» (t. I, 1984; t. II, 1987; t. II 1991), éd. M.-C. Bancquart.

GIDE (1869-1951)

Auditeur de Mallarmé, applaudi par les ladaïstes pour ses « soties » et par Sartre pour voir « vécu ses idées », André Gide semble ésumer plus d'un demi-siècle d'histoire littéaire parce qu'il a tenu à emprunter les direcions possibles et à faire apparaître ses multiples irtualités. Cette diversité elle-même l'a, dit-il, contraint à l'œuvre d'art » qui seule lui proıettait, au delà du dialogue et peut-être au erme du combat, la chance d'un « accord ».

.a libération

Comme Victor Hugo, Gide s'est plu à opposer ı double lignée qu'il découvrait dans son ascenance. « Né à Paris d'un père uzétien et d'une ıère normande », il était en tout cas cerné des eux côtés par le protestantisme. Un enracineıent? non point : la chance d'un départ. La évolte contre la tutelle maternelle, que la mort rématurée du professeur Gide, en 1880, a endue plus contraignante, éclate en 1895, à 'occasion d'un séjour en Algérie où le jeune omme retrouve la santé (il était menacé de ıberculose) et croit découvrir le sens de la vie : ı liberté et la ferveur. C'est ce nouvel Évangile u'il s'empresse d'apporter avec *Les nourritures errestres* (1897) : il faut rejeter l'idée de péché our goûter à tous les fruits de la terre. Maître e Nathanaël, le nouvel évangéliste est luiıême le disciple de Ménalque [1] : car il s'agit ıoins de créer un moi que de faire resurgir du assé celui qu'on a voulu à tout prix étouffer.

Parallèlement au lyrisme des *Nourritures*, ;ide est donc amené à faire la satire de ses nnemis de la veille, de ces esprits secs dont l'a ébarrassé la sécheresse du désert. *Paludes* (1895) résente « l'histoire de qui ne comprit pas la vie », e qui s'englue dans le marécage des mondanités, es discussions stériles et des milieux prétendus

1. « Ménalque, c'est le *nouvel être*, c'est-à-dire celui que ;ide, malade, a brusquement senti comme le seul imporınt, le seul *vrai* » (C. Martin, *op. cit.* p. 99).

littéraires. Mais le premier livre de Gide n'était-il pas issu de cette atmosphère paludéenne? Les *Cahiers d'André Walter* (1891) découvraient un ennemi en lui-même : le narcissisme et la pose.

André Walter renonçait à Emmanuèle pour la mieux aimer dans sa solitude. Michel, dans *L'immoraliste* (1902), entraîne sa jeune femme Marceline en Afrique, mais l'y délaisse et la laisse mourir. En épousant sa cousine, Madeleine Rondeaux, en octobre 1895, Gide n'avait, en effet, peut-être rompu avec les dernières volontés de sa mère que pour s'embarrasser d'un nouveau lien qu'il faudrait bientôt rompre. Nul besoin d'un maître, Oscar Wilde ou Ménalque, pour cela. Il a suffi de la révélation africaine, des corps éclatants d'Ali ou de Mohamed, pour qu'il retrouve sa véritable nature.

Le temps des études

S'inscrivant en marge de la morale traditionnelle, la vie de Gide n'échappe pas pourtant à la morale. « Je n'acceptais point », écrit-il en 1919 dans la deuxième partie de son autobiographie *Si le grain ne meurt*, « de vivre sans règles, et les revendications de ma chair ne savaient se passer de l'assentiment de mon esprit. » C'est encore à la littérature qu'incombe cette tâche de « moraliser la nature ». Les écrits de l'inquiète maturité de Gide en font foi. « Récits » et « soties » [1] constituent l'envers et l'endroit d'un même projet, des études critiques pour une définition de soi-même.

Les récits. Sous une forme grave, épurée, linéaire, les récits donnent à l'être des attitudes éthiques successives par rapport auxquelles l'auteur prend ses distances même quand il est passé par elles. Tel était déjà le cas de *L'immoraliste*, apologie larvée de l'individualisme. Alissa, l'héroïne de *La porte étroite* (1909),

1. Le mot n'a pas le sens qu'il avait au Moyen Age. La sotie était alors un genre dramatique.

A Arcachon, en 1921, André Gide à l'époque où il s'occupait de l'éducation de Marc Allegret : « M. m'aime non tant pour ce que je suis que pour ce que je lui permets d'être » *(Journal)*.

suit un chemin tout différent, celui du renoncement et du sacrifice, la « route étroite » dont parle l'Évangile, « étroite à n'y pouvoir marcher deux de front » : gidienne, la tentation de l'absolu à laquelle obéit la jeune fille l'est peut-être tout autant que l'indécision de Jérôme, et dans la mort prématurée d'Alissa les responsabilités sont partagées. Quant au pasteur de *La symphonie pastorale* (1919), il prend conscience, mais trop tard, du mensonge à soi-même qui peut se cacher sous les meilleures intentions : l'éducation de Gertrude, la petite aveugle qu'il a recueillie et qu'il aime d'amour; l'éducation de « Michel » (Marc Allégret) par « Fabrice » (Gide) telle qu'on la devine dans le *Journal* des années 1917-1918.

Les soties. Le carnaval romain, et romanesque, des *Caves du Vatican* (1914) utilise, pour la dénonciation, le mode de la caricature : caricature des dévots (Fleurissoire, la comtesse de Saint-Prix, Anthime Armand-Dubois après sa conversion), des hommes de lettres (Julius de Baraglioul), des truands de toute sorte (les Mille-pattes). Mais on aurait tort de prendre pour un idéal de vie l'acte gratuit dont rêve Lafcadio et qu'il réalise quand il pousse Amédée Fleurissoire par la portière du train : cet « acte désintéressé, né de soi [...], sans but, donc sans maître, [...] libre, [...] autochtone », se révè lourd de conséquences inattendues. On ne badi pas avec la liberté, telle pourrait être la leç de ces aventures rocambolesques. Cette leço Gide, en choisissant cette forme fantaisis refuse de la donner : il s'est contenté d'éveil une inquiétude.

« *Les faux-monnayeurs* » *ou le roman d romans*

Prenant ses précautions à l'égard de son le teur, Gide avait inscrit, en tête des *Caves Vatican* : « Ceci n'est pas un roman ». Quand décide d'appeler roman, pour la première fo dans son œuvre, *Les faux-monnayeurs*, en 192 il indique clairement qu'il entend changer technique : à la simplicité succède le foisonn ment, au monde des fantoches l'épaisseur de réalité. En fait, il s'agit d'une nouvelle étude se concilient son goût du romanesque et méfiance à l'égard du même romanesque.

Son intention était de réaliser un « rom pur », violemment écarté de l'anecdote, « pur de tous les éléments qui n'appartiennent p spécifiquement au roman » : un roman sa intrigue qui fût, un peu comme l' « anti-roman de Valéry, *La soirée de M. Teste*, « l'expressi de l'essence même de l'être ». Traits physiqu et paysages devaient se trouver réduits au m nimum afin de permettre à l'œuvre de deven « un lieu de caractères ».

Or, paradoxalement, l'intrigue des *Fau monnayeurs* grouille d'incidents et de perso nages divers, depuis la fuite de Profitendieu ho du foyer (faussement) paternel jusqu'au suici du petit Boris qui a pris au sérieux les inventio de ses camarades de pension, les « Homm forts ». Bien plus, le lecteur ne peut s'empêch d'éprouver de la sympathie pour Laura Do viers, l'épouse coupable d'un pâle professe de français en Angleterre, ou pour le vieux L Pérouse quand il voit son petit-fils Boris port à sa tempe le pistolet.

Échec? Non point, car le feu d'artifice rom nesque a précisément pour résultat de laiss le lecteur désemparé : il en oublie certains pe sonnages qui avaient un instant retenu sc intérêt (Vincent, l'amant infidèle de Laura, sa nouvelle conquête, Lady Griffiths, par exen ple). Il est introduit malgré lui dans un systèm absurde de causalité où le suicide d'un enfa hypernerveux est la conséquence de la découvert par un adolescent de sa bâtardise. Il est éblo ar la prolifération des possibles, comme l'auteur ui, pour donner l'impression de travailler sur ne matière inépuisable, laisse entendre que son vre pourrait se continuer : « Je suis bien curieux e connaître Caloub » (1).

Pour sauver *Les faux-monnayeurs* à la fois du éalisme obtus et de l'inanité esthétique, Gide surtout fait confiance au procédé de la « mise n abyme » (2) : l'un des personnages du roman, douard, écrit un roman qui doit lui-même 'intituler *Les faux-monnayeurs*. Le journal 'Édouard prend parfois le relais de la narration, u l'éclaire d'un jour inattendu. Le personnage-omancier pense lui aussi introduire dans son oman un personnage de romancier, et ainsi l'infini. Gide veut donc présenter conjointe-ıent la réalité et l'effort de l'artiste pour la tyliser. Son véritable sujet, c'est « la lutte entre e que lui offre la réalité et ce que, lui, prétend n faire ». Ou, plus généralement encore : « la valité du monde réel et de la représentation ue nous nous en faisons ». Cette conviction ue chacun a sa vision particulière du monde iterdit au romancier de présenter une histoire travers la conscience d'un seul, fût-elle la ienne (dans *L'école des femmes*, en 1930, Gide éunira plusieurs points de vue sur une même venture). Le récit se trouve « désaxé », « entraîné ers l'imaginatif » par la multiplicité des regards.

Ce livre est assurément le chef-d'œuvre de Gide. On y trouve la somme de ses expériences t de ses contradictions. L'histoire des collé-giens faux-monnayeurs est complétée par le rocès de la fausse-monnaie morale : aux faus-aires de l'âme s'opposent l'honnêteté d'Édouard t le désir de Bernard qui voudrait « tout au long e sa vie rendre un son pur, probe, authentique ». t si la forme acquiert ici une subtilité unique ans l'œuvre de Gide, c'est parce qu'elle est 'expression même des scrupules du romancier l'égard du genre qu'il manie, de la réalité qu'il nodèle et des personnages qu'il crée.

« J'ai vécu »

Après *Les faux-monnayeurs* la production gidienne accuse un net fléchissement. Il reconnaît ui-même qu'il n'est plus « tourmenté par un mpérieux besoin d'écrire » et que le sentiment que « le plus important reste à dire » ne l'habite plus comme autrefois. Pourtant le *Journal* continue, qui atteste que la quête n'est pas achevée.

La quête du bonheur. En 1935, Gide peut donner aux anciennes *Nourritures terrestres* un pendant, *Les nouvelles nourritures :*

> La vie peut être plus belle que ne la consentent les hommes. La sagesse n'est pas dans la raison, mais dans l'amour. Ah! j'ai vécu trop prudemment jusqu'à ce jour. Il faut être sans lois pour écouter la loi nouvelle.

Depuis 1918, Madeleine s'est repliée dans une solitude qu'elle ne quittera plus jusqu'à sa mort, survenue vingt ans plus tard. Gide tente de se justifier, non sans faire appel à des raisons qui, il le reconnaît lui-même parfois, sont de mauvaises raisons. En 1924 il avait déjà présenté avec *Corydon* une apologie de l'homosexualité qu'il considérait curieusement comme le plus important de ses livres. *Et nunc manet in te* (1938),

PRINCIPALES ŒUVRES DE GIDE

1891	*Les Cahiers d'André Walter*
1893	*Le voyage d'Urien*
1895	*Paludes*
1897	*Les nourritures terrestres*
1899	*Le Prométhée mal enchaîné*
1902	*L'immoraliste*
1907	*Le retour de l'enfant prodigue*
1909	*La porte étroite*
1911	*Isabelle*
1914	*Les caves du Vatican*
1919	*La symphonie pastorale*
1922	*Numquid et tu?*
1924	*Corydon*
1926	*Les faux-monnayeurs*
1927	*Voyage au Congo*
1928	*Le retour du Tchad*
1929	*L'école des femmes*
1930	*Œdipe*
1935	*Les nouvelles nourritures*
1936	*Geneviève ; Retour de l'U.R.S.S.*
1938	*Et nunc manet in te*
1939	*Journal* (1899-1939)
1942	*Pages de Journal* (1939-1942)
1946	*Thésée*
1949	*Journal* (1942-1949)

1. Caloub est le plus jeune fils des Profitendieu.
2. Ce terme appartient au vocabulaire héraldique : dans n blason figure un plus petit blason identique au premier, equel contient lui-même un plus petit blason, et ainsi à 'infini.

André Gide à la fin de sa vie, dans son appartement de la rue Vaneau : « Je n'apporte pas de doctrine [...]. Mais je sais qu'aujourd'hui certains cherchent en tâtonnant et ne savent plus à qui se fier; à ceux-là je viens dire : croyez ceux qui cherchent la vérité, doutez de ceux qui la trouvent; doutez de tout, mais ne doutez pas de vous-même. »

écrit testamentaire, révèle quels remords ont accompagné, chez lui, la volonté d'être libre.

La quête d'un engagement. Les vingt-cinq dernières années de la vie de Gide sont plus actives, plus tournées vers le monde extérieur que les précédentes. Son humeur voyageus l'amène, lui l'individualiste forcené, lui l'écr vain grand bourgeois à l'existence dorée, découvrir la honte et l'horreur du régime d'e ploitation coloniale (*Voyage au Congo*, 1927 A la stupéfaction générale, il adhère au comm nisme pour s'en détacher bientôt, en 1936, a retour de son voyage en U. R. S. S. Il s'ag moins d'un engagement que d'un élargissemen de sa quête du bonheur qui, à en croire *Le nouvelles nourritures*, passe nécessairement pa le bonheur des autres.

La quête de la sérénité. En 1946, Gide préser tait *Thésée* comme « son dernier écrit ». D moins ce bref récit, mûri pendant treize année veut-il consacrer la victoire d'une sagess conquise par le héros tout au long de ses mu tiples aventures parce qu'il a toujours su passe outre :

C'est consentant que j'approche la mort solitair J'ai goûté des biens de la terre. Il m'est doux d penser qu'après moi, grâce à moi, les hommes s reconnaîtront plus heureux, meilleurs et plus libre Pour le bien de l'humanité future, j'ai fait mon œuvr J'ai vécu.

Conclusion sereine de la vie inquiète de cel qui avait voulu exercer la « fonction d'inquiéteur mais qui, de toutes les forces de son art, ava tendu vers l'« œuvre classique », vers l' « œuv forte et belle [...] en raison de son romantism dompté ».

BIBLIOGRAPHIE

ÉDITIONS : Éditions classiques : extraits des *Nourritures terrestres* suivies des *Nouvelles nourritures* (Bordas des *Faux-monnayeurs* (Classiques Larousse). — Éditions de poche : aux éditions Gallimard, dans la collectio « Idées » : *Dostoïevski;* dans la collection « Folio » : *La symphonie pastorale* (nº 18), *Les caves du Vatica* (nº 34), *Si le grain ne meurt* (nº 96), *Les nourritures terrestres* et *Les nouvelles nourritures* (nº 117), *Les faux monnayeurs* (nº 131), *Isabelle* (nº 144). — Pas d'édition complète. L'essentiel est recueilli dans la « Bibliothèqu de la Pléiade » (*Journal*, 2 tomes; *Romans, récits et soties, œuvres lyriques*, 1 tome).

ÉTUDES : Pour une initiation : *Gide*, par J.-J. THIERRY, Gallimard, « La Bibliothèque idéale »; *André Gid par lui-même*, de Claude MARTIN, Seuil, coll. « Écrivains de toujours », nº 62. — Pour la biographie : Jea DELAY, *La jeunesse d'André Gide,* Gallimard, 1956-1957 (étude psychiatrique); George PAINTER, *André Gide* Mercure de France, 1968 (la minutie historique et ses excès). — Claude MARTIN, *La maturité d'André Gide. D « Paludes » à « L'Immoraliste », 1895-1902,* Klincksieck, 1977. — Auguste ANGLÈS, *André Gide et le premie groupe de La Nouvelle Revue française,* Gallimard, 1978. — Sur l'œuvre romanesque : admirable étude des *Faux monnayeurs* dans Claude-Edmonde MAGNY, *Histoire du roman français,* Seuil, 1950. — Sur le *Journal :* la thèse d Daniel MOUTOTE, *Le journal de Gide et les problèmes du moi,* P.U.F., 1968 et l'étude brillante d'Éric MARTY *L'écriture du jour,* éd. du Seuil, 1985.

PROUST (1871-1922)

Ce que le narrateur écrit à la fin du *Temps* *etrouvé* des grands écrivains du XIXe siècle qui,

> e regardant travailler comme s'ils étaient à la fois ouvrier et le juge, ont tiré de cette autocontemplaon une beauté nouvelle extérieure et supérieure à 'œuvre

'applique parfaitement à *La recherche du temps* *erdu.* Si Proust n'a écrit qu'un ouvrage unique, – « le livre essentiel, le seul livre vrai » —, qui chappe à toute classification et déroute le lecur non averti, c'est que son livre n'est pas un vénement fortuit, mais la « traduction » de sa ropre expérience : entendons par là qu'il ne s'agit as seulement de se raconter, mais encore de se réer. D'où la double démarche qu'indique le tre : tout autant que progressif (« recherche » 'une vocation) le mouvement du récit est régresif (« temps perdu » sur la vie qui fonde le roman). Ainsi naît « l'épaisseur » d'un roman dans lequel e style unit le concret à l'abstrait, le singulier u général, grâce aux prestiges d'une écriture qui, comme le reste, est « non une question de echnique mais de vision ».

Du dilettantisme au grand dessein

Issu d'une riche famille de la bourgeoisie parisienne, Marcel Proust vit une enfance heueuse, entourée d'affection, malgré les crises l'asthme dont il souffrira toute sa vie. A treize ans, son idéal de bonheur terrestre est, dit-il, de « vivre près de tous ceux que j'aime, avec les charmes de la nature, une quantité de livres et de partitions et, pas loin, un théâtre français ».

Très tôt, il est attiré par la vie mondaine. Dans es salons élégants, il se fait des relations arisocratiques, mais y rencontre aussi des écrivains et des compositeurs. Quelques articles de revues, un recueil d'écrits divers, *Les plaisirs et les jours* (1896), des traductions du critique d'art anglais Ruskin, font de lui un écrivain mondain, dilettante et raffiné. Dès cette époque il compose cependant la plus grande partie d'un roman inachevé, *Jean Santeuil*, qui ne sera publié qu'en 1952.

Mais, ébranlé par la mort de sa mère (1905), affaibli par la maladie, il mène une vie de plus en plus retirée dans son appartement parisien. Sans qu'il rompe tout à fait avec ses relations mondaines, son existence va désormais se confondre avec la composition de son œuvre essentielle, *A la recherche du temps perdu.*

« Proust le dandy » : on le voit ici en 1893. assis. Derrière lui, ses amis Robert de Flers (le futur dramaturge) et Léon Daudet (fils d'Alphonse Daudet).

Photo Otto © Coll. Mme Mante-Proust.

Refusé par tous les éditeurs, le premier volume est publié à compte d'auteur, chez Grasset, en 1913, dans une indifférence quasi générale. La gloire ne viendra qu'en 1919, quand le deuxième volume, *A l'ombre des jeunes filles en fleurs*, sera couronné par l'Académie Goncourt. Paraissent ensuite *Le côté de Guermantes* (1920), *Sodome et Gomorrhe* (1921) et, après la mort de Proust qui, jusqu'à son dernier jour, n'avait cessé d'enrichir son œuvre, *La prisonnière* (1923), *La fugitive* [1] (1925), et *Le temps retrouvé* (1927).

Le roman d'une vocation

Marcel Proust est l'auteur d'un seul livre. Toute son activité littéraire antérieure à 1907, date à laquelle commence la rédaction de l'œuvre définitive, ne fait qu'annoncer ce qui sera *A la recherche du temps perdu.* Si *Les plaisirs et les jours* est une œuvre de jeunesse, *Contre Sainte-Beuve* et *Jean Santeuil* ont été constitués par des éditeurs à partir de textes inédits. Ils témoignent d'une vocation littéraire non pas fougueuse et désordonnée, mais consacrée à l'expression toujours plus fidèle d'une expérience intérieure. Le héros de la *Recherche* suit une évolution probablement parallèle à celle de son créateur : le roman est l'histoire de sa vocation d'écrivain. Enfant, il est déjà en quête de l'œuvre à venir, s'interrogeant sur son contenu, doutant de lui-même :

> Puisque je voulais un jour être écrivain, il était temps de savoir ce que je comptais écrire. Mais dès que je me le demandais, tâchant de trouver un sujet où je pusse faire tenir une signification philosophique infinie, mon esprit s'arrêtait de fonctionner, je ne voyais plus que le vide en face de mon attention, je sentais que je n'avais pas de génie, ou peut-être une maladie cérébrale l'empêchait de naître.

Puis la vie du héros se déroule, décevante et apparemment stérile jusqu'à ce qu'enfin, au terme du roman, une illumination lui fasse découvrir que c'est la vie elle-même qui est le sujet de l'œuvre. Ainsi, *A la recherche du temps perdu* est l'histoire de sa propre genèse, ou plutôt de l'inspiration qui lui donne naissance. Du même coup, l'existence du héros, mondaine et désœuvrée, se trouve en quelque sorte justifiée par le génie car

> Ceux qui produisent des œuvres géniales sont [...] ceux qui ont le pouvoir, cessant brusquement de vivre pour eux-mêmes, de rendre leur personnali[té] pareille à un miroir, de telle sorte que leur vie, [...] médiocre d'ailleurs qu'elle pouvait être [...], s[e] reflète, le génie consistant dans le pouvoir réfléchissa[nt] et non dans la qualité intrinsèque du spectacle reflét[é].

Le roman est moins la chronique d'une vie qu[e] l'épanouissement d'une vision dont les évén[e]ments ne sont que le prétexte. Aucune aventur[e], aucune intrigue dans *A la recherche du temp[s] perdu*, mais une découverte des êtres, des chos[es] et de soi-même.

La voix du narrateur

L'instrument de cette découverte est un ce[r]tain langage. Proust ne devient un maître qu[e] quand il passe du roman à la troisième person[ne] (le « il » de *Jean Santeuil*) au « je » qui, d'emblé[e] donne le ton de la *Recherche :*

> Longtemps, je me suis couché de bonne heure.

Ce « je » ne représente ni l'auteur — car le roma[n] n'est pas une autobiographie — ni le héros pr[o]prement dit, mais un personnage intermédiair[e] le narrateur, dont les souvenirs constituent [la] matière du roman. En distinguant derrière [ce] « je » unique un personnage qui vit l'action e[t] d'autre part, le même, bien des années aprè[s] qui en fait le récit, on conçoit le parti que [le] romancier peut tirer de cette double perspectiv[e]. Les perceptions, les sentiments ne sont pa[s] donnés à l'état brut mais ordonnés, enrichis d[e] réflexions et de rapprochements, enserrés dan[s] un réseau de souvenirs qui mêlent au plus loin[-] tain passé l'évocation de moments plus récent[s;] expérience non pas vécue mais revécue, la vie d[u] narrateur se charge de poésie et le « je » acquie[rt] une épaisseur temporelle inaccoutumée.

Le narrateur se distingue du personnage d[e] roman en ce qu'il n'a pas de trait physiqu[e] précis et qu'il ne participe à aucune aventur[e] exceptionnelle. Il se définit plutôt comme [la] conscience centrale de l'œuvre. Tout ce que no[us] voyons, nous le voyons par ses yeux, nous n[e] connaissons que les lieux qu'il visite et les pe[r]sonnages qu'il rencontre; l'univers de la *Recherch[e]* est strictement réduit au champ de sa propr[e] expérience, et le lecteur ne jouit d'aucune positio[n] privilégiée : contraint d'ignorer tout ce qu'igno[re] le narrateur, il ne peut qu'adopter son point d[e] vue sans restriction. Le style de Proust donn[e] au narrateur une « voix » que l'on écoute to[ut] au long du roman; ces longues phrases où s'in[-] terpénètrent les subordonnées, coupées d'incis[es]

1. Dont le titre initial était *Albertine disparue.*

et de parenthèses, prennent vie à une lecture attentive, et suggèrent le rythme d'une méditation à la fois sensible et rigoureuse.

« *La seule vie réellement vécue, c'est la littérature* »

Le point de vue unique du narrateur, au delà de la technique romanesque, est la traduction d'un sentiment profond, celui de la solitude de chaque conscience. Le roman s'ouvre sur une expérience angoissée de cet isolement : dans le demi-sommeil du narrateur, l'espace et le temps perdent leur fixité, l'esprit est privé des points d'appui extérieurs où il ancrait ses certitudes : « Un homme qui dort tient en cercle autour de lui le fil des heures, l'ordre des années et des mondes. » Ainsi toute réalité est subjective; ce que nous croyons connaître des choses et des êtres n'est qu'illusion, forgée par notre propre imagination ou nos désirs secrets, « seule la perception erronée place tout dans l'objet quand tout est dans l'esprit ». Mais une autre force contribue à rendre la réalité multiple et insaisissable, c'est le temps.

« *L'édifice immense du souvenir* ».

Comme il y a une géométrie dans l'espace, il y a une psychologie dans le temps où les calculs d'une psychologie plane ne seraient plus exacts [...].

Cette « psychologie dans le temps », dont Proust analyse les effets avec une extrême précision, montre que les sentiments, si intenses soient-ils, ne sont guère communicables car « les mêmes émotions ne se produisent pas simultanément chez tous les hommes ». Le moi, soumis au temps, ne garde pas intacte notre personnalité et, par la force de l'oubli, l'être que nous étions jadis peut mourir ou renaître au gré des circonstances. Sous les yeux du narrateur, les personnages se métamorphosent, acquièrent en vieillissant des traits et un comportement qui les rendent méconnaissables; c'est qu'ils « occupent dans le temps une place autrement considérable que celle, si restreinte, qui leur est réservée dans l'espace ». Les lieux eux-mêmes n'échappent pas à cette désagrégation car ils sont liés au moment où nous les avons admirés, et leur charme n'est pas plus durable que les sentiments qui nous animaient alors. Ainsi, « les maisons, les avenues, les routes sont fugitives, hélas! comme les années ».

Mais le narrateur surmonte vite la mélancolie qu'éveille la fugacité des êtres et des choses. Il est vain, en effet,

de chercher dans la réalité les tableaux de la mémoire, auxquels manquerait toujours le charme qui leur vient de la mémoire même et de n'être pas perçus par les sens.

Dès lors, la « recherche du temps perdu » n'est pas l'évocation nostalgique d'un passé inaccessible, mais la découverte progressive de la seule réalité, celle qui se forme dans la mémoire car « les vrais paradis sont les paradis qu'on a perdus ».

Si l'effort volontaire de la mémoire, en reconstituant à grand-peine les instants passés, souligne la distance qui nous en sépare, certaines expériences privilégiées annulent cette distance et font affleurer le passé dans le présent. L'épisode, par exemple, de la madeleine : la coïncidence entre une sensation présente et le souvenir de cette même sensation, éprouvée longtemps auparavant, provoque la résurrection de tout un monde oublié, visages, objets, sentiments que contenait un petit morceau de gâteau trempé dans le thé. Les quelques expériences de mémoire involontaire qui jalonnent le roman constituent autant de

Quatre carnets de Marcel Proust. Ces carnets contiennent les notes consignées par l'écrivain en 1908-1909. Certains passages d'*A la Recherche du temps perdu* y sont ébauchés.

victoires sur le temps, elles nous donnent « l'intuition de nous-même comme être absolu » en prouvant notre permanence, notre aptitude à saisir l'essence des choses hors du temps.

Deux expériences du temps s'opposent donc dans la *Recherche :* celle de la destruction et celle de la résurrection; liées l'une à l'autre, elles constituent, de l'aveu même de Proust, le thème fondamental de l'œuvre :

Puisque j'avais décidé que la matière même de mon livre ne pouvait être uniquement constituée par les impressions véritablement pleines, celles qui sont en dehors du temps — parmi les vérités avec lesquelles je comptais les sertir, celles qui se rapportent au temps, dans lequel baignent et changent les hommes, les sociétés, les nations, tiendraient une place importante.

Une mystique de l'art. Comme la mémoire involontaire, la création artistique conduit à la révélation d'une réalité supérieure. L'émotion que ressent Swann en écoutant telle « petite phrase » d'une sonate de Vinteuil n'est pas liée, comme il le croit d'abord, au souvenir douloureux d'un amour perdu, mais à la révélation, sous forme de quelques notes, d'un sentiment qu'il n'avait jamais su formuler;

Le champ ouvert au musicien n'est pas un clavier mesquin de sept notes, mais un clavier incommensurable, encore presque tout entier inconnu, où seulement quelques-unes des millions de touches de tendresse, de passion, de courage, de sérénité qui le composent [...] ont été découvertes par quelques grands artistes.

Ainsi, le langage de la musique est fondé sur la métaphore; de même, un peintre comme Elstir, en cherchant à faire partager l'impression qu'il a ressentie devant le port de Carquethuit, n'emploie « pour la petite ville que des termes marins, et que des termes urbains pour la mer ». Métaphore picturale contenue dans une métaphore littéraire; mais la figure est, selon Proust, l'instrument d'une révélation :

La vérité ne commencera qu'au moment où l'écrivain prendra deux objets différents, posera leur rapport, analogue dans le monde de l'art à celui qu'est le rapport unique de la loi causale dans le monde de la science, et les enfermera dans les anneaux nécessaires d'un beau style.

Tout dépend donc du regard que l'artiste porte sur le monde. Toute grande œuvre témoigne d'une *vision* originale, différente de toute autre qui fait de son auteur « comme le citoyen d'une patrie inconnue, oubliée de lui-même, différente de celle d'où viendra, appareillant pour la terre, un autre grand artiste ». Cette « patrie inconnue », cette « vie antérieure », comme dit également Proust en pensant peut-être à Platon, confère à l'artiste qui a su l'évoquer une sorte d'immortalité. Ainsi l'écrivain Bergotte n'est peut-être pas « mort à jamais » en allant admirer la *Vue de Delft* de Vermeer, car il nous a donné accès dans ses livres, à un monde « différent, fondé sur la bonté, le scrupule, le sacrifice [...] et dont nous sortons pour naître à cette terre, avant peut-être d'y retourner revivre ».

Plus qu'un divertissement, plus qu'une recherche de la beauté pour elle-même, l'art est la tentative de communication d'une vérité intérieure. En nous livrant non point le spectacle lui-même mais l'impression ressentie devant lui l'artiste isole le contenu spirituel de l'objet; ce faisant, il révèle à autrui la qualité de son regard, l'état de sa conscience, il met enfin en échec l'isolement de chaque être dans un univers intérieur. Car l'art n'est pas l'imitation du monde mais le monde lui-même, perçu par les sens et par l'esprit, mis en forme par le génie. De même l'univers de la *Recherche* n'est pas mort avec les êtres et les paysages qui inspirèrent le romancier, il continue à vivre dans l'œuvre car « la vraie vie, la vie enfin découverte et éclaircie, la seule vie par conséquent réellement vécue, c'est la littérature ».

L'univers de la « recherche »

Dans le roman, les paysages, les passions, les individus apparaissent tels que le narrateur les découvre progressivement. Le lecteur partage ses rêves, ses étonnements et ses désillusions. Univers limité dans l'ordre de la matière, illimité dans celui de l'esprit, car le sujet du roman n'est pas dans la société ni dans les amours ni dans les sites, mais dans le regard que porte sur eux un être exceptionnellement sensible et intelligent.

« *Cette chose unique qu'est un lieu...* » Les longues heures de lecture dans le jardin de la tante Léonie, à Combray, ces heures « silencieuses, sonores, odorantes et limpides » sont interrompues par des promenades « du côté de Guermantes » ou « du côté de chez Swann » ; l'enfant, alors, se laisse pénétrer par l'enchantement des nymphéas de la Vivonne ou d'une haie d'aubépines. Mais le charme de ces deux côtés tient aussi à leur mystère : pressés par le temps, on ne « pousse » jamais jusqu'à Guermantes et l'enfant compense par la rêverie l'étroitesse de son univers; un simple nom de lieu, et le domaine des ducs de Guermantes, l'église de Balbec en Normandie, Venise elle-même prennent dans son esprit une forme détaillée et vivante. Le Balbec réel, malheureusement, n'a pas la beauté sauvage du Balbec rêvé, et les désillusions ne sont pas épargnées au narrateur.

Si les deux « côtés » étaient, pour l'enfant, deux univers différents et inconciliables, une nouvelle visite à Combray, bien des années après, lui révèle leur proximité, comme l'insignifiance de la Vivonne « mince et laide » qu'il admirait jadis. Ces déconvenues, simples vicissitudes psychologiques, n'entament pas l'enthousiasme du narrateur qui contemple une église ou une vallée non comme des tableaux figés ou isolés, mais dans leur environnement et leurs métamorphoses; plus qu'une description, le paysage proustien est une lecture métaphorique de l'espace vécu, une initiation à sa saveur, changeante, certes, mais inoubliable pour qui a su la saisir.

Dessin à la plume de Proust et ébauche du premier séjour à Balbec dans *A l'ombre des jeunes filles en fleurs*. Le texte subira de profondes modifications.

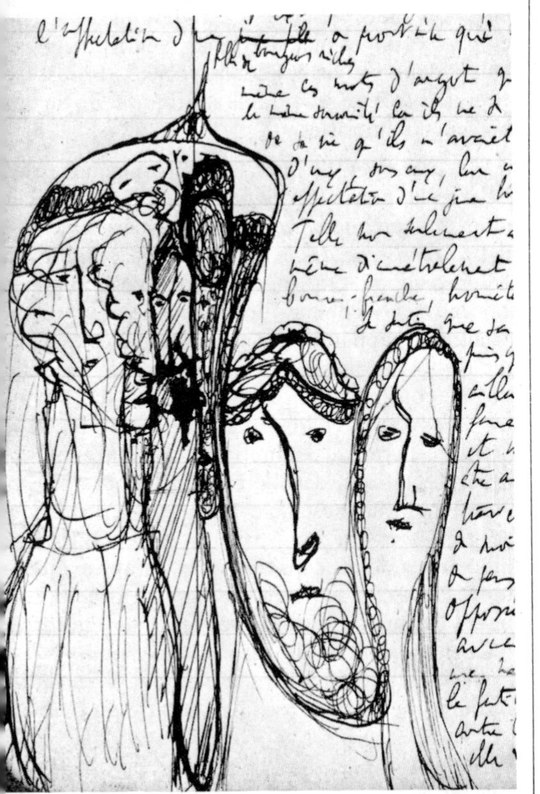

L'amour : de l'illusion du choix aux « intermittences du cœur ». Ce ne sont pas les voyages du narrateur qui assurent la continuité du récit, mais les épisodes de sa vie sentimentale. Gilberte Swann, son premier amour, est la fille d'un ami de ses parents, qui a épousé, après avoir beaucoup souffert pour elle, une demi-mondaine qui se faisait appeler Odette de Crécy. Le récit de l'amour de Swann, long chapitre à la troisième personne inséré dans la première partie du roman, apparaît comme l'archétype des passions successives du narrateur pour Gilberte, puis pour une jeune fille rencontrée à Balbec, Albertine Simonet.

Le romancier fuit tout épanchement lyrique; son instrument est l'analyse psychologique, son but est de formuler les lois immuables de la vie sentimentale. Ainsi, les circonstances, et même les sentiments, n'importent que dans la mesure où ils recèlent une vérité générale. Mais Proust ne se contente pas de redessiner, dans l'abstrait, la Carte du Tendre : il faut lire les pages, d'une poésie chaude et sensuelle, où il évoque le sommeil d'Albertine.

« En amour, note Proust, le choix ne peut être que mauvais. » En effet,

> Une ressemblance existe entre les femmes que nous aimons successivement, ressemblance qui tient à la fixité de notre tempérament, parce que c'est lui qui choisit, éliminant toutes celles qui ne nous seraient pas à la fois opposées et complémentaires, c'est-à-dire propres à satisfaire nos sens et à faire souffrir notre cœur.

L'origine de cette souffrance, c'est l'impossibilité de lire dans la conscience d'autrui. Le narrateur a beau cloîtrer Albertine dans son appartement, en faire sa « prisonnière », elle reste pour lui un « être de fuite », une éternelle étrangère. Cette ignorance même échappe d'abord à l'amoureux car « quand nous aimons une femme, nous projetons simplement en elle un état de notre âme ». Mais il suffit qu'un indice nous révèle la contradiction entre l'être réel et celui que notre imagination a fabriqué pour que naisse en nous la jalousie. Les « feux tournants de la jalousie » offrent quelques périodes d'apaisement où le soupçon, les enquêtes furtives et blessantes disparaissent mais, « pour la jalousie, il n'est ni passé ni avenir », et les souffrances du narrateur survivent à la mort d'Albertine; et la vraie mort, la fin de l'amour, c'est l'oubli qui la provoque.

> Les femmes qu'on n'aime plus et qu'on rencontre après des années, n'y a-t-il pas entre elles et nous la mort, tout aussi bien que si elles n'étaient plus de ce

monde, puisque le fait que notre amour n'existe plus fait de celles qu'elles étaient alors, ou de celui que nous étions, des morts?

L'ambition du romancier étant de montrer que « rien n'est plus différent de l'amour que l'idée que nous nous en faisons », il ne recule pas devant la peinture des amours féminines d'Odette et d'Albertine ou de la passion du baron de Charlus pour le jeune musicien Morel; car dans le domaine de l'amour

la matière est indifférente [...] et tout peut y être mis par la pensée; vérité que le phénomène si mal compris, si inutilement blâmé de l'inversion sexuelle grandit plus encore que celui, déjà si instructif, de l'amour.

« *Le monde étant le royaume du néant...* » Le narrateur porte sur la société le même regard que sur l'amour. Rien d'exceptionnel dans ses aventures sentimentales, sinon l'analyse dont elles sont l'objet. De même, rien de remarquable dans le cercle étroit de ses fréquentations. *A la recherche du temps perdu* n'est pas une fresque sociale comparable à *La comédie humaine*. Balzac voulait « rendre intéressant le drame à trois ou quatre mille personnages que présente une société ». La société proustienne est limitée à la famille du narrateur et à ses relations mondaines. Aucune action dramatique, en outre, ne vient soutenir l'intérêt : les personnages « sont importants parce qu'on les voit souvent au lieu d'apparaître souvent parce qu'ils sont importants » [1]. Témoignage sur une étroite frange de la société française au début du XXe siècle, la *Recherche* est surtout l'histoire de la découverte du monde par le narrateur : idéalisée par ses rêves d'enfant, la société mondaine s'ouvre à lui, mais il n'est pas dupe longtemps de l'élégance des toilettes et des raffinements de politesse; au lieu de l'admirer, il l'observe :

Ce que racontaient les gens m'échappait, car ce qui m'intéressait, c'était, non ce qu'ils voulaient dire, mais la manière dont ils le disaient, en tant qu'elle était révélatrice de leur caractère ou de leurs ridicules.

La vie mondaine est soumise à des lois : on ne fait partie du « petit clan » de Mme Verdurin que si l'on partage ses préjugés et son hypocrisie. La haute bourgeoisie guindée et parfois pédante n'a pas accès aux salons où la noblesse offre le spectacle d'une exquise politesse alliée à une futilité et à une ignorance inimaginables. Mais les valeurs mondaines ne résistent pas au temps : une Mme Verdurin devient princesse de Guermantes tandis qu'un baron de Charlus, issu d'une très ancienne famille, sombre dans une débauche dégradante. La vie de ces mondains, pour qui la valeur suprême est la position sociale et ses marques extérieures, apparaît au narrateur d'une étonnante vacuité. Derrière les masques du savoir-vivre et de l'élégance, il n'y a souvent rien, si ce n'est, parfois, l'obsession fiévreuse de désirs inavouables.

C'est par l'humour que Proust opère cette démythification. Non pas tableau de la société, mais caricature aux multiples registres : de l'ironie discrète au comique de farce. Les formules vides et pompeuses du marquis de Norpois, ambassadeur de France, attestent, comme la langue, rustique et savoureuse de Françoise, la vieille servante, le goût du romancier pour la diversité des langages. L'art du portrait-charge rappelle la verve cruelle d'un La Bruyère : le docteur Cottard est devenu l'archétype de l'imbécile heureux et Legrandin l'incarnation du snobisme. La malice du romancier fait subir à certains personnages de truculentes métamorphoses. M. de Palancy, « avec sa grosse tête de carpe aux yeux ronds », se déplace dans les salons comme un poisson dans un aquarium et telle « blonde valseuse » est devenue, avec le temps, « un vieux maréchal ventripotent ». Ainsi, dans sa vision de la société, Proust se révèle à la fois un redoutable satirique et un de nos meilleurs humoristes.

Les arbres et la forêt. Le foisonnement des thèmes, la diversité des tableaux avaient dissimulé aux premiers lecteurs un aspect essentiel d'*A la recherche du temps perdu :* la solidité de sa construction. Or Proust affirme avoir composé son œuvre « comme une cathédrale ». Si la structure n'apparaît pas d'emblée, c'est, explique-t-il à Jacques Rivière, que « comme elle est une construction, forcément il y a des pleins, des piliers, et dans l'intervalle de deux piliers, je peux me livrer aux minutieuses peintures ». Ce « plan secret qui, dévoilé à la fin, impose rétrospectivement à l'ensemble une sorte d'ordre » a été depuis mis à jour par les critiques [1]. La difficulté résidait dans les innombrables ajouts dont Proust n'avait pas cessé d'enrichir son œuvre, masquant quelque peu les lignes de force.

Une indication de Proust lui-même (« Le dernier chapitre du dernier volume a été écrit tout de suite après le premier chapitre du premier

1. J. F. Revel.

1. Et notamment par Jean Rousset, dans *Forme et signification.*

olume. Tout l'entre-deux a été écrit ensuite ») ouligne la présence symétrique, au début et la fin du roman, de deux expériences de ıémoire involontaire, qui « a pour effet de égager fortement la dialectique du temps t de l'intemporel qui est celle de l'œuvre ntière » (1). Dès lors, les correspondances pparaissent entre les thèmes : à chaque femme imée correspond la découverte d'un artiste Vinteuil-Odette, Bergotte-Gilberte, Elstir-Alberne) et, dans la vie du narrateur, un contrepoint 'instaure entre la vocation littéraire et la disersion mondaine, jusqu'à la synthèse du *Temps etrouvé*, où la vie devient le sujet de l'œuvre ıture. Ainsi la structure de l'œuvre, symétries t contrepoint, ne répond pas seulement à un ›uci d'harmonie ou de clarté, elle est porteuse e signification.

ituation de Proust

Comment situer *A la recherche du temps perdu* ans l'histoire du genre romanesque? « Roman e la génération symboliste » a-t-on dit. Mais, ès 1896, Proust dénonce les dangers du symboısme dans un article intitulé *Contre l'obscurité :*

> Qu'il me soit permis, écrit-il, de dire encore du symbolisme [...] qu'en prétendant négliger les « accidents de temps et d'espace » pour ne nous montrer que des vérités éternelles, il méconnaît une autre loi de la vie, qui est de réaliser l'universel ou l'éternel, mais seulement dans des individus. Les œuvres purement symboliques risquent donc de manquer de vie et, par là, de profondeur.

D'autre part, le narrateur, dans *Le temps retrouvé*, se déclare aussi ennemi du réalisme que du roman d'idées; à l'un, il reproche de n'être qu'un « misérable relevé de lignes et de surface », à l'autre, de faire preuve d'une « grande indélicatesse » car « une œuvre où il y a des théories est comme un objet sur lequel on laisse la marque du prix ». Le roman cesse d'être, avec Proust, « une sorte de défilé cinématographique des choses » sans pour autant devenir œuvre de raisonnement et de théories. Désormais, la fiction romanesque n'est plus déterminante, soumise qu'elle est à une vision poétique de la réalité. La grandeur de *La comédie humaine*, l'intensité des *Fleurs du mal* y trouvent un écho, mais Proust est autant précurseur qu'héritier d'une tradition. Pour la première fois, note Gaétan Picon, un roman est écrit « dont l'histoire se réduit à démontrer qu'il était possible de l'écrire ». *A la recherche du temps perdu* annonce une interrogation qui est celle-même du roman contemporain.

1. Jean Rousset, *ibid.*

ıIBLIOGRAPHIE

ÉDITIONS : L'édition d'*A la recherche de temps perdu* la meilleure est celle de la « Bibliothèque de la Pléiade » Gallimard, 4 vol. sous la direction de J.-Y. Tadié), reprise par la collection « Folio ». Les autres œuvres occupent eux autres volumes de la « Bibliothèque de la Pléiade » sous le titre d'« Œuvres romanesques et critiques ». On n trouvera certains extraits dans diverses collections de poche : *Contre Sainte-Beuve* et *Pastiches et mélanges* « Idées »), *Les plaisirs et les jours* (Livre de Poche).

ÉTUDES : La bibliographie proustienne est immense : pour avoir un choix commode des principales critiques ıscitées par l'écrivain on se référera à deux ouvrages : *Les critiques de notre temps et Proust*, présentation de BERSANI (Garnier, 1971) et J.-Y. TADIÉ, *Proust*, Les Dossiers Belfond, 1983. — Des nombreux volumes consarés à l'homme et à son œuvre, on retiendra : Germaine BRÉE, *Du temps perdu au temps retrouvé*, Les Bellesettres, 1950 (une lecture d'ensemble intelligente et fondamentale pour introduire à une réflexion appronfondie de œuvre). — Gilles DELEUZE, *Proust et les signes*, P.U.F., 1970 (analyse de la *Recherche* comme un apprentissage es divers « signes » qui masquent le monde : amour, société, art.). — Jean ROUSSET, *Forme et signification*, José orti, 1962 (des « notes » capitales pour saisir l'unité de composition de la *Recherche*). — Gaëtan PICON, *Lecture e Proust*, Mercure de France, 1963 [repris en « Idées », N.R.F.] (une stimulante approche de l'œuvre vue de l'inrieur). — Parmi les ouvrages plus récents : Jean-Yves TADIÉ, *Proust et le roman*, Gallimard, 1971, rééd. coll. Tel », et sa grande biographie de Proust, Gallimard, 1996. – Jean-Pierre RICHARD, *Proust et le monde sensible*, euil, 1972 (à la recherche de Proust à partir des signes sensuels et des impressions laissées par le désir dans l'exérience du narrateur). — Jean MILLY, *La phrase de Marcel Proust*, Champion, 1983. — Anne HENRY, *Marcel roust, théories pour une esthétique*, Klincksieck, 1981 ; *Proust romancier*, 1983 ; *Proust*, 1986. — Marie MIGUET, *a mythologie de Marcel Proust*, Belles-Lettres, 1982. — Michel RAIMOND, *Proust romancier*, SEDES, 1983.

Cercle d'écrivains et d'artistes gravitant autour de Dada et du Surréalisme (décembre 1922) : 1. René Crevel. — 2. Philippe Soupault. — 3. Max Ernst. — 4. Max Morise. 5. Doskoïevski (c'est, bien sûr, une plaisanterie). — 6. Rafaele Sanzio (autre plaisanterie). — 8. Théodore Fraenkel. — 9. Paul Éluard. — 10. Jean Paulhan. — 11. Benjamin Peret. — 12. Aragon. — 13. André Breton. — 14. Baargeld. — 15. Giorgio de Chirico. — 16. Gola Éluard. — 17. Robert Desnos.

LA LITTÉRATURE DE L'ENTRE-DEUX-GUERRES

'assage de la guerre

Quatre ans de guerre laissent des rides pro-
ondes. Revenant après la tourmente à l'hôtel
e Guermantes, Marcel Proust n'y découvre
lus que vides cruels, barbes blanchies, accou-
lements cocasses, « des poupées baignant
ans les couleurs immatérielles des années, des
oupées extériorisant le Temps, le Temps qui
'habitude n'est pas visible, pour le devenir
herche des corps et, partout où il les rencontre,
'en empare pour montrer sur eux sa lanterne
nagique ».

Parmi les 1 400 000 victimes du massacre, on
ompte Péguy, Alain-Fournier, Ernest Psichari
'auteur du *Voyage du centurion*), André Lafon
t les « poètes massacrés » presque inconnus
ncore, mais chargés de promesses. Apollinaire

> Blessé à la tête, trépané sous le chloroforme,
> Ayant perdu ses meilleurs amis dans l'effroyable [lutte [1]

'a pas résisté à l'épidémie de grippe espagnole
ui l'a emporté, la veille de l'armistice, au mo-
ent même où il semblait avoir trouvé l'amour
eureux avec une « adorable rousse ». Sans
secours des armes, le temps s'est aussi chargé
e faire disparaître du monde des vivants Gour-
nont, Rostand, Verhaeren, Bloy, etc. A dire
rai, n'auraient-ils pas fait figure de survivants
ans ce monde rajeuni par le sang? Comme
n Barrès, qui suscite les moqueries de ses adver-
aires en tirant sans risques des leçons d'hé-
oïsme de la guerre jadis tant souhaitée; comme
natole France, reclus dans sa propriété de la
échellerie pour méditer sur l'erreur d'un opti-
nisme naïf et se consoler avec des souvenirs
'enfance; ou encore comme les doux poètes de
uerre, Paul Fort ou Francis Jammes, parfaite
lustration de ces « héros d'un esprit médiocre
t banal » dont parle Proust, mal détachés d'une
sthétique anachronique et pourtant soucieux
de célébrer les événements du jour. Si le souffle de la tourmente donne vie à tant de romans, populaires certes, mais vite « passés », on doit avouer que le génie ne gagne pas à emboucher la trompette guerrière : Claudel gaspille ses versets inspirés dans une plate *Nuit de Noël 1914* ou de médiocres *Poèmes de guerre*, et les accents cocardiers de *Calligrammes* n'ajoutent pas grand-chose à la gloire d'Apollinaire.

1. « La jolie rousse », dans *Calligrammes*.

Les grandes vacances

Pour Raymond Radiguet (1903-1923), ces quatre années de guerre furent quatre années de « grandes vacances ». En tout cas, par réaction, on vit se lever, au-dessus de la mêlée, le signal d'une littérature « de vacance et de gratuité ». Dada en sera la pointe extrême. Cocteau renonce à caracoler dans les airs en compagnie de Roland Garros et déchaîne ses « enfants terribles ». Suzanne s'évade dans son île perdue [1] avec la complicité de Giraudoux, ancien blessé de guerre. Cendrars, amputé du bras en 1915, fait « bourlinguer » ses héros à travers le monde. C'est l'époque des premiers romans de Drieu la Rochelle et des *Contrerimes* de Paul-Jean Toulet (1867-1920) où la savante fantaisie dissimule la tristesse en mirant un rayon de soleil dans de « menteuses larmes ».

L'apparente frivolité du jeu ne doit pas cacher, en effet, la gravité du joueur. L'exemple de Radiguet est remarquable à cet égard. Sous le cynisme trop apparent du *Diable au corps* (1923), sous l'élégance du *Bal du comte d'Orgel* (1924) se cache une conception extrêmement exigeante de l'amour humain. L'intrigue romanesque se réduit à un jeu cruel de perpétuels malentendus où chacun se trompe sur l'autre, mais se trompe aussi sur lui-même. L'adolescent du *Diable au corps* commence à aimer Marthe au moment même où il est sûr de ne pas l'aimer. Mahaut,

1. Voir page 667.

Portrait de Raymond Radiguet, dessin de Jean Cocteau, son ami, qui écrivit à son sujet, après sa mort prématurée : « On ne saurait parler en ce qui le concerne de naissance ni de mort. Une apparition. Une disparition [...]. Un enfant après la course, seul au monde, assis dans une gloire, les joues en feu. »

qui croit n'avoir pas à se rapprocher de son mari Anne d'Orgel, s'en rapproche bel et bien. La vie boiteuse ne peut avoir d'autre issue que la séparation ou la mort. Il ne reste alors qu'une lucidité implacable qui paraît glaciale alors qu'elle est l'émotion à son suprême degré d'intensité : l'amant de Marthe semble ne l'avoir jamais aimée, mais s'évanouit en apprenant sa mort. Et l'on ne peut s'empêcher de penser que Radiguet fut la première victime d'un destin désinvolte qui l'emporta à vingt ans au moment où enfin, comme l'écrivait Cocteau, « il allait vivre heureux ».

On retrouve dans les romans de Giraudoux « cet air de vacance et de voyage qui est celui de l'époque » [1]. Sans doute, à un moment où la diplomatie de Poincaré semble s'étendre sur l'Europe, le cosmopolitisme littéraire devient-il une tendance naturelle de la France. André Maurois (1885-1967) annexe l'Angleterre (*Les silences du colonel Bramble*, 1918; *Les discours du docteur O'Grady*, 1922), et Maurice Bed (1884-1954) la Norvège (*Jérôme, 60° latitud nord*, 1927), Paul Morand (né en 1888) vo surgir des villes, des ports, et frappe à la por des boîtes de nuit et des grands hôtels interna tionaux (*Ouvert la nuit*, *Fermé la nuit*, 1922-1923 Pierre Mac Orlan (1882-1970) pénètre dans le bars à matelots et, devenu sédentaire, imagir les exploits de modernes aventuriers.

L'urgence de l'événement

Nul n'échappe, en ces « années vingt », à tentation d'une littérature du jeu (les plus granc

En haut, à gauche :
André Maurois à sa table de travail déc caçant l'un de ses ouvrages.
En haut à droite : Julien Benda, do G. Picon a pu écrire « Il n'est pas de littér teur plus authentique que cet ennemi d littératures. »
En bas, Pierre Dumarchey, dit Pierre M Orlan.

1. Gaétan Picon.

hefs-d'œuvre de cette décennie, *Charmes* de 'aléry, *Le soulier de satin* de Claudel, *Les faux-onnayeurs* de Gide en sont les illustrations iverses) qui se situe « entre parenthèses », en arge de l'Histoire. Mais à cette génération de réguliers » va succéder, selon Claude-Edmonde lagny, une génération de « séculiers », qui ntrent dans le siècle. On serait tenté de situer : tournant au moment de la crise économique 929). C'est le moment où les surréalistes se osent avec le plus d'acuité le problème de leurs lations avec les partisans de la révolution poli-que (deuxième manifeste de Breton). C'est celui ù Sartre fait naître la conscience nouvelle que rend l'écrivain de son « historicité » (1).

Progressivement, l'espoir de maintenir l'équi-bre du monde, incarné par la création de la ociété des Nations le 28 avril 1919, a disparu. e pacte Briand-Kellog a beau répudier la uerre, en 1928, la menace se précise au fur et à esure que s'effectue la montée au pouvoir du hef du Parti national-socialiste allemand, Hitler, ésireux d'affranchir définitivement son pays es clauses du traité de Versailles. Les étapes ont nettes comme les péripéties d'une tragédie t une pièce comme *La guerre de Troie n'aura as lieu* de Giraudoux en est bien le miroir) : ssassinat du chancelier autrichien Dolfuss 933), réarmement de l'Allemagne (1935-1936), ide à Franco contre les républicains espagnols, nnexion de l'Autriche et d'une partie de la chécoslovaquie (1938), invasion de la Pologne.

A l'intérieur, le gouvernement d'union natio-ale de Poincaré (1926-1929) et le gouvernement es modérés (1929-1932) avaient réussi à redresser ne situation économique désastreuse issue de la uerre. Mais la crise internationale entraîne, à artir de 1933, une crise du régime : le président lerriot ne peut empêcher un énorme déficit; les :andales éclatent (affaire Stavisky (2); l'émeute ronde le 6 février 1934 et laisse vingt morts. ux élections de 1936, les partis de gauche obtien-nent la majorité ; c'est l'époque du Front popu-laire dominée par la figure de Léon Blum. A la suite des accords Matignon (7 juin 1936), les ouvriers obtiennent la semaine de quarante heures, les congés payés, les contrats collectifs. Mais la peur des « rouges » fait échouer l'expé-rience (démission de Blum : 21 juin 1937), que liquident les cabinets radicaux. Gouvernants et gouvernés semblent, dans l'ensemble, plus hési-tants que jamais. La guerre les mettra en face de leurs responsabilités.

1. Voir page 572.
2. Ce célèbre escroc se trouve à l'origine d'un :andale financier retentissant, qui fournit à l'extrême roite l'occasion de dénoncer « la République des cama-ades ».

A la recherche de valeurs nouvelles

« Nous autres civilisations, nous savons main-tenant que nous sommes mortelles » : le cri d'alarme lancé par Valéry donne une dimension nouvelle à l'inquiétude de ses contemporains. Si les « années vingt » sont celles où tout est ébranlé (le freudisme dissout la notion de per-sonnalité; les notions scientifiques sont remises en question par le relativisme d'Einstein), les « années trente » sont plutôt celles où l'on est en quête de valeurs nouvelles. Sans se soucier des sarcasmes lancés par Julien Benda (1867-1956) dans *La trahison des clercs* (1927) contre ceux qui croient devoir se mêler aux agitations de leur siècle, les intellectuels de droite (Maurras et les jeunes gens qui se laisseront fasciner par le mirage fasciste, Brasillach ou Drieu la Rochelle) ou de gauche (depuis le vétéran Romain Rolland jusqu'aux écrivains communistes) invitent la littérature à s'engager.

A cet engagement, le personnalisme d'Emma-nuel Mounier (1905-1950), fondateur en 1932 de la revue *Esprit*, apporte des nuances. Il est également soucieux d'affronter les problèmes concrets et de sauvegarder sa liberté intérieure. Car la personne est transcendante à la situation dans laquelle elle s'enracine et c'est à « l'avène-ment d'un monde de personnes » qu'il faut tendre dans l'action révolutionnaire : « entre l'opti-misme impatient des fascismes, la voie propre de l'homme est cet optimisme tragique où il trouve sa juste mesure dans un climat de grandeur et de lutte ». Cette voie propre, l'existentialisme s'efforcera de l'éclairer à son tour.

IBLIOGRAPHIE

ŒUVRES : Raymond RADIGUET, *Le bal du comte d'Orgel,* Livre de Poche, n° 435 et Folio, n° 1476 ; *Le diable au rps,* Livre de Poche, n° 119 et Folio, n° 1391. — André MAUROIS, *Les silences du colonel Bramble,* suivis des *Dis-urs* et des *Nouveaux discours du docteur O'Grady,* Livre de Poche, nos 90-91. — Paul MORAND, *Ouvert la nuit,* ll. « Folio », n° 128 ; *Fermé la nuit,* Folio n° 383. Publication des œuvres de Morand dans la Pléiade.

LE SURRÉALISME

Il n'est rien dans l'ordre esthétique au XXe siècle qui égale l'importance du surréalisme; rien n'est pourtant plus malaisé à définir. Si l'on considère le mouvement constitué qui s'est donné ce nom, on peut, au prix de simplifications sans doute excessives, situer l'essentiel de son activité entre 1924 et 1939. Mais la pensée, les attitudes surréalistes existaient bien avant qu'André Breton, Louis Aragon et Paul Éluard, pour ne citer que les noms les plus célèbres, les aient précisées et illustrées; elles continuent d'exercer leur influence dans les domaines les plus divers — art, morale, publicité même — malgré la disparition ou les changements d'orientation de leurs promoteurs. Il y a un surréalisme historique dont on peut tant bien que mal suivre l'évolution, déterminer les phases principales et qui représente le tournant décisif de l'esthétique contemporaine. Il y a aussi un « esprit » surréaliste, intemporel peut-être, qui, révélé par le mouvement historique, le dépasse, le précède et lui survit : il faut tenter d'en préciser les caractéristiques et la valeur.

Mais l'essentiel de la révolution surréaliste risque d'être caché à l'amateur d'art s'il n'en retient que les résultats esthétiques. L'ambitio des écrivains, des peintres qui fondèrent ou ral lièrent le mouvement n'était pas d'aboutir à c qui nous frappe d'abord : des poèmes, de tableaux nouveaux. Il s'agissait, en partie grâc à cette production artistique considérée non plu comme une fin mais comme un moyen d'actio parmi d'autres, de parvenir à l'élaboration d'u homme nouveau, d'une vie nouvelle. Voir dan le surréalisme une école littéraire et pictural serait une erreur et une injustice. Il est « au sen propre » ce qu'un critique appelle « une révolu tion culturelle, puisqu'il nous propose un bou leversement des idées, des images, des mythe des habitudes mentales qui conditionnent à l fois la connaissance que nous avons de nous mêmes et du monde et notre engagement dans c monde » [1].

Sur les débris d'une culture en grande parti sclérosée et aliénante qu'il a contribué à ruine le surréalisme a tenté de constituer un humanism authentique en reprenant toute la mesure d l'homme, celle, qu'il a crue infinie, de sa libert et de ses désirs.

LE SURRÉALISME HISTORIQUE

On ne peut séparer l'histoire du surréalisme des événements et de l'état d'esprit de l'entre-deux-guerres; soit qu'il en profite, soit qu'il la refuse, le mouvement est lié à son époque mouvementée. On ne peut non plus isoler les recherches des surréalistes de tout l'effort de renouveau artistique, philosophique et politique qui avait marqué la fin du XIXe siècle et continuait d'agiter leur temps.

Un « refus avide »

Pour des jeunes gens de vingt ans un peu lucides, la Première Guerre mondiale ne pouvait que dévoiler la faillite d'une civilisation qui les avait « dressés » pour les tuer. S'ils échappaien au massacre, la même civilisation prétendait le reprendre, faisait miroiter à leurs yeux les vain prestiges de ses conquêtes scientifiques et tech niques. L'attitude surréaliste procède partiel lement du refus de cette civilisation et de se valeurs, elle est d'abord négation — celle qui s manifestera par le nihilisme de Dada — d'un vie qui emprisonne l'individu. André Breto a très clairement exprimé cet état d'esprit : « Pa dessus tout, nous étions en proie au refus sys tématique, acharné, des conditions dans lesquelles à pareil âge, on nous forçait à vivre. Mais c

1. Robert Bréchon.

efus ne s'arrêtait pas là, ce refus était avide [...] :e refus portait [...] sur toute la série des obligaions intellectuelles, morales et sociales que de ous côtés et depuis toujours nous voyions peser ur l'homme d'une manière écrasante » (1). On le 'oit, ce ne sont pas seulement les conditions de 'ie de l'homme qui sont mises en cause, mais outes les contraintes qu'une culture aliénante ui impose. C'est l'homme qu'il faut changer.

Les précurseurs et les influences

Ce désir d'un changement absolu, les surréalistes ı'étaient pas les premiers à le formuler. Breton léclarait en 1929 qu'« en matière de révolte » ls n'avaient pas besoin d'ancêtres; ils ne pou'aient pourtant manquer de se reconnaître dans uelques figures exceptionnelles de la littérature. \ une culture rationaliste dont ils connaissaient rop bien l'étroitesse et les sinistres effets, ils e sont plu à opposer le merveilleux du roman ıoir anglais et surtout l'œuvre et la vie exemlaires du marquis de Sade. Ils reconnaissent hez Nerval et les romantiques allemands leur ffort pour s'évader d'une vie fausse et pour faire léborder dans l'existence quotidienne le mystère oétique. « L'appétit spirituel » de Baudelaire es touche et les audaces d'Apollinaire, mais les nfluences les plus déterminantes qu'ils reçoivent ont celles de Rimbaud, de Lautréamont et de arry. Pour ceux-là, la poésie a été, non pas une echerche artistique, mais une véritable « activité le l'esprit », une vie authentique. Jarry, confondu ıvec son père Ubu, propose aux surréalistes l'une le leurs valeurs suprêmes, l'humour qu'un ami le Breton dont l'influence fut grande, Jacques /aché, définissait comme « le sens de l'inutilité héâtrale et sans joie de tout, quand on sait ». Rimbaud, le « voyant » qui prétendait forcer es mystères de l'inconnu par une vie véritablenent poétique, illustrait par avance l'ambition les surréalistes. Lautréamont leur apprenait « que la poésie doit mener quelque part » (2), il ut leur idole.

Ces écrivains révoltés apportaient aux surréalistes des exemples, indiquaient des voies qui estaient à frayer. Un savant allait cautionner et enforcer leur désir de jeter bas une réalité sounise à une raison et une logique asservissantes. Sigmund Freud, dont les travaux paraissent au lébut du siècle (*L'interprétation des rêves*, 1899; *Trois essais sur la théorie de la sexualité*, 1905), leur révélait l'importance de l'inconscient, la puissance des rêves et des désirs. André Breton et ses amis retrouvaient grâce à la psychanalyse « les pouvoirs originels de l'esprit », même si leur conception de l'inconscient et du rêve peut sembler plus proche des intuitions des romantiques allemands que des découvertes du docteur viennois.

1. *Qu'est-ce que le surréalisme?* (1934).
2. Breton, *Les pas perdus* (1924) (recueil d'essais sur Apollinaire, Jarry, Vaché, etc.).

(Musée d'art et d'histoire.) © Coll. L. B.

Dédicace plaisante de Paul Éluard à Dada sur une page qui porte le titre : « Les nécessités de la vie et les conséquences des rêves. »

Ce désir de retrouver un esprit libéré de contraintes culturelles, religieuses et sociales explique en partie aussi l'enthousiasme que les surréalistes manifestèrent pour les productions des cultures exotiques, dites « primitives », et suscita peut-être les vocations ethnologiques de Michel Leiris et d'Alfred Métraux.

L'expérience de Dada

Plus qu'un mouvement organisé, Dada fut un moment de crise qu'on peut approximativement situer entre 1916 et 1921. Dès avant la guerre, un état d'esprit nouveau était apparu chez des artistes pour qui la recherche esthétique n'était qu'une forme d'insurrection. Arthur Cravan, boxeur et « déserteur de dix-sept nations », scandalisait le monde des arts en publiant son tract *Maintenant* sur papier boucherie. Les revues *Sic* de Pierre Albert-Birot, *Nord-Sud* de Reverdy regroupaient les partisans du modernisme le plus avancé (cubisme, futurisme). Aux États-Unis, les peintres Francis

Picabia et Marcel Duchamp ridiculisaient l'œuvre d'art (1).

C'est à Zurich, où se trouvaient réunis de nombreux exilés de l'Europe en guerre, que cette crise de l'esprit se manifesta d'abord avec le plus de cohérence. De jeunes artistes groupés autour du Roumain Tristan Tzara baptisèrent par dérision leur entreprise du premier mot qu'ils trouvèrent dans un dictionnaire : Dada. Leur position est toute de refus, ils réprouvent l'engagement politique, et les événements majeurs de leur époque (révolution bolchevique, chute de l'empire allemand) ne trouvent aucun écho dans leurs manifestations. Ils veulent avant tout en finir avec les conventions et les préjugés d'une société haïe, et particulièrement avec les préjugés esthétiques. « ... Que chaque homme crie : il y a un grand travail destructif, négatif à accomplir. Balayer, nettoyer » (T. Tzara). C'est le procès d'un monde ennemi de la liberté que le nihilisme de Dada entend instruire par un scandale permanent. « A priori, c'est-à-dire les yeux fermés, Dada place avant l'action et au-dessus de tout : le Doute. Dada doute de tout » (T. Tzara).

Tzara et ses amis organisent des spectacles-provocations; ils dévalorisent l'œuvre d'art et ridiculisent les objets de la civilisation moderne par des assemblages d'éléments hétéroclites; ils humilient la poésie et le langage en composant des poèmes à partir de mots découpés dans un journal, jetés dans un chapeau et réunis au hasard.

Le dadaïsme zurichois est découvert par Breton en 1917 chez Apollinaire. Lorsque la revue *Littérature* est fondée en 1919 par Breton, Aragon et Soupault, il ne s'agit encore que d'affirmer les valeurs de l'esprit moderne : Valéry, Gide côtoient Max Jacob et Reverdy. L'influence de Dada et surtout l'arrivée à Paris de Tzara transforment complètement les tendances de la jeune revue. La volonté destructrice de Dada éclate alors dans le monde artistique parisien. Les activités scandaleuses du groupe (en particulier le procès de Maurice Barrès, pour « crime contre la sûreté de l'esprit » (2)) proclament la mort d'une culture et d'une civilisation faillies.

1. Marcel Duchamp exposait des « ready made », c'est-à-dire des objets industriels (porte-bouteilles, par exemple) qu'il signait comme s'il se fût agi d'une œuvre créée.

2. Le 13 mai 1921, au cours d'une manifestation publique organisée par Aragon et Breton, Maurice Barrès, représenté par un mannequin de bois, fut mis en accusation. Breton présidait, Aragon et Soupault assuraient la défense. B. Péret fit, dans le rôle du soldat inconnu, une intervention très remarquée en témoignant en langue allemande.

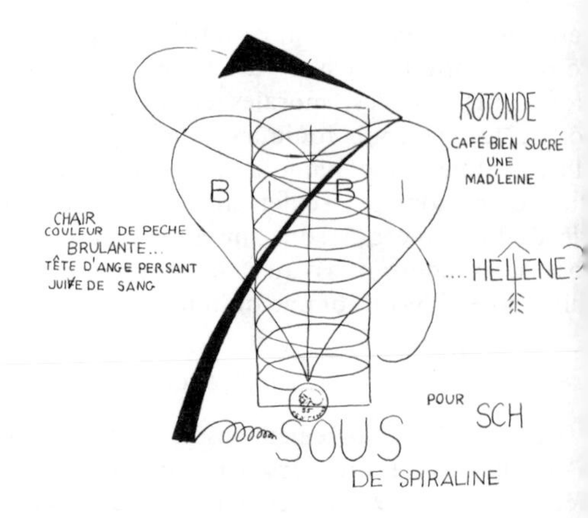

Chouchoune. Bibi, dessin dadaïste (1921
Le mélange de graphisme et de la poés
rappelle Apollinaire.

Le public accueillit très mal Dada; il désira de l'art neuf, on lui proposait la destruction e la dérision. Il était facile de se moquer, d condamner, c'était ne pas comprendre que désespoir et quelle exigence animaient les jeune gens qui collaboraient aux manifestations da daïstes : « humilier l'art et la poésie signifia leur assigner une place subordonnée au suprêm mouvement qui ne se mesure qu'en termes d vie » (Tzara). Ce suprême mouvement restai cependant à définir, et l'agitation anarchique d Dada pouvait sembler stérile. Vers 1922, Breto se sépare de Tzara, il constate la mort de Dada condamne ce qu'il appelle ses « velléités » Autour de lui, Aragon, Éluard, Soupault, aux quels se joignent Desnos, Baron, Vitrac, etc engagent l'entreprise de *Littérature* dans d nouvelles voies. Il ne s'agit plus de nier une vi faussée par des conditions sociales et morale haïssables, mais d'inventer une vie nouvelle.

« *Changer la vie* »

Après l'expérience destructrice de Dada Breton et ses amis s'efforcent d'élaborer un démarche systématique capable d'apporter l'homme la connaissance et la puissance de domaines qui lui sont restés jusqu'alors inconnus l'inconscient, le rêve, tout le merveilleux qu l'univers logique refoule. Autour de Breton que l rigueur de ses recherches théoriques et so magnétisme personnel désignent comme la « tête du mouvement, de nombreux talents se sont réun et ont élargi le groupe. Les récits de rêves, le sommeils hypnotiques, les libres associations d ensées et de mots constituent un inépuisable hamp de découvertes. En 1924, le surréalisme – le mot est emprunté à Apollinaire — est offi-iellement fondé. Le *Manifeste du surréalisme*, ublié la même année, fait le bilan des expériences u groupe et expose ardemment ses espoirs. ndré Breton y fait le procès du réalisme « hos-le à tout progrès intellectuel et moral » et des roductions artistiques que cette attitude mé-iocre détermine : le genre romanesque est articulièrement mis à mal. Contre la raison, reton, qui est l'interprète de ses amis, exalte s pouvoirs de l'imagination, du rêve qui est la raie vie de l'homme. Pour la conquête du mer-eilleux, une arme : la poésie, pourvu qu'elle onne libre cours à l'inconscient et aux désirs ar l'utilisation de l'écriture automatique, appelée ussi « pensée parlée » ou « écriture de pensée » (1).

Sous forme d'articles de dictionnaire, A. Breton éfinit ainsi l'entreprise :

urréalisme. n. m. Automatisme psychique pur par quel on se propose d'exprimer, soit verbalement, oit par écrit, soit de toute autre manière, le fonction-ement réel de la pensée. Dictée de la pensée, en l'ab-ence de tout contrôle exercé par la raison, en dehors e toute préoccupation esthétique ou morale.
ncycl. Philos. Le surréalisme repose sur la croyance la réalité supérieure de certaines formes d'associa-ons négligées jusqu'à lui, à la toute-puissance du êve, au jeu désintéressé de la pensée. Il tend à uiner définitivement tous les autres mécanismes sychiques et à se substituer à eux dans la résolution es principaux problèmes de la vie.

lairement avouée, c'est l'ambition de donner à 'homme, à tous les hommes — le surréalisme ntend être « le communisme du génie » — les noyens de se révéler à lui-même dans son authen-icité. La libération de la personnalité passe par a libération du langage qui, loin de cacher la érité secrète des êtres et du monde, devient le ieu d'un infini dévoilement.

Le groupe crée un « Bureau de recherches urréalistes » : il s'agit de confronter, de multi-lier les expériences, ou, comme le dit admira-lement Aragon, « d'aboutir à une nouvelle éclaration des droits de l'homme » (2).

En 1924, les surréalistes ne sont encore que des évoltés idéalistes, désireux de détruire grâce à la « toute-puissance de la pensée » toutes les contraintes qui pèsent sur les désirs de l'homme : logique, culture, morale, religion, famille, pa-trie... Mais s'il était exaltant de transformer radicalement la vie de l'esprit, était-il conce-vable, ou honnête, de le faire à l'écart du monde? Les surréalistes étaient menacés de confinement à l'intérieur d'une nouvelle « chapelle » esthé-tique et philosophique pendant que l'histoire humaine se poursuivait dans ses contradictions : renforcement du capitalisme, guerres coloniales, victoires de la révolution soviétique. Il était difficile de réclamer la révolution totale en se désolidarisant de toute action politique.

« *Transformer le monde* »

Accusés de verbalisme par les mouvements politiques révolutionnaires et particulièrement par les communistes, les surréalistes se rappro-chent des groupes se réclamant de la pensée marxiste à l'occasion de la guerre du Rif (1924-

Numéro 8 de *La Révolution surréaliste* (1er décembre 1926), page de couverture. On y voit un montage représentant divers objets et personnages dans une tête d'homme. « Ce qui manque à tous ces messieurs, c'est la dialectique » (Engels).

No 8 — Deuxième année 1er Décembre 1926

LA RÉVOLUTION SURRÉALISTE

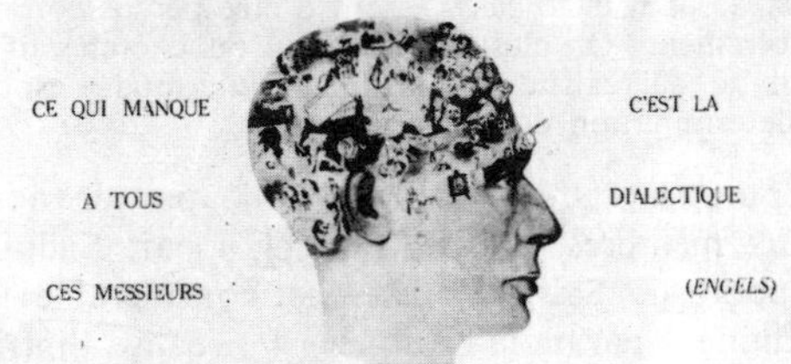

SOMMAIRE

Revue de la Presse : P. Eluard et B. Péret
TEXTES SURRÉALISTES :
Pierre Unik, Cl.-A. Puget.
Moi l'abeille j'étais chevelure : Louis Aragon
D. A. F. de Sade, écrivain fantastique et révolutionnaire : P. Eluard.
POÈMES
Max Morise, André Breton, Benjamin Péret, Michel Leiris.
Dzerjinski, président de la Tchéka : Pierre de Massot.
Lettre à la voyante : Antonin Artaud.
Opération : règle d'étroit : Pierre Brasseur.

Les dessous d'une vie ou la pyramide humaine : Paul Eluard.
Confession d'un enfant du siècle : Robert Desnos.
Uccello le poil : Antonin Artaud.
CHRONIQUES :
La saison des bains de ciel : G. Ribemont-Dessaignes.
Correspondance : Marcel Noll, E. Gengenbach.
Légitime défense : André Breton.
ILLUSTRATIONS :
Max Ernst, Georges Malkine, André Masson, Joan Miró, Man Ray, Yves Tanguy, Paolo Uccello.

ADMINISTRATION : 16, Rue Jacques-Callot, PARIS (VIe)

ABONNEMENT, les 12 Numéros : France : 55 francs Etranger : 100 francs

Dépositaire général : Librairie GALLIMARD 15, Boulevard Raspail, 15 PARIS (VIIe)

LE NUMÉRO : France : 5 francs Étranger : 7 francs

1. L'écriture automatique est sans doute le fait essentiel e l'expérience surréaliste : il s'agit pour le poète de trans-rire fidèlement, sans souci de logique ni de censure (gram-naticale, morale, esthétique...), les phrases qui se pressent n lui-même et demandent à être exprimées, « cognent à la itre ». On n'y parvient que par un état de passivité, 'abandon total : les poètes deviennent les « modestes ppareils enregistreurs » du phénomène.
2. *Une vague de rêves.*

1926), en particulier en 1925 avec le groupe *Clarté*. Breton voue d'ailleurs à Trotsky, pour son ouvrage consacré à Lénine, une admiration qui ne se démentira jamais. Mais si les surréalistes peuvent concevoir une collaboration avec des groupements politiques, ils ne peuvent admettre la confusion de leurs objectifs et de leurs recherches avec la pensée étroitement disciplinée d'un parti. L'adhésion de Breton, Aragon, Éluard, Péret, Unik au Parti communiste ne dissipe point les suspicions mutuelles.

D'autres conflits surgissent à l'intérieur même du groupe surréaliste : en 1926, Antonin Artaud et Philippe Soupault sont exclus parce qu'ils reconnaissent à l'activité littéraire une valeur propre. Mais ces problèmes externes et internes ne ralentissent pas les expériences du mouvement. 1928 est une année faste : elle voit paraître *Nadja* de Breton et le *Traité du style* d'Aragon, œuvres maîtresses qui signalent l'accomplissement des ambitions surréalistes, tout en soulignant leur rigueur et leur élévation pour ceux qui seraient tentés de les oublier.

Le *Second manifeste du surréalisme*, publié en 1929 après de nouvelles crises internes, est l'occasion pour Breton de rappeler avec fermeté les principes fondamentaux du mouvement, sa double exigence politique et morale, tout en redéfinissant admirablement les objectifs que ses compagnons et lui-même ne cessent de se proposer :

> Tout porte à croire qu'il existe un certain point de l'esprit d'où la vie et la mort, le réel et l'imaginaire, le passé et le futur, le communicable et l'incommunicable, le haut et le bas, cessent d'être perçus contradictoirement. Or c'est en vain qu'on chercherait à l'activité surréaliste un autre mobile que l'espoir de détermination de ce point...

Épuré, le mouvement est rallié par de nouveaux membres : Dali, Bunuel, Char, Sadoul. L'apport de Salvador Dali est considérable; sa méthode « paranoïa-critique » [1] réalise l'intrusion du désir humain dans l'univers matériel. Les surréalistes se mettent en quête d'objets insolites qui répondent à leurs désirs inconscients; enfin, ils fabriquent ces objets capables de meubler la vie quotidienne en harmonie avec la vie rêvée.

L'effort de conciliation entre l'engagement politique et la libre exploration des consciences individuelles se poursuit cependant, il est la cause des derniers grands déchirements. En 193(Aragon, qui était allé avec Sadoul en Unio soviétique, adhère définitivement au Parti commu niste et se sépare de ses amis. En 1933, Breton e Éluard sont exclus du Parti. La rupture est cett fois totale entre les aspirations révolutionnaire du surréalisme et la ligne politique inspirée pa l'U.R.S.S. Alors que le mouvement devien international et gagne la Tchécoslovaquie, l Suisse, l'Angleterre, le Japon..., Breton voyag beaucoup. Il rencontre au Mexique Trotsk qui appuie ses vues sur l'indépendance de artistes révolutionnaires. Pendant la Second Guerre mondiale, Éluard quitte le groupe e rejoint le Parti communiste. Breton, lui, s'exi aux États-Unis avec quelques amis et continu sa réflexion théorique (*Prolégomènes à un troi sième manifeste du surréalisme ou non*, 1942) Dali est exclu pour mercantilisme et franquism (il est férocement surnommé par Breton « Avid Dollar », anagramme de son nom).

Après la guerre, le surréalisme se confon presque avec l'activité de Breton, rentré à Pari en 1946. La reprise de contact est difficile l'occupation, la Résistance ont profondémen modifié les sensibilités et provoqué une prise d conscience nationale qui s'exprime sous le formes les plus simples de la poésie; les ancien adversaires communistes, maintenant puissants ont beau jeu pour régler leurs comptes. Trista Tzara (*Le surréalisme et l'après-guerre*, 1947) Roger Vailland (*Le surréalisme contre la révo lution*, 1948) s'en prennent à l'inefficacité « réac tionnaire » de leurs amis d'antan. Jean-Pau Sartre dénonce ceux qu'il appelle des « intellec tuels bourgeois ». Malgré les attaques, Breto ne renonce pas. Si le surréalisme en tant qu groupe ne survit pas à la guerre, en revanche grâce à celui qui en fut le théoricien le plu exigeant — le « Pape » disent les mauvaise langues — il continue en tant qu'esprit à influe sur la littérature et la vie. De nouveaux surré alistes apparaissent (Julien Gracq, André Pieyr de Mandiargues, plus récemment, Jean Schuste qui « succède » à Breton après sa mort), de nouvelles œuvres. Et mai 1968 ne fut-il pas à bien des égards — qu'on relise certains de slogans qui donnaient la parole aux murs — une tardive explosion surréaliste?

L'apport du surréalisme

L'histoire agitée du mouvement dégage asse clairement les réussites et les échecs des surré

1. La psychose paranoïaque se manifeste par un délire d'interprétation qui tend à réorganiser le monde en fonction de l'exaltation du moi.

alistes. Ils ont voulu changer la vie et transformer le monde, leur enthousiasme aura au moins profondément bouleversé les esprits, modifié les sensibilités et orienté pour longtemps l'activité artistique dans de nouvelles voies. Contre la tradition réaliste et rationaliste, ils ont prouvé que le merveilleux, sous toutes ses formes, pouvait être le lieu d'une vie plus vraie. Ils ont tenté d'abattre les parois qui séparent notre existence consciente, si pauvre et si étroite, de notre inconscient si riche; ils ont fait déferler sur les esprits ce qu'Aragon appelait « une vague de rêves ». Ils ont créé une mythologie nouvelle se réclamant des traditions ésotériques et occultistes, non pour vanter à l'homme un « obscurantisme » qu'ils réprouvaient, mais pour le rappeler à ses devoirs, à ses ambitions, pour le rendre à son unité. Retrouver le mystère du monde, merveilleux et indéfiniment ouvert, y accorder pleinement le mystère des consciences a été leur effort constant, il n'en est guère de plus noble. D'une civilisation moderne qu'ils condamnaient souvent, ils ont su retenir les fascinants pouvoirs : au mythe usé de la nature, ils ont substitué l'extraordinaire puissance poétique que la ville et ses hasards recèlent pour qui sait voir, et ils nous ont ouvert les yeux. Ils ont bravé une morale étriquée pour offrir à l'homme sa chance : la femme. Il n'est peut-être pas exagéré de dire qu'ils ont réinventé l'amour, que leur action dans ce domaine n'a d'égale que celle des troubadours au XIIe siècle. Peu désireux de distinguer l'esprit et le corps par d'artificielles et contraignantes oppositions, ils ont chanté avec un bonheur rarement égalé l'amour charnel et spirituel qui s'établit entre deux êtres élus comme l'échange le plus profond, le plus vrai, et leur permet de retrouver l'unité que tous cherchent désespérément.

Les surréalistes n'ont peut-être pas changé la vie, ni transformé le monde, ils nous ont montré qu'ils pouvaient être autres, mieux accordés à nos désirs infinis et jamais assouvis.

Surtout, et partiellement malgré eux, ils ont été les initiateurs d'une esthétique nouvelle. « Nous n'avons rien à voir avec la littérature », disaient-ils, la littérature a beaucoup à voir avec eux, et la peinture, et le cinéma. Ils ont confirmé ce que les plus fascinants des écrivains romantiques avaient pressenti en refusant de faire de la poésie une activité séparée de la vie, et comme ils ne toléraient pas que cette vie fût emprisonnée par des règles, ils ont libéré le poème de toutes contraintes formelles, ils ont purifié le langage de ses tâches utilitaires et stériles. Refusant toute imitation, ils se sont fiés à la spontanéité de l'esprit, à l'automatisme de l'écriture, au hasard, jusqu'à plaider l'irresponsabilité de l'écrivain, « le modeste appareil enregistreur ». Ils ont refusé la concision, la rature qui trahit la liberté et la vérité de la pensée, le rythme imposé qui la bride. Du moins ils ont voulu le faire — en réalité, peu de grands textes surréalistes sont uniquement dus à l'écriture automatique. Ils se sont fiés aux pouvoirs des symboles, des métaphores, des images qui rapprochent des réalités que l'esprit conscient ne songerait jamais à unir. Dans leurs poèmes, les mots « font l'amour » et engendrent un monde neuf, bouleversant.

Le vice appelé *Surréalisme* est l'emploi déréglé et passionnel du stupéfiant *image*, ou plutôt de la provocation sans contrôle de l'image pour elle-même et pour ce qu'elle entraîne dans le domaine de la représentation de perturbations imprévisibles et de métamorphoses : car chaque image à chaque coup vous force à réviser tout l'Univers [1].

« Réviser tout l'Univers » par l'acte littéraire, voilà sans doute l'apport essentiel du surréalisme : une grande partie de la littérature traditionnelle ne résistera pas à la formulation de cette exigence.

LES POÈTES SURRÉALISTES ET LEURS ÉVOLUTIONS

Si le surréalisme a été le fait d'un groupe, si même certaines des œuvres qu'il nous laisse, et non des moindres, sont les fruits d'une collaboration (*Les champs magnétiques*, écrits par Breton et Soupault; *L'immaculée conception*, par Breton et Éluard; *Ralentir travaux*, par Breton, Char et Éluard), on ne saurait oublier que des individualités bien différentes constituaient le groupe. Les traits propres de chacun se sont accusés à mesure que le groupe évoluait, éclatait. Si le surréalisme a une si grande importance dans l'histoire littéraire, ce n'est pas

1. Aragon, *Le paysan de Paris*.

seulement par la révolution qu'il y a portée mais grâce aux écrivains de première grandeur qui l'ont servi et ont exploité ses découvertes.

Breton (1896-1966)

L'histoire d'André Breton se confond avec celle du mouvement dont il fut le théoricien le plus ardent, le plus profond et le plus intransigeant. Nous avons vu comment, après des études médicales qui lui permirent de découvrir Freud, et des essais littéraires inspirés par Mallarmé puis par Apollinaire, il créa avec ses amis la revue *Littérature*, rallia le mouvement Dada et fonda le surréalisme (1).

Toute son œuvre est consacrée à la « défense et illustration » des valeurs surréalistes. Plus que son œuvre : toute sa vie — mais l'une et l'autre, selon son vœu, sont-elles séparables? Il faudrait ajouter aux textes laissés par Breton les témoignages de ses amis pour se faire une juste idée de la pensée, formulée ou « en acte », de celui qui exerça sur tous ceux qui l'approchèrent une indéniable fascination. « Plus qu'aucun de ses contemporains, il a contribué à remagnétiser le monde des idées », dit J. Gracq dans le livre qu'il lui consacre; P. Éluard déclarait qu'il « avait été et restait pour lui un des hommes qui lui avaient le plus appris à penser ».

Rigueur, passion et fidélité pour chercher, pour convaincre, pour condamner, ce sont les qualités de Breton, celles qui apparaissent avec éclat dans la prose superbe, démonstrative mais enflammée, des œuvres théoriques. *Les pas perdus* (1924), les trois *Manifestes* (1924, 1929, 1942) sont certes d'irremplaçables documents pour la connaissance des principes, des objectifs et de l'histoire du surréalisme, ce sont aussi des textes admirables où se révèlent la maîtrise et la personnalité d'un grand écrivain — un écrivain qui ne dédaigne pas les ressources les plus classiques de l'art d'écrire.

Les recueils où sont réunis ses principaux poèmes, *Clair de terre* (1923), *Signe ascendant* (1942), *Poèmes* (1948), témoignent de la progression des recherches surréalistes auxquelles Breton s'est toujours montré fidèle. On sent pourtant que l'auteur hésite entre deux formes d'expression : d'une part le texte automatique pur, d'autre part la vaste composition, souvent éloquente et noblement oratoire, qui n'est autre qu'un discours suivi où s'accumulent et s'entrechoquent les plus belles images. Il semble que cette formule l'ait souvent retenu *(Ode à Charles Fourier)*, capable qu'elle est de communiquer « un véritable frisson » et d'annoncer l'imminence d'un monde nouveau.

Les textes en prose — il faut se garder d'y voir des « romans », genre abhorré par l'auteur — sont peut-être les plus intéressants et les plus beaux. *Nadja* (1928), *Les vases communicants* (1932), *L'amour fou* (1937) proclament et réalisent la fusion du rêve et de la vie, abolissent les frontières qui rétrécissent l'esprit.

1. Voir p. 612.

Aragon (1897-1982)

Louis Aragon fit aussi des études de médecine; ses premiers écrits s'inscrivent dans l'histoire de Dada et du surréalisme. *Feu de joie* (1920), *Le mouvement perpétuel* (1925) montrent les dons d'invention verbale du jeune écrivain. *Anicet ou le panorama* (1921) exprime la révolte qui animait la génération de la guerre. *Le paysan de Paris* (1926) est sans doute la meilleure exploration du fantastique citadin, du merveilleux quotidien que le surréalisme nous ait laissée. Dans le *Traité du style* (1928), c'est la cynique et bienfaisante insolence qui éclate. Aragon possède au plus haut degré le génie de l'injure; servi par d'extraordinaires dons de prosateur, l'auteur dénonce avec brio les nombreuses inepties de son époque, jusqu'aux tentations de faire du surréalisme une mode.

Gagné au communisme, Aragon publie en 1934 *Hourra l'Oural*, recueil de poèmes militants. L'expérience de la Résistance et l'adhésion profonde à son parti provoquent un tournant décisif dans l'œuvre de l'écrivain qui reste servie par le même talent exceptionnel. *Le crève-cœur* (1941), *Les yeux d'Elsa* (1942), *Le musée Grévin* (1943), *La Diane française* (1944) renouent avec les traditions de la poésie nationale, seules capables de toucher le public le plus vaste. La France et Elsa, la femme du poète, sont les deux thèmes essentiels, parfois confondus, d'une poésie mélodieuse, lyrique, qui puise aux sources médiévales de l'épopée et de la courtoisie, restaure la rime et le rythme d'une façon très savante et parfois acrobatique, il est vrai.

Dès lors, la carrière littéraire d'Aragon va se diversifier. Poète, romancier, essayiste, journaliste, il oriente sa démarche selon ses inspirations personnelles, mais aussi selon les programmes littéraires du Parti communiste. L'évolution de l'écrivain nous permet, en partie, de suivre l'évo-

Paul Éluard et André Breton, ou les « regards jumeaux ».

Louis Aragon vers 1919. Après avoir tenté de concilier « le surréalisme et le devenir révolutionnaire », il ne pourra éviter la rupture avec le groupe de Breton en 1932.

ution des choix esthétiques d'un courant de pensée dont l'importance depuis la Libération st fort grande.

A la période de la poésie nationale correspond pour Aragon un retour à l'expression romanesque. En 1933, avec *Les cloches de Bâle*, en 1936, avec *Les beaux quartiers*, le romancier avait ouvert e cycle du « monde réel »; il poursuit son entreprise avec *Les voyageurs de l'impériale* (1942) t *Aurélien* (1945). Il veut décrire, à travers l'évocation de destins individuels, tout un monde social – celui de la bourgeoisie essentiellement — en proie à ses contradictions. Ces romans sont très raditionnels et semblent souvent marquer une ésitation entre la volonté d'analyse ou de ritique sociale et l'interprétation quasi lyrique 'une destinée traversée par l'amour, hésitation rès sensible dans le beau récit d'*Aurélien*.

Dès le début de la guerre froide, on assiste e la part des communistes à un sursaut de sévérité doctrinale. Il s'agit d'élaborer une littérature e parti. Cette période, qui commence en 1947, oit des œuvres communistes très disciplinées et e plus souvent très décevantes. Le vaste roman 'Aragon, *Les communistes* (1948-1951), qui voque la vie française entre 1939 et 1940, 'échappe pas aux dangers qui guettent une telle ttérature.

Le courant de « déstalinisation », qui se manifeste à partir de 1956, et l'intervention soviétique en Hongrie (automne de la même année) provoquent le déchirement de bien des consciences. *Le roman inachevé* d'Aragon (1956) est un recueil poétique fort important, conçu comme une autobiographie, qui témoigne de la désillusion de l'auteur. Suivent *Elsa* (1959), *Les poètes* (1960) et surtout *Le fou d'Elsa* (1963) : jamais le poète ne paraît mieux maîtriser son immense talent. Il adopte avec une facilité déconcertante tous les tons, tous les genres poétiques de la tradition française. Tour à tour nouveau Musset, nouvel Apollinaire, nouveau trouvère, il chante sur tous les mètres, tous les rythmes, son angoisse et ses espoirs : le socialisme et l'amour. La « renaissance » du poète s'accompagne d'un renouvellement du romancier. *La semaine sainte* (1958) renoue avec les formes du roman historique mouvementé et coloré, mais c'est encore pour étudier un moment de crise sociale : la retraite des royalistes lors du retour de Napoléon. *La mise à mort* (1965), *Blanche ou l'oubli* (1967) font apparaître au premier plan les soucis du romancier qui a su assimiler les tendances nouvelles du roman contemporain pour réfléchir sur son art et sur les pouvoirs du langage.

Si l'on considère l'ensemble de l'œuvre d'Aragon — il faudrait ajouter aux poèmes et aux romans les essais sur la peinture, sur la littérature, les articles critiques — on ne peut manquer d'être frappé par son volume et par sa prodigieuse faculté d'adaptation. Le poète peut sembler à contre-courant de l'évolution poétique contemporaine, il embrasse toute une tradition qui ne peut laisser personne indifférent (bien des poèmes, mis en musique par Ferré, Ferrat, etc. sont devenus des chansons à succès qui propagent la poésie hors des frontières du monde littéraire). Le romancier n'a sans doute pas fait progresser profondément les formes romanesques, mais il est l'un des prosateurs les plus enchanteurs de son temps.

Éluard (1895-1952)

Quelques-unes des remarques sur les problèmes que posent à l'écrivain son engagement et sa discipline politiques seraient aussi applicables à Paul Éluard. Mais il sera moins nécessaire d'y revenir tant s'impose à la lecture de l'œuvre, par delà son évolution, la constante de l'évidence poétique, la fidélité jamais démentie à un ton, à des thèmes, à une façon d'être homme parmi les hommes.

Après avoir lu les unanimistes et chanté la peine des hommes dans la guerre [1], Éluard impose dès son adhésion au surréalisme le son d'une voix neuve et personnelle qu'il ne devait jamais renier. *Mourir de ne pas mourir* (1924), *Capitale de la douleur* (1926), *L'amour la poésie* (1929), *La vie immédiate* (1932) révélaient de quel pouvoir merveilleux les mots étaient doués, avec quelle facilité ils le laissaient éclater pourvu qu'on les interrogeât avec passion (et qui l'eût mieux fait qu'Éluard qui se consacrait alors justement à l'étude du langage, de la poésie « involontaire » présente dans les proverbes et les lieux communs?). Le poète chante avec la voix la plus pure et la plus retenue les rapports fondamentaux que l'homme entretient avec la « vie immédiate » : l'univers sensible et les sens s'accordent, le réel et le rêve s'unifient dans le même clair-obscur, sont embrassés dans la même relation amoureuse. Car, d'emblée, apparaît la valeur suprême de toute la poésie d'Éluard : l'amour. C'est l'amour qui brise la solitude de l'homme, éclaire pour lui un monde enfin saisi comme dans un bond essentiel et bouleversant :

1. *Le devoir et l'inquiétude* (1917).

> Une ombre...
> Toute l'infortune du monde
> Et mon amour dessus
> Comme une bête nue [1].

Dans cette première série de recueils qui co respond aux grands moments du surréalism mais qui ne semble marquée par aucun procéc d'école visible, se manifeste avec le plus d'écl le génie poétique d'Éluard : en peu de mot dans des textes généralement fort brefs, concentr autour de quelques images, se joue et s'accompl le destin perpétuellement recommencé d'u homme qui naît aux beautés de l'univers, « To s'élance et s'envole et s'allume... »

Les yeux fertiles (1936) d'abord, puis *Donn à voir* (1940), *Poésie et vérité* (1942), *Au rende vous allemand* (1944) où l'on note l'influence d la lutte anti-fasciste et de la Résistance témo gnent d'un élargissement de l'inspiration du poèt Son œuvre évolue, mais sans secousses, sa ruptures. De la suggestion, la poésie passe l'action, prend une dimension plus ouvertemen fraternelle; comme l'a admirablement dit Éluar il s'agit du passage « de l'horizon d'un homme l'horizon de tous ». Dans le genre périlleux de l poésie politique, c'est Éluard qui a incontest blement le mieux réussi. Nous lui devons les pl chaleureux, les plus émouvants poèmes de guer — qui ne connaît l'extraordinaire « Liberté »? — son adhésion au communisme ne se traduit pa aucune agressivité doctrinale, mais appara plutôt comme la confirmation — trop optimis parfois? — d'un sens de la fraternité que le poè a toujours possédé. L'amour reste le thème o pour mieux dire l'énergie centrale de la poési d'Éluard, mais cet amour déborde et figure un plus vaste communion humaine. Ce glissement d l'inspiration s'accompagne comme il se do d'une évolution formelle; la langue poétiqu tend vers une extrême nudité, il ne s'agit plus d métamorphoser l'expérience, mais de la dir simplement dans son universalité : n'est-elle pa puisque l'amour l'illumine, porteuse de toutes le métamorphoses humaines? « Il nous faut peu d mots pour exprimer l'essentiel, il nous faut tou les mots pour le rendre réel », se plaisait à répéte Éluard; les œuvres nouvelles, *Poésie ininterron pue* (1946), *Corps mémorable* (1947), *Une leço de morale* (1949), *Pouvoir tout dire* (1951), *L Phénix* (1951) présentent des exemples de poési discursive, passionnée, désireuse d'intégrer tou les éléments du monde sensible, selon le bea

1. *Mourir de ne pas mourir.*

programme du titre « donner à voir », désireuse aussi de convaincre, d'apporter aux lecteurs ce qu'un autre titre appelle « une leçon de morale ».

Du chuchotement et du clair-obscur des débuts au didactisme éloquent et lumineux de la dernière période, c'est la même voix que nous entendons. Toujours juste et pure, elle s'établit dans le même lieu poétique, celui de nos rapports avec l'univers des choses et des êtres. Si Éluard est l'un des plus grands poètes du XXe siècle, c'est grâce à cette voix qu'on dirait « originelle », jamais entendue avant lui et pourtant immédiatement familière.

Desnos (1900-1945)

Robert Desnos a exercé dès les premières années du mouvement surréaliste une influence capitale. Il était sans doute le plus doué du groupe pour faire apparaître, grâce à l'écriture automatique, aux sommeils hypnotiques, les richesses de l'inconscient. Il s'est complu à cultiver les jeux de mots, le délire verbal, à laisser toute sa puissance et sa responsabilité au langage en liberté. *Corps et biens* (1930), *Fortunes* (1942) et surtout *Domaine public*, publié après la mort du poète dans un camp de concentration et qui rassemble ses œuvres presque complètes, permettent de suivre l'évolution et de mesurer la variété du talent de Robert Desnos. On découvre à côté des exercices d'école surréalistes de très beaux poèmes lyriques.

Tzara (1896-1963)

« Importateur » du mouvement Dada qu'il avait fondé à Zurich, séparé d'André Breton et de ses amis lorsqu'ils fondèrent le surréalisme, Tristan Tzara a progressé en solitaire. Son œuvre, néanmoins, n'est pas à écarter du surréalisme, Breton l'a reconnu, et a salué sa valeur et son honnêteté. Les *Manifestes Dada*, les *Vingt-cinq poèmes* (1918) illustrent une phase négatrice nécessaire : Tzara s'y distingue par une rare violence, exercée contre la société, la culture et surtout le langage. *L'homme approximatif* (1931) est un chef-d'œuvre. Dans ce poème immense — qu'on a dit épique — où se succèdent, comme des laisses en effet, de longues rafales verbales, proférées par une voix véhémente qui se prête à tous les éléments de l'univers, l'auteur recrée véritablement un monde chaotique, un homme toujours inachevé. Peu à peu, le poète, sans rien perdre de sa violence généreuse, donne à sa voix des inflexions de tendresse, de gravité : il s'adresse plus directement aux hommes qui souffrent et témoigne des drames de l'histoire (*Entre-temps*, 1946; *La face intérieure*, 1953).

Bien des noms restent à citer, des œuvres à évoquer. Philippe Soupault, surréaliste de la première heure, esprit curieux à qui la littérature ne suffit point. Benjamin Péret, grinçant, amer toujours fidèle aux conceptions les plus dures du surréalisme — n'écrivit-il pas en 1945 *Le déshonneur des poètes* pour condamner ceux qui avaient prêté leur voix aux douleurs et aux espoirs de la Résistance? Il faut aussi signaler l'existence, assez éphémère, d'un groupe séparé du mouvement surréaliste, mais animé d'ambitions comparables : le *Grand jeu* de René Daumal, R. Gilbert-Lecomte, Roger Vailland, A. Rolland de Renéville s'est surtout préoccupé des mystères de l'occultisme.

BIBLIOGRAPHIE

ŒUVRES : André BRETON, *Manifestes du surréalisme*, Gallimard, coll. « Idées. », n° 23 ; *Les pas perdus, id.*, n° 205 ; *Clair de terre*, « Poésie/Gallimard », n° 11 ; *Signe ascendant, id.*, n° 37 ; *Nadja*, coll. « Folio », n° 73. Publication de deux tomes dans la Pléiade. — Louis ARAGON, *Le roman inachevé*, « Poésie/Gallimard », n° 7 ; *Le mouvement perpétuel, id.*, n° 54 ; *Le paysan de Paris*, Folio, n° 782 ; *Aurélien*, Folio, n°s 885-886. — Paul ÉLUARD, *Capitale de la douleur*, « Poésie/Gallimard », n° 1 ; *La vie immédiate, id.*, n° 18 ; *Poésie ininterrompue, id.*, n° 39. — Robert DESNOS, *Corps et biens, id.*, n° 27. — Tristan TZARA, *L'homme approximatif, id.*, n° 28.

ÉTUDES : Georges HUGNET, *L'aventure Dada*, Seghers, 1971. — Maurice NADEAU, *Histoire du surréalisme*, Seuil, 1945. — Robert BRÉCHON, *Le surréalisme*, A. Colin, coll. « U2 », n° 159 (bonne étude des principales caractéristiques du mouvement). — Claude ABASTADO, *Introduction au surréalisme*, Bordas, coll. « études », 1971. — Gérard DUROZOI et Bernard LECHERBONNIER, *Le surréalisme, théories, thèmes, techniques*, Larousse, 1971. — Philippe AUDOUIN, *Les surréalistes*, éd. du Seuil, 1973. — Jacqueline CHÉNIEUX-GENDRON, *Le surréalisme*, P.U.F., 1984. — Philippe Audoin, *Breton*, Gallimard, 1970. — Marguerite BONNET, *André Breton, naissance de l'aventure surréaliste*, Corti, 1975. — Bernard LECHERBONNIER, *Aragon*, Bordas, « Présence littéraire », n° 805. — Raymond JEAN, *Éluard par lui-même*, Seuil, « Écrivains de toujours », n° 79. — Marie-Claire DUMAS, *R. Desnos ou l'exploration des limites*, Klincksieck, 1980.

LA POÉSIE HORS DU SURRÉALISME

En dehors de toute discipline d'école, quelques poètes, n'écoutant que leur voix propre, ont, chacun à leur manière, contribué à l'évolution de la poésie d'entre les deux guerres. L'aventure surréaliste ne fut pas pour eux un fait déterminant. Certains l'ont partiellement inspirée, comme Pierre Reverdy, d'autres, comme Max Jacob ou Jean Cocteau, n'en ont retenu que ce qui pouvait enrichir leur domaine personnel, d'autres se sont tenus à l'écart comme Jules Supervielle. Tous cependant ont profité de la liberté que la poésie de leur temps avait commencé à conquérir. Avec audace et fantaisie ou avec minutie et scrupule, ils se sont efforcés d'approfondir les possibilités de leur langage.

Fargue (1876-1947)

Plus proche du symbolisme finissant que des révoltes et des expériences de la poésie nouvelle, Léon-Paul Fargue se signale d'abord par l'extrême musicalité de ses poèmes en vers ou en prose, la délicatesse d'une sensibilité vibrant aux moindres sensations et un délicieux humour naïf (*Poëmes*, 1912; *Pour la musique*, 1914; *Espaces*, 1929; *Sous la lampe*, 1930). La simplicité, la facilité même de sa poésie est le résultat d'un savant travail qui apparaît plus nettement dans ses œuvres en prose (*D'après Paris*, 1932; *Le piéton de Paris*, 1939) où il traduit avec beaucoup de verve et d'émotion les mystères de la grande cité. Aux évasions dans l'espace ou dans le « surréel », Fargue préfère, et c'est son originalité, le voyage dans une rêverie que la vie intérieure ou les faits les plus familiers suffisent à alimenter.

Max Jacob (1876-1944)

Les débuts de Max Jacob sont liés au monde bohème et passionné de recherches artistiques qui vivait à Montmartre au début du siècle. Non conformiste dans la vie, l'auteur l'est plus encore dans ses œuvres : devant l'absence de signification du monde réel, le poète refuse même, semble-t-il, de croire à ce qu'il écrit; il se réfugie dans la mystification, l'ironie, le burlesque (*Les œuvres burlesques et mystiques de Frère Matorel*, 1912; *Le cornet à dés*, 1917; *Le laboratoire central*, 1921). Le rire que provoque la cocasserie de certains textes fondés sur des coq-à-l'âne ou des calembours n'abolit pas l'inquiétude que leur apparent non-sens suscite, on sent trop bien quelle angoisse il veut dissiper. Cette angoisse éloignée par la fantaisie, Max Jacob la combat aussi par le mysticisme. D'origine israélite, le poète s'est converti au catholicisme et a écrit de fort émouvantes prières, les *Méditations religieuses*, qui paraîtront en 1948. Il s'était retiré à l'abbaye de Saint-Benoît-sur-Loire lorsqu'il fut arrêté par la Gestapo; il mourut au camp de Drancy.

Cocteau (1899-1963)

L'aviation, les mythes grecs, les Ballets russes, le « cinématographe », la peinture, la vie mondaine la plus spirituelle et la plus irritante aussi, enfin l'Académie française... Jean Cocteau peut passer pour un « touche-à-tout » aux talents multiples et féconds. La modernité sous toutes ses formes, y compris les modes les plus passagères, les plus superficielles, retient l'écrivain. Il essaie d'y intégrer une mythologie traditionnelle et particulièrement celle d'Orphée, le poète. L'entreprise est ébouissante, trop peut-être. L'émotion vraie se mêle de méfiance, le lecteur hésite devant une magie qui n'est souvent que de la prestidigitation. *Le cap de Bonne Espérance* (1919), *Plain-chant* (1923), *Opéra* (1927), *Le chiffre sept* (1952) exploitent toutes les possibilités que le réel et l'imaginaire offrent au poète :

> Toute ma poésie est là : je décalque
> L'invisible (invisible à vous).

Mais sous les acrobaties verbales, parmi le bric-à-brac un peu clinquant, on reconnaît parfois les accents et les sentiments vrais d'un homme pudique, en proie aux angoisses élémentaires devant les mystères de la vie et de la mort.

Romancier (*Thomas l'imposteur*, 1923; *Les enfants terribles*, 1929), dramaturge (*Œdipe-roi*, 1928; *La machine infernale*, 1934; *Renaud et Armide*, 1948), Jean Cocteau s'accomplit véritablement au cinéma (*Le sang d'un poète*, 1932; *La belle et la bête*, 1945; *Orphée*, 1951; *Le testament d'Orphée*, 1959) qui est pour lui du « poème agi ».

Reverdy (1889-1960)

En 1928, Breton, Soupault et Aragon reconnaissaient en Pierre Reverdy « le plus grand poète actuellement vivant ». Le *Premier manifeste du surréalisme* le saluait déjà en 1924 comme un maître et un précurseur. René Char le préfère à Apollinaire... C'est assez souligner l'importance d'un poète que sa discrétion et le bruit que mènent ses successeurs tiennent trop à l'écart du grand public.

En haut, Max Jacob, par Jean Cocteau.

En bas, à gauche, Pierre Reverdy.
« O mes amis perdus derrière l'horizon
Ce n'est que votre vie cachée que j'écoute. »

En bas, à droite, Jules Supervielle
« Je ne vais pas toujours seul au fond de [moi-même
Et j'entraîne avec moi plus d'un être vivant. »

© Collection particulière

© A. Varda-Rapho

Deux grands recueils réunissent la presque totalité de l'œuvre poétique dispersée en plaquettes : *Plupart du temps* (1915-1922) correspond à l'époque montmartroise du poète, à l'effervescence artistique d'un milieu que fréquentait Reverdy, où il rencontrait Apollinaire, Jacob, Juan Gris, Braque, Picasso. *Main-d'œuvre* (1913-1949) regroupe des textes écrits entre 1925 et 1949 auxquels s'ajoutent quelques inédits des débuts. Ce grand livre correspond à l'époque où Reverdy, converti au catholicisme, s'était retiré à l'abbaye de Solesmes. A ces œuvres il faut ajouter les recueils de notes, de confidences où sont consignées la sagesse et la pensée esthétique du poète : *Le gant de crin* (1927), *En vrac* (1956), *Le livre de mon bord* (1958).

Malgré le volume de l'œuvre et son extension dans le temps, il n'est guère possible de parler d'une évolution de Reverdy. A quelques variations formelles près [1], c'est une même voix que nous entendons, établie une fois pour toutes, qui ne gagne qu'en assurance et en certitudes mélancoliques à mesure que le temps passe. L'œuvre n'est qu'un poème toujours recommencé, l'établissement dans un présent continu d'une même relation essentielle entre l'homme et le monde, l'accumulation monotone des « cristaux déposés après l'effervescent contact de l'esprit avec la réalité » (c'est ainsi que Reverdy définit ses poèmes dans *Le gant de crin*).

Placé « à l'intersection de deux plans cruellement acérés, celui du rêve et celui de la réalité » *(Le gant de crin)*, le poète n'ouvre guère son inspiration à l'anecdote, aux pressions de l'événement, il recherche la concentration, le dénuement. Nous sommes frappés par le dépouillement extrême des moyens mis en œuvre, par la nudité « plastique » d'un univers d'objets savamment mis en place (on a parlé, à propos de Reverdy, de « poésie cubiste »). Chaque poème plante le décor et esquisse la mise en scène d'un drame imminent, deviné, celui de l'étreinte — toujours décevante? — de l'homme et du monde qui n'est pas le vrai monde. La monotonie de l'œuvre trahit et rend douloureusement présente l'attitude existentielle d'un artiste qui consume sa vie dans une inachevable quête.

1. En particulier les images hardies qui entraînaient l'admiration des surréalistes se font plus rares à mesure que l'œuvre progresse.

Poésie de l'attente, de l'attention, qui relie le poète au « réel absent », mais ne comble pas cette absence, l'œuvre de Pierre Reverdy, qui a déjà tant influé sur les découvertes de la première moitié du siècle, continue d'exercer une action souterraine, mais déterminante, sur les plus récentes recherches poétiques.

Supervielle (1884-1960)

Faut-il parler d'un « cas » Supervielle? Oui, s'il est exceptionnel de demeurer obstinément, modestement soi-même en dépit de tous les courants d'idées, de toutes les modes. Né à Montevideo, à la fois Uruguayen et Français, Jules Supervielle a connu l'effervescence poétique du demi-siècle le plus agité, peut-être, de toute notre histoire littéraire sans que la qualité majeure de sa voix, la fraîcheur, en soit affectée.

Supervielle n'est pas un oracle, mais un conteur délicieux et un fabuliste (il est aussi poète dans ses romans, ses contes *L'homme de la pampa*, 1923; *Le voleur d'enfants*, 1926; *L'enfant de la haute mer*, 1931; *L'arche de Noé*, 1938 et ses pièces de théâtre, *Bolivar*, 1936; *Schéhérazade*, 1948, que dans ses recueils de vers). Cela suffirait pour que les exigences modernes de la poésie le disqualifient. Le miracle, c'est que Supervielle ne cesse pas d'être grand poète en s'efforçant d'être le plus clair, le plus intelligible possible. Chez lui, aucune malédiction contre un langage infirme, le poète fait confiance aux mots, à leur précision ou à leur ambiguïté calculée, à leur harmonie. Il refuse une « alchimie verbale » qui complique à plaisir la lecture parce qu'il sait que la simplicité de l'homme et du monde contient un mystère plus authentique, une beauté plus sûre que les laborieuses énigmes du langage.

C'est beau...
...d'avoir tous ces mots
Qui bougent dans la tête,
De choisir les moins beaux
Pour leur faire un peu fête... [1]

comme il est beau « d'avoir aimé la vie », celle du monde réel, qui suffit, la vie de la terre, des végétaux, des mers, la vie des animaux, la vie des hommes, c'est-à-dire aussi leur mort...

Supervielle ou le réconciliateur : sa sensibilité aux rapports du visible et de l'invisible n'est jamais en défaut. A partir des objets les plus simples, des sentiments les plus universels, le poète évoque sur un ton aimable, pudiquement dubitatif et rassurant, tout un univers fantastique de métamorphoses. D'abord ouverte à toutes les formes du monde sensible et spirituel, à l'exotisme sud-américain, aux forces obscures des étendues océaniques, l'inspiration du poète, dans les dernières années, semble se resserrer, s'attacher à un univers dont la profondeur inquiétante l'a toujours attiré, celui du corps humain avec sa flore et sa faune mystérieures, la « sanglante écurie » des viscères. Plus et mieux que jamais, avec une simplicité accentuée, les derniers recueils témoignent de ce « passage du réel à l'irréel » qui touche tant l'auteur.

« Aimant par dessus tout le naturel », Supervielle utilise librement dans ses poèmes à peu près toutes les formes que lui offrent les traditions poétiques classiques ou récentes : vers blancs ou prose rythmée, articulée en versets, vers réguliers surtout, et particulièrement les mètres courts où il excelle. Les *Poèmes de l'humour triste*, 1919, ne révélaient guère le talent original de l'auteur, celui-ci s'impose — mais avec quelle modestie! — dans les recueils qui suivent : *Gravitations*, 1925; *Le forcat innocent*, 1930; *Les amis inconnus*, 1934; *La fable du monde*, 1938; *1939-1945*, 1946; *Oublieuse mémoire*, 1949; *Naissances*, 1951; *L'escalier*, 1956 et *Le corps tragique*, 1959. Dans un langage toujours plus simple et plus transparent s'établit le dialogue murmuré de la terre et du cœur.

1. « Hommage à la vie », dans *1939-1945*.

BIBLIOGRAPHIE

ŒUVRES : Léon-Paul FARGUE, *Poésies,* « Poésie/Gallimard », n° 26. — Max JACOB, *Le cornet à dés, id.*, n° 25. — Jean COCTEAU, *Opéra,* suivi de *Plain-Chant,* Livre de Poche, n° 2013 ; *Le cap de Bonne-Espérance*, suivi de *Discours du grand sommeil,* « Poésie/Gallimard ». — Pierre REVERDY, *Plupart du temps*, « Poésie/Gallimard », nos 50-51. — Jules SUPERVIELLE, *Œuvre poétique* dans la Pléiade, éd. de Michel Collot.

ÉTUDES : ÉTIEMBLE, *Supervielle,* Gallimard, 1960. — Roger LANNES, *Jean Cocteau,* Seghers, « Poètes d'aujourd'hui », n° 4. — Jean TOUZOT, *Jean Cocteau, qui êtes-vous ?* La Manufacture, 1990.

LE ROMAN DES « ANNÉES VINGT »

L'abondante production romanesque des années qui ont suivi la Première Guerre mondiale fait-elle illusion? Elle pourrait donner à penser que le genre se porte mieux, que la crise est conjurée. En fait il n'en est rien, et bien des menaces pèsent encore. Mais des signes certains de renouveau apparaissent, même s'ils risquent d'ouvrir une autre crise.

LES MENACES

Le retour au réalisme

La prolifération, l'afflux des traductions d'œuvres étrangères ne sont pas les plus graves de ces menaces. Le public semble désireux de retrouver, par l'œuvre romanesque, le cauchemar de la guerre qu'il vient de vivre. En faut-il davantage pour que le naturalisme reprenne ses droits? Car c'est bien une autre débâcle, — même si elle conduit finalement à une victoire — qu'évoquent *Le feu* (1916) d'Henri Barbusse (1873-1935), *Les croix de bois* (1919) de Roland Dorgelès (1886-1968), La *Vie des martyrs* (1917) de Georges Duhamel (1884-1966) en attendant, inclus dans des ensembles plus vastes, le *Verdun* de Jules Romains [1], *L'été 14* de Roger Martin du Gard [2] ou les étonnantes pages consacrées à la terrible boucherie dans le *Voyage au bout de la nuit* de Céline [3]. Ajoutons à cela qu'après tant d'interrogations et d'hésitations, un retour à la solution naturaliste pouvait sembler la plus satisfaisante aux impatients, à André Thérive (1891-1971) et à Léon Lemonnier (1890-1953) par exemple, les fondateurs de l'école populiste à laquelle Eugène Dabit (1898-1936), peintre des « existences machinales, irrévocablement rivées à des tâches sans grandeur », donnera ses plus beaux fleurons : *Hôtel du Nord* (1929), *Faubourg de Paris* (1933).

« On pensait que c'était le réalisme qui avait fait le roman moderne, et que le roman était fait pour le réalisme. » [4] En fallait-il davantage pour que fussent confondues dans une même attaque les notions de roman et de réalisme? Attaque venue de plusieurs points : de survivants du symbolisme comme Valéry, assurant qu'il se refusera toujours à écrire « la marquise sortit à cinq heures », aussi bien que des surréalistes, d'André Breton en particulier quand, dans le *Premier manifeste du surréalisme* (1924), il instruit le procès du roman et de « l'attitude réaliste [...] faite de médiocrité, de haine, de plate suffisance ».

1. Voir p. 634.
2. Voir p. 635.
3. Voir p. 649.
4. Michel Raimond, *La crise du roman du lendemain du naturalisme aux années vingt*, p. 172.

Le roman d'idées

La solution inverse, l'idéalisme, voire l'idéologie romancée, n'était guère meilleure. Bourget, Huysmans, Barrès (encore qu'on puisse tenir *Les déracinés* pour une réussite en ce genre), Anatole France l'avaient bien montré, — pour ne pas parler des échecs retentissants d'Élémir Bourges [1] ou du « Sâr » Péladan [2]. C'est à *Bouvard et Pécuchet*, de Flaubert, que le grand critique allemand Curtius faisait remonter cette « crise intérieure » dont souffre le roman : l'afflux d'idées qui étouffe le récit.

Les romanciers de l'après-guerre seront souvent des romanciers essayistes. Pour eux, « le roman est un essai sur soi-même, une confidence transformée, une approche concrète de la pensée. En marge de l'œuvre romanesque, d'ailleurs, ils laissent tous une œuvre d'essayiste à laquelle il leur arrive de sacrifier la création » [3]. On avait

1. 1852-1925, auteur en particulier du *Crépuscule des dieux* (1884).
2. Voir pp. 523, 539, 557.
3. Gaëtan Picon, *Histoire des littératures,* dans l'Encyclopédie de la Pléiade, tome III, p. 1346.

déjà reproché à Romain Rolland ses digressions et le didactisme de certaines pages de *Jean-Christophe* [1]. *L'âme enchantée* (1922-1927) s'expose encore davantage à ce grief. Quant au *Voyage de M. Renan* de Thérive, il tourne au conte philosophique.

Le roman poétique

Breton mettait dans le même sac roman réaliste et roman d'idées quand il soupçonnait derrière chacun des personnages campés par les « empiriques du roman » le besoin de défendre on ne sait quelle cause. En se référant au Huysmans de *Là-bas* et d'*En rade* [2], en redécouvrant Nerval et le romantisme allemand, il pouvait cependant ouvrir la voie, dans le *Second manifeste du surréalisme* (1929), à un roman nouveau, échappant à la fois aux contraintes de la logique et à la boue du réalisme, s'abandonnant aux caprices de l'inspiration poétique. Sans doute l'heure du « roman surréaliste » n'est-elle pas encore venue : il faudra attendre Julien Gracq ou André Pieyre de Mandiargues [1]. Et, d'une manière inattendue, c'est vers le « réalisme socialiste » que se tournera bientôt, après s'être retiré du groupe, Louis Aragon [2]. Bien sûr, il y a *Le paysan de Paris* [3] et *Nadja* [4]; mais tout arrangement narratif en est absent.

En général, le fil du récit a tendance à devenir ténu, voire à disparaître dans le roman poétique. Qu'on songe aux romans de Giraudoux [5], à *Mélusine* (1917) du romancier belge Franz Hellens (1881-1972), ou aux pages trop capiteuses de Colette [6], de Giono [7] ou de Ramuz [8]. A l'inverse, réduit à une épure, le roman poétique évolue vers le conte, chez Supervielle [9] par exemple (*L'homme de la pampa*, 1923; *Le voleur d'enfants*, 1926; *L'enfant de la haute mer*, 1931) ou chez Cocteau [10] (*Thomas l'imposteur*, 1923; *Les enfants terribles*, 1929).

LES CHANCES D'UN RENOUVEAU

A la recherche d'une définition

Ainsi se trouve posé, une fois de plus, le problème de la définition du genre. Le grand mérite des écrivains de l'après-guerre est de l'avoir souligné avec plus de netteté que leurs devanciers et d'avoir apporté des solutions, sinon décisives, du moins intéressantes. Si, en 1912, Thibaudet se souciait encore de distinguer des catégories dans le genre romanesque (le « roman actif », qui isole une crise; le « roman brut » qui peint une époque; le « roman passif » qui déroule une vie), on s'efforce maintenant plutôt de distinguer le roman des genres voisins. Gide établit une distinction capitale entre le « roman » et le « récit » [3]. Cette distinction, les critiques la reprennent : Charles du Bos oppose à la vie racontée par le « roman-récit » la vie représentée par le « roman-nature »; Ramon Fernandez montre comment le passé, temps conceptualisé du récit, est différent du présent, la durée vécue qui est la matière du roman défini comme une « analyse exhaustive du réel par l'auteur ».

Les conséquences de la révolution gidienne étaient en tout cas capitales. Si « le récit était à la fois un genre à côté du roman et le tissu même du roman, il n'était pas étonnant que le roman fût conduit à se chercher une voie en échappant aux lois du récit, c'est-à-dire d'une certaine façon à lui-même » [11].

Le monologue intérieur

Autre chose que lui-même : n'était-ce pas vers cela précisément que s'acheminait le roman quand il suivait James Joyce [12] sur la voie du monologue intérieur? L'Irlandais, il est vrai, pouvait se référer à un précurseur français, Édouard Dujardin [13], l'un des animateurs de la *Revue*

1. Voir p. 631.
2. Voir p. 516.
3. Voir p. 595.

1. Voir p. 614.
2. Voir p. 616.
3. Voir p. 616.
4. Voir p. 616.
5. Voir p. 666.
6. Voir p. 637.
7. Voir p. 638.
8. Voir p. 638.
9. Voir p. 622.
10. Voir p. 620.
11. Michel Raimond, *La crise du roman*, p. 150.
12. Célèbre romancier irlandais (1882-1941) dont l'influence fut considérable.
13. Voir pp. 553, 556.

wagnérienne au temps du symbolisme, qui avait en 1887 suivi minutieusement, au fil des instants d'une seule soirée, les gestes et les pensées du héros d'un livre inconnu jusqu'à sa réédition en 1924, *Les lauriers sont coupés*. Dujardin pouvait bien devenir en 1931 le théoricien du monologue intérieur : Joyce avait tout fait, ainsi que Valery Larbaud qui, dès 1921, avait présenté *Ulysse* au public français avant même la publication de l'œuvre intégrale à Paris (1922), avait assisté Auguste Morel dans la traduction du livre (1929), et avait lui-même utilisé le procédé, à la française, dans *Amants, heureux amants* (1921) et *Mon plus secret conseil* (1923). D'autres essais, plus timides ou plus limités, étaient dus à Jean Schlumberger (1877-1969) (*L'enseveli*), Emmanuel Berl (né en 1892) (*Saturne*, 1927), Léon Bopp (écrivain suisse né en 1896) (*Jean Darien*, 1924).

Le procédé consiste à suivre, chez un personnage imaginaire, la pensée intime en formation. Il provoqua un véritable engouement, mais aussi des railleries (de la part de Giraudoux, en particulier, dans *Juliette au pays des hommes*, 1924) et des critiques. La plus pertinente fut celle d'un chroniqueur de la *N.R.F.*, Emeric Fischer, qui fit observer que le monologue intérieur était partagé entre le secret d'une intimité et la communication d'un discours ([1]). Il fallait, en tout cas, quelque mesure dans l'application, celle dont fit preuve Larbaud, ou un souci de variété qui fut celui de Pierre-Jean Jouve ([2]) dans *Le monde désert* (1927) ou *Paulina 1880* (1925).

L'art de la discontinuité

A la continuité du courant de conscience cher à Bergson et à William James ([3]), qu'il pouvait sembler fastidieux de suivre minutieusement, Jouve préférait substituer la juxtaposition de monologues intérieurs situés à des moments privilégiés. Cette attention à des sommets aigus était tout aussi bien celle de Proust et de Giraudoux, même s'ils usaient par ailleurs d'une technique romanesque différente à bien des égards.

Cette continuité admet des modalités diverses : rupture de la narration que viennent interrompre les commentaires ou les réflexions de l'auteur (Proust, Radiguet, Chardonne, Lacretelle), ou qui obéit à une « progression panique » ([1]); discontinuité de la psychologie, faisant apparaître les sautes d'humeur ou les contradictions du personnage, comme le souhaitait déjà Jules Renard dans son *Journal*. Mauriac interdit au romancier d'introduire dans l'étude de l'homme « une logique [qui] soit extérieure à l'homme ». Georges Duhamel ([2]) nous montre, en Salavin, héros d'un cycle romanesque publié de 1920 à 1932 (*La confession de minuit*, *Deux hommes*, *Journal de Salavin*, *Le club des Lyonnais*, *Tel qu'en lui-même)*, l'incertitude d'un homme faible, incapable de maîtriser ses impulsions.

Les découvertes de Freud invitaient à faire place parmi les zones de la conscience aux ombres de l'inconscient. C'est pourtant une autre modalité de la dissociation de la personne que présentait Proust : le mensonge aux autres plutôt que le mensonge à soi-même; « le défilé », « en un seul homme », « d'une armée composite où il y avait des passionnés, des indifférents, des jaloux » ([3]).

Les modalités du point de vue

A dire vrai, si les êtres changent, le narrateur d'*A la recherche du temps perdu* change, lui aussi, ainsi que ses points de vue sur les êtres qu'il a l'occasion de rencontrer à plusieurs reprises au cours de son existence, comme Madame Verdurin, M. de Charlus ou Robert de Saint-Loup. Si l'on admet que le dernier de ces points de vue est celui de l'auteur lui-même au moment où il écrit son œuvre, on se rend compte que le roman admet une grande diversité de manières de voir.

Jusque-là, le point de vue restait généralement celui du romancier omniscient qui, à la manière de Balzac, montrait le comportement de ses personnages en analysant leur psychologie. C'est la manière de l'historiographe que Gide reprochera à Martin du Gard ([4]). C'est aussi, selon lui, celle qui distingue le « roman » du « récit ».

On peut tenter d'éliminer le romancier omniscient. L'histoire est alors présentée soit à travers la conscience du personnage central (c'est le cas, la plupart du temps, dans *Thérèse Desqueyroux*) ([5]), soit à travers la conscience d'un témoin : c'est le parti auquel se rangeait Edmond Jaloux

1. D'après Michel Raimond, *op. cit.*
2. Sur Jouve, voir p. 683-684.
3. Philosophe américain (1842-1910).

1. L'expression est de Michel Raimond au sujet de Ramuz.
2. Sur Duhamel, voir p. 633.
3. *La fugitive*, éd. de la Pléiade, t. III, p. 489.
4. Lettre de Gide à Martin du Gard du 2 janvier 1921.
5. Sur ce roman de Mauriac, voir p. 641.

dans *La fin d'un beau jour* (1921) et celui que Gide songea d'abord à adopter pour *Les faux monnayeurs* (ce rôle devait être tenu par Lafcadio, l'ex-protagoniste des *Caves du Vatican*). On sait que, finalement (après avoir songé un instant à revenir au récit impersonnel), il a opté pour la multiplication des points de vue ([1]), ceux de divers personnages, celui d'Édouard, le romancier du roman, celui du romancier omniscient, celui enfin de l'auteur qui intervient directement comme pour suggérer les limites de son propre point de vue. Le procédé n'était peut-être pas tout à fait neuf (Édouard Estaunié (1862-1942) l'avait utilisé dans *L'appel de la route* en 1922); il devait être souvent repris. Jamais sans doute avec autant de subtilité.

La plupart du temps, les romanciers des années vingt, situés entre le « réalisme objectif » des naturalistes et le « réalisme subjectif » qui s'épanouira après 1945, adoptent une solution moyenne, épousant l'optique du ou des personnages, sans que le romancier omniscient perde ses droits. L'hésitation est particulièrement sensible dans des œuvres comme *Sous le soleil de Satan* de Bernanos (1926) ou *Adrienne Mesurat* (1927) de Julien Green ([1]).

1. Voir p. 597.

1. Voir p. 646.

VERS UNE NOUVELLE CRISE

Pour intéressantes qu'elles fussent, ces innovations n'allaient pas sans de graves dangers. Le monologue intérieur, outre le risque de contradiction signalé plus haut, présentait celui de l'ennui. Trop d'œuvres s'engageaient dans l'impasse du psychologisme intégral. L'art du discontinu affaiblissait la tension dans le progrès de l'intrigue. L'indépendance du personnage par rapport à son créateur n'était-elle pas, en définitive, un artifice de présentation bien vite galvaudé? Henry Bordeaux (1870-1963) utilise le point de vue d'un témoin dans *La maison morte*, et Marcel Prévost (1862-1941) confronte, dans *L'homme vierge* (1930), les trois personnages qui constituent le triangle traditionnel : la femme, le mari, l'amant.

On peut se demander surtout si la réflexion sur le roman ne risque pas de le ronger. Tantôt par une dérision interne chez Paul-Jean Toulet (1867-1920, l'auteur de *Mon amie Nane*, 1905, et de *La jeune fille verte*, 1920) ou chez tant d'autres auteurs turbulents en marge du surréalisme (Soupault, Cocteau, Max Jacob). Tantôt par le procédé de la « mise en abyme » ([2]) qui permet de faire à la fois le roman et le roman du roman, au risque d'asphyxier celui-là par celui-ci. On peut citer, entre autres exemples, le *Journal de colère* de Lacretelle ([3]), *Jacques Arnaut et la somme romanesque* (1933) de Léon Bopp, et surtout, bien sûr, *Les faux-monnayeurs* de Gide. On a pu voir dans ce procédé une solution qui permet de verser dans l'impur roman qu'on écrit la théorie d'un roman pur qu'il est impossible d'écrire ([4]). Et dès 1928, André Maurois s'en moquait dans son *Voyage au pays des articoles :*

Si vous étiez articole, après un voyage comme le vôtre, vous publieriez non seulement votre journal de bord, mais aussi le journal de ce journal de bord, et votre Compagne publierait le Journal du journal de bord de mon mari, etc.

1. Voir p. 597.

2. Voir p. 597.
3. Sur Lacretelle, voir p. 633.
4. Michel Raimond, *op. cit.*

BIBLIOGRAPHIE

ŒUVRES : Henri BARBUSSE, *Le feu* (« J'ai lu », n° 13). — Roland DORGELÈS, *Les croix de bois* (Livre de Poche, n°s 189-190). — Eugène DABIT, *Hôtel du Nord* (L. P., n° 14). — Jules SUPERVIELLE, *L'enfant de la haute mer* (Folio, n° 252); *Le voleur d'enfants* (Folio, n° 357). — Jean COCTEAU, *Les parents terribles,* « Folio », n° 149; *Thomas l'imposteur* (Folio, n° 480). — Édouard DUJARDIN, *Les lauriers sont coupés* (« 10-18 »). — Valery LARBAUD, *Œuvres* dans la « Bibliothèque de la Pléiade ». — Pierre Jean JOUVE, *Le monde désert* (L. P., N° 2415); *Paulina 1880* (L. P., n° 1346). — P.-J. TOULET, *Mon amie Nane* (L. P., n° 882); *Œuvres complètes,* coll. Bouquins, 1986.

ÉTUDES : Claude-Edmonde MAGNY, *Histoire du roman français depuis 1918,* Seuil, 1950 (ouvrage fondamental, avec de brillantes analyses; malheureusement inachevé). — Michel RAIMOND, *La crise du roman des lendemains du naturalisme aux années vingt,* J. Corti, 1966 (une synthèse magistrale).

LE ROMAN DES « ANNÉES TRENTE »

La critique a pu voir dans l'année 1930 « une année-tournant pour les destinées du roman » (1), « la fin de l'après-guerre » (2), et même « la véritable fin du XIXe siècle » (3). Il s'agit moins d'un renouveau des techniques (même si l'influence du roman américain et du cinéma devient sensible) que d'une ouverture plus grande sur le monde moderne et d'une prise de position sur les problèmes du temps.

LE ROMAN ET SON PUBLIC

Le premier signe de l'insertion d'un roman dans la période historique où il prend naissance est l'étroitesse du rapport qu'il entretient avec son public. Ce public reste essentiellement bourgeois et, pour la bourgeoisie, le roman est avant tout une littérature de consommation propre à entretenir sa paresse d'esprit. Les voyageurs pourront partir avec Maurice Dekobra, Francis de Croisset, Pierre Benoît, Luc Durtain, Joseph Peyré et avec Henri Fauconnier pour cette *Malaisie* qui obtint un beau succès en 1931. Voyage dans l'espace. Voyage dans le temps aussi avec les romans de Jean de la Varende (*Nez de cuir*, 1937) ou les biographies romancées d'André Maurois qui, à la suite de Jules Verne, de H. G. Wells et de Rosny aîné, entraîne parfois ses lecteurs dans le monde du fantastique. Il n'est pas jusqu'aux héros et héroïnes de Giraudoux que le public bourgeois n'accepte de suivre dans une évasion poétique qui est pourtant fuite hors du «bourg » vers le cosmos : après Suzanne, après Juliette, voici Jérôme Bardini (*Aventures de Jérôme Bardini*, 1930) et Edmée qui fait à son tour le *Choix des élues* (1939).

Telle est en effet l'étrange situation du public bourgeois vis-à-vis du roman. Il applaudit ceux qui défendent ses valeurs, comme le Duhamel de la *Chronique des Pasquier* (1932-1945) ou Jacques Chardonne (*Le bonheur de Barbezieux*, 1938), mais aussi ceux qui l'amusent en s'amusant de lui : c'est l'accueil indulgent que la famille bourgeoise réserve à ses « enfants terribles ». Car si tant de romans se déroulent dans un décor bourgeois (Chardonne, Schlumberger, Lacretelle, Philippe Hériat), c'est bien souvent pour faire des bourgeois un portrait sans complaisance : qu'on songe à Mauriac, « romancier de classe » (1), mais à la fois idole et bourreau de sa classe, la grande bourgeoisie.

© Doisneau-Rapho

Jean de La Varende, romancier normand. Il « appartient plus à un Pays d'Ouche resté fidèle à sa religion, à ses traditions et à son roi qu'à une République dont il ne reconnut jamais les institutions ni les lois » (P. de Boisdeffre).

1. Claude-Edmonde Magny, *Histoire du roman français depuis 1918*, p. 305.
2. Robert Brasillach, Enquête parue dans *Candide* en septembre 1931.
3. Michel Raimond, *Le roman depuis la Révolution*, p. 182.

1. Si l'on en croit Thibaudet.

UNE LITTÉRATURE MILITANTE

Reprenant la notion de génération littéraire, chère à Thibaudet (mais aussi à Sartre) [1], Claude Edmonde Magny oppose la génération des romanciers de 1918, repliés sur eux-mêmes, et celle des romanciers de 1930, désireux d'agir sur le monde pour le transformer. Après la « littérature triomphante », « la littérature militante ». Après les « réguliers », les « séculiers ».

L'attention à l'événement

Pour leurs grandes fresques historiques, les aînés se réfèrent encore au passé : Roger Martin du Gard couronne *Les Thibault* [2] par *L'été 14* (1936); Duhamel se propose, dans la *Chronique des Pasquier*, de peindre « un moment de la vie française, moment compris entre l'année 1880 et l'année 1930 »; Jules Romains écrit *Les hommes de bonne volonté* de 1932 à 1946, mais les événements qu'il présente commencent en 1908 et s'arrêtent en 1933. Il semble qu'au contraire les écrivains jeunes fixent leur attention sur les événements immédiatement contemporains et cherchent à être les historiographes du présent plutôt que les historiographes du passé : révolution de 1927 à Shanghaï (Malraux : *La condition humaine*, 1933), débuts du nazisme en Allemagne (Malraux : *Le temps du mépris*, 1935), guerre d'Espagne (Malraux : *L'espoir*, 1937), progrès des transports entre les continents (Saint-Exupéry : *Vol de nuit*, 1931). Le roman évolue vers le reportage ou, du moins, il lui fait concurrence.

La montée de l'angoisse

Entre 1918 et 1930 le ciel était plutôt serein. Au contraire, après 1930, il s'assombrit jusqu'à ce que l'orage crève en 1939. « A mesure que l'on avance dans le temps, les œuvres deviennent de plus en plus noires, comme pour refléter les impressions de la conscience collective devant l'Anschluss, l'occupation de la rive gauche du Rhin, Munich, la déclaration de guerre, mai-juin 1940, etc. » [3]. La « littérature de désespoir » [4], n'attendra pas l'existentialisme : les romans de Céline, *Voyage au bout de la nuit* (1932), *Mort à crédit* (1936) en sont déjà l'expression la plus paroxystique qu'on puisse imaginer [1].

1. Voir plus haut, p. 571.
2. Voir p. 634.
3. Claude-Edmonde Magny, *op. cit.*
4. L'expression est de Maurice Blanchot.

L'engagement personnel

Le héros de Céline, Bardamu, revit les expériences de l'auteur. De même Saint-Exupéry (1900-1944) s'inspire des difficultés et des dangers de son métier d'aviateur. Cet écrivain mort « en plein ciel de gloire » à quarante-quatre ans, est l'exemple le plus populaire d'une littérature héroïque dont les belles actions et les beaux sentiments dépassent peut-être les mérites proprement artistiques. Né à Lyon, Antoine de Saint-Exupéry a appris pendant son service militaire le métier qu'il devait tant de fois illustrer dans ses œuvres. Pilote de ligne en 1927, il voit les débuts des grandes liaisons aériennes intercontinentales : *Courrier sud* (1930) évoque le trajet Toulouse-Dakar, *Vol de nuit* (1931) l'attente de trois courriers sur l'aérodrome de Buenos-Aires et la difficile, l'angoissante progression de l'un d'eux dans le ciel d'Amérique. Après avoir quitté l'Aéropostale, Saint-Exupéry devient journaliste, écrivain, conférencier. Dans *Terre des hommes* (1939), il évoque les souvenirs de sa carrière, la mémoire des camarades disparus, comme Mermoz, et la grandeur d'une vie d'action dont le but est « avant tout, d'unir les hommes ». Cette vie, il a hâte de la reprendre quand la guerre éclate. Malgré ses « 6 500 heures de vol sous tous les ciels du monde », il n'obtient qu'à grand peine le droit d'être « pilote de guerre » (ce sera le titre d'un nouveau livre, en 1942). Tenu éloigné du combat après la débâcle, il rédige un conte, *Le petit prince* (1943) et la grande méditation de *Citadelle* (posthume, 1945). Il arrache par faveur huit missions à accomplir sur Lightning P. 38. La dernière lui est fatale, le 31 juillet 1944.

Mais le roman des années 30 n'a pas seulement la saveur du vécu. Il reflète l'engagement personnel de l'écrivain. Malraux participe aux révolutions qui secouent le monde. Aragon s'inscrit au Parti communiste qui attire même, pour un instant, André Gide. Tandis que Bernanos liquide son passé d'homme de droite au moment de la guerre d'Espagne, Brasillach (1909-1945)

1. Voir p. 649.

et Drieu la Rochelle (1893-1945) se laissent fasciner par les fascismes montants. Fascination qu'ils paieront l'un et l'autre de leur vie.

L'œuvre de Drieu la Rochelle ne laisse pas d'être ambiguë au regard d'un idéal de l'action. Nourri de Barrès, de Kipling et de Nietzsche, il était parti pour le front en 1914 avec une véritable ivresse (il évoquera dans *La comédie de Charleroi*, 1934, les combats qui se sont déroulés autour de cette ville et auxquels il a pris part). Après 1934, il évolue vers le fascisme, rêvant d'une nouvelle Europe, à la fois aristocratique et socialiste; autobiographiques (*Gilles*, 1939) ou mythiques (*L'homme à cheval*, 1942), ses œuvres en portent la trace. Pourtant on sent toujours près de retomber l'élan de cet homme « épris d'une vie qui serait risque total » [1] : la hantise de la décadence, la tentation du suicide surgissent. Est-ce pour obéir à son rêve de grandeur ou à l'attrait du gouffre que Drieu s'engagea, au moment de l'occupation, dans une politique de collaboration? *Récit secret* (posthume, 1961) prouve en tout cas qu'il eut le pressentiment d'un échec qu'il tint à confirmer en se donnant la mort.

Ambiguë est aussi l'œuvre romanesque de Henry de Montherlant (1896-1972). L'action, d'abord exaltée, se trouve ensuite frappée d'inutilité, sinon dans la mesure où elle permet de sculpter le visage de l'admirable moi. Dans son premier livre, *La relève du matin* (1920), Montherlant rendait hommage au collège catholique où il avait été élevé parce qu'il avait su lui donner le sens de la vie intérieure. Mais le collège et la tranchée sont des « pièces communicantes » dans « une seule maison morale ». Les expériences successives du combat sur le front de la Première Guerre mondiale (*Le songe*, 1922), du stade (*Les olympiques*, 1924), de la tauromachie (*Les bestiaires*, 1926) permettent de s'accomplir et de découvrir les vertus de la camaraderie. Mais bientôt s'opère un mouvement de recul. Le « voyageur traqué » semble chercher à éviter ses semblables : Costals, le héros de la série *Les jeunes filles* (quatre volumes : *Les jeunes filles*, 1936; *Pitié pour les femmes*, 1936; *Le démon du bien*, 1937; *Les lépreuses*, 1939), évite l'erreur du mariage et découvre dans le grégarisme l'un de ces « maux graves de l'Occident moderne » qui lui semblent typiquement d' « essence féminine ». Parallèlement, Montherlant cherche à démontrer que l'action débouche sur le néant. « L'âme dit *service*, et l'intelligence complète : *inutile* » : cette formule, extraite d'un recueil d'essais datant de 1935 et intitulé précisément *Service inutile*, pourrait encore servir d'épigraphe à un roman publié en 1963, *Le chaos et la nuit*. Le héros en est un révolutionnaire espagnol, Celestino Marcilla qui, rentré d'exil clandestinement, découvre au moment de sa mort la vanité de son engagement dans la guerre civile :

> Un homme avait consacré son existence à la communauté, même s'il l'avait fait dans les limites peu étendues de son intelligence et de son cœur; mais, au moment de mourir, il n'y avait plus que lui : c'était l'individu qui avait le dernier mot. Celestino disait un jour à Pineda [sa fille] : « l'avènement du socialisme est plus important que la conquête de la lune ». A présent il aurait pu ajouter : « mais la mort est plus importante que le socialisme ».

Est-ce à dire que l'existence humaine soit tout entière à l'image de celle de Léon de Coantré et d'Élie de Coëtquidan, *Les célibataires* (1934)? Non, car Montherlant substitue à la solitude passive des abandonnés une solitude créatrice qui pourrait bien être un nouveau culte du moi. Solitude qui est celle d'un homme désireux d' « allume[r] tout à tour chaque partie de [lui]-même » et de « jouer avec cette poussière ».

Henry de Montherlant à l'époque de son premier livre, *La Relève du matin*, en 1920, où il évoque l'école Sainte-Croix de Neuilly. « Ce collège, cette musique, ces offices, cette action des prêtres, c'est cela leur rôle : maintenir vivante en nous la partie de nous-mêmes de laquelle nous avons tiré l'idée du divin »

1. Gaétan Picon, dans l'*Histoire des littératures* de l'Encyclopédie de la Pléiade, t. III, p. 1349.

TRADITION ET RENOUVELLEMENT

De 1930 à 1939 la révolution est peut-être plus dans les faits que dans les formes. Plus soucieuse de morale que d'esthétique, plus intéressée par les fonctions du roman que par ses modalités, la nouvelle génération de romanciers se contente bien souvent des anciens moules et des anciennes formules. Ou du moins il lui suffit de confirmer ou de compléter les expériences de ses devanciers : la manière subtile dont Aragon passe du point de vue du narrateur au point de vue du personnage dans le cycle du *Monde réel* (*Les cloches de Bâle*, 1934; *Les beaux quartiers*, 1936) semble le point d'aboutissement et de perfection des recherches menées au cours des années 20, par Gide en particulier.

Ce festival de techniques connues est le fait, tout aussi bien, des romanciers qui, en dépit de l'urgence de l'actualité, continuent à se replier dans la tour d'ivoire de la littérature pure. Au moment où Jean Paulhan (1884-1968) fait paraître son plaidoyer pour la rhétorique, *Les fleurs de Tarbes* (1941), Raymond Queneau (né en 1903) rassemble tous les modes d'expression possibles jusque dans le feu d'artifice technique de ses *Exercices de style*.

La nouveauté, — mais n'était-ce pas tout aussi bien la tradition? — on la demande encore une fois à l'étranger : à Kafka dont s'inspire, avant Albert Camus, Maurice Blanchot (né en 1907) pour *Aminadab* (1941); aux romanciers américains surtout qui démontrent les vertus du simultanéisme (Dos Passos), du monologue intérieur (Faulkner) ou de la notation sèche, prétendue « objective » (Hemingway). On sait combien leur influence sera déterminante sur les romanciers existentialistes. Mais un Malraux leur est peut-être déjà redevable de son rythme fiévreux, bousculé, du procédé de l'ellipse et de l'art de nous jeter, sans préparation, au milieu des événements. On songe aussi au cinéma et il n'est pas étonnant que *L'espoir* ait donné lieu, concurremment, à un roman et à un film.

« Exercice de parallèles peints, dessinés et sculptés par Carelman et quelques exercices de style typographiques de Massin. »

BIBLIOGRAPHIE

ŒUVRES : Jean DE LA VARENDE, *Nez-de-Cuir* (Livre de Poche, n° 41). — SAINT-EXUPÉRY, *Citadelle* (S.L.B. Bordas et Folio, n° 108); *Courrier Sud* (*id.*, n° 80); *Pilote de guerre* (*id.*, n° 72); *Terre des hommes* (*id.*, n° 21); *Vol de nuit* (*id.*, n° 4). — DRIEU LA ROCHELLE, *La comédie de Charleroi* (Folio, n° 1366); *Le feu follet* (Folio, n° 152); *Gilles* (Folio, n° 459); *L'homme à cheval* (Folio, n° 484). — MONTHERLANT, *Les bestiaires* (Folio, n° 269); *Les célibataires* (Folio, n° 209); *Le chaos et la nuit* (Folio, n° 422); *Les jeunes filles* (Folio, 4 tomes); *La relève du matin* (Folio, n° 281). — ARAGON, *Aurélien* (Folio, nos 885-886); *Les beaux quartiers* (Folio, n° 241); *Les cloches de Bâle* (L. P., nos 59-60); *Les communistes* (L. P., nos 2248-2249, 2318-2319); *Le paysan de Paris* (Folio, n° 782); *Blanche ou l'oubli* (Folio, n° 65); *Les voyageurs de l'impériale* (*id.*, n° 120); *Anicet ou le panorama* (*id.*, n° 195).

ÉTUDES : R.-M. ALBÉRÈS, *Histoire du roman moderne,* Albin Michel, 1962. — Michel RAIMOND, *Le roman depuis la Révolution,* A. Colin, coll. « U », 1967; *Le roman contemporain, le signe des temps;* SEDES, 1976.

LE « ROMAN-CYCLE »

Ce que Thibaudet a appelé le « roman-cycle », et que l'on connaît plus communément sous le nom de « roman-fleuve », n'est pas une nouveauté. On pourrait en citer maint exemple en Angleterre et en Allemagne, pour ne pas parler des *Rougon-Macquart* (1), d'*A la recherche du temps perdu* (2) et de l'ouvrage de Romain Rolland, *Jean-Christophe* (1904-1912) qui constituait déjà un bon exemple du genre. Mais, c'est vers 1930, l'année-tournant, que « surgit et prolifère cette variété géante de l'espèce roman » (3). Un moment, on put penser qu'elle allait « envahir le Jardin des lettres ».

Gravure sur bois de F. Masereel pour *Jean-Christophe*, tome I, *L'Aube*, éd. Albin Michel, 1925-1926. Fonds Romain Rolland.

LE ROMAN D'UNE DESTINÉE INDIVIDUELLE : JEAN-CHRISTOPHE

Il arrive que l'apparence soit trompeuse et que le roman-fleuve reste centré sur une destinée individuelle. C'est le cas des cinq romans de *Salavin* que Georges Duhamel publie de 1920 à 1932 et, malgré leur titre, de deux œuvres aujourd'hui bien oubliées : l'*Histoire d'une société* de René Behaine et l'*Histoire d'une famille sous la Troisième République* de Robert Francis. C'était le cas surtout du modèle du genre, *Jean-Christophe*, où l'on suivait le musicien de son enfance rhénane jusqu'au moment où il mourait en évoquant le Rhin : un cycle se fermait, et dans ce roman-fleuve, le fleuve avait un rôle essentiel à jouer.

L'auteur : Romain Rolland (1866-1944)

Deux ans avant sa mort, Romain Rolland écrivait à son ami retrouvé Paul Claudel :

J'ai été beaucoup lu, très peu compris. Que j'en a vu passer d'équipes de compagnons d'une heure, qui me voulaient l'esclave de cette heure, et s'indignaient que mon aiguille, obéissante à la loi, continuât de faire le tour du cadran!

Aujourd'hui il est moins lu, mais peut-être pas mieux compris, car sur son œuvre pèse le poids d'une vie qu'on a volontiers qualifiée d' « héroïque ».

Romain Rolland lui-même s'est plu à présenter son existence comme un « grand combat ». L'expression peut paraître surprenante de la part de celui qui s'est gardé d'entrer dans les rangs de tel parti, de telle église ou de telle nation. Ni l'appui qu'il apporte au communisme après 1930, ni son rapprochement avec le catholicisme dans ses derniers jours, ni son cri d'amour vers la France, son « petit Liré », quand il la retrouve en 1937, ne peuvent passer pour des signes d'engagement. Son attitude pendant l'affaire Dreyfus, sa volonté de se tenir « au-dessus de la mêlée » pendant la Première Guerre mondiale attestent nettement un désir de demeurer à l'écart de l'entraînement général.

1. Voir p. 506-510.
2. Voir p. 600.
3. Claude-Edmonde Magny, *Histoire du roman français depuis 1918*, p. 305.

Photo R. Schlemmer. © Fonds R. Rolland

Romain Rolland et Gandhi à Villeneuve, canton de Vaud, en décembre 1931. Romain Rolland avait consacré en 1923 un ouvrage aux théories de la non-violence de Gandhi.

Non qu'il soit indifférent; bien au contraire. Mais il a la passion de la conciliation. Marié à une juive, Clotilde Bréal, il évite en 1897-1898 les excès d'un dreyfusisme aveugle et s'efforce de démontrer qu'il y a dans les deux camps des mystiques sincères et des politiques méprisables : l'interprétation dreyfusarde qu'on donnera de sa pièce *Les loups*, quand elle sera représentée au Théâtre de l'Œuvre le 18 mai 1898 (1), ne sera pas son fait, mais celui des esprits échauffés. Installé en Suisse, à la déclaration de guerre, il publie dans le *Journal de Genève*, du 2 septembre 1914 au 2 août 1915, des articles qui seront bientôt réunis sous le titre *Au-dessus de la mêlée* : plein de pitié pour l'immense souffrance des soldats, de mépris et de haine pour les propagandes qui travaillent à diviser les peuples, il évite de porter aux nues les prétendues vertus de la France sans se montrer plus indulgent pour les erreurs de l'Allemagne. Même ses amis de la veille (Louis Gillet, par exemple) l'accusent de « germanisme », quand il ne veut en réalité stigmatiser que l'unilatéralisme. Dans l'entre-deux-guerres, on le croit « Européen » alors qu'il a déjà dépassé le stade d'un « supernationalisme européen » pour travailler « au groupement des nations du monde entier ».

A défaut d'ironie, cette âme sensible, cet historien de l'art a trop le sens des nuances pour ne pas saisir le danger dans l'ami à qui il tend la main : la légèreté de Tagore (2), « grand étourneau au chant de rossignol », l'entêtement nationaliste de Gandhi (1), « un saint mulet », le « sectarisme étroit », l' « inepte intransigeance » et le « culte de la violence » dans le bolchevisme auquel il confie pourtant le salut universaliste dont il rêve. On s'explique ainsi la solitude de Romain Rolland tant dans sa vie privée (il divorça en 1901 et ne se remaria qu'en 1934, à 68 ans; il se querella avec Péguy, se brouilla avec Gillet) que dans sa vie publique, singulièrement après la Première Guerre mondiale. Militant pour de nobles causes, il lui arriva de se tromper, d'hésiter, de changer d'avis. Généreux plus qu'efficace, « intellectuel de gauche » plus qu'homme d'action, on le voit mal venant ajouter son portrait à la galerie de ses héros de prédilection, ceux dont il a été le biographe dans ses *Vies des hommes illustres* (*Beethoven*, 1903; *Michel-Ange*, 1906; *Haendel*, 1910; *Tolstoï*, 1911) ou dans son *Péguy* (1944), ceux qu'il a mis en scène dans ses *Tragédies de la foi* (*Saint Louis*) ou dans son *Théâtre de la Révolution* (*Les loups*, 1898; *Le triomphe de la raison*, 1899; *Danton*, 1900; *Le 14 Juillet*, 1902; *Le jeu de l'amour et de la mort*, 1925; *Pâques fleuries*, 1926; *Les léonides*, 1928; *Robespierre*, 1939). Peut-être, en revanche, trouverait-on beaucoup de lui-même dans les héros de ses romans, *L'âme enchantée* (1922-1927) et *Jean-Christophe* (1904-1912).

Analyse de « Jean-Christophe »

L'aube. Enfance de Jean-Christophe Krafft dans une petite ville au bord du Rhin. La misère et les humiliations n'empêchent pas l'illumination de la musique. A sept ans et demi, Jean-Christophe donne son premier concert.

Le matin. Chargé à quatorze ans de faire vivre sa famille, Jean-Christophe donne des leçons de piano. Amitié passionnée pour Otto Diener. Premier amour impossible pour une de ses élèves, Minna, qui l'abandonne et le laisse désespéré. Mort de Melchior, le père ivrogne.

L'adolescent. Jean-Christophe déménage, avec sa mère. Il perd la foi, mais, au cours d'une extase mystique, sent que Dieu est épars dans la vie universelle. Amour pour une veuve, Sabine, qui meurt avant de s'être donnée à lui. Liaison avec une fille facile, Ada, avec laquelle il ne tarde pas à rompre. Il est sauvé de la tentation de l'ivrognerie par son oncle Gottfried.

La révolte. Jean-Christophe est devenu un compositeur original et occupe une charge de musicien à la cour du Grand-Duc. Mais, s'étant révolté contre les mensonges de l'art allemand, il perd son poste, ses

1. Voir p. 558.
2. Rabindranath Tagore (1861-1941), poète de l'Inde, prix Nobel 1913.

1. Le Mahatma Gandhi (1869-1948), apôtre de l'indépendance de l'Inde et de la non-violence.

amis (sauf le vieux musicien Schulz) et doit finalement, à la suite d'une rixe, quitter son pays pour la France, qui depuis longtemps l'attirait.

La foire sur la place. A Paris, déceptions de Jean-Christophe qui ne trouve que désordre et corruption. Pauvre, malade, écœuré, il découvre le visage de la vraie France dans la voisine qui vient le soigner, et il est réconforté par l'amitié d'une jeune poète, Olivier Jeannin.

Antoinette. Histoire d'Olivier et de sa sœur Antoinette qui s'est sacrifiée pour lui.

Dans la maison. Habitant Montparnasse avec Olivier, Jean-Christophe découvre la vraie France dont risque à chaque instant de le couper le conflit menaçant avec l'Allemagne. Sa réputation de musicien s'étend en Europe. Mort de sa mère.

Les amies. Olivier épouse une jeune fille coquette et neurasthénique, Jacqueline Langeais, qui parvient à brouiller les deux amis. Jean-Christophe, qui a conquis la gloire, trouve la consolation auprès d'une actrice, Françoise Oudon, mais surtout dans l'amitié d'une musicienne, Cécile Fleury, et de Mme Arnaud. Abandonné par sa femme, Olivier revient vers lui. C'est alors que Jean-Christophe découvre celle qui, à plusieurs reprises, a mystérieusement favorisé sa carrière : Grazia, l'épouse d'un diplomate autrichien. Il s'éprend d'elle, mais elle doit quitter Paris pour l'Amérique avec son mari.

Le buisson ardent. Jean-Christophe et Olivier militent pour la cause ouvrière. Au cours d'une émeute, Olivier est tué et Jean-Christophe, responsable de la mort d'un agent, doit s'enfuir en Suisse. Il est recueilli par un ami protestant, Erich Braun, dont la femme, Anna, devient sa maîtresse. Désespéré, il songe au suicide. Mais le feu créateur se ranime en lui.

La nouvelle journée. Indifférent à la gloire qu'il a acquise, Jean-Christophe vieillit en Suisse. Il retrouve Grazia, maintenant veuve, mais que la jalousie de son fils empêche de se remarier. Elle meurt et, dans la sérénité, Jean-Christophe va bientôt la rejoindre.

LE ROMAN D'UNE FAMILLE : DUHAMEL

Duhamel et la « Chronique des Pasquier »

Histoire d'une famille : telle était bien l'une des vocations du roman-cycle. *Les destinées sentimentales* de Jacques Chardonne (*La femme de Jean Barnery*, *Pauline*, *Porcelaine de Limoges*, 1934-1936) restent le roman d'un couple. *Les hauts ponts* de Jacques de Lacretelle (4 volumes 1932-1935) montrent comment, pour Lise Darembert, la famille et le domaine perdu sont indissociables. La *Chronique des Pasquier* (1933-1941) de Georges Duhamel est un exemple d'autant plus intéressant que l'auteur a une conception musicale du roman cyclique : en contrepoint il égrène les notes du journal du médecin biologiste Laurent Pasquier en qui il a mis beaucoup de lui-même.

Duhamel a lui-même expliqué comment les ramifications de l'arbre généalogique lui fournissaient une ample matière romanesque :

> L'histoire des Pasquier a pour sujet principal l'ascension d'une famille du peuple à l'élite, entre 1880 et 1930. Raymond Pasquier, fils d'un jardinier de l'Ile-de-France, s'instruit, laborieusement, jusqu'à mériter et obtenir le diplôme de docteur en médecine, avec l'aide obstinée, passionnée, de son épouse Lucie Éléonore. De cette épouse il a eu sept enfants. Cinq de ces enfants survivent. L'un d'entre eux, Laurent, deviendra, non sans efforts et aventures, un des premiers biologistes de son temps. L'aînée des filles, Cécile, musicienne douée d'une manière exceptionnelle, sera, de bonne heure, une grande artiste. La plus jeune des filles, Suzanne, remarquable par sa beauté, deviendra comédienne. Le fils aîné, Joseph, enfiévré par l'appétit des biens temporels, s'illustrera comme homme d'affaires. Enfin l'un des enfants (Ferdinand) s'enfoncera tout doucement dans une médiocrité sans lueur.

Le procédé, un peu rudimentaire, rappelle les plus beaux temps du naturalisme et, malgré le grand souci de variété dans les procédés utilisés pour la présentation, Duhamel n'évite pas toujours le danger de monotonie. Pourtant l'œuvre est riche d'humanité et déjà, derrière la chronique familiale, on voit se dérouler le tableau d'une société.

Georges Duhamel (à gauche) donnant le bras à Roger Martin du Gard : deux maîtres du « roman-cycle ».

LE ROMAN D'UNE SOCIÉTÉ ET D'UNE ÉPOQUE

Jules Romains (1885-1972) et « Les hommes de bonne volonté »

Duhamel était passé par l'unanimisme ([1]). Il avait été, au début du siècle, l'un des membres du « groupe fraternel d'artistes » qui s'était réuni à l'abbaye de Créteil pour travailler en commun. C'est cette expérience qu'il a fait vivre et mourir dans le cinquième tome de la *Chronique des Pasquier*, *Le désert de Bièvres* (1936). Il appartenait à Jules Romains, simple visiteur de l'abbaye, mais véritable promoteur de la doctrine, de donner, bien longtemps après, le chef-d'œuvre du roman unanimiste avec *Les hommes de bonne volonté* (27 volumes de 1932 à 1947; il faudrait y ajouter *Le fils de Jerphanion*, paru en 1956, qui analyse le malaise moral après la Seconde Guerre mondiale).

Désireux d'entreprendre « une vaste fiction en prose, qui exprimerait dans le mouvement et la multiplicité, dans le détail et le devenir, cette vision du monde moderne dont *La vie unanime* ([2]) chantait d'emblée l'émoi initial », Jules Romains a pris pour sujet, non une destinée individuelle, mais « un vaste ensemble humain, avec une diversité de destinées individuelles qui y cheminent chacune pour leur compte, en s'ignorant la plupart du temps ». Évitant, d'autre part, la juxtaposition de peintures particulières qui, chez Balzac par exemple, « donne plus ou moins l'équivalent d'une peinture d'ensemble », il opte pour « un roman unique [...] où des personnages multiples, individus, familles, groupes, parais[sent] et disparais[sent] tour à tour, comme les thèmes d'un drame musical ou d'une immense symphonie » (Préface).

L'exécution des 27 volumes ne répond peut-être pas toujours exactement à cette déclaration de principes. Si certains volumes ne font apparaître ni histoire, ni intrigue, ni personnage principal (c'est le cas par exemple du premier, *Le 6 octobre*), si bien souvent on passe sans transition d'un personnage à l'autre, l'ensemble est pourtant dominé par deux figures principales, celle des deux normaliens Jallez et Jerphanion qui, comme leur auteur, rêvent d'une large « confrérie des honnêtes gens » chargée de faire régner la paix entre les hommes (voir la lettre de Jallez à Jerphanion dans le tome XVIII, *La douceur de la vie*, où s'exprime très clairement la mystique de la S. D. N.). Malgré cette idée-force, et la générosité d'âme dont elle témoigne, on peut se demander si l'intérêt ne se trouve pas dispersé dans l'ensemble de l'ouvrage, l'attention étant sollicitée tour à tour par l'ascension d'un brasseur d'affaires, Haverkamp (tome V, *Les superbes*), ou la touchante figure du petit Louis Bastide (tome VI, *Les humbles*). C'est que les différentes intrigues que Jules Romains développe concurremment sont distinctes et qu'on peut lire l'œuvre par tranches, voire en détacher des pages d'anthologie.

1. Voir p. 579.
2. Un recueil de poèmes de Jules Romains.

Roger Martin du Gard (1881-1958) et « Les Thibault »

Il en va tout autrement dans *Les Thibault* (1922-1940). Ce livre apparaît un peu comme un miracle dans la carrière de Martin du Gard : entre son seul autre roman achevé, *Jean Barois* (1913), où il s'égarait — il l'a lui-même reconnu plus tard — dans « un fatras d'idées », les touches impressionnistes d'un « style notatif », le genre hybride du « roman dialogué », et ce

Jules Romains « Je crois à l'universel; et je crois aussi de plus en plus à ce qui dans l'univers est floraison, faveur du sort, enclos préservé, réussite, éminence, grâce exceptionnelle de la nature et du temps » (lettre de Jallez à Jerphanion).

projet d'un grand livre, qui est resté inachevé, les *Souvenirs du colonel de Maumort;* parmi des œuvrettes *(Confidence africaine)*, des œuvres dramatiques de second ordre *(Un taciturne)* et beaucoup de tentatives avortées. L'achèvement des *Thibault* coûta d'ailleurs beaucoup au romancier qui dut remanier son plan en cours de route, détruire le manuscrit d'un tome entier en 1931 (qui se serait intitulé *L'appareillage*) et, de 1933 à 1936, qui crut ne jamais venir à bout de *L'été 14*, cette « folle gageure » qui l'entraînait à parler de ce qu'il ignorait et « de ce qui ne s'apprend pas ».

C'est que ce « romancier-né », qui rêve de s'égaler à ce Tolstoï qu'il admire entre tous, est tiraillé entre d'autres vocations : celle de dramaturge qu'est venue confirmer en 1913 son amitié avec Jacques Copeau, lui ouvrant les portes du Vieux-Colombier; sa formation d'archiviste-paléographe qui lui a laissé le goût de la recherche historique, la méthode de la fiche et les scrupules du collectionneur de faits. Pourtant, il le sait, il possède « le don de vie » et il doit faire effort sur lui-même pour « [s'y] consacrer tout entier, comme à la flamme ardente de [s]on art personnel ». Cette libération est totale dans les premiers tomes des *Thibault*, jusqu'à ce que l'histoire des personnages vienne se heurter à l'Histoire.

Le cahier gris. Durée : 5 jours. Escapade de deux collégiens, Jacques Thibault et Daniel de Fontanin, qui sont arrêtés près de Marseille et rendus à leur famille.

Technique : récit impersonnel + dossier.

Le pénitencier. Un an après. Durée : quelques semaines. M. Thibault père, grand bourgeois catholique, a placé Jacques dans le pénitencier qu'il a fondé à Crouy. L'enfant est délivré par son frère aîné, le médecin Antoine Thibault, qui va le loger chez lui, à Paris, lui permettre de terminer ses études et de fréquenter la famille protestante des Fontanin.

Technique : récit impersonnel + présentation indirecte (point de vue d'Antoine).

La belle saison. Cinq ans après. Durée : cinq mois (juillet-novembre 1910). Jacques vient d'être reçu à l'École normale supérieure. Il est attiré par Jenny de Fontanin, la sœur de Daniel, maintenant étudiant aux Beaux-Arts, mais aussi par Gise, une fillette de 15 ans qui a été élevée dans la maison de M. Thibault. Pendant ce temps, Antoine vit avec une aventurière, Rachel, une liaison brève et brûlante.

Technique : récit impersonnel + présentation directe par Rachel de son propre passé.

La consultation. 3 ans après. Durée : un jour. Dans le cabinet d'Antoine défile le pitoyable cortège des malades. Le jeune médecin doit examiner son propre père, à qui il cache la gravité de son état. Quant à Jacques, il a mystérieusement disparu.

La Sorellina. Durée : une semaine. Dans une revue suisse, Antoine découvre une nouvelle, *La Sorellina*. Son contenu et le pseudonyme de l'auteur lui permettent de découvrir aisément qu'elle a été écrite par Jacques et de comprendre les raisons de sa fuite : le conflit de ses sentiments pour Jenny et pour Gise, le refus opposé par le père au mariage avec la sœur de Daniel de Fontanin, et peut-être aussi le désir de réussir l'évasion manquée d'autrefois. Antoine retrouve Jacques en Suisse, dans un milieu de révolutionnaires internationaux.

Technique : juxtaposition de points de vue; utilisation du récit indirect.

La mort du père. Durée : une semaine. Antoine a décidé Jacques à revenir au chevet de leur père agonisant. Il se décide à abréger, par une piqûre, les souffrances inutiles du moribond. Ni la maison familiale, ni Gise ne parviennent à retenir Jacques qui ne songe qu'à repartir.

L'été 14. Juin-août 1914; durée : 44 jours. Revenu à Genève, Jacques retrouve les révolutionnaires. L'un d'eux, un ancien aviateur nommé Meynestrel, le charge de diverses missions. Au cours de l'une d'elles, il revoit Jenny à Paris. Leur passion éclate mais, au moment de la mobilisation, la jeune fille ne peut suivre Jacques en Suisse, car sa mère est malade. Jacques a, en effet, décidé de s'employer de toute sa force à la propagande pacifiste. Il imagine de jeter du haut d'un avion piloté par Meynestrel un tract adjurant les soldats des deux camps d'abandonner les armes et de fraterniser. Mais l'avion capote. Jacques, grièvement blessé et tombé dans les lignes françaises, est pris pour un espion et achevé par un gendarme d'un coup de revolver.

Épilogue. 4 ans après. Durée : 6 mois et demi (3 mai-18 novembre 1918). La guerre a exercé ses ravages. Daniel est blessé. Antoine a été ypérité sur le front de Champagne. Dans la maison de vacances des Thibault, transformée en hôpital militaire que dirige Mme de Fontanin, il retrouve Jenny et le fils qu'elle a eu de Jacques, Jean-Paul. Se sachant condamné, il lui propose de l'épouser pour donner son nom à l'enfant. Jenny refuse. Ses souffrances devenant intolérables, Antoine met fin à ses jours par une piqûre. « Plus simple qu'on ne croit », note-t-il dans son journal, dont les derniers mots sont pourtant « Jean-Paul ».

Technique : récit impersonnel + présentation directe (journal d'Antoine).

« L'Histoire est employée par Martin du Gard pour mieux traquer ses personnages, accroître leurs fatalités intérieures du poids d'un destin cosmique » (1). Le roman marche ainsi vers une issue (la guerre) connue du lecteur qui sait la vanité des efforts de Jacques et de Jenny pour la conjurer. La marche des événements est aussi implacable que le cancer qui ronge Oscar Thibault. Les personnages semblent emmurés dans un univers tragique qui devient désolant pour le lecteur des derniers tomes. « Suis

1. Claude-Edmonde Magny, op. *cit.*, p. 340.

condamné à mourir sans avoir compris grand-chose à moi-même, — ni au monde », conclut Antoine.

Est-ce à dire qu'on puisse reprocher à Martin du Gard une passivité qui le contraindrait à ne pas détacher son regard du passé récent et expliquerait son silence après *Les Thibault* [1]? Il faudrait pourtant rappeler qu'il fut l'un de ceux qui protestèrent en 1958 (avec Malraux, Mauriac et Sartre) contre la torture en Algérie, et qu'il refusa d'entrer à l'Académie française parce que ce grand corps n'avait pas su faire entendre, sous l'occupation allemande, la « vibrante protestation collective » qu'on attendait de lui [2]. Il est injuste et inexact de confondre Martin du Gard avec Antoine Thibault, enfermé dans un matérialisme scientiste un peu étroit, comme il est absurde de le confondre avec Jacques, le plus attachant de ses personnages. En fait, il s'est partagé entre eux (comme déjà entre André Mazerelles, l'écrivain raté, et Bernard Grosdidier, le chartiste laborieux, dans son premier livre, *Devenir!*). Surtout, en vrai romancier, il a su garder à leur égard la distance qui convient, nuançant d'une touche désagréable tel personnage apparemment sympathique (Jacques ou Mme de Fontanin), approfondissant la psychologie complexe du pharisien Oscar Thibault qui, comme le remarque Antoine après la mort du père, n'eut peut-être d'aversion pour le caractère aventureux de Jacques que parce qu'il existait entre eux « une similitude de tempérament ».

1. C'est l'hypothèse proposée par Cl. E. Magny.
2. Voir le fac-similé X dans le livre cité de Jacques Brenner, *Martin du Gard*, p. 129.

Albert Camus a défini en ces termes le dessein secret, et peut-être inavoué, de Martin du Gard : « au bout d'une longue course à travers la guerre et les négations, [...] l'espoir [...] de retrouver les secrets d'un art universel qui, à force d'humilité et de maîtrise, ressusciterait enfin les personnages dans leur chair et leur durée » [1]. Humble espoir d'artiste dans un monde qu'il se sait impuissant à transformer, mais qui s'éclaire à ses yeux de ce pâle rayon.

1. Introduction aux *Œuvres complètes* de Martin du Gard dans la Bibliothèque de la Pléiade.

BIBLIOGRAPHIE

ÉDITIONS : Romain ROLLAND, *Jean-Christophe,* Livre de Poche (nos 734-735, 779-780, 806-807) ; *L'âme enchantée,* Livre de Poche (nos 1088-1089, 1104-1105, 1121-1122). — Georges DUHAMEL, différents volumes de la *Chronique des Pasquier,* Livre de Poche. — Jules ROMAINS, extraits des *Hommes de bonne volonté* dans la collection des « Classiques contemporains Bordas » ; l'ensemble dans la collection « J'ai lu » (154, 166, 170, 181, 194, 198, 212, 233, 242, 250, 254, 267, 282). — Roger MARTIN DU GARD, édition scolaire : Classiques Larousse. — Édition courante : *Les Thibault* en collection « Folio », nos 139, 140, 164, 165. — Édition complète : *Œuvres complètes,* Gallimard, 1955, coll. « Bibliothèque de la Pléiade » (éd. en réalité incomplète ; comprend *Souvenirs autobiographiques et littéraires, Devenir ! Jean Barois, In memoriam, Les Thibault, Vieille France, Confidence africaine, Le testament du père Leleu, La gonfle, Un taciturne, Notes sur André Gide*) ; remarquable introduction d'Albert Camus.

ÉTUDES : sur Romain Rolland : Jean-Bertrand BARRÈRE, *Romain Rolland, l'âme et l'art,* Albin Michel, 1966 ; *Romain Rolland par lui-même,* Seuil, 1955. — Jacques ROBICHEZ, *Romain Rolland,* Hatier, coll. « Connaissance des lettres », 1961 (présentation sobre, d'une érudition sans défauts ; pour de plus amples renseignements bibliographiques, on consultera les dernières pages de cet ouvrage). — Bernard DUCHATELET, *Les débuts de Jean-Christophe,* Lille, 1975. — Les éditions Albin Michel publient de précieux *Cahiers Romain Rolland.* — Sur Georges Duhamel : Marcel SAURIN, *Les écrits de Georges Duhamel,* Mercure de France, 1951. — Chantal FOUCHÉ, *Les Pasquier de Georges Duhamel,* SEDES, 1987. — Sur Jules Romains : André CUISENIER, *Jules Romains et l'unanimisme,* 3 vol., Flammarion, 1945-1954 (voir surtout le tome III, *Jules Romains et les Hommes de bonne volonté*). — Sur Roger Martin du Gard : pour une initiation, Clément BORGAL, *Roger Martin du Gard,* Paris, Éditions universitaires, 1957, coll. « Classiques du XXe siècle ». — Jacques BRENNER, *Martin du Gard,* Gallimard, coll. « La Bibliothèque idéale », 1961 (inégal, mais a l'avantage de présenter une vue d'ensemble de l'œuvre). — Pour la réflexion, Claude-Edmonde MAGNY, « Roger Martin du Gard ou les limites d'un monde sans envers », dans *Histoire du roman français depuis 1918,* pp. 305-350 (étude pénétrante, d'une sévérité peut-être excessive).

LA SAVEUR DE LA VIE

« Je consentais à tout » (1) : cette formule de Colette permet de définir, dans le massif de la production romanesque, une zone où l'on respire plus librement, où l'on est désireux, avant tout, de goûter la saveur de la vie. Pourtant, dans l'entre-deux-guerres, l'inquiétude gagne les romanciers de la terre, contraints, eux aussi, à une manière d'engagement.

Colette (1873-1954)

Née à Saint-Sauveur-en-Puisaye dans l'Yonne, Gabrielle Colette a su évoquer comme nulle autre la terre de son enfance : un royaume dont elle seule est la reine et qui pour tout autre — même pour son compagnon, — ne serait qu'une « campagne un peu triste qu'assombrissent les forêts, un village paisible et pauvre, une vallée humide, une montagne bleuâtre qui ne nourrit pas même les chèvres » (*Les vrilles de la vigne*, 1908).

On connaît surtout Colette comme romancière de l'amour et du couple. Elle a su exploiter avec bonheur l'expérience de ses mariages successifs avec Willy (Henry Gauthier-Villars qui collabora avec elle pour la série des *Claudine*), avec Henry de Jouvenel et Maurice Goudeket. Mais, selon le mot de sa mère Sido, « l'amour n'est pas un sentiment honorable », surtout quand on en doit la révélation à un viveur mondain comme Willy. N'importe : Colette, exilée d'un monde dont elle a cessé d'être digne, regarde vivre ses héros avec une curiosité passionnée. Les troubles de l'adolescence (*Le blé en herbe*, 1923), le désarroi de la jalousie (*La chatte*, 1933; *Duo*, 1934), les dissonances douloureuses du couple (*Chéri*, 1920; *La fin de Chéri*, 1926) l'intéressent comme une feuille qui s'ouvre ou une araignée gourmande. Initiée aux secrets de l'impureté, elle n'en a pas moins décidé de poursuivre la mission que lui a confiée l'innocente Sido, en voulant le monde à elle, en « tâchant à posséder le commencement du commencement », la primeur en parfums du vent d'été, le pâle souffle qui vient avant le rayon de soleil, son image solitaire dans le miroir de la glace vierge : renaître neuve chaque matin avec *La naissance du jour* (1928). Cette éternelle fraîcheur de la sensation nous est transmise, par la grâce d'un style insurpassable, en bouffées de poésie.

Le roman de la terre

« La civilisation urbaine a pris son grand vol », constate Henri Pourrat (1887-1959) dans *L'homme à la bêche*. Le romancier auvergnat a été au premier rang de ceux qui, après 1918, ont tenté de recréer une littérature « rustique » pour magnifier la vie de la terre. Il ne s'agit ni de revenir à la tradition pastorale ni de tomber dans le « folklorisme », mais de retrouver « le sens vivant de la sève », le lien qui a toujours uni l'homme à la terre et que la civilisation moderne tente de détruire. Outre le *Gaspard des montagnes* (1922-1931) de Pourrat, véritable épopée de l'Auvergne, il faut citer parmi les exemples les plus significatifs *La Brière* (1923) d'Alphonse de Chateaubriant (1877-1951), qui retrace la lutte des paysans de la région nantaise pour préserver de l'invasion industrielle leurs marais et leurs tourbières, *Raboliot* (1925) de Maurice Genevoix (né en 1890) qui montre un braconnier défendant ses « droits » contre d'incompréhensibles interdits, les romans d'Henri Bosco (né en 1888). Mais Ramuz et Giono dominent toute cette production.

Ramuz (1878-1947)

Ramuz est Suisse. Mais il a vécu de longues années à Paris jusqu'à ce que la Grande Guerre le ramenât, et pour toujours, dans le canton de Vaud. Ce retour marque le passage d'une littérature de la nostalgie à une littérature de terroir. Encore ne faut-il pas s'enfermer dans les limites

1. *Belles saisons*, Flammarion, 1955, p. 134.

de cette dernière expression, car Ramuz a recherché « un art de milieu en même temps qu'universel ». Se dégageant de l'idylle villageoise et de l'autobiographie (*Aline*, 1905; *Aimé Pache, peintre vaudois*, 1910), disant « adieu à beaucoup de personnages » (c'est le titre d'un de ses ouvrages paru en 1914), il donne ses grandes œuvres qui, à partir de 1924, lui vaudront la célébrité : *Les signes parmi nous* (1919); *Joie dans le ciel* (1925); *La grande peur dans la montagne* (1926); *La beauté sur la terre* (1927); *Derborence* (1934).

« Qu'il existe un jour un livre, un chapitre, une simple phrase qui n'aient pu être écrits que chez nous, parce que copiés dans leur inflexion sur telle courbe de colline, ou scandés dans leur rythme par le retour du lac sur les galets d'un beau rivage... » : ce rêve d'une œuvre fortement enracinée qui invite, par la voie du langage, à un accord de la vie et de la nature se situe bien au delà d'un réalisme régionaliste. Recherchant « le contraire du pittoresque », Ramuz veut « aller à l'essentiel, qui ressortit déjà à la métaphysique ». Dans cet univers menaçant et sombre où l'homme est en proie à la peur, des « intercesseurs » lui font retrouver les « signes » qui lui permettent de retrouver et de comprendre sa place.

Giono (1895-1970)

Né à Manosque, Jean Giono a toujours vécu « enraciné » dans sa terre de Provence qui, écrit-il dans *L'eau vive*, « a gardé sa pureté préhistorique ». C'est là que mûrissent ses premiers poèmes *(Accompagnés de la flûte)* et le roman qui, en 1928, va le lancer : *Colline*. Il y évoque l'hostilité latente de la nature, tempérée dans les deux volumes qui viennent compléter une sorte de trilogie de la terre, *Un de Baumugnes* (1929) et *Regain* (1930).

Pourtant Giono n'est pas insensible aux événements qui bouleversent le monde : en 1931 il évoque dans *Le grand troupeau* l'horreur de la vie des tranchées qu'il a connue durant la Première Guerre mondiale. Il devient le professeur de paix qui veut faire « durer » la joie. Ses disciples se rassemblent dans la ferme abandonnée du Contadour et il leur dévoile les « vraies richesses » (ce sera le titre d'un ouvrage paru en 1937) qui naissent de la terre, et la soumission à l'ordre naturel du monde. Ce message transparaît dans *Le chant du monde* (1934) et dans *Que ma joie demeure* (1935). Le titre de ce dernier livre est emprunté à un choral de Jean-Sébastien Bach, avec une omission significative, celle de l'invocation à Jésus.

En haut, C. F. Ramuz à l'époque où il collaborait avec Igor Strawinsky pour *Renard*.
En bas, le geste symbolique de Jean Giono

Sur un plateau de Haute-Provence vivent, isolées, des familles qui attendent la joie. Elle est apportée par un vagabond, Bobi, arrivé par une claire nuit d'hiver. Il essaie, pendant deux ans, de ramener les habitants du lieu aux sources primitives de la vie et de leur faire retrouver la nature mère et amour. Mais l'aventure se termine tragiquement : une jeune fille, croyant sans espoir son amour pour Bobi, se suicide. Et le voyageur, reprenant sa marche, est tué par la foudre sur le plateau.

Son « engagement » vaut à Giono d'être emprisonné en 1939 comme antimilitariste, puis en 1945 comme vichyssois, comme si sa prédication avait servi de caution aux mots d'ordre du maréchal Pétain.

Abandonnant désormais toute littérature de combat, il revient au roman. Le lyrisme et l'épopée s'estompent pour laisser voir en pleine clarté les ravages exercés par le destin. C'est le ton plus neutre des *Chroniques* (le titre choisi est déjà significatif à cet égard) dont font partie entre autres *Un roi sans divertissement* (1947), *Les âmes fortes* (1949), *Le hussard sur le toit* (1952), *Le moulin de Pologne* (1952), *Angelo* (1958). Pourtant, la ligne directrice de l'œuvre de Giono n'a pas changé : si le malheur est nécessaire, il n'en reste pas moins qu' « il faut à toute force être heureux » et c'est à la chasse du bonheur, du « bonheur fou » que partent ses personnages, un bonheur que, pour sa part, le romancier trouve dans l'écriture.

Portrait de Colette par Henri Matisse. Étude pour le frontispice de *La Vagabonde*, lithographie 1948. (B.N., Paris, cabinet des Estampes.)

BIBLIOGRAPHIE

ŒUVRES : COLETTE, *Romans* dans la « Bibliothèque de la Pléiade » et dans la coll. « Bouquins ». — RAMUZ : Œuvres complètes aux éditions Rencontre. — GIONO : *Œuvres complètes* dans la « Bibliothèque de la Pléiade », 6 vol.

ÉTUDES : Michèle SARDE, *Colette libre et entravée,* Stock, 1978 ; coll. Giono. *Imaginaire et écriture,* Aix, Edisud, 1985.

ROMANCIERS CATHOLIQUES

MAURIAC (1885-1970)

Pour ceux qui ne gardent présentes à la mémoire que les dernières décennies de la vie de Mauriac, il fait figure d'écrivain engagé, attentif à toutes les manifestations de la vie politique. Mais ce qui est vrai de Mauriac journaliste ne l'est pas de Mauriac romancier dont les créatures se débattent, mollement le plus souvent, dans un monde clos.

Les « préparations »

Ce monde clos n'est autre que celui de son enfance et de son adolescence. « Tout s'est passé », explique-t-il lui-même, « comme si la porte eût à jamais été refermée en moi, à vingt ans, sur ce qui devait être la matière de mon œuvre. » Tous ses livres pourraient porter le titre de l'un d'eux, paru en 1932, *Commencements d'une vie.*

L'empreinte du terroir. François Mauriac est né à Bordeaux, mais l'horizon de son enfance est moins celui de la ville, peut-être, que celui de la campagne d'Aquitaine, — forêt des Landes ou libre chevauchée des vignes autour du domaine familial de Malagar auquel il est toujours resté très attaché. « Dans les campagnes girondines, écrit-il, je ne me suis jamais interrompu de vivre, je n'en fus jamais déraciné ». Elles sont présentes dans les recueils poétiques qu'il a laissés, des *Mains jointes* (1909), l'œuvre de ses débuts saluée par Barrès, aux vers sensuels d'*Orages* (1925) et jusque dans *Le sang d'Atys* (1940) où prend la parole la terre-mère, Cybèle. Présentes encore dans le poétique décor de son œuvre romanesque, tant dans *Thérèse Desqueyroux* (1927) que dans *Le mystère Frontenac* (1933) : là, le terrible, l'oppressant silence d'Argelouse qui cerne la coupable; ici les cimes confuses de Bourideys, témoins, gardiens de l'amour d'une famille.

L'empreinte du milieu. Mais Bordeaux c'est aussi la ville bourgeoise, celle même « où la bourgeoisie est la plus vaniteuse et la plus gourmée de France », écrit Mauriac dans l'un de ses tout premiers romans, *La robe prétexte* (1914). *Préséances*, en 1921, attire sur lui l'attention du public parce qu'il y dénonce les vides et les vices de la bourgeoisie. Thérèse Desqueyroux, dans le premier roman dont elle est l'héroïne, est prise entre son père, M. Larroque, vieux radical qui ne songe qu'à sa carrière politique, et sa belle-famille dévote, prête à tout pour sauver la façade respectable des Desqueyroux. Mais ce milieu dont il montre les tares, Mauriac a-t-il jamais cessé d'y appartenir? Jugeant « anodine » la critique qu'il en fait, Claude-Edmonde Magny l'accuse de « laisser intact le monde de l'argent (malgré ses portraits d'êtres avares et cupides), et cette réalité qu'est la Famille solidement appuyée sur l'Héritage »; bien plus, explique-t-elle, il redore dans *Le mystère Frontenac* cette réalité qu'il avait paru un instant ébranler.

L'empreinte de l'éducation. C'est qu'il n'échappe pas davantage à l'empreinte d'une famille qu'il fait revivre dans le halo poétique des années d'enfance. Mauriac a très jeune perdu son père : à ce malheur il n'a jamais pu s'accoutumer, comme il l'explique dans *Commencements d'une vie* et — indirectement — dans le récit de l'éducation de Fabien (*Le mal*, 1924). Il a été élevé sous l'autorité d'une mère tendre, mais intransigeante, et dans des collèges religieux. Assiégé de sollicitations obscures, hanté par le péché, il a connu les luttes de Raymond Courrèges adolescent dans *Le désert de l'amour* (1924) et cette tension entre l'amour du monde et l'amour de Dieu qu'il a retrouvée chez Racine (*Vie de Jean Racine*, 1927) et qui constitue proablement le thème fondamental de son œuvre omanesque. De ce combat, il ne pouvait lui-nême sortir que victorieux grâce à sa certitude l'un rapport personnel avec Dieu. En revanche, l laisse souvent ses personnages dans les affres le l'agonie.

« Un catholique qui écrit des romans »

Mauriac a refusé d'être un « romancier catho-ique » et s'est défini comme « un catholique qui crit des romans ». C'est-à-dire qu'au lieu d'étu-lier, à la manière de Bloy ou de Bernanos, les tats d'une conscience catholique, il présente, lans une perspective catholique, le monde des passions et du péché.

« *Des mal-aimés* » [1]. Passionnés, les person-nages mauriaciens sont en général des per-sonnages passifs qui se laissent entraîner, sans le comprendre et parfois sans qu'on le comprenne clairement, dans la voie du péché. La paresse de Maria Cross *(Le désert de l'amour)*, le lent glissement de Gisèle de Piailly dans la sensualité *Le fleuve de feu*, 1923), la manière dont Thérèse Desqueyroux s'abandonne peu à peu à la tentation du meurtre en sont de parfaites illus-trations. Cette passivité du personnage n'aurait l'égale, si l'on en croit Claude-Edmonde Magny, que la passivité dans laquelle Mauriac veut maintenir son lecteur en s'aidant des sortilèges de son style : il nous ferait accepter (et Sartre dans un article célèbre le lui a reproché) non seulement ses personnages, mais encore le juge-ment qu'il porte sur eux soit à la faveur d'une parenthèse du texte (Thérèse « bête puante » ou « désespérée ») soit dans le titre-étiquette *(La pharisienne, Le sagouin)*.

Le mystère du salut. En fait, il y a quelque injus-tice à reprocher à Mauriac d'avoir « mal aimé » ses personnages. Il semble refuser de se pro-noncer sur le terme de leur destinée. Et, s'il choisit des pécheurs, des créatures odieuses, comme il le dit dans la préface de *Thérèse Des-queyroux*, il ne nous présente pas pour autant un « Enfer ». La passion, même coupable, nous découvre le mystère d'une âme; mais, note-t-il dans *La fin de la nuit* (1935) — qui est aussi la fin de l'aventure humaine de Thérèse Desquey-roux —, « toute une vie de souillures n'altère pas cette splendeur d'un être ». Bien plus, dira-t-il dans *Les anges noirs* (1936), « ceux qui sem-blaient voués au mal, peut-être étaient-ils élus avant les autres, et la profondeur de leur chute donne la mesure de leur vocation ». C'est pourquoi il a préféré aux enfants sages, aux saints, les violents, ceux qu'il appelle « les mau-vaises têtes ».

François Mauriac jeune, à Arcachon.

L'évolution du romancier. Cette indulgence est un terme plus qu'un point de départ. Le premier Mauriac est, il ne s'en cache pas, « amer et dur » (*Le baiser au lépreux*, 1922). On l'a parfois qualifié de « janséniste ». Une grave crise de conscience, intervenue aux alentours de la qua-rantaine, devait amener l'illumination décisive : « il n'existe pas, pour le Fils de l'homme, de cas désespéré » (*Souffrances et bonheur du chrétien*, 1931).

L'écrivain dans le monde

L'évolution de Mauriac déborde largement celle de son art de romancier. Certes, il avait été

1. Cette expression est le titre d'une des rares pièces de théâtre composées par Mauriac (1945).

MAURIAC

	ROMANS	THÉATRE	ESSAIS
1913	*L'enfant chargé de chaînes*		
1914	*La robe prétexte*		
1922	*Le baiser au lépreux*		
1923	*Genitrix*		
1926	*Le désert de l'amour*		
1927	*Thérèse Desqueyroux*		
1928			*La vie de Jean Racine*
1932	*Le nœud de vipères*		
1933	*Le mystère Frontenac*		*Le romancier et ses personnages*
1935	*La fin de la nuit*		
1936	*Les anges noirs*		
1938		*Asmodée*	
1941	*La pharisienne*		
1945		*Les mal aimés*	
1951	*Le sagouin*		
1959			*Mémoires intérieurs*
1963			*Charles de Gaulle*

attiré dans sa jeunesse par le catholicisme social et l'expérience du *Sillon* (1). Mais il faut attendre 1936 et les événements de la guerre d'Espagne pour qu'il sorte véritablement de la réclusion littéraire : sa protestation contre les tyrannies modernes se poursuit sous la Résistance (*[illegible] cahier noir*, 1943) et au moment des luttes co[illegible]niales (le premier *Bloc-Notes*, 1952-1957, mont[illegible] qu'il fut partisan de l'indépendance des pays [illegible] Maghreb). Sa carrière de journaliste semb[illegible] présenter des ruptures et des changements d'orie[illegible]tation : il soutient le M. R. P. en 1945 pour [illegible] renier bientôt; il collabore à *L'Express* et sal[illegible] Pierre Mendès-France comme un grand homm[illegible] d'État, mais la politique de la gauche ne tar[illegible] pas à lui arracher des cris de colère. C'est fin[illegible]lement le général de Gaulle qui, en 1958, [illegible] apparaîtra comme le véritable homme prov[illegible]dentiel, et il ne cessera dans *Le Figaro* et *[illegible] Figaro littéraire* de lui apporter son suffrag[illegible] En considérant la ligne de sa vie, Mauriac [illegible] découvre pourtant une fidélité, qui est la fidéli[illegible] d'un homme libre à lui-même. Car même quan[illegible] il s'ouvre au monde il entend rester un homm[illegible] attentif à sa voix profonde, celui qui jusqu'à [illegible] mort s'est recueilli dans ses *Mémoires intérieur[illegible]*

En 1952, l'Académie suédoise avait accor[illegible] à Mauriac le Prix Nobel de littérature « po[illegible] l'analyse pénétrante de l'âme et l'intensi[illegible] artistique avec laquelle il a interprété dans [illegible] forme du roman la vie humaine ». A cette dé[illegible]nition, d'ailleurs parfaitement juste, il faut ajout[illegible] l'hommage implicite ainsi rendu à un homm[illegible] qui, jusque dans sa vieillesse, a refusé d'êt[illegible] d'un autre temps.

1. Mouvement à tendances démocratiques chrétiennes, animé par Marc Sangnier, et condamné par Pie X en 1910.

BERNANOS (1888-1948)

« Un homme entier » : tel nous apparaît, conformément à son vœu même, Bernanos à travers son œuvre. Une œuvre engagée s'il en fut, mais vivante dans son engagement. Car l'écrivain sait revenir sur ses prises de position politiques tout en demeurant inébranlable sur ses assises les plus fermes : sa foi de catholique, l'esprit d'enfance, l'esprit de pauvreté. Par-delà la vie d'un lutteur et ses incidents, il convient donc de rechercher l'unité véritable dans la vision du romancier.

L'existence d'un lutteur

Bernanos est venu tard à la littérature. « J'ai commencé d'écrire à plus de quarante ans », explique-t-il lui-même dans la *Lettre aux Anglai[illegible]* « et l'extrême bienveillance du public à mon égar[illegible] depuis onze ans, ne me convraincra pas d'êt[illegible] un écrivain professionnel. » La vie, ici, e[illegible] première, et avec ses « luttes » et ses « rêves [illegible] elle oriente l'œuvre qu'elle a suscitée.

Les débuts d'un journaliste. Après une diffici[illegible] scolarité, Georges Bernanos, étudiant à Par[illegible] le droit et les lettres, entre en contact avec le[illegible] milieux royalistes. En décembre 1908, il s'enrô[illegible] parmi les « Camelots du Roi » et fait figure d[illegible] franc-tireur. Il tâte même de la prison en 190[illegible] En septembre 1913, il devient directeur d'u[illegible] journal rouennais, *L'Avant-garde de Normand[illegible]* où il se déchaîne, en particulier, contre le philo[illegible]sophe Alain, incarnation de l'esprit radica[illegible] Il y insère ses premières nouvelles où il appara[illegible] également hostile à la sentimentalité factic[illegible] t à l'intellectualité stérilisante. Son idéal est ne vie prodigue d'elle-même, — une nouvelle hevalerie.

Les déceptions de la guerre et de la paix. La uerre allait-elle, en 1914, lui offrir l'occasion l'une vie héroïque, comme à Péguy? Sur le front, ernanos gagne des blessures et des décorations, nais cette lutte contre l'ennemi de la France lui emble dérisoire. « J'ai servi au sens le plus trict », dira-t-il dans *Les enfants humiliés*, servi comme un serviteur, un homme à tout aire, un homme de peine, un homme qui n'a as de métier, un manœuvre. » Ce combat, il le ressent, ne profitera qu'aux politiques. L'après-uerre le lui confirme et sa déception est si rande qu'en 1920 il envoie à Charles Maurras a démission de l'Action Française. Car il ne aurait, lui, renoncer à l'Absolu. Peut-être aussi ait-il que ses vrais ennemis sont en lui-même, n particulier la tentation du désespoir. Pour instant, il se contentera d'exercer, dans les épartements de l'Est, le métier d'inspecteur 'assurances que lui a procuré son beau-père, t qui lui permettra de faire vivre sa bientôt ombreuse famille. En mars 1926 paraît son remier roman, *Sous le soleil de Satan*. Il en vait entrepris la rédaction un peu après l'armis-ce, et cette œuvre porte la marque du désarroi ù les événements l'avaient plongé. Mais si Mouchette, murée dans son crime (elle a assas-iné son séducteur, le marquis de Cadignan), uccombe à la tentation du désespoir et se uicide, l'abbé Donissan qui, lui aussi, a ren-ontré Satan sur son chemin, non seulement sur a route d'Étaples, par une étrange nuit de auchemar, mais au moment même où il apparaît tous comme le « saint de Lumbres », sort vain-ueur du combat spirituel.

Dénonciation de l'imposture. Le succès écla-ant remporté par son premier livre incite Bernanos à se consacrer au seul métier d'écrivain, qu'il conçoit comme un sacerdoce. Au cours de quelques années d'une vie itinérante à travers la France naissent deux romans qui à l'origine ne devaient en constituer qu'un : *L'imposture* (1927) et *La joie* (1929). Les deux livres mettent en scène un prêtre imposteur, l'abbé Cénabre, qui, ayant perdu la foi, continue d'exercer ponctuellement son ministère et auprès de qui se relaient pour le sauver l'abbé Chevance et Chantal de Clergerie. La satire d'une société rongée par le mensonge, la condamnation de la lâcheté des chrétiens médiocres doivent de leur virulence à un événement qui a ébranlé Bernanos : la condamnation de l'Action Française par l'Église, en septembre 1926. Mais, là encore, la sainteté vient à bout des ténèbres.

BERNANOS

	ROMANS	THÉÂTRE	ESSAIS
1926	*Sous le soleil de Satan*		
1927	*L'imposture*		
1929	*La joie*		
1936	*Journal d'un curé de campagne*		
1938			*Les grands cimetières sous la lune*
1946	*Monsieur Ouine*		
1949		*Dialogue des carmélites*	

De 1929 à 1935 le romancier se tait et le polémiste reprend la parole. Mais le combat reste le même dans *La grande peur des bien-pensants* (1931) : prenant pour prétexte la vie de celui qu'il considère comme son maître à penser, Édouard Drumont [1], Bernanos fait le récit de l'agonie de la Chrétienté, tuée par les chrétiens eux-mêmes, quand ils se sont ralliés à une société matérialiste, totalitaire et athée.

Vers un renouvellement. Le romancier, à dire vrai, n'était qu'apparemment en sommeil. Il a sur le métier *Un mauvais rêve*, *Un crime*, *M. Ouine*. Mais l'achèvement en est extrêmement difficile. Pour expliquer cette lenteur soudaine, il convient sans doute d'invoquer les difficultés de l'existence, en particulier le très grave accident de motocyclette, survenu le 21 juillet 1933 à Montbéliard, d'où Bernanos sortit définitivement infirme. Mais il faut également tenir compte chez le créateur d'un vœu de renouvellement : il veut « espacer les soutanes », renoncer (temporairement) à cette tension entre le saint et le pécheur qui avait été le ressort essentiel de l'action dans ses premiers livres. Il s'oriente vers une manière policière à laquelle ne sont pas étrangers ses pressants besoins d'argent. Mais la quête de la vérité s'inscrit encore une fois dans ce climat de mensonge où se débattent d'ordinaire ses personnages.

Majorque. En octobre 1934, Bernanos s'est installé à Palma de Majorque avec sa famille. Indifférent aux affaires politiques espagnoles, il compose dans la joie, au cours des premiers mois

1. Théoricien de l'antisémitisme (1844-1917).

de son séjour, le plus célèbre de ses livres, le *Journal d'un curé de campagne*, qui parut en 1936. Mais le déclenchement de la guerre civile ne pouvait le laisser indifférent. A la révolution franquiste il apporte tout d'abord une adhésion enthousiaste : la droite espagnole lui semble entreprendre le combat que n'a pas osé tenter la droite française. Pourtant la férocité des exécutions, l'attitude du clergé suscitent bientôt en lui l'étonnement, puis le dégoût, puis l'horreur. Naguère chantre de la réaction, Bernanos se fait maintenant l'interprète des morts qui parlent dans *Les grands cimetières sous la lune* (1938).

La *Nouvelle histoire de Mouchette* (1937) est liée à l'indignation qu'a éprouvée le romancier devant la guerre d'Espagne. Il s'est lui-même expliqué sur ce point : l'histoire de cette fillette « traquée par le malheur et l'injustice », violée par le braconnier Arsène non seulement dans son corps, mais dans sa confiance, dans son espérance même, transpose l'histoire de ces « pauvres êtres », victimes des puissants, qu'il a vus « passer dans des camions là-bas, » pour être impitoyablement fusillés.

L'expérience brésilienne. Ne pouvant ni continuer à résider en Espagne, ni rester bien longtemps dans une France qu'il voit livrée au déshonneur, Bernanos s'embarque, en juillet 1938, pour l'Amérique du Sud. Commence alors une longue série d'échecs : il quitte bien vite le Paraguay pour le Brésil, et passe de « fazenda » en « fazenda » sans parvenir à réaliser son rêve d'une exploitation agricole à la fois saine et prospère. D'ailleurs la guerre bientôt appelle ses fils. Et, du fond de son exil volontaire, l'écrivain ne saurait dégager son regard de l'épreuve subie par la France. Les écrits de cette période, tous polémiques, en font foi : *Scandale de la vérité*, *Nous autres Français*, *Le Chemin-de-la-Croix-des-Ames*, *La France contre les robots*, et surtout cet admirable essai autobiographique, *Les enfants humiliés*.

Le dernier combat. Rappelé par le général de Gaulle, Bernanos rentre en France en juillet 1945. Cet après-guerre ne lui inspire pas des sentiments bien différents de ceux que lui avait inspirés l'autre. Sa colère est peut-être même plus violente encore. Tantôt en France, tantôt en Suisse, tantôt en Tunisie, Bernanos déploie une intense activité journalistique. Et si la mort vient à bout du vieux lutteur, ce n'est qu'au terme d'une longue agonie qui n'est pas sans rappeler celle du curé de campagne (atteint, comme lui, d'un

Georges Bernanos : « Qu'importe ma vie Je veux seulement qu'elle reste jusqu'a bout fidèle à l'enfant que je fus... » *(Le grands cimetières sous la lune).*

cancer), ou celle de Blanche de la Force, dans l'admirable scénario de film qu'il vient d'achever à grand peine, *Dialogues des Carmélites*, ou même de celle de Jésus, dont il projetait d'écrire la vie

L'unité de l'œuvre

Deux courants, l'un romanesque, l'autre polémique, semblent se partager l'œuvre de Bernanos. Le second risquait de la briser sur l'écueil de la circonstance. Or il n'en est rien Si la vigueur de son engagement est frappante sa permanence ne l'est pas moins (« à fond jusqu'au bout, jusqu'à la fin, jusqu'à la mort » et elle constitue un premier facteur d'unité Unité de la personne. Unité aussi de cette fidélité qu'est la foi :

> Ma musique vous arrive du bout du monde, ains que le témoignage non pas de mon art, mais de m constance *(Les enfants humiliés)*.

Le thème de l'enfance. On ne trouverait pas chez Bernanos, ce regard banal de nostalgi vers l'enfance si fréquent dans la littérature de bons sentiments. Si, dans la page célèbre e admirable qui ouvre *Les grands cimetières sou la lune*, il place tous ses « compagnons inconnus — ses lecteurs, les hommes qu'il a rencontrés mais aussi ses personnages — derrière l'enfan qu'il fut, s'il estime si souvent qu'il doit rendr compte de ses œuvres (dans tous les sens d terme) à cet enfant, c'est parce que l'enfanc n'appartient pas au passé : elle doit demeure n principe perpétuellement actif que les saints t les héros ont le pouvoir d'agrandir à la mesure e leur destin. « Être fidèle à son enfance, c'est la fois, pour Bernanos, maintenir envers et ontre un monde qui les nie les valeurs de fierté, 'héroïsme, de don de soi qui se sont révélées à ui dans ses rêves d'enfant, et donner forme aux ersonnages que ces rêves appelaient vaguement l'existence, reparcourir en esprit, pour y trouver la fois la même chose et autre chose, les routes e jadis » [1].

Le thème de la pauvreté. Parmi les visages 'enfants qui peuplent l'univers de Bernanos, n'en est pas de plus émouvant peut-être que la econde Mouchette. Son suicide apparaît moins omme une victoire de Satan (ce qui était le cas e la première) que comme une entrée, extra-rdinairement douce, dans la mort. Une « mort es pauvres », « des plus pauvres », « de ceux ui n'ont pas reçu la bonne nouvelle du salut pporté par Jésus-Christ » [2]. Sous sa forme la lus simple, le thème de la pauvreté court à ravers toute l'œuvre de Bernanos. En face des hâtelains d'Ambricourt, le curé de campagne, ils d'humbles paysans, reste un pauvre, au sens vangélique du terme et, comme l'explique son onfrère, le curé de Torcy, le rôle de l'Église ne levrait être ni de donner la première place aux iches ni de contribuer à la disparition de la auvreté, mais d'enseigner la pauvreté aux auvres, de leur révéler leur éminente dignité.

Le thème christique. En effet, cette pauvreté st le reflet de la pauvreté du Christ. Or la vision ernanosienne est inséparable d'une vision hristique de l'univers. Aussi l'épreuve, la sueur l'angoisse, la sueur de sang s'y intègrent-elles tout naturellement. Jésus n'a pas ignoré cette tentation du désespoir qui travaille l'abbé Donissan, dans *Sous le soleil de Satan*, et l'agonie du curé d'Ambricourt, dans le *Journal d'un curé de campagne*, est celle d'un « prisonnier de la Sainte Agonie ». De même, dans les *Dialogues des Carmélites*, Mère Lidoine rappellera à Sœur Marie que « c'est dans la honte et l'ignominie de sa Passion que les filles du Carmel suivent leur Maître ».

Écriture et sacerdoce. Mais l'écrivain prend-il place lui-même dans cet univers christique? Le curé d'Ambricourt, mis en garde par le curé de Torcy, est conscient du danger qu'il court en tenant son journal et qui n'est autre que le danger d'imposture :

> C'est une des plus incompréhensibles disgrâces de l'homme, qu'il doive confier ce qu'il a de plus précieux à quelque chose d'aussi instable, d'aussi plastique, hélas, que le mot.

Cette inquiétude, Bernanos la partage : il redoute ce tête-à-tête narcissique avec soi-même où pourrait s'insinuer le Malin. En supprimant le personnage du prêtre, dans la *Nouvelle histoire de Mouchette*, n'usurpe-t-il pas sa place, en face de son héroïne? En face de son lecteur, ne fait-il pas office de directeur de conscience et de confesseur, par ce dialogue direct qu'il entretient avec lui, par cet aveu qu'il lui arrache? Du moins Bernanos sait-il qu'il se sauve par la tendresse, une tendresse de violent : il ne la refuse ni à ses lecteurs, ni à ses personnages (Cénabre), ni à ses adversaires, ni à lui-même. Et c'est pourquoi, comme le curé d'Ambricourt, il se réconcilie avec lui-même, et parvient à échapper au pire des péchés, la haine de soi.

JULIEN GREEN (né en 1900)

Le meilleur commentateur de l'œuvre de ulien Green a montré comment l'œuvre de 'écrivain franco-américain était une longue utobiographie, un « miroir à trois faces » romans, drames, écrits proprement autobiographiques) où il cherche le sens de sa vie et ce ecret qui, en définitive, « n'est connu que de Dieu seul » [3].

1. Max Milner, *Georges Bernanos.*
2. *Ibid.*
3. Jacques Petit, *Julien Green, l'homme qui venait d'ailleurs.*

« *Vers une impossible libération* »

Comment pourrait-il se comprendre immédiatement, cet Américain né en France, qui pratique les deux langues et est imprégné des deux cultures, ce protestant qui à seize ans s'est converti au catholicisme avant de rompre avec lui pour de longues années? Sa jeunesse, comme ses premières œuvres, sont placées sous le signe de la mort (Green perd sa mère en 1914, puis sa sœur et son père) et du désir : la rencontre d'un jeune Américain, Mark, l'aveu d'amour suspendu, fixent un personnage (« l'homme venu d'ailleurs ») et une séquence dramatique (le mouvement vers l'autre brusquement interrompu et suivi d'un recul) autour desquels s'organise, selon J. Petit, l'œuvre de Green.

Les premières nouvelles *(Le voyageur sur la terre)* et les premiers romans font clairement apparaître ces caractéristiques essentielles. Ils se déroulent dans l'atmosphère sombre d'une « prison » : la demeure sombre de *Mont-Cinère* (1926) avec ses « parois grises » et ses « petites fenêtres carrées », la villa des Mesurat où Adrienne se sent étroitement surveillée (*Adrienne Mesurat*, 1927), et l'univers étroit où, dans *Léviathan* (1929), Guéret se débat avec son désir pour Angèle, « sa chambre, basse de plafond, avec une fenêtre étroite, le restaurant de Mme Londe, le petit café désert, la villa des Grosgeorge ». Le passage d'un étranger vient brusquement bouleverser des vies monotones (le pasteur dans *Mont-Cinère*, le docteur Maurecourt dans *Adrienne Mesurat*, Guéret dans *Léviathan*), mais la libération souhaitée n'est qu'une fausse libération qui rend le héros à sa solitude (Émily après l'incendie de Mont-Cinère) et à sa claustration (folie d'Adrienne, arrestation de Guéret).

Green lui-même se retrouve dans ces destinées. « Je suis tous les personnages », dit-il à propos de *Léviathan*, et la révolte de ses personnages est la sienne : « Adrienne Mesurat, c'était moi, entouré d'interdits qui me rendaient fou. » Mais si « le roman est une manière d'en dire plus long sur [s]oi », il est, pour l'instant, l'aveu d'un échec.

Le refuge de l'imaginaire

Après ces œuvres où la violence semblait avoir atteint la limite permise, Green écrit des « livres immobiles », baignés de rêve et d'ennui, qui correspondent à un mouvement de retour sur soi et d'acceptation de soi-même : *L'autre sommeil* conduit à la scène de l'aveu suspendu à partir de laquelle Denis se murera dans sa solitude; dans *Épaves* (1930) seule la lâcheté des uns et des autres (Philippe, sa femme Henriette et sa belle-sœur Éliane qui est amoureuse de lui) permet de poursuivre la vie commune en évitant une fin violente, crime ou suicide. A la structure dramatique des premiers livres a d'ailleurs succédé, dans ces deux ouvrages, une structure circulaire qui évite tout dénouement.

Autre couple romanesque : *Le visionnair* (1934) et *Minuit* (1936). Conçus simultanémer (Green abandonne l'un pour travailler à l'autre ils nous plongent dans l'univers du rêve où le protagonistes, Manuel ou Élisabeth, recherchen la « vraie vie » au risque de trouver la mort.

Varouna (1940) est probablement le livre l plus difficile de Green. Il comprend trois parties un mythe (« Hoël »), un récit légendaire (« Hé lène ») et le journal d'une romancière (« Jeanne » qui est le roman du roman. « Écrire un roma note-t-elle, quelle aventure! On ne peut jamai savoir où cela peut nous mener et j'ai l'impressio que le fait d'écrire est en soi un roman dont l héros est l'auteur. » Prenant peur quand ell sent l'importance que son héroïne a dans s propre vie, Jeanne brûle son roman. C'est comm si Green lui-même se détournait de l'imaginair et mettait en question son œuvre et la créatio même. En 1948, il déclare n'avoir plus envi d'écrire des romans. C'est qu'il est revenu a catholicisme et qu'il veut adopter une attitud purement religieuse.

L'apaisant aveu

« L'Homme qui vit de la foi est nécessaire ment isolé. A toute heure du jour, il est en pro fond désaccord avec son siècle; à toute heure du jour il est seul et d'une certaine manière il fai figure de fou » : cette note du *Journal* de Green

Julien Green, en novembre 1971 : « Des géné rations de chrétiens ont vu qu'il fallait fair le silence sur ces choses qui sont les plu secrètes de l'âme humaine et qui touchent a divin. » *(Les années faciles.)*

12 juillet 1947) pourrait servir d'introduction à *Ioïra* (1950), le plus nettement autobiographi-ue, sans doute, des romans de Green. Joseph)ay, « le roux », est en effet, comme jadis l'écri-ain, venu poursuivre ses études à l'université e Charlottesville. Ce protestant rigoriste, ce)litaire « venu d'ailleurs » s'attire l'hostilité de :s compagnons d'études qui le poussent dans :s bras d'une jeune fille, Moïra. Il lui cède, puis étrangle, et, après avoir hésité, se constitue pri-onnier. « *Moïra* », écrit Green dans son *Journal*, n'est que la transposition d'un fait réel avec outes les exagérations nécessaires ». J. Petit onge, devant la chute de Joseph cédant à Ioïra, à cette autre chute : celle du catholique ui cède à la tentation romanesque, alors qu'il ait fort bien que « la source du roman est npure » (1).

1. Encore une affirmation extraite du *Journal* de Green.

« La terreur d'aimer ce que l'on aime » pèse encore sur les trois pièces de théâtre que compose alors Green, en particulier *Sud* (1953), où le thème de l'homosexualité prend la valeur d'un aveu. Aveu retardé auquel le romancier et ses personnages n'hésitent plus à procéder. Angus ose enfin dire son amour pour son cousin Wilfred (*Chaque homme dans sa nuit*, 1960). Pour Green lui-même est venu le temps de l'autobiographie : *Partir avant le jour* (1963), *Mille chemins ouverts* (1964), *Terre lointaine* (1968). Comme les romans, elle s'ordonne autour du mythe de « l'homme qui vient d'ailleurs » et de l'événement majeur, la rencontre de Mark. Mais elle conduit à un apaisement que seul peut-être connaissait Wilfred au terme de *Chaque homme dans sa nuit*. Car pour trouver la lumière, « la joie qui dépasse l'entendement », « il faut chercher la route qui mène au plus intérieur de nous-même » *(Journal)*.

IBLIOGRAPHIE

ÉDITIONS : François MAURIAC : En Livre de Poche : *Le baiser au lépreux* (n° 1062); *Genitrix* (n° 1283); *'hérèse Desqueyroux* (n° 138); *Destins* (n° 1526); *Le nœud de vipères* (n° 251); *Le mystère Frontenac* (n° 359); *a fin de la nuit* (n° 796); *Les anges noirs* (n° 580); *Le sagouin* (n° 1048); *Mémoires intérieurs* (n° 1504). — En ivre de Poche-Université : *Thérèse Desqueyroux* (éd. J.-M. Pény). — *Œuvres romanesques et théâtrales* dans la Bibliothèque de la Pléiade ».

Georges BERNANOS : Éditions scolaires : *Sous le soleil de Satan* (Classiques Larousse); *Monsieur Ouine* Classiques contemporains Bordas). — Éditions de poche : dans le Livre de Poche-Université : *Journal d'un uré de campagne* (présentation et notes de Michel Estève); dans le Livre de Poche : *Sous le soleil de Satan* 1° 227); *L'imposture* (n° 318); *La joie* (n° 186); *Un crime* (n° 271); *Journal d'un curé de campagne* (n° 103); *'ouvelle histoire de Mouchette* (n° 561); *Les grands cimetières sous la lune* (nos 819-820); *Les enfants humiliés* 1° 2291); *Dialogues d'ombres* (n° 2397). — Édition critique : *Œuvres romanesques*, suivi de *Dialogue des Car-télites*, Gallimard, 1961, coll. « Bibliothèque de la Pléiade ».

Julien GREEN : En Livre de Poche, *Adrienne Mesurat* (n° 504); *Chaque homme dans sa nuit* (n° 1715); *Léviathan* 1° 361); *Minuit* (nos 214-215); *Moïra* (n° 402); *Mont-Cinère* (n° 272); *Sud* (n° 2496); *Varouna* (n° 575); *Le isionnaire* (n° 828); *Le voyageur sur la terre* (n° 203). — Intégrale dans la collection « Bibliothèque de la Pléiade ».

ÉTUDES : Sur François MAURIAC : Pour une présentation sommaire, *François Mauriac par lui-même* de Pierre-Ienri SIMON (Seuil, 1953), malheureusement vieilli, et Bernard ROUSSEL, *Mauriac, le péché et la grâce* (éd. du Cen-urion, 1965). — Pour une réflexion sur Mauriac, on lira Charles DU BOS, *François Mauriac et le problème du omancier catholique*, Corrêa, 1935, et la critique des « sartriens » : de SARTRE lui-même, « M. François Mauriac et a liberté », dans *Situations I*, Gallimard, 1947; de Claude-Edmonde MAGNY, « Un romancier quiétiste : François Iauriac », dans *Histoire du roman français*, chap. V. Ouvrages récents : Jean TOUZOT, *La planète Mauriac*, Ilincksieck, 1985; Cahier de l'Herne, *Mauriac*, sous la direction de J. Touzot, 1985.

Sur Georges BERNANOS : Albert BÉGUIN, *Bernanos par lui-même*, Seuil, 1954 (un témoignage fervent). — Michel ESTÈVE, *Bernanos*, Gallimard, 1965, coll. « La Bibliothèque idéale » (un ouvrage d'initiation bien documenté). — Iax MILNER, *Georges Bernanos*, Desclée de Brouwer, 1967 (un ouvrage d'ensemble, riche et profond, essentiel our comprendre Bernanos).

Sur Julien GREEN : Robert DE SAINT-JEAN, *Julien Green par lui-même*, Seuil, coll. « Écrivains de toujours », 968. — Jacques PETIT, *Julien Green, l'homme qui venait d'ailleurs*, Desclée de Brouwer, 1969 (l'ouvrage essentiel; onne une image remarquablement cohérente de l'évolution et des constantes de Green).

CÉLINE (1894-1961)

S'il est quelqu'un dont on peut dire qu'il a été victime des idéologies, c'est bien Céline : de celles dont on l'a chargé, de celles au nom desquelles on l'a condamné... Il faut pourtant se rappeler ses propres paroles : « J'ai pas d'idées, moi! aucune! et je trouve rien de plus vulgaire, de plus commun, de plus dégoûtant que les idées! les bibliothèques en sont pleines! et les terrasses des cafés! ... tous les impuissants regorgent d'idées! » *(Entretiens avec le Professeur Y)*. Et avec ces paroles retrouver un ton qui mieux que tout permet de définir l'originalité de cet écrivain inclassable.

Un picaro du XXe siècle

L'œuvre de Céline étant une vaste autobiographie, on ne peut éviter de rappeler les principaux moments de son « existence blessée » [1].

Louis-Ferdinand Destouches est né à Courbevoie dans la banlieue de Paris, dans cette banlieue parisienne qu'il évoquera si souvent et qui fut peut-être son paysage préféré. Il prendra pour pseudonyme d'écrivain le troisième prénom de sa mère, Céline. Elle avait pourtant voulu faire de lui un commerçant, comme elle. C'est pourquoi on l'envoie tout enfant apprendre les langues étrangères, en Allemagne et en Angleterre. Résultat : à dix-huit ans, il est livreur et on se « ser[t] de [s]a jeunesse pour remplacer le métro ».

Heureusement il y a ce refuge, l'armée, et cette aubaine, la guerre. Engagé volontaire en 1912, le cavalier Destouches est blessé en novembre 1914. On le retrouve à Londres, puis au Cameroun, pour une épopée africaine qui constituera l'un des épisodes majeurs du *Voyage au bout de la nuit*. Il réussit, malgré tant d'aventures, à préparer seul et à passer le baccalauréat, puis — grâce au soutien de son beau-père, un médecin rennais — son doctorat en médecine en 1924. Spécialisé en épidémiologie, préoccup par les questions d'hygiène et les problème sociaux, il voyage, aux frais de la S.D.N., à traver l'Europe, l'Afrique et les États-Unis d'Amériqu avant d'installer en 1930 son cabinet à Clichy, dan la banlieue parisienne retrouvée.

1. L'expression est de Gaëtan Picon dans l'*Histoire des littératures* de la Pléiade, t. III, p. 1345.

La révélation d'un écrivain

En 1932, Céline a trente-huit ans. Il publ son premier roman, *Voyage au bout de la nu* qui n'a pourtant rien de l'œuvre d'un débutan C'est qu'il s'agit, à la fois terrible et burlesqu « hénaurme » en tout cas, de la somme de s expériences à ce jour, dont il charge son hér Ferdinand Bardamu : ses années de caserne de guerre, ses périples (la vie coloniale à Bik mimbo ou à Topo, l'*American way of life* New York ou aux usines Ford de Detroit ses liaisons (Lola, Musyne, Molly), ses amiti (Léon Robinson) et son existence de médeci de banlieue. *Mort à crédit* (1936) s'ouvre sur l mille et un détails de sa vie présente, — « médecine, cette merde » —, mais, rompa délibérément avec l'ordre chronologique qu avait suivi dans le *Voyage*, Ferdinand laisse lib cours aux impulsions de sa mémoire et de so imagination, recréant l'atmosphère odieuse d la maison familiale, son séjour en Angleter (avec la folle passion et le suicide de Nora Me rywin), l'aide de l'oncle Édouard qui l'introdu chez l'inventeur-escroc Courtial des Péreires.

Les mésaventures du pamphlétaire

Du style éruptif de ces deux romans au pam phlet il n'y avait qu'un pas, aisément franc par Céline au cours des années suivantes ave *Bagatelles pour un massacre* (1937), *L'école de cadavres* (1939) et *Les beaux draps* (1940). Il s' livre à un réquisitoire antisémite que les événe ments prochains devaient rendre d'autant plu scandaleux. Les Juifs ne sont pas seuls visés

Céline s'en prend au processus de dégénérescence dans lequel se trouve engagé le monde occidental et dont il rend également responsables la propagande antifasciste des Américains, la menace du communisme soviétique, la montée démographique des Noirs et des Jaunes. Mais cette civilisation occidentale qu'il entreprend de défendre (en proposant, dans *L'école des cadavres*, une coalition franco-allemande) ne sort pas indemne du massacre : et l'auteur reconnaît qu'il faudrait refaire l'éducation de l'homme.

Après avoir été chéri des gens de gauche, Céline allait-il l'être de l'extrême-droite? Il est resté un homme seul, attaqué de toute part. Jugeant prudent de gagner le Danemark, avec sa seconde femme et son chat Bébert, en 1944, il est obligé de passer à travers l'Allemagne. Si le docteur Destouches ne refuse ses soins à personne, du moins repousse-t-il l'offre de participer à la propagande pro-allemande, ce qui lui vaut d'être interné dans le Brandebourg.

La Libération est plutôt pour lui le moment de l'incarcération. A Copenhague il est emprisonné pendant deux ans et se trouve constamment menacé d'extradition. En 1951, il rentre en France et s'installe à Meudon où il reçoit sa maigre clientèle et poursuit son œuvre d'écrivain. Il donne la suite de sa chronique fabuleuse et exhale ses plaintes et ses rancœurs après *Guignol's band* (1944) dans *Féerie pour une autre fois* (1952-1954), *D'un château l'autre* (1957), *Nord* (1960).

Louis-Ferdinand Céline à Paris en mai 1941, à l'époque où il se livre à des réquisitoires antisémites.

La réussite est inégale mais « le vieillard clochard dans la merde » n'a rien perdu de sa virulence. Il vient d'achever *Rigodon* quand la mort le surprend en 1961. Depuis longtemps il avait dépassé la limite de ses forces.

Un « voyage au bout de la haine »?

Le 14 juin 1957, à un moment où Céline faisait encore figure, en France, d'écrivain maudit, *L'Express* publiait une interview de lui sous le titre *Voyage au bout de la haine*. En fait, cette définition de son œuvre se révèle vite insuffisante. S'il a mené, impitoyablement, une « chasse aux tares de l'homme et de la société » [1] — à laquelle n'échappent ni le Blanc, ni le Français, ni lui-même —, c'est que Céline était à la recherche de la vérité. Une vérité qu'il est moins tenté de rechercher dans le « délire scientifique », — « le moins tolérable d'entre tous [2] » — ou dans la religion, « quelque trame usagée [...] qui les rassure » [3], que dans la double expérience de la mort et de l'amour. Car si, comme il le dit, « la vérité de ce monde, c'est la mort », si « les vivants qu'on égare dans les cryptes du temps dorment si bien avec les morts qu'une même ombre les confond déjà » [4], s'il est lui-même saisi d'angoisse devant « l'atroce torrent des choses, des gens... des jours... des formes qui passent... qui s'arrêtent jamais » [5], il assigne à l'acte sexuel la fonction capitale de nous replonger dans le courant de la nature. Et même s'il n'a que mépris pour les « tendraîsses » [6] et fait plus confiance aux élans du corps qu'aux élans du cœur, il faut rappeler les pages consacrées dans le *Voyage au bout de la nuit* à la « bonne, admirable Molly », à la pitié de Bardamu pour Bébert, l'enfant de la concierge qu'il ne peut arracher à la mort, ou à son admiration pour le sergent Alcide.

Un nouvel art d'écrire

Dans une interview imaginaire intitulée *Entretiens avec le professeur Y,* Céline a parfaitement défini sa « petite invention » en tant qu'écrivain : « l'émotion du langage parlé à travers l'écrit ».

1. Marc Hanrez, *op. cit.*, p. 38.
2. *Voyage au bout de la nuit.*
3. *Les beaux draps.*
4. Ces deux citations sont tirées du *Voyage au bout de la nuit.*
5. *Mort à crédit.*
6. *Bagatelles pour un massacre.*

Son témoignage est en effet d'autant plus brûlant qu'il est transcrit en un langage étonnamment direct, exhalé comme un cri. La page charrie un vocabulaire d'une extrême richesse où se mêlent le mot de tous les jours, les termes populaires ou argotiques, les néologismes (mégoteux, médiocriser), les mots amputés (popotam) ou monstrueusement accouplés (vociféroce) sans parler des expressions étrangères jaillies du sol étranger que foule le héros.

Chez Céline la négligence elle-même est un art, qui vise essentiellement à l'efficacité. La phrase nominale, la juxtaposition, l'ellipse, les répétitions, la ponctuation ont un rôle très important à jouer et, même si les procédés semblent plus rudimentaires dans les ouvrages qui ont suivi *Voyage au bout de la nuit*, il est hors de doute que ce langage se situe dans une zone qui n'est ni celle du langage écrit ni celle du langage parlé. Cette nouvelle éloquence, qui se moque de l'éloquence, peut atteindre à la véritable poésie.

On a pu regretter que la duplicité entretenue entre l'auteur et son porte-parole, Bardamu ou Ferdinand, dans le *Voyage* et *Mort à crédit*, ait entièrement disparu par la suite. Mais cette confusion du « je » de l'écrivain et du « je » du narrateur marque bien la signification ultime du roman célinien :

Le roman devient une possession totale de soi, à laquelle l'écrivain ne peut accéder qu'en écrivant. Car le soin naguère apporté au récit, à la présentation des scènes et des personnages, est tout entier reporté ici sur un langage qui se présente comme une création continue ([1]).

1. Gaëtan Picon, *Histoire des littératures,* p. 1345.

Dessin de Gen Paul pour l'édition de 1942 de *Mort à crédit* aux éditions Denoël.

BIBLIOGRAPHIE

ŒUVRES : *Romans,* Gallimard, coll. « Bibliothèque de la Pléiade », éd. de Henri Godard.

ÉTUDES : Marc HANREZ, *Céline,* Gallimard, coll. « Bibliothèque idéale », 1969 ; Cahier de l'Herne, 3e éd. 1981 ; *Cahiers Céline* aux éd. Gallimard ; Série « Céline » de la *Revue des Lettres modernes ;* Henri GODARD, *Poétique de Céline,* Gallimard, 1985.

MALRAUX (1901-1976)

Aventureux, combattant plutôt que guerrier, ministre gaulliste, écrivain qui ne met pas seulement, comme on dit, sa vie dans son œuvre, mais dont la vie vient après coup confirmer l'œuvre et l'illustrer... On n'a rien dit quand on a sommairement décrit; on n'a pas saisi une personnalité — ou un personnage? — quand on a énuméré ses aspects divers. Et il est trop facile d'expliquer cette diversité par une succession de reniements. Que l'auteur des *Antimémoires* ne soit plus le même que celui qui écrivait *La voie royale*, qui le nierait? Mais prétendre que *Les chênes qu'on abat* « trahit » *L'Espoir*, c'est passer bien vite et légèrement sur une évolution qui n'est qu'approfondissement, aggravation d'une même exigence. L'unité de l'œuvre de Malraux n'est pas dans les réponses qu'elle apporte à des questions diversement posées, mais dans l'insistance de ces questions et la manière totale, intellectuelle et charnelle, dont elles sont posées. Contre tous les risques de négation de l'homme, ces questions retentissent comme son affirmation permanente.

De l'aventure à la révolution

Né en 1901, André Malraux, après des études libres d'orientalisme, se montre très tôt avide de participer, par la plume comme par l'action directe, aux événements décisifs de son temps, et de trouver à travers cette participation à la condition tragique de l'humanité les raisons qu'a l'homme de survivre (1). De ses voyages en Indochine et en Chine, de sa participation probable aux réunions du Kuomintang (1) en 1926, Malraux tire les éléments de ses deux premiers romans, *Les conquérants* (1928) et *La voie royale* (1930).

L'aventure individuelle. Bien que *Les conquérants* retrace l'action des révolutionnaires de Canton en 1925 alors que *La voie royale* se réduit à la marche de l'archéologue Vannec et de l'aventurier Perken à travers les périls de la jungle indochinoise, les deux romans sont une même exaltation de l'aventure. Garine, le héros des *Conquérants*, s'attache à la révolution sociale, mais elle est moins une fin qu'un moyen. Il s'agit d'annuler la vanité de l'existence par la participation à une « grande action quelconque ». Les premiers héros de Malraux ne se battent pas véritablement pour quelque chose, ils se battent contre l'absurde de leur vie (2), de toute vie humaine guettée par le néant. L'action héroïque est l'occasion d'affronter ce qui menace la vie : la faiblesse, la souffrance et la mort. « Jouer sa vie sur un jeu plus grand que soi », c'est la dominer, refuser de la soumettre à l'ordre du destin. Dans un univers déserté par Dieu, sans recours possible à l'infini et à l'éternité, l'homme doit tirer de sa faiblesse aggravée par la violence historique une grandeur nouvelle qu'il ne doive à rien qu'à lui-même. Privée de signification, l'existence humaine s'en donne une en assumant et en dépassant son non-sens dans l'action et la méditation. Car l'aventure dangereuse n'est pas une fuite aveugle, une anesthésie de l'esprit en

1. Après avoir tenté dans *Lunes en papier* (1921), *Royaume farfelu* (1928) de créer un univers cocasse et angoissé, l'auteur se tourne vers les domaines plus riches de l'aventure réelle : il part en Indochine pour retrouver les statues d'un temple khmer. Accusé de vol après la réussite de l'expédition, il découvre la sottise cruelle de l'administration coloniale. Un second séjour en Indochine est consacré au journalisme politique. Cette expérience de l'Asie alimente une première réflexion sur la crise des civilisations exprimée dans *La tentation de l'Occident* (1926) et *D'une jeunesse européenne* (1927).

1. Parti nationaliste chinois qui comprenait à l'époque de nombreux éléments communistes.

2. « La question fondamentale pour Garine est bien moins de savoir comment on peut participer à une révolution, que de savoir comment on peut échapper à ce qu'il appelle absurde [...] Garine est un homme qui, dans la mesure où il a fui cette absurdité qui est la chose la plus tragique devant laquelle se trouve un homme, a donné un certain exemple. » (A. Malraux, *Conférence sur « Les conquérants »*, 1929).

proie à l'absurde. Les personnages de Malraux, les premiers et ceux qui apparaîtront dans les œuvres futures, sont tous, comme Garine, des intellectuels capables d'analyser et d'exprimer leur révolte : « Un type de héros en qui s'unissent la culture, la lucidité et l'aptitude à l'action. »

La fraternité révolutionnaire. Si l'acte individuel délivre l'homme de la sujétion de toute existence, la révolution qui tend à détruire un ordre aliénant, une forme sociale d'humiliation, est le lieu privilégié de l'action libératrice. L'oppression politique, la misère économique sont les formes les plus directement éprouvées de l'absurde, les plus atroces, qui privent l'homme de toute dignité. Un Garine même découvre dans ses actes une fécondité qui dépasse son propre salut; malgré son cynisme désespéré, il est fier d'avoir contribué à créer l'espoir des Chinois misérables. Les romans qui suivent *Les conquérants* et *La voie royale* ne s'attachent plus seulement à deux ou trois figures exemplaires, ils trouvent dans les événements historiques intéressant toute l'humanité une matière plus dense. Mais ces événements, loin d'être utilisés à des fins descriptives, sont toujours des moyens pour interroger le mystère humain. L'Histoire, puisque l'éternité garantie par Dieu n'existe plus, permet non seulement de poser, mais de vivre les vrais problèmes; l'écrivain la subit et y participe pour la dépasser dans une méditation lyrique et métaphysique. Les titres des « reportages », des « témoignages » qu'il ramène de tous les lieux du monde où l'homme se bat et meurt sont significatifs : la révolution chinoise est un bouleversement sanglant de première importance historique, mais aussi et surtout, elle révèle « la condition humaine »; la guerre civile espagnole, répétition générale de la Seconde Guerre mondiale, oppose le fascisme aux aspirations démocratiques, mais c'est « l'espoir » des hommes humiliés et mis à mort qui est brutalement mis en lumière.

De *La condition humaine* (1933, prix Goncourt), Malraux admet que le cadre n'est pas le plus important : « l'essentiel est l'élément pascalien ». On ne peut négliger pourtant ce cadre qui réunit « les conditions d'un héroïsme possible ». En 1927, l'armée du Kuomintang progresse dans sa libération des territoires tenus par les « généraux du Nord » inféodés aux puissances capitalistes. A Shanghaï, les communistes lancent une insurrection avant l'arrivée des troupes de Chang Kaï-chek. Celui-ci exige ensuite que les insurgés déposent les armes et organise la répression. Cet épisode de la révolution chinoise, nous le vivons par l'intermédiaire des actes et des réflexions de quelques héros bien différents : Katow, le révolutionnaire chevronné; Tchen, le terroriste qui refuse de transiger avec l'absolu; Kyo, le politique responsable qui se bat et accepte de mourir pour la dignité des miséreux; May, sa femme; Gisors, son père, etc. Tous, à des degrés divers et sous des formes différentes, posent la même question : quel sens peut avoir une vie humaine, dérisoire, gratuite, simple hasard cerné par le néant? Le danger partagé, le don de soi à l'espoir d'une communauté humiliée, la fraternité éprouvée dans la souffrance et dans la mort sont des réponses durement conquises qui suffisent. On voit que l'adhésion de Malraux à la révolution est plus métaphysique que politique; l'enjeu de l'action violente dépasse ses conséquences sociales; il s'agit moins de créer le bonheur des hommes que de fonder la dignité et la grandeur de l'homme.

Dignité, grandeur, lorsque paraît *Le temps du mépris*, en 1935, ces valeurs sont plus que jamais

Une scène du film d'André Malraux, *L'Espoir*. Cette photo pourrait servir d'emblème au roman qui porte le même titre et qui fut écrit sur le même sujet à la même époque.

bafouées. Hitler est au pouvoir, et Malraux est allé porter avec Gide à Berlin les pétitions pour la libération de Dimitrov [1]. Le « temps du mépris », c'est l'époque de l'avilissement humain savamment organisé par les fascistes; le livre témoigne d'une résistance possible contre cet avilissement, contre la torture morale et physique pratiquée dans les camps d'internement nazis. Ce n'est certainement pas l'une des œuvres majeures de Malraux, mais les intentions du romancier, exprimées dans la préface, s'y révèlent clairement : « On peut aimer que l'un des sens du mot *art* soit : tenter de donner conscience à des hommes de la grandeur qu'ils ignorent en eux. »

L'espoir (1937) est probablement le plus bel exemple de cette tentative. Le soulèvement de Franco contre la République espagnole, avec le soutien ouvert des fascismes italien et allemand, entraîna une guerre civile qui apparaissait bien comme les « grandes manœuvres sanglantes du monde ». Le roman, nourri de l'expérience de l'auteur — Malraux commanda une escadrille internationale, négocia l'achat d'armes pour la République —, est d'abord un document exceptionnel. Le peuple espagnol, avec ses diverses déterminations incarnées par des personnages de premier plan, s'y dresse contre l'humiliation, découvre la fraternité. Mais, plus encore qu'un génial reportage, qu'une exaltation de la communion des hommes, *L'espoir* est une méditation morale et politique sur l'action : contre les illusions lyriques, il faut, par la technique et la discipline, « organiser l'Apocalypse ». Les hommes n'ont plus seulement à lutter contre un adversaire, mais contre eux-mêmes, contre le meilleur d'eux-mêmes, la tendresse, l'idéalisme, l'enthousiasme. Pour agir, il faut renoncer à « être », il faut se durcir, se modifier. Chaque responsable, dans le roman, vit une tragédie spirituelle à l'intérieur d'un drame historique et politique, mais chacun sait qu'il grandit.

Un romanesque tragique. La volonté d'interroger la vie plutôt que de la décrire, en la saisissant, menacée, dans une situation historique plutôt qu'imaginaire, détermine une pratique romanesque nouvelle. On a reproché à Malraux d'écrire des reportages entrecoupés de dissertations, sans souci de composition; c'était ne pas voir à quel parti, esthétique et moral, se range l'écrivain. Contre une littérature centrée sur l'individu, éprise d'analyse psychologique et de sentiments, Malraux construit son œuvre sur l'intelligence et la volonté. Ses personnages existent moins par leur individualité irréductible que par leur participation voulue à la condition humaine dont ils témoignent d'une manière exemplaire. « Le roman moderne est, à mes yeux, un moyen d'expression privilégié du tragique de l'homme, non une élucidation de l'individu », avoue l'auteur. Expression contre élucidation : la pensée, exprimée par la parole et par l'action, la force de la volonté l'emportant sur les rêves, les instincts, toutes les faiblesses de l'homme qui s'accepte au lieu de se surmonter. Dans cette mesure, les héros peuvent paraître incomplets : l'auteur tait ce qui n'est pas leur grandeur, la grandeur de l'homme; le point de vue adopté peut paraître partial : dans les combats divers que retracent les livres, l'adversaire n'a point la parole... Mais toutes les « absences » de l'œuvre permettent d'imposer sans vains conflits marginaux le seul combat qui intéresse l'auteur, celui de l'intellectuel contre son destin; les vaines passions qui agitent

André Malraux pendant la Seconde Guerre mondiale après la reprise de Sainte-Odile par la brigade Alsace-Lorraine.

1. Injustement accusé de l'incendie du Reichstag.

les individus sont étouffées, dominées par la passion de l'esprit qui affirme l'homme en accusant sa vie.

Une autre action

Lorsque la Seconde Guerre mondiale éclate, Malraux combat dans les blindés. Blessé, fait prisonnier, il s'évade et rejoint la Résistance. De nouveau blessé, interné à Toulouse, il est libéré en 1944. Il prend alors le commandement de la brigade Alsace-Lorraine qu'il quitte en 1945 pour devenir ministre de l'Information dans le gouvernement du général de Gaulle. Il suit celui-ci dans sa retraite en 1946 et ne rentre au gouvernement qu'en 1958, comme ministre des Affaires culturelles. Les épreuves de la guerre, la rencontre décisive de l'Homme du 18 juin ont-elles provoqué un tournant dans la pensée de Malraux? Superficiellement, c'est incontestable : le partisan de la révolution exalte l'idée de nation, les sympathies manifestes pour le communisme font place aux condamnations de l'impérialisme et du totalitarisme soviétiques. Mais, au fond, les soucis de l'écrivain restent les mêmes, approfondis par la réflexion et la participation à l'histoire. Un livre singulier le montre : *Les noyers de l'Altenburg* (1).

Écrit dans la hâte, cet ouvrage dont l'auteur refuse la réimpression est peut-être le plus riche et le plus révélateur de la pensée de Malraux. Les thèmes fondamentaux de l'œuvre passée y sont approfondis, les directions des réflexions futures y sont indiquées : développements sur la guerre, sur l'héroïsme; méditation sur l'homme, recherche d'une donnée sur quoi puisse se fonder la notion d'homme, et donc interrogation passionnée des grandes civilisations et de ce qu'elles nous ont laissé, les œuvres d'art. A la mort partout reconnue, l'homme peut répliquer par le sens d'un enracinement terrien et national, et surtout par le geste essentiel de la création artistique.

Ainsi se dessine chez Malraux un héroïsme humaniste aux effets plus durables que l'héroïsme solitaire de l'aventure, ou fraternel de la révolution.

Les écrits sur l'art. Les œuvres d'art, leur création et leur effet, ont toujours été des thèmes de réflexion privilégiés dans l'œuvre romanesque de Malraux. A partir de 1946, retiré de la vie politique, l'écrivain y consacre l'essentiel de sa méditation. Il publie successivement *Le musée imaginaire* (1947), *La création artistique* (1948), *La monnaie de l'absolu* (1949), *Saturne* (1950), ouvrages approfondis, remaniés et complétés par *Les voix du silence* (1951), *Le musée imaginaire de la sculpture mondiale* (1952-1954) et *La métamorphose des dieux* (1957).

L'entreprise est fort déconcertante, sa singularité n'a pas manqué de surprendre le public et de choquer les spécialistes. Le projet de Malraux n'est ni historique, ni esthétique, mais nous renvoie encore aux interrogations métaphysiques fondamentales de notre époque : « Ce livre n'a pour objet ni une histoire de l'art [...] ni une esthétique; mais bien la signification que prend la présence d'une éternelle réponse à l'interrogation que pose à l'homme sa part d'éternité — lorsqu'elle surgit dans la première civilisation consciente d'ignorer la signification de l'homme ».

« Sous l'artiste, on veut atteindre l'homme. Grattons jusqu'à la honte la fresque, nous finirons par trouver le plâtre. Nous aurons perdu la fresque et oublié le génie en cherchant le secret. La biographie d'un artiste, c'est sa biographie d'artiste, l'histoire de sa faculté transformatrice » (Malraux, *Les voix du silence*).

1. Publié en Suisse en 1943, en France en 1948, ce livre est le premier volume d'un ensemble « La lutte avec l'ange », dont la suite fut détruite par les Allemands. L'auteur a renoncé à récrire cette œuvre.

La métamorphose des dieux). Par-delà les fonc-
ions diverses des œuvres d'art, les civilisations
iverses qui les ont suscitées, il s'agit pour
'homme d'aujourd'hui, qui peut les confronter
râce aux reproductions permises par les progrès
chniques, de dégager de créations différentes
ne signification commune; une signification
ctuelle que les œuvres du passé le plus reculé
cquièrent par leur « métamorphose ». « Toujours
nrobé d'histoire, mais semblable à lui-même
epuis Sumer (1) jusqu'à l'école de Paris, l'acte
réateur maintient au long des siècles une recon-
uête aussi vieille que l'homme » *(Les voix du
lence)*. C'est cette « reconquête » qui importe :
la victoire de chaque artiste sur sa servitude
ejoint, dans un immense déploiement, celle de
art sur le destin de l'humanité. L'art est un anti-
estin. » *(Ibid.)* Le geste créateur, en assumant
héritage de tous les gestes qui l'ont précédé,
ssure la permanence de l'homme, de la part la
lus haute de l'homme; inscrit dans l'histoire,
la transcende et défie victorieusement le néant.
Même s'il n'abolit pas la mort ni la souffrance,
est l'une des formes les plus hautes « de la
orce et de l'honneur d'être homme ».

Dans leur richesse confuse, souvent très ambi-
uë — l'auteur ne peut se défendre d'utiliser des
otions et un vocabulaire parareligieux équi-
oques chez un agnostique —, les écrits sur
art rassemblent et font culminer les thèmes
ssentiels de la pensée de Malraux.

« *Antimémoires* ». « L'homme que l'on trou-
era ici c'est celui qui s'accorde aux questions
que la mort pose à la signification du monde... »
Les lecteurs qui espéraient des révélations sur
l'homme privé n'ont pu être que déçus lors de
la publication des *Antimémoires* en 1967. Dans ce
premier volume d'une suite qui ne sera publiée
qu'après sa mort (1), Malraux s'est réduit, comme
il réduisait ses héros de roman, à sa part essentielle. Dédaignant le « misérable petit tas de
secrets », l'enfance, la vie intime, l'engagement
politique personnel même, l'écrivain remonte le
cours de sa vie pour n'en retenir que « ce qui a
survécu », faits authentiques et fictions romanesques, dans une curieuse confusion de l'histoire et de l'imaginaire. Dialogue surtout
(« peut-être n'ai-je retenu de ma vie que ses
dialogues ») avec les hommes qui changent le
monde (de Gaulle, Nehru, Mao Tsé-toung),
avec les œuvres d'art, dialogue éternel avec la
mort et la souffrance.

Antimémoires, le titre fait irrésistiblement
penser à la célèbre formule « l'art est un anti-
destin »; le rapprochement n'est ni facile ni vain
peut-être. Plus qu'une tentative dirigée contre
un genre littéraire, le livre est un sursaut de
l'homme contre sa vie. Sa vie vécue, passée,
devenue destin... La noblesse de la pensée est
encore, comme dans la création romanesque, dans
« l'accusation de la vie » et non dans l'enregistrement minutieux et complaisant des événements
qui l'ont faite. Avant que la mort ne « transforme
irrémédiablement le passé en destin », il reste à
l'homme d'action et de pensée la possibilité d'en
faire une œuvre, le lieu d'une question.

1. Une des plus anciennes civilisations connues, en
Mésopotamie.

1. Sous le titre *Les chênes qu'on abat...* Malraux a publié
en 1971 des fragments du second tome des Antimémoires,
rapportant ses entretiens avec le général de Gaulle.

BIBLIOGRAPHIE

ŒUVRES : *Romans*, Gallimard, « Bibliothèque de la Pléiade », *Œuvres complètes*, deux tomes parus, *id.* —
ntimémoires, Gallimard, 1967, et coll. « Folio », 1972. — *La condition humaine*, « Folio », n° 1. — *Les conqué-
ants*, Livre de Poche, n° 61. — *L'espoir*, « Folio », n° 20.

ÉTUDES : Gaëtan PICON, *Malraux par lui-même*, Seuil, coll. « Écrivains de toujours », n° 12. — André VANDE-
ANS, *La jeunesse littéraire d'André Malraux*, J.-J. Pauvert, 1964. — Jean LACOUTURE, *Malraux, une vie dans le
iècle*, Seuil, coll. Points H. 22. — Micheline TISON-BRAUN, *Malraux ou l'énigme du moi*, A. Colin, 1983. —
lbum Malraux, Pléiade, 1986. — Christiane MOATTI, *Le prédicateur et ses masques. Les personnages d'André
Malraux*, Publ. de la Sorbonne, 1987.

LE THÉÂTRE DE 1919 à 1939

La coupure des deux guerres mondiales est particulièrement sensible pour la production théâtrale qui, plus que tout autre secteur de la création littéraire, est tributaire de l'événement : fermeture des salles de spectacle en 1914, censure sous l'occupation allemande des années 40. Le retour de la paix, en revanche, semble coïncider avec une renaissance du théâtre à laquelle, à l'avance, le Directeur de la troupe nous invite à assister — tout autant qu'à la pièce — dans le Prologue qu'écrivit Apollinaire pour *Les mamelles de Tirésias :*

> Me voici donc revenu parmi vous
> J'ai retrouvé ma troupe ardente...

Fallait-il recommencer comme avant? C'est avec douleur qu'Apollinaire retrouvait « L'art théâtral sans grandeur sans vertu / Qui tuait les longs soirs d'avant-guerre ». Dans ce nouveau débat entre la « tradition » et l'« invention », l'« ordre » et « l'aventure » [1], les écrivains n'avaient pas seuls leur mot à dire. Essentiel devait être le rôle des animateurs.

© B. N. Paris.

LE RÔLE DU METTEUR EN SCÈNE

Regrettant d'avoir fait sa pièce pour une « scène ancienne », Apollinaire, dans le même Prologue, en vient à rêver d'un théâtre nouveau

> Un théâtre rond à deux scènes
> Une au centre l'autre formant comme un anneau
> Autour des spectateurs et qui permettra
> Le grand déploiement de notre art moderne
> Mariant souvent sans lien apparent comme dans [la vie
> Les sons les gestes les couleurs les cris les bruits
> La musique la danse l'acrobatie la poésie la [peinture
> Les chœurs les actions et les décors multiples.

1. Apollinaire, « La jolie rousse », dans *Calligrammes.*

Sans aller jusqu'à des changements aussi radicaux, les metteurs en scène ont, dans l'entre-deux-guerres, contribué à transformer les conditions du spectacle.

Jacques Copeau et le Théâtre du « Vieux-Colombier »

Antoine et Lugné-Poe avaient déjà travaillé en ce sens, chacun à sa manière [1]. Bientôt à leurs noms s'était joint celui de Jacques Copeau (1879-1949), l'un des fondateurs de *La Nouvelle*

1. Voir plus haut, pp. 513-514, 557-558.

Revue Française en 1909. En 1913 il avait renoncé à la direction de la revue pour se consacrer à une expérience nouvelle, au Théâtre du Vieux-Colombier : « élever un théâtre nouveau sur des fondations intactes et débarrasser la scène de ce qui l'opprime et la souille ». Après l'interruption de la guerre, la salle redevient le sanctuaire du théâtre. Copeau se retire en 1924; mais ses disciples, les « Copiaux » ou « Compagnie des Quinze », continuent l'expérience.

Proscrivant les « vedettes », les « monstres sacrés » qui avaient fait les beaux soirs du théâtre d'avant-guerre, Copeau impose à la troupe une discipline stricte pour obtenir une représentation plus homogène et une interprétation plus transparente, plus « sincère », du texte. Un jeu sobre, une mise en scène dépouillée, réduite à des éléments stylisés, mais où l'éclairage fait tout, doivent permettre d'atteindre à une vérité théâtrale qui n'a rien à voir avec ce que Copeau appelle le « vrai vital » — le fourmillement du réel.

Dépoussiérant le répertoire classique (en particulier Molière), introduisant le répertoire étranger, Copeau a également tenu à servir les auteurs ses contemporains : Claudel *(L'échange)*, Gide *(Saül)*, Schlumberger, Vildrac, Ghéon [1], et son ami Roger Martin du Gard.

Trois membres du « cartel » : en haut, à gauche : Louis Jouvet, l'incomparable interprète de Jean Giraudoux.
En haut, à droite, Georges Pitoëff.
En bas, Charles Dullin joue le rôle d'Harpagon, dans *L'Avare* de Molière : une création inoubliable.

Le « Cartel des quatre »

Après Copeau, quatre metteurs en scène se groupèrent en 1926 pour une commune défense de leur art, tout en poursuivant séparément une tentative originale. De 1936 à 1940, ils contribuèrent à la rénovation de la Comédie Française qu'administrait alors le dramaturge Édouard Bourdet.

L'aîné, Georges Pitoëff (1884-1939), admirablement secondé et servi par sa femme, la grande actrice Ludmilla Pitoëff, a tantôt à la tête de sa propre compagnie, tantôt dans divers théâtres, défendu les œuvres étrangères, en particulier celles des Russes. Il n'a pas négligé pour autant le théâtre français de son temps (Gide, Lenormand, Stève Passeur). Son désir essentiel est de « remonter jusqu'à l'inspiration première de l'auteur, de pénétrer son dessein, ses intentions ». Il compte, pour atteindre ce but, sur un long travail d'imprégnation, sur une mise en scène dépouillée où les objets prennent valeur de symboles, sur une interprétation d'autant plus émouvante qu'elle est exempte de cabotinage.

Charles Dullin (1885-1949), lancé comme acteur par Copeau, fonda en 1922 le Théâtre de l'Atelier où il entreprit des réformes hardies. Plus heureux sur ce plateau rond, exigu que dans la salle plus vaste où il se transporta par la suite (le Théâtre Sarah-Bernhardt devenu Théâtre de la Cité) [1], il a servi les classiques et les modernes, contribuant en particulier à imposer le nom d'Armand Salacrou. Considérant le spectacle comme un spectacle total où interviennent la danse, la musique et la pantomime, il cherche à créer une émotion poétique qui lui importe plus que la stricte expression de la réalité. « Il faut », disait-il, « partir de l'intérieur

1. Henri Ghéon (1875-1944), converti au catholicisme, a tenté de reprendre les traditions du théâtre religieux du Moyen Age dans des mystères comme *Le pauvre sous l'escalier* (1920) ou *Le martyre de saint Valérien* (1922).

1. Aujourd'hui Théâtre de la Ville.

et obtenir des comédiens qu'ils restent des êtres humains, pour mieux servir et mettre en valeur les éléments dramatiques du spectacle. »

Gaston Baty (1885-1952) découvrit, à la lecture des romantiques allemands, que « la vie est faite pour être rêvée ». Successivement directeur du Studio des Champs-Élysées (1924) et du Théâtre Montparnasse (1930), qu'il inaugura avec *L'opéra de quat'sous* de Brecht, il fut un admirable metteur en scène pour les pièces de Musset. Derrière le texte, il voulait découvrir la présence d'une autre zone, « une zone de mystère, de silence », « cette marge que les mots seuls ne peuvent pas rendre ». Pour cela, il compte sur la magie des couleurs, sur le jeu des ombres et des lumières, sur la présence de la musique. Il donne du *Simoun*, de Lenormand, une représentation exemplaire.

Louis Jouvet (1887-1951) fut, comme Pitoëff et Dullin, un grand acteur, l'interprète idéal de Giraudoux, mais aussi de *Knock* ou de *Jean de la lune*. Issu du Vieux-Colombier, il dirigea la Comédie des Champs-Élysées et, à partir de 1934, l'Athénée. Technicien du théâtre, il a eu la passion du travail fignolé et lucide. Contrairement à Baty, il considère que « le grand théâtre, c'est d'abord le beau langage » et que le respect du texte permet d'atteindre au maximum d'efficacité. C'est dire qu'il se range du côté de la tradition.

LA TRADITION

Parmi les auteurs nouveaux, le plus grand nombre suit les directions traditionnelles en s'efforçant parfois de rajeunir les anciennes formules.

La tradition du comique boulevardier

La vogue du théâtre de Boulevard n'a pas disparu. Un public élargi augmente le champ des complaisances. Sacha Guitry (1885-1957) a cru échapper à la vulgarité en brodant, à partir d'une « très petite idée », un dialogue où fusent les mots d'esprit. Aujourd'hui sa faconde, qui n'eut d'égale que sa fécondité, nous semble bien lassante, et l'on s'étonne qu'il ait été l'auteur le plus adulé de son temps. Jacques Deval (né en 1895) a peut-être eu le tort d'emprunter la voie de la facilité, — celle de Sacha Guitry — au lieu de suivre la pente naturelle de son talent satirique. On s'explique ainsi qu'il ait délaissé la caricature du monde bourgeois (*Étienne*, 1930; *Mademoiselle* 1932) au profit des princes russes exilés devenus domestiques d'un politicien parvenu (*Tovaritch*, 1934).

La tradition de la farce

La farce est une vogue plus récente, qu'explique peut-être le besoin de détente éprouvé par le public après la guerre. Ni Claudel avec les deux versions de *Protée* (1913, 1926), et les scènes burlesques du *Soulier de satin* [1], ni Martin du Gard avec ses farces paysannes [1] n'ont dédaigné de s'y essayer. Au moment où Copeau se plaît à ressusciter les cocus de Molière, Fernand Crommelynck (1888-1970) amène son *Cocu magnifique* (1921) à offrir sa femme pour échapper au doute qui le ronge. On peut opposer à l'épaisseur flamande de cette œuvre les farces poétiques de Marcel Achard (1899-1974) première manière qui, dans *Jean de la lune* (1929), habille à la moderne les personnages de la comédie italienne, et les fait vivre entre ciel et terre dans un univers funambulesque.

La tradition de la comédie satirique

Copeau a félicité Jules Romains d'avoir « revigoré sur notre scène le rameau d'une comédie claire, directe, de tradition toute latine et française, inspirée par l'esprit du temps, ses caractères, ses ridicules, sa vie sociale et ses mœurs politiques ». Romains fait moins la caricature de la réalité qu'il ne montre comment la caricature devient réalité : la mystification du docteur Knock réussit si bien qu'il finit par en être dupe (*Knock*, 1923), et la ville imaginée par l'éminent géographe Le Trouhadec surgit du désert, permettant à l'imposteur de voir s'ouvrir devant lui les portes de l'Institut (*Donogoo*, 1930).

1. Voir p. 564-568.

1. *Le testament du père Leleu* (1913), *La gonfle* (1924). Martin du Gard est également l'auteur d'un drame, *Un taciturne*, qui fut joué en 1931 à la Comédie des Champs-Élysées par Louis Jouvet.

Après avoir fustigé les profiteurs de guerre dans *Les marchands de gloire* (1925; pièce écrite en collaboration avec Paul Nivoix), Marcel Pagnol (1895-1974) montre dans *Topaze* (1928) que les affairistes véreux sont plus respectés qu'au temps de Lesage ([1]) ou même d'Henry Becque ([2]).

Dans *Les temps difficiles* (1934) d'Édouard Bourdet (1887-1945), la satire de la grande bourgeoisie se fait plus âpre. Le mariage d'argent n'est plus seulement risible, comme dans *Le sexe faible* (1929), il est odieux : les Antonin-Faure, pour sauver leurs usines, marient leur fille cadette à un idiot congénital, héritier d'une immense fortune.

Armand Salacrou (1899-1989), qui fut quelque temps inscrit au Parti communiste avant de faire fortune dans une entreprise de publicité, n'a pas voulu faire un théâtre commercial, mais un théâtre de combat. Il se plaît à dénoncer les grands bourgeois de sa Normandie natale, comme les distilleurs de *L'archipel Lenoir* où le dieu de la comédie parvient pourtant à égarer la balle de révolver et à éviter un sombre dénouement : signe d'indulgence involontaire, peut-être, de la part d'un auteur au talent trop divers pour ne pas être hésitant.

La tradition du théâtre psychologique

En accordant la primauté au caractère sur le rôle, le théâtre psychologique de l'entre-deux guerres reste dans la ligne d'une tradition. Les efforts de renouvellement sont pourtant sensibles avec le théâtre intimiste et le théâtre violent.

Le théâtre intimiste. S'efforçant de renoncer aux artifices et aux excès du théâtre déclamatoire, il veut être « l'école de l'inexprimé » ou « du silence ». Pour cela, il se contentera de personnages ordinaires, d'actions simples. Il préfèrera la suggestion à l'explication et substituera à la « scène à faire » la « scène à taire ».

La formule a été illustrée en particulier par Charles Vildrac (1882-1971) qui puise dans « cette inépuisable réserve de valeur humaine » : le peuple. Aux oisifs de la Belle Époque succèdent les deux ouvriers typographes du *Paquebot Tenacity* (1920), Bastien et Segard, épris de la même servante d'auberge. La situation se réduit à une crise simple qui permet d'aller au fond des âmes : *La brouille* (1930), l'autre grand succès de Vildrac, en serait la meilleure illustration.

1. Voir p. 315.
2. Voir p. 513.

Paul Géraldy (1885-1983) met en scène l'amour après l'avoir chanté, sans toujours éviter la mièvrerie ou le pathos. Denys Amiel (1883-1977) a voulu montrer que le bavardage pouvait être un silence angoissant. Jean-Jacques Bernard (1888-1972) — le fils de Tristan — écarte le « dialogue entendu » pour faire apparaître le « dialogue sous-jacent ». Des phrases insignifiantes, ou suspendues, pleines de mille réticences, disent mieux que de longs discours les souffrances de *Martine* (1922), la « petite paysanne qui aime et qui souffre, mais ne peut confier à personne son amour ni sa souffrance ». La formule était limitée. On ne peut dire non plus qu'elle était neuve : Marivaux, plus près de nous Maeterlinck et Tchekhov (qu'au même moment Pitoëff révélait au public français) ont su — pour reprendre une expression de Giraudoux — faire « affleure[r] » les propos « de la zone des silences ».

Le théâtre violent. De même, le genre brutal était déjà apparu sur scène avec le théâtre naturaliste. L'œuvre du dramaturge suédois Strindberg en constituait sans doute l'exemple le plus haut.

Henri-René Lenormand (1882-1951) a été trop facilement pris pour un nouveau Strindberg. Il a voulu, explique-t-il lui-même, « en finir avec l'homme des périodes classiques, l'archétype de la dramaturgie nationale » et le « livrer aux puissances dissolvantes qui émanent de son inconscient » (le désir incestueux qui pousse Laurency vers sa fille Clotilde dans *Le simoun*, 1920). Exploitant d'une manière assez systématique les données de la psychanalyse freudienne (en particulier dans *Le mangeur de rêves*), il a ajouté aux fatalités internes les fatalités extérieures qui pèsent sur l'homme, « les mystères

Marcel Achard et Marcel Pagnol : deux auteurs favoris du grand public.

du temps et de l'espace ». Ses drames, morcelés en tableaux multiples, doivent leur unité à un sentiment d'angoisse qui croît au fur et à mesure que l'engrenage terrible happe les êtres. On peut leur reprocher une complaisance excessive pour la névrose, que l'auteur a tenté de justifier par une catharsis personnelle et un didactisme assez maladroit.

Chez Stève Passeur (1899-1966), la brutalité du langage, les revirements inattendus dans la conduite des personnages, le caractère paradoxal des situations paraissent d'une outrance souvent gratuite. *L'acheteuse* (1930), Élisabeth Fontanelle, « se paye un mari comme elle se payerait une auto » et se plaît ensuite à torturer longuement cet être veule et passif, comme tous les protagonistes masculins du théâtre de Passeur.

La violence de Paul Raynal (1885-1971) se traduit surtout par un déluge verbal qui recouvre des situations simples, resserrées autour d'une crise. Si Lenormand et Stève Passeur nous rappellent bien souvent la tradition du théâtre passionnel d'avant 1914 [1], Raynal a l'ambition de remonter à une tradition plus ancienne et plus haute : celle de la tragédie classique. C'est pourquoi il choisit généralement des sujets historiques (*Napoléon unique*, 1936) même s'ils sont le plus souvent rattachés à l'histoire encore récente de la Première Guerre mondiale *(Le tombeau sous l'Arc de Triomphe*, *La Francerie*, *Le matériel humain)*. C'est pourquoi aussi il s'astreint à respecter la règle des trois unités.

La tradition de la tragédie

Cette ambition d'un retour à la tragédie, Raynal la partage avec d'autres écrivains de son temps, et non des moindres. Il semble que, dans l'entre-deux-guerres, le vent souffle à l'antique. C'est en 1931 que Gide donne son *Œdipe :* comme dans ses pièces antérieures, *Saül* (1896), *Le roi Candaule* (1901), il cherche à exprimer, sous le couvert de la fable, l'essentiel de sa pensée, telle cette double affirmation de l'humanisme et de l'expérience individuelle qu'il prête au héros vainqueur du Sphinx :

ŒDIPE. — [...] J'ai compris, moi seul ai compris que le seul mot de passe, pour n'être pas dévoré par le sphinx, c'est : l'Homme. Sans doute fallait-il un peu de courage pour le dire, ce mot. Mais je le tenais prêt dès avant d'avoir entendu l'énigme; et ma force est que je n'admettais pas d'autre réponse, à quelle que pût être la question.
Car, comprenez bien, mes petits, que chacun de nous,

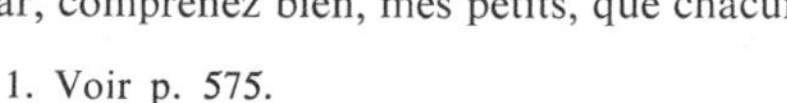

Le dieu-chacal Anubis dans *La Machine infernale* de Jean Cocteau. Le Sphinx, las d'égorger les humains, est devenu une simple jeune fille.

adolescent, rencontre, au début de sa course, un monstre qui dresse devant lui telle énigme qui nous puisse empêcher d'avancer. Et, bien qu'à chacun de nous, mes enfants, ce sphinx particulier pose une question différente, persuadez-vous qu'à chacune de ses questions la réponse reste pareille; oui, qu'il n'y a qu'une seule et même réponse à de si diverses questions; et que cette réponse unique, pour chacun de nous, c'est : Soi.

Entre tant de tentatives diverses, la plus durable, chez Jean Cocteau, fut sans doute l'adaptation des mythes grecs : *Antigone* (1922) *Orphée* (1926), *La machine infernale* (1934), *Œdipe-Roi* (1937). Pour les réinventer « au rythme de notre époque », il resserre l'action ou au contraire il invente des prolongements nouveaux (Œdipe aveugle est conduit par le fantôme de Jocaste). En rappelant la toute-puissance du destin, « une des plus parfaites machines construites par les dieux infernaux pour l'anéantissement mathématique d'un mortel », Cocteau semble lancer une plainte contre les dieux « qui sont le diable » et ne proposer comme issue qu'une région abstraite où les choses de la terre n'ont plus d'importance. Il a eu le mérite de proposer une formule nouvelle pour un théâtre poétique, non point de « la poésie au théâtre », « dentelle délicate impossible à voir de loin », mais de « la poésie de théâtre » : « une grosse dentelle; une dentelle en cordage, un navire sur la mer ».

1. Voir p. 575.

L'INVENTION

L'esprit nouveau se manifeste d'une manière sporadique et à l'occasion de représentations qui tiennent parfois plus du chahut que du spectacle organisé. Mais c'est ainsi peut-être que resurgit la vérité du théâtre, si du moins il peut exister une vérité en ce domaine.

Les précurseurs

Raymond Roussel (1877-1933) avait dès 1911 porté à la scène ses *Impressions d'Afrique*. La quête de la gloire, dont il a eu la révélation éblouissante à l'âge de dix-neuf ans, l'amène à renouveler l'expérience. Mais en 1922, l'adaptation de son roman *Locus Solus*, qu'il a confiée à Pierre Frondaie, n'a pas le succès souhaité. Roussel décide donc d'écrire des pièces originales, *L'étoile au front* (1924), *La poussière des soleils* (1926), où l'on retrouve les caractéristiques majeures de son art si étrange : un univers magique; la construction minutieuse d'une mécanique précise, mais gratuite, qui semble fonctionner à vide; « un langage doublant et dédoublé avec le matin dans sa pure origine » dont l'absence essentielle est symbolisée par le soleil, toujours là et toujours en défaut (1).

Pierre Albert-Birot (1876-1967), le fondateur de la revue *Sic* (2), veut, en octobre 1916, fonder le « théâtre nunique » (3) qui doit être « un grand tout simultané, contenant tous les moyens et toutes les émotions capables de communiquer une vie intense et enivrante aux spectateurs ». Le « polydrame » *Larountala* (1917-1918) en est la première illustration : une multiplicité d'intrigues secondaires sans véritable intrigue principale, un grand nombre d'acteurs évoluant simultanément sur deux scènes dont l'une contient l'autre. L'ensemble a quelque chose d'un peu inquiétant et Albert-Birot semble avoir été lui-même comme effrayé de son audace : *Matoum et Tevibar* (1919), « histoire édifiante et récréative du vrai et du faux poète », *Le bon dieu* (1920) où, sous la conduite d'un Dieu ennuyé par sa propre création, on s'emploie à tout casser, sont des œuvres plus oubliables. Et dans la Préface des *Femmes pliantes* (1921), l'auteur semble se renier lui-même.

1. Michel Foucault, *Raymond Roussel*, Gallimard, 1963, pp. 204, 208.
2. Voir p. 611.
3. « Nun » (νῦν), en grec, signifie « maintenant ».

Le nouveau théâtre dont Apollinaire se fait le propagandiste dans le Prologue des *Mamelles de Tirésias* doit beaucoup à Albert-Birot, qui l'avait d'ailleurs incité à écrire ce « drame surréaliste ». La première, qui eut lieu le 24 juin 1917, avait été organisée par la revue *Sic* et déchaîna un beau tumulte. Fallait-il prendre au sérieux la grave invitation lancée par l'auteur à faire des enfants pour repeupler la France en imitant la prodigieuse fécondité du mari de Thérèse devenu femme? L'essentiel, à n'en pas douter, était ailleurs : dans l'esthétique de la surprise, dans l'appel à la participation du public, dans l'effort pour retrouver, par le mythe de Tirésias, la zone de l'inconscient collectif.

Comme Apollinaire, Ivan Goll (1891-1950) a été le pionnier d'un surréalisme qui n'a rien à voir avec celui dont Breton présentera bientôt le manifeste. Il rejoint bien plutôt le symbolisme dans son désir de faire apparaître la réalité sous le masque de l'apparence. Son drame satirique *Mathusalem ou l'éternel bourgeois*, écrit en 1919, publié en 1923 et joué en 1927, cherche en tout cas à mettre à nu les instincts de l'homme. Mathusalem, roi de la chaussure, veut marier sa fille à l'héritier d'un autre magnat. Mais elle s'est éprise d'un étudiant révolutionnaire. Alertée, la famille tue l'étudiant qui ressuscite et tue Mathusalem, lequel ressuscite à son tour et s'empresse de lancer une nouvelle marque de souliers. Réduite à ce canevas, l'intrigue n'est pas sans analogie avec *Les temps difficiles*, d'Édouard Bourdet (1). Mais la mise en œuvre, où l'alogique a un rôle essentiel à jouer, est entièrement différente.

Dada et le théâtre

Il peut sembler étonnant de parler de « théâtre dadaïste », puisque dans la vaste destruction dont Dada est le mot d'ordre, l'œuvre littéraire est l'une des premières victimes. Pourtant dada vient du spectacle (2). Qu'on songe aux fameuses soirées qui firent scandale à Zurich en 1916, et à Paris à partir de 1919 : c'est bien de théâtre qu'il s'agit, avec un décor déconcertant,

1. Voir p. 659.
2. Comme le fait remarquer Henri Béhar, dans son excellente *Étude sur le théâtre dada et surréaliste* (Gallimard, 1967) dont nous tirons ici l'essentiel de notre information.

la succession de déclamations syncopées, et un public que l'on cherche à mettre hors de lui pour l'inviter à participer à son tour.

Bien plus, la première « œuvre » née de dada a été conçue pour le théâtre. C'est *La première aventure céleste de M. Antipyrine* (1916), représentée le 27 mars 1920. Suivant son auteur, Tristan Tzara, « la pensée se fait dans la bouche ». De fait, les mots semblent ici jaillir librement, sans souci ni de la logique ni de la syntaxe. Cette même volonté de spontanéité préside à *La deuxième aventure céleste de M. Antipyrine* et au *Cœur à gaz* dont une représentation, en 1923, fut le signal de la déclaration de guerre entre dadaïstes et surréalistes. Cette dernière œuvre, que Tzara lui-même appela « la plus grande escroquerie du siècle », fait dialoguer des personnages qui représentent les différentes parties du corps humain. Mais l'œuvre majeure de Tzara au théâtre est certainement *Mouchoir de nuages* (1924), « tragédie ironique » ou « farce tragique en 15 actes courts, séparés par 15 commentaires ». Si l'intrigue est volontairement conventionnelle, la technique fait briller mainte trouvaille : l'utilisation des procédés du cinéma et une pratique du « collage » qui est l'un des modèles du genre.

Les éditions « Au Sans pareil » publiaient en 1921, comme numéro 1 de la collection « Dada », *L'empereur de Chine*, une pièce que Georges Ribemont-Dessaignes (né en 1882) avait composée en réalité avant de connaître dada, pendant la guerre. Écrite en vers libres, l'œuvre, foisonnante, est pourtant remarquablement construite. Au premier acte, le gouverneur de la Chine, Espher, se tue alors qu'il accède au trône impérial. L'acte II suit la quête d'Onane, la fille d'Espher, partie à la recherche de son père-époux. Au troisième, les barbares envahissent l'empire, sous la conduite du mercenaire Verdict qui égorge Onane et semble vouloir tout anéantir :

> Destruction de ce qui est bon et pur
> Car le beau, le bon et le pur sont pourris.

Le serin muet, du même Ribemont-Dessaignes, fut joué au cours d'une manifestation dada, le 27 mars 1920, avec Breton et Soupault dans les rôles masculins. Les deux époux, Riquet et Barate, sont prisonniers de leur univers imaginaire : l'un, perché sur une échelle (le seul élément du décor), rêve de dominer le monde; l'autre, de prodiguer ses charmes de Messaline. Survient le nègre Ocre, qui se prend pour Gounod et a appris toutes ses belles compositions à un serin muet qui les chante à merveille sans toutefois émettre un son. Il suit Barate dans un buisson. Riquet, les prenant pour des panthères, les abat d'un coup de fusil.

Dans *Le bourreau du Pérou* (1926) M. Victor, que ses tueries ne parviennent pas à rassasier, se tue lui-même. Il est vrai que son secrétaire, Amour, va s'empresser de le remplacer. Comme dans la plupart de ses œuvres de cette période, Ribemont-Dessaignes semble se demander où conduit le pouvoir d'un hystérique conscient de son hystérie. Ses personnages font tout pour assouvrir leur désir au risque de tout anéantir, y compris eux-mêmes. Telles seront les dernières paroles de son *Faust* (1931) :

> Tu voulais l'absolu
> Nous l'avons
> Il n'y a qu'un seul démon, c'est celui qui nous conduit par la main jusqu'au néant de la mort.

Le surréalisme et le théâtre

L'apport du surréalisme au théâtre n'est pas moins paradoxal que celui de dada. En effet, au point de départ, il existe seulement des « textes » surréalistes, sans distinction de genres. Bien plus, Breton condamne le théâtre, comme il a condamné le roman. « O Théâtre éternel », s'écrie-t-il dans *Point du jour*, « tu exiges que non seulement pour jouer le rôle d'un autre, mais encore pour dicter ce rôle, nous nous masquions à sa ressemblance, que la glace devant laquelle nous posons nous renvoie de nous une image étrangère. L'imagination a tous les pouvoirs, sauf celui de nous identifier en dépit de notre apparence à un personnage autre que nous-même. » On sait qu'il exclura du groupe Antonin Artaud et Roger Vitrac.

Pourtant Breton lui-même a participé aux spectacles dada; il apprécie le geste surréaliste; il reconnaît même, dans le *Premier manifeste*, que c'est encore au dialogue que les formes du langage surréaliste s'adaptent le mieux, à condition toutefois qu'il soit « rétabli [...] dans sa vérité absolue, [...] en dégageant les deux interlocuteurs des obligations de la politesse ». On comprend qu'il ait fini par reconnaître, après la Seconde Guerre mondiale, l'existence d'un théâtre surréaliste, celui de Julien Gracq et de Georges Schéhadé. En tout cas, « l'usage surréaliste » du langage qu'il avait préconisé était un singulier ferment pour le théâtre et une chance sérieuse de renouvellement.

Théâtre et écriture automatique. A ses débuts, Breton a collaboré à des pièces, des sketches plutôt, écrits en collaboration avec Soupault (*S'il vous plaît, Vous m'oublierez*, 1920) ou avec Desnos et Péret (*Comme il fait beau*, 1923). Il s'agit là de textes présurréalistes qu'il est assez difficile de distinguer de l'expérience dada. Ils illustrent assez bien les incertitudes de l'écriture automatique [1] dont ils sont censés procéder, mais dont une volonté concertée semble bien souvent limiter les effets, jusque dans le parti pris trop évident d'incohérence. Le dialogue y apparaît la plupart du temps comme la poursuite parallèle de soliloques, « les mots, les images ne s'offr[ant] que comme tremplins à l'esprit de celui qui écoute » (Breton). Le langage bafoue la raison, mais respecte la syntaxe, et se charge d'images en liberté. Comme le constate l'araignée dans *Comme il fait beau*, « il souffle sous ces arbres un vent de poésie absolument irrespirable ».

Théâtre et rêve. Le rêve se trouve introduit sur scène pour lui-même, en raison de la force émotive dont il est chargé. Si Georges Neveux, dans *Juliette ou la clé des songes* (représenté en 1930), croit devoir expliquer, dans un troisième acte, le rêve dont il a rempli les deux premiers (la recherche par un jeune homme, dans un pays inconnu, d'un visage entrevu jadis), Roger Vitrac, dans *Entrée libre*, se contente de représenter symboliquement, pour chaque tableau, le visage du dormeur dont il reproduit le rêve. Non sans quelque inquiétude, d'ailleurs, sur la nécessité du théâtre : car « pourquoi tirer un drame de RÊVE authentique [...]? Pour montrer que la vie et le théâtre sont deux? N'allez pas au spectacle. Couchez-vous ».

Théâtre et inconscient. D'une manière plus large, c'est l'inconscient que veut révéler le théâtre surréaliste. Artaud le proclame nettement dans son « Manifeste pour un théâtre avorté » :

> Tout ce qui appartient à l'illisibilité et à la fascination magnétique des rêves, tout cela, ces couches sombres de la conscience qui sont tout ce qui nous préoccupe dans l'esprit, nous voulons le voir rayonner et triompher sur une scène, quitte à nous perdre nous-mêmes et à nous exposer au ridicule d'un colossal échec.

Les acteurs du Théâtre Alfred-Jarry, qu'il fonda avec Vitrac et Robert Aron (Max Robur) en 1926, devaient par un jeu serré, attentif aux lapsus et aux actes manqués, procéder à une véritable psychanalyse du personnage, qu'il s'agît d'un texte de Strindberg *(Le songe)*, de Claudel (un acte de *Partage de midi* joué sans l'aveu de l'auteur) ou de Vitrac lui-même.

1. Voir p. 613.

Vitrac (1899-1952)

Roger Vitrac a probablement donné au théâtre surréaliste son œuvre la plus représentative avec *Victor ou les enfants au pouvoir* qui fut, en 1928, le quatrième et dernier spectacle du Théâtre Alfred-Jarry. Ce drame bourgeois en trois actes met en scène des enfants géants, Victor et son amie Esther, qui assistent à l'abêtissement de leur entourage. La mère d'Esther est la maîtresse du père de Victor. Et Victor lui-même est initié par une amie de la famille, Mme Ida Mortemart, qui est affligée de pétomanie. Tout s'achève dans une hécatombe. Victor, terrassé par d'atroces coliques, meurt en fait de la sottise et de l'abjection du monde des adultes. C'est au langage des adultes que s'en prend aussi Vitrac, quand il en répète,

Claude Rich et Uta Taeger dans *Victor ou les enfants au pouvoir*, de Roger Vitrac, mise en scène de Jean Anouilh pour le Théâtre de l'Ambigu en 1962.

pour les dénoncer, les expressions vides de sens. Mais les monologues délirants de Victor sont de véritables morceaux de poésie surréaliste qui arrachent l'œuvre au vaudeville.

Artaud avait déjà senti pourtant que Vitrac n'était pas tout à fait insensible à la tentation du Boulevard. Après 1930, on a l'impression que cette tentation s'empare de celui en qui Breton avait vu l'un des surréalistes les plus doués. Son amitié et sa collaboration avec Anouilh indiquent suffisamment qu'il a changé de camp.

Antonin Artaud (1896-1948)

On a tendance aujourd'hui à ne voir en Artaud qu'un théoricien du théâtre. Et il est vrai que son influence a été décisive sur l'orientation des recherches dramaturgiques les plus immédiatement contemporaines. Acteur, metteur en scène, auteur, il a surtout été, comme l'a dit Jean-Louis Barrault, un « homme-théâtre » et son « théâtre de la cruauté » est inséparable de ce qu'il a lui-même appelé son « destin cruel ».

Un destin cruel. En effet, chez Antonin Artaud, tout commence et tout finit par la souffrance. Il meurt d'un cancer. Dès l'enfance, il souffrait de troubles d'origine nerveuse qui lui causaient d'effroyables douleurs. Très tôt, il a été obligé de prendre de l'opium sur prescription médicale jusqu'au moment où, l'opium ne suffisant plus, il est parti pour le Mexique, en 1936, chez les Indiens Tarahumaras, à la recherche du peyotl, « en désespéré qui veut enlever de soi encore un dernier lambeau d'espérance, détacher la dernière petite fibre rouge de l'espérance spirituelle de la chair ».

Car cette souffrance du corps est inséparable de la souffrance de l'âme (Artaud d'ailleurs se refusera à maintenir cette dualité). Dès 1923-1924 il l'exprime d'une manière bouleversante dans ses *Lettres à Jacques Rivière* [1] :

> Je souffre d'une effroyable maladie de l'esprit. Ma pensée m'abandonne à tous les degrés. Depuis le simple fait de la pensée jusqu'au fait extérieur de sa matérialisation dans les mots. Mots, formes de phrases, directions intérieures de la pensée, réactions simples de l'esprit, je suis à la poursuite constante de mon être intellectuel.

1. Artaud avait adressé des poèmes à Rivière, alors directeur de la *N.R.F.*, qui dut les refuser. Artaud tenta, dans une série de lettres, d'expliquer pourquoi il « propos[ait] malgré tout ces poèmes à l'existence ». La lettre que nous citons est la première, datée du 5 juin 1923.

Dernière photographie d'Antonin Artaud : « C'est le fait que je ne suis plus moi-même, que mon moi authentique dort ».

C'est l'attitude d'un spectateur qui, comme il le dit lui-même, « [s']assiste, assiste à Antonin Artaud » [1]. L'attitude du créateur n'est pas foncièrement différente, qui consiste à montrer « le rétrécissement intime de [s]on être et le châtrage insensé de [s]a vie » [2].

Ce conflit intérieur permanent, il veut à la fois le montrer et le surmonter. Poussé par un furieux besoin de communiquer, mais aussi par le désir de trouver sa propre unité dans la réconciliation de la pensée et du corps, il a tenté de ranimer « la vieille tradition mythique du théâtre, où le théâtre est pris comme une thérapeutique, un moyen [de] guérison comparable à celui [de] certaines danses [des] Indiens mexicains » [3].

Le théâtre de la cruauté. Cette tentative est celle du « théâtre de la cruauté » dont les essais réunis en 1939 sous le titre *Le théâtre et son double* donnent la plus complète description.

Il faut entendre par là non point nécessairement un théâtre du « sang versé », de la « chair

1. *Le pèse-nerfs* (1925).
2. *L'ombilic des limbes* (1925).
3. Brouillon d'une lettre de 1935; citée dans Alain Virmaux, *Antonin Artaud et le théâtre*, p. 25.

martyre », de l'« ennemi crucifié » (la confusion était d'autant plus tentante que les mythes repris par Artaud *Les Cenci* (1) ou *Héliogabale* (2) sont des mythes sanglants), mais plutôt l'écrasement de l'homme sous son destin. « Il ne s'agit dans cette cruauté ni de sadisme ni de sang, du moins pas de façon exclusive », précisait-il à Jean Paulhan : « je ne cultive pas systématiquement l'horreur. Ce mot de cruauté doit être pris dans un sens large, et non dans le sens matériel et rapace qui lui est prêté habituellement » (3).

Il s'agit plutôt d'une sorte de « curation cruelle » où, comme l'explique Alain Virmaux (4), l'acteur joue sa vie tandis que le spectateur doit y avoir les nerfs broyés. C'est dire qu'Artaud rompt à la fois avec le théâtre-divertissement et avec le théâtre psychologique pour retrouver « un théâtre qui nous réveille : nerfs et cœur » et « cette action immédiate et violente » qu'il doit posséder :

> Tout ce qui agit est une cruauté. C'est sur cette idée d'action poussée à bout, et extrême, que le théâtre doit se renouveler (5).

Renouveau des techniques. Ce spectacle total, ce spectacle de masses, Artaud le conçoit comme « une véritable opération de magie », et il s'efforce donc de « permettre aux moyens magiques de l'art et de la parole de s'exercer organiquement et dans leur entier, comme des exorcismes renouvelés » (6).

1. Adaptation d'après Shelley et Stendhal, représentée pour la première fois le 6 mai 1935 au Théâtre des Folies-Wagram.
2. *Héliogabale ou l'anarchiste couronné* (1934).
3. « Première lettre sur la cruauté » (13 septembre 1932) dans *Le théâtre et son double*.
4. *Op. cit.*
5. « Le théâtre et la cruauté », *ibid.*
6. « Le théâtre de la cruauté », premier manifeste, *ibid.*

Le langage théâtral ne se confond pas avec les mots. Il faut « rompre l'assujettissement du théâtre au texte » en faisant intervenir, à côté du « langage auditif » des sons, le « langage visuel » des signes, notés minutieusement par un système de hiéroglyphes.

De ce langage même il faut faire un usage « oriental ». Artaud a été fasciné par les danseurs balinais, et il veut retrouver le magnétisme de leurs rythmes et de leurs rites. L'acteur doit tendre vers l'état de transe, mais de transe contrôlée qui impose une leçon de spiritualité. Car, « arrach[é] à son piétinement psychologique et humain », ce théâtre tentera de « créer une métaphysique de la parole, du geste, de l'expression ».

Si l'on discerne des constantes dans les exigences d'Artaud (l'exploitation du thème de l'inceste, par exemple, ou le recours aux mannequins géants), il est juste de faire observer que sur d'autres points il n'est pas toujours en accord avec lui-même (l'usage des machines, l'organisation de la mise en scène, la transformation de la salle, l'intervention du hasard), et que ni lui ni ses successeurs n'ont vraiment été fidèles à ses théories.

Mais il convient de dépasser le point de vue du technicien. L'échec d'Artaud prouve que le théâtre de la cruauté était un théâtre impossible. C'est pourquoi, au lieu de le faire hors de lui, il l'a fait finalement en lui (sa folie). Ce qui reste, comme le note Jacques Derrida, c'est « l'idée d'Artaud sur le théâtre ». Si « elle ne nous aide pas à régler la pratique théâtrale », elle « nous permet peut-être d'en penser l'origine, la veille et la limite, de penser le théâtre aujourd'hui à partir de l'ouverture de son histoire et dans l'horizon de sa mort » (1).

1. « Le théâtre de la cruauté et la clôture de la représentation » dans *Critique* n° 230, juillet 1966.

BIBLIOGRAPHIE

ÉDITIONS : Dans la collection « Folio », *Knock*, de Jules ROMAINS (n° 60); en Livre de Poche, *Topaze*, de Marcel PAGNOL (n° 294); *Saül*, de GIDE (n° 2586); *La machine infernale*, de Jean COCTEAU (n° 854). — En « Idées », N.R.F., *Le théâtre et son double*, d'Antonin ARTAUD — Œuvres de Raymond ROUSSEL aux éditions J.-J. Pauvert, de G. RIBEMONT-DESSAIGNES et d'Antonin ARTAUD aux éditions Gallimard.

ÉTUDES : Paul SURER, *Le théâtre français contemporain*, S.E.D.E.S., 1964 (pour la « tradition » ; études claires, mais sommaires). — Henri BÉHAR, *Étude sur le théâtre dada et surréaliste*, Gallimard, 1967 (travail remarquable qui nous a révélé un « théâtre » inconnu et ses problèmes) ; *Roger Vitrac, un réprouvé du surréalisme*, Nizet, 1966. — Alain VIRMAUX, *Antonin Artaud et le théâtre,* Seghers, 1971, à compléter par les essais vigoureux et stimulants de Camille DUMOULIÉ (P.U.F. et Seuil, 1996).

GIRAUDOUX (1882-1944)

L'ÉCRIVAIN ET SON SECRET

L'apparent détachement de Giraudoux ne doit pas nous tromper. Cet écrivain secret a su être un homme public, sensible aux événements de son temps, même s'il s'est efforcé de jeter sur eux un singulier regard.

L'interne studieux

Né à Bellac (Haute-Vienne) le 29 octobre 1882, Jean Giraudoux a pour père un petit fonctionnaire. De sa mère — dont il ne parle jamais — il tient sans doute une distinction naturelle qu'il agrémentera de beaucoup d'artifice. Boursier, il est interne au lycée de Châteauroux (1893-1900); puis à Lakanal (1900-1902). Il est reçu au concours d'entrée à l'École normale supérieure où, après un an de service militaire, il s'oriente vers les études germaniques. Au cours de ces années de pensionnat il a fait figure d'élève brillant, studieux, sportif : il semble avoir choisi très tôt d'être « différent » des autres, « à la fois participant et étranger au jeu humain » [1].

« *L'école des indifférents* »

Pour préparer son mémoire de diplôme d'études supérieures (sur le poète allemand Platen), le jeune normalien Giraudoux doit passer une année à Munich. Cette année, écourtée par un voyage en Italie et un retour prématuré en France pour passer l'examen, subit un grossissement dans la mémoire de l'écrivain. C'est qu'elle marque le moment d'une rupture nécessaire et décisive avec la vie d'interne. Désormais, le voyageur va évoluer vers un dilettantisme désinvolte qu'il prêtera en 1911 aux héros de *L'école des indifférents* :

1. R.-M. Albérès, *Esthétique et morale dans l'œuvre de Jean Giraudoux.*

Toi qui reconnais aux plis de leurs paupières le hommes intelligents, toi qui fus averti, par de pressentiments, de deux ou trois terribles catas trophes, garde ta solitude et ta dignité. Tu sera grand : le ciel se fait pour toi plus bleu, la plain plus verte.

Le bon élève de la veille néglige la préparatio à l'agrégation : il n'y sera jamais reçu. Aprè une année passée à l'université de Harvard aux États-Unis, il tient la rubrique des conte dans le journal *Le Matin*, mène une vie mi mondaine, mi-bohème. Reçu en 1910 au « peti concours » des Affaires étrangères, il s'assur l'existence paisible d'un fonctionnaire. Mai déjà il a défini sa vocation d'écrivain, qu' fortement contribué à éveiller et à préciser l lecture des romantiques allemands. Ses premier contes, les récits réunis sous le titre de *Provin ciales* (1909), *L'école des indifférents*, *Simo le pathétique* (écrit de 1911 à 1913, repris e 1917) font apparaître une manière originale un maniérisme aussi, mais plein de sens. « C'es très curieux, disait le père de son ami Pau Morand, quelle drôle de vision! très fine, trè myope, très recherchée... Extrêmement curieux Œil de mouche coupé en facettes... » [1].

Les années de guerre

A la déclaration de guerre, Giraudoux es mobilisé comme sergent. Il fait la « campagn d'Alsace », cette promenade en temps de guerr qu'il a transposée dans *Lectures pour une ombr* (1917), et qui est une sorte de lutte de l'homm contre la fatalité pour reculer aussi longtemp que possible l'heure du premier mort. Bless « à l'aine et sur l'Aisne », Giraudoux n'adme guère de mener longtemps l'existence d'u militaire convalescent. Il a hâte de se faire envoye aux Dardanelles où il rejoint le corps expédition

1. Dans Paul Morand, *Souvenirs de notre jeuness* p. 30.

ıaire du général Bailloud. Il en revient au bout le deux mois avec une nouvelle blessure.

Rétabli tant bien que mal, il part pour plusieurs nissions : au Portugal, tout d'abord, puis à Harvard de nouveau, où il est attaché à un groupe l'officiers instructeurs destinés aux États-Unis. es deux séjours dans le Nouveau Monde lui nspireront *Amica America* (1919) : avec ce pays rop jeune le jeune homme prolongé se sent uelque secrète affinité. Le dépaysement, en tout as, va dans le sens de son esthétique du dépayement, où « la vie est contemplée avec le même lésintéressement que le spectacle de la nature » (1). Ce regard étrange, et étranger, s'abstrait de out système de référence, mais il est, curieusenent, celui d'un homme qui n'a jamais refusé l'affronter l'événement et de prendre des risques.

es évasions d'un fonctionnaire

L'après-guerre coïncide, pour Giraudoux, vec la fin d'une longue adolescence et l'installtion dans la vie d'adulte. Il se marie, a un fils, ean-Pierre. En 1919, il entre, par un nouveau oncours, dans le « grand cadre » des Affaires trangères. Il ne court pas le monde, comme on attendait, mais se fixe à Paris. Jusqu'en 1924, travaille à la Direction du Service des œuvres rançaises à l'étranger. Admirateur de Briand, est, de plus, l'ami du secrétaire général du Quai d'Orsay, Philippe Berthelot. L'opposition le Berthelot et du nouveau ministre amène Giraudoux (qui s'est vu reprocher son manque de poncualité) à accepter un poste de secrétaire d'ambasade à Berlin, puis un poste de repli, hors cadre : il st mis à la disposition du Commissariat d'évaluaion des dommages alliés en Turquie. Cette situaion « entre parenthèses » se prolongera, avec des ariantes, jusqu'en 1934.

Curieusement, cette période de vie sédentaire st aussi celle des plus longues évasions dans imaginaire. Trois romans, *Suzanne et le Pacique* (1921), *Juliette au pays des hommes* (1924), s *Aventures de Jérôme Bardini* (1930), redisent ur des modes divers l'histoire d'une fugue : on plus les vagabondages de Giraudoux luiıême, comme autrefois, mais ceux d'un héros t d'une héroïne que contemple l'auteur en évant. Tout s'achève, toujours, sur un retour.

L'actualité ne perd pas ses droits, d'ailleurs. Comme s'il revenait, lui aussi, à ce qui l'entoure,

1. R.-M. Albérès, *op. cit.*

Jean Giraudoux pendant la Première Guerre mondiale : « C'est seulement quand tu retrouveras tes animaux, tes insectes, tes plantes, ces odeurs qui diffèrent pour la même fleur dans chaque pays, que tu pourras vivre heureux, même avec ta mémoire à vide, car c'est eux qui en sont la trame » *(Siegfried)*.

le romancier étudie l'étrange situation d'un soldat français amnésique qui, devenu citoyen allemand, s'est créé une nouvelle personnalité : c'est le sujet de *Siegfried et le Limousin* (1922), où Giraudoux semble inviter les deux nations héréditairement ennemies à surmonter leurs antinomies. *Bella* (1926) est un roman à clef : le conflit des Rebendart et de Dubardeau est la transposition du différend Berthelot-Poincaré. Là encore, l'héroïne se propose une tâche de réconciliation, à laquelle elle succombe.

La révélation d'un dramaturge

On est surpris de voir que Giraudoux n'a abordé le théâtre qu'en 1928, avec une pièce tirée d'un de ses romans, *Siegfried*. La rencontre de Louis Jouvet est déterminante : presque chaque année, le grand acteur va jouer et monter une nouvelle œuvre de Giraudoux, et le public va faire fête au nouveau dramaturge qui semble bien avoir trouvé sa véritable voie. *Amphitryon 38* (1929), *Judith* (1931), *Intermezzo* (1933), *La guerre de Troie n'aura pas lieu* (1935), *Électre* (1937), *Ondine* (1939), autant de chefs-d'œuvre immédiatement reconnus qui attestent, par un constant renouvellement, la vitalité du talent de Giraudoux. Parallèlement, le romancier n'en poursuit pas moins sa carrière : si sa volonté de créer un cycle à partir de *Bella* n'aboutit qu'à une réalisation incomplète, il donne avec *Choix des élues* (1939) et *Combat avec l'ange* (1934) deux de ses réussites les moins contestables dans ce domaine.

La distinction des genres ne doit pas cacher l'unité profonde des œuvres de cette époque 1930-1939 : elles correspondent à une découverte du tragique qu'*Amphitryon 38* s'était efforcé en vain de conjurer. Ce tragique, Giraudoux le découvre autour de lui dans la montée du péril hitlérien et la menace d'une guerre qui, il le sait, aura lieu. L'urgence exclut la dérobade. Et c'est peut-être pour cela que le fonctionnaire sort de l'ombre. Replacé dans le cadre, en 1934, Giraudoux est nommé inspecteur général des postes diplomatiques et consulaires. L'heure des longs voyages arrive, — trop tard peut-être pour un cœur désabusé : il visite la Pologne et les États baltes, les Antilles, les États-Unis et le Canada, la Nouvelle-Zélande, l'Australie, la Malaisie, le Siam, l'Indochine, le Proche-Orient, l'Irak et la Palestine; mais son œuvre ne porte aucune trace de ces déplacements officiels.

Les exigences de l'actualité

La guerre éclate. Giraudoux devient commissaire général à l'Information. La censure rendra bientôt vaine cette fonction, et la retraite y mettra fin. Mais qu'il séjourne à Paris ou à Cusset, l'écrivain ne saurait détacher son regard de la situation présente. Essayiste, il ne se contente pas de parler de littérature (*Les cinq tentations de La Fontaine*, 1938; *Littérature*, 1941); il aborde résolument les problèmes politiques (*Pleins pouvoirs*, 1939; *Sans pouvoirs*, posthume, 1946). Il n'hésite plus à rejeter sur l'homme la responsabilité des crises qu'il traverse : crise du couple (*Sodome et Gomorrhe*, 1943; *Pour Lucrèce*, pièce posthume, représentée pour la première fois en 1953); crise de la cité (*La folle de Chaillot*, pièce posthume, montée par Jouvet en 1945); crise de la civilisation qui oblige à revenir, comme les philosophes du XVIIIe siècle, au mythe du bon sauvage (*Supplément au voyage de Cook*, 1935).

Ceux qui ont connu Giraudoux sous l'occupation ont remarqué son brusque vieillissement, son besoin nouveau de solitude, son masque plus grave. Rendu soucieux par les malheurs de la patrie, par le départ de son fils qui avait rejoint les Forces françaises libres, il fut bouleversé par la mort de sa mère, au début de l'année 1944. Au retour de l'enterrement, il tomba malade. Le 1er février, les agences diffusaient : « Une dépêche brève venue de Paris nous a appris hier soir la nouvelle de la mort de Jean Giraudoux, survenue hier matin à 10 h 30 à son domicile de la capitale. Une crise d'urémie a emporté l'éminent écrivain. »

Ainsi cette fatalité qu'il avait peu à peu découverte le privait d'assister à la Libération de son pays, qu'il avait ardemment appelée de ses vœux.

L'HUMANISME DE GIRAUDOUX

Ce serait trahir Giraudoux que de rechercher dans son œuvre une thèse philosophique. Mais il ne faut pas croire pour autant qu'il n'est, comme on le croit trop souvent, qu'un pur magicien des mots. Autour d'un thème central, il brode de roman en roman, de pièce de théâtre en pièce de théâtre, des variations dont l'enchaînement dessine peut-être une subtile évolution.

Le thème fondamental

Le thème fondamental est l'harmonie de l'homme et du cosmos. Giraudoux regrette de voir ses semblables s'enfermer dans leurs manies humaines et se couper ainsi du reste du monde : « L'homme a voulu avoir son âme à soi. Il a morcelé stupidement l'âme générale » *(Ondine)*.

Pour retrouver cette harmonie perdue à la suite d'une cassure qui serait une manière de péché originel, faut-il recommencer l'aventure de Robinson Crusoé, comme Suzanne? Faut-il « faire signe aux dieux », comme Électre, et flirter avec le surnaturel, comme Isabelle dans *Intermezzo?* L'homme qui souffre de l'étroitesse des institutions humaines et de la banalité de la vie quotidienne a-t-il le droit de se désolidariser de ses semblables, de se considérer comme une exception et de devenir un « surhomme »?

PRINCIPALES ŒUVRES DE GIRAUDOUX

	ROMANS	THÉATRE	ESSAIS
1918	*Simon le pathétique*		
1920			*Adorable Clio*
1921	*Suzanne et le Pacifique*		
1922	*Siegfried et le Limousin*		
1926	*Bella*		
1927	*Églantine*		
1928		*Siegfried*	
1929		*Amphitryon 38*	
1930	*Les aventures de Jérôme Bardini*		
1931		*Judith*	
1933		*Intermezzo*	
1935		*La guerre de Troie n'aura pas lieu*	
1937		*Électre*	
1938			*Les cinq tentations de La Fontaine*
1939	*Choix des élues*	*Ondine*	
1941			*Littérature*
1945		*La folle de Chaillot*	

Giraudoux n'ignore aucune de ces tentations. es personnages non plus. Mais il se garderait ien de répondre par l'affirmative à ces questions. Même s'il déplore la faute, et les fautes de l'humaité, il prend en définitive le parti de l'humain. uzanne revient dans son pays. Edmée retrouve on foyer. Le contrôleur des poids et mesures rrache Isabelle à la dangereuse poésie de l'auelà et clôt l'intermède. Les prudents, qui n'ont as voulu couper le cordon ombilical, retrouvent eurs droits en face des rêveurs qu'allaient ngloutir des vertiges dangereux. Ni le roi de hèbes, dans *Amphitryon 38*, ni Pierre, dans *hoix des élues*, ne sont méprisables : ils sont ourtant les représentants de l'humanité moyenne. Quant à Alcmène, qui repousse les offres séduiantes des dieux et choisit son destin de mortelle, lle est le porte-parole même de l'écrivain.

Les variations

Ce choix, à dire vrai, Giraudoux ne le fait as sans quelque hésitation, sans quelque emords. Il semble pris dans une double contradiction :

— Les dieux l'attirent, et attirent ses personages, parce qu'ils se situent au delà de l'humain : 'est le cas pour Isabelle, dans *Intermezzo*; pour éda (et même pour Alcmène, dans une certaine mesure), dans *Amphitryon 38*. Et pourtant ces dieux apparaissent bientôt comme des étrangers et des tyrans en face desquels « chaque humain doit n'être qu'un garde à ses portes » *(Intermezzo)*. Au lieu d'ouvrir l'homme sur le cosmos, ils imposent une fatalité aussi étroite que les institutions humaines, fatalité à laquelle ils semblent eux-mêmes soumis.

— Giraudoux présente une morale du civisme humain, une apologie de « la vie consciencieuse » (le Contrôleur, dans *Intermezzo)*, et pourtant il critique la société humaine *(Aventures de Jérôme Bardini; La Folle de Chaillot)* et ne cesse de subir l'attirance de l'extra-humain. « Exilée dans son île de Robinson, Suzanne rêve de rejoindre les hommes, mais Giraudoux rêve d'un monde extra-humain dans lequel vit Suzanne » (1).

Giraudoux n'est ni un philosophe, ni un logicien. Il est donc inutile de chercher la résolution de ces contradictions. On trouvera plutôt dans son œuvre une série d'éclairages divers qui les mettront en lumière, une poétique présentation des contraires. D'où cette impression d'ambiguïté sur laquelle il nous laisse, irritante pour certains, délectable pour d'autres. En tout cas, ces oppositions constantes, ces sensibles qui attendent en vain une dominante, maintiennent une tension continuelle, qui est le ferment même du drame. C'est pourquoi, peut-être, Giraudoux était voué au théâtre.

L'histoire de cette pensée essentiellement mouvante est elle-même un drame dans lequel on peut distinguer des actes.

La « vision féerique »

Le premier texte publié de Giraudoux, un conte intitulé « Le dernier rêve d'Edmond About » (1904), où l'on sent l'influence des romantiques allemands, est un songe féerique. Et la première attitude de l'écrivain est bien la contemplation d'une harmonie cachée du monde qu'il s'agit d'opposer à la vision étroite d'une humanité bornée. La jeunesse du cosmos n'a d'égale que la jeunesse de celui qui le contemple. Simon le pathétique peut s'écrier, parfaitement serein : « Je m'accommode de tout ce qui peut t'accommoder, ô monde! [...] Tout est fruit pour moi de ce que produisent tes saisons, ô Nature. »

Cette attitude de contemplation implique le repliement sur soi, et une vie en marge de la vie : « Voilà mon printemps, voilà ma vie. Eux,

1. R.-M. Albérès, *op. cit.*, p. 175.

les hommes, la vie les chasse, comme une voiture chasse un poulet. Elle est derrière; il croit aussitôt qu'elle le poursuit, et l'idée ne lui vient pas de se ranger et de la laisser passer au galop et avec ses jurons; il court, oubliant qu'il a des ailes » *(Provinciales)*.

L'apparition d'une dualité

Après 1920, le problème jusqu'alors éludé se pose en termes plus nets : n'existe-t-il pas un malentendu entre l'homme et la vie cosmique? La prise de conscience d'une cassure entraîne la nécessité de rompre — temporairement du moins — avec une humanité étriquée pour aller boire le lait à même l'arbre-à-lait, pour aller cueillir son pain dans l'arbre-à-pain *(Suzanne et le Pacifique)*. Ainsi naît le drame; mais la confrontation exclut pour l'instant toute tragédie, soit qu'elle l'ignore, soit que, comme Alcmène, elle la refuse. La nostalgie, l'émerveillement, la sagesse permettront aux héros giralduciens de retrouver le bonheur sur cette terre, l'Éden, « l'intervalle qui sépara la création et le péché originel » *(Juliette au pays des hommes)*.

La naissance de la tragédie

L'irruption des dieux dans *Amphitryon 38* ouvre une perspective nouvelle au moment même où les conflits semblent se resserrer entre l'homme et les hommes (les *Aventures de Jérôme Bardini*), entre l'homme et les dieux *(Judith)*. La situation des « élues » entre les deux mondes n'est plus un privilège, mais une épreuve véritable. L'évasion n'était jusqu'ici qu'une mise en vacances; elle devient une tragédie qui peut frôler la catastrophe ou même sombrer dans l'échec. Le tragique apparaît d'ailleurs da l'Histoire, avec la montée des périls et l'escala qui conduit, malgré la bonne volonté des conc liateurs, à la guerre de Troie ou à la Secon Guerre mondiale. Les dieux, naguère bonhomme prennent des masques plus inquiétants ou réduisent à une implacable fatalité. Égisthe tout fait pour la conjurer : en vain! il faut qu'u ville périsse pour que la justice soit sauve et po que renaisse l'aurore *(Électre)*. Le moind geste compte, la moindre parole est irrévocab et Ondine constate : « J'oublie toujours q pour les hommes, ce qui a lieu ne peut pl avoir lieu. »

Le recours à la solidarité humaine

La catastrophe se produit, et il fallait peu être qu'elle se produisît. « L'inconnu était l exigeant, que rien ne dépisterait plus. » Curie sement, c'est au moment même où Giraudou découvre la responsabilité de l'homme qu remet entre les mains de l'homme le soin d salut de l'humanité. Un couple uni aurait p sauver Sodome et Gomorrhe. Dans *La folle Chaillot*, la fatalité se réduit à un combat ent hommes, car « le but des croisades contemp raines, c'est l'homme même » *(La Françai et la France)*. Épuration, reconstruction, urb nisation, les projets affluent. Mais la paro reste quand même aux innocents, à ceux q ont su préserver leur pureté en vivant en marg d'une société corrompue. La folle de Chaill peut conclure : « Il suffit de faire confiance au hommes et à la nature [...], pour qu'ils réponde par des réalités à nos extravagances. Nou mêmes ne sommes nés que de la fantaisie d Seigneur. »

BIBLIOGRAPHIE

ÉDITIONS : Théâtre complet et Romans dans la « Bibliothèque de la Pléiade » ; éditions scolaires de *La guer de Troie n'aura pas lieu*, d'*Électre* et d'*Amphitryon 38* aux éditions Bordas ; en Livre de Poche : Théâtre compl dans la « Pochotèque ».

ÉTUDES : Victor-Henry DEBIDOUR, *Jean Giraudoux*, Éditions universitaires, 1955 (une intelligente introductio à Giraudoux) ; Claude-Edmonde MAGNY, *Précieux Giraudoux*, Seuil, 1945 (étude originale, mais rapide, de « préciosité » de Giraudoux et de ses implications métaphysiques) ; René-Marrill ALBÉRÈS, *Esthétique et mora dans l'œuvre de Jean Giraudoux*, Nizet, 1957 (une thèse un peu touffue) ; Jacques BODY, *Giraudoux et l'Allemagn* Didier, 1975 (par le maître actuel des études giralduciennes, un livre savant et subtil) ; Jacques ROBICHEZ, *L théâtre de Giraudoux*, SEDES, 1976 (présentation claire et précise).

LA LITTÉRATURE APRÈS 1939

Contrairement à ce qui s'était produit pendant ı Première Guerre mondiale, la vie littéraire ·'est pas interrompue par le second conflit. .a brutalité de la défaite (juin 1940), la torpeur les années d'occupation jusqu'à la Libération le 1944 ne brisent pas la continuité de l'œuvre l'un Sartre ou d'un Camus, qui ont commencé . publier avant la guerre et donnent l'un *L'être t le néant* en 1943, l'autre *L'étranger* en 1942. .'existentialisme a pourtant trouvé dans le climat l'angoisse de ces sombres années une atmosphère propice à sa diffusion. « La défaite fran:aise, la volonté de redressement et de lutte, les ompromissions de la collaboration, l'usage des nêmes mots et des mêmes valeurs dans les camps ·pposés, la présence constante de la mort, de la orture et de la trahison, la conscience du machia·élisme des États, grands ou petits, l'énormité les massacres enveloppant militaires et civils, es déplacements de populations, toutes ces xpériences d'une guerre incroyable et univer·elle faisaient éclater les cadres d'une intelli;ence qui se croyait ouverte et qui découvrait .lors dans l'horreur ou dans l'héroïsme les imites de sa compréhension. La conscience nanifestait une passion absolue de liberté » (1).

Les conséquences de la Seconde Guerre nondiale sur la vie politique française sont ·ncore sensibles aujourd'hui. La fidélité à la ·rance combattante et à son chef a favorisé e passage de la Quatrième à la Cinquième République, rendu nécessaire par la crise algéienne et l'instabilité ministérielle. Elle a eu pour ıérauts certains des écrivains majeurs de ce temps François Mauriac, André Malraux) mais, pas ›lus que les autres beaux sentiments, le natio·alisme gaullien, qu'au moment du succès l'*Astérix* on était tenté de confondre avec un ıationalisme gaulois, n'a donné une bonne ittérature.

1. Édouard Morot-Sir, dans *Littérature française*, .arousse, t. 2, 1968, p. 309.

C'est peut-être qu'à l'époque de la bombe atomique les problèmes de politique intérieure paraissent bien dérisoires. La traditionnelle opposition de la droite et de la gauche s'estompe quand le monde se divise en masses colossales (dualité Est-Ouest pendant la « guerre froide », montée du « péril jaune »). L'écrivain contemporain, à quelque idéologie qu'il se rattache, reste rarement insensible aux grands problèmes de ce temps : le péril nucléaire (Ionesco, *Le piéton de l'air*), la guerre du Vietnam (Armand Gatti, *V. comme Vietnam*).

Pourtant l'on constate un repliement de l'écrivain sur lui-même. « L'Histoire est un long cauchemar dont j'essaie de me réveiller », écrivait Joyce. Bien souvent, nouveaux poètes et nouveaux romanciers semblent choisir le parti de la réclusion, du « labyrinthe », ou du regard sur l'éternité, sur « la majesté du temps des espaces et des nombres » (Jean Follain).

Jean-Paul Sartre travaillant dans un café de Saint-Germain-des-Prés.

© Brassaï

EXISTENTIALISME ET ABSURDE

« La dernière absurdité du siècle devait être la mode de l'existentialisme », écrivait Emmanuel Mounier en 1946. Sans doute pourrait-on lui rétorquer que d'autres écoles en « -isme » depuis se sont hissées au premier rang; du moins cette boutade a-t-elle le mérite de marquer l place importante, dans l'opinion, d'une philoso phie et d'une littérature qui, au delà d'une mod aux manifestations superficielles, ont donné nais sance à des œuvres puissantes et originales.

DE L'ÊTRE A L'EXISTENCE

Renversant les postulats de la philosophie classique, les écoles issues de la phénoménologie [1] affirment en l'homme le primat de l'existence sur l'essence, ou pour reprendre les mots de Sartre, posent que « l'homme *est* d'abord, et ensuite il est ceci ou cela » [2]. Une telle attitude implique naturellement de nouvelles réponses aux multiples interrogations qui jalonnent l'histoire de la pensée.

La solitude de l'homme apparaît comme un thème fondamental de l'existentialisme : il n'y a aucun secours à attendre d'un Dieu quelconque puisqu'il ne peut exister d'être antérieur à sa propre existence [3]. En conséquence, l'homme est abandonné, obligé d'assumer sa propre liberté, « condamné à être libre », comme le prétend Sartre dans *L'être et le néant*. Il va de soi que dès lors, l'homme se trouve contraint de choisir une essence qui l'engage, sans aucune possibilité d'échapper au choix : « La liberté est de choisir, mais non la liberté de ne pas choisir. Ne pas choisir, en effet, c'est choisir de ne pas choisir » [4]. D'où l'absurdité de la liberté qui force notre responsabilité aux yeux du monde.

Ce monde, quel rapport entretenons-nous

1. Méthode qui se propose, par la description des choses en elles-mêmes, hors de toute construction conceptuelle, de découvrir les structures transcendantes de la conscience et des essences. Venue d'Allemagne, elle fut surtout représentée en France par Maurice Merleau-Ponty (1908-1961).
2. *Action* du 27 décembre 1944.
3. Face au courant athée existe pourtant l'existentialisme chrétien qu'illustrent Karl Jaspers et, en France, Gabriel Marcel. Pour eux, l'existence se fonde sur le dépassement de l'être et sa projection en Dieu.
4. *L'être et le néant*, p. 561.

d'ailleurs avec lui? Pour l'existentialisme phéno ménologique le donné brut (« l'en-soi ») ne peu accéder à une signification que par mon actio personnelle : il devient alors un « pour-moi variable selon le projet de chaque conscienc Ainsi la révélation de l'objet est égalemen révélation de l'homme [1]. La relation ave autrui est quelque peu différente dans la mesu où l'autre est doté comme moi d'un « pour-soi » reprenant à Hegel [2] l'analyse dialectique d maître et de l'esclave, Sartre en vient à ce dram de l'existence qu'est l'autre. Le monde que j me suis créé est en danger dès qu'autrui l contemple, c'est-à-dire que je suis moi-mêm « perpétuellement en danger » [3]. Le rappo avec autrui ne peut donc être qu'un lie d'exclusion, ou plus exactement un confl inévitable que traduit la réplique de *Hui Clos* : « l'Enfer, c'est les autres ». L'amou comme l'amitié n'échappent pas à l'impla cable mathématique existentielle qui fait qu « je suis de trop par rapport à l'autre » Toute communication véritable devient impos sible : chacun reste enfermé en lui-même sou peine de « néantiser » ou d'être réduit. Ce qu n'apporte, dans chaque cas, aucune répons nouvelle au problème d'autrui. L'existence es absurde « sans raison, sans cause et sans néces sité » [4].

1. Cette réciprocité est incluse dans la célèbre formu de Husserl : « Toute conscience est conscience de quelqu chose. »
2. Hegel (1770-1831) auteur de la *Phénoménologie d l'esprit*.
3. *L'être et le néant*, p. 334.
4. *L'être et le néant*, p. 713.

SARTRE (1905-1980)

Si, littérairement parlant, le XVIIIe siècle fut celui de Voltaire et le XIXe celui de Hugo, le XXe pourrait bien avoir trouvé en Jean-Paul Sartre sa figure emblématique. Autant par la place qu'il a occupée dans et hors des lettres que par l'affirmation *consciente* de n'exister que par « les mots » — titre qu'il choisit significativement pour son autobiographie — et, par eux, de peser sur son temps : « A travers mon histoire, c'est celle de mon époque que je veux transcrire ». Époque de mouvement, d'incertitudes, de désillusions et qui explique, pour une large part, les engagements multiples — voire contradictoires — de l'homme. Époque de mutations, assoiffée de savoir, et qui justifie aussi les choix de l'écrivain : désireux de toucher le plus grand nombre, il se fera vulgarisateur de talent en philosophie ou mélodramaturge à succès au théâtre; soucieux de plaire, il travaillera son style jusqu'au peaufinage classique. Un classique qu'il est à part entière tant il est vrai qu'il ignora toutes les révolutions formelles de l'écriture contemporaine pour n'user que des formes traditionnelles les plus efficaces.

« En un certain sens, j'ai choisi d'être né »

Issu d'une famille bourgeoise, Jean-Paul Sartre perdit son père à l'âge de deux ans et fut élevé par ses grands-parents : le remariage de sa mère fait de lui un « bâtard », un déraciné qui se réfugie dans la possession d'un monde d'idées. Normalien, agrégé de philosophie, il enseigne au Havre, puis à Paris, et va séjourner à l'Institut français de Berlin où il suit les cours du philosophe Husserl (1).

Parallèlement à son œuvre philosophique (*L'être et le néant*, *Critique de la raison dialectique*) et littéraire (essais critiques, récits, théâtre) Sartre joue un rôle politique important : « engagé » dans un monde dont il se sent « responsable », tenté par le marxisme, il se trouve à la pointe de tous les combats menés par une gauche soucieuse de ne pas se compromettre avec la bourgeoisie. Animateur de revues (*Les Temps Modernes*, *La Cause du Peuple*) et de tribunaux populaires, Sartre fut maintes fois interpellé par les autorités sans jamais être inquiété : « On n'arrête pas Voltaire! » se plaisait à dire le général de Gaulle.

1. Husserl (1859-1938) fut le promoteur de la phénoménologie, et parvint par la « réduction eidétique » (réduction du donné à la forme) à transformer le cogito cartésien.

Le « choix » sartrien : de Lucien Fleurier à Jean-Paul Sartre

L'importance du « choix » dans la pensée de Sartre s'éclaire dès qu'on met en rapport l'attitude du héros de *L'enfance d'un chef* (1) (1939) et celle du jeune Jean-Paul dans *Les mots* (1964). A travers les cinq nouvelles recueillies dans *Le mur*, Sartre présentait des situations extrêmes, acceptées et vécues en tant que telles : absurde de la vie face à la mort *(Le mur)*, lucidité menant à la folie *(Érostrate)*, amour comme solitude *(La chambre)*. Avec la longue *Enfance d'un chef*, l'auteur montrait comment on devient un être figé, lié à un ordre immuable, grâce à la facilité de la « mauvaise foi ».

Promis à la succession de son père, Lucien Fleurier découvre dans son enfance et son adolescence bourgeoises le factice d'une vie conventionnelle. A la recherche de lui-même, il prépare Centrale et pour tenter de vaincre ses inquiétudes cherche remède dans le surréalisme et la psychanalyse. Puis il milite parmi les Camelots du Roi (2), joue le jeu de l'antisémitisme, se sent enfin rassuré sur son propre compte. Conscient dès lors de son droit de « chef », il pourra diriger l'usine paternelle.

Le désir de s'affirmer, d'*être* n'importe quoi, mais de le sentir, conduit le jeune Fleurier à observer la vie sociale dans laquelle chacun « joue » son rôle. Dans le refus premier de son milieu, Lucien cherche à édifier son existence de manière autonome par le « dérèglement des sens » : mais « fasciné » intellectuellement, il n'ose aller au bout de ses expériences (refus de fumer le haschich, acceptation à contre-cœur de l'homosexualité...), toujours retenu par des relents de morale. Aussi se réfugie-t-il bientôt dans des attitudes toutes faites, faciles à endosser et rassurantes : cette « mauvaise foi » l'engage et lui donne enfin une position au sein du monde. Pour les autres, il « a une conviction »; à ses propres yeux il a conquis, aux dépens de sa liberté, une existence fixe : il est devenu un objet social.

Partant d'une situation sociale semblable, le jeune Jean-Paul découvre également la « comédie » de la vie dans *Les mots :* élevé dans une

1. C'est la dernière des cinq nouvelles du recueil *Le mur*.
2. Une des ligues d'extrême-droite militant pour le rétablissement de la monarchie.

famille bourgeoise qui lui inculque les « idées en cours sous Louis-Philippe », Poulou se révolte en reniant la foi chrétienne, puis en écrivant. Pour « faire la grande personne », l'enfant, séduit par les récits romanesques, envisage d'abord de devenir un « écrivain-chevalier » qui s'assimilerait les douleurs du monde pour les pourfendre de sa plume :

> je devins cathare, je confondis la littérature avec la prière, j'en fis un sacrifice humain.

Avec le temps, même s'il a renoncé à l'idéal de « l'écrivain-martyr », Sartre n'a cependant jamais « défroqué », même s'il a pu douter de l'efficacité de l'écriture : « N'importe, lance-t-il, je fais, je ferai des livres; cela sert tout de même. »

C'est pourtant vers l'action directe que paraît se tourner l'auteur des *Mots*, récusant par le refus du Prix Nobel (1964) le grand écrivain que la critique admire. Du moins reste-t-il une œuvre romanesque et dramatique pour témoigner de ce monde nouveau dans lequel l'acte remplacerait la jouissance.

L'engagement : Sartre critique

Cette dénonciation d'une littérature humaniste au profit d'une écriture utilitaire, Sartre n'a cessé de la développer dans ses essais théoriques : *Qu'est-ce que la littérature?* (1945), *Que peut la littérature?* (1964). Ces ouvrages posent les questions fondamentales de l'écriture — qu'est-ce qu'écrire? pourquoi écrire? et pour qui? Il y répond par une attitude d'engagement complet : la littérature, la prose avant tout, est un élément de combat pour un homme qui a *choisi* d'écrire. Aussi condamne-t-il la passivité de l'artiste qui « depuis cent ans rêve de se livrer à son art en toute innocence ». Qu'il le veuille ou non, l'écrivain est « dans le coup », obligé de se battre avec un monde et une réalité qui s'offre à lui, chargé de témoigner sur son époque, « d'historialiser » son écriture, de transformer ses exigences de forme et de style en « revendications matérielles et datées ».

C'est au nom de cette éthique de la « mission » de l'écrivain que Sartre rejette Proust, Flaubert, les Goncourt, Balzac même : leur silence devant les événements apparaissant dans une telle perspective comme une mutilation de leur œuvre et d'eux-mêmes. Toute tentative critique ne peut être, dans de telles conditions, qu'un violent réquisitoire (ainsi le *Baudelaire* de 1947, condamnation du poète qui a « voulu à la fois être et exister ») ou une vibrante apologie (tel le paradoxal *Saint-Genêt, comédien et martyr* de 1952, qui explique la création poétique par l'acceptation et l'accomplissement d'une vie aux frontières de l'humanité normale).

L'idiot de la famille (3 volumes publiés en 1971-1972, un quatrième interrompu pour cause de cécité, un cinquième à l'état de projet) précise magistralement l'ambition de la critique sartrienne : à la question « que peut-on savoir d'un homme aujourd'hui? », le philosophe essaie de répondre à la fois en psychanalyste, en marxiste et en existentialiste afin de révéler Flaubert dans sa totalité et de ne « rien laisser dans l'ombre ». C'est au fond le problème fondamental de la critique qui est posé en termes nouveaux dans cette enquête pour cerner le lien homme/œuvre. Pour réaliser son projet, Sartre adopte l'attitude de « l'empathie » et se met à la place de l'auteur de *Madame Bovary;* puis il conduit son investigation par un incessant va-et-vient (la méthode « progressive-régressive ») de l'individu à son œuvre et à l'histoire. Ainsi naît peu à peu un personnage romanesque, Gustave : il transforme un livre critique en un « roman vrai », celui de la lutte constante du jeune Flaubert qui, pour échapper à l'aliénation sociale, tombe dans la tyrannie artistique, ou comme l'écrit le philosophe « ne peut substituer à l'être-bourgeois qu'un être-pour-l'art ». En fait, derrière Flaubert-le personnage se profile Sartre-l'écrivain, car « ce Flaubert par Sartre, c'est un Sartre par Flaubert » [1]. A travers les trois volumes de cette gigantesque étude, c'est tout Sartre qui se retrouve, mis à nu par héros interposé « pour développer, sous le masque de l'interprétation, une fantasmagorie personnelle » (G. Idt).

Le romancier face au roman

L'œuvre romanesque de Sartre témoigne d'une volonté de rompre avec la tradition du roman français. On a même pu dire que *La nausée* (1938) était « le dernier sommet d'une vaste chaîne : Balzac, Flaubert, Proust et Sartre » [2]. De la négation de l'événement à

1. Serge Doubrovski, « Une étrange toupie » dans *Le Monde des livres* du 2 juillet 1971. On se reportera aux articles de Marthe Robert, Raymonde Debray-Genette et Pierre Barbéris dans le même numéro, ainsi qu'à l'entretien que Sartre a accordé à ce même journal, le 14 mai 1971 (entretien repris dans *Situations X*, Gallimard, 1976).

2. Michel Raimond, *Le roman depuis la Révolution*, p. 211.

Sartre n'a pas voulu rester le philosophe en chambre. A l'occasion de chaque grand événement politique, on le voit sur la brèche. Ici il explique sa position devant le public réuni au Vel' d'Hiv.

la sublimation de l'instant privilégié, Sartre franchissait une nouvelle étape qui « marquait peut-être la fin du roman ».

De fait, la tentative même de Sartre se situait à l'opposé du projet romanesque, puisqu'il voulait « exprimer sous une forme littéraire des vérités et des sentiments métaphysiques ».

Antoine Roquentin, qui prépare un travail d'histoire, découvre un jour la nausée : son *moi* est troublé. A la bibliothèque, il rencontre l'Autodidacte qui trouve dans l'humanisme une raison d'exister. Un dimanche, Roquentin regarde passer les Bouvillois, qu'il ressent comme des « salauds »; puis il découvre la contingence en contemplant une racine de marronnier avant de perdre finalement conscience de son *moi*. Son existence lui semble vide, inutile : il décide d'écrire un livre pour « se rappeler sa vie sans répugnance ».

A travers son personnage, traité comme un véritable cobaye, Sartre cherche à montrer la fascination des choses; d'où la structure particulière de ce journal métaphysique rythmé par quelques éblouissements : les bretelles du garçon de café, la banquette du bus, la racine du marronnier... qui tournent le dos aux expériences de déchiffrement proustiennes. Avec Roquentin une seule réalité s'affirme : la *présence* de l'absurdité de la vie. Refusant la psychologie des profondeurs, — « je ne suis ni vierge ni prêtre pour jouer à la vie intérieure » — Sartre fait de son héros une présence en creux, un vide sans attache dans le temps, sans « aucune envie ». Bien plus, le personnage sartrien, loin de se constituer au fil des pages, même dans l'échec, se dilue jusqu'à douter de l'existence de son *moi :* « A présent, quand je dis « je », ça me semble creux. »

La destruction de *La nausée* ne s'applique pas seulement à Roquentin : le ton satirique, parodique, humoristique souvent, fait de cette Apocalypse qui débute en tragédie une gigantesque farce de l'engluement humain. Témoin le cartésianisme de Roquentin revu par Sartre : « Je ne pense pas, donc je suis une moustache. »

L'échec de Roquentin et son sursaut final achèvent de fermer *La nausée. Les chemins de la liberté* (trois volumes) demeurent sans conclusion depuis 1949, et sans doute convient-il de voir dans cet abandon une attitude nouvelle de l'écrivain : malgré la pluralité des points de vue dans *L'âge de raison* et surtout *Le sursis*, Sartre se détourne d'un genre qui ne lui permet pas de donner une véritable existence aux conflits qui l'obsèdent. Ses personnages restent souvent fort éloignés de cette présence qui donne à la création romanesque son souffle et sa raison d'être. Le didactisme sartrien se réalise parfaitement dans le théâtre et dans l'essai, deux formes qui permettent d'embrasser la totalité d'une expérience soit par l'acte, soit par la parole, alors que le roman s'épuise à accomplir leur synthèse.

Un théâtre des situations

Sartre se sentait naturellement attiré par la scène qu'il tenait pour un moyen efficace de toucher le plus grand nombre : de 1943 à 1965, les dix drames représentés traduisent tous la même volonté de frapper le spectateur, non par un renouvellement des techniques scéniques, mais par l'exploitation d'un moment privilégié fondamental, celui où « les libertés se choisissent dans des situations », le temps pendant lequel « un caractère est en train de se faire ». Il résulte de ce postulat que le drame sartrien ne peut être que problématique : le héros veut par un acte irréversible engager sa vie. Car l'engagement est la seule issue qui permette à ces hommes marqués par le destin (orphelinat de fait d'Oreste, bâtardise de Goetz, absence d'affection d'Hugo, emmurage de Frantz) d'échapper au vide de leur existence. C'est précisément le choix et l'exécution de l'acte, brefs instants durant lesquels ils atteignent à une existence pleine, que décide de nous montrer Sartre. Après quoi il ne leur reste plus qu'à disparaître.

On peut diviser en cinq grandes parties cette production dramatique [1] : mis à part

1. Comme l'a fait Francis Jeanson, qui a donné du théâtre sartrien une remarquable vue synthétique : voir « Un théâtre de la bâtardise » dans *Sartre par lui-même.*

SARTRE

	Romans	Théâtre	Philosophie	Critique et divers
1936			*L'imagination*	
1937	*Le mur*			
1938	*La nausée*			
1940			*L'imaginaire*	
1943	*L'âge de raison* (1)	*Les mouches*	*L'être et le néant*	
1945	*Le sursis* (1)	*Huis-clos*		
1946		*Morts sans sépulture* *La putain respectueuse*	*L'existentialisme est un humanisme*	*Réflexion sur la question juive*
1947				*Baudelaire*
1948		*Les mains sales*		
1949	*La mort dans l'âme* (1)			
1951		*Le diable et le Bon Dieu*		
1952				*Saint-Genêt comédien et martyr*
1960		*Les séquestrés d'Altona*	*Critique de la raison dialectique*	
1962				*Marxisme et existentialisme*
1963				*Les mots*
1963			*La transcendance de l'ego*	*Qu'est-ce que la littérature?*
1971-2				*L'idiot de la famille*
1983			*Cahiers pour une morale*	*Carnets de la drôle de guerre, novembre 1939-mars 1940.* *Lettres au Castor et à quelques autres.*
1984			*Freud* (préf. J.-B. Pontalis)	

1. Ces trois romans sont les seuls qui aient été publiés du cycle inachevé des *Chemins de la liberté.*

Huis-clos (1944), dont les personnages sont prisonniers d'un univers mort dans une sorte de théâtre de « l'antisituation », il est en effet possible de distinguer successivement une période de l'engagement forcée et individuel (Oreste dans *Les mouches*, 1943), que suit une phase d'engagement au nom de la collectivité (Hoederer dans *Les mains sales*, 1948 et Goetz dans *Le diable et le Bon Dieu*, 1951). Par opposition avec ces pièces de l'engagement positif, les deux séries suivantes proposent une vision négative du choix décidé par la « mauvaise foi » : il y a, d'une part, les œuvres du jeu social (Kean dans la pièce du même nom, 1953, et Georges dans *Nekrassov*, 1955), de l'autre, la tragédie de l'imposture du monde (Frantz dans *Les séquestrés d'Altona*, 1959).

Le théâtre de Sartre est en relation étroite avec sa philosophie : on y trouve le même désir de fonder une nouvelle morale, mais de même que l'écrivain a fermé *L'être et le néant* sur la promesse d'un traité toujours attendu, de même ses héros échouent-ils tous au bout de leur itinéraire : incapables de dépasser leur engagement, ils ne parviennent jamais à trouver le chemin de l'éthique, qui pourtant constitue le centre de leurs préoccupations. S'acharner sur la liberté n'est rien si c'est une liberté vide que l'on conquier[t]; or il reste encore à créer ce monde qui donnera un sens à la liberté sartrienne.

Le dernier intellectuel?

Le 19 avril 1980, une foule de plusieurs dizaine[s] de milliers de personnes — dont une très grand[e] majorité de jeunes — accompagnait Sartre a[u] cimetière du Montparnasse : témoignage spontan[é] qui manifestait, par-delà les modes germanoprati[-]nes de l'après-guerre, la permanence de « ce phé[-]nomène d'aimantation collective immédiate le plu[s] singulier que la littérature ait connu depuis l[e] romantisme » (J. Gracq [1]). Influence sans dout[e] moins tapageuse que naguère et, par là même, plu[s] pertinente. Certes l'œuvre sartrienne a déjà sub[i] l'épreuve du tri : *Les chemins de la liberté* ne son[t] plus guère lus; le théâtre ne tente pas davantage le[s] metteurs en scène du jour et les textes philosophi[-]ques — en dépit de pages d'une lumineuse effica[-]cité — n'exercent plus de véritable fascination[.] Mais *La nausée* et *Les mots* sont aujourd'hui lu[s] comme des classiques; mais les pages critique[s]

1. Julien Gracq, *Préférences,* Corti, 1961.

ontinuent de retenir l'attention alors même que ombre d'écoles de naguère sont tombées dans un ubli précoce. Romans et essais littéraires impoent donc la prééminence de ce sur quoi Sartre isistait à la fin de sa vie parce que la cécité lui en iterdisait alors le travail : le style. Un style qui en ait l'égal des plus grands, un style où se lit toute ne vie : direct, précis jusqu'à l'efficacité. Car la ttérature a pour objet d'agir sur les lecteurs, 'emporter leur adhésion : et, dès lors, la rhétorique sartrienne sert un projet — d'où les formules assertives, le cheminement analogique, etc. — dont le texte n'est pas l'enjeu final. Aussi l'image qui se dégage d'une œuvre désormais achevée renvoie-t-elle plus à l'homme qu'à l'écrivain : c'est que, en cette fin de siècle où tout est marqué du sceau de l'accélération et de l'incertain, Sartre a fixé l'ultime incarnation du *héros,* voix qui ne s'est pas contenté d'être, mais a « souffert son siècle, agi son siècle » (Le Clézio).

CAMUS (1913-1960)

A la différence de Sartre, Albert Camus 'impose non comme un penseur, mais comme n artiste. Et pourtant, tout autant, et peuttre plus que l'auteur de *La nausée*, il a malgré i joué le rôle d'un directeur de conscience our toute une génération : témoin d'une époque ui écrase l'homme et le laisse désemparé — insi Meursault, dans *L'étranger* — le personnage e Camus trouve finalement dans la « révolte » ne parade à l'« absurdité » de la vie. Quant à écrivain, sa volonté d'art aura été chez lui un désir d'éternité » [1].

Vivre, naturellement, n'est jamais facile »

Fils d'humbles ouvriers agricoles, Albert 'amus passe son enfance dans son Algérie atale. Son père étant mort au début de la Guerre, doit exercer divers emplois pour poursuivre es études de philosophie, que la maladie l'empêhera de mener jusqu'à leur terme; parallèleent, il anime une troupe de comédiens pour laquelle il écrit ou adapte des drames. En 1937 il publie un recueil d'essais, *L'envers et l'endroit*, que suivent un an plus tard *Noces*.

N'ayant pu s'engager lors du début du second conflit mondial, il milite durant toute l'occupation dans le groupe de résistance « Combat ». En 1942 paraissent coup sur coup *L'étranger* et *Le mythe de Sisyphe.* A la Libération, il prend la direction du journal *Combat*, poste qu'il abandonne en 1947, lorsqu'il publie *La peste*, afin de se consacrer exclusivement à la littérature : théâtre avec des adaptations de Dostoïevski, Faulkner ou Calderón, essai avec *L'homme révolté*, où Sartre dénonce avec violence une « attitude idéaliste, moraliste, anticommuniste ».

En 1954, les événements d'Algérie déchirent sa conscience et le font revenir quelque temps au journalisme : il poursuit cependant son œuvre littéraire *(La chute*, *L'exil et le royaume)* que vient couronner le Prix Nobel en 1957, trois ans avant sa mort, dans un accident de voiture.

Les écrits de Camus portent la marque d'un esprit tourmenté sur lequel les événements

1. Maurice Nadeau, « Camus romancier », dans *Le oman français depuis la guerre*, Paris, Idées, N.R.F., 970, pp. 116-118.

CAMUS

	Romans et nouvelles	Théâtre	Essais et divers
1937			*L'envers et l'endroit*
1939			*Noces*
1942	*L'étranger*		
1943			*Le mythe de Sisyphe*
1944		*Le malentendu*	
1945		*Caligula*	
1947	*La peste*		
1948		*L'état de siège*	
1949		*Les justes*	
1951			*L'homme révolté*
1954			*L'été*
1956	*La chute*		
1957	*L'exil et le royaume*		
1971	*La mort heureuse* (posthume)		

impriment leur trace : toujours en question, ils réalisent, comme le remarque Sartre, cette « admirable conjonction d'une personne, d'une action et d'une œuvre ».

Le cycle de l'absurde

Les pages lyriques et sensuelles des premiers essais chantaient le « droit d'aimer sans mesure » et le bonheur de vivre dans la lumière méditerranéenne où « le soleil et la mer ne coûtent rien ». Mais bientôt Camus découvre l'absurde : un récit, un texte théorique et deux œuvres théâtrales vont préciser et illustrer cet « insaisissable sentiment ».

En 1937, Camus songe à écrire *La mort heureuse* qui devait « combiner jeu et vie »; le roman restera inachevé, mais il explosera au profit des futurs écrits. L'année suivante, *L'étranger* est en chantier : terminé en 1940, le récit ne sera publié que deux ans plus tard.

Albert Camus vers 1954. « D'une certain manière, le sens de l'histoire de demai n'est pas celui qu'on croit. Il est dans l lutte entre la création et l'inquisition » (*L'Été*).

Rythmée par les sensations du narrateur, la première partie s'achève par « les quatre coups brefs sur la porte du malheur » que Meursault en proie au soleil, au vent et à la mer, tire sur un Arabe. Sans raison, et malgré lui, il est devenu un assassin.

Dans la seconde partie, Meursault est jugé par la société : dans un monde qui lui reproche ses fréquentations douteuses et son indifférence visible à la disparition de sa mère, son silence obstiné le fait condamner à mort. Peu avant d'être exécuté, il s'ouvre à la tendre indifférence du monde.

La narration vaut d'abord par le style. Imité des romans américains, il révèle, au delà d'une fallacieuse simplicité, le véritable aspect de Meursault : le discours indirect renforce l'impression d'absence du personnage, — cet homme-caméra qui ne conçoit rien, mais se contente d'enregistrer ce qui passe dans son champ vital. Étranger, Meursault l'est à plus d'un titre : insensible à la durée (« Aujourd'hui, maman est morte. Ou peut-être hier, je ne sais pas »), indifférent au monde qui l'entoure (à Marie qui lui demande de l'épouser : « Cela m'était égal »), ignorant du jeu social (comme en témoigne son attitude muette lors du procès), il reçoit comme passivement les impressions physiques que lui procurent la beauté, le soleil, la mer... Pour lui, le bonheur n'est pas une construction intellectuelle, une quête mystique ou un concept vide, mais une réalité. C'est pourquoi le renversement final qui permet au héros de prendre conscience de « l'indifférence du monde » n'est pas une victoire, mais un échec. Un pareil échec menace quiconque entend vivre et non s'interroger.

Vivre, droit ou devoir? La réponse viendra d'un essai sur l'absurde consacré au *Mythe de Sisyphe*. Camus élimine les diverses tentations : certes la vie quotidienne est inutile, mais il faut refuser le suicide qui ne constitue pas la bonne parade à l'absurdité du monde. En effet, l'absurde n'est pas un état donné, brut, mais le résultat d'un « divorce » entre la conscience et sa projection sur l'extérieur : pour s'y opposer, il convient donc de satisfaire aux deux éléments, ce que ni le suicide (qui supprime la conscience), ni l'espoir (qui d'emblée transforme la signification du rapport de l'homme au monde) ne parviennent à réaliser. Camus a finalement recours à la révolte, défi permanent à l'égard de la condition humaine dans lequel l'homme découvre « sa » véritable liberté : de l'absolu il est passé au relatif qui lui donne la juste mesure de lui-même.

Deux illustrations de l'absurde, ici incarné et en action dans un personnage (*Caligula*, 1944), là inéluctable dans une situation grotesque débouchant sur le tragique (*Le malentendu*, 1944), allaient révéler Camus au théâtre. Si la seconde pièce apparaît à juste titre comme trop schématique (l'impossibilité de communiquer et de dire LE mot qui sauve), trop théorique (l'absurde reste un thème et ne s'impose jamais comme une présence) et trop technique (Jan et Martha, malgré une incontestable force, demeurent plus des symboles que des personnages), *Caligula* est au contraire animé d'une puissance tragique remarquable.

Lorsque, après la mort de sa sœur-amante, Caligula découvre cette vérité à la fois grande et stupide que « les hommes meurent et ne sont pas heureux », il décide de s'installer dans un ordre différent « où l'impossible est roi », l'absurde, afin que puisse s'affirmer sa liberté « sans limites ». Délire prométhéen et blasphématoire qui entend « mêler le ciel à la mer, confondre laideur et beauté, faire jaillir le rire de la souffrance » et ne peut se réaliser que dans le crime : vouloir façonner l'homme à l'image de ce qu'il était avant la création, c'est détruire l'humanité existante... et se condamner soi-même à la solitude. L'absurde n'est donc pas dans le projet de Caligula (Scipion y voit une « vérité dénaturée »), mais dans sa réalisation qui conduit à l'échec : « Je n'ai pas pris la voie qu'il fallait, je n'aboutis à rien. Ma liberté n'est pas la bonne », conclut le dément que frappent les poignards des patriciens, attachés à l'ordre médiocre qui les glorifie.

Caligula, comme Meursault ou Sisyphe, découvre le néant au bout de sa révolte solitaire : pour atteindre à l'équilibre permettant de neutraliser l'absurde, il faut opter pour une solution qui dépasse l'engagement personnel.

Le cycle de la révolte humanitaire

Si la révolte est la vraie parade de l'absurde, l'unique chance de succès passe par « la reconnaissance d'une communauté dont il faut partager les luttes ». C'est la seule attitude qui n'enferme pas l'individu dans un isolement nihiliste.

La peste, qui après huit années de maturation vit le jour en 1947, se présente comme l'anti-*Étranger*.

A Oran en 1947 : les rats viennent crever, apportant avec eux la maladie. Rapidement l'épidémie se répand, rendant nécessaire la mise en quarantaine de la ville. Une nouvelle vie s'organise : certains font du marché noir, des prédicateurs dénoncent le châtiment divin, le docteur Rieux en compagnie de Tarrou crée des formations sanitaires volontaires. Les gens meurent en grand nombre; devant l'agonie du jeune Othon, le Père Paneloux découvre que le mal n'est qu'un scandale injustifiable.
Avec l'hiver, le fléau s'éloigne, emportant Tarrou au dernier moment. Tandis que la foule délivrée laisse éclater sa joie, Rieux demeure vigilant, car « le bacille de la peste ne meurt ni ne disparaît jamais ».

Le problème central de *La peste* porte moins sur la raison de vivre que sur la manière de vivre : « Peut-on être un saint sans Dieu ? » se demande Tarrou.

Au départ, il n'y a rien qu'une ville animée par des hommes mécaniques ainsi que dans *L'étranger*; mais la vie n'est pas vue par un individu comme Meursault, elle est observée par une conscience lucide, Tarrou. Et puis soudain tout est bouleversé : la présence du fléau transforme les pantins en hommes qui font l'apprentissage de la souffrance et découvrent l'amour : non ce sentiment égoïste que vante le journaliste Rambert, mais la « sympathie » pour l'humanité qui guide Rieux. « Il peut y avoir de la honte à être heureux tout seul » : le fossé est franchi, et l'amour solidaire entraîne la révolte contre l'ordre établi par Dieu parce qu'il est le père d'une « création où les enfants sont torturés ».

L'attitude utile n'est pas celle de Paneloux qui se réfugie dans une foi hagarde et primitive pour « aimer ce qu'il ne comprend pas », même si cela l'indigne, et s'affirme incapable d'assumer sa révolte en trouvant un secours irrationnel en Dieu. Il faut donc admettre la possibilité d'une intégrité de l'individu (le « vrai » médecin) qui triomphe du mal par l'application stricte de sa pureté dans ses actions extérieures. Le fléau ne peut être combattu que par un mouvement de filtration qui va de la conscience à l'action.

Cette lutte entre le bonheur personnel et l'existence d'autrui fournit à Camus le point de départ de deux œuvres dramatiques fort différentes : *L'état de siège* (1948), dont la hardiesse technique, mêlant toutes les formes de l'expression orale et visuelle, dérouta les spectateurs, et le poignant drame des *Justes* (1949), qui analyse les rapports de l'amour et de la lutte dans une cellule révolutionnaire russe de 1905. Si l'allégorie gêne le lecteur de *L'état de siège* qui se trouve plus en face d'une tentative intéressante que d'une puissante création dramatique (le discours de la peste ainsi que les dialogues ne sont que des énumérations philosophiques sans vie tragique véritable), l'histoire des « meurtriers délicats » du duc Serge touche le spectateur par la rigueur du conflit qui oppose le dur Stépan (« Il faut ruiner ce monde de fond en comble ») au poète Kaliayev : ce dernier ne conçoit pas de révolution sans honneur (il ne lancera pas de bombe sur le fiacre du Grand-Duc parce qu'un enfant se trouve aux côtés du prince) et se sent déchiré entre sa passion pour

Dora et l'exigence de la lutte pour les autres. Faute de ne pouvoir connaître « une seule petite heure d'égoïsme », les deux antagonistes se retrouveront unis dans une mort identique qui résoudra leurs contradictions.

Ainsi, du nihilisme du cycle absurde Camus est passé à l'humanitarisme de la révolte : avec *L'homme révolté* (1951), il poursuit les analyses du *Mythe de Sisyphe*, les dépasse et donne une assise théorique aux personnages issus de cette nouvelle période. Alors que Sisyphe s'ouvrait sur le rapport de l'homme avec lui-même (le suicide), *L'homme révolté* introduit d'emblée autrui dans la réflexion par le biais du meurtre : puis-je tuer un homme? De là Camus passe à l'analyse de la révolte : contrairement à celle du premier essai qui était avant tout dirigée *contre* l'absurde, la nouvelle attitude de rébellion est positive, engagée *pour* une valeur : l'amitié, la communication avec autrui. Ainsi, à la différence des postulats sartriens, la pensée de Camus se développe en fonction d'une nature humaine dont il s'agit d'atteindre les valeurs fondamentales.

Vers un nouvel humanisme?

Dans *La chute* (1956), long récit isolé du recueil de nouvelles *L'exil et le royaume* (1957), Camus propose un personnage qui reprend, en les inversant, les aspirations et les valeurs de ses autres héros.

Dans un bar d'Amsterdam, Jean-Baptiste Clamence raconte à un auditeur invisible (le lecteur) sa vie : riche avocat, célèbre pour les nobles causes qu'il défendit, il a un jour senti s'éveiller sa conscience. Dès lors c'est la chute : il se rappelle ses tromperies à l'égard du monde; sa lâcheté devant le suicide d'une femme lui révèle son ancienne duplicité. se juge lui-même pour tendre finalement aux autr le miroir dans lequel il se regarde.

Le ton du récit est nouveau : souple, anim sarcastique, il rompt aussi bien avec la passivit de Meursault qu'avec le fraternalisme de personnages de *La peste*. Est-ce une ruptur définitive dans la pensée et l'art de Camus Assurément, ce long monologue est une « confes sion dédaigneuse » (1) : tout en confiant à so héros ses amertumes et ses douleurs (*La chut* devait à l'origine être un récit de polémiqu anti-sartrienne), l'auteur s'est comme purgé de mauvais penchants qui le gênaient dans l confiance de plus en plus grande qu'il souhaita accorder à l'homme. La conscience de la révolt ne s'apaise pas mais trouve, comme à l'origine une raison d'exister dans le lyrisme méditer ranéen qu'expriment certaines pages de *L'ex et le royaume*.

Par-delà la mort, l'œuvre de Camus amplifi son écho parmi les lecteurs modernes. S'i paraît ridicule de s'acharner à démontrer sa richesse philosophique, du moins doit-on recon naître que ses meilleures réussites ont trouv chez le lecteur la consécration artistique (c'es notamment le cas de *L'étranger* et de *Noces* et le sentiment d'un humanisme adapté au exigences de notre époque. Plus que tout, Camu a eu le mérite d'affirmer dans un temps domin « par le veau d'or du réalisme, l'existence du fai moral » (2).

1. Maurice Blanchot, reproduit dans *Essais* d'Albert Camus (Pléiade), pp. 1050-1056.
2. Jean-Paul Sartre, *Situations IV*, pp. 126-129.

LE FOISONNEMENT DE L'EXISTENCE

Jamais avant l'existentialisme on n'avait accordé tant d'importance au conflit d'une existence en lutte : après la guerre les récits de ce genre se multiplient, engendrant dans le public une mode et une « école » existentialistes. Terme inexact d'ailleurs, dans la mesure où il n'y eut jamais d'école au sens strict du mot, mais un désir de proposer des « œuvres signifiantes plus que significatives ».

Un nom domine cette profusion : Simone de Beauvoir (1906-1986). Compagne de Sartre dont elle partage les luttes et les options, elle a tenté de donner les bases d'une théorie morale existentialiste (*Pour une morale de l'ambiguïté* 1947), et s'est attachée à témoigner de la condition féminine réduite à n'être qu'un objet sexue ou utilitaire (*Le deuxième sexe*, 1949), ainsi que de la situation intellectuelle du moment dans les ıémoires (*La force de l'âge*, 1960 et *La force* *es choses*, 1963). Mais c'est au roman et spécia- ›ment à *L'invitée* (1943) qu'elle doit son impor- ınce littéraire : dans un style sobre et juste, elle enouvelait le thème éculé de la jalousie en y ıêlant celui de l'existence d'autrui (au sens artrien du terme). Xavière et Françoise donnaient e la femme une image nouvelle qui battait en rèche les traditionnelles analyses sur lesquelles oute une littérature avait bâti son succès.

A côté de l'œuvre de Simone de Beauvoir il onvient de placer d'autres romans de femmes : *a bâtarde* de Violette Leduc, pénétration sans omplaisance de l'univers féminin dans ce qu'il de plus intime, *Derrière la baignoire* de Colette udry, récit de la présence hors de toute litté- ature, et les premières œuvres de Marguerite Duras. L'inspiration masculine des romans de 'existence est tout aussi importante : citons Marcel Mouloudji *(Enrico)* qui vulgarise les ıouveaux thèmes du viol, de l'avortement et de 'homosexualité; Jean Cau dont la verve sati- ique tire ses *Paroissiens* vers le pastiche des omans d'éducation du siècle précédent; Ray-

© René Saint-Paul

Jean-Paul Sartre et Simone de Beauvoir. Dans son autobiographie partielle *La force des choses*, Simone de Beauvoir, faisant le bilan de sa vie, constate qu'il fait apparaître « une réussite certaine : [ses] rapports avec Sartre ».

mond Guérin obsédé par le fait physiologique et s'attachant aux détails de la vie avec une complaisance surprenante *(L'apprenti)*.

Tous ces récits donnent de l'homme une vision « réaliste », sans faille : pour la première fois celui-ci se voit réduit à la proportion d'un objet. Le réalisme et le naturalisme sont pourtant loin...

BIBLIOGRAPHIE

I. ÉTUDES GÉNÉRALES : Sur l'existentialisme en général on lira trois bonnes synthèses dues à trois philosophes : Emmanuel MOUNIER, *Introduction aux existentialismes*, Denoël, 1946 (rééd. « Idées », N.R.F.). — Jean-Paul SARTRE, *L'existentialisme est un humanisme*, Nagel, 1948. — Jean BEAUFRET, *Introduction aux philosophies de l'existence*, « Médiations », Denoël, 1971.

II. ŒUVRES DE SARTRE : L'ensemble de l'œuvre de Sartre est publié par Gallimard. Des *Œuvres romanesques* ont été éditées en Pléiade (1981, éd. M. Contat et M. Rybalka, préface G. Idt) ; le *Théâtre* sous la direction de .-J. Roubine. Certains textes ont été repris dans la collection « Folio » *(La nausée, Les chemins de la liberté, Théâtre, Les mots)*, dans la collection « Idées » [rebaptisée « Essais »] *(Baudelaire, Réflexions sur la question uive, L'imaginaire)* et dans la collection « Tel » *(L'idiot de la famille)*.

ÉTUDES SUR SARTRE : Francis JEANSON, *Sartre par lui-même*, Seuil, 1956 [rééd. 1970] (ouvrage fondamental pour comprendre le philosophe et l'écrivain). — Colette AUDRY, *Sartre*, Seghers, « Philosophes de tous les temps », 1966 (une synthèse parfois difficile de la doctrine philosophique). — Annie COHEN-SOLAL, *Sartre*, Gallimard, 1985 (une biographie « à l'américaine », exhaustive, factuellement décevante pour l'analyse). — Par ailleurs la revue *Obliques* a publié deux numéros : *Sartre*, n°s 18-19 (1979) et *Sartre et les arts*, n°s 24-25 (1981) qui offrent études, nterviews et iconographie très précieuses pour la connaissance de l'homme et de son œuvre.

III. ŒUVRES DE CAMUS : On se reportera aux œuvres de Camus éditées dans la « Bibliothèque de la Pléiade » par les soins de Roger Quilliot en deux volumes (*Essais* d'une part, *Théâtre, récits et nouvelles* de l'autre). Certains textes ont été publiés dans la collection « Idées » *(Le mythe de Sisyphe, L'homme révolté)*, dans le Livre de Poche et dans la collection « Folio ».

ÉTUDES SUR CAMUS : Pour s'initier à Camus on aura recours à : Paul GINESTIER, *Pour connaître la pensée de Camus*, Bordas, 1964 (analyse complète des thèmes philosophiques). — Morvan LEBESQUE, *Camus par lui-même*, Seuil, 1963 (un ouvrage de vibrante sympathie avec des inédits). — Jean-Claude BRISVILLE, *Camus*, Gallimard, « Pour une bibliothèque idéale », 1959 [rééd. 1969] (une bonne synthèse et un ouvrage très maniable). — Olivier TODD, *Albert Camus*, Gallimard, 1996 (la grande biographie moderne). *Les Cahiers Albert Camus* (Gallimard, 4 vol. parus) et la série *Albert Camus* (« Revue des Lettres modernes », Minard, 10 vol. parus) offrent régulièrement études, inédits et compléments bibliographiques.

IV. L'ŒUVRE DE SIMONE DE BEAUVOIR est publiée par Gallimard et se trouve disponible, pour une large part, en Folio ou Idées. On lira une biographie de l'auteur par Claude FRANCIS et Fernande GONTIER (Perrin, 1985).

LA DIVERSITÉ POÉTIQUE : ACCOMPLISSEMENTS ET DÉCOUVERTES

Il n'y a pas, à proprement parler, de poésie d'après-guerre rompant totalement avec les recherches et les découvertes d'avant 1939 (1). Ce qui frappe, à la lecture des nombreuses productions des années 40 à 50, c'est la continuité d'une aventure; comment en irait-il autrement, puisque la majorité des grands poètes de cette époque appartient à une génération déjà très féconde avant le deuxième conflit mondial? Mais au contraire de ce qui se passait avant la guerre, cette aventure n'est plus vécue dans l'unité. A l'exception d'une poésie suscitée par l'événement — la résistance à la barbarie nazie —, chant à l'unisson de personnalités diverses qui communient dans le même refus et le même espoir, rien ne ressemble après 1945 à la belle communauté surréaliste. Plus d'écoles, plus de mouvements (2), chaque poète poursuit son œuvre dans la solitude, malgré d'inévitables affinités, politiques ou spirituelles.

Cet éparpillement des volontés ne peut cacher pourtant des caractères communs. Les recherches individuelles des poètes, suivies par de petites chapelles passionnées — de disciples, de critiques, de trop rares lecteurs fervents — sont les manifestations d'une même foi dans l'avenir et les pouvoirs de la poésie. Si tous les poètes, ou presque, se sont écartés du surréalisme, tous restent fidèles à la conception élevée de la poésie que ce mouvement a imposée, tous collaborent, plus ou moins ouvertement, à l'élaboration d'une parole essentielle, capable de fonder d'une manière nouvelle l'homme et le réel.

Mais l'effet le plus visible de l'ambition poétique moderne, et c'est sans doute son drame le plus profond, est la rupture entre les poètes et les lecteurs. Le hautain isolement de l'artiste lui permet d'obéir à ses exigences de puret le protège de toute compromission, il le condu aussi à parler une langue de plus en plus étrangèr au grand public, alors même qu'il veut abol les anciennes et fausses frontières entre poési et non-poésie, qu'il veut donner à l'homme toute ses chances de vivre d'une façon plus authentiqu

Ces considérations, trop générales, ne peuver rendre compte de la foisonnante diversité po tique de l'après-guerre, pas plus que le class

1. Pour l'ensemble de ce chapitre, voir J. Bersani, *La littérature en France depuis 1945*, Bordas. Chapitres X, XV et XVI.

2. Le « lettrisme » d'Isidore Isou qui entend procéder à la désagrégation ultime du mot est l'exception, mais le fracas théorique n'a guère entraîné de réalisations satisfaisantes. L'« école de Rochefort » n'est pas vraiment une école.

Aragon, *Poésie 41*, deuxième page de couve ture et page de titre avec sommaire, éc Seghers, mai-juin 1941.

POÉSIE 41

ancienne revue des Poètes-casqués

4

SOMMAIRE

M.-H. VIDA .... **A la Paix**
(Traduit du latin par André BLANCHARD)
ARAGON .... **Les Nuits**
Leo FERRERO .... **Berceuse**
Pierre EMMANUEL .... **Trois Cantos**
TOURSKY .... **Poème du quatre mars**
Maurice AUDIN .... **Transfiguration du poète**
Maurice FOMBEURE .... **L'hiver dans l'été**
Vieux Quartiers
Louis BRAUQUIER .... **Les trésors perdus**
Paul GILSON .... **En fin de conte**
Amour rime avec Amour
Aux Baux avec Louis JOU
(Bois gravés par Louis JOU, présentation par P. SEGHERS)
Alain BORNE .... **Enfin mortes pour moi**
Armand GUIBERT .... **Les puissances nocturnes**
Louis PIZE .... **Halte**
André BLANCHARD .... **Lettre de Paris**
J. POURTAL DE LADEVÈZE .... **Bords de rivière**
Louis EMIÉ .... **Cap de la nuit...**
Henri LAMBERT .... **Poème**
René LAPORTE .... **Les voyageurs de quarante ans**
Maxime ALEXANDRE .... **Holderlin le poète**
Jean RIVIER .... **Enigme du destin**
LA PAGE DES POÈTES PRISONNIERS
André BELLIVIER : **Poème**
Charles MAURON .... **Chansons d'ermite**
Lanza del VASTO .... **Extraits des principes et préceptes du retour à l'évidence**
Marcel SAUVAGE .... **Des douleurs**
Frans MASEREEL
— Bois gravés —
Henri de LESCOET .... **Le rêve d'un cheval**
Jean TORTEL .... **Poème**
Fernand SENEZ .... **Poème**
CHRONIQUES : **Fantômes 41,** par Elsa TRIOLET
Lettres, ARAGON et Joë BOUSQUET
SIGNAUX ET COURRIER
Albert LA BASTIE (dessin) .... **Les Angles**

nent, forcément réducteur, adopté dans la présentation qui va suivre : seule la lecture des œuvres, la reconnaissance des échos qu'elles se renvoient pourront le faire. Cette lecture est facilitée par l'existence de collections sûres et peu onéreuses qu'il faut saluer comme des événements poétiques : ne tentent-elles pas de lever la grave contradiction à l'instant soulignée, et de susciter à la poésie moderne l'audience large et passionnée qu'elle mérite? (1)

LA POÉSIE DE L'ÉVÉNEMENT : LE CHANT DE LA RÉSISTANCE

« ... C'est vers l'action que les poètes à la vue immense sont, un jour ou l'autre, entraînés... Une fois de plus, la poésie mise au défi se regroupe, retrouve un sens précis à sa violence latente, crie, accuse, espère » (1). Pendant les années de guerre, la poésie française trouve une unité d'inspiration et une audience que, sans doute, elle n'avait jamais eue. Les poètes les plus divers – Louis Aragon, Paul Éluard, Jules Supervielle, Pierre Jean Jouve, Pierre Emmanuel, René Char – se rencontrent dans le même appel à la résistance, la même exaltation des valeurs nationales. Acte de liberté par excellence, la création poétique oppose à la barbarie sa violence spirituelle. Pour être entendue de tous, la poésie renonce à ses démarches d'initiés, elle retrouve la tradition du chant simple, de la parole intelligible. Les revues, les collections clandestines se multiplient : *Cahiers du Sud, Fontaine* (avec Max-Pol Fouchet), *Poésie 40, 41,* etc., *Éditions de Minuit...* où d'innombrables voix modulent le chant de la fraternité.

Il faut faire une place à part aux poètes qui se réunirent autour de Jean Bouhier, écrivain délicat, animateur infatigable et pharmacien à Rochefort, dans le Maine-et-Loire. Cette « école de Rochefort » se plaça volontiers sous le patronage de Max Jacob. Parmi tant de figures, Michel Manol, Jean Rousselot, Jean Follain, Luc Bérimont, etc., il faut évoquer celle de René-Guy Cadou (1920-1951), instituteur dans la région de Nantes, poète de la nostalgie mais aussi de la vie inépuisable dans *Morte-Saison* (1941), *Biens de ce monde* (1951), *Hélène ou le règne végétal* (posth.). Il mourut jeune d'un cancer, et les survivants se retrouvèrent, malgré leurs dissensions, dans le culte du disparu. L'« école de Rochefort » tenta de se prolonger jusque vers 1960. Elle témoigne encore aujourd'hui d'une poésie plus spontanée et souvent touchante.

D'où qu'elle vînt, la poésie de la Résistance, dont nul n'eut le privilège, réapprenait aux poètes les vertus de la simplicité formelle, elle leur révélait surtout, selon la formule de Pierre Emmanuel, une « sensibilité spirituelle » au destin de l'homme que, rentrés dans leur solitude d'après-guerre, ils ne pouvaient plus oublier.

ŒUVRES ACCOMPLIES

Les productions majeures de la poésie d'après-guerre sont celles de poètes qui écrivaient déjà avant 1939 et qui ont su se renouveler ou donner à leur œuvre sa pleine mesure. C'est le cas d'Aragon, d'Éluard, de Supervielle, évoqués précédemment. C'est surtout le cas de Pierre Jean Jouve, de Saint-John Perse et de René Char, dont les exceptionnelles promesses d'avant-guerre sont tenues avec éclat.

Pierre Jean Jouve (1887-1976)

C'est dans la solitude et un silence trop peu souvent rompu par la critique que l'œuvre de Pierre Jean Jouve a progressé. Liée à d'importants courants spirituels et poétiques de notre temps, unanimisme, freudisme, christianisme, elle ne se laisse annexer par aucun; son originalité et son austérité, qui font sa grandeur, l'ont écartée des suffrages du grand public.

Sa production antérieure à 1925 a été annulée par ses soins. Nous la connaissons mieux aujourd'hui grâce aux travaux de Daniel Leuwers. Des premiers recueils non reniés par l'auteur aux derniers, les caractères formels de l'œuvre, son champ thématique ont pu évoluer, non sa finalité. Elle est toujours l'entreprise existentielle plus encore que littéraire qui tend à dénouer l'inextrica-

1. Nous pensons particulièrement à « Poètes d'aujourd'hui » (Seghers) et à « Poésie/Gallimard ».

1. Paul Éluard, *L'honneur des poètes*, Éditions de Minuit (« imprimé sous l'occupation nazie le 14 juillet 1943, jour de la liberté opprimée »).

ble de la vie : « Si la poésie est création, c'est d'abord qu'elle est création d'une vie véritable par la véritable parole ou aussi bien de l'authentique parole par l'authentique vie » ([1]). L'aventure poétique ne peut se satisfaire d'un accomplissement dans la parole heureuse, elle n'est qu'une voie vers un salut plus absolu, personnel et universel.

Après *Les noces* (1925-1931), *Sueur de sang* (1933-1935) impose l'univers profond du poète. Le court essai qui précède le recueil, *Inconscient, spiritualité et catastrophe*, expose avec force les trois domaines ou plutôt les trois aspects d'un même domaine, tragique et obscur, que l'auteur explore et qui gouvernent les registres de son chant tour à tour ou simultanément troublé par un érotisme sanglant, approfondi par le mysticisme, traversé d'un mouvement apocalyptique. Une belle définition de l'activité poétique est alors proposée par Jouve qui s'y tiendra : « Nous devons donc, poètes, produire cette "sueur de sang" qu'est l'élévation à des substances si profondes, ou si élevées, qui dérivent de la pauvre, de la belle puissance érotique humaine. » Les premiers poèmes sont d'une étouffante densité, alourdis de symboles obscurs et inquiétants. Il semble que les réalités évoquées, le chaos intérieur, le monstrueux théâtre du sexe et du péché, soient trop atroces pour être soulevées; le chant se brise, à peine élevé, dans la suffocation.

Mais, à mesure que l'œuvre évolue, — que l'existence du poète s'approfondit — (*Matière céleste*, 1936-1937; *Kyrie*, 1938; *La vierge de Paris*, *Hymne*, 1939-1947; *Diadème*, *Ode*, *Langue*, 1949-1954; *Mélodrame*, *Moires*, 1956-1966), la parole poétique conquiert lentement ses forces. La beauté du langage tente d'exorciser les monstruosités de la vie intérieure qui la suscitent :

> Que la beauté non plus comme un rêve de pierre
> Jaillisse désormais du laid de notre horreur
> Redoutable... *(Moires)*

La lutte se résout en musique, le vers (l'alexandrin souvent) ou le verset défie de son rythme harmonieux, de sa perfection plastique, l'horreur mortelle de notre condition. Encore cet élan de la guerre vers l'apaisement, de l'obscurité vers la lumière ne connaît-il pas de repos véritable et définitif : et l'on voit demeurer les cruelles énigmes de la vie et de la mort que chaque effort de résolution approfondit.

1. Selon Gaëtan Picon, l'un des meilleurs commentateurs de Jouve.

© I. Bandy

© Collection particulièr

A gauche, Pierre Jean Jouve
« Heureux sois-tu silence des ciels verts
Le poète ô seigneur des plus lointain
[possible
Prophétise à tes yeux dans le rude univer
Les Morts [...] *(Diadème)*.
A droite, René Char en 1935.

Aux recueils de poèmes, il convient d'ajouter pour comprendre l'unité et l'ampleur de la pensée de Jouve, ses récits en prose, *Paulina 1880* (l'un des plus beaux textes de notre siècle) *Le monde désert, L'aventure de Catherine Crachat, La scène capitale, Histoires sanglantes,* son « journal sans date », *En miroir,* et ses écrits sur le *Don Giovanni* de Mozart et le *Wozzeck* d'Alban Berg.

L'œuvre de Pierre Jean Jouve est difficile, elle exige du lecteur un long et patient effort, mais elle est exemplaire. Son influence a déjà été décisive sur des poètes comme Pierre Emmanuel ou Yves Bonnefoy. Elle révèle, par son évolution même, les pouvoirs d'une poésie engageant toute la vie intérieure de l'homme, devenue un véritable exercice spirituel.

Saint-John Perse (1887-1975)

L'entreprise de Saint-John Perse est l'une des plus singulières de notre temps. Depuis ses débuts vers 1904 (lorsqu'un jeune étudiant en droit originaire de la Guadeloupe, Alexis Saint-Léger Léger, accorde, dans *Éloges*, la magie de l'enfance à la magie de la nature antillaise) jusqu'à son accomplissement (l'auteur reçoit en 1960 le Prix Nobel de littérature), l'œuvre se dresse dans sa perfection quasi intemporelle, étrangère en tout cas aux courants les plus visibles de l'époque.

L'histoire poétique de Saint-John Perse doit être séparée de la carrière diplomatique d'Alexis Léger. Elles se relaient en quelque sorte. *Éloges* paraît en 1911, *Anabase* en 1924; pendant seize ans, celui qui est devenu ambassadeur puis secrétaire général du ministère des Affaires étrangères se tait. La Seconde Guerre mondiale brise la carrière diplomatique d'Alexis Léger qui s'exile aux États-Unis en 1940, mais établit définitivement la gloire du poète Saint-John Perse : *Exil* (suivi de *Poème à l'étrangère, Pluies, Neiges)* paraît de 1941 à 1944; *Vents* en 1945; *Amers,* le chef-d'œuvre, en 1957; *Chronique* en 1960, *Oiseaux* en 1963.

Il choisit de passer ses dernières années en Provence. Ses derniers poèmes, *Chanté par celle qui fut là* (1968), *Chant pour un équinoxe* (1971), *Nocturne* (1972), *Sécheresse* (1974), reprennent, dans une forme plus brève, ses thèmes essentiels.

Ce qui frappe d'abord dans cette poésie, ce sont ses moyens, sa matière et sa forme. D'œuvre en œuvre (il ne s'agit pas de recueils, mais de vastes poèmes) s'impose un univers, c'est-à-dire un langage, éblouissant de diversité et de sûreté. Poésie « encyclopédique » (1), elle déploie le minutieux inventaire du monde naturel et humain. Les grandes forces élémentaires (vents, pluies, neiges), les paysages grandioses (déserts, mers) s'accordent aux puissances humaines : « Sœurs des guerriers d'Assur furent les hautes pluies en marche sur la terre... ». Le passé, le présent, les terres lointaines et leurs fabuleuses merveilles, les villes modernes, les figures énigmatiques et hiératiques des Princes, des Conquérants, des Tragédiennes, les équipes de savants dans leurs laboratoires, tout est brassé dans le même mouvement épique. Tout est évoqué avec une prodigieuse précision, mais tout semble transporté dans un espace et un temps légendaires. La terre matérielle et aussi la « terre arable du songe » déploient leurs merveilles dans une atmosphère solennelle qui rappelle les grands textes sacrés. Aux forces cosmiques et aux grands événements, l'auteur a toujours mêlé la puissance des sentiments humains; celle-ci passe au premier plan dans *Amers :* un érotisme profond, libéré des tabous religieux ou sociaux, devient le lieu de rencontre, le lien sensuel, mieux noué que jamais entre l'homme et le monde.

1. Comme l'a écrit Roger Caillois.

Saint-John Perse
« Fais choix d'un grand chapeau dont on séduit le bord. L'œil recule d'un siècle aux provinces de l'âme » *(Anabase)*.

Dire l'univers dans sa totalité naturelle et humaine suppose une singulière maîtrise des moyens d'expression. Saint-John Perse utilise un verset très souple, dissymétrique, qui s'étend du simple mot d'invocation à la longue strophe de prose rythmée. Voir dans cette forme une imitation de Claudel est trop hâtif, Perse l'utilisait avant qu'il eût connaissance des *Cinq grandes odes*, et elle obéit à des lois différentes. Le verset s'insère dans une organisation savante et complexe de la phrase, de la page, de tout le poème qui s'articule comme un vaste mouvement oratoire et narratif. Plus étonnante encore que la merveilleuse architecture de l'ensemble, la qualité des détails retient l'attention et entraîne l'admiration. Saint-John Perse maîtrise un vocabulaire exceptionnel; passionné par les termes précis et techniques, il les emprunte à la géologie, à la botanique, aux langues archaïques, voire aux idiomes étrangers. L'utilisation subtile de structures formelles diverses lui permet d'harmoniser ce vocabulaire insolite : il enchaîne les termes selon leurs rapports phonétiques, fait alterner des mots qu'une seule consonne distingue, construit des versets entiers sur des allitérations ou des assonances.

Si les moyens de cette poésie, bien qu'immenses, sont relativement clairs et analysables, ses fins peuvent sembler plus obscures. La fête somptueuse du langage, où sont convoqués les grands mouvements naturels et les paysages humains les plus divers, apporte au lecteur plus que la délectation. Épopée du monde dans sa totalité, épopée des épopées et non plus d'un héros, d'un peuple, la poésie de Perse retentit comme un incessant éloge de ce qui est, de ce qui a été, de ce qui sera. Elle n'est pas idéalisation, ni acceptation du monde, mais consécration (1). Libre

1. Comme l'a fait observer justement Gaëtan Picon.

de toute arrière-pensée religieuse, elle oppose à l'absence du divin la présence immanente du sacré. Une page de *Vents* peut nous aider à comprendre la fonction du Poète (figure mythique de l'univers de Perse) qui ne se livre au dénombrement des choses et des êtres qu'afin d'en dégager le sens pour les vivants :

> O poète, ô bilingue, entre toutes choses bisaiguës, et toi-même litige entre toutes choses litigieuses — homme assailli du dieu! — homme parlant dans l'équivoque...
> Son occupation parmi nous : mise en clair des messages. Et la réponse en lui donnée par illumination du cœur.
> Non point l'écrit, mais la chose même. Prise en son vif et dans son tout.

L'inépuisable réel nous paraît mythique pour autant que nous en sommes séparés. La vaste mythologie de Saint-John Perse a peut-être pour vertu de nous restituer la profondeur d'un univers qui est notre vrai bien, mais dont nous ne saisissons que des parcelles superficielles. Embrassant le passé et le présent sous leurs formes les plus nobles — les ennoblissant au besoin —, suggérant l'avenir, elle conjure un néant dont elle connaît toujours la menace et encourage l'épique aventure humaine :

> Car c'est de l'homme qu'il s'agit et de son renouement... *(Vents)*.

René Char (1907-1988)

Depuis 1945, le rayonnement de la poésie de René Char ne cesse de croître : des poètes récents se réclament de son exemple, la critique accumule des études savantes et parfois contradictoires. Cette faveur tient évidemment aux qualités exceptionnelles du poète; et peut-être l'une de ces qualités est-elle d'avoir su plus et mieux que tout autre faire fructifier l'héritage surréaliste en approfondissant ce que ce mouvement apportait d'essentiel — une conception exigeante de l'activité poétique, une confiance élevée dans les pouvoirs de l'esprit humain — et en renonçant à ses faiblesses — l'automatisme, un certain « laisser-aller » irresponsable de l'écriture.

Surréaliste, Char l'a été jusqu'en 1934. *Le marteau sans maître* témoigne de cette période, mais ouvre déjà sur autre chose. *Seuls demeurent* (1945), *Feuillets d'Hypnos* (1946) révèlent l'entreprise nouvelle et solitaire de l'écrivain, qui oppose à la « fureur » du monde le « mystère » de la poésie. Après son engagement dans la Résistance (il commanda un maquis, et les *Feuillets d'Hypnos* sont les « notes » qui consignent cette expérience), Char se tient à l'écart du monde littéraire, il se consacre à son œuvre dans sa Provence natale, à l'Isle-sur-Sorgue. *Le poème pulvérisé* (1947), *Les matinaux* (1950), *A une sérénité crispée* (1951), *La parole en archipel* (1962), *Dans la pluie giboyeuse* (1968) confirment l'importance d'une œuvre qui progresse en s'approfondissant, mais reste singulièrement fidèle à ses ambitions premières, celles de nous « réparer », de nous réconcilier avec le monde et sa beauté, avec l'homme et sa bonté.

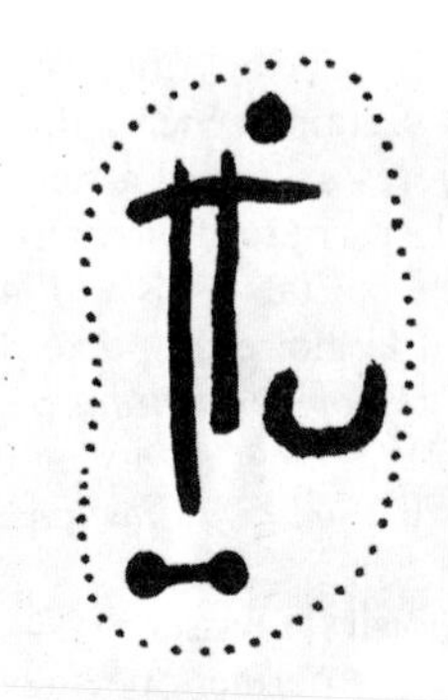

Je chante la chaleur à visage de nouveau - né, la chaleur désespérée.

Dessin de Juan Miró pour un poème de René Char « A la santé du serpent » (Paris, G.L.M., 1954). Le graphisme isole la parole, qui se trouve désormais « en archipel », même si elle chante « la chaleur à visage de nouveau-né, la chaleur désespérée ».

Plus rare et plus espacée depuis 1970, la poésie de René Char n'a rien perdu en intensité. *Le nu perdu* (1971) s'organise autour d'une approche de la mort, dans la nuit du 3 au 4 mai 1968, expérience moins douloureuse qu'apaisante, sentiment de devoir « être rendu éparpillé à l'univers pour toujours ». Dans un registre apparemment mineur, *Les chants de la Balandrane* (1977), *Fenêtres dormantes et porte sur le toit* (1979) s'expliquent par la même quête : arracher des instants à l'éternité, des poussières lumineuses à un monde obscur.

La poésie de René Char est inséparable en effet d'une métaphysique dont il faudrait chercher les sources chez les présocratiques. Son dialogue avec Heidegger a été un des hauts moments de la vie intellectuelle de l'après-guerre. Parallèlement Char entretient un dialogue avec les artistes. Déjà dans *Recherche de la base et du sommet,* il confrontait un peintre et un poète : « ce qui importe, dit le peintre, c'est de fonder un amour nouveau à partir d'êtres et d'objets jusqu'alors indifférents ». Parmi les « alliés substantiels » il y a Braque, Nicolas de Staël, Sima, et tout récemment évoqué, Van Gogh

(*Les voisinages de Van Gogh,* 1985). Il y a aussi Pierre Boulez, à qui Char a inspiré *Le marteau sans maître* et *Le soleil des eaux,* deux des partitions majeures de notre temps.

La première réconciliation obtenue par Char est celle de la poésie avec l'écriture. Sans cesser d'être une manière de vivre ambitieuse et passionnée, la poésie redevient une œuvre écrite, sollicitant toute la patience et le talent de l'écrivain; elle redevient surtout source d'une beauté sur laquelle ne pèse plus aucune malédiction. C'est cette beauté qui assaille — le mot n'est pas trop fort — le lecteur. Bien des formes la portent : aphorismes, poèmes en vers irréguliers ou réguliers, poèmes en prose surtout, toutes se signalent par une efficace brièveté. Le langage poétique de René Char tente de concentrer l'énergie que dépensent les formulations communes et même la poésie discursive. C'est l'image, le plus souvent, qui retient cette énergie, qui la libère dans la conscience du lecteur ébloui par la violente apparition d'un monde neuf où les contraires s'unissent harmonieusement : « Ma toute terre, comme un oiseau changé en fruit dans un arbre éternel, je suis à toi. » Ou bien, c'est quelque formule mystérieuse et simple qui établit dans la lumière de l'évidence des rapports obscurs : « Les pluies sauvages favorisent les passants profonds. » Presque toujours c'est à une nouvelle possession sensuelle de la terre que le poète nous invite, à la perception d'un mystère essentiel et ténu, non à sa factice résolution intellectuelle : « J'aime qui m'éblouit puis accentue l'obscur à l'intérieur de moi. » Le poème est « pulvérisé », la parole « en archipel » désigne le continent perdu, appelle à la quête de l'unité. Parfois, au contraire de cette violence contenue, le poète nous offre la douceur, la tendresse d'un chant de paix accordé aux bonheurs de la terre provençale, « chansons... ailes de communication entre notre souffle reposé et nos fièvres les plus fortes ».

Cette poésie, souvent difficile mais toujours exaltante, renoue avec le grand lyrisme en le renouvelant. Ce lyrisme n'est plus l'épanchement d'un cœur singulier, mais l'exigence courageuse d'un esprit universel, non pas lyrisme sentimental, mais lyrisme éthique qui propose à l'homme une vie meilleure dans son univers naturel, social et spirituel. La poésie préfigure, mais avec lucidité, sans ignorer les menaces qui pèsent sur cette espérance, une existence neuve : « Poésie, la vie future à l'intérieur de l'homme requalifié. » Toute l'entreprise de René Char tient dans cet effort de requalification — effort aux voies multiples qui vont de la lutte contre les nazis à la défense d'une nature lentement détruite — par une plongée incessante dans la vie originelle. Il s'agit moins de l'évocation nostalgique d'un âge perdu, encore que Char aime à rappeler l'enfance où l'on communie avec la simplicité et la beauté des choses, que de la saisie toujours présente d'une « neuve innocence ».

Ce n'est point hasard, ni seulement signe des temps, si Char, parmi tant d'injonctions à vivre plus authentiquement, mêle tant de réflexions sur la poésie, ses moyens et ses fins; la vie et la poésie seront vraies pour autant qu'elles tendront à se confondre dans la même souveraine liberté de l'homme. Dans un univers qui est celui de la séparation, le poète travaille à nous redonner la vue qui nous rendra à l'unité. « Jeter bas l'existence laidement accumulée et retrouver le regard qui l'aima assez à son début pour en étaler le fondement. Ce qui me reste à vivre est dans cet assaut, ce frisson » *(Pour renouer).*

UNE AUTRE POÉSIE?

Avant d'évoquer les multiples tendances qui partagent la poésie d'après-guerre, il faut s'arrêter à trois œuvres bien différentes par leurs formes et leurs ambitions, mais que leur originalité réunit. Rien ne rassemble Jacques Prévert, Henri Michaux, Francis Ponge que leur volonté d'être « autres », d'échapper aux chemins battus comme aux voies royales d'une poésie traditionnelle et suspecte même dans ses efforts de renouvellement.

Jacques Prévert (1900-1977)

Différente de toutes les autres, l'œuvre poétique de Jacques Prévert l'est d'abord par sa diffusion : l'audience de *Paroles* (1945), *Histoires* (1948), *Spectacle* (1951), *La pluie et le beau temps* (1955), *Fatras* (1965), *Choses et autres* (1972) montre assez la popularité d'un auteur qui a rendu la poésie à sa fonction élémentaire de parole exprimant sans

Jacques Prévert, ou le clin d'œil complice.

détour les sentiments les plus simples et les plus universels : colère, mélancolie, tendresse.

La spontanéité est la vertu première de la poésie de Prévert, elle assure son efficacité. C'est que la spontanéité est une force révolutionnaire, dans l'ordre littéraire comme dans l'ordre spirituel. Contre la trop précieuse « alchimie du verbe », elle dispense la fraîcheur de sa gouaille, la verdeur de ses « gros mots ». A la métaphysique vainement angoissante, à l'ordre moral ou social aliénant et avilissant, elle oppose la naïve profondeur de l'amour, de la fraternité, elle réplique par l'image simple d'une vie sans malédiction, avec ses femmes si belles, son soleil si brillant.

De son passage par le surréalisme, qu'il quitta en 1929, Prévert a gardé le goût d'un langage en liberté, susceptible de libérer l'homme. Contre la respectabilité du verbe qui n'est qu'une forme d'oppression, il déchaîne la joyeuse insolence de l'enfant de la rue, incapable de haine, mais prompt à s'enflammer, dont la gouaille vengeresse est moins cruelle qu'allègre. « Clanche de Bastille, l'asthme de Panama et l'arthrite de Russie » donnent le ton d'un univers verbal où les papes, les généraux, les ministres, les juges sont les figures grotesques du malheur.

La sympathique facilité de cette œuvre ne doit pas nous faire mésestimer son importance. Le retour aux sources du langage populaire — peu soucieux de métaphores élaborées mais capable de trouvailles cocasses ou émouvantes — qui trouve son expression privilégiée dans la chanson — constitue un profond renouvellement des moyens et des fins de la poésie. Ruinant une entreprise fondée sur les surenchères du raffinement et d'un savoir toujours plus éloigné du grand public, Prévert nous propose un dialogue neuf, souriant, avec un monde simple dont il fait l'inventaire fantaisiste et tendre.

Henri Michaux (1899-1985)

Henri Michaux commence à écrire en 1922. Contemporain du surréalisme, ce poète d'origine belge ne se mêle jamais au mouvement, ne se réclame d'aucune école ni d'aucun exemple passé, malgré l'intérêt qu'il porte aux grands mystiques comme Ruysbroeck l'Admirable et à Lautréamont. Henri Michaux n'entend pas se situer dans une tradition littéraire, et si la critique, qui l'a longtemps ignoré ou suspecté, le range maintenant parmi les écrivains majeurs de notre temps, c'est que, plus que tout autre, il nous invite à réviser notre conception des pouvoirs de la poésie. Ignorant ou moquant les intentions et les valeurs esthétiques, patiemment élaborée dans la plus discrète solitude, l'œuvre d'Henri Michaux ne veut être qu'un moyen, celui du salut de l'esprit.

Cette entreprise de salut a toujours été pour Michaux une recherche de « l'essentiel ». — « Quel essentiel? Le secret qu'il a depuis sa première enfance soupçonné d'exister quelque part et dont visiblement ceux de son entourage ne sont pas au courant » (1) —, une exploration méthodique d'univers variés : les pays lointains et mystérieux de la terre, ceux, plus lointains et plus énigmatiques, de l'esprit, enfin, les plus reculés, les mondes suscités par les drogues et les rêves. L'œuvre se présente comme le journal discontinu d'un voyage ininterrompu. Chaque livre est le carnet de route où l'explorateur consigne scrupuleusement, sans vain souci littéraire, ses expériences, ses trouvailles et ses déceptions.

Ecuador (1929), *Un barbare en Asie* (1933) mêlent les descriptions de l'Amérique du Sud, de l'Inde, de la Chine et du Japon aux rêveries et aux poèmes : la découverte des sites et des peuples est aussi rencontre de soi-même. Après les vrais voyages, le poète rentre dans ses « propriétés », explore « l'espace du dedans » (2) :

1. « De quelques renseignements sur cinquante-neuf années d'existence, » 1958, cité par B. Vercier dans *La littérature en France depuis 1945*, Bordas, 1970.
2. Titre d'une anthologie des œuvres de Michaux parue en 1944.

un monde imaginaire s'offre avec profusion, minutieusement décrit en courtes pages de prose alerte. Avec la parfaite objectivité du géographe et de l'ethnologue, Michaux crée un univers insolite et effrayant dont il étudie les contrées fantastiques (*Voyage en Grande Garabagne*, 1936; *Au pays de la magie*, 1941; *Ici, Poddema*, 1946), les peuplades inquiétantes (*Meidosems*, 1948), les phénomènes menaçants (*La vie dans les plis*, 1949). Cet univers dressé contre le monde réel n'est que rarement le lieu de la satisfaction et de la liberté créatrice de l'homme; il ne tend pas à supplanter l'horreur de la réalité par l'heureuse fantaisie du rêve, mais à la dévoiler en l'accusant. Michaux écrit moins pour fuir ses obsessions ou les alléger que pour les aggraver et aller au devant d'elles. Lors même qu'il se contente du monde réel pour y faire se mouvoir son personnage le plus célèbre, Plume (*Plume*, 1938), c'est pour en modifier les coutumes dans le sens le plus cruel.

La netteté ironique du prosateur, son humour qui, à la fois, éclaire et tient à distance l'horreur de la vie, ne sont pas indifférence à la condition des hommes. Mais le pathétique engagement de Michaux dans le malheur humain se révèle sans détours dans des textes dont la forme est plus ouvertement « poétique ». Non que l'auteur fasse confiance à la prosodie traditionnelle : il crée ses propres formes, particulièrement efficaces puisqu'elles obéissent à l'élan même de la voix du poète, tantôt chant ample et soutenu, tantôt murmure mélancolique, tantôt saccades de cris déchirés. Le débat avec la douleur, avec le néant, est d'abord combat avec le langage.

L'écrivain pour qui l'écriture n'est qu'une hygiène, une forme d'exorcisme — « L'exorcisme, réaction en force, en attaque de bélier, est le véritable poème du prisonnier. » (*Épreuves, Exorcismes*, 1943) — et surtout un moyen de consigner les explorations de l'esprit, a découvert en 1955 des contrées nouvelles. L'usage répété, méthodique, de la mescaline, puis d'autres stupéfiants et hallucinogènes, a permis à Michaux d'accumuler les analyses d'états mentaux inconnus. Plus que jamais, les livres de cette période (*Misérable miracle*, 1956; *L'infini turbulent*, 1957; *Paix dans les brisements*, 1959; *Connaissance par les gouffres*, 1961; et encore *Face à ce qui se dérobe*, 1975) échappent à la littérature, ils relatent le plus scrupuleusement possible le déroulement de ce qui n'est pour l'auteur qu'une expérience. Comme le recours à l'imaginaire dans les livres précédents, l'usage de la drogue, loin d'être une évasion, n'est

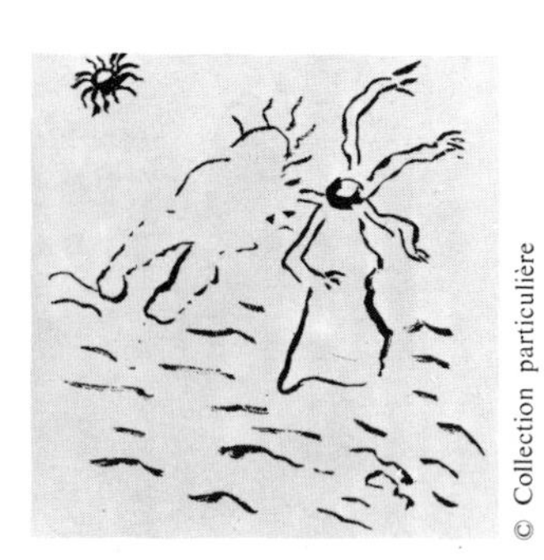

Henri Michaux, *Exorcismes*, « Immense voix ».

qu'un moyen de connaissance. Le fantastique menaçant des pays intérieurs révélait la cruelle absurdité du monde réel; la plongée dans l'anormal, favorisée par la mescaline, permet de dévoiler « l'énorme normal ».

L'un des soucis principaux de Michaux est d'obtenir une expression plus directe, plus « charnelle » que celle des mots. Sans doute la part croissante prise dans son œuvre par le dessin et la peinture correspond-elle à ce désir. Sa production graphique a été présentée au Centre Georges-Pompidou en 1978. Elle était depuis plusieurs années inséparable de sa production verbale, soit qu'il réfléchît sur l'expérience du peintre (*Émergence résurgence*, 1972), soit qu'il mêlât mots et signes graphiques (*Saisir*, 1979). Michaux a continué d'explorer la prétendue folie (*Les ravagés*, 1976), le rêve (*Façons d'endormi, façons d'éveillé*, 1969), les « manques » qui sont peut-être la condition de l'art et de la sagesse (*Poteaux d'angle*, 1981).

Recherche toujours insatisfaite et toujours tenacement poursuivie et renouvelée, il se peut que l'œuvre d'Henri Michaux tire de son insatisfaction même sa grandeur et son efficacité. L'absolu est sans doute inaccessible, mais sa quête est libératrice qui agrandit la mesure de l'homme.

> Dans un pays sans eau, que faire de la soif?
> De la fierté. (*Poteaux d'angle*).

Francis Ponge (1899-1988)

Francis Ponge publie tard et parcimonieusement. En 1942, une mince plaquette, *Le parti pris des choses*, le révèle au public. La formule impliquait tout un programme dont la critique

Portrait de Francis Ponge par Vulliamy.

salua le caractère révolutionnaire. Sartre, dans un article de 1944 repris dans *Situations I* (1947) indiquait : « On voit, par la triple signification indifférenciée du titre, comment Ponge entend user de l'épaisseur sémantique des mots : prendre le parti des choses contre les hommes; prendre son parti de leur existence (contre l'idéalisme qui réduit le monde aux représentations); en faire un parti pris esthétique ». Plus tard, alors que les querelles et les tentatives d'annexion de l'œuvre à diverses positions philosophiques ou esthétiques se multipliaient, Ponge précisa lui-même dans *Le grand recueil* la nature de son projet.

Je tends à des définitions-descriptions rendant compte du contenu actuel des notions...

Il faut que mon livre remplace : 1) le dictionnaire encyclopédique; 2) le dictionnaire étymologique; 3) le dictionnaire analogique (il n'existe pas); 4) le dictionnaire des rimes (de rimes intérieures aussi bien); 5) le dictionnaire des synonymes, etc.,; 6) toute poésie lyrique à partir de la Nature, des objets, etc.

Du fait seul de vouloir rendre compte du *contenu entier de leurs notions*, je me fais tirer, *par les objets*, hors du vieil humanisme, hors de l'homme actuel et en avant de lui. J'ajoute à l'homme les nouvelles qualités que je nomme.

Voilà le *Parti pris des choses*.

On voit la singularité de l'entreprise : contre toute la tradition poétique française qui privilégie l'homme, ses pensées, ses sentiments, l'obscurité de son destin, Ponge « prend le parti » des objets — et de ces curieux objets animés que sont les animaux ou même les êtres humains. La cruche, le verre d'eau, la motte de terre, la crevette, l'araignée, la gymnaste... autant de poèmes, ou plutôt d'écrits aux formes diverses, de *Proêmes* (1948) où l'homme n'intervient que par son regard le plus attentif et le plus pur, c'est-à-dir le moins déformé par sa subjectivité.

On devine surtout quelle prodigieuse maîtris du langage, gagnée au prix d'un travail tenac exigent ces « définitions-descriptions renda compte du contenu actuel des notions... ». Sai par « la rage de l'expression » (titre d'un livi de Ponge), le poète publie des ouvrages où s suivent les différents états, datés, d'un mêm texte, comme autant d'ébauches retouchée de variations sur un thème donné, entre lesquell s'intercalent des réflexions critiques de l'auteu L'œuvre paraît dans sa patiente et méthodiqu genèse et veut épuiser les possibilités de so sujet. Plus que l'exploration d'une chose, poème est exploration du langage qui lutt avec la chose pour l'exprimer dans sa totalit L'objet devient « l'objeu », non pas donné, ma conquis par un travail incessant.

Avec la subjectivité poétique, la notion d'insp ration disparaît. Aux attitudes romantique Ponge préfère les vertus austères du classicisme *Pour un Malherbe* (1965) est un hommage a maître mésestimé, c'est aussi l'expression d'u art poétique et d'une conception de la vie huma ne. Pour un esprit désenchanté, convaincu c l'absurdité du monde, de la vanité des idéologie il n'est pas de plus haute noblesse que d'oppos au néant les certitudes laborieusement conquis des objets et du beau langage. La quête de l perfection, si magistralement menée par Pong dans toute son œuvre (*Le grand recueil*, en tro volumes, 1961; *Le savon; Nouveau recuei* 1967) est une véritable leçon de morale; el indique à l'homme son vrai bien, les beauté du monde sensible, et lui révèle ses vrais pouvoir reconnaissance et mise en lumière de ces beauté

On est donc bien au-delà de l'exercice de style même si Ponge est de plus en plus minutieux dan sa façon d'analyser, et même de décomposer s propre création. Dans *La fabrique du pré* (1971) i donnait tous les états d'un poème du *Nouvea recueil*, « Le pré ». Le dossier est plus comple encore en 1977 dans *Comment une figue de parole et pourquoi*. *Pratiques d'écriture ou l'inachèvemen perpétuel* (1985) redit ce qu'il y a d'infini dans un semblable recherche. Si cette « pure pratique » d verbe dépend du seul « bon plaisir » de l'artisan du moins en tire-t-il « une jouissance en dehors d la signification si possible ». Le lecteur, l'auditeu en tirent à leur tour une jouissance. Christian Ris l'a prouvé en organisant une lecture publique d *Savon* à Beaubourg en 1981 et un spectacle Pong au Festival d'Avignon en juillet 1985.

LA GÉNÉROSITÉ DU VERBE

On aurait tort de considérer que la poésie contemporaine ne tend que vers la forme brève, l'aphorisme et peut-être vers l'épuisement. Elle peut être aussi abondante, ou même torrentielle, en tout cas généreuse au meilleur sens de ce terme.

« *Une tentative de restauration rhétorique* » ([1])

Sauf exceptions, le lyrisme contemporain procède d'un refus essentiel, celui de l'éloquence, de la poésie comme pur exercice de la parole. Le surréalisme et la plupart des entreprises solitaires qui l'accompagnent et le prolongent cherchent une beauté qui, portée par le langage — ses convulsions ou sa nudité — le dépasse et en dénonce les limites. Moyen imparfait que des siècles de « beaux mensonges » ont rendu suspect, l'art d'écrire est l'objet d'une destruction toujours renouvelée ([2]).

Un poète pourtant semble vouloir confondre poésie et éloquence, idées et mots, sentiments et rythmes. Jacques Audiberti (1899-1965) a publié de nombreux recueils de vers (*L'Empire de la trappe,* 1930; *Race des hommes,* 1937; *Des tonnes de semence,* 1941; *Rempart,* 1953; *Ange aux entrailles,* 1961), des romans *(Cent jours; Carnage)* et des pièces de théâtre ([3]). Les poèmes d'Audiberti sont d'extraordinaires exercices de style : toutes les ressources de la prosodie française y sont maîtrisées. Chansons ou fragments épiques, ils organisent un immense vocabulaire qui semble animé d'une vie propre et s'épanouit aussi bien dans la liberté baroque que dans la discipline classique. Les mots se confondent presque avec l'inspiration du poème, l'emportent sur les idées et les sentiments. Il ne s'agit plus pour le poète de surveiller sévèrement l'expression difficile d'un univers personnel, mais de brasser en virtuose une épaisse matière verbale afin d'y façonner un monde neuf.

Robert Ganzo a peu publié. Ses principaux recueils (*Orénoque, Lespugue, Rivière, Domaine, Langage*) ont été réunis en 1956 dans l'*Œuvre poétique*. Artiste du vers avant tout, Ganzo soumet à la rigueur de formes classiques savamment concertées — parfaites strophes d'octosyllabes rimés — les mouvements d'une sensibilité fine, parfois aux dépens de l'émotion malgré d'impeccables réussites.

Le foisonnement lyrique

C'est bien l'impression d'un foisonnement qui domine, dès lors que nous considérons une poésie qui n'a pour fin que d'exprimer la rencontre singulière d'une conscience et du monde dans leur mutuelle complexité. Parmi les dizaines de noms qui pourraient figurer dans un catalogue du lyrisme contemporain, quelques-uns doivent être particulièrement soulignés. Michel Leiris (1901-1990), attiré vers le surréalisme par « la volonté qui s'y manifestait de trouver dans la poésie un système total », a réuni dans *Haut mal* (1943) et *Autres lancers* (1969) des poèmes où il affronte avec loyauté les mystères de son esprit et de sa condition, à la recherche d'une vérité toujours à découvrir. André Frénaud (né en 1907) a groupé en 1962 une partie importante de sa production poétique dans *Il n'y a pas de paradis,* titre significatif d'une quête toujours inachevée, mais illuminée par la tendresse pour l'homme et le monde quotidiens. Jean Tardieu (1903-1995), dans un langage pudique et raffiné, suscite un univers où rêve et réalité semblent se confondre dans une même révélation (*Le fleuve caché*, 1968, rassemble les recueils publiés entre 1939 et 1961). Georges Schéhadé (1910-1989), poète libanais, a vécu comme en exil à Paris et il y est plus connu par son théâtre (Jean-Louis Barrault a monté *La Soirée des proverbes, Histoire de Vasco,* et *Voyage*) que par sa poésie. Compagnon de route du surréalisme, même s'il a fréquenté Breton assez tard, Schéhadé fait entendre une voix discrète, un « chant juste » auquel Éluard rendait hommage dès 1938. Après la Seconde Guerre mondiale, il publie *Rodogune Sinne, L'écolier sultan*, en tout quatre ensembles de *Poésies* auxquels est venu s'adjoindre en 1985, *Le nageur d'un seul amour*, regard nostalgique sur « l'époque des anges » où « tout brillait de rien » et où « la Terre heureuse avait le jour et la nuit pour enfants ». Salah Stétié (né en 1929), lui aussi libanais, est son digne continuateur par la densité de son verbe poétique.

1. Nous empruntons cette expression à Gaëtan Picon.
2. Il faut lire sur ces problèmes essentiels de la littérature de notre temps l'admirable livre de Jean Paulhan, *Les fleurs de Tarbes ou la terreur dans les lettres.*
3. Sur le théâtre d'Audiberti, voir p. 704.

LA POÉSIE ET LE TÉMOIGNAGE SPIRITUEL

On peut considérer que toute poésie est un témoignage de spiritualité. Mais la jeune poésie d'après-guerre a révélé des écrivains porteurs d'ambitions spirituelles très hautes, d'un spiritualisme même qui prend appui sur une religion donnée, même s'il arrive que la spiritualité poétique s'en évade.

Patrice de la Tour du Pin (1911-1975)

Très jeune, orphelin de père, élevé dans le Gâtinais, Patrice de la Tour du Pin publie en 1933 *La quête de joie*. La communion charnelle avec une nature aimée, réaliste et mythique, de brumes, d'eaux, de bêtes libres, incarne une aventure spirituelle exigeante.

L'exigence se fait promesse dans l'ambitieuse *Somme de poésie* dont la première partie paraît en 1946 :

> « Je vous promets des jeux, les trois plus grands du monde,
> A comprendre d'abord, et peut-être à gagner... »

Ces trois jeux, de « L'Homme devant lui-même », de « L'Homme devant le Monde », de « L'Homme devant Dieu », seront développés dans divers recueils (*Second jeu,* 1959; *Petit Théâtre crépusculaire,* 1963). La forme très classique de ces textes semble hésiter entre les charmes de l'incantation et les pesanteurs du didactisme : faut-il vraiment, en poésie, « comprendre d'abord » pour « peut-être gagner »?

Pierre Emmanuel (1916-1984)

Parmi les poètes que les épreuves de la guerre devaient révéler, Pierre Emmanuel (né en 1916) est un cas exemplaire. *Tombeau d'Orphée* manifestait en 1941 les dons exceptionnels d'un tout jeune homme, et répondait à l'attente du public : sensible au tragique de l'époque, l'œuvre dépassait l'événement et, à travers le renouveau d'un mythe, mettait en lumière le malheur spirituel de l'homme. Fortement inspirée par Pierre Jean Jouve, cette poésie retrouvait aussi, ignorant les avatars les plus récents de l'expression, la tradition éloquente d'un Victor Hugo ou d'un Agrippa d'Aubigné. L'occupation nazie, incarnation de la barbarie spirituelle, devait préciser le ton et l'ambition du jeune poète; *Combats avec tes défenseurs* (1942), *La liberté guide nos*

Pierre Emmanuel.

pas (1945), *Tristesse ô ma patrie* (1946), confi ment les dons et accroissent la célébrité de Pier Emmanuel.

L'enthousiasme poétique de la Libératio éteint, l'auteur doit, avec d'autres poètes que l ferveur publique avait rassemblés, rentrer da le silence. C'est l'occasion pour Pierre Emmanu de revenir à ses thèmes originels, à ses réflexio sur le destin humain et sur la poésie. Le recue d'essais *Poésie, raison ardente* (1947) précis les vues théoriques du poète qui ne veut pa séparer la création littéraire de l'exercice de l raison et qui, contrairement à tant d'autre ne fait peser sur le langage aucune malédictio S'il y a crise de la poésie moderne, Emmanu ne le nie pas, elle ne tient pas aux insuffisanc de la parole humaine, mais à l'esprit de l'homm C'est le drame de l'esprit qu'en chrétien — e chrétien auteur de poèmes et non en poète chr tien, selon une subtile distinction — l'écrivai va tenter d'élucider par l'exploration de symbole conflictuels qui tendent à figurer « l'épopé spirituelle d'une époque ». Son œuvre révèl alors les figures mythiques d'Orphée, du Chris et de Hölderlin (*Le poète fou*, 1944). Aprè *Sodome*, *Babel*, paru en 1952, veut être « un épopée spirituelle de l'histoire humaine, no point dans sa nouveauté, mais dans sa répétition » et seule cette ambition extrême peut nous fair considérer la réalisation de l'œuvre comme u échec relatif.

Évangéliaire, paru en 1961, constitue dan l'œuvre une rupture; à la tension rhétorique proche du verbalisme parfois, des livres préc dents, succède l'apaisement naïf de l'imagerie médiévale. Mais la simplicité des poèmes souvent très courts qui illustrent des scènes de l'Évangile exprime avec force les angoisses de l'esprit moderne : la Passion du Christ figure le drame contemporain de la « mort de Dieu » proclamée par les philosophies, et l'attente de sa résurrection par le chrétien. La rupture manifestée par *Évangéliaire* n'est pas définitive. Après de nouveaux essais théoriques sur la création poétique et sur la foi (*Le goût de l'un*, 1963; *La face humaine*, 1965), *Jacob* (1970) renoue avec l'inspiration ambitieuse de *Babel* et entend créer un mythe capable de rendre compte des dimensions religieuses et terrestres de l'homme moderne, dans des formes toujours plus épurées. Pierre Emmanuel n'a peut-être pas été toujours insensible aux honneurs officiels et à des responsabilités qui le détournaient de l'essentiel. Ses dernières œuvres pèchent pourtant par abondance : *Sophia* (1973) inaugure un vaste ensemble dont la figure centrale est la femme et qui prend la forme du dialogue dans *Duel* (1979).

Jean Grosjean, Jean Cayrol, Luc Estang

Jean Grosjean (né en 1912), après des études de théologie, a d'abord utilisé l'apparat biblique et oriental comme décor et protagoniste d'un incessant combat spirituel (*Terre du temps,* 1946; *Hypostases,* 1950; *Majestés et passants,* 1956). Ses derniers recueils, les plus beaux sans doute (*Apocalypse,* 1962; *Hiver,* 1964; *Élégies,* 1967; *La gloire,* 1969) interrogent plus immédiatement la terre réelle, déchiffrent le mystère du divin au prix d'un douloureux affrontement du poète avec le visible et avec le langage : « ... Si tout le dieu se perd en langage et si le langage ne ment pas, le langage ne dit qu'un dieu qui se perd. Puisqu'il y a de la perdition en Dieu, le langage s'en souvient et revit cette perdition qui est le principe de Dieu, car le langage est mémoire du dieu » *(La gloire).*

Parmi les poètes témoins de l'homme, de ses souffrances historiques ou de son accomplissement métaphysique, il faut aussi ranger Jean Cayrol (né en 1911). Ses *Poèmes de la nuit et du brouillard* expriment l'atroce expérience des camps d'extermination nazis, et c'est toujours la même interrogation spirituelle, moins doctrinale que directement vécue dans l'anxiété qui tend les poèmes du chrétien angoissé par la condition de ses frères (*Les phénomènes célestes*, 1939; *Le charnier natal,* 1950; *Les mots sont aussi des demeures,* 1952). Cette poésie se veut directe, presque immédiate au fil des volumes de *Poésies-Journal* (1973, 1977, 1978).

Luc Estang (1911-1992) entend aussi établir le dialogue de la créature avec son créateur (*Transhumances,* 1939; *Les béatitudes,* 1945; *D'une nuit noire et blanche,* 1962).

Claude Vigée (né en 1921)

Juif alsacien, Claude Vigée a dû quitter, devant la menace nazie, la région boisée et marécageuse du Ried qui longe le Rhin. Il s'est réfugié aux États-Unis en 1942, puis s'est installé en 1960 en Israël où il est professeur à l'Université hébraïque de Jérusalem. Il se définit lui-même comme « un être religieux, en général, mais surtout un Hébreu religieux, un *Ivri* », c'est-à-dire « un homme qui réalise au fond de son cœur que tout son passage dans la vie est consacré à guetter, à suivre, en allant de rive en rive *(Evèr),* à célébrer, à rappeler dans la nuit du temps le passage de la lumière ». Il veut écrire son « *judan* — la parole qui surgit intacte et nue de [s]on présent sur cette terre ». Il dit l'attente et l'exil (dans *La lune d'hiver,* 1970), la joie du retour (*Moisson de Canaan,* 1967), l'exil dans le retour (*Délivrance du souffle,* 1977), et toujours, partout la recherche et la célébration du souffle de l'Esprit (*Pâques de la parole,* 1983; *Le parfum de la cendre,* 1984).

Jean-Claude Renard (né en 1922)

Pour Jean-Claude Renard, le langage est aussi le lieu d'une liturgie. Le verbe humain qui connaît mais refuse l'angoisse du néant, dit l'univers de l'homme, intérieur et extérieur, pour en dégager le sens sacré.

L'itinéraire de ce grand poète est exemplaire. Marqué par Valéry, par Jouve dans ses premiers recueils, en particulier dans *Juan* (1945) et *Connaissance des noces,* il témoigne déjà d'une gravité et d'une profondeur qui resteront les caractéristiques majeures de son œuvre. Il est à la recherche de « quelque chose de pur qui commence à parler plus bas que la parole ». Dans ses *Notes sur la poésie* (1970), *Une autre parole* (1981) il analyse les mouvements d'une double expérience (poétique et religieuse) en état constant de recherche et d'interrogation. Cette quête s'est poursuivie dans une longue série de recueils, dont les plus importants sont *La terre du sacre* (1966), *La braise et la rivière* (1969), *Le Dieu de nuit* (1973), et *Toutes les îles sont secrètes* (1984), où le poète explore « quelques-uns des espaces sans nombre du secret » :

« Au bout du mur, l'inaccessible dit ton nom. »

LE « VRAI LIEU »

En dehors de toute confession reconnue, la poésie conserve tout son poids spirituel quand elle est à la recherche de ce que Rimbaud avait appelé « la vraie vie », ou « le lieu et la formule ». On hésite un peu à arracher ces expressions à leur contexte (« Vierge folle » dans *Une saison en enfer,* « Vagabonds » dans les *Illuminations*) où elles ont des connotations particulières. Mais il se trouve que l'un des plus grands poètes de l'après-guerre, Yves Bonnefoy, a été aussi un commentateur inspiré de Rimbaud (*Rimbaud par lui-même,* 1961) et que ces termes, chargés de magie, sont devenus les clefs qui ouvrent non seulement son œuvre, mais celle d'autres poètes aujourd'hui consacrés. « Que la vraie vie soit là-bas, dans cet ailleurs insituable, cela suffit pour qu'ici prenne l'aspect d'un désert ». Cette phrase de *L'arrière-pays* (1972) d'Yves Bonnefoy est le prolongement de la parole rimbaldienne : « La vraie vie est absente. » Mais elle ne constitue pas un mot d'ordre pour une quelconque évasion « n'importe où hors du monde ». C'est *ici* que doit, que peut être retrouvé le « vrai lieu » [1] grâce à la poésie. Pour ne pas nous trahir, pour nous rendre à notre réalité, la poésie, contrairement à toute une tradition qui veut en faire le moyen d'échapper aux ravages du temps, de créer des moments de vie incorruptible, doit intégrer la fragilité, la corruption, la ruine intérieure, elle doit « nommer ce qui se perd » afin de désigner le « vrai corps », le « vrai lieu ». Le poème doit témoigner des rencontres de l'homme avec l'éphémère, de toutes les situations où le monde immobile semble se déchirer pour une révélation sensible; il doit refuser une trop lumineuse perfection de la forme afin de « suggérer le frôlement de l'existence sensible dans les mots voués à l'universel ». La poésie change notre vie en substituant à la notion abstraite, éclairante et rassurante des choses, leur « présence » obscure et angoissante, elle nous rend à notre condition égarée et mortelle. Pour ne pas nous trahir, pour nous rendre à notre réalité, la poésie, contrairement à toute une tradition qui veut en faire le moyen d'échapper aux ravages du temps, de créer des moments de vie incorruptible, doit intégrer la fragilité, la corruption, la ruine intérieure, elle doit « nommer ce qui se perd » afin de désigner le « vrai corps », le « vrai lieu ». Le poème doit témoigner des rencontres de l'homme avec l'éphémère de toutes les situations où le monde immobile semble se déchirer pour une révélation sensible il doit refuser une trop lumineuse perfection de la forme afin de « suggérer le frôlement de l'existence sensible dans les mots voués à l'universel » La poésie change notre vie en substituant à la notion abstraite, éclairante et rassurante des choses, leur « présence » obscure et angoissante elle nous rend à notre condition égarée et mortelle.

Le mystère des choses

Existe-t-il une poésie réaliste, voire une poésie matérialiste? L'œuvre de Ponge, avant qu'elle eût pris ses véritables dimensions, les recherches de Jean Follain et de Guillevic ont conduit la critique à poser une nouvelle fois [1] cette question. Quoi qu'on puisse penser de ces appellations — trouve-t-on, en littérature, une notion plus vague que celle de « réalisme »? — elles désignent incontestablement un renouvellement de l'inspiration poétique contemporaine.

« Sa poésie est faite avec des objets » : cette remarque de Max Jacob souligne le caractère le plus évident de l'œuvre de Jean Follain (1903-1971). Nulle poésie ne paraît plus défiante à l'égard des effusions lyriques, de l'éloquence et des recherches trop intellectuelles. De brefs poèmes évoquent simplement des lieux, des choses ou des êtres familiers. Pas de rimes, pas même d'images, un rythme concerté mais incertain : le lecteur est d'abord frappé par le dépouillement extrême de textes qui exposent les objets dans leur nudité, dans leur présence la plus pure. Mais ces assemblages en apparence hétéroclites sont les lieux de drames infimes, d'accidents dérisoires où apparaît toute l'angoisse de l'homme aux prises avec le temps. La modestie d'un regard innocent découvre l'illimité par les minuscules fractures de l'univers quotidien, la poésie la plus étroitement attachée au monde physique est aussi, sans grandiloquence, l'une des plus métaphysiques. Non sans monotonie, de recueil en recueil (*Exister*, 1947; *Territoires*, 1953; *Appareil de la terre*, 1964; *D'après tout*, 1967) Jean Follain explore le même mystère pour

1. On voit comment Y. Bonnefoy croise deux formules rimbaldiennes, « la vraie vie », « le lieu ».

1. Sur ce problème au XIXe siècle, voir p. 500.

réapprendre, refaire la découverte du monde, ·trouver la beauté nue de chaque chose et le ıpport des simples outils avec le bras tendu u levé de l'artisan ».

Guillevic (né en 1907) s'impose aussi par son ttention au réel le plus simple, le plus concret – les rocs de sa Bretagne natale, les arbres, les ıeubles rustiques. Mais c'est encore pour en :ruter les mystères, pour en libérer la magie. 'haque chose est comme imprégnée des secrets es hommes qu'elle sert ou entoure, chaque oème isole brutalement, en paroles simples et rèves, le mystère de l'objet, et noue avec lui un ıépuisable dialogue. Plus qu'un prétexte à escription, à minutieuse interrogation des pouoirs du langage, l'objet est un partenaire pour : poète, un allié contre l'angoissante spécuıtion intellectuelle, un intercesseur dans la uête de l'unité originelle de l'homme et des léments. Guillevic a publié assez tard : son remier recueil important, *Terraqué*, date de 942; ont suivi *Exécutoire* (1947), *Gagner* 1949), *Carnac* (1961), *Sphère* (1963), *Avec* (1966), *'aroi* (1971), *Inclus* (1973), *Domaine* (1977).

L'œuvre poétique d'Yves Bonnefoy 'né en 1923)

Le recueil d'Yves Bonnefoy *Du mouvement et de 'immobilité de Douve* (1953) a été salué par la ·ritique comme l'un des derniers événements nportants de notre poésie. On y admirait non seuement l'exceptionnelle maîtrise de l'auteur, mais ›lus encore le caractère exemplaire de l'œuvre : oute une poétique moderne y déroulait son lrame, montrait ses difficultés, nous enflammait de es promesses. *Hier régnant désert* (1958), *Pierre 'crite* (1965) confirment la profondeur d'une poésie ;rave et ambitieuse, nouveau moyen de « changer a vie », cependant que deux recueils d'articles héoriques et critiques, *L'improbable* (1959), *Jn rêve fait à Mantoue* (1967) précisent l'entre›rise du poète. Nulle œuvre contemporaine ne araît plus révélatrice des vrais pouvoirs de la oésie, pouvoirs durement conquis par une lutte lifficile contre nos facultés les plus pernicieuses, nais réputées les plus nobles : la pensée conceptuelle, la parole qui s'enchante d'elle-même. Il ·xiste un bonheur de l'abstraction, une harmonie lu chant, dans lesquels disparaît « tout le heurté, e hagard d'ici-bas » et qui nous prive par un :nchantement fallacieux de notre vérité amère, rréductible à tout système universel : notre :xistence sensible et éphémère, notre mort.

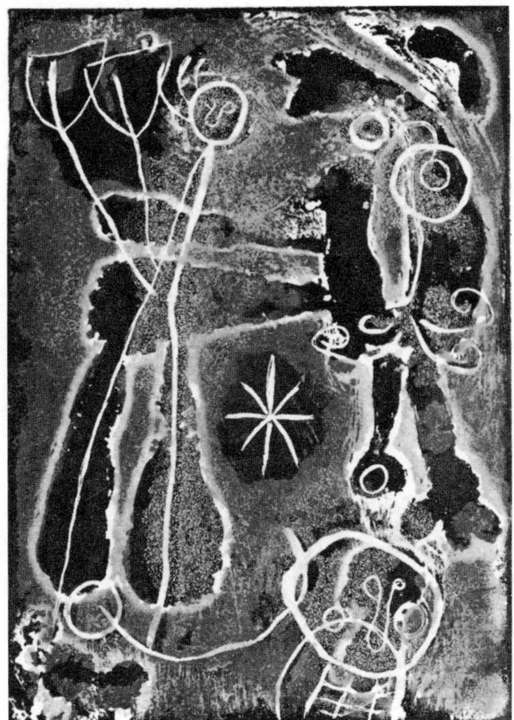

Eau-forte de Juan Miró pour le poème IV d'*Anti-Platon*, par Yves Bonnefoy, Paris Maeght, 1962.

Dans le leurre du seuil (1975) oppose aux recueils précédents, constitués de textes brefs, l'ampleur de véritables récits. A la crispation dramatique du questionnement, aux figures mythiques du combat, succède la paix toujours menacée de l'acquiescement au monde simple. Le « leurre du seuil » est franchi du « pas baudelairien de l'amour des choses mortelles » ([1]). Des proses, essais et récits « accompagnent » ce dernier recueil : *L'arrière-pays* (1972), *Le nuage rouge* (1977), *Rue Traversière* (1977). *Ce qui fut sans lumière* (1987), les poèmes en prose de *La vie errante* (1993) attestent la permanence et les possibilités de renouvellement de cette grande œuvre.

André du Bouchet (né en 1924)

Cette quête difficile d'un réel « plus réel » engagée par Bonnefoy, d'autres poètes la vivent avec la même intensité, mais de manières diverses.

1. *L'acte et le lieu de la poésie*, 1958, essai repris dans *L'improbable*.

Dans des recueils parfaitement architecturés (*Dans la chaleur vacante,* 1961; *Où le soleil,* 1968; *Qui n'est pas tourné vers nous,* 1972; *Laisses,* 1979; *L'incohérence,* 1979; *Rapides,* 1980), André du Bouchet nous propose l'expérience la plus fascinante et la moins propice aux commentaires critiques. Une marche sans terme (« Un terme atteint se traverse ») dans un monde raréfié, contre une lumière aride (ou aussi bien : une parole abrupte, dans une syntaxe disloquée, contre les « blancs » de la page où s'inscrivent les mots du poème, les traces du monde et de celui qui l'éprouve), telle paraît être la poésie d'André du Bouchet. Des parois qui séparent le poète de la profondeur du monde s'effondrent, des paroles s'enflamment, mais le chant se brise; la découverte n'est pas révélation ultime, elle est élan nouveau; la marche ne conduit qu'à un départ : « Ici, dans le monde immobile et bleu, j'ai presque atteint ce mur. Le fond du jour est encore devant nous. Le fond embrasé de la terre... Rien ne désaltère mon pas. »

Philippe Jaccottet (né en 1925)

C'est encore le tremblant rapport avec la vérité du monde que tente d'établir la poésie de Philippe Jaccottet, mais contrairement à tant d'œuvres qui n'existent qu'au prix d'une lutte acharnée contre la densité, l'opacité des choses, ce rapport s'établit dans la légèreté et la luminosité d'une parole modeste et délicieusement juste. Aux recueils de poèmes, *L'effraie* (1954), *L'ignorant* (1958), *Airs* (1967), *Leçons* (1969), il faut ajouter un remarquable ensemble d'articles, *L'entretien des Muses* (1968), où Jaccottet se révèle l'un des plus attentifs et l'un des meilleurs critiques de poésie. Nul mieux que lui n'a mis en évidence — avec quelle sympathie et quelle inquiétude! — les contradictions de la poésie moderne, avide d'innocence et paralysée de savoir. Mais nul poète n'a tenté de dépasser avec autant de bonheur ces contradictions. La voix pure, si discrète et si ferme, de Philippe Jaccottet, en s'accordant aux réalités les plus simples, révèle véritablement l'illimité du monde au lieu de vainement l'invoquer. Les proses (*Paysages avec figures absentes,* 1970; *A travers un verger,* 1975), les notes (*La semaison,* 1971; *Journées,* 1977), les poèmes récents (*A la lumière d'hiver*, 1977), comme l'expérience significative de la traduction (Homère, Hölderlin, Musil), tout signifie le souci d'une communication intègre qui, de ses propres limites, lucidement reconnues, nourrit son exigence. *La seconde semaison* (1996) laisse deviner, sous l'apparente sérénité, l'inquiétude et la blessure secrètes.

Quelques autres poètes

Les contradictions que Jaccottet essaie de dépasser par le recours à « l'ignorance », à l'effacement devant la lumière des choses, d'autres poètes veulent les surmonter dans le sens inverse, par une pratique poétique appuyée sur des réflexions théoriques intégrant le savoir philosophique et linguistique de l'homme moderne. Jacques Garelli (*Les dépossessions*, 1968 ; *La gravitation poétique*, 1966), Michel Deguy (né en 1930), les poètes du groupe Tel Quel comme Denis Roche (né en 1937), mènent avec beaucoup d'honnêteté une entreprise qui tend à refonder la poésie afin de l'accorder aux réalités de notre temps. L'évolution de l'œuvre de Michel Deguy, son exceptionnelle richesse sont révélatrices à cet égard (*Fragments du cadastre,* 1960; *Poèmes de la presqu'île,* 1961; *Biefs,* 1963; *Ouïdire,* 1966 et un volume de réflexions, *Actes,* 1966). Le titre que Jacques Dupin (né en 1927) donne au livre qui réunit en 1963 quelques plaquettes publiées séparément, *Gravir*, est très significatif de sa démarche poétique. Pour lui non plus, le réel ne saurait être donné, il est défié, conquis « par le versant abrupt, la plus libre des routes », dans un langage étonnamment crispé qui doit beaucoup à René Char, le guide de ses débuts poétiques. Cette influence va s'amenuisant dans les recueils qui ont suivi, *L'embrasure* (1969) et surtout *Dehors* (1975), où l'image se raréfie au profit de la réflexion du poème sur lui-même.

La lumière, la pierre, et le lieu le plus pur de leur confrontation, le désert, tels sont les éléments du *Sol absolu* de Lorand Gaspar (né en 1925 en Transylvanie). Ce chirurgien qui a vécu seize ans à Jérusalem multiplie les approches — descriptives, scientifiques, légendaires — d'un site qui devient l'espace mental d'une quête. Quête poétique d'une langue « déployée, effritée, recomposée » qui mime par la mise en page, les artifices typographiques un paysage autant que les étapes d'une création. Telle une respiration qui éroderait un peu plus un univers minéral, « le poème n'est pas une réponse à une interrogation de l'homme ou du monde. Il ne fait que creuser, aggraver le questionnement (1) ».

1. *Approche de la parole.*

ORIENTATIONS NOUVELLES

Sans doute est-il encore trop tôt pour établir une synthèse de la poésie récente. Bien des œuvres témoignent de la fécondité d'un genre qu'on a parfois hâtivement condamné, dont on a dénoncé le byzantinisme périmé, mais les tendances qu'elles illustrent, malgré des accomplissements certains, peuvent encore s'infléchir et se préciser.

S'il est juste de constater que la difficulté de la poésie actuelle réduit son audience, il convient d'interroger le vrai sens de cette difficulté. Elle n'est pas superficielle, ne tend pas à préserver un plaisir rare pour les seuls initiés; plus qu'extérieure, elle est intérieure : si la poésie moderne est difficile à lire, c'est qu'elle est d'abord difficile à écrire, et même, plus dramatiquement, à concevoir. Art du langage, la poésie ne peut ignorer la réflexion critique que tant de poètes, de linguistes et de philosophes ont portée sur cet instrument; parole essentielle, révélatrice de la totalité de l'homme, elle reflète le désarroi humain, l'explore ou même le provoque. A ce point d'ambition auquel les courants issus de Rimbaud et de Mallarmé ont porté l'activité poétique, celle-ci ne peut que se retourner sur elle-même, contre elle-même, dans une tentative désespérée de requalification. Avec quelle circonspection, quels repentirs écrit-on le plus souvent un poème! L'innocence, si passionnément quêtée, semble impossible, contredite par une expression toujours plus élaborée — quand même cette élaboration va dans le sens d'une extrême nudité —, par un savoir sur l'homme toujours plus vaste, mais contradictoire, incertain. Il semble qu'un excès de connaissances, de connaissances amères, pèse sur la création poétique qui voudrait l'intégrer dans sa démarche essentielle de découverte. Car la poésie reste découverte incessante; la restauration des formes passées serait inacceptable : on ne restaurera pas la conscience, la culture, la manière d'être au monde qui habitaient ces formes. Leur dérision qui mine par une ironie désespérée paroles et sentiments suspects, pourrait tenter les lecteurs de Queneau : elle n'a de valeur que transitoire; définitive, elle détruit, mais ne résout pas.

La difficulté du lyrisme contemporain, sa grandeur, c'est la conscience, mortelle pour l'œuvre, qu'il a de son insuffisance, de son impossibilité, et c'est la volonté de s'exprimer en dépit de cette conscience, d'interroger plus ardemment que jamais un univers naturel et langagier dont il se méfie mais dont il attend tout, qu'il défie sans cesse. La poésie actuelle est le lieu d'une dialectique cruelle du néant et de l'être, de l'absence et de la présence, de la parole proférée avec audace et du silence menaçant. Malgré la variété de ses formes, elle se caractérise par un refus essentiel, celui du repos. Refus du repos dans la beauté formelle consacrée : serait-il honnête, le laisser-aller à la douceur du chant, à l'harmonie des nombres, quand la vie heurtée, déchirée du monde nous agresse? Refus du repos dans les certitudes idéologiques : même animés de l'élan religieux le plus sincère, les poètes chrétiens connaissent l'infirmité de leur parole, la précarité de leur relation avec le divin et les hommes.

Autre caractère essentiel qui n'est pas le moins surprenant : témoignage pour l'homme, quête de la vraie vie, la poésie semble refuser la réalité la plus largement partagée de cette vie. Dans une ère de civilisation urbaine, technologique et scientifique, sa recherche du « vrai lieu » se manifeste par une attention passionnée aux choses les plus simples, les plus élémentaires. A la spéculation intellectuelle et aux formes d'existence qu'elle détermine, elle oppose l'obscure densité d'un univers brut, d'air, d'eau, d'arbres et de pierres. Elle révèle la nostalgie, c'est-à-dire l'espoir, d'une vie qui ne serait plus l'expérience douloureuse de la séparation, qui rendrait l'homme à sa vérité naturelle. Mais cette vérité naturelle, originelle, est suggérée par le moins naturel, le plus raffiné des langages : nous retrouvons le paradoxe fondamental du lyrisme contemporain.

Ces caractères généraux dégagés, il serait vain et trop superficiel de classer les poètes selon leurs affinités ou selon un ordre de grandeur qui ne pourrait être que provisoire et imprudent. Comme pour les auteurs révélés après 1945, il n'est ici question que de citer les poètes les plus représentatifs des orientations contemporaines.

La sensibilité aux événements, qui caractérisait l'immédiat après-guerre, n'a pas complètement disparu de la poésie contemporaine, elle s'est approfondie, délaissant les faits précis pour une méditation plus large sur l'Histoire qui menace les hommes. En témoignent les recueils de l'Antillais Édouard Glissant (né en 1928) *Un champ d'îles* (1953), *La terre inquiète* (1956) et surtout *Les Indes* (1956), réinterprétation de la découverte de Colomb. Plus engagée encore dans l'in-

© Agnès Varda

Jeanne Moreau et Gérard Philipe dans le poème dramatique de Pichette « Nucléa ».

quiétude historique, l'œuvre d'Henri Pichette (né en 1924) veut prouver que « faire fondamentalement de la politique, c'est être poète. Transformer le monde, œuvrer à l'embellir, participe de la création une et indivisible ». *Les Épiphanies* (1947), *Nucléa* (1950), poème dramatique représenté au T. N. P. ont valu à l'auteur la célébrité [1]. *Revendications* (1957) précise la volonté révolutionnaire du poète qui abandonne les prestiges du langage pour un prosaïsme souvent décevant.

Le lyrisme métaphysique

« Un lyrisme métaphysique, dans le plein sens de chacun de ces deux termes. Retrouver la continuité du chant tout en sauvant la densité. » Pierre Oster (né en 1933) fixe ainsi son ambition poétique dans son deuxième recueil, *Solitude de la lumière* (1957). Le premier de ses livres, *Le champ de mai* (1953), auquel étaient jointes les *Notes d'un poète*, révélait un auteur conscient de l'ampleur de son entreprise et déjà maître d'un langage qui ne refuse rien des prestiges de la rhétorique (« Comment peut-on être partisan d'un "retour" à "l'expression directe"? Le monde et la conscience seraient-ils moins obscurs? » *Notes d'un poète*). A mesure que l'œuvre progresse (*Un nom toujours nouveau*, 1960; *La grande année*, 1964, *Les Dieux*, 1970), se poursuit le même discours de louange à l'Être, hymne solennel à l'harmonie, cependant que les références explicites à la métaphysique disparaissent au profit d'une attention plus aiguë et plus humaine au monde sensible. Comme chez Jean-Claude Renard et plus encore chez Jean Grosjean, la quête spirituelle de Pierre Oster passe par le déchiffrement passionné de l'univers d'ici-bas.

« J'imite le lyrisme des événements naturels, des météores, des torrents », écrit-il dans l'art poétique sur lequel s'achève *Pratique de l'éloge* (1977) « j'entre dans le prodige qui nous entoure, exprime l'excès qui nous embrasse ». *Vingt-neuvième poème* (1985) est un magnifique poème de l'exaltation dans un monde lumineux où nous sommes pourtant « attentifs à l'opaque » :

> « Odeurs toutes délicieuses des algues... Ah! j'exalte les vestiges
> De la lumière à peine éclose! Y asseoir un royaume.
> En mai, en juin,
> Nous cherchons l'or de l'origine (où le temps, même bref, se greffe),
> Quêtons, autant que le pollen, l'opulence des morts... *Ainsi.* »

Poésie et provocation

Des événements de mai 1968, la poésie a gardé peut-être une impulsion, ou un choc électrique. Mais à dire vrai la révolte poétique ne date pas seulement de ce printemps chaud. Des influences directes expliquent aussi ces secousses, qu'elles viennent des États-Unis (la « beat-generation », Burroughs), du Canada (les chansons de Robert Charlebois) ou plus largement d'un environnement qui est celui du « pop », des jukeboxs et des éclats du néon [1].

C'est, par exemple, la poésie-cri de Franck Venaille (*Pourquoi tu pleures, dis, pourquoi tu pleures? Parce que le ciel est bleu, parce que le ciel est bleu,* 1972), d'une violence parfois insoutenable. Haine d'une société « carnivore », désespoir

1. Voir p. 704.

1. Sur ce point voir Bruno Vercier et Jacques Lecarme, *La littérature en France depuis 1968,* 1982, pp. 198-199.

de toute une jeunesse : mais sur tant de négation passe un souffle épique.

Daniel Biga (né en 1940) est à la fois peintre et poète (il enseigne à l'École des beaux-arts de Nîmes). Son premier recueil, *Oiseaux mohicans* (1969), s'inscrit dans le sillage de mai 1968. Après *Kilroy was here!* (1972), *Esquisses pour un schéma d'aménagement du rivage de l'Amour total* (1975), *L'amour d'Amirat* (1984), justement salué par J.-M.-G. Le Clézio, *Né nu* (1984) renouvelle la rage de ses invectives. Partout c'est le même constat d'échec, pour quel « mat »?

> « balluchon ballotté je ne fais que passer [...]
> je n'ai plus d'orgueil je n'ai guère plus de moi-je
> je n'ai presque plus rien ».

Toutes les poésies

La poésie actuelle ne veut pas se couper de ses sources, ou plutôt, elle entend être une illustration vivante de la pratique de l'intertextualité. Michel Deguy, animateur de la revue *Poésie,* auteur d'essais sur divers poètes, retrouve le principe de l'imitation renaissante en récrivant des sonnets de du Bellay (*Tombeau de du Bellay,* 1973), multiplie les « quasi-citations » (*Jumelages,* 1979). La critique a salué dans *Gisants* (1985) un prolongement de *La Jeune Parque* de Valéry.

C'est pourquoi il n'est pas étonnant qu'on assiste à un retour à des formes anciennes qu'on aurait pu croire désuètes et définitivement périmées : l'ode (Marc Cholodenko), l'élégie (Emmanuel Hocquard), le sonnet (Alain Bosquet).

Jacques Roubaud (né en 1932) est sans doute l'exemple frappant d'une volonté de recherche tous azimuts qui explose en création poétique. Brillant mathématicien, il a voulu intégrer à la poésie les récentes démarches de la mathématique (*E,* 1968). Japonisant, il reprend la tradition du *tanka* (5, 7 ou 5, 7 et 7 pieds) dans *Mono no aware* (1970) ou *Trente et un au cube* (1973). Mais il recherche des contraintes aussi dans d'anciennes formes françaises, venues du Moyen Âge ou de la Renaissance. *Autobiographie chapitre dix* (1977), « poèmes avec des moments de repos en prose » veut être à la fois le récit et le catalogue d'expérimentations diverses et se présente comme un grand collage de citations.

BIBLIOGRAPHIE

POUR UNE INITIATION : Anthologie de G. BELLOC et Cl. DEBON-TOURNADRE, *Les chemins de la poésie française au XXe siècle,* Delagrave, 1978 ; aux éditions Bordas : J. BERSANI, *La littérature en France de 1945 à 1968 ;* B. VERCIER et J. LECARME, *La littérature en France depuis 1968 ;* M.-L. ASTRE et F. COLMEZ, *Poésie française.*

ŒUVRES : Pierre Jean JOUVE, *Les noces, Sueur de sang,* « Poésie/Gallimard », n° 13. — Saint-John PERSE, *Éloges, id.,* n° 14 ; *Vents, Chronique, id.,* n° 36 ; *Amers, Oiseaux, id.,* n° 53. — René CHAR, *Fureur et mystère, id.,* n° 15 ; *Les matinaux, id.,* n° 38. — Henri MICHAUX, *L'espace du dedans,* Gallimard, 1944. — Francis PONGE, *Le parti pris des choses,* « Poésie/Gallimard », n° 16. — Pierre EMMANUEL, *Tombeau d'Orphée,* Seghers, 1943 ; *Babel,* Seuil, 1952. — Michel LEIRIS, *Haut mal* et *Autres lancers,* « Poésie/Gallimard », n° 40. — Jacques AUDIBERTI, *Race des hommes, id.,* n° 31. — Jean FOLLAIN, *Exister, id.,* n° 48. — GUILLEVIC, *Terraqué, id.,* n° 34. — Jean GROSJEAN, *La gloire, id.,* n° 45. — Yves BONNEFOY, *Du mouvement et de l'immobilité de Douve ; Hier régnant désert, id.,* n° 52 ; *L'improbable,* Mercure de France, 1959. — Philippe JACCOTTET, *Poésie,* « Poésie/Gallimard », n° 71.

ÉTUDES : Gaëtan PICON, *Panorama de la nouvelle littérature française,* Gallimard, 1963. — Jean-Pierre RICHARD, *Onze études sur la poésie moderne,* Seuil, 1964. — Philippe JACCOTTET, *L'entretien des Muses,* Gallimard, 1968. — R. MICHA, *Pierre Jean Jouve,* Seghers, « Poètes d'aujourd'hui », n° 48. — Roger CAILLOIS, *Poétique de Saint-John Perse,* Gallimard, 1954. — Georges MOUNIN, *La communication poétique,* précédé de *Avez-vous lu Char ?* Gallimard, 1969. — Jean-Claude MATHIEU, *La poésie de René Char,* José Corti, 1985. — René BERTELÉ, *Henri Michaux,* Seghers, « Poètes d'aujourd'hui », n° 5. — Philippe SOLLERS, *Francis Ponge, id.,* n° 95.

LE THÉÂTRE

De la fin de la guerre au milieu des années 1970 le théâtre a manifesté une vitalité grandissante : essor du « théâtre populaire » et de la décentralisation, théâtre du langage en liberté, « nouveau théâtre » des années 1950. Après une demi-stagnation, vers 1965, où les maîtres de la dérision (Ionesco, Beckett, Genet) semblent avoir épuisé leurs ressources, c'est le bouillonnement créateur de mai 1968. Les groupes se passionnent alors pour deux formules privilégiées : l'une, déjà ancienne en Allemagne (avec Piscator et Brecht), consiste en la recherche de productions radicalement politiques ; l'autre, nourrie d'Artaud et de l'esprit du surréalisme, se veut spectacle total, cérémonie, fête. Toutes deux se fondent dans l'expérience sans doute la plus féconde de tout l'après-guerre, celle du théâtre du Soleil d'Ariane Mnouchkine.

D'autres traits généraux caractérisent le théâtre de ces décennies : comme dans l'ensemble de la littérature contemporaine, le langage constitue l'un des thèmes majeurs des œuvres dramatiques. D'autre part, l'importance du metteur en scène n'a cessé de s'accroître, au point qu'il apparaît désormais comme le coauteur, avec l'écrivain, de la pièce qu'il fait jouer : de là, prises à l'égard du *texte,* des libertés qui suscitent régulièrement les critiques véhémentes des défenseurs du patrimoine artistique. Enfin, une interrogation aiguë s'est développée sur la nature même et la fonction du théâtre : en 1984, dans une mise en scène superbe, à l'Athénée, Daniel Mesguich fait interpréter *Roméo et Juliette* par des acteurs qui, brodant sur la pièce de Shakespeare, méditent sur la possibilité et les risques de continuer à ressasser les classiques de l'Occident.

Assurément l'effervescence de 1968 a permis au théâtre de retrouver sa liberté par rapport à la littérature, d'affirmer sa spécificité de polyphonie de signes (musique, danse, mime, éclairages, costumes, décors... tout autant que texte). Mais la médaille présente un revers : à privilégier le metteur en scène, à célébrer l'improvisation ou les créations collectives, à négliger le texte, on a rendu difficile l'affirmation de véritables écrivains de théâtre. Au seuil des années 1980, devant l'usure des formes issues de 1968, de nombreux metteurs en scène se sont trouvés conduits, outre l'importation vivifiante de productions étrangères (en particulier allemandes), à un retour inattendu du répertoire. Le climat était d'autant moins à l'euphorie que s'affirmait l'importance du « non public » : en 1992, 7 % seulement des Français allaient au théâtre au moins une fois par an.

A L'ISSUE DE LA GUERRE

Au cours des premières années qui suivent la guerre disparaissent les derniers membres du Cartel : après Georges Pitoëff en 1939 meurent Dullin (1949), Jouvet (1951) et Baty (1952). Mais leur influence demeure profonde, notamment celle de Dullin, qui a eu pour disciples Barrault, Vilar et Blin. Ceux-ci vouent un véritable culte au théâtre, défendent une mise en scène sobre et tenant du cérémonial, s'intéressent à la plupart des expériences dramatiques connues, mettent leur art « au service du texte ». A cet égard, ils sont en retrait par rapport aux audaces s Allemands et des Russes de l'entre-deux-erres, Piscator ou Meyerhold, qui ont mis au int une foule d'innovations techniques, sou-nt abusivement confondues avec la rénovation théâtre.

Une série d'initiatives va donner une impul-n à la vie dramatique en France :

— *La création des Centres dramatiques de ovince.* A la Libération, Paris disposait de théâtres contre 51 dans le reste de la France. s salles provinciales ne recevaient guère que des urnées (Karsenty, Herbert, Baret) au réper-ire médiocre : il n'existait plus en dehors de la pitale une seule troupe permanente ! En 1946 constituent les premiers Centres dramatiques province : Strasbourg (H. Gignoux), Saint-tienne (J. Dasté), Toulouse (M. Sarrazin). ace au théâtre-négoce se constitue un théâtre ilitant, qui suppose des équipes homogènes, noyau de public fidèle, un répertoire hardi, ide matérielle de l'État et (ou) des collecti-tés locales.

Quarante ans plus tard, en 1985, les « Centres amatiques nationaux » sont au nombre de 26, xquels s'ajoutent six C.D.N. pour l'Enfance la Jeunesse. Tous ces Centres rayonnent à rtir de leur ville d'attache et touchent chaque nnée chacun environ un million et demi de ectateurs.

— *La création de la Compagnie Renaud-rrault* (1946), qui va jouer un rôle considéra-e, d'abord au théâtre Marigny, puis à Odéon-Théâtre de France, enfin dans diverses lles : de l'Élysée Montmartre (haut lieu du tch) au théâtre d'Orsay et à celui du ond-Point.

— *La création des festivals d'art dramatique.* n 1947, Jean Vilar inaugure le Festival d'Avi-non. Devant le succès de la formule d'autres lles suivront : Angers, Arras, Vaison-la-omaine, Sarlat... Les représentations en plein r orientent les choix de répertoire et habituent public à un rapport scène-salle qui n'est plus lui des traditionnelles « scènes à l'italienne », oîtes à illusions. La voie est ouverte au théâtre ans la rue. Actuellement les deux manifesta-ons les plus importantes sont Avignon et le estival d'automne à Paris.

— *La relance du Théâtre National Populaire.* n 1951, Jean Vilar est nommé directeur du éâtre du Palais de Chaillot, et le restera squ'en 1963. Subventionné par l'État, le . N. P. modifie les routines des représentations :

© Collection Arch. T. N. P.

facilités de location, prix modiques, systèmes d'abonnement, bulletin de liaison des adhérents, horaires conçus pour attirer les travailleurs, accueil du public, liberté d'allure. Sur le plateau démesuré de Chaillot, Vilar déploie une mise en scène dépouillée, stylisée. Il impose, parfois non sans remous, de grandes pièces à résonances politiques, comme *Mère Courage* de Brecht en 1951. Il rêve d'un théâtre qui serait « fête », « communion », rassemblement sacré de toutes les classes sociales. Les tournées du T. N. P. dans la banlieue parisienne connaîtront un vif succès et contribueront à lancer l'idée d'implanter une couronne de salles autour de Paris.

— *La création des Maisons de la culture* par André Malraux en 1958, ce qui donne un nouvel élan à la décentralisation. Mais l'État subventionne aussi, à l'année, de nombreuses compagnies : 294 en 1985. Un tel chiffre montre que la pratique théâtrale, tout comme la pratique poétique, ne se porte pas mal en France ; ce qui laisse à désirer, dans les deux cas, c'est la capacité à attirer un vaste public.

SURVIE DE LA TRADITION

En quelques années s'opère un renouvellement du répertoire. La plupart des auteurs à succès de l'entre-deux-guerres disparaissent dans les oubliettes : Bourdet, Passeur, Sarment, Lenormand, Gantillon, Obey. En revanche Claudel s'impose de plus en plus au fil des décennies. On revient aux grands maîtres français (Corneille, Molière, Marivaux, Musset), aux Élizabéthains, au Siècle d'Or espagnol, aux théâtres russe (Tchekhov) et scandinave (Ibsen, Strindberg), à Pirandello. On découvre Kleist et Büchner, Jarry et Vitrac, Lorca et Brecht.

En dépit de ce remue-ménage, certains dramaturges assurent le lien avec l'époque antérieure et proposent des pièces qui — non sans qualités réelles — ne rompent nullement avec les habitudes. C'est le cas de Cocteau, de Salacrou, de Mauriac, de Julien Green, et même de nouveaux venus comme Marcel Aymé, Thierry Maulnier, Félicien Marceau, Maurice Clavel ou Emmanuel Roblès... Le théâtre de Sartre et celui de Camus, chargés d'idées politiques ou métaphysiques, n'offrent rien d'esthétiquement neuf. Avec ces deux dramaturges — déjà rencontrés — les écrivains les plus importants de cette lignée sont Montherlant et Anouilh.

Don Juan de Henry de Montherlant Théâtre de l'Athénée en octobre 1 François Guérin (à gauche) jouait le rôl Don Felipe Alcacer. Celui de Don J Tenorio était tenu par Pierre Brasseur.

Le théâtre de Montherlant (1896-1972)

Depuis 1942 *(La reine morte)*, Montherlant attire l'attention sur lui essentiellement par son œuvre théâtrale. Ses pièces marquantes sont *Le maître de Santiago* (1947), *Fils de personne* et *Demain il fera jour* (1943-1949), *Malatesta* (1950), *La ville dont le prince est un enfant* (1951), *Port-Royal* (1954), *Don Juan* (1958), *Le cardinal d'Espagne* (1960), *La guerre civile* (1964).

La formule dramatique de Montherlant oscille entre le resserrement de la tragédie classique et l'éclat foisonnant du drame romantique (tranches d'histoire moderne, décors et costumes parfois luxueusement reconstitués). A la médiocrité du monde s'oppose l'héroïsme d'un homme seul : aristocrate dédaigneux, qui hésite entre un tenace désir d'agir et le sentiment de l'inutilité de toute action. Autant bâtir des châteaux de sable en s'imaginant que l'immense marée de la vie ne va pas tout à l'heure tout niveler! Cette obsession, déjà présente dans un magistral essai de 1935, *Service inutile,* explique les images du naufrage et de la « submersion infinie » *(Le cardinal d'Espagne).* Mais ces héros ne sont p convaincants : ils parlent beaucoup et ne sav pas très bien ce qu'ils servent. « L'héroïs occupe toute la surface parce qu'il est absent profondeurs » (Gaëtan Picon).

Le style est d'une aisance souveraine, d'u froide pureté. Ici encore, cependant, la sobri classique compose avec le lyrisme romantiq les maximes avec les images, la rigueur avec sensualité. La perfection de cette langue si Montherlant parmi les maîtres de la prose fr çaise, même si elle paraît assez étrangère a spectateurs modernes, plus sensibles à l'ori nalité tâtonnante, à la spontanéité.

Jean Anouilh (1910-1987)

Né à Bordeaux en 1910, bientôt fixé à Par Jean Anouilh y commence des études de dro puis passe deux ans dans une maison de pub cité où il reconnaît avoir pris « des leçons précision et d'ingéniosité ». A partir de 1932, d de sa première pièce, *L'hermine*, il décide de vivre que pour le théâtre. Parmi la trentaine ces déjà écrites, les plus importantes semblent *voyageur sans bagage* (1937) et *La sauvage* ›38), jouées avec grand succès par les Pitoëff, *rydice* (1942), *Antigone* (1944). En 1950, *La étition ou l'amour puni* émerveille par un subtil ntrepoint avec Marivaux. Fasciné par le rêve jeunes filles pures dans un monde corrompu, ouilh remodèle l'histoire de Jeanne d'Arc ns *L'alouette* (1953). Il remporte un triomphe ec *Becket* (1959). Un moment ralentie entre 62 et 1968, sa production dramatique s'est ensifiée au début des années 1970, de *Cher ıtoine* à *Chers oiseaux* (1976). Mais depuis s Anouilh, devenu sans doute trop proche du éâtre de boulevard, a quelque peu perdu les veurs du public, qui préfère une Françoise ›rin.

De ce théâtre émane le plus souvent un tragique rticulier, qui n'a rien de la « tristesse majes- use » de la tragédie racinienne, mais apparaît contraire comme assez sordide. Plus que de cine ou de Shakespeare, Anouilh se sent proche Molière, de sa dénonciation féroce de la deur de la vie. La fatalité de la médiocrité serre les personnages : poids de l'hérédité et la famille, bassesses de la pauvreté, farce de rgent... Parfois cependant rayonne dans ce ›nde un élu : Loth au milieu de Sodome ndamnée! Mais le dramaturge flotte entre dmiration pour ces êtres lumineux et la condam- tion de ce qu'il y a nécessairement de tendu ns une vie qui prétend se dresser et briller au- ssus de la démission générale *(Antigone)*. pièce en pièce, cependant, la tonalité change, l'écrivain lui-même a classé son théâtre en èces roses, noires, brillantes, grinçantes, cos- nées.

Cette méditation pessimiste sur la perte de la ınesse, de la pureté, des illusions, sur la farce

Jean Anouilh lors d'une de ses rares apparitions en public.

du monde a parfois la violence du cri. Parfois aussi — hélas! — elle sombre dans les facilités du mélodrame ou du théâtre de Boulevard. Mais ce qui frappe le plus, dans Anouilh, c'est le métier dramatique. Il a lu et relu les maîtres du théâtre occidental, notamment Molière, Tchekhov, Claudel; Marivaux, Musset, Giraudoux, Cocteau et Vitrac lui ont révélé les délicatesses de la fantaisie poétique. Il se souvient de Pirandello dans les pièces dont le thème central est le théâtre lui-même : « théâtre dans le théâtre » *(La répétition, Cher Antoine)*, pièces portant sur les problèmes de la scène, sur le rapport entre la vie et l'art. Si le langage des personnages est peu marqué par leurs origines (contrairement à Molière), Anouilh maîtrise en revanche de nombreux registres dramatiques : il passe aisément de la fantaisie au tragique, de la trivialité à l'élégance.

LA « FÊTE DES MOTS »

Sous l'occupation allemande, la voix des poètes avait pu être entièrement étouffée : dès la fin la guerre, elle se fait entendre au théâtre. découvre l'œuvre dramatique du Flamand ichel de Ghelderode (1898-1962), écrite entre 18 et 1937, riche en visions colorées, en tableaux hallucinatoires, en sursauts lyriques. Le dramaturge utilise des techniques variées : guignol, marionnettes, mime... pour imposer son angoisse et sa sensibilité au surnaturel. Ce poète baroque se plaît aux évocations bibliques *(Barabbas)* ou médiévales *(Escurial*, *Fastes d'enfer*,

La face des ténébreux, Magie rouge), à la création de figures grimaçantes dignes de Brueghel ou de Jérôme Bosch. Grâce à ces spectacles truculents, drus, un souffle nouveau balayait la scène française.

Jacques Audiberti (1899-1965)

Les romans et les recueils poétiques d'Audiberti *(Race des hommes...)* ont été quelque peu éclipsés par les quinze pièces qu'il a écrites entre 1946 *(Quoat-Quoat)* et sa mort. Admirateur d'Hugo et des Parnassiens, il entasse les trouvailles verbales avec une impétuosité éblouissante. C'est un virtuose du langage, un rhéteur (avec les limites qu'implique ce terme pour un moderne). La fantaisie règne aussi dans l'intrigue, qui suit le torrent des répliques. L'univers audibertien, assez flou, semble flotter entre la sensualité la plus libre *(La fête noire)* et une obsession toute chrétienne de la pureté *(Le mal court, La hobereaute)*. Malgré ses mérites, un tel théâtre nous paraît aujourd'hui un peu vide.

En haut, Boris Vian.
En bas à gauche Jacques Audiberti devant l'affiche pour la représentation de sa pièce *La fête noire*.
En bas, à droite, Georges Schéhadé pendant les répétitions du *Voyage*, en 1961.

Esquisse de J. Marillier pour le décor *Quoat-quoat* d'Audiberti créé au théâ La Bruyère en 1968. Metteur en scène G. Vitaly.

Henri Pichette (né en 1924)

L'année même où l'on découvre Ghelderod Georges Vitaly révèle un poète au lyrisme chac tique, Henri Pichette, dont il monte *Les Épiphe nies* (1947), évocation quasi immobile de la vi et de la mort du poète. En 1952, à la demande d Gérard Philipe, Pichette compose *Nucléa*, donné au T. N. P. Plus ouverte à l'actualité, la pièc — en alexandrins — ne reçut qu'un accueil mitig Pichette se retire alors au Québec, où il se livı à la poésie et à l'action politique.

Georges Schéhadé (1907-1989)

Libanais de culture française, Schéhadé es passé tout naturellement de la poésie au théâ tre : même univers délicat et mystérieux, proch de l'innocence originelle, habité par des person nages improbables et attachants, dominé par le thèmes symboliques du voyage, de la recherch et de l'attente. Après *Monsieur Bob'le,* joué à l Huchette, *La soirée des proverbes* (1953), *His toire de Vasco* (1956) et *Le voyage* (1961) ont ét montés par Barrault. En 1960, l'actualit s'introduit furtivement dans *Les violettes,* mai avec *L'émigré de Brisbane* (1965) et *L'habit fa le prince* (1973) Schéhadé revient aux jeux d tragique, de la poésie et de l'humour. Une tell présence poétique fait songer à Lorca (découver en France en 1946-1947), à Valle Inclan, Rafaël Alberti.

oris Vian (1920-1959)

Ingénieur de l'École centrale et musicien de ızz, Boris Vian est après la guerre un familier e Saint-Germain-des-Prés. Il publie sous pseu-onyme en 1946 un pastiche du roman noir méricain, *J'irai cracher sur vos tombes.* Il asse ensuite au roman poétique avec *Vercoquin le plancton* (1947), *L'écume des jours* (1947), *'automne à Pékin* (1947), *L'herbe rouge* (1950) *L'arrache-cœur* (1953). Ces récits rappellent)ueneau et Michaux par la fantaisie de l'inven-on verbale, par la poésie qui émane des jeux du langage. Ils font entrer dans un univers enfantin, à la fois doux et amer, drôle et tragique, où règnent l'incongru et le merveilleux.

Également poète *(Je voudrais pas crever)*, auteur de chansons, Vian est encore un excellent dramaturge : de la farce explosive de l'*Équarrissage pour tous* (1947) au *Goûter des généraux* et surtout aux *Bâtisseurs d'empire* (1959), où une famille court à la mort sous l'influence d'un mytérieux personnage muet, le Schmürz, personnage typique du « nouveau théâtre ». La pièce a d'ailleurs subi l'influence de Ionesco.

LE « NOUVEAU THÉÂTRE » DES ANNÉES CINQUANTE

Brusquement, entre 1950 et 1953, se révèlent s auteurs les plus représentatifs de ce qu'on va ppeler le « nouveau théâtre » : Ionesco, Adamov, eckett. Jean Genet, qui les avait devancés, 'émergera vraiment qu'en 1957 *(Le balcon).* ette avant-garde est apparue furtivement, le lus souvent dans les petites salles de la rive auche de la Seine, à Paris. Elle recourt à des oyens généralement pauvres, rejette le vérisme u décor et des personnages. Au lieu des filons aditionnels : la sacro-sainte analyse psycholo-ique (les passions humaines!), les tranches 'histoire, la satire d'un groupe social, elle pro-tte les angoisses, les obsessions d'êtres humains écanisés, aliénés, solitaires. Ainsi ressuscite pure tragédie. Du point de vue formel, elle epudie les constructions académiques au profit e techniques variées (cirque, mime, music-hall).)n constate une dévalorisation de la parole — ont ces écrivains mettent en évidence la sclérose, s clichés, le vide — au profit du spectacle, des bjets qui prennent une importance grandissante, nvahissent la scène, « parlent » leur riche lan-age symbolique.

Aux origines de cette rénovation (excessif erait le terme de révolution), on trouve non eulement le climat de l'après-guerre, mais les nfluences — variables selon les écrivains — e Jarry, de Strindberg, du surréalisme, d'Artaud, e Kafka...

Certains metteurs en scène ont admirablement ervi ce « nouveau théâtre » : Vitaly, Reybaz, lin, Mauclair, Jean-Marie Serreau...

Ionesco (1912-1994)

Installé définitivement en France depuis 1938, Eugène Ionesco (de père roumain et de mère française) songe d'abord à rédiger une thèse universitaire sur *Les thèmes du péché et de la mort dans la poésie française depuis Baudelaire.* Gagnant sa vie dans une maison d'édition, il achète la *Méthode Assimil* pour apprendre l'anglais : de là va naître *La cantatrice chauve* (1950). Les répliques sosottes, les lieux communs du manuel se déréglèrent; et le sérieux qu'il faut normalement mettre à les réciter allait devenir une source inépuisable de comique. « Ma femme est l'intelligence même. Elle est même plus intelligente que moi. En tout cas, elle est beaucoup plus féminine », laisse tomber gravement un personnage.

Le premier héros ionescien fut le langage, dont *La cantatrice* suit la décomposition grandissante. Privé de l'irrigation d'une pensée vive, le dialogue se mécanise, s'accélère, s'anéantit. Il en sera de même dans *La leçon* et dans *Jacques.* Cette prolifération des mots-objets et — à partir des *Chaises* — des objets eux-mêmes, est une des hantises les plus profondes de l'auteur : elle fait éclater « l'absence de Dieu, l'irréalité du monde, le vide métaphysique ». En 1958, ce théâtre s'ouvre à la dénonciation sociale *(Tueurs sans gages, Rhinocéros). Rhinocéros* peint la montée du fascisme, vécue par Ionesco en 1937-1938 : une maladie, la rhinocérite, gagne peu à peu toute une ville dont tous les habitants se transforment en rhinocéros (c'est le thème kafkaïen de *La métamorphose*). Le succès de sa pièce conduisit l'écrivain à s'interroger sur les risques de l'esprit de sérieux : il revint en 1962 à sa première manière avec *Le piéton de l'air.*

Le roi se meurt est « un essai d'apprentissage de la mort ». Dans un royaume vaguement médiéval tout va mal, tout se lézarde; les frontières se rétrécissent... On annonce au roi qu'il lui reste une heure et demie à vivre (le temps de la représentation, dit quelqu'un au public). Le roi refuse d'abord cette vérité, mais peu à peu, de cris en cocasseries ou en méditations lyriques, il va accepter l'inacceptable. Ce roi, évidemment, c'est tout homme.

Dans *La soif et la faim,* grand drame baroque, l'angoisse n'est pas de mourir, mais de vivre (comme chez Beckett). La soif et la faim de l'absolu, de la vraie vie, sont toujours déçues. Après une parodie funèbre du *Macbeth* de Shakespeare, Ionesco présente, dans *Ce formidable bordel,* un personnage médusé, pétrifié, qui voit bouger autour de lui les combines et les révolutions, pendant qu'approche la mort. A l'inverse, avec *L'homme aux valises,* c'est le protagoniste qui s'agite, voyage à travers le monde de la répression et du malentendu, en quête de son identité.

Malgré son caractère « simple, primitif, enfantin », le comique de Ionesco est « plus désespérant que le tragique... dérisoire » *(Notes et contrenotes)*. Les inquiétudes de l'écrivain ne s'affirment pas moins dans ses écrits autobiographiques, à partir du *Journal en miettes* (1967).

De l'usure a l'usage du langage

1950	*La cantatrice chauve* (Théâtre des Noctambules).
1951	*La leçon* (Théâtre de Poche).
1952	*Les chaises* (Théâtre du Nouveau Lancry).
1953	*Victimes du devoir* (Théâtre du Quartier Latin).
1954	*Amédée* (Théâtre de Babylone).
1955	*Jacques ou la soumission* (écrit en 1950, Huchette).
1956	*L'impromptu de l'Alma* (Studio des Champs-Élysées).
1959	*Tueur sans gages.*
1959	*Rhinocéros* (A Düsseldorf, puis au Théâtre de France).
1962	*Le piéton de l'air* (Théâtre de l'Alliance française).
	Le roi se meurt (écrit en vingt jours, Alliance française).
1966	*La soif et la faim* (Comédie-Française).
1970	*Jeux de massacre.*
1972	*Macbett.*
1973	*Ce formidable bordel.*
1975	*L'homme aux valises.*
1981	*Voyage chez les morts.*

Samuel Beckett (1906-1989)

Lorsqu'il atteint d'un seul coup la gloire avec *En attendant Godot*, en 1953, l'Irlandais Samuel Beckett s'interroge depuis un quart de siècle sur l'art des grands romanciers (son compatriote Joyce, Proust). Installé à Paris en 1936, il compose d'abord des romans, des fables à la manière de Kafka, où intrigue et personnages s'amenuisent de plus en plus *(Murphy, Molloy, Malone meurt, L'innommable)*, où l'homme face à la mort ne peut que parler, parler, s'occuper à de « petits tours pour faire passer les petits jours ». C'est ce même univers presque désespéré que nous présente son théâtre.

En attendant Godot. La première journée d'attente : deux personnages clownesques, Vladimir et Estragon, attendent un mystérieux Godot (*God?*), dans un lieu désert, où n'a poussé qu'un arbre, au bord de la route. Pour passer le temps, ils parlent... futilement. Au lieu de Godot, arrivent deux personnages de cirque, Pozzo et — esclave tenu en laisse — Lucky, qui donnent un numéro. Un messager annonce alors que Godot « ne viendra pas ce soir, mais sûrement demain ». La nuit tombe soudain.

La seconde journée d'attente : mêmes personnages, mais vieillis, usés par l'écoulement du temps. Pozzo est devenu aveugle, et Lucky muet. Mêmes banalités : l'arbre (qui a grandi), les chaussures, Godot... Le même messager vient annoncer que le rendez-vous est remis à demain. Didi et Gogo tentent en vain de se pendre. La même vie continuera demain, après demain... « Qu'est-ce qu'on fait ? — On attend Godot ».

Des personnages, de leur passé, on ne sait rien. La pièce projette dans un éclairage cru la nudité, le vide de l'existence humaine. « Rien ne se passe » et pourtant « Nous sommes intarissables ». C'est une illustration saisissante et pleine d'humour du « divertissement » pascalien. Inespéré, le succès fut immédiat, immense.

Les pièces suivantes — d'abord écrites tantôt en anglais, tantôt en français — évoluent vers une austérité, un dépouillement croissants. *Fin de partie* (1957) peint l'engloutissement sans fin dans le rien. *Oh ! les beaux jours* (1963) évoque le vide des journées et des préoccupations de l'homme, mais en même temps sa peur du silence. Avec *Comédie* (1963), l'écrivain atteint une limite : enserrés dans des jarres, les trois personnages ne bougent même plus, n'ont pas de nom, bredouillent leur amertume.

Beckett se maintiendra ensuite dans cet air raréfié, avec *Pas* (1978), *Compagnie* (1980) puis *Catastrophe et autres dramaticules* (1986)

Les « géniteurs » Nell et Nagg dans la poubelle où ils mourront : Germaine de France et Georges Adet dans *Fin de partie* de Samuel Beckett, mise en scène de Roger Blin, Studio des Champs-Élysées, 1957.

Contrairement à celle d'Adamov ou de Ionesco, l'œuvre a poursuivi une trajectoire pure et inflexible. Le style s'y est fait de plus en plus bref, sec, haletant. Tout est dérisoire. L'authenticité de cette exigence a valu à Beckett le prix Nobel en 1969.

Jean Genet (1910-1986)

Enfant de l'Assistance Publique, puis jeune délinquant placé dans une maison de redressement, Jean Genet a choisi de proclamer sa solidarité avec « tous les bagnards de [sa] race », de refuser un monde qui l'avait refusé, de célébrer le Mal. Il confie d'abord ses obsessions en des poèmes sombres et fastueux ou en des récits poétiques — *Notre-Dame des fleurs*, *Miracle de la rose*, *Pompes funèbres*, *Querelle de Brest*, — puis rédige son *Journal du voleur* (1949).

Au théâtre, Genet peint les domestiques, les homosexuels, les prostituées, les exploités (Nègres, Algériens)... ces micro-sociétés qui ont leurs mœurs, leurs rites, leur magie, et où l'on rêve d'un absolu du Mal qui ferait enfin exister celui qui s'y livrerait. *Haute surveillance*, sa première pièce, se situe dans le monde des prisons. Elle ne sera montée qu'en 1949, deux ans après *Les bonnes*. Ici, deux domestiques, après avoir tenté en vain d'empoisonner leur patronne, jouent à la maîtresse. Celle qui porte les habits de la patronne absorbe le thé empoisonné et meurt dans le rôle de Madame. L'autre trouve dans ce crime la justification de son existence d'humiliée. *Le balcon* (1957) a pour cadre un bordel, où sexualité et puissance se déploient dans une atmosphère mythique. Frappé par un film de Rouch, *Les maîtres fous* (1955), Genet parodie sauvagement l'univers des Blancs colonialistes dans *Les nègres* (1959). Écrite pendant la guerre d'Algérie, *Les paravents* (1961), qui caricature colons et militaires français, ne put être jouée à Paris avant 1966 : ici encore, cette grouillante épopée en 25 tableaux (elle devrait durer cinq heures) impose le goût de l'auteur pour la souveraineté dans le Mal et pour l'autodestruction. Véritable Christ à rebours, le jeune Saïd proclame : « Je vais continuer jusqu'à la fin du monde à me pourrir pour pourrir le monde. »

Dans le sillage d'Artaud, Genet aspire à un théâtre de la cérémonie (il s'est dit fasciné par la messe catholique, « le plus haut drame moderne »), de la transgression et de la mort. Peu soucieux d'un théâtre à thèse socio-politique (contrairement à certaines interprétations), Genet veut avant tout faire exploser sa rage, revendiquer son abjection et célébrer ses fantasmes. Il a « rétabli dans sa royauté l'imaginaire et fait entendre jusqu'à l'insolence un langage vivace et rond, qui prend son bien où il le trouve : dans le fumier comme sur les hauts lieux du lyrisme mystique ».

Adamov (1908-1970)

D'origine arménienne, fixé à Paris depuis 1924, Arthur Adamov est tout nourri d'Artaud, de Strindberg, de Kafka, de Freud et de l'expressionnisme allemand. En 1946, il exprime dans une sorte de confession, *L'aveu*, son angoisse devant l'irréalité du monde et le vide du langage. De 1950 à 1955 son théâtre traduit avant tout ses cauchemars : *La grande et la petite manœuvre* et *L'invasion* (1950), *La parodie* (1952), *Le professeur Taranne*, *Le sens de la marche* et *Tous contre tous* (1953). Sa meilleure pièce, *Ping-pong* (1955), annonce un changement de manière : Arthur et Victor, frères du Bouvard et du Pécuchet de Flaubert, gaspillent leur vie au service d'une machine à sous. L'échec de l'être humain n'apparaît plus comme lié seulement à une névrose individuelle; il est causé aussi par une société vouée au profit, à la productivité, à la rentabilité.

© Magelhoes-Holmes-Lebel

© Brassaï

A gauche, Jean Genet : « La distance qui nous sépare, originelle, nous l'augmenterons par nos fastes, nos manières, notre insolence » *(Les nègres)*.
A droite, Arthur Adamov dans sa chambre d'hôtel.

L'équilibre du *Ping-pong* se rompt dans les pièces ultérieures, où Adamov opte pour un théâtre marxiste, dans le sillage de Brecht : *Paolo Paoli* (1957), *Le printemps 71* (1963), *La politique des restes* (1963), *Off Limits* (1969).

L'essor du « nouveau théâtre »

Si Ionesco, Beckett, Genet et Adamov en sa première manière apparaissent comme les dramaturges les plus marquants du « nouveau théâtre », ils ont une brillante escorte.

Jean Vauthier rappelle à la fois Audiberti par le caractère d'abord verbal de ses pièces (beautés, trivialités, prolixité et cassures du langage) et Beckett ou Ionesco par le type de personnage qu'il met sur scène, comme l'ubuesque *Capitaine Bada* (1952), qui reparaît dans *Badadesques* (1965) et dans *Le Sang* (1970). Il excelle à créer des intrigues qui se surimpriment à des pièces anciennes : ainsi *Ton nom dans le feu des nuées, Élisabeth* (1976), qui joue avec une tragédie élizabéthaine, *Arden de Feversham*. Dans la région de Ionesco rêve aussi Jean Tardieu, poète et dramaturge dont la virtuosité se déploie dans de rapides « exercices de style » où « les mots sont plutôt des notes de musique ou des touche de couleur que des vocables » ; il a regroupé se « drames-éclairs » dans *Théâtre de chambre* (1955, puis 1979). Ces productions proches du cabaret rive gauche caractérisent encore René de Obaldia, romancier plein de fantaisie *(Tamerlan des cœurs, Fugue à Waterloo, Le centenaire)* mais surtout l'un des rares talents actuels dont le théâtre fasse franchement rire : *L'air du large, Génousie, Le satyre de la Villette* et un « western de chambre », *Du vent dans les branches de sassafras* (1965).

Rappelant par moments Beckett, mais avec un goût prononcé pour les notations psychologiques les plus aiguës se rencontrent au théâtre de « nouveaux romanciers » comme Robert Pinget, Nathalie Sarraute et surtout Marguerite Duras, dont les textes émigrent aisément du récit vers le théâtre ou le cinéma, du *Square* (1955) à *L'Eden cinéma* (1977) et à *Savannah Bay* (1983). Roland Dubillard se rattache plus nettement au « nouveau théâtre » : de sa pièce la plus connue, *Naïves hirondelles* (1961) au *Jardin de betteraves* (1969) et à *Où boivent les vaches* (1973), mais surtout avec sa meilleure œuvre, *La maison d'os :* « Un vieil homme très riche, sans famille, sans enfants, beaucoup de domestiques. Il meurt comme ça, tout seul dans sa maison, et les domestiques s'en moquent ; ce n'est pas leur affaire. » Enfin, François Billetdoux — entre Beckett et Schéhadé — traduit dans des pièces étranges, abondant en ruptures de ton, sa quête désespérée d'un amour impossible, son douloureux pèlerinage vers une amitié-mirage : *Va donc chez Törpe ; Comment va le monde, Môssieu ; Il faut passer par les nuages* ou *La nostalgie, camarade* (1974).

© Bernand

A gauche, René de Obaldia, au moment des représentations de *Genousie* en 1960.
Au centre, François Billetdoux.
A droite, Roland Dubillard en 1969, dans sa pièce *Le jardin aux betteraves*.

POUR UN THÉÂTRE POLITIQUE

Les années 1960 voient se perpétuer le théâtre traditionnel (Anouilh, etc.), s'affirmer d'abord, puis décliner le « nouveau théâtre ». La crise de mai 1968 sert de révélateur à une transformation profonde. Une nouvelle avant-garde récuse pêle-mêle le théâtre comme édifice, la distinction habituelle entre la scène et la salle, le règne du texte, le savoir-faire des acteurs professionnels, vieux routiers des conservatoires. A ses yeux le « nouveau théâtre » des années 50 n'apparaît guère que comme un avatar de recettes fort anciennes. Dans le bouillonnement des idées, des tentatives, deux tendances principales se sont imposées : le théâtre politique et le théâtre-fête.

Théâtre populaire et théâtre politique

Au lendemain de la Libération se prolonge le rêve de communion nationale né pendant la Résistance. A ce rêve correspond la recherche d'un « théâtre populaire », c'est-à-dire d'un théâtre de rassemblement où — au moins le temps de la représentation — l'union triomphe des divisions, des conflits de classe. Jean Vilar est représentatif de cette ambition. Mais le sursaut de mai 1968 a compromis la continuation de cet effort : ce n'est pas un hasard si Vilar fut si violemment contesté, cette même année, au Festival d'Avignon. Parallèlement à l'essor d'un cinéma politique (Godard et le groupe Vertov, Chris Marker et le groupe SLON, etc.) s'affirme un « théâtre politique », c'est-à-dire un théâtre de conflit, de lutte des classes. Le temps de la sérénité prend fin.

Ce théâtre ne se soucie pas seulement d'avoir un contenu socio-politique précis. Ce ne serait guère neuf. Mais il réfléchit aux formes, aux techniques que présuppose le contenu révolutionnaire des pièces. Malgré la diversité des recherches, les inspirateurs de ces tentatives sont le plus souvent deux hommes de théâtre allemands : Piscator, et surtout Bertolt Brecht.

Bertolt Brecht (1891-1956)

Horrifié par la Première Guerre mondiale, l'Allemand Brecht commence sa carrière d'écrivain par des poèmes de révolte. A vingt ans, il compose sa première pièce, *Baal.* Politiquement, il passe bientôt de l'anarchisme au marxisme. En 1933, quand il doit fuir l'Allemagne nazie, il est déjà l'auteur de quatorze pièces. Réfugié aux États-Unis de 1941 à 1947, il regagne Berlin-Est et y fonde un groupe théâtral, le Berliner Ensemble. Il met en scène *Mère Courage* (1946), *Maître Puntila et son valet Matti* (1949), *La mère* (1951), *Les fusils de la mère Carrar* (1952), *Le cercle de craie caucasien* (1954). Sa renommée ne cesse de grandir dans le monde entier, et les traductions se multiplient, en particulier les versions françaises. A Paris, seul *L'opéra de quat'sous* avait été monté avant la guerre (en 1930). Serreau crée en 1947 *L'exception et la règle,* Vilar en 1951 *Mère Courage.* Mais c'est surtout à partir de 1954 que Brecht fait irruption en France, grâce à une tournée retentissante du Berliner Ensemble. Après une gloire de dix ans (1956-1965) il connaît une brève éclipse, jusqu'en mai 1968, qui ouvre pour lui une nouvelle décennie de présence à la conscience des metteurs en scène français. Depuis la fin des années 1970, la dramaturgie brechtienne a perdu beaucoup de son pouvoir de fascination.

La doctrine brechtienne. Les théories de Brecht se trouvent exposées dans de multiples textes, en particulier dans ses *Notes sur l'opéra Mahagonny* (1931), dans *L'achat du cuivre* (1937-1951) et dans son *Petit organon pour le théâtre* (1949). Au théâtre traditionnel, « dramatique », il oppose une forme qu'il appelle « épique » : au lieu de provoquer l'illusion, il faut la détruire. Au lieu de fasciner le spectateur par une intrigue haletante et l'envoûtement des décors ou de la musique, il faut le faire réfléchir. Brecht refuse le piège du « spectacle ». Pour donner à l'acteur et au spectateur ce recul qui permet le jugement, il propose un certain nombre de techniques désignées sous le nom d'effets de distanciation *(Verfremdungseffekte) :* introduction d'un récitant (comme au Moyen Age) ou d'un chœur (comme en Grèce) qui commente l'action ; projections cinématographiques qui « déjouent l'inclination du spectateur à une totale adhésion sentimentale » : ainsi apparaissent une phrase de Marx, un portrait de Guillaume II, une carte de membre du Parti socialiste. La musique, les *songs,* au lieu d'accentuer l'envoûtement sécrété par l'intrigue, ne se fondent pas dans l'action, mais la critiquent. Si le théâtre a pour fonction de distraire, le plaisir ne saurait être séparé de l'instruction : didactique, la pièce brechtienne tient de l'apologue ou de la parabole. Il s'agit de « rendre le monde maniable aux hommes : qu'il cesse de leur apparaître tel un monolithe de mensonges et d'idées toutes faites, utilisable par les seuls rapaces au pouvoir » (Geneviève Serreau).

Les expériences françaises

La révolution brechtienne n'a guère suscité en France d'auteur qui s'impose. La puissance subversive d'une poésie nourrie de Lucrèce, de la Bible, de Villon, de Rimbaud, du nô japonais... n'a pu être égalée. Auprès des écrivains de langue allemande (Max Frisch, Dürrenmatt, Peter Weiss, Peter Hacks, Martin Walser...), leurs émules de ce côté-ci du Rhin sont un peu pâles. Ils n'ont guère tenu compte en Brecht que du théoricien. La plupart des tentatives ont déjà sombré dans l'oubli ; mais diverses recherches plus indépendantes ont été conduites par Adamov seconde manière, Georges Michel (*La promenade du dimanche,* 1966 ; *L'agression,* 1967), Louis Guilloux (*Cripure,* 1967), Georges Cousin (*L'opéra noir,* 1967), Jean-Pierre Bisson, Benedetto et Armand Gatti.

Engagés eux aussi, deux poètes et dramaturges de langue française : le Martiniquais Aimé Césaire, dont le théâtre magnifiquement baroque stigmatise la colonisation (*La tragédie du roi Christophe,* 1964), le meurtre du Premier ministre congolais Patrice Lumumba (*Une saison au Congo,* 1965). L'Algérien Kateb Yacine, dont le théâtre vigoureux est proche du cri : *Le cadavre encerclé,* 1958 ; *Les ancêtres redoublent de férocité,* 1967 ; *L'homme aux semelles de caoutchouc,* 1971. Mais depuis cette dernière pièce son auteur a choisi d'écrire en arabe algérien.

Au cours des années 1970 s'est développée une forme plus libre de théâtralisation du politique, le « théâtre d'intervention » (sur les prisons, l'extension du camp militaire du Larzac), tandis qu'apparaissait le « théâtre de l'opprimé » d'Augusto Boal (*Jeux pour acteurs et non acteurs,* 1979). Plus banalement, certains metteurs en scène, comme Roger Planchon, trafiquent les textes du répertoire (*Athalie,* ou *Dom Juan,* en 1983) pour transmettre des « messages » assez lourds.

LE THÉÂTRE-FÊTE

Si Brecht et ses disciples préconisent une certaine « distance » entre le spectateur ou l'acteur et ce qui se déroule sur la scène, une autre tendance du théâtre moderne est en quête d'un théâtre qui soit envoûtement, magie, cérémonie, transe, fête. Les partisans d'une telle révolution dramatique s'inspirent évidemment d'Artaud, mais aussi de la psychanalyse (à laquelle ils empruntent une partie de ses concepts : tabous, censure, pulsions, défoulement, inconscient) et des apports des ethnologues sur les peuples primitifs. Pour ce théâtre, les danses de possession, les cérémonies des cultures africaines, par exemple, constituent une référence majeure (voir Michel Leiris, *La possession et ses aspects théâtraux chez les Éthiopiens de Gondar,* 1958). Enfin, le surréalisme anime beaucoup de ces explorations.

L'inspiration surréaliste

Les requêtes, les thèmes surréalistes étaient déjà présents dans de nombreuses créations du « nouveau théâtre » : ainsi plusieurs pièces de Ionesco sont nées de rêves, Adamov part souvent d'une image-choc, Césaire est passé par le surréalisme. Les dramaturges du langage en liberté illustrent, eux aussi, une tendance du mouvement. Deux écrivains cependant incarnent plus particulièrement, en France, cette présence du surréalisme : Romain Weingarten et Fernando Arrabal. La première pièce de Weingarten, *Akara* (1948) fut saluée comme un événement par Audiberti : l'auteur s'inspire du procédé de l'écriture automatique et abandonne ses personnages à la dérive des associations verbales ; peu à peu le banal devient irréel, onirique. La même poésie anime *L'été* (1966), où deux chats versatiles jouent avec deux adolescents à des jeux subtils, dans une atmosphère d'humour et de merveilleux. Cet univers magique, rêve d'un paradis improbable, reste celui de *La mandragore* (1973), *Neige* (1979) et *La mort d'Auguste* (1982).

Arrabal (né en Espagne en 1932), au contraire, propose un théâtre sardonique et strident, avec l'ambition de révéler la décomposition de l'Occident : « Le théâtre est surtout une cérémonie, une fête, qui tient du sacrilège et du sacré, de l'érotisme et du mysticisme, de la mise à mort et de l'exaltation de la vie. » Ses pièces ont été d'abord publiées (1958, 1961, 1965). Sa notoriété date de 1965, avec les mises en scène somptueuses de Savary, Lavelli et Garcia. Le héros arrabalien est toujours un inadapté, oscillant entre l'innocence prêtée à l'enfance et le sadisme, parlant un langage nu, « direct comme une volée de pierre » (G. Serreau). Ainsi le couple de *L'architecte et l'empereur d'Assyrie* ou le protagoniste du *Cimetière de voitures.* Les hantises sexuelles s'exaspèrent dans les dernières pièces. Ce théâtre cruel et foisonnant fait penser à Artaud, à Ghelderode et à Genet. Par son caractère initiatique, il illustre l'une des recherches essentielles d'Arrabal : la Cérémonie.

Une polyphonie de signes

Weingarten et, dans une moindre mesure, Arrabal continuent à attribuer un rôle important au langage, même si une pièce comme *Le cimetière de voitures* devait au moins autant à l'admirable mise en scène baroque de Victor Garcia qu'au texte. Ionesco ne s'était attaqué qu'à un usage détérioré du discours, pour retrouver bien vite les épithètes de la tragédie classique : « le lucide désespoir de la détresse » ou « le feu torride de la vie » (dans *La soif et la faim*). Mais les tenants les plus radicaux du théâtre-fête, au moins jusqu'à la fin des années 1970, mettent en cause le texte : chez eux règne la conviction rousseauiste que l'homme, naturellement innocent et merveilleux, est aliéné par une société oppressive et par un langage utilitaire devenu « barrière » entre les êtres. Atteint au tréfonds de lui-même, l'homme ne pérore pas : il crie, pleure, gémit, se tait, se tord de douleur, danse... Par conséquent, au langage se substitue une polyphonie de signes : cris, gestes, musique, effets de lumière, projections, etc. Le corps de l'acteur prend une importance considérable (Grotowski, le Living Theatre) : de là, pour une part, l'adoption du collant ou de la nudité. Sur scène, les objets n'ont plus pour fonction de faire vrai, de reconstituer un décor, ils sont choisis pour leurs vertus de fascination, pour leur richesse symbolique : ainsi l'immense croix en ferraille du *Jardin des délices* d'Arrabal, qui fait penser aussi à une table d'opération, sur laquelle on crucifie l'héroïne.

© Bernand

© Bernand

© Bernand

Romain Weingarten dans sa pièce *Akara*, mise en scène de Daniel Zerki, Studio des Champs-Élysées, 1967. Fernando Arrabal dans sa pièce *Et ils passèrent les menottes aux fleurs* au Théâtre de l'épée de bois. *Le Cimetière des voitures*, de Fernando Arrabal, mise en scène de Victor Garcia au Théâtre des Arts en décembre 1967.

Une telle quête est à l'opposé d'un jugement sur l'histoire et les conflits sociaux pendant la représentation même. De là l'hostilité des disciples de Brecht à son égard. Il s'agit de redécouvrir des « forces pures » (Artaud), les sources vives, de créer une communion profonde, totale. L'intensité de ces expériences théâtrales ne serait-elle pas en définitive d'une efficacité politique plus grande que le didactisme brechtien ? « Vie, révolution et théâtre sont trois mots pour une même chose : un NON inconditionnel à la société actuelle (Julian Beck). En faisant vivre à un groupe la densité de la fête, le rend-on de moins en moins apte à supporter la triste société ambiante ? Ou, au contraire, lui assure-t-on un « divertissement » qui lui fait oublier son asservissement habituel ? Tel a été l'un des débats majeurs de la décennie 70.

Le refus des barrières

On a en même temps rejeté la vieille coupure entre la scène et la salle. Déjà Rousseau, dans sa *Lettre sur les spectacles,* avait condamné la scène close et proposé en modèle les fêtes de village. De même, la « scène à l'italienne », boîte à illusions où le spectateur est réduit à regarder « par le trou de la serrure », se trouve alors dénoncée par beaucoup. On ne veut plus de ces salles où la variété des prix payés à l'entrée souligne les différences sociales (les pauvres au poulailler !). La proximité de l'acteur doit influer physiquement sur le spectateur, ou plutôt sur le participant. On met en cause les théâtres comme édifices, « ces navires branlants où plus d'un a perdu ses plumes et son innocence » (J. Savary). Car le vrai lieu théâtral, c'est la rue, l'usine. Un peu partout naissent des groupes qui créent avec une marge de liberté (improvisations, retouches constantes de la pièce, intégration perpétuelle de nouveaux venus). Le rôle traditionnel apparaît comme une peau morte.

Le retour du sacré

Aujourd'hui que la fête s'est affadie en loisir en simple non-travail, apparaît la nostalgie de l cérémonie sacrée, de l'exaltation collective. Le trois M (Match, Messe, Meeting) font rêver le hommes de théâtre. On se souvient qu'en Grèc le théâtre est né d'un culte à base de possession celui de Dionysos. Né en 1952 aux États-Unis, l *happening* vise à libérer l'inconscient d'u groupe, à faire sauter les inhibitions, les verrou de la perception, sous l'effet d'un choc théâtra (sexualité, violence) : le théâtre devient alor action de tous, rêve collectif, « événement » imprévisible. Le recours à la drogue procèd parfois d'ambitions analogues. Plusieurs thème des créations dramatiques récentes illustrent l désir de retrouver les grands rêves enracinés a fond de l'homme : le paradis, où le silence es plénitude (on est à l'opposé de Beckett) ; l communion érotique, qui constitue — comm pour les surréalistes — la grande expérience d transe, d'abolition du quotidien et des aliéna tions ; l'orgie ; la nudité, dont Julian Beck di qu'elle est « liée au voyage paradisiaque de cha cun ».

NOUVELLES TRAJECTOIRES

Le café-théâtre

Interprétations neuves des « classiques », recherche d'une mise en théâtre du politique, nostalgie de la cérémonie sacrée, appel aux médias électriques, recours à la parodie ou au « grotesque », dramatisation du quotidien le plus ténu... telles sont les voies principales explorées par les centaines de compagnies qui travaillent actuellement en France. Bien souvent, le théâtre a rompu ses liens avec la « littérature » : l'élaboration d'un texte aux pouvoirs magiques et promis à la durée — comme celui de Racine ou de Marivaux — a disparu des perspectives. L'une des nouveautés des vingt dernières années a été le développement des cafés-théâtres : la mode en est venue de Greenwich Village, à New York, vers 1966. Des spectacles plus courts, des acteurs peu nombreux, des locaux exigus, où des consommations peuvent être servies, des textes souvent incisifs. Peu considéré à ses débuts, le café-théâtre a réussi à

Zouc à Bobino, en 198

Ph. © Agence Bernand - Photeb

'imposer en moins de dix ans : il a aujourd'hui a place dans la presse, et même ses festivals. Si a plus grande partie de ses productions est l'essence comique, et d'un comique souvent acile, il a révélé des talents non seulement de omédiens (Zouc, etc.), mais d'auteurs : à la rontière incertaine du comique et du tragique 'impose en particulier l'œuvre de Jean Bois, l'*Étrange pâleur* (1976) à *La femme indolente* 1983) et à *Marthe* (1985).

Le Théâtre du Soleil

Nombreux sont les metteurs en scène de grand alent (comme P. Chéreau, P. Brooks, Lavelli), nombreuses aussi les troupes originales (Théâtre le l'Aquarium, Théâtre du Campagnol). Mais aucune compagnie n'a, depuis la guerre, exercé autant d'influence que le Théâtre du Soleil d'Ariane Mnouchkine. Fondé en 1964, le groupe s'est constitué en coopérative ouvrière. Il se fit connaître par une série de succès. *La cuisine,* de l'Anglais Wesker (1967), et *Le songe d'une nuit d'été* de Shakespeare (1968), joués ous les deux au Cirque Médrano à Paris (les « vrais » théâtres avaient refusé ces spectacles). Une création collective, *Les clowns,* manifesta ensuite la fascination exercée par le cirque sur le héâtre moderne. Mais le véritable « manifeste » d'une nouvelle formule théâtrale fut *1789,* donné à l'ancienne Cartoucherie de Vincennes, où le groupe s'est établi. Créé en 1970, ce spectacle fut joué pendant près de trois ans et atteignit 348 représentations ; au cours des reize dernières fut tourné un film, qui conserve cette mise en scène incomparable.

Les comédiens ont travaillé à l'intérieur de notre mythologie nationale (les Journées révolutionnaires, etc.). L'ombre d'Artaud plane sur la mise en scène : le dispositif scénique entoure la salle sur trois côtés, les acteurs traversent la foule des spectateurs, se dispersent dans la salle et racontent chacun à un groupe, avec une intensité croissante, la prise de la Bastille. Bientôt, pour fêter l'événement, est organisé un bal populaire, avec une farandole qui mêle acteurs et participants. Les formes populaires du spectacle sont intégrées à la représentation : marionnettes manipulées par des acteurs au vu de tous, mime, jeux sur tréteaux, fête foraine, *commedia dell'arte,* kermesse (avec prestidigitateurs, acrobates, catcheurs), cinéma muet (la nuit du 4 août est jouée avec une rhétorique gestuelle qui paraît sortie d'Eisenstein et de Sternberg). Si

Ph. © Agence Bernand - Photeb

Le songe d'une nuit d'été de Shakespeare, par le Théâtre du Soleil. Mise en scène d'Ariane Mnouchkine, cirque de Montmartre Médrano, 1968.

le texte demeure important, il a perdu son ancienne suprématie : des scènes entières se déroulent sans qu'un mot soit prononcé ; dans d'autres le discours a fait place aux possibilités sonores du cri. Le corps de l'acteur est capable de toutes les démarches, de pirouette et de danse.

Mais certaines techniques brechtiennes ont également été utilisées : à plusieurs reprises interviennent des récitants ; c'est parfois l'acteur lui-même qui annonce le rôle qu'il va jouer. L'illusion théâtrale est souvent rompue : on nous prévient que la fuite du comte d'Artois va être interprétée dans le style de la Comédie-Française. Maintes interventions des personnages apparaissent comme « didactiques » : au moment où les bourgeois inquiets confisquent la Révolution, les paroles de Marat proposent une analyse aiguë de ce qui se passe. Comme le déclarait Mnouchkine : « Nous voulons raconter notre histoire pour la faire avancer, et tel peut être le rôle du théâtre. »

Après une autre fresque révolutionnaire, *1793,* beaucoup plus sobre et austère, le Théâtre du Soleil créa en 1975 une pièce d'actualité pure, *L'âge d'or,* qui évoquait les déboires d'un travailleur immigré, Abdallah, depuis son débarquement à Marseille jusqu'à sa chute mortelle d'un échafaudage. Christ et Arlequin.

Après ces explorations hardies, le Théâtre du Soleil est revenu au répertoire, avec deux magnifiques mises en scène de Shakespeare : *Richard II,* en 1981, et *La nuit des rois,* en 1982 ; il a ensuite mis en scène deux textes d'un écrivain d'aujourd'hui, Hélène Cixous, *L'histoire terrible, mais inachevé de Norodom Sihanouk, roi du Cambodge* (198 puis *L'Indiade* (1989). Sa trajectoire ne symbolis t-elle pas l'évolution même du théâtre en Fran au cours du dernier quart de siècle ?

Réalisant une belle synthèse du travail théâtral a été proche de Patrice Chéreau) et de la volon d'écrire un texte de qualité, Bernard-Marie Kolt (1948-1989) laisse, malgré sa mort prématuré l'œuvre dramatique la plus importante de cette f de siècle. Chéreau a monté de manière exemplair et avec beaucoup de succès, *Le retour au désert Dans la solitude des champs de coton. Rober Zucco,* achevé à l'automne de 1988, montre la di tance prise à l'égard de Samuel Beckett.

BIBLIOGRAPHIE

ŒUVRES DRAMATIQUES : Arthur ADAMOV (Gallimard) ; Jean ANOUILH (La Table ronde) ; Fernando ARRABA (Julliard, puis Christian Bourgois) ; Samuel BECKETT (éd. de Minuit) ; Aimé CÉSAIRE (Seuil) ; Jean GENE (Gallimard) ; Eugène IONESCO (Gallimard) ; Henri DE MONTHERLANT (Gallimard) ; Robert PINGET (éd. d Minuit) ; Georges SCHÉHADÉ (Gallimard) ; Jean TARDIEU (Gallimard) ; Jean VAUTHIER (L'Arche, Gallimard) Boris VIAN (L'Arche) ; KATEB YACINE (Seuil). Diverses collections publient des pièces contemporaines : che Gallimard, chez Stock, au Seuil ; à *L'Avant-scène.*

ŒUVRES THÉORIQUES : Antonin ARTAUD, *Œuvres complètes,* Gallimard, en cours de publication : *Le théâtr et son double,* Gallimard, « Folio Essais », 1985. — Bertolt BRECHT, *Écrits sur le théâtre.* L'Arche (où a ét publié le théâtre lui-même), 1963, *Écrits sur la littérature et l'art,* Maspero. — Eugène IONESCO, *Notes et contre notes,* Gallimard, « Idées », 1966 ; *Entre la vie et le rêve,* Belfond, 1966 ; *Antidotes,* Gallimard, 1977. — Erwi PISCATOR. *Le théâtre politique,* L'Arche, 1962.

ÉTUDES : *Ionesco, situation et perspectives,* Belfond, 1980 (le bilan effectué au colloque de Cerisy en 1978) Marie-Claude HUBERT, *Ionesco,* Seuil, 1990. — Deirdre BAIR. *Samuel Beckett,* Fayard, 1979 (une vue d'ensemble) — Bernard DORT. *Lecture de Brecht,* Seuil, 1960 ; *Théâtre public,* Seuil, 1967 ; *Théâtre actuel,* Seuil, 1971 (l meilleur critique brechtien en France). — Jean-Marie DOMENACH. *Le retour du tragique,* Seuil, 1967 (un perspective philosophique). — Jan KOTT. *Shakespeare notre contemporain,* Marabout, 1965 (une bible de hommes de théâtre). — Geneviève SERREAU, *Histoire du « nouveau théâtre »,* Gallimard, « Idées », 1966 (ouvrag fondamental). — Michel CORVIN, *Le théâtre nouveau en France,* P.U.F., « Que sais-je ? », 1980 ; *Dictionnair encyclopédique du théâtre,* Bordas, 1992. — Colette GODARD, *Le théâtre depuis 1968,* Lattès, 1980. — Alain e Odette VIRMAUX, *Artaud, un bilan critique,* Belfond, 1979 ; *Antonin Artaud,* La Manufacture, 1991 ; et Pierre BRUNEL, *Théâtre et cruauté,* Méridiens, 1982 (la révolution dramatique du siècle). — Jean GENET, numéro spécial de la revue *Obliques,* 1972. — Pierre MERLE, *Le Café-théâtre,* P.U.F., « Que sais-je ? », 1985.

CRISES ROMANESQUES DE L'APRÈS-GUERRE

Régulièrement mis en question depuis la fin du XIXe siècle, le roman semble vivre au XXe de crises continuelles qui, loin de l'affaiblir, le régénèrent et accroissent ses moyens. Proust, Gide, Malraux, Sartre, pour ne citer que quelques très grands noms, condamnent les pratiques romanesques de leur temps, mais c'est pour les renouveler. Plus sévères, Paul Valéry et André Breton s'en prennent à la gratuité ou à la plate suffisance d'un art peu exigeant, sans pour autant réduire son succès et sa fécondité. Les années d'après-guerre, cependant, parallèlement à l'accomplissement des techniques traditionnelles (telles que Mauriac et Aragon, par exemple, les illustrent) voient s'élaborer des formes radicalement neuves qui engagent non seulement le genre romanesque, mais la notion même de littérature, vers un bouleversement sans précédent. Les recherches isolées se multiplient, fort diverses, mais toutes soucieuses de parvenir, par une exigence accrue de rigueur, à un nouveau style romanesque plus pur. Après avoir diversifié les moyens et les fins du roman par l'appel, entre autres, aux techniques cinématographiques et aux procédés des écrivains américains, il semble qu'on veuille faire table rase de ces richesses encombrantes pour définir l'objet essentiel du roman et s'y tenir.

Presque clandestines pendant longtemps, ces tentatives seront révélées par le succès, entre 1950 et 1960, du « Nouveau Roman ». La gloire, troublée de scandale, des Sarraute, Robbe-Grillet et Butor rejaillit justement sur leurs maîtres trop méconnus, Leiris, Bataille, Blanchot... On découvre que le roman ne veut plus, ne peut plus être la figuration complaisante d'un monde dont la stabilité, la signification sont mensongères. Des œuvres sans concession mènent le lecteur au cœur de l'acte créateur et le placent devant des responsabilités qu'il doit partager avec l'auteur : le déchiffrement difficile et fécond de la réalité chaotique et de soi-même.

TÉMOIGNAGES

Avant de préciser les tendances les plus marquantes d'un renouvellement romanesque, il faut considérer ce que notre littérature d'après-guerre doit à la tradition. Figurer le monde et particulièrement exprimer l'homme sous la forme de récits est une ambition qui retient encore nombre d'écrivains et que les circonstances immédiates de la guerre rendaient nécessaire.

La Résistance

La Résistance intellectuelle fut surtout poétique (1). Néanmoins, pendant la guerre et plus encore à la Libération, une importante production en prose a vu le jour. Liée aux circonstances, elle veut témoigner, et sa valeur documentaire l'emporte souvent sur les soucis esthétiques. Il faut signaler les débuts littéraires de Vercors (1902-1991) avec *Le silence de la mer* et *La marche à l'étoile*, récits où l'émotion est contenue par une forme très pure, de Roger Vailland

1. Voir p. 683.

(1907-1965) avec *Drôle de jeu*, qui sera suivi d'une curieuse production érotico-révolutionnaire *(Les mauvais coups*, *La loi)*. L'atroce expérience des camps de concentration est relatée et analysée par David Rousset dans *L'univers concentrationnaire* et *Les jours de notre mort*. *La vallée heureuse*, de Jules Roy, *Week-end à Zuydcoote*, de Robert Merle, retracent quelques missions militaires de la guerre. A ces documents il faut ajouter les *Mémoires de guerre* du général de Gaulle, où le témoignage de l'acteur prend valeur littéraire par la force classique du style.

Marcel Aymé : « Je ne rapportais que ce q j'avais vu », disait-il pour expliquer s échec dans la carrière de journaliste.

Fidélités au roman traditionnel

La paix revenue voit se multiplier des œuvres romanesques qui illustrent à peu près toutes les tendances traditionnelles, de la chronique sociale à l'analyse psychologique. Il est impossible de nommer tous ceux qui parviennent alors à la notoriété en se fiant aux formes éprouvées de l'expression, en ne remettant en cause ni leur langage, ni leur fonction. Contre la littérature engagée se dessine ce qu'on a pu appeler une « réaction néo-classique » (1) grâce aux talents désinvoltes de Roger Nimier, Jacques Laurent (2), Antoine Blondin et Françoise Sagan.

Accusant les existentialistes d'écrire des romans à thèse (*Paul et Jean-Paul* de J. Laurent, 1951), ces écrivains voulaient revenir « au beau langage, aux romans bien faits, à la désinvolture, à l'action ». Ecrire, lire un roman doit redevenir aller à la recherche du plaisir, même si ce plaisir se teinte parfois de tristesse ou d'amertume. Roger Nimier, mort en 1962 dans un accident d'automobile, Antoine Blondin donnaient l'un avec *Le hussard bleu* (1950), l'autre avec *L'Europe buissonnière* (1949) l'image de ces adolescents pour qui la guerre était un spectacle, un jeu merveilleux et mortel. *Bonjour tristesse,* de Françoise Sagan, obtint en 1954 un succès foudroyant : ce roman révélait à elle-même une certaine jeunesse qui avait cessé de croire aux faux-semblants de ses aînés. Jacques Laurent, l'auteur des *Corps tranquilles* (1948) joue avec désinvolture d'un récit lui-même désinvolte dans un subtil roman du roman, *Les bêtises,* qui obtint le prix Goncourt en 1971. Malgré la création d'un prix Nimier, malgré les scénarios tirés par Michel Audiard de certains romans de Blondin, cette veine s'est un peu tarie. Sagan n'a pa avec *De guerre lasse* en 1985 le succès qu'ell avait encore avec *Un certain sourire* ou ave *Dans un mois dans un an.*

Marcel Aymé (1902-1967), l'un des modèle pour ces jeunes romanciers, ne s'écarte guèr d'un art traditionnel du récit, mais son immens talent, sa maîtrise du langage et son humou désabusé le rangent parmi les écrivains de premier plan (*La jument verte,* 1933 ; les *Contes d chat perché,* 1939). La fantaisie, dégagée de tou système esthétique ou philosophique, domin une œuvre qui démontre que le plaisir d'écrire e de conter peut être la meilleure source d'inspiration.

Excellent connaisseur de la campagne française, dont il était originaire, Marcel Aymé a été aussi un romancier de la ville, et la situation de la France avant, pendant et après la Seconde Guerre mondiale lui a permis d'exercer une verve impitoyable. Il évoque le Front populaire dans *Travelingue* (1941), l'Occupation dans *Le chemin des écoliers* (1946), l'épuration au moment de la Libération dans *Uranus* (1948). Cet écrivain-né, dont on redécouvre aujourd'hui l'éblouissante maîtrise, est l'une des valeurs sûres de la littérature française de l'après-guerre.

Par ailleurs, Marcel Aymé a écrit pour le théâtre. *La tête des autres* (1952) est une excellente comédie satirique qui s'est maintenue au répertoire. Elle dénonce les ridicules et les lâchetés des nantis.

1. L'expression est de Maurice Nadeau.
2. Alias Cecil Saint-Laurent, l'auteur de *Caroline chérie.*

RECHERCHES

A l'écart du grand public, d'autres écrivains ne peuvent se contenter du plaisir d'écrire. Contre les trop nombreuses complaisances du roman traditionnel (complaisance de l'auteur envers lui-même, le « dieu créateur », envers le monde dont il accepte la réalité superficielle, envers le lecteur qui, paresseusement, désire être maintenu dans l'illusion), ils vont proposer un « roman-recherche ». Difficiles à classer, ces écrivains peuvent être regroupés selon la nature la plus évidente de leurs tentatives, qu'elles tendent à créer un nouveau langage, un nouvel univers ou, plus profondément et plus généralement, une nouvelle pratique littéraire conforme aux exigences et au savoir de l'homme moderne.

Laboratoire et fantaisie

Raymond Queneau (1903-1976) a participé à l'aventure surréaliste, mais son œuvre singulière ne se réclame d'aucune doctrine. Ses poèmes, ses romans (l'auteur ne fait pas de différence essentielle entre les deux productions) sont marqués du même paradoxe irritant et attirant : par la maîtrise technique qui s'y révèle et l'humour insolent qui ruine ses effets, ils sont à la fois l'exaltation et la négation de la littérature.

L'un des premiers, avec Céline, Queneau s'en prend au langage littéraire en opposant à ses conventions la liberté du langage parlé. Au nom de la vie, il désarticule une syntaxe figée par des règles désuètes, introduit dans son discours des termes populaires, argotiques, inventés au besoin, substitue à une orthographe byzantine une graphie qui rend compte de la prononciation réelle, non surveillée, des mots. Mais cet usage libertaire et apparemment « naturel » du langage est soumis aux formes les plus traditionnelles et les plus solennelles de la rhétorique : l'œuvre poétique respecte les formes fixes et les vers réguliers, sonnets d'alexandrins, stances, chants d'octosyllabes; l'œuvre narrative s'inspire des figures de style éprouvées. L'écart entre la noblesse des formes et leur contenu, leur langage, résolument prosaïques, faisant appel au pittoresque souvent sordide d'un univers quotidien sans grandeur, est d'une cocasserie irrésistible. Mais cet écart est aussi l'appel d'une réforme nécessaire de la littérature, la preuve qu'elle est avant tout objet de langage et, comme tel, malléable, susceptible de rajeunissement.

Le chiendent (1933), *Chêne et chien* (1937) n'avaient pas touché le grand public. *Exercices de style* (1947) et *Zazie dans le métro* (1959) assurent la célébrité de l'auteur et dévoilent au grand nombre la véritable nature de l'art littéraire : la virtuosité technique, le jeu. Les *Exercices de style* surtout, en présentant quatre-vingt-dix neuf versions différentes du même fait divers dérisoire, nient la valeur du sujet et affirment celle du style, sa puissance presque infinie de métamorphose. Il serait erroné de voir dans ces jeux le délassement discrètement didactique d'un intellectuel blasé. L'humour savamment mis en œuvre par l'accusation très concertée du langage est une réplique à l'angoisse qui mine la vie contemporaine; de l'insignifiance des destins humains, il tire une poésie neuve et émouvante.

L'œuvre de Boris Vian (1920-1959) connaît, depuis la mort de l'écrivain, une très grande faveur. Tout le monde sait désormais que l'auteur à succès Vernon Sullivan (pseudonyme sous lequel Boris Vian a écrit *J'irai cracher sur vos tombes*, 1946) avait injustement éclipsé le véritable créateur (*L'écume des jours*, 1947; *L'automne à Pékin*, 1947; *L'herbe rouge*, 1950; *L'arrache-cœur*, 1953). Ingénieur, musicien de jazz vedette de Saint-Germain-des-Prés, Boris Vian est surtout l'inventeur de formes romanesques où la fantaisie recrée, parallèlement à notre monde angoissé et insatisfaisant, un univers poétique amer et tendre qui, mieux que tous les comptes rendus réalistes, témoigne de notre condition. Une étonnante création verbale suscite cet univers. Le jeu constant sur les mots les plus quotidiens n'est pas le moyen de procurer une évasion facile au lecteur, il provoque au contraire l'intrusion sensible dans la conscience de celui-ci de toutes les forces bienfaisantes ou tragiques que recèlent la bonté et l'égoïsme humains.

Un roman surréaliste?

André Breton, qui avait condamné dans le *Premier manifeste du surréalisme* l'entreprise romanesque, son goût des descriptions, sa psychologie superficielle et sclérosée, son respect de la logique aliénante, a salué *Le château d'Argol* (1938) de Julien Gracq (né en 1910) comme un aboutissement possible du surréalisme. Ce n'était point transiger sur des principes si fermement défendus par ailleurs, mais reconnaître que le roman atteignait une dimension nouvelle. Dimension nouvelle dans le contenu plus que dans la forme, car dès ce premier livre, et dans les beaux récits qui le suivent (*Un beau ténébreux*, 1945; *Le rivage des Syrtes*, 1951; *Un balcon en forêt*, 1958) Julien Gracq s'affirme comme un styliste qui fait subir au langage un travail patient et conscient, et qui refuse donc les beautés de hasard de l'écriture automatique. Mais ce langage ouvragé n'est chargé ni de dire minutieusement le réel, ni de l'embellir; il déroule comme dans un long poème en prose la richesse merveilleuse d'un univers mythique, favorise l'irruption d'une beauté irrationnelle, proprement magique, celle qui illuminait déjà le roman noir romantique. Toutes les puissances obscures de la conscience humaine s'y donnent en représentation, comme dans un théâtre étrange et fastueux.

Après 1958, Julien Gracq s'est progressivement détourné de la fiction. La première nouvelle de *La presqu'île,* (1970) « La route », est un fragment d'un roman abandonné, et la trame narrative de la nouvelle centrale, la plus longue, est extrêmement ténue : une attente entre deux trains, une plongée au pays de l'enfance qui est aussi un territoire mythique, la « Terre Gate ». Cette remontée, l'auteur ne cesse de la faire dans sa propre mémoire, comme en témoigne toute une série d'écrits autobiographiques, tantôt proches de l'essai (*Lettrines* I et II, 1967-1974, *En lisant en écrivant,* 1981), tantôt plus narratifs (*Les eaux étroites,* 1976 ; *La forme d'une ville,* 1985). Chaque nouveau livre de Gracq est salué comme un événement, bien que l'écrivain soit lui-même hostile à toute manifestation extérieure. Du surréalisme, dont il s'est éloigné, il a conservé la prolifération des images et il cultive le mot archaïque ou rare, qui traduit sa recherche du refuge « coi » ou la lumière de l'« embellie » après le temps d'angoisse.

André Pieyre de Mandiargues (né en 1909) se situe comme Julien Gracq dans la tradition surréaliste et cherche aussi à unir poésie et roman. Cette union est d'ailleurs beaucoup plus manifeste par la forme même de ses œuvres : bien des nouvelles (*Le musée noir*, 1946; *Soleil des loups*, 1951; *Feu de braise*, 1959) relèvent du poème en prose comme du conte fantastique. Dans une langue très surveillée, presque maniérée parfois, est suggéré tout un univers obsessionnel, inquiétant et érotique, qu'on retrouve, plus structuré, mais peut-être aussi moins concentré, dans les romans : *Le lis de mer* (1956), *La motocyclette* (1963), *La marge* (1967) qui obtint le prix Goncourt.

VERS UN ROMAN NOUVEAU [1]

Si le jeu sur le langage (et la gravité de ce jeu), la volonté de faire du roman un instrument de révélation du surréel permettaient de rassembler sans trop d'artifice Queneau et Vian, Gracq et Mandiargues, il est moins aisé de réunir, sous quelque formule suggestive, les noms de Bataille, Leiris, Blanchot et Beckett. Il faut pourtant considérer ensemble ces inclassables à qui l'on doit le renouvellement le plus essentiel du roman. Tous bouleversent l'univers et le langage romanesques traditionnels afin de transgresser les limites qu'ils imposaient à l'écrivain et au lecteur. Tous pratiquent des expériences nouvelles de la création littéraire dans la mesure où la vie est pour eux une expérience nouvelle de l'homme.

Georges Bataille (1897-1962)

Georges Bataille, dans son œuvre d'essayiste (*L'expérience intérieure*, 1943; *Le coupable*, 1944; *La littérature et le mal*, 1957), de poète (*L'archangélique*, 1967), de romancier (*L'abbé C*, 1950; *Le bleu du ciel*, 1967), semble poursuivre la même quête absolue, à tel point qu'il est difficile de distinguer dans l'apparente diversité des genres la mise en œuvre de moyens d'expression différents. Les livres de Bataille rendent compte d'un même « voyage au bout du possible de l'homme », ne se réclament ni de la philosophie, ni de la religion, ni de la littérature, mais de ces domaines confondus et dépassés par une expérience paroxystique de l'existence menée jusqu'aux confins de la folie. Il s'agit d'arracher dans les transes de la douleur et du plaisir mêlés la vérité de l'homme, d'échapper aux apparences pour entrer dans une extase où toutes les contraintes et les contradictions de l'être s'abolis-

1. Voir Bersani, *La littérature en France depuis 1945* chapitres XVIII et XIX.

sent et qui ne révèle que le néant. L'érotisme sera un moyen privilégié pour cette rencontre de la vérité, car il est « approbation de la vie jusque dans la mort », il affirme l'être en le consumant, il est une forme extrême de transgression, de dépassement. L'écriture, moyen fascinant et décevant pour fixer et communiquer « l'expérience intérieure », procédera par affirmations et négations simultanées : « Le seul moyen de racheter la faute d'écrire est d'anéantir ce qui est écrit [...]. Je crois que le secret de la littérature est là, et qu'un livre n'est beau qu'habilement paré de l'indifférence des ruines » *(L'abbé C)*.

Michel Leiris (1901-1990)

Michel Leiris, ancien membre du groupe surréaliste [1], a exercé par ses écrits en prose une influence décisive sur les recherches romanesques récentes. Apparemment, ces textes continuent brillamment la tradition de l'autobiographie, de la confession. Après *Aurora* (écrit en 1928, publié en 1946) et *L'Afrique fantôme* (1934, édition définitive en 1951), *L'âge d'homme* (1939, édition définitive en 1964) révèle l'entreprise de Leiris. Un important avant-propos, « De la littérature considérée comme une tauromachie », définit une littérature de risque et non de divertissement : « recherche d'une plénitude virile, qui ne saurait s'obtenir avant une *catharsis*, une liquidation, dont l'activité littéraire — et particulièrement la littérature dite "de confession" — apparaît l'un des plus commodes instruments ». « Mettre à nu certaines obsessions d'ordre sentimental ou sexuel, confesser publiquement des déficiences ou des lâchetés [...] tel fut pour l'auteur le moyen [...] d'introduire ne fût-ce que l'ombre d'une corne de taureau dans une œuvre littéraire. » Il s'agit d'en finir avec la gratuité de la création artistique, de faire « un livre qui soit un acte » dirigé contre l'auteur, le lecteur et la littérature. *L'âge d'homme*, qui mêle la précision de l'analyse à la liberté du rêve surréaliste, ne satisfait pas complètement l'écrivain qui entreprend, après la guerre, d'approfondir sa quête de lui-même dans *La règle du jeu* (*Biffures,* 1948 ; *Fourbis,* 1955 ; *Fibrilles,* 1966 ; *Frêle bruit,* 1976). Mais il s'agit moins, cette fois, de liquider un passé révolu que d'interroger minutieusement toute une vie souterraine d'images, de sensations, d'associations verbales, et de s'observer dans le même temps en train d'interroger cette vie. Aux pages de « mémoires » se mêlent des pages de « journal » ; passé et présent sont saisis dans leurs rapports complexes et vivants. L'homme se reconstruit dans le passé pour se construire dans le présent et l'avenir, il cherche à définir la « règle » de son « jeu » ; l'œuvre écrite est aussi œuvre de soi-même. Plus que jamais, la littérature est un acte, capable, comme le voulaient les surréalistes, de « changer la vie ». A la tradition romanesque de l'illusion se substitue un genre nouveau où la précision scientifique et la rêverie poétique se confondent dans une même exigence d'authenticité.

Au moment où l'on redécouvre ses premiers textes et où s'achève *La règle du jeu* s'accentue chez Leiris la volonté d'échapper à l'angoisse d'exister par l'écoute et la manipulation du langage. « L'écrivain achève sa course sans beaucoup d'espoir, sinon celui, aussi chimérique que les précédents, de laisser l'écriture signifier à sa place » [1]. En fait, il renoue avec les préoccupations de *Glossaire j'y serre mes gloses* (1939) dans *Langage tangage* (1985) où il traite les mots comme l'enfant qui manipule les pièces de son Lego. D'ailleurs, et il l'avoue dans ce livre, s'il tient à ce qu'il a écrit, c'est « comme un enfant peut tenir à de vieux jouets ».

Maurice Blanchot (né en 1907)

L'importance, toujours grandissante, de l'œuvre critique de Maurice Blanchot masque quelque peu la valeur de son œuvre narrative. En fait, romans et essais relatent la même expérience, celle de la mort, ressentie à travers l'usage du langage. C'est à cette méditation sur l'exercice du langage littéraire, sur le phénomène de l'écriture, que Blanchot doit d'exercer sur la littérature la plus « moderne » une influence décisive. On suit aussi bien les progrès de cette réflexion dans l'évolution de l'œuvre narrative qui passe des « romans » (*Thomas l'obscur*, 1941 ; *Aminadab,* 1942 ; *Le Très-Haut,* 1948 ; *Le dernier homme,* 1957) aux « récits » privés volontairement de tous les cadres traditionnels — personnages, intrigues, événements — (*L'arrêt de mort,* 1948 ; *Le dernier homme,* 1957 ; *L'attente l'oubli,* 1962), que dans l'interrogation d'écrivains exemplaires (*Lautréamont et Sade,*

1. Voir, p. 611.

1. Bertrand Poirot-Delpech, « Difficile fin de moi », dans *Le Monde,* 7 juin 1985.

1949 ; Hölderlin, Mallarmé, Beckett, etc., dans *L'espace littéraire,* 1955, *Le livre à venir,* 1959, *L'entretien infini,* 1969, *Après-coup,* 1983). *Le pas au-delà* (1973) tente de réunir essai et fiction en mêlant deux typographies : des éclats romanesques (en italique) brillent ici ou là dans la méditation (en romain). Blanchot évolue d'ailleurs vers la forme brève, aphoristique même dans *L'écriture du désastre* (1980).

La modeste critique de l'auteur qui se refuse à l'interprétation pour n'apporter qu'une « lecture » est en fait le moyen de parvenir à l'origine des œuvres, de rechercher « la possibilité de l'expérience littéraire » inséparable pour lui de l'expérience de la mort. En effet, le langage entretient avec les choses qu'il nomme un rapport d'exclusion : il anéantit l'objet qu'il désigne en lui retirant sa réalité sensible, il ne profère que l'absence. « Dans la parole meurt ce qui donne vie à la parole ; la parole est la vie de cette mort... » Mais cette négation par le langage est aussi une affirmation, car le langage se met à exister par lui-même : « Le nom cesse d'être le passage éphémère de la non-existence pour devenir une boule concrète, un massif d'existence [...]. Oui, par bonheur, le langage est une chose... ».

On devine que l'œuvre narrative de Blanchot, fondée sur une telle méditation, n'est pas d'un abord facile, mais elle exerce un véritable pouvoir de fascination, comme le vide essentiel auquel, par delà la négation d'un « réel » convenu, elle nous appelle.

Samuel Beckett (1906-1989)

« Ce sont des mots, il n'y a que ça, il faut continuer » *(L'innommable) :* voilà peut-être formulé l'aboutissement de toutes les remises en question du roman et plus généralement de l'activité littéraire... Si l'œuvre de Beckett, d'abord ignorée, est aujourd'hui saluée comme l'une des plus grandes et des plus significatives de notre temps, c'est qu'elle semble mener à son terme l'entreprise de contestation du langage et du monde qui caractérise les recherches les plus secrètes, mais probablement les plus vivantes de la littérature actuelle.

Né en 1906 à Dublin, ami de Joyce, Samuel Beckett écrit en anglais son premier roman, *Murphy* (1938). *Molloy,* écrit en français, paraît en 1951. Les récits qui suivent, toujours écrits en français, composés parallèlement à une

A gauche, Michel Leiris.
A droite, Samuel Beckett : « Qu'un homm[e] comme moi, si méticuleux et calme dan[s] l'ensemble [...] se laisse hanter et posséde[r] par des chimères, cela aurait dû me paraîtr[e] étrange, m'engager même à y mettre bo[n] ordre, dans mon propre intérêt » *(Molloy)*

œuvre dramatique de première importance, permettent à la critique et à un public peu à peu élargis de mesurer l'originalité et la valeur d'un art sans concession (*Malone meurt,* 1952 ; *L'innommable,* 1953 ; *Nouvelles et textes pour rien,* 1956 ; *Comment c'est,* 1961). Aux premiers romans qui illustraient une quête vaine et désespérée, succèdent de purs récits sans intrigue. Les liens se resserrent, les personnages disparaissent, tendent à n'être qu'une voix. Le livre n'est bientôt plus qu'un murmure intarissable, l'agonie parlée d'une vie dérisoire sans autre perspective que la mort qui la guette pour l'accomplir dans le silence. *L'innommable* est un sommet de cette ascèse romanesque qui refuse la fiction, qui annule même les fragiles fictions des œuvres antérieures : « Ces Murphy, Molloy et autres Malone, je n'en suis pas dupe. Ils m'ont fait perdre mon temps, rater ma peine, en me permettant de parler d'eux, quand il fallait parler seulement de moi, afin de pouvoir me taire. » Avec Samuel Beckett, les principales suspicions qui minent le roman aboutissent à la dissolution totale de l'homme, de ses univers, de sa littérature : ce constat de disparition, d'inexistence serait insoutenable, n'était l'humour du créateur qui instaure au-dessus de l'atroce une douloureuse tendresse.

Les *Nouvelles et textes pour rien* semblaient dire l'impossibilité désormais de toute poussée narrative dans l'œuvre de Beckett. La présence d'un narrateur dans *Le dépeupleur* (1970), la yrannie exercée par un « Il » sur un « Je» dans *Compagnie* (1980), on ne sait quelle histoire lans *Mal vu mal dit* (1981), celle d'une vieille emme qui « finira par ne plus être » sont utant de traces d'une écriture narrative pourant invalidée.

Les œuvres de Bataille, Leiris, Blanchot et Beckett permettent de mesurer avec plus d'exacitude l'importance et l'originalité des écrivains qui ont imposé, après 1950, ce qu'on a appelé le Nouveau Roman ». Nouveau, ce roman ne 'est que par rapport aux formes traditionnelles elles qu'elles continuent d'exister avec succès, nais on voit que l'entreprise des nouveaux romaniers est préparée et accompagnée — ce qu'ils ont les premiers à reconnaître — par les recherhes dont nous venons d'évoquer les principales endances. A ces recherches exemplaires, il faut ajouter celles de Jean Cayrol (né en 1911) à qui on expérience de déporté a révélé l'image d'un omme « sinistré de corps et d'âme » (*Je vivrai*

© Jerry Bauer

Jean Cayrol.

l'amour des autres, 1947; *Les corps étrangers*, 1959 ; *Je l'entends encore*, 1968 ; *Histoire d'une maison*, 1976) ; de René-Louis des Forêts (né en 1918), dont les monologues (*Le bavard*, 1946) hésitent entre les prestiges de la parole et sa vanité mensongère qui appelle le silence.

LE « NOUVEAU ROMAN » (1)

Quelques titres, indices d'une affirmation progressive : en 1963, Alain Robbe-Grillet intiulait un recueil d'articles *Pour un nouveau oman*, en 1967, Jean Ricardou pouvait poser les *Problèmes du nouveau roman* et en 1971 écrire *Pour une théorie du nouveau roman*. D'un roman qui se cherchait et s'affirmait essentiellement par a suspicion à l'égard du romanesque convenu – l'un des premiers recueils d'écrits théoriques, oublié en 1956 par Nathalie Sarraute, s'intitulait ignificativement *L'ère du soupçon* — nous sommes passés « au » Nouveau Roman : à force de éflexions critiques et surtout de pratiques diverifiées, des ambitions se sont précisées, des projets ont été définis.

Pourtant, l'expression « Nouveau Roman », etenue par la critique, n'est guère satisfaisante. L'accepter sans réserves serait admettre que ce qui n'a pas reçu ce label appartiendrait à on ne sait quel « vieux » roman parfaitement indéfinissable. Mais sans doute la formulation excessive marque-t-elle bien la radicalisation d'un conflit qui n'est pas nouveau : du soupçon au refus, du refus à la mise en accusation, c'est ce mouvement décisif, partagé par des écrivains divers qui justifie l'étiquette adoptée. Elle ne désigne aucunement une école, mais elle souligne un peu brutalement la communauté d'une exigence. Dès 1961, à la « rumeur publique » assurant que le « nouveau roman a codifié les lois du roman futur », Robbe-Grillet répliquait : « le nouveau roman n'est pas une théorie, c'est une recherche » (2). Un essai de présentation ne saurait donc aboutir à la description d'un système cohérent et figé, au mieux, la constatation de quelques tendances, l'examen de quelques propositions peuvent-ils conduire à des rapprochements.

Soupçons et refus

C'est d'abord la rupture des « cadres du vieux roman », le rejet des « vieux accessoires inutiles » (3), la critique de « quelques notions périmées » (4) qui, faute d'unir véritablement des individualités, les rassemblent. Vieilleries condamnées : le personnage et son histoire, le recensement minutieux ou sélectif de ses biens

1. Voir J. Bersani, *La littérature française après 1945.*
2. *Pour un nouveau roman.*
3. *L'ère du soupçon.*
4. *Pour un nouveau roman.*

et de ses actes, l'étude de son caractère. La connaissance du vrai — aussi truquée et tronquée qu'elle puisse être — favorisée par les moyens modernes d'information, a ruiné l'intérêt que lecteurs et romanciers pouvaient porter au « vraisemblable » qui n'est que la conformité aux conventions culturelles. L'analyse psychologique traditionnelle survit difficilement aux apports — aussi erronés qu'ils arrivent à la conscience publique — de la psychanalyse. Ce sont les fondements techniques et idéologiques du roman, l'intrigue cohérente, représentation de l'homme et du monde, explicitation, militante ou non, de cette représentation qui s'effondrent. Le « réel » convenu de la littérature est dénoncé comme une duperie, et cette dénonciation peut renouveler le sens de l'œuvre littéraire. Jacques Leenhardt note justement : « Le champ de la signification du nouveau roman me semble donc être au premier chef celui de la dé-construction de la littérature comme lieu d'expansion d'une certaine conception de l'homme et du monde... » ([1]).

Inventions

L'inventaire des techniques nouvelles, des thèmes privilégiés du Nouveau Roman serait vain. D'abord parce qu'ils ne sont souvent que l'approfondissement des recherches de grands précurseurs (Joyce, Kafka, Proust...), parce qu'ils peuvent varier considérablement d'un auteur à l'autre et surtout qu'ils ne prennent leur sens qu'en relation avec les refus qu'ils dévoilent. On peut souligner néanmoins l'importance de phénomènes qui tendent tous à détruire la stabilité de nos représentations : la présence obsédante des objets, le surgissement du temps et de l'espace, non plus comme catégories rassurantes et organisatrices, mais comme facteurs de trouble ou de dissolution. En fait, les objets sont aussi regards, et le temps, mémoire : ces éléments sont privilégiés dans la mesure où ils privilégient l'être subjectif qui les anime — ou qu'ils animent ? — : le roman ne cesse de renvoyer à sa propre élaboration, au travail de l'auteur. Et par là, le texte renvoie au seul matériau véritablement constitutif du roman : le langage. C'est sans doute cette prééminence de la création en tant que travail langagier, cette réforme d'une écriture qui cesse parfois de désigner autre chose qu'elle-même, qui constitue le « nouveau du Nouveau Roman : l'invention d'un univer neuf passe par la libération des capacités inventives du langage narratif.

1. *Nouveau roman : hier, aujourd'hui*, t. 1.

Une nouvelle lecture

Le dévoilement, par l'écriture même, d l'illusion produite par ses effets implique un activité critique généralisée qui n'épargne pa la lecture. Lire, ce n'est pas recevoir et « voir un monde, mais prendre en charge un effor partager un travail. A l'écriture comme opératio se désignant elle-même, devrait correspondr — sauf aveuglement significatif — une lectu à son tour opératoire, non plus traversée négl gente d'une pseudo-transparence, mais vigilanc et création. Selon Robbe-Grillet, « le nouvea roman s'adresse à tous les lecteurs de bonr foi », et sans doute est-il trop facile de réduire l lecteurs des nouveaux romanciers à une cat gorie étroite de critiques, d'universitaires d'écrivains. Il ne faut pas méconnaître, cependan des résistances : se trouvant contestée comn pratique idéologique, la lecture romanesqu traditionnelle attachée à reconnaître des valeu sacralisées (l'expression, la création, le réalism l'humain...) a tôt fait de réduire un effort qui menace à la catégorie méprisée du « jeu » inte lectuel gratuit et fourvoyé. Il y a une dimensic sociologique du Nouveau Roman qu'il ne fa pas négliger et qui plaide peut-être en faveur c son importance historique.

Alain Robbe-Grillet (né en 1922)

Le premier livre publié d'Alain Robbe-Grille *Les gommes,* paraît en 1953, et est immédiat ment salué comme un événement. Suivent *L voyeur* (1955) qui s'inspire comme le précéde du roman policier, puis *La jalousie* (1957) *Dans le labyrinthe* (1959). A. Robbe-Grillet co labore alors avec Alain Resnais pour réaliser u film admirable, *L'année dernière à Marienba* (1961). Il revient à la littérature avec un recue d'essais théoriques, *Pour un Nouveau Roma* (1963), un roman, *La maison de rendez-vo* (1965), cependant qu'il réalise pendant la mêm période quatre films : *L'immortelle, Tra Europ Express, L'homme qui ment, L'Eden après.* Cette évolution de l'expression romane que élargie à l'expression cinématographique e fort intéressante, mais il faut se garder d'y vo le perfectionnement d'une même technique.

On serait pourtant tenté de le faire tant on est
rappé à la lecture des livres de Robbe-Grillet
ar le regard porté sur les objets, sur les décors,
egard minutieux, quasi scientifique à force de
récision. « Cette passion de décrire » ([1]) tend
saisir les choses pour ce qu'elles sont en les
élivrant, par un usage rigoureusement surveillé
es mots les plus neutres, les moins chargés
'affectivité, de toutes les significations parasi-
aires dont nos habitudes sentimentales et mora-
es les surchargent. « Autour de nous, défiant la
neute de nos adjectifs animistes ou ménagers,
es choses *sont là* », affirme Robbe-Grillet qui
spère que « dans les constructions romanesques
utures, gestes et objets *seront là* avant d'être
uelque chose ». Il peut alors parler des recherhes du Nouveau Roman comme d'un « nou-
eau réalisme », réalisme quasi fantastique tant
'univers des choses devient étranger à celui de
'homme.

Mais Robbe-Grillet se défend d'être le roman-
ier de l'inhumain. Il souligne qu'avec les objets
t les décors « il y a toujours et d'abord le
egard qui les voit, la pensée qui les revoit, la
assion qui les déforme ». Ce qu'à première vue
ous serions tenté de définir comme une attitude
e pure objectivité n'est peut-être qu'une recher-
he de la subjectivité totale, subjectivité en acte,
fferte à la patiente attention du lecteur et non
lus analysée par l'auteur.

A mesure que l'œuvre progresse, on note un
éplacement de cette subjectivité. Dans *Le
oyeur,* dans *La jalousie,* il s'agissait encore de
elle d'un personnage plus ou moins bien défini.
Dans les livres les plus récents (*Projet pour une
évolution à New York,* 1970 ; *Topologie d'une
ité fantôme,* 1976 ; *Souvenirs du triangle d'or,*
978 ; *Djinn,* 1981), l'écrivain s'affranchit des
ernières servitudes romanesques, son propre
nivers mental envahit le texte comme un rêve
ans cesse alimenté par le langage. Même l'auto-
iographie inattendue, *Le miroir qui revient*
1984) ne constitue pas, comme on l'a cru, un
cte de décès du Nouveau Roman. Robbe-
Grillet y introduit un personnage imaginaire,
Henri de Corinthe, qui était déjà présent dans
ertains de ses livres antérieurs. Son œuvre
ontinue de progresser par répétition et varia-
ion.

1. Toutes les citations sont empruntées à *Pour un nou-
eau roman.*

Alain Robbe-Grillet
au miroir

© Jerry Bauer

Michel Butor (né en 1926)

Michel Butor a été poète avant d'être romancier, et il a conçu ses premiers romans comme
« capable(s) de recueillir tout l'héritage de
l'ancienne poésie ». *Passage de Milan* (1954),
L'emploi du temps (1957), *La modification*
(prix Renaudot, 1957) manifestent la volonté
d'explorer le réel et de l'écrire pour lui imposer
un ordre. Ce réel est le plus souvent la ville (les
différents étages d'un immeuble parisien, où
l'on participe à la vie simultanée de plusieurs
familles ; la ville de Bleston où un jeune Français, Jacques Revel, séjournant pendant un an
en Angleterre, engage un combat ardent; et,
pour Léon Delmont, dont le projet se modifie
au cours d'un voyage en train : Paris, le lieu
d'où il vient, Rome le lieu où il va et sur lequel
il rêve). Il est aussi un monde intérieur que le
romancier explore, comme il explorera ses rêves
(*Matières de rêves* 1975-1977) ou un rêve de
Baudelaire (*Histoire extraordinaire,* 1961).

Les trois premiers romans de Butor ont séduit
par leur nouveauté et c'est pourquoi ils ont été
rattachés, assez artificiellement à l'école dite du
Nouveau Roman. Il est vrai que Butor les
publiait, comme Robbe-Grillet les siens, aux
Editions de Minuit. A chaque fois il explorait
une forme (la simultanéité dans *Passage de
Milan,* la double chronologie dans le journal de
Revel, l'écriture à la seconde personne par
laquelle Léon Delmont s'adresse à lui-même et
le texte à nous). *Degrés* en 1960 prenait encore
davantage le caractère d'un exercice et
l'influence de Joyce y était encore plus sensible :
il est vrai qu'il s'agissait de « raconter » une

© Jerry Bauer

Michel Butor

heure de cours dans un lycée parisien, et d'explorer cette heure en un livre entier comme Joyce, dans *Ulysse,* avait exploré une journée à Dublin. La référence à Joyce est encore claire dans *Portrait de l'artiste en jeune singe* (1967) où le récit, qui nous entraîne cette fois vers l'Allemagne, se superpose à une réflexion, précisément, sur l'imitation. Ce livre est peut-être le dernier roman, à proprement parler, de Butor.

Revenu à la poésie (les divers volumes d'*Illustrations, Travaux d'approche,* entre autres), Butor fait éclater définitivement la notion de genre dans des livres inclassables qui correspondent, à chaque fois, à une exploration nouvelle (— du lieu : *Mobile,* 1962, jonglerie avec les villes homonymes et les États-Unis d'Amérique ; *Description de San Marco,* 1964, visite minutieuse de la basilique de Venise ; *Le génie du lieu* I. 1958 ; *Où,* 1971 ; *Boomerang,* 1979 ; — du temps : *6 810 000 litres d'eau par seconde* [c'est-à-dire les chutes du Niagara], *Dialogue avec 33 variations de Ludwig van Beethoven sur une valse de Diabelli,* 1971, exploration du temps musical), et à l'exploitation d'une forme (le répertoire alphabétique dans *Mobile,* la citation dans *6 810 000 litres d'eau par seconde,* le collage, le mélange des typographies ou même des couleurs).

Sans négliger la part, très importante, des effets visuels, il faut souligner la permanence et le renouvellement, dans l'œuvre de Butor, des préoccupations musicales. Si *L'emploi du temps* était, dans tous les sens du terme, son *Art de la fugue,* ou du canon, si, comme tous les nouveaux romanciers, il a pratiqué la technique de la répétition et de la variation, cet excellent connaisseur des formes musicales les plus avancé a tenté tout aussi bien d'utiliser la superpositio du texte écrit et de la bande magnétique, da *Le rêve d'Irénée* (1979), comme le fait Lui Nono, ou de laisser la part de l'aléatoir comme la musique de Stockhausen. Jean Ro daut avait raison de parler d'un livre de Buto dès 1964, comme d'un « livre futur » : c'est livre que chaque lecteur a le loisir de compos à sa manière en choisissant parmi les matériau bruts qui sont juxtaposés sur la page (en part culier dans *Intervalle*).

Le roman, alors, n'est plus l'histoire — dé si ténue — de Jacques Revel ou de Léon De mont, mais cette aventure même de l'écriture o du lecteur avec le texte. « Le lecteur pourra me tre la dernière main » *(Intervalle)* et l'écriva peut dire : « Je deviens alors le rêve de fiction. »

Claude Simon (né en 1913)

A partir du moment où il publia aux Editior de Minuit, c'est-à-dire en 1957 *(Le vent, tent tive de restitution d'un retable baroque),* Claud Simon fut associé aux nouveaux romanciers (o le voit sur une photo, souvent reproduite, e compagnie de Sarraute, de Butor et de Robb Grillet). C'est à la fois injuste pour ses premie livres (surtout *Le sacre du printemps,* 195 dont la forme est audacieuse surtout dans première partie) et inexact, car cet auteur s'e voulu indépendant et il a toujours insisté su l'unité de son œuvre.

Cette unité vient d'abord d'une thématiqu personnelle qui se retrouve d'un livre à l'autre la guerre d'Espagne (*Le palace,* 1962), la guer de 1939 que l'écrivain fit dans la cavalerie ave la débâcle de mai 1940 (*La route des Flandre* 1960), le passé familial (les cartes postales da *Histoire,* 1967). Il est d'autant plus difficile d dissocier ces thèmes qu'un livre prolonge l'aut (le capitaine de Reixach, autour duquel s'orga nise *La route des Flandres,* est encore là da *Histoire*) et que Claude Simon se plaît à associe ces thèmes. C'est le cas dans ce qu'on pe considérer comme sa somme romanesque et e tout cas son livre le plus complet : *Les géorg ques* (1981). Dans ce roman, l'auteur entrelac trois éléments narratifs : l'histoire d'un comba tant de 1939 dans la cavalerie, l'histoire d'u engagé volontaire pendant la guerre d'Espagne l'histoire d'un général de la Révolution et d

Empire. Le premier pourrait être l'auteur luiıême, le dernier un de ses ancêtres (comme
'ancêtre du capitaine de Reixach). Mais
important n'est pas l'autobiographie, qui est
ıdiscutablement présente, ou la chronique
amiliale patiemment retrouvée. Le plaisir que
e donne Claude Simon et qu'il communique au
ecteur est dans le glissement d'un récit à l'autre,
ans les subtiles analogies qui le permettent,
ans cette familiarité que nous finissons par
voir avec les figures, les temps, les lieux
atiemment rappelés.

Ce glissement est aussi celui des différents
ypes de discours : les interventions des trois sol-
ats prisonniers, dans *La route des Flandres,* se
hevauchent comme leurs souvenirs, et aussi
omme les bêtes qu'ils ont si souvent montées ;
es différents messages du général de Saint-M.
ythment la narration dans *Les géorgiques,* en
articulier les lettres à l'intendante de ses
omaines, la fidèle Batti, à qui de loin il donne
es ordres pour les semailles et les fenaisons,
our l'élevage et pour les moissons. D'où le titre
u livre, qui nous rappelle que Claude Simon est
ussi viticulteur à Salses, dans les Pyrénées-
)rientales. Est-il besoin d'ajouter qu'il introduit
n élément d'intertextualité dont joue l'auteur,
ıultipliant les allusions explicites ou implicites
Virgile et à Orphée ?

Claude Simon veut tenir la gageure de racon-
er l'histoire sans suivre l'ordre chronologique.
e narrateur ou le héros laisse les événements se
ousculer pêle-mêle dans sa mémoire et se pré-
enter « selon des priorités d'ordre affectif ».
ainsi cherche-t-il à restituer dans le présent de la
onscience tous les fragments de l'espace et du
emps qui constituent la réalité vécue, passée et
ctuelle. Il y parvient en usant de phrases lon-
ues, parfois interminables aux multiples inci-
entes, par l'emploi du participe présent, ce
emps « hors du temps conventionnel ». S'il a
té tenté d'abolir toute ponctuation, il la main-
ient de plus en plus après *Vent,* il la recrée, en
ıultipliant les parenthèses et les deux points qui
ermettent soit l'imbrication soit le glissement.
Recherche du temps perdu, si l'on veut, mais
urtout dénonciation de l'Histoire, « surpassant
ar sa facétieuse perversité ces auteurs qui se
ivertissent à plonger le lecteur dans la confu-
ion en attribuant plusieurs noms au même per-
onnage ou, inversement, le même nom à des
rotagonistes divers, et, comme toujours, agis-
ant (l'Histoire) avec sa terrifiante démesure,
on incrédible et pesant humour ».

Claude Simon

© Jerry Bauer

Le prix Nobel de littérature a été attribué à Claude Simon en 1985. C'était un hommage rendu au Nouveau Roman, mais surtout à un écrivain secret, ennemi du tapage publicitaire, et attentif à explorer les profondeurs de l'écriture.

Nathalie Sarraute (née en 1902)

Nathalie Sarraute publie en 1939 son premier livre, *Tropismes.* Suivent ce recueil de textes brefs, les romans *Portrait d'un inconnu* (1948), *Martereau* (1953), *Le planétarium* (1959), *Les fruits d'or* (1963), *Entre la vie et la mort* (1969), *Vous les entendez ?* (1972), *Disent les imbéciles* (1976), *L'usage de la parole* (1980). *L'ère du soupçon* (1956) réunit des « essais sur le roman », publiés séparément depuis 1947, qui sont des pièces irremplaçables du dossier théorique du Nouveau Roman et éclairent singulièrement l'entreprise personnelle de la romancière.

Mais réduire le développement de l'œuvre de Nathalie Sarraute à l'application de réflexions critiques serait erroné. La théorie s'est développée à la fois comme justification d'une pratique d'abord mal reçue par le public et comme accompagnement, approfondissement analytique de données fondamentales qui confèrent à l'ensemble de l'œuvre son originalité. Le terme scientifique qui est le titre du premier livre, « tropisme », n'est certes qu'une approximation; il désigne assez bien, cependant, la matière romanesque de Nathalie Sarraute qui tente d'analyser, au-delà ou en deçà des intrigues, des personnages déterminés et de la temporalité convenue, l'espace complexe et réputé indicible des « mouvements indéfinissables, qui glissent très rapidement aux limites de notre conscience » *(L'ère du soupçon).* Lieux, par définition du non-

Nathalie Sarraute

dit, la « sous-conversation », les forces psychiques inexplorées requièrent de l'écrivain le renoncement aux formes classiques de l'analyse psychologique et l'élaboration d'un nouveau langage qui puisse mimer — et non cataloguer ou éclaircir — l'indéfini et l'obscur. Un déploiement métaphorique d'une prodigieuse créativité tente cette exploration, mais maintient peut-être, au contraire d'autres efforts romanesques qui se voudraient plus radicaux, l'œuvre dans le domaine de la représentation, même si celle-ci acquiert une rare puissance satirique, jusqu'à devenir la contestation d'un univers frelaté.

Du « non-dit » au « dire », la démarche romanesque de Nathalie Sarraute consiste à exposer cruellement les processus de l'écriture, lutte ouverte, ou secrète et rusée, avec le langage : la quête des mots, l'élaboration des images, les répétitions, les repentirs, les suspensions suffocantes...

Marguerite Duras (1914-1996)

Si l'on a évoqué Faulkner à propos des premiers romans de Claude Simon, on a parlé de Joseph Conrad à propos du roman de Marguerite Duras, *Un barrage contre le Pacifique* (1950). Cette œuvre saisissante, dont René Clément a tiré un film en 1957, raconte l'histoire d'une concession acquise par le personnage de la mère en Indochine, concession inexploitable puisque l'Océan envahissait régulièrement les terres. Rien n'y annonçait les techniques du Nouveau Roman. Il en va de même pour toutes les premières œuvres de Marguerite Duras, même pour *Le square,* ce dialogue qui peut être aussi bien du théâtre que du roman, entre une bonne à tout faire et un voyageur de commerce. La manière de l'auteur s'y dessine pourtant déjà : laisser le temps s'user (d'où la quasi paralysie dans *L'après-midi de M. Andesmas* 1962), attendre quelque chose, même si c'est presque rien (la rencontre d'Anne Desbarèdes et de Chauvin n'aboutit qu'à la construction d'une histoire dans *Moderato cantabile,* 1958).

C'est probablement *Le ravissement de Lol V. Stein,* en 1964, qui marque l'incursion la plus nette de Marguerite Duras dans le domaine des nouvelles techniques romanesques. Le titre est ambigu, comme *Passage de Milan* de Butor, ou *La jalousie* de Robbe-Grillet. Les lieux, aux noms étranges (S. Thala ou Thalassa ?), sont imprécis. Tantôt le narrateur semble observer, tantôt il invente ; tantôt il est distant de l'histoire, tantôt il a l'air d'y participer, de se confondre avec Jacques Hold, le partenaire de Lol. Il laisse libre cours à son imagination au moment où Lol perd le souvenir de l'« enlèvement » jadis de son fiancé Michaël Richardson et où elle s'endort. Lui, qu'elle a tenté d'enlever de la même façon à Tatiana, laisse libre cours à son imagination. Le ravissement est aussi dans cette liberté-là.

Mais Marguerite Duras est trop désireuse d'effacer les frontières entre les genres littéraires pour faire siennes les préoccupations du Nouveau Roman. *L'amante anglaise* peut être un roman (1967) ou une pièce de théâtre (1968), *India Song* un texte, du théâtre, un film (1973). La création cinématographique a d'ailleurs requis de plus en plus Duras depuis le film d'Alain Resnais qui fut la révélation du Festival de Cannes en 1960, *Hiroshima mon amour.* La musique y joue un rôle essentiel, comme dans toute son œuvre : le tempo modéré d'une sonatine de Diabelli ânonnée par un enfant dans *Moderato cantabile* (le film date de 1960), la présence d'une musique dans l'hôtel de *La Musica* (première version, 1965 ; deuxième version, 1985 ; entre les deux versions de la pièce, le film de 1966) ; l'étonnante partition de Carlos d'Alessio pour *India Song,* film de 1975, sa création musicale sur *Un vague extrêmement précis* (en 1985). Musicale, la langue de Duras l'est à sa façon, même si elle multiplie les hiatus et les négligences volontaires. Les sons vocaliques s'allongent, la juxtaposition des phrases courtes, les répétitions accentuent l'effet de lita

© Léon Herschtritt

arguerite Duras.
Quand le « nouveau roman » se souvient
: l'ancien.

ie. Des paroles sont arrachées au silence (voir *'amour,* 1971), avec parfois un cri qui traverse œuvre.

Marguerite Duras a évolué vers un art de plus n plus dépouillé et vers une inspiration où autobiographie se dévêt de ses derniers voiles.)'où ces témoignages brûlants, *L'amant* (prix ioncourt 1984), évocation sobre et émue d'une aison entre la jeune Européenne et un riche 'hinois de Cholon, *La douleur* (1985), récit du etour de son mari, libéré — mais dans quel tat ! — d'un camp de concentration. Même si lle multiplie les flash-back, le fil de la chrono- ›gie pure demeure, et même si elle passe sans ansition de la première à la troisième per- ›nne, sa présence n'a rien d'ambigu, le visage dévasté » d'une femme de 70 ans qui se sou- ient, non du temps où elle était fraîche, mais de : vieillissement brutal qui s'est produit quand lle avait 18 ans et qui lui a donné son vrai isage.

ieorges Pérec (1936-1982)

Pérec tint pendant longtemps la rubrique des ıots croisés dans un grand journal parisien, il ıt initié à l'art subtil du go, et il fait de Bartle- ooth, le personnage central de son dernier vre, *La vie mode d'emploi* (1978), un amateur e puzzles. C'est dire que son œuvre se place ›us le signe du jeu et qu'à cause de cela même, le s'affirme comme recherche.

Ce jeu est d'abord un jeu sur l'intertextualité. rand lecteur, Pérec attire l'attention sur le travail sur les genres, les codes et sur les modèles'' dont (s)on écriture procède ». Il jon- le avec les citations et les auto-citations. Il dédie *La vie mode d'emploi* à Queneau, mais il se place peut-être sous le signe de Flaubert. Dans *Les choses* (1965), répertoire des objets qu'un couple d'alors acquérait ou rêvait d'acquérir, c'est « l'inventaire du patrimoine *Bovary* qui continue, poussé au délire » (1). Partout on sent présent le projet de *Bouvard et Pécuchet* avec un *Dictionnaire des idées reçues.* Ainsi l'autobiographie, dans *Je me souviens* (1978) se réduit volontairement à ce dont tout Parisien du même âge que l'auteur se souviendrait, les dates des vacances ou l'enlèvement d'Eric Peugeot. Mais *W ou le souvenir d'enfance* (1975) s'efforçait de retrouver le souvenir personnel à partir d'un texte écrit 15 ans plus tôt sur les photos des parents tués pendant la guerre.

Pour nous rappeler que l'art vit de contraintes, Pérec a aussi imaginé un curieux jeu sur la lettre, dans *La disparition* (1969) — un livre entier est écrit sans que soit employée la lettre E —, et *Les revenantes* (1972) — où l'on assiste au retour en force de cette lettre. Est-il besoin de préciser qu'il y mit beaucoup d'humour et qu'il profita même de cette tentative « lipogrammatique » pour parodier ce que pourrait en dire la Nouvelle Critique (2) ?

La vie mode d'emploi, autre « entreprise mons- trueusement méthodique », est un jeu sur le roman, à tel point que le livre est sous-titré « romans » : « L'auteur acclimate les conventions auxquelles condamnent le travail romanesque et la vie tout court » (3). C'est l'enchevêtrement de récits de vies médiocres ou extraordinaires dans un immeuble, d'inventaires de lieux et d'objets. L'inextricable incohérence de la vie que l'écriture et la lecture doivent tenter d'ordonner est à l'image de cet immeuble parisien « éventré montrant à nu les fissures de son passé, l'écroulement de son pré- sent, cet entassement sans suite d'histoires grandio- ses ou dérisoires, frivoles ou pitoyables ».

Pérec avait horreur de conclure. Emporté par un cancer à 46 ans, il n'en aurait pas eu le temps.

1. Bertrand Poirot-Delpech, « Le dernier tour de Georges Pérec », dans *Le Monde,* 16 août 1985.
2. Voir le texte publié dans *Oulipo, la littérature poten- tielle* (1973) et repris dans Bruno Vercier et Jacques Lecarme, *La littérature en France depuis 1968,* pp. 306-307.
3. Bertrand Poirot-Delpech, article cité.

ÉCRIRE AUJOURD'HUI

De nombreux caractères des œuvres ou des mouvements évoqués précédemment pourraient se réduire à quelques attitudes fondamentales que les productions les plus récentes sauraient difficilement ignorer (ou ignoreraient alors délibérément : acte positif et parfois circonstancié de refus) : l'innocence de l'écrivain « exprimant » son expérience, « créant » un univers est contestée et, sans doute, quasi périmée (expression et création ayant subi de vigoureux et salutaires assauts critiques), Une conscience artistique nouvelle, issue de pratiques diversifiées, se trouve sans cesse mieux fondée et rendue plus aiguë, plus inquiète aussi, par des apports théoriques qui ont ébranlé la culture contemporaine. La philosophie (Althusser, Foucault, Derrida), la psychanalyse (Freud, Lacan), la linguistique (Saussure, Chomsky), la sémiologie ont éclairé, disséqué, orienté, jusqu'à le rendre improbable parfois, l'acte d'écrire.

Mais si cet acte est ainsi toujours plus conscient de lui-même, et fait souvent de l'examen de cette conscience sa finalité, il serait faux d'en méconnaître les variétés contradictoires. Groupes, revues et individualités sont assez nombreux et opposés pour qu'écrire aujourd'hui soit toujours manifester et explorer une crise culturelle dont le ou les futurs ne sont guère discernables encore.

Un groupe, et sa revue, *Tel Quel*, pourrait passer pour l'aboutissement et le dépassement provisoire de la crise ouverte, entre autres, par le nouveau roman. L'un des animateurs du mouvement, Philippe Sollers, indique bien de quelle radicalisation il s'agit : « Nous pensons que ce qui a été appelé « Littérature » appartient à une époque close laissant place à une science naissante, celle de l'écriture » (*Écriture et Révolution*). Écriture, science, l'acte et la théorie qui toujours le traque, qui le dévoile autant qu'il la découvre, sont intimement associés en vue d'une rupture plus décisive que celle du nouveau roman avec les catégories chancelantes du récit, supports de l'idéologie régnante. Ainsi la réflexion sur l'écriture comme production relaie une attitude politique, par ses moyens propres, l'écriture se veut une activité révolutionnaire. *Théorie d'ensemble* (1968) est un recueil collectif des recherches et propositions du groupe, auquel il faut ajouter, entre autres, les œuvres de Philippe Sollers (d'abord romancier très classique avec *Une curieuse solitude*, 1958) : *Drame* (1965), *Nombres* (1968); de Jean Thibaudeau : *Ouvertur* (1966), *Imaginez la nuit* (1968). Jean-Pierre Fay (*La cassure*, 1961; *Battement*, 1962; *Analogues* 1964) a quitté le groupe et anime, au sein d'u collectif où figure le poète Jacques Roubaud (C p. 699), une autre revue aux ambitions théorique et pratiques fort intéressantes, *Change*.

La revue *Tel Quel* a connu, jusqu'à sa disparition en 1982, de considérables évolutions. D l'intégrisme maoïste à l'interrogation religieuse c'est tout le malaise intellectuel des vingt dernières années qui s'affiche. L'évolution même d Philippe Sollers est significative : les recherche langagières de *H* (1973), de *Paradis* (1980) on récemment fait place, dans *Femmes* (1983) à un forme plus classique du romanesque.

En deçà — ou au-delà — de recherches fortement marquées par la théorisation, écrir aujourd'hui c'est aussi retrouver des forme moins « rompues » du roman, mais épurées e surveillées par une conscience accrue et inévitablement critique de l'acte d'écrire. C'est retrouver les grandes ambitions romanesques : l'exploration, la représentation de la vie dans se dimensions naturelles, sociologiques et historiques, le dévoilement humoristique ou enthousiaste des mythologies qui organisent notr culture hétéroclite.

Marguerite Yourcenar

Née à Bruxelles, Marguerite de Crayencou dite Yourcenar (1903-1987), est écrivain d culture et de curiosité. Dramaturge (*Électre o la Chute des masques*, 1954), poète (*Les dieu ne sont pas morts*, 1922), traductrice éclectiqu (des *negro spirituals* aux poètes grecs, *La couronne et la lyre*, 1979), la première femme élue en 1980, à l'Académie française doit surtout s notoriété à ses romans. *Alexis ou le traité d vain combat* (1929) est une subtile étude d morale sensuelle. *Mémoires d'Hadrien* (1951), *L'Œuvre au Noir* (1968) renouent avec la tradition du roman historique. Qu'il s'agisse de l reconstitution de la vie de l'empereur romain o de l'invention de l'alchimiste Zénon, la démarche est la même : « Un pied dans l'érudition l'autre dans la magie, ou plus exactement, e sans métaphore, dans cette *magie sympathiqu* qui consiste à se transporter en pensée à l'inté ieur de quelqu'un » ([1]). Cette projection subective dans l'objectivité minutieuse de la restiution établit sans anachronisme notre présence thique et esthétique dans des temps révolus.

C'est peut-être, comme elle le précise, que le oman « dévore aujourd'hui toutes les formes » 2) : le document scrupuleusement établi, la oésie de l'adhésion à des personnalités hors du ommun, un souci extrême de « bien dire » qui efface le labeur de l'écriture si complaisamment affiché chez d'autres, constituent une curieuse et attachante « transparence » historique.

Michel Tournier

Comme l'indiquent les titres de ses romans, *Vendredi ou Les limbes du Pacifique* (1967), *Le roi des Aulnes* (1970), *Les météores* (1975), *Gaspard, Melchior et Balthazar* (1980), Michel Tournier, né en 1924 à Paris, emprunte à nos traditions culturelles quelques grands mythes qui « chiffrent » la destinée de ses héros. Philosophe de formation, l'écrivain entend ainsi favoriser « le passage de la métaphysique au roman » *(Le vent Paraclet,* essai, 1977).

Dans une forme volontairement traditionnelle, les « histoires » déforment nos attentes : le réalisme minutieux revivifie des symboles figés, l'humour conteste les sens communément admis, les récits légendaires retrouvent des épaisseurs déroutantes... Au lecteur, alors, d'organiser un désordre subtilement établi (et Tournier ne manque pas de souligner l'action de la lecture dans son essai de 1981, *Le vol du vampire*).

Romancier, essayiste et « métaphysicien », Michel Tournier est aussi l'auteur de remarquables livres pour enfants : *Vendredi ou la vie sauvage* (1977) ; *Pierrot ou les secrets de la nuit* (1979) ; *Barbedor* (1980). Sa passion de la photographie est à l'origine de subtils commentaires : *Des clefs et des serrures* (1979) ; *Vue de dos, photos d'Édouard Boutret,* (1981). La photographie se trouve pourtant contestée dans *La Goutte-d'Or* (1986), où l'art de la calligraphie, c'est-à-dire de l'écriture, l'emporte.

LE REFLUX ?

Bien des indices permettent de parler d'un « reflux » de la production romanesque contemporaine, et en plusieurs sens. Le reflux, c'est, pour beaucoup d'écrivains, le retour à un « ordre » littéraire immédiatement conforme aux goûts et aux habitudes du grand public, c'est le recours à la tradition, sinon aux recettes, qui permettent d'espérer de rapides succès de librairie. Plus légitimement, c'est aussi la réaction contre le terrorisme des pouvoirs culturels, des modes intellectuelles, le refus de l'opacité croissante d'un langage objet détourné de sa fonction première de médiation. Enfin, parce que la prolifération des documents, des témoignages, des enquêtes historiques menace la fiction, c'est le retour au passé — fût-il rêvé — aux interrogations premières — fussent-elles savamment naïves — sur l'homme et ses conditions.

1. *Carnet de notes de « Mémoires d'Hadrien », « Œuvres romanesques »,* coll. « Bibliothèque de la Pléiade », p. 526.
2. *Ibid,* p. 535.

Jean-Marie-Gustave Le Clézio (né en 1940)

« Avant toute spécification formelle, c'est l'aventure d'être vivant qu'on veut exprimer », ce programme exposé en 1967 dans *L'extase matérielle* témoigne de l'ambition d'un écrivain tôt couronné (il reçoit à 23 ans, le prix Renaudot pour son premier roman *Le procès-verbal*), mais curieusement « absent » du petit monde littéraire. En deçà — et au-delà — des modes, des spéculations formalistes, J.-M.-G. Le Clézio fait vœu d'accorder fidèlement son écriture à la richesse insensée et mortelle des perceptions du monde. *La fièvre* (1965) montre que le corps souffrant — le plus banalement, parfois, d'une rage de dents — est un univers prolixe. *Le déluge* (1966), *Le livre des fuites* (1969), mêlent tous les genres pour mieux détruire leurs cloisonnements comme autant d'écrans de la conscience et de la sensation.

Cette écriture éclatée est une errance : *Voyages de l'autre côté* (1975), *Désert* (1980), *Le chercheur d'or* (1985), unissent quelques grands thèmes « classiques » de la fiction, l'exploration mentale, l'évocation d'un passé légendaire, le déracinement, l'aventure... Cette « aventure d'être vivant » qui est aussi l'aventure d'être rêvant.

Patrick Modiano (né en 1947)

Patrick Modiano a obtenu le prix Roger-Nimier pour son premier roman, *La place de l'étoile* (1968), avec un « hussard » à la triste figure, Raphaël Schlemilovitch, dont les amours picaresques tournent à la traite des blanches et qui, par crainte des collaborateurs, en vient à collaborer avec eux. Mais ce ne sont là que fantasmes, « trajets délirants », et l'on trouverait sans peine au fond de tout cela la peur des rafles, l'obsession de l'étoile jaune (d'où l'ambiguïté du titre). La fin elle-même semble laisser entendre que le salut des juifs ne passe pas nécessairement par les juifs. Mais n'est-ce pas encore un mauvais rêve ? Modiano avait trouvé son thème fondamental, mais peut-être pas sa manière propre. S'il s'obstine dans ses romans suivants (*La ronde de nuit,* 1969, *Les boulevards de ceinture,* 1972, *Rue des boutiques obscures,* prix Goncourt 1978) et dans le scénario du film de Louis Malle *Lacombe Lucien* (1975) à rechercher un passé qu'il n'a pu connaître — la Gestapo, la Résistance, la milice, le passage de la frontière — ce n'est pas seulement par fidélité aux « hussards » ou par un anachronisme volontaire, mais pour exprimer une hantise à laquelle n'échappe pas davantage en 1960 Victor Chmura dans *Villa triste* (1975). Mais à la caricature grinçante se substitue bientôt une musique de chambre plus douce qui exprime le flou de ce passé inconnu (*Livret de famille,* 1977) ou lointain, — le Paris des années 60 dans *Quartier perdu* (1985). « Je n'écris jamais le passé de manière réaliste », déclare Modiano, « c'est plutôt une rêverie. Mais si de nombreux lecteurs s'y reconnaissent, cela tient peut-être à un sentiment général, un état d'esprit des gens de ma génération et aussi des jeunes de 18-20 ans ». Ainsi s'explique le succès constant de ses livres, d'une écriture fine et maîtrisée, mais dont la seule originalité est l'atmosphère. Quelques concessions discrètes aux nouvelles techniques romanesques (l'usage des trois personnes, par exemple) ne peuvent pas passer pour une véritable recherche. Car la seule recherche, ici, est la recherche du temps perdu.

BIBLIOGRAPHIE

ÉTUDES : Gaëtan PICON, *Panorama de la nouvelle littérature française,* Gallimard, 1960. — Maurice NADEAU, *Le roman français depuis la guerre,* Gallimard, coll. « Idées », n° 218. — *Les critiques de notre temps et Beckett,* Garnier, n° 8. — *Nouveau roman : hier, aujourd'hui,* colloque de Cerisy-la-Salle, 1971, coll. « 10-18 », nos 720-721. — *Les critiques de notre temps et le Nouveau Roman,* Garnier, n° 11. — Jean RICARDOU, *Problèmes du Nouveau Roman,* Seuil, 1967 ; *Pour une théorie du Nouveau Roman,* Seuil, 1971 ; *Le Nouveau Roman,* Seuil, 1973. — Françoise BAQUÉ, *Le Nouveau Roman,* Bordas, « Connaissance », n° 34. — Michel BUTOR, *Essais sur le roman,* Gallimard « Idées », 1969. — Alain ROBBE-GRILLET, *Pour un Nouveau Roman,* Éditions de Minuit, « Idées », 1963 ; Nathalie SARRAUTE, *L'ère du soupçon,* Gallimard, « Idées », 1966.

ŒUVRES : La quasi-totalité des œuvres citées est aisément accessible soit chez les principaux éditeurs (Gallimard, Le Seuil, Éditions de Minuit), soit en collections de poche (Livre de Poche, 10/18, Folio).

LA CRITIQUE

Le XIXe siècle a vu la promotion de l'histoire parmi les sciences. La critique en quête de rigueur s'est donc tournée d'abord vers l'investigation historique. Après la Seconde Guerre mondiale, l'histoire littéraire — enrichie des apports de l'étude des mentalités, des arts... — poursuit sa brillante carrière. Mais l'essor et l'éclatement des sciences humaines (sociologie, psychanalyse, linguistique, mythologie) ne tarde pas à susciter l'apparition de nouvelles interprétations des œuvres. Des conflits surgissent qui entraînent une réflexion exigeante sur les présupposés et les limites de chaque méthode.

ÉVOLUTION DE LA CRITIQUE JUSQU'EN 1945

Naissance de la critique moderne

Le XVIIIe siècle avait vu le triomphe de l'esprit critique, tournant d'ailleurs parfois à l'esprit de critique. Mais la manière plus chaleureuse de Diderot, dans ses *Salons*, ouvrait déjà la voie à une forme moderne de la prose : la critique littéraire conçue non plus seulement comme un instrument de combat, mais comme une méditation sensible où, pour reprendre la formule de Proust, se devine sous le lecteur d'autrui le lecteur de soi-même.

Baudelaire est le type même du critique moderne et du poète qui porte un critique en lui-même. S'il lui est arrivé de prendre des positions combatives dans la querelle du réalisme ou à propos de l'école païenne, il nous intéresse surtout par ses analyses pénétrantes de la modernité, « le transitoire, le fugitif, le contingent, la moitié de l'art, dont l'autre moitié est l'éternel et l'immuable ». Aux normes de Boileau il substitue l'attention accordée à la touche géniale, au détail insolite qui doit permettre le brusque passage au spirituel.

L'âge positif

L'esprit positif allait-il ruiner ce splendide départ? Il fait de la critique une science et non plus un art. Sainte-Beuve classe les écrivains en « familles d'esprits » et les explique par leur caractère ou par leur temps. Taine soumet les faits littéraires ou artistiques à des lois, et croit au déterminisme de la race, du milieu, du moment. Renan reconnaît au « savant seul le droit d'admirer », et affirme, dans *L'avenir de la science*, que « la vraie admiration est historique » : les *Pensées* de Pascal ou les *Sermons* de Bossuet, admirables en tant qu'œuvres du XVIIe siècle, « mériteraient à peine d'être remarquées » si elles paraissaient de nos jours.

La condamnation est aisée, mais doit être infiniment nuancée. Sainte-Beuve, de lui-même, a su réagir au dogmatisme tainien; dans l'un des *Nouveaux lundis*, en 1864, il reprochait à l'auteur de l'*Histoire de la littérature anglaise* de méconnaître ou de laisser inexpliquée la « spécialité unique du talent », si « imprévue ». Mais n'allait-il point tenter de forcer cette « dernière citadelle irréductible » en étudiant l'homme? Cette tentative courageuse méconnaissait, comme l'a fait remarquer Proust dans son *Contre Sainte-Beuve*, « qu'un livre est le produit d'un autre moi que celui que nous manifestons dans la société ». L'œuvre critique de cet érudit, doublé d'un homme de goût, reste pourtant, il faut l'avouer, un monument, avec l'*Histoire de Port-Royal*, les *Portraits*, les *Lundis*. Tout se passe comme si, en véritable créateur, ou en véritable recréateur, ce biographe des âmes avait fait éclater les limites d'une méthode en apparence trop rigoureuse.

Le temps des polémiques

L'âge des polémiques était ouvert, et dans l'arène des lettres allaient s'affronter critiques dogmatiques et critiques impressionnistes. Brunetière (1849-1906) juge les œuvres au nom de valeurs intangibles, le « véritable » esprit français, la « véritable » morale et la « véritable » nature de chaque genre littéraire. A ce nouveau système Jules Lemaitre (1853-1914) et les impressionnistes opposent la sympathie immédiate, l'art de traduire le plus fidèlement possible les impressions qu'une œuvre produit sur la sensibilité de chacun. Au juge toujours prêt à rendre des arrêts il préfère le simple lecteur dilettante qui se fie à son seul plaisir, au risque de se voir reprocher par son adversaire une paresse intellectuelle marquée par le refus de chercher à ses impressions « des motifs plus généraux qu'elles-mêmes, des justifications qui les dépassent ».

Le grand mérite de la critique historique, représentée en particulier par Gustave Lanson (1857-1934), est d'avoir, avec beaucoup de sagacité, permis une conciliation entre ces deux extrêmes, et uni la solidité de l'érudition aux exigences du goût. La connaissance de la biographie, du milieu, des influences n'est, pour Lanson, qu'une opération préliminaire permettant d'approfondir le plaisir esthétique. Sans doute « l'étude de la littérature ne saurait-elle se passer aujourd'hui d'érudition »; mais « si la lecture des textes originaux n'est pas l'illustration perpétuelle et le but dernier de l'histoire littéraire, celle-ci ne procure plus qu'une connaissance stérile et sans valeur » (Avant-propos de l'*Histoire de la littérature française*, 1894). La méthode lansonienne, fondée sur l'établissement de bibliographies, sur l'étude des sources et l'examen des manuscrits, garde aujourd'hui encore toute sa valeur. Elle ne doit pas être confondue avec ce qu'on a appelé le « lansonisme », caricature ou déformation de cette doctrine, où la fiche tue l'esprit, et qui n'a guère eu d'existence que dans les travaux d'épigones maladroits ou dans l'esprit d'adversaires malveillants.

A la veille de la Première Guerre mondiale, l'exaspération des esprits élève le débat sur la critique à la hauteur d'un conflit « national ». Maurras réhabilite la critique normative. Péguy, mû par sa ferveur patriotique, s'emporte contre la Sorbonne, bastion de l' « esprit historique » et du « parti intellectuel », et voit dans le lansonisme une invasion de l'esprit germanique. C'était vouloir à tout prix, ici comme ailleurs, faire une mauvaise querelle. Mais la raison réelle était plus profonde et plus intéressante. Bergson était passé par là, « rompant les fers » en dénonçant l'intelligence comme un mode de connaissance imparfait, très inférieur à l'intuition infiniment plus accordée à l'infinie fluidité du courant de conscience dont, en définitive, est bien issue l'œuvre d'art. Au lieu de juger, au lieu d'expliquer, ne faut-il pas plutôt subtilement pénétrer dans « ce que voit un autre de cet univers qui n'est pas le même que le nôtre » (Proust), saisir le mouvement intime de la création littéraire en le revivant soi-même? L'étude de Proust sur Flaubert, dans *Chroniques*, est bien supérieure, en ses quelques pages, au *Flaubert* publié en 1922 par Albert Thibaudet (1874-1936), parce qu'au lieu de s'appuyer sur des critères extérieurs, elle dégage les deux aspects du style où les battements du cœur de l'œuvre ne parviennent pas à être étouffés par la volonté, tendue à l'extrême, de l'écrivain.

Le danger d'une telle interprétation critique est de se substituer inconsciemment à l'auteur étudié. Les écrits critiques de Valéry, quelque brillants qu'ils soient, n'échappent pas toujours à ce piège. Hugo devient, pour lui, un « créateur par la forme », comme l'auteur de *Charmes*

Paul Léautaud : « Il est notre Diogène. Une manière de comique stoïque, anachronique, tout usagé par le temps... Bien assis dans ses expériences, curieux au surplus comme un singe, plein d'un relief brusque sans retenue, [...] il remue tout à coup les lieux qu'il occupe de ses glapissements, de son rire et parfois des éclats torrentiels de ses colères, selon les caprices de sa bonne ou de sa pire humeur » (André Rouveyre)

ui-même; Bossuet lui apparaît comme « un ésor de figures, de combinaisons et d'opérations oordonnées », comme un temple dont l'archicture splendide cache un sanctuaire aujour'hui désert. Bref, chaque écrivain devient un nythe où s'exprime la philosophie de la genèse ttéraire propre à Valéry. L'apparente « variété » e recouvre qu'une monotonie réelle, et dans le niroir du passé Narcisse ne cesse de retrouver sa ropre image.

La critique spiritualiste court un risque anaogue. Elle feint de trouver, au terme d'un travail 'approximation, une dimension transcendante u'elle ne fait en réalité que retrouver, puisqu'il 'agissait bien, sans que l'esprit en eût conscience, d'un *a priori* véritable. Les admirables ages de Péguy sur Corneille dans *Victor-Marie Comte Hugo* et dans la *Note conjointe* témoinent moins d'une connaissance de l'auteur du *Cid* et de *Polyeucte* que d'une reconnaissance, à ravers le prétexte qu'il constitue, des thèmes amiliers à Péguy lui-même : la tragédie du salut, e mystère de la communion des saints, l'enrainement du spirituel dans le charnel. Charles Du Bos (1882-1939) fouille la « forêt obscure » le « l'âme d'autrui » pour en découvrir l'Âme au sens religieux du terme. La « voie sacrée » de Stefan George, la bénédiction de la douleur chez Baudelaire, « le parfum d'éternité de la beauté spirituelle » chez Marcel Proust, mais aussi « l'esprit souterrain » de Dostoïevski ou le satanisme de Gide sont tributaires de la quête même « du spirituel dans l'ordre littéraire ». De pénétrante, la critique se fait interprétative, et s'éloigne délibérément de l'ordre des sciences exactes.

Aussi viennent se dresser en face de ces « hérétiques » les gardiens, ombrageux ou souriants, du rationalisme. Avec vigueur, et parfois même avec hargne, Julien Benda (1867-1955) oppose à la « critique pathétique » des chercheurs d'ineffable les droits d'un examen objectif. De *Belphégor* à *La trahison des clercs* l'auteur essaie de se désincarner pour juger de toutes choses, intelligence pure, *sub specie aeternitatis*; il veut comprendre, au lieu de sentir. Pour Alain (1868-1951) non plus, comprendre n'a pas de fin, et tout, même la page écrite, mérite d'être passé au crible de l'élaboration abstraite. Clarifiée, elle devra aussi en sortir enrichie. De fait, ses *Propos sur la littérature*, souvent lumineux, font saisir en un instant la vie ou la beauté d'une œuvre. Parfois aussi, le retour au texte original nous oblige à constater l'appauvrissement du texte par le commentaire, dans ses pages trop vantées sur *Charmes* ou sur *La jeune Parque* par exemple. Dans le sillage d'Alain ou de Benda, comment ne pas citer aussi Paul Léautaud (1872-1956), l'auteur du *Théâtre de Maurice Boissard*, acharné à déceler toute trace de romantisme intempestif?

LA CRITIQUE DEPUIS 1945

Le foisonnement des explorations

L'après-guerre a vu se multiplier les tendances, au point qu'on a pu parler d'un empire de la critique. La décadence de l'impressionnisme littéraire s'est accentuée : la formule d'Émile Faguet, « le bon goût, c'est mon goût », n'est plus guère appliquée que par les journalistes et certains chroniqueurs de revue, très légitimement d'ailleurs, puisque cette critique d'information joue un rôle indispensable de médiation entre le public et une production devenue pléthorique. Après le magistère d'un Émile Henriot, d'un Robert Kemp ou d'un Pierre-Henri Simon, s'affirme aujourd'hui le talent acéré d'Angelo Rinaldi *(L'Express)* et de Bertrand Poirot-Delpech *(Le Monde)*.

La critique normative, ou dogmatique, s'est trouvée de plus en plus menacée, à mesure que prédominait un scepticisme parfois baptisé « la mort des idéologies ». Elle consistait, comme l'écrivait Charles Maurras dans son *Prologue d'un essai sur la critique,* « à discerner et à faire voir le bon et le mauvais dans les ouvrages de l'esprit », comme si le jugement d'un seul — même soutenu par les convictions d'une chapelle ou d'un parti — pouvait avoir une valeur universelle.

En dehors des analyses à ambitions scientifiques dont il va être question, se maintient ce qu'on pourrait appeler une « critique éclairée », œuvre d'esprits exceptionnellement cultivés qui, sans s'astreindre aux limites d'une méthode ni à la rigueur souvent pesante des universitaires, publient des essais remarquables. Ainsi se sont imposés un Marcel Arland, un Claude Roy, un Maurice Nadeau, ou un Gaëtan Picon *(Panorama de la nouvelle littérature française, Malraux...)*. Thierry Maulnier a proposé le mirage d'un néo-classicisme dont la vertu essentielle est la vertu du langage : ses études sur Racine ont fait date. Cette libre critique très informée a souvent la faveur des écrivains, comme Alain Robbe-Grillet, théoricien du Nouveau Roman, ou Michel Butor, auteur de cinq volumes intitulés *Répertoire*. L'une des réussites de cette critique éclairée a été, grâce à un flirt appuyé avec la critique historique, le renouvellement d'un genre, la biographie grâce à un maître, André Maurois (1885-1967). Celle-ci a suscité un engouement qui ne s'est jamais démenti, avec Henri Mondor, Henri Troyat... et, à partir des années 1970, sous l'influence du féminisme, avec la vogue des biographies de femmes.

Parallèlement à ces différentes productions, et parfois contre elles, a proliféré une critique dite « universitaire ». Indifférentes à la rapidité de l'événement (ce qui vient de paraître), se voulant affranchies de tout dogme et méfiantes à l'égard de l'essayisme, les analyses sont ici le fait de chercheurs qui appartiennent à de respectables institutions : les universités, le Centre national de la recherche scientifique, l'École des hautes études, etc. Ces chercheurs ont bénéficié de l'extraordinaire essor des sciences humaines en France à partir des années 1950 : histoire (avec le rajeunissement spectaculaire de ses méthodes), sociologie, psychologie (avec la psychanalyse), mythologie, linguistique. Ils se sont interrogés de façon de plus en plus aiguë sur les conditions de la création littéraire, avec une conscience plus nette de ses trois variables : le milieu socio-historique, la personnalité créatrice (ou productrice, pour ceux qui préfèrent d'autres présupposés), le langage et les formes d'écriture. L'histoire littéraire, un moment contestée au nom des sciences les plus récentes, a su réaffirmer son importance dès le milieu des années 1970. Il n'en reste pas moins que l'histoire et la philologie, qui avaient régné presque seules sur l'Université pendant l'entre-deux-guerres, ont vu leur primat disparaître. Elles apparaissent aujourd'hui comme une étape capitale de toute étude des textes plutôt que comme les disciplines reines de toute critique. Il est devenu possible d'aborder les œuvres avec une panoplie de techniques d'analyse extrêmement fines. Comment synthétiser tous ces apports, souvent disparates, à propos d'une œuvre c d'un univers artistique singulier ? Telle est l question à laquelle se sont d'ores et déjà att chés des théoriciens d'envergure comme Jul Kristeva ou Gilbert Durand, mais qui sollicite c plus en plus tous les chercheurs.

La critique historique

L'application du programme de Lanso continue à susciter des recherches nécessaires parfois passionnantes : établissement de texte édition de correspondances (George Sand, Ma larmé, Zola, Proust, etc.), investigations d'hi toire littéraire. On voit toutefois se poursuivr sur un mode inchangé, des études qui ne tie nent aucun compte des progrès décisifs opér par rapport aux notions d'*influence* et surto de *source*. Évidemment les maîtres de l'analy historique ont su, eux, adapter le lansonism aux découvertes récentes. Parmi bien d'autr viennent à l'esprit les noms de Jean Frappi pour le Moyen Age, de Raymond Lebègue et d Verdun L. Saulnier pour le XVIe siècl d'Antoine Adam et de Jean Mesnard pour l XVIIe siècle, de Jean Fabre et René Pomea pour le XVIIIe, de Frédéric Deloffre (Marivau les *Lettres portugaises*), de Marie-Jeanne Durr (Chateaubriand, Apollinaire), Bernard Guyo (Balzac, Péguy), Jean Prévost (Stendhal, Baud laire), Pierre-Georges Castex (*Le Conte fantast que ;* Nerval, Baudelaire, Villiers de L'Isl Adam). La plupart ne se limitent d'ailleurs pa à une tâche d'historien, mais recourent à l stylistique pour approcher des œuvres, dont i se refusent à nier le « mystère ». Quant à Hen Guillemin, il s'est taillé une solide réputatio d'iconoclaste (Chateaubriand, Vigny, Péguy).

La critique historique s'est enrichie des mult ples apports de l'histoire des mentalités, illustré par Marc Bloch, Lucien Febvre (*Combats pou l'histoire,* 1952) et Fernand Braudel. De là d grands livres comme ceux de René Pintard sur l libre pensée au XVIIe siècle (1943, puis 1983) e de Robert Mauzi sur *L'idée du bonheur a XVIIIe siècle* (1960). Avec *L'âge de l'éloquen* (1979) de Marc Fumaroli, la rigueur historiqu va de pair avec une riche réflexion sur le rappo au langage (d'Erasme au jeune Pascal).

Sociologie et littérature

A la différence de l'Allemagne, qui a donn naissance à des centres prestigieux, comm

'École de Francfort ou l'École de Constance, la France, venue tard à la sociologie de la littérature, n'a exploré qu'assez lentement ce champ de recherches. Certes Roger Caillois et ses amis du Collège de sociologie, Georges Bataille et Michel Leiris, avaient déjà fait profiter leurs écrits esthétiques de leur expérience d'ethnologues ou de sociologues. Néanmoins, pas plus que Jules Monnerot (*La poésie moderne et le sacré,* 1959), ils ne se plient à des règles rigoureuses. Sartre avait montré dans *Situations II* (1948) l'influence exercée par le public sur l'acte créateur lui-même, mais l'essentiel de son investigation demeurait ailleurs. Ce sont les livres majeurs d'Auerbach (*Mimesis,* 1946) et de Lukacs (*Théorie du roman,* 1920 ; *Balzac et le réalisme français,* 1952) qui constituent — hors de France — les premières explorations systématiques du contexte social des œuvres.

Lucien Goldmann (1901-1970). Disciple déclaré de Lukacs, le marxiste L. Goldmann a défini une méthode : le structuralisme génétique. Selon lui, les groupes sociaux sont les véritables sujets de la création littéraire. Chaque groupe possède une « vision du monde », ensemble d'aspirations, de sentiments et d'idées qui réunit les membres d'un groupe (le plus souvent d'une classe sociale) et les oppose aux autres groupes. De cette vision les membres du groupe n'ont pas une conscience claire. C'est l'écrivain, l'artiste qui en prennent « le maximum de conscience possible ». Goldmann tendra à dépasser cette conception romantique du Mage en affirmant dans *Pour une sociologie du roman* (1964) que l'écrivain peut même contester la vision du monde de sa classe. Dans son livre le plus connu, *Le Dieu caché* (1955), il s'efforce de montrer que la « vision tragique » des écrits de Pascal et de Racine est homologue à l'idéologie d'une noblesse de robe écartée peu à peu du pouvoir. Si l'apport de Goldmann à la connaissance de Pascal et de Racine demeure faible, ses remarques de méthode ont suscité un vif intérêt. Néanmoins, au structuralisme génétique on a reproché l'insuffisance de son explication des rapports dialectiques entre l'individu-auteur et le groupe, le caractère grossier ou factice des structures mises en évidence, l'ignorance des pouvoirs du langage, l'indifférence à l'art. Les bases historiques et sociologiques du *Dieu caché* ne sont pas acceptées par les spécialistes du XVIIe siècle. Enfin, la méconnaissance de la longue tradition religieuse dans laquelle s'insèrent Pascal et Racine frappe de caducité les conclusions. Goldmann n'en conserve pas moins — en France — le mérite du défricheur.

Le critique marxiste Lucien Goldmann qui, au travers d'une œuvre, s'attache à retrouver les structures sociales d'une époque.

Hésitations et tâtonnements. A la mort de Goldmann, la sociologie de la littérature pouvait paraître promise, de ce côté du Rhin, à un avenir brillant. La secousse de mai 1968 avait provoqué un renouveau. Les intellectuels marxistes venaient d'apporter une contribution remarquée, dans deux numéros spéciaux de la revue *La Nouvelle Critique : Littérature et linguistique* (1969) et *Littérature et idéologie* (1970). A l'École normale supérieure, le néo-marxiste Louis Althusser animait un groupe actif, avec, entre autres, Pierre Macherey (*Pour une théorie de la production littéraire,* 1966) et Renée Balibar (*Les Français fictifs,* 1974). Aux Editions du Seuil, les jeunes écrivains et critiques de la revue *Tel quel* s'efforçaient de concilier matérialisme dialectique, psychanalyse et linguistique : *Théorie d'ensemble* (1968). Non moins actives apparaissaient alors l'équipe de recherche dirigée à Bordeaux par Robert Escarpit (*Le littéraire et le social,* 1970), et celle qui collaborait à la revue *Communications.*

Mais, dès le milieu des années 1970, cette brève floraison avait quelque peu perdu de son éclat, malgré l'activité de critiques originaux comme Jacques Leenhardt, Claude Castella, Geneviève Mouillaud, Michel Zéraffa ou Pierre Barbéris. Dès 1971 Claude Duchet avait tracé le programme d'une étude rigoureusement interne au texte, la sociocritique, illustrée par un recueil collectif en 1979, *Sociocritique*. Le bilan de ces diverses recherches a fait l'objet d'un *Manuel de sociocritique* (1985), dû à Pierre Zima.

Quant aux théories lancées par Hans-Robert Jauss et l'École de Constance sur la « réception » des œuvres, l'horizon d'attente qui les fait lire de telle façon par tel public, elles n'ont inspiré en France que de rares études, comme le *Lire la lecture* de Jacques Leenhardt (1983).

Cinquante ans de solitude : Maurice Blanchot

Maurice Blanchot (né en 1907) est entré en littérature avec d'énigmatiques récits : *Thomas l'obscur* (1941, mais commencé en 1932), *Aminadab* (1942) où se devine déjà une figure mythique qui va hanter ses œuvres critiques : comme Orphée descendu au royaume des ténèbres pour en ramener Eurydice, l'artiste, l'écrivain poursuivent dans leur création la quête nocturne d'un fascinant Secret : « Toute la gloire de son œuvre, toute la puissance de son art et le désir même d'une vie heureuse sous la belle clarté du jour sont sacrifiés à cet unique souci : regarder dans la nuit ce que dissimule la nuit, l'*autre* nuit, la dissimulation qui apparaît. » *(L'espace littéraire).* De même qu'Eurydice s'évanouit en ombre aussitôt qu'Orphée tente de voir son visage, de même l'écrivain ne peut *jamais* pénétrer dans le « noyau infracassable de nuit » dont toute son activité créatrice tire son origine et sa lumière. De là *l'étrangeté* de toute véritable œuvre d'art : « L'espace littéraire où nous conduit Blanchot n'a rien de commun avec le monde heideggérien que l'art rend habitable. L'art, d'après Blanchot, loin d'éclairer le monde, laisse apercevoir le sous-sol désolé, fermé à toute lumière, qui le sous-tend et rend à notre séjour son essence d'exil et aux merveilles de notre architecture leur fonction de cabanes dans le désert. » (E. Lévinas.)

L'ŒUVRE CRITIQUE

1949	*La part du feu.*
	Lautréamont et Sade.
	Faux pas.
1955	*L'espace littéraire.*
1959	*Le livre à venir.*
1969	*L'entretien infini.*
1972	*L'amitié.*
1973	*Le pas au-delà.*
1980	*L'écriture du désastre.*
1981	*De Kafka à Kafka.*
1983	*La communauté inavouable.*

(Gallimard)

Comment toute œuvre gravite autour d'un secret, voilà donc ce que Blanchot s'efforce d'élucider, dans ses études critiques. Héritier de Mallarmé, il se tourne vers les écrivains qui lui paraissent les plus caractéristiques d'une telle recherche : Sade, Hölderlin, Lautréamont, Henry James, Proust, Kafka, Rilke, Artaud, Musil...

Il est difficile d'échapper à la séduction de Blanchot, dont le style abonde en formules précieuses et magiques. Nul plus que lui n'a annoncé et saisi dans leur profondeur les intuitions d'où ont surgi aussi bien les œuvres de Beckett et des Nouveaux Romanciers qu'un vaste secteur de la poésie contemporaine. Diverses voix se sont néanmoins élevées contre cette conception de la littérature, en particulier celle d'Henri Meschonnic (*Pour la poétique, V*, 1975).

L'apport de la psychanalyse

La psychanalyse ne s'est pas contentée d'exercer une influence diffuse par son insistance sur les fantasmes et leur récurrence, par sa réflexion sur le langage ou par la stimulation qu'elle a pu apporter à des penseurs aussi libres à son égard que Bachelard ou Sartre. Dès ses origines, elle s'est intéressée à la littérature. Freud lui-même, malgré ses hésitations à pénétrer dans le domaine de la création artistique, a appliqué sa méthode à *Œdipe roi* et à *Hamlet* (*L'interprétation des rêves,* 1900), à la *Gradiva,* nouvelle de l'écrivain Jensen, au thème mythologique des trois coffrets (*Essais de psychanalyse appliquée*). A sa suite Rank (*Le mythe de la naissance du héros,* 1909), Abraham, Jung, Jones, Marie Bonaparte, Baudouin — presque tous médecins — ont révélé la fécondité d'une telle investigation.

Comment réagit la France des années 1920 ? Certains artistes se précipitent sur la science nouvelle, quitte à lui faire subir les plus étranges distorsions : le surréalisme suscite ainsi une révolution esthétique. En revanche, la critique littéraire se révèle imperméable pour longtemps à la notion d'*inconscient* et à une prise en considération de son rôle dans la création. C'est seulement au cours des années 30 qu'apparaît timidement un intérêt pour les rêves, les mythes et les thèmes, pour les manifestations d'un moi profond (Marcel Raymond, Albert Béguin, Gaston Bachelard). Viennent ensuite des critiques qui véritablement se fondent sur la psychanalyse.

Charles Mauron et la psychocritique. Tout en
réclamant lui-même de Freud, Charles Mau-
on (1899-1966) distinguait sa méthode, la
sychocritique, d'une « critique psychanalyti-
ue ».

La critique psychanalytique suit une voie anaogue à celle que préconisent les thérapeutes :
ais ne disposant plus de l'aide de l'écrivain —
énéralement disparu — pour percer les secrets
e son inconscient, elle s'efforce de pallier cette
ifficulté par l'utilisation systématique des
émoignages, journaux intimes, lettres, notes
parses, pour accéder à l'inconscient de l'auteur
t le mettre en rapport avec l'œuvre. L'*Edgar
Poe* (1933) de Marie Bonaparte illustre par
moments une telle démarche, qui sera affinée
ar Jean Delay (*La jeunesse d'André Gide,*
956), Jean Laplanche (*Hölderlin et la question
u père,* 1961) et Dominique Fernandez
L'échec de Pavese, 1967), qui la théorisera sous
appellation de « psychobiographie » (*Nouvelle
Revue française de psychanalyse,* 1970). Mais
es données biographiques ne sont-elles pas
uperficielles et peu crédibles ? La documenta-
ion n'est-elle pas la plupart du temps insuffi-
ante ? Et que faire lorsqu'on ne possède guère
ue l'œuvre (Molière, et plus encore Lautréamont) ?

La psychocritique part de l'œuvre même.
Elle recherche les associations d'idées involon-
aires sous les structures voulues du texte. »
Pour ce faire, elle recourt à une technique : « la
uperposition des textes », qui remplace la
méthode clinique des associations libres et fait
pparaître « des métaphores obsédantes », des
iaisons inaperçues et plus ou moins inconscien-
es ». Ainsi s'organisent des « réseaux », qui
dessinent rapidement des figures et des situa-
ions dramatiques », pour nous conduire au
mythe personnel » de l'artiste et à ses avatars,
interprétés comme expression de sa personna-
ité inconsciente et de son évolution ». Ces
ésultats seront en dernier ressort confrontés —
our confirmation — à ce que nous savons de la
ie de l'auteur.

L'œuvre de Mauron. Poète, essayiste et criti-
ue, Mauron a été l'un des rares littéraires qui
ient dès cette époque acquis une connaissance
pprofondie de la psychanalyse. Il s'est penché
urtout sur Mallarmé (1941 et 1950), Racine
L'inconscient dans l'œuvre et la vie de Racine,
1957), avant de publier son livre le plus important, *Des métaphores obsédantes au mythe personnel* (1962). Après une *Psychocritique du
genre comique* (1964), il est revenu à Racine
(*Phèdre,* 1968).

Soucieux de rigueur, Mauron a reproché à
Sartre, à Bachelard, à Poulet, à Richard de ne
pas préciser à quel niveau ils situaient leurs
enquêtes : dans le conscient ou dans l'inconscient ? Mais lui-même n'est pas toujours très
clair sur ce point. Ses réseaux paraissent souvent
moins solides que ceux de Richard, par exemple.
Par ailleurs, on voit mal en quoi la superposi-
tion correspond à la technique freudienne des
associations libres. Enfin, les résultats passent
bien loin de l'éclat esthétique des œuvres. Mauron se heurte ici au même écueil que Sartre ou
que Goldmann.

L'essor des critiques freudiennes. En dépit des
réticences de nombreux thérapeutes à l'égard de
la psychanalyse appliquée, les psychanalyses littéraires se sont multipliées depuis 1968. Psychanalyse et littérature ont confirmé depuis lors des
affinités qui n'ont pas de quoi surprendre si l'on
se rappelle l'importance de Sophocle (l'Œdipe)
ou d'Ovide (le mythe de Narcisse) dans les progrès de la réflexion freudienne elle-même. De ce
cousinage témoignent la brillante *Nouvelle
Revue française de psychanalyse,* créée en 1970,
mais aussi de nombreux travaux, dont ceux de
Jacques Derrida, de Jean Starobinski, d'Octave
Mannoni (*Clefs pour l'imaginaire,* 1969), de
Marthe Robert (*Roman des origines et origines
du roman,* 1972), d'André Green (*Un œil en
trop. Le complexe d'Œdipe dans la tragédie,*
1974) ou de Didier Anzieu (*Le corps de l'œuvre,*
1981). Plusieurs des critiques les plus marquants
issus d'autres champs de recherche subissent
l'attraction de la théorie freudienne, comme
Serge Doubrovsky (*La place de la Madeleine,*
1974 ; *Parcours critique,* 1980) et Jean-Pierre
Richard (à partir de *Nausée de Céline,* 1973).
On s'intéresse de moins en moins à l'auteur, et
de plus en plus à l'œuvre elle-même, sous
l'influence du docteur Jacques Lacan et en vertu
du « principe d'immanence » posé par la linguistique structurale. L'un des théoriciens les
plus exigeants de ce cheminement vers l'inconscient du texte (la « textanalyse »), est à l'heure
actuelle un littéraire formé à la psychanalyse,
Jean Bellemin-Noël, auteur d'un remarquable
bilan, *Psychanalyse et littérature* (1983, dans la
collection « Que sais-je ? »).

La psychanalyse existentielle

La philosophie a fécondé, elle aussi, la critique. Blanchot a été marqué par Husserl et Heidegger. Bachelard est à la fois philosophe et critique. Il en est de même de Gilles Deleuze, de Gilbert Lascault, de Paul Ricœur (*La métaphore vive,* 1975 ; *Temps et récit,* I-II, 1983-1984), et de beaucoup d'autres. Mais jamais cette liaison n'a été aussi affichée que dans la psychanalyse existentielle définie par Sartre à la fin de *L'être et le néant* (1943).

La critique sartrienne. « Le principe de cette psychanalyse est que l'homme est une totalité et non une collection ; qu'en conséquence il s'exprime tout entier dans la plus insignifiante et la plus superficielle de ses conduites — autrement dit, qu'il n'est pas un goût, un tic, un acte humain qui ne soit révélateur. » Sartre postule que l'être humain est une table rase, qu'il se constitue librement en fonction d'un projet fondamental : tous les choix de détail s'unifient dans un « choix originel ». Il a appliqué ces principes à Baudelaire (1947), à Genet (1952) qui, surpris à dix ans en train de voler et insulté, « a dit contre tous : je serai le Voleur ». Le critique, à partir de ce choix originel, doit éclairer le mouvement d'ensemble d'une destinée.

Il est clair que cette psychanalyse est fort éloignée de Freud : Sartre refuse jusqu'à l'existence de l'inconscient. D'autre part, on peut se demander si ce choix originel est réellement conciliable avec la liberté. Dans sa *Critique de la raison dialectique* (1960), Sartre évolue vers une psychanalyse plus rigoureuse et une sociologie plus stricte. Sa méthode ne rend néanmoins guère compte de l'éclat esthétique des œuvres : dans son *Baudelaire,* un tiers seulement des citations provient de l'œuvre poétique, et l'un des plus grands poètes français est traité comme un prosateur ordinaire. Décevante, cette critique lasserait chez tout autre que Sartre. Chez lui, la virtuosité, les aperçus éclairants sont si étonnants que la lecture est toujours passionnante, comme l'a manifesté encore sa monumentale étude sur Flaubert (*L'idiot de la famille,* 1971).

Georges Blin, Serge Doubrovsky. Dès 1939, dans son *Baudelaire,* Georges Blin — sans renoncer à l'apport de l'érudition — pratiquait une critique paraphilosophique qui anime encore ses admirables études sur Stendhal (1958). S'il retrouve certains thèmes sartriens, Blin a dénoncé chez Sartre la méconnaissance du fait « qu'un artiste, même en dehors de son champ d'activité artistique, s'explique essentiellement par sa fonction esthétique ». Le projet fondamental de l'écrivain, n'est-ce pas son œuvre même ? Un essai, *La cribleuse de blé* (1968) expose la conception que Blin s'est formée de la critique.

Serge Doubrovsky s'est fait connaître avec deux ouvrages nourris de la pensée sartrienne : son *Corneille et la dialectique du héros* (1963) et une contribution importante à la polémique des années 1960, *Pourquoi la nouvelle critique* (1966). Mais lui aussi a pris ses distances avec la psychanalyse existentielle, dérivant rapidement vers la pensée freudienne. La démarche de Sartre a en définitive disparu avec son auteur.

La révolution bachelardienne

Comme la psychanalyse, Bachelard a dénoncé l'insuffisance d'une critique pour laquelle la création se réduisait alors au conscient. Il se préoccupe des zones profondes où naissent les images. Mais, laissant aux psychanalystes le rêve nocturne, il conteste leur explication de la rêverie diurne. Il découvre un surconscient poétique, l'originalité irréductible des rêveries sur les choses ou sur les mots. De lui va naître une brillante lignée : les tenants de la critique thématique.

Gaston Bachelard (1884-1962). Bachelard est né à Bar-sur-Aube, dans le terroir champenois. Ses parents tiennent un dépôt de journaux. L'enfant fait ses délices du contact avec la nature, supporte l'école : « Pauvre enfant rêveur, que ne te faut-il pas écouter ? » Devenu petit employé des postes, il s'attaque en même temps aux études scientifiques. A l'issue de la Première Guerre mondiale, il est nommé professeur de physique et chimie au collège de Bar-sur-Aube et conduit de front son enseignement et une formation philosophique : en 1927 le voici docteur ès lettres, avec une thèse de philosophie des sciences : *Essai sur la connaissance approchée.* Professeur à l'université de Dijon (1930), puis à la Sorbonne (1940), Bachelard élabore une œuvre où se conjuguent la philosophie des sciences (*La formation de l'esprit scientifique,* 1938) et une philosophie de la création artistique qui va féconder de façon décisive la critique littéraire. Il succombe en 1962 à une artérite.

LA CRITIQUE BACHELARDIENNE
D'UNE PARAPSYCHANALYSE A LA PHÉNOMÉNOLOGIE

1938	*La psychanalyse du feu* (Gallimard).
1939	*Lautréamont* (Corti).
1942	*L'eau et les rêves : essai sur l'imagination de la matière* (Corti).
1943	*L'air et les songes : essai sur l'imagination des forces* (Corti).
1948	*La terre et les rêveries de la volonté : essai sur l'imagination des forces* (Corti).
1948	*La terre et les rêveries du repos : essai sur les images de l'intimité* (Corti).
1957	*La poétique de l'espace* (P.U.F.).
1961	*La poétique de la rêverie* (P.U.F.).
1961	*La flamme d'une chandelle* (P.U.F.).
1970	*Le droit de rêver* (P.U.F.).

Une « révolution copernicienne ». Bachelard a révisé le procès intenté depuis deux millénaires et demi à l'imagination par la philosophie occidentale (Platon, Pascal, Malebranche). A la suite des plus grands poètes (Novalis, Baudelaire), il a vu en elle l'âme même de l'homme « en tant que tournée vers le corps et mêlée au monde » (J. Lacroix). Chaque imagination est originale, dynamique. Dans un échange constant avec les choses, elle découpe dans le chaos du réel son univers propre. De là viennent la cohérence et la permanence des univers artistiques, déjà mise en lumière par Proust *(La prisonnière).* Au lieu d'être un résidu de la perception, l'image est première : « Je comprends le monde parce que je le surprends avec mes forces incisives » *(L'eau et les rêves).* Il s'agit pour le critique de rêver avec le créateur, de retrouver les images poétiques à leur jaillissement, de les laisser retentir en lui, de découvrir leur secrète organisation, la « syntaxe des métaphores ». Vincent Therrien a relevé jusqu'à huit méthodes précises, à la fois distinctes et convergentes chez Bachelard (*La révolution de Gaston Bachelard en critique littéraire,* 1970).

Gaston Bachelard, dessin sur parchemin par Lapoujade.

© Collection Viollet

Une lignée. Michel Mansuy a qualifié la critique bachelardienne d'« instrument génial dont le réglage n'est pas terminé ». L'exploration thématique — entrevue dès avant la guerre par un Marcel Raymond (*De Baudelaire au surréalisme,* 1933) et un Albert Béguin (*L'âme romantique et le rêve,* 1937), a connu un développement fulgurant. Bachelard a été ici un initiateur incomparable. Son intérêt pour la rêverie, ses thèmes, sa subtilité poétique et jusqu'à la couleur de son style se retrouvent dans les écrits des thématiciens. Qui n'a subi l'influence de Bachelard parmi les Nouveaux Critiques ? Sartre, Barthes... ont reconnu son apport. Mais plusieurs des maîtres actuels constituent véritablement une lignée bachelardienne.

• Georges Poulet a d'abord choisi d'étudier certaines catégories fondamentales — l'espace et le temps — par rapport auxquelles il découpe et organise les images et thèmes récurrents. S'inspirant également de Thibaudet, de Rivière, de Du Bos et de Ramon Fernandez, il insiste sur « la coïncidence de deux consciences » (celle du lecteur et celle du créateur) dans l'acte critique. Ses ouvrages les plus importants sont les recueils d'essais *Études sur le temps humain* (à partir de 1950), *Les métamorphoses du cercle* (1961), *L'espace proustien* (1964), *Trois essais de mythologie romantique* (1966). Il a, ces dernières années, entrepris une vaste enquête sur l'expression littéraire du quasi inexprimable, du flou (*La pensée indéterminée,* I, 1985).

• Jean Rousset a été longtemps professeur à l'université de Genève, comme Marcel Raymond, Starobinski et, un moment, Georges Poulet : on a parlé à leur propos d'une École de Genève. Il a atteint d'un seul coup la célébrité en redécouvrant une part oubliée de notre patrimoine : *La littérature de l'âge baroque en France* (1953). Dans *Forme et signification* (1962), il dévoile la *forme* secrète de plusieurs œuvres, « principe actif et imprévu de révélation et d'apparition ». Il s'inspire moins du structuralisme que de *La vie des formes* d'Henri Focillon. *L'intérieur et l'extérieur* (1968) se présente comme un merveilleux journal de voyage à travers l'art du XVIIe siècle. Avec *Narcisse romancier* (1973), essai sur la première personne dans le roman, l'analyse se fait plus « formaliste », tout en conservant son élégance habituelle. *Le mythe de don Juan* (1979) *Leurs yeux se rencontrèrent* (1982), *Passages* (1990) manifestent le renouvellement constant de ce critique exemplaire.

• Jean Starobinski, docteur en médecine et ès lettres, s'inspire à la fois de la psychanalyse et de la phénoménologie, avec une extrême souplesse. Dans *Jean-Jacques Rousseau. La transparence et l'obstacle* (1958), son recours à la psychanalyse est plus marqué. Ses études sur le regard, réunies dans *L'œil vivant* (1961), pratiquent un va-et-vient entre « le regard surplombant » et « l'intuition identifiante ». Son essai *La relation critique* (1971) manifeste, comme les études qui le suivent, à la fois la rigueur et l'ouverture d'une méthode qui se refuse à oublier dans l'homme sa « faculté de dépassement ».

Jean Starobinski : entre le « regard surplombant » et « l'intuition identifiante ».

• Jean-Pierre Richard est attentif plus que quiconque à la singularité de chaque œuvre, aux sous-bois d'une conscience, au premier contact d'un créateur avec l'univers. Cherchant à répondre à la question : « Pourquoi tel auteur écrit-il ? » il met en présence d'une cathédrale de métaphores. A partir de 1973 se font perceptibles une dérive vers l'analyse freudienne et une prise en compte nettement plus marquée de la matière verbale, en même temps que — depuis 1979 — le goût de scruter des textes courts et l'œuvre des écrivains les plus récents.

A LA DÉCOUVERTE DES UNIVERS IMAGINAIRES

1954 *Littérature et sensation.*
1955 *Poésie et profondeur.*
1961 *L'univers imaginaire de Mallarmé.*
1964 *Onze études sur la poésie moderne.*
1967 *Paysages de Chateaubriand.*
1971 *Études sur le romantisme.*
1973 *Nausée de Céline.*
1974 *Proust et le monde sensible.*
1979 *Microlectures.*
1984 *Microlectures II. Pages paysages.* (Seuil)
1996 *Terrains de lecture* (Gallimard).

• La rêverie bachelardienne, cependant, avait été si stimulante qu'elle conduisait à d'autres types d'enquête. Les invitations à entendre le pouvoir de suggestion des vocables ont contribué au goût de « l'écriture textuelle », où il s'agit de laisser l'initiative aux mots ; elles ont abouti à la volumineuse étude de Gérard Genette sur la poétique du langage, *Mimologiques* (1976). Bachelard, tout en partant surtout des poètes, s'était trouvé conduit à des configurations d'images qu'il avait baptisées complexe de Prométhée, ou de Caron, ou de Jonas. A l'évidence, comme l'avait déjà compris la psychanalyse en partant surtout de l'expérience clinique, une même logique de l'imaginaire présidait au surgissement des poèmes et à celui des mythes. La voie était ouverte à l'utilisation par la critique littéraire d'une science humaine apparue au début du XIXe siècle, la mythologie.

Mythe et littérature

Freud s'était presque dès le début de ses travaux intéressé aux mythes, dont il s'efforçait de rendre compte à partir de sa théorie, centrée sur les avatars de la sexualité et sur le complexe d'Œdipe. Or les mythologues, sans nier nécessairement l'intérêt de l'explication freudienne, ont en général eu le sentiment d'un extraordinaire appauvrissement de la richesse symbolique des récits d'origine sur lesquels ils travaillaient. Certains des plus illustres d'entre eux, comme Mircea Eliade (*Traité d'histoire des religions,* 1949), ont jugé plus fidèles au réel les théories d'un autre psychanalyste, Carl-Gustav Jung, un moment le dauphin de Freud, mais qui rompit avec lui en 1912. Jung insiste sur la polyvalence des symboles et, beaucoup plus que Freud, sur l'universalité remarquable de certaines représentations : il estime que nous naissons tous dotés d'un même héritage symbolique, ce qui explique les étonnantes ressemblances entre tant de récits sur la planète (on connaît, par exemple, près de six cents histoires de déluge). Le savant zürichois avait multiplié lui-même les interprétations littéraires (*Métamorphoses de l'âme et ses symboles,* 1953).

On a souvent fait remarquer que les surréalistes étaient plus proches de Jung que de Freud. Il en est de même de Bachelard. Héritier de Jung et de Bachelard, l'anthropologue Gilbert Durand a publié en 1960 une synthèse magistrale, *Les structures anthropologiques de l'imaginaire,* qui propose de distinguer deux grandes stratégies de la rêverie humaine et qui débouche sur une théorie générale de l'image. Durand a pratiqué lui-même la critique littéraire avec *Le décor mythique de « La Chartreuse de Parme »* (1961) et diverses études réunies dans *Figures mythiques et visages de l'œuvre* (1979). Le Centre de recherches sur l'imaginaire, fondé par lui à Grenoble, a essaimé en France et à l'étranger. Au C.R.I. se rattachent, entre beaucoup d'autres, Simone Vierne (*Jules Verne et le roman initiatique*, 1972), Jean Perrin, Danièle Chauvin, André Siganos, et de plus loin, Max Milner, Claude-Gilbert Dubois, Antoine Faivre, Pierre Brunel (*Mythocritique*, 1992) et Philippe Sellier.

Plus isolés apparaissent des critiques comme Charles Baudoin (*Psychanalyse de Victor Hugo,* 1943 ; *Le triomphe du héros,* 1952), ou comme René Girard (*La violence et le sacré,* 1972 ; *Shakespeare,* 1992).

L'essor du formalisme

C'est vers 1910 que Ferdinand de Saussure professa à Genève ses cours de linguistique générale. Il distinguait de l'évolution historique des langues (diachronie) les rapports internes (ou structures) en vertu desquels le langage fonctionne à tel moment du temps (synchronie). Avec les progrès foudroyants de la linguistique (Troubetzkoï, Jakobson, Hjelmslev, Benvéniste, etc.) allait se développer une mise en cause radicale du privilège longtemps peu contesté de l'histoire. A la problématique des sources, des influences, de la genèse des œuvres se substitue la considération des rapports internes à un texte, étudié indépendamment de son auteur et de son contexte. On délaisse le déroulement temporel au profit de l'espace du texte. Rejetant toute interprétation mystique de la création, le mouvement formaliste, qui s'est d'abord développé en Russie entre 1915 et 1930, décrit la fabrication de l'œuvre en termes de technique (constitution phonique du vers, métrique, rythme...) et concentre l'attention sur les codes avec lesquels joue l'écrivain. En France, le chef de file du Nouveau Roman seconde manière, Jean Ricardou, en viendra à assurer qu'on n'écrit ni pour représenter le monde, ni pour exprimer son état d'âme, mais à partir des mots, pour jouer avec eux et sur eux : les mots sont les « générateurs » de l'œuvre littéraire (*Théorie du Nouveau Roman,* 1971).

Le second initiateur fut le Russe Vladimir Propp, qui publia en 1928 sa *Morphologie du conte,* où il montrait que, sous leur variété apparente, cent contes populaires russes étaient issus d'une matrice unique comportant 31 fonctions (éloignement, interdiction, tromperie, départ, etc.) et sept actants ou classes d'acteurs (le héros, le faux héros, l'agresseur, l'auxiliaire, etc.). Propp s'affirmait ainsi comme le père d'une des méthodes les plus fécondes de la critique actuelle : l'analyse structurale [1] du récit, qu'allaient illustrer à partir des années 1960 Barthes, Greimas, Genette (*Figures III,* 1972), Todorov, Brémond (*Logique du récit,* 1973) et bien d'autres.

Grâce aux modèles et aux concepts empruntés à la linguistique, l'analyse structurale s'est étendue rapidement aux domaines les plus variés : des textes littéraires on est passé à des ensembles de signes très différents, conformément à l'ambition nourrie par Saussure de fonder une science générale des systèmes de signes, une sémiologie. Si les messages de la presse (Violette Morin ; Jules Gritti, *Sport à la une,* 1975) pouvaient encore passer pour une forme de littérature, il n'en était plus de même avec le monde des images, étudié par Barthes dans un article célèbre sur une publicité (*Communications,* n° 4, 1964), puis par Christian Metz, créateur de la

1. *Structural :* se dit d'une relation productrice de sens dans les langages ou les signes humains. Ainsi le rapport vert-rouge dans les feux de signalisation routière est structural. Pour désigner la structure d'une organisation perceptible dans la réalité (cristaux...), on emploie *structurel.*

sémiologie du cinéma. De son côté le théâtre, avec la complexité de sa polyphonie de signes, faisait l'objet d'études de la même inspiration signées Evelyne Ertel ou Anne Ubersfeld (*Lire le théâtre,* 1978-1984). Le structuralisme conquérait aussi les pratiques de la cuisine, grâce à l'ethnologue Claude Lévi-Strauss, auteur d'un ouvrage monumental, les *Mythologiques* (1964-1971), tandis que Barthes l'appliquait à la mode vestimentaire (*Système de la mode,* 1967).

Les procédures nouvelles avaient en même temps fécondé les recherches psychanalytiques de Jacques Lacan et de ses disciples, puis celles du Cercle d'épistémologie de l'École normale supérieure, animé par le néo-marxiste Louis Althusser.

En ce qui concerne la littérature proprement dite, le « formalisme » ne s'en est pas tenu au fonctionnement du récit ; il s'est attaché à la délimitation des genres et aux règles qui les régissent : Todorov a publié ainsi une *Introduction à la littérature fantastique* (1970) et *Les genres du discours* (1978) ; Philippe Lejeune a proposé des analyses aiguës de l'autobiographie (*Le pacte autobiographique,* 1976 ; *Je est un autre,* 1980).

En même temps la rhétorique, qu'on avait naïvement crue moribonde, suscitait un regain d'intérêt ; on rééditait les traités classiques de B. Lamy (1675) et de du Marsais (*Traité des tropes,* 1730). Le plus remarquable d'entre eux, *Les figures du discours* (1821-1827), de Fontanier, connaissait les honneurs du livre de poche, assorti d'une préface de G. Genette en 1977. A Liège le groupe μ se proposait d'élaborer une rhétorique scientifique (*Rhétorique générale,* 1970 ; *La rhétorique,* 1981, dans la coll. « Que sais-je ? »).

Roland Barthes (1915-1980). La figure de proue de ce qu'on a appelé, au cours des années 1960 la Nouvelle Critique a été Roland Barthes, comme l'avait compris l'un de ses adversaires les plus déclarés, l'historien de la littérature Raymond Picard, auteur d'un pamphlet virulent, *Nouvelle critique ou nouvelle imposture ?* (1965), où un maître des études raciniennes s'en prend au *Sur Racine* de Barthes.

Pendant une vingtaine d'années, ce merveilleux éveilleur a paru prendre au sérieux les très sérieuses machineries critiques issues de grands systèmes en vogue. Il s'est fait connaître en 1953 avec *Le degré zéro de l'écriture,* où il pose des définitions devenues célèbres (langue/style/écriture) : il évolue alors à l'ombre de Marx et de Sartre. Mais l'année suivante son livre préféré, le *Michelet par lui-même,* le révèle tout imprégné de Bachelard. Avec les célèbres *Mythologies* (1957), consacrées aux mythes sociaux de notre présent (le bifteck-frites, le catch, Greta Garbo), il surimprime à ces trois inspirations majeures celle de Saussure : la linguistique structurale entre en scène pour une dizaine d'années, s'enrichissant bientôt des apports de la psychanalyse *(Sur Racine)* et donnant naissance à un article retentissant, l'« Introduction à l'analyse structurale des récits », publié dans la revue *Communications* (1966). Toujours papillonnant, Barthes s'attache en même temps à fonder une science entrevue par Saussure, la sémiologie, ou « science des signes dans la vie sociale » *(Système de la mode).*

© Jerry Bauer

Roland Barthes : « toute la tâche de l'art est d'*inexprimer l'exprimable,* d'enlever à la langue du monde, qui est la pauvre et puissante langue des passions, une parole *autre,* une *parole* exacte » *(Essais critiques).*

Un donjuanisme critique

1953 *Le degré zéro de l'écriture.*
1954 *Michelet par lui-même.*
1957 *Mythologies.*
1963 *Sur Racine.*
1964 *Essais critiques.*
1966 Participation au n° 8 de *Communications.*
1966 *Critique et vérité.*
1967 *Système de la mode.*
1970 *S/Z* ; puis *L'empire des signes* (1)
1971 *Sade, Fourier, Loyola.*
1973 *Le plaisir du texte.*
1975 *Roland Barthes.*
1977 *Fragments d'un discours amoureux.*
1981 *Le grain de la voix.*
1982 *L'Obvie et l'Obtus.*
1984 *Le bruissement de la langue.*
1985 *L'aventure sémiologique.*

1. Chez Skira. Tous les autres titres sont au Seuil.

Le début des années 70 révèle un Barthes épris de « textualité », en compagnie de Sollers, de Julia Kristeva, de Derrida et de Lacan (c'est l'époque de *S/Z ; L'empire des signes ; Sade, Fourier, Loyola*). Au lieu des structures quelque peu métalliques du récit, avec ses rouages et ses *dispositifs,* se dévoile l'extraordinaire complexité du texte littéraire conçu comme un tissage si subtil que chaque lecture ne représente qu'un parcours possible parmi une infinité d'autres. Un magistral article « Texte », paru en 1973 dans l'*Encyclopaedia Universalis,* fait le point sur les conceptions de cette période.

Redoutant que toute cette scientificité ne se fige en conformismes, oscillant entre la tentation de théoriser et l'allergie aux théories, Barthes évolue en définitive vers une sorte d'épicurisme ludique et raffiné, à partir d'un essai au titre parlant, *Le plaisir du texte.* Il cultive le bonheur des facettes et du fragment *(Roland Barthes),* se met à l'écoute du « grain de la voix » et du « bruissement de la langue ».

Figure de proue de la critique nouvelle, Barthes l'aura été aussi par sa conviction que l'activité critique suppose une *écriture.* Déjà Bachelard et Blanchot apparaissaient comme de véritables écrivains. Comme eux, Barthes a laissé aux épigones la lourdeur pseudo-scientifique, les semelles de plomb.

Vers l'ouverture du texte : l'« intertextualité »

Dans son article « Texte » Barthes a souligné que « Tout texte est un tissu nouveau de citations révolues. Passent dans le texte, redistribués en lui, des morceaux de codes, des formules, des modèles rythmiques, des fragments de langages sociaux, etc., car il y a toujours du langage avant le texte et autour de lui. L'intertextualité, condition de tout texte, quel qu'il soit, ne se réduit évidemment pas à un problème de sources ou d'influences ; l'intertexte est un champ général de formules anonymes, dont l'origine est rarement repérable, de citations inconscientes ou automatiques, données sans guillemets. »

Cette notion d'intertextualité a fait son apparition dans la seconde moitié des années 1960, sous la plume de Julia Kristeva, qui a contribué plus que quiconque à l'imposer. Bien tardivement la théorie du texte développait des principes que le Russe Tynianov avait affirmés dès 1927, et qu'avait illustrés un de ses compatriotes, Mikhaïl Bakhtine (*La poétique de Dostoïevski,* 1970). C'est que, préoccupée de lutter contre la « critique des alentours » (pseudo-explications par la biographie de l'écrivain, invocation perpétuelle des données historiques), l'analyse formaliste avait d'abord insisté sur la clôture de l'œuvre, sur le principe d'immanence. Tout en prouvant sa fécondité par une floraison remarquable de travaux, le principe d'immanence ne facilitait pas le dialogue avec les types de recherches qui insistaient, elles, sur *l'ouverture* des œuvres à toutes les rumeurs de la littérature, de la philosophie, des discours communs, enregistrés par les dictionnaires et autres répertoires. Avec la notion d'intertextualité, Kristeva se proposait, entre autres objectifs, de briser l'illusion du sujet cartésien, convaincu de sa maîtrise sur les signes. Opposé à intersubjectivité, intertextualité désignait l'interdépendance des textes eux-mêmes, les contraintes exercées par des milliers de fragments de discours anciens sur la production de tout texte.

Il ne s'agissait donc nullement de revenir à une fort ancienne investigation auxiliaire de l'histoire littéraire, la recherche des sources, avec ses présupposés naïfs : souveraineté d'un créateur qui emprunte, ou tout au moins conviction que d'un texte à l'autre se transmettent, sans perturbations majeures, de « petits cubes » (L. Febvre) rangés dans un ordre comparable, les mots. La recherche des sources, se contentant de repérer des identités lexicales — ce qui était déjà bien incertain — manquait en fait d'une véritable théorie du texte. Mais comment s'en tenir à cet appel peu scientifique au bon sens, après la mise au jour par la psychanalyse des multiples transformations que l'inconscient fait subir aux matériaux du langage ?

Une meilleure prise de conscience des jeux entre les textes a suscité deux orientations de recherches. Dans *Palimpsestes* (1982), Gérard Genette, inquiet du caractère peu maîtrisable de ce tourbillonnement de fragments anciens à l'intérieur de toute œuvre, a choisi de se limiter à ce qu'il appelle le « versant le plus ensoleillé » : il n'étudie que les cas où toute une œuvre B dérive de toute une œuvre A, de façon massive et déclarée (ainsi, par exemple, les reprises des tragédies mythiques des Grecs). Genette aboutit alors à une orgie de classifications.

Beaucoup plus séduisantes, même si elles sont plus risquées, se révèlent les analyses de Michel Riffaterre, dans ses *Essais de stylistique structu-*

rale (1971), puis dans *La production du texte* (1979) et dans *Sémiotique de la poésie* (1983). Pour lui, comme pour Kristeva, le texte imprimé conserve toutes sortes de cicatrices qui attestent le travail de transformation dont il résulte. Il faut pratiquer une écoute fine pour faire parler ces légères anomalies qui échappent au lecteur superficiel : deux disciplines aideront à déchiffrer ces énigmes, la grammaire générative (un des apports récents de la linguistique) et la psychanalyse.

Depuis les années 1970, les recherches sur l'intertextualité ont connu un essor spectaculaire. On s'est intéressé à la parodie, à la théorie du cliché... ainsi qu'aux reprises qu'une œuvre effectue de certaines parties d'elle-même, variantes ou mises en abîme (L. Dällenbach, *Le récit spéculaire*, 1977).

L'apparition d'une critique féministe

Quelques années après les premiers essais féministes de l'après-guerre, une critique littéraire inspirée par la même contestation est apparue et s'est développée rapidement. Déjà les essayistes — dont beaucoup étaient des littéraires — avaient souvent convoqué la littérature pour dénoncer l'oppression de leur sexe : du « Sois charmante et tais-toi » de Baudelaire au mépris d'un Henry Miller. Des analyses systématiques d'œuvres occupent la moitié du brillant ouvrage de l'Américaine Kate Millett, *La politique du mâle* (1970) : le sexisme de Miller, de Mailer, de Lawrence est mis au pilori ; même dans l'univers homosexuel de Jean Genet, Millett décèle la domination des mâles sur les « femmes », vouées au dédain et à l'insulte. En France, Xavière Gauthier attaque les prétentions du surréalisme à avoir apporté une révolution dans l'amour : elle retrouve la femme-objet dans les maîtresses chantées par Eluard ou par Breton (*Surréalisme et sexualité,* 1972). Annie Leclerc ironise sur le culte masculin du « héros » et dénonce l'un de ses célébrants les plus récents, Malraux (*Parole de femme,* 1975).

Le titre du bel essai d'Annie Leclerc attire l'attention sur la recherche la plus actuelle : analystes et théoriciennes s'interrogent aujourd'hui sur la spécificité d'une écriture authentiquement féminine : écriture par cycles, par jaillissement, par nappes, étrangère à l'ordre mâle, s'enchantant du pouvoir d'irradiation des vocables plus que de la syntaxe, réfractaire à la délimitation des genres littéraires (Hélène Cixous, Catherine Clément). Une remarquable étude du psychanalyste Serge Leclaire, « ... De l'amour » (publiée dans *On tue un enfant,* 1975), a mis en évidence l'importance de telles investigations, poursuivies par Béatrice Didier (*L'écriture-femme,* 1981) et — de façon moins rigoureuse — par Irma Garcia (*Promenade femmilière,* 1981) ou Michèle Sarde (*Regards sur les Françaises. X^e-XXe siècle,* 1984). Les Editions Des Femmes, fondées en 1974, ont joué un rôle important dans l'essor du féminisme littéraire bientôt imitées par nombre d'éditeurs soucieux de créer des collections « Femmes ».

BIBLIOGRAPHIE

Les essais critiques les plus marquants ont été cités dans le cours de la présentation. Les revues *Poétique* (Seuil) et *Littérature* (Larousse), les collections « Écriture » (Presses universitaires de France), « Poétique » (Seuil), les manuels des séries « Nathan-Université », « Faire-Lire » (Didier), les « Introductions à » (Bordas) fournissent d'excellents états des questions. Ne seront mentionnées ici que les introductions les plus générales et les plus accessibles.

Roland BARTHES, *Roland Barthes,* Seuil, 1975. — Roland BOURNEUF et Réal OUELLET, *L'univers du roman,* P.U.F., 1984. — Jean BELLEMIN-NOËL, *Psychanalyse et littérature,* P.U.F., coll. « Que sais-je ? », n° 1752, 1983. — Pierre BRUNEL, Daniel COUTY, Jean-Michel GLIKSOHN, Daniel MADELÉNAT, *La Critique littéraire,* P.U.F., coll. « Que sais-je ? », 1976. — CERISY (colloque de), *Les chemins actuels de la critique,* Plon, coll. 10 × 18, 1966 (des dialogues éclairants sur la crise et les conflits du milieu des années 1960). — Gilbert DURAND, *L'imagination symbolique,* P.U.F., coll. « Sup », 1964 (excellente initiation au renouveau des études sur l'imaginaire : Freud, Jung, Cassirer, Bachelard...). — Roger FAYOLLE, *La critique,* Colin, 1978 (un panorama historique précieux). — Gérard GENETTE, *Figures III,* Seuil, 1972 (le maniement exemplaire de quelques outils d'analyse, appliqués à Proust). — Vladimir PROPP, *Morphologie du conte,* Seuil, coll. « Points », 1970 (les origines et, en annexe, l'évolution des analyses de récit). — Patrick ROTMAN et Hervé HAMON, *Les intellocrates. Expédition en haute intelligentsia,* Poche « Complexe », 1985 (les agents de la circulation des idées littéraires en France). — Pierre ZYMA, *Manuel de sociocritique,* Picard, 1985. — Jean-Yves TADIÉ, *La critique littéraire au XXe siècle,* Belfond, 1987. — *Introduction aux études littéraires,* dirigée par M. DELCROIX et F. HALLYN, Duculot, 1990.

LA LITTÉRATURE NÉGRO-AFRICAINE D'EXPRESSION FRANÇAISE

Non pas inconnue, mais méconnue, la littérature négro-africaine mérite mieux que la situation marginale qui lui est actuellement faite. Trop souvent considérée comme une excroissance exotique de la littérature française, elle offre pourtant des singularités immédiates et profondes : parce qu'elle est à la fois très jeune — née aux frontières de la Seconde Guerre mondiale — et très vieille — héritière d'un passé d'oppression et de douleur, héritière aussi de civilisations ancestrales que l'Occident esclavagiste et colonisateur avait jetées au rebut, et qui n'ont pas fini d'être exhumées. Ainsi, malgré leur diversité d'origine, de formation, de tempérament, les premiers écrivains noirs ont fait de leurs œuvres, personnelles, autonomes, différentes, un tout littéraire : une grande œuvre inquiète des tribulations de l'Histoire, dressée contre ses injustices et ses cruautés; l'œuvre constamment soucieuse de dépasser la problématique individuelle pour se muer en parole collective, dire la révolte des opprimés, et par là susciter la naissance d'un monde fraternel tendu « à toutes mains, à toutes les mains blessées du monde » (Césaire).

Levains

Littérature jeune, mais qui n'est pas surgie du néant. Dès le début de ce siècle, des Noirs américains, vite secondés par des Antillais, ont interrogé leur statut difficile de descendants d'esclaves, tenus à l'écart et honnis d'une société qui pourtant n'avait pu naître que par leur race arrachée à l'Afrique (« pour engraisser ses terres à cannes et coton, car la sueur nègre est fumier », écrira Senghor en 1945). William E. B. Dubois (1868-1964), Claude MacKay (1860-1947), Langston Hughes (1902-1967) sont parmi les artisans majeurs de cette « Negro Renaissance » (Renaissance Noire), nourrie de traditions terriennes et populaires (musicales, surtout, avec le blues et le jazz), riche d'un lyrisme de revendication où s'exalte, en défi au mépris blanc, l'idée parfois messianique d'un sursaut salvateur de la Race Noire. En Haïti, des intellectuels comme Jean-Price-Mars (1876-1969) réagirent à l'occupation américaine de 1915 en se vouant à redécouvrir, revigorer les langues, les folklores, les cultures des Antilles, regardant déjà l'Afrique comme un phare (« tes enfants perdus t'envoient le salut, maternelle Afrique » — Carl Brouard). Jacques Roumain (1907-1944) a porté à son plus haut niveau lyrique et politique cette renaissance (*Bois d'ébène*, poèmes, 1938) [1]; son roman posthume *Gouverneurs de la rosée* (1946) [1], dont la langue fait largement appel aux tournures antillaises, est gonflé de tendresse pour la misérable paysannerie haïtienne, et constitue à long terme un appel à la révolution.

En France même, dans les années 1920, se développait ce que Yambo Ouologuem a nommé sans indulgence une « négrophilie philistine ». La vogue de l'« art nègre », la multiplication des travaux d'ethnologie, l'*Anthologie nègre* de Blaise Cendrars (1921) recueil disparate mais précieux de textes de littérature orale) [2], la popularité, après guerre, des « tirailleurs sénégalais » mirent l'Afrique et les Noirs à la mode. Mais des voix discordantes sapaient la bonne conscience du public français. La publication en 1921 de *Batouala, véritable roman nègre* [3] (qui obtint le prix Goncourt), écrit par René Maran (1887-1960), noir antillais administrateur en Oubangui-Chari, éveilla l'opinion en dénonçant l'exploitation et la répression coloniales; Maran fut démis de ses fonctions. *Le Voyage au Congo* (1927) et le *Retour au Tchad* (1928) d'André Gide donnèrent un dynamisme accru à la lutte anticoloniale naissante. Un groupe d'étudiants martiniquais lança en 1932 à Paris *Légitime Défense*; l'unique numéro de cette revue exigeait avec fureur, comme ferment d'une libération politique, la création d'une littérature nègre débarrassée des influences françaises — réclamait, autrement dit, la mort de la « littérature de décalcomanie » (Damas) qui sévissait encore aux Antilles sous la forme

1. Éditeurs Français Réunis.
2. Livre de poche.
3. Albin Michel.

creuse d'un néo-Parnasse outrageusement blanchi. Il fallut peu de temps pour que d'un tel creuset d'apports américains, antillais, français, surgît le mot alchimique, Négritude, qui signa l'émergence d'une littérature nouvelle.

Poèmes et négritudes

Il est difficile de cerner le champ de ce mot, dont les définitions et les variantes (africanité, mélanité, négrité, négrisme...) prolifèrent, qui a ses grands initiés et ses iconoclastes. C'est au moment de sa naissance qu'il faut tenter de le saisir, quand il catalysa les préoccupations des jeunes gens qui lancèrent en 1934 à Paris *L'Étudiant Noir*. Léon-Gontran Damas, Guyanais (1912-1978), Aimé Césaire, Martiniquais (né en 1913), Léopold-Sédar Senghor, Sénégalais (né en 1906) cristallisèrent dans ce journal leur malaise partagé de colonisés, d'exilés, d'avatars précaires de la civilisation française conquérante et généreuse — cette même civilisation qui affichait sur ses murs le sourire bêtement épanoui et les bons gros yeux exorbités de Y'a bon Banania... Refus de l'Occident oppresseur, refus des idéologies européennes, refus de la servilité culturelle (et spécialement littéraire) — exaltation du retour sur soi, appel aux retrouvailles avec l'Afrique, volonté de munir la diaspora nègre d'une même conscience et d'une même voix : avant de devenir concept ou théorie, la négritude fut un élan passionné et complexe, vecteur de révolte et de fraternité mêlées, charriant avec frénésie passé, présent et avenir, race et histoire. Il n'est pas étonnant que ses premières expressions aient été poétiques, chacun des auteurs inventant des formes lyriques qui puissent l'écarter de la coutume française et porter témoignage de « ce que l'homme noir apporte » (1). Tâche difficile puisque, bon gré mal gré, ces poètes écrivaient en français, et ne pouvaient donc ignorer une tradition et un climat littéraires eux-mêmes remis en cause à l'époque par le grand chambardement surréaliste....

Le coup d'envoi fut donné par Damas avec *Pigments* (1937) (2), plaquette de poèmes dont l'humour est fiévreux et l'agressivité douloureuse. Inutile de chercher ici une quelconque « théorie de la négritude » (le mot, d'ailleurs, n'y est pas employé); il faut y lire — y subir — le malaise viscéral d'un homme rendu étranger à lui-mêm et qui tente de se reconquérir. Le jeune Guyana s'emporte contre son éducation de petit bourgeo mulâtre, sans cesse opprimé par une mère tyra nique « voulant d'un fils très bonnes manières table » et qui parlât « le français de France/ français du Français/le français français (*Hoquet*); révolte contre une mère devenue symbole d'une « ci-vi-li-sa-tion » (*Solde*) détestée « ma haine grossit en marge/de la culture/e marge/des théories/en marge des bavardage dont on a cru devoir me bourrer au berceau/alo que tout en moi aspire à n'être que nègre/auta que mon Afrique qu'ils ont cambriolée » (*Bla chi*). Damas appelle cette Afrique perdue (« Re dez-les moi mes poupées noires! » *Limbé*) do il ne reçoit que des bribes, dans une Europe o « bientôt cette idée leur viendra/de vouloir vou en bouffer du nègre/à la manière d'Hitler/bou fant du juif » (*S. O. S.*). La simplicité ou la fami liarité du langage font que ces poèmes semblen construits par et pour le rythme : répétitions e cascades, dureté des syllabes initiales, large emplo de l'expressivité typographique ont fait écrir à Senghor que tout, chez Damas, « est soumis a rythme naturel du tam-tam ».

Au « tam-tam » de guerre et de deuil de Dama se joignirent deux ans plus tard les grande orgues païennes du *Cahier d'un retour au pay natal* (1), d'un auteur en qui André Breton vi « la cuve humaine portée à son point de plu grand bouillonnement ». Des dizaines d'exégèse n'ont pas épuisé la richesse du long poème d Césaire, chronique exacerbée d'une trajectoir personnelle, prise en charge d'une souffranc collective (celle de tous les Noirs, de tous le opprimés), exaltation de la négritude s'ouvran sur un appel passionné à la fraternité des hommes... Tout cela — et beaucoup plus — dans u incessant éclatement d'images, un rythme torrentiel qui parfois s'épuise en de douloureux piétinements : une parole diverse et toujours identifiable, « belle comme l'oxygène naissant (Breton). « Des mots, ah oui, des mots ! mais de mots de sang frais, des mots qui sont des raz-de marée et des érésipèles » : Césaire ouvre le feu contre l'esclavage, la colonisation, le racisme contre la torpeur misérable de ses compatriote antillais, contre les tentations de renier so peuple qui le saisirent quand il retrouva « le Antilles qui ont faim, les Antilles grêlées de petit vérole, les Antilles dynamitées d'alcool, échoué

1. Titre d'un article de Senghor, 1939.
2. Présence Africaine. Autres recueils : *Graffiti*, 1952, Seghers; *Black Label*, 1956, Gallimard; *Névralgie*, 1966, P. A.

1. Présence Africaine.

ıns la boue de cette baie, dans la poussière de ·tte ville, sinistrement échouées ». Le poème ılmine avec « la foi sauvage du sorcier » par quelle Césaire, exaltant « les splendeurs de la rvitude », transmue la malédiction nègre en ıe formidable résurrection; ovations célèbres ·venues le credo lyrique de la négritude :

« Eia pour ceux qui n'ont jamais rien inventé
pour ceux qui n'ont jamais rien exploré
pour ceux qui n'ont jamais rien dompté
mais ils s'abandonnent, saisis, à l'essence de toute chose ignorants des surfaces mais saisis par le mouvement de toute chose insoucieux de dompter, mais jouant le jeu du monde ».

A la veille de la Seconde Guerre mondiale, ce ıt une magnifique proclamation humaniste :

« Ne faites point de moi cet homme de haine pour
qui je n'ai que haine (...)
vous savez que ce n'est point par haine des autres races
que je m'exige bêcheur de cette unique race
que ce que je veux
c'est pour la faim universelle
pour la soif universelle
la sommer libre enfin
de produire de son intimité close
la succulence des fruits ».

Ce poème n'était rien moins que le plus grand ıonument lyrique de ce temps, » écrivait Breton ı 1943; cependant, comme pour *Pigments* iré à 500 exemplaires) la faiblesse de sa diffusion quelques tirages à part de la revue *Volontés* en 939) fit qu'il ne toucha qu'un public restreint.

La guerre menaça la jeune littérature, dis-ersant le groupe de *L'Étudiant Noir*; Senghor, evenu « tirailleur sénégalais », séjourna dans les ıalags allemands. Mais Césaire, rentré à la Martinique, y créa en 1941, contre vents et marées, ı revue *Tropiques*. La rencontre avec André Breton incita Césaire à explorer les potentialités évolutionnaires du surréalisme; l'équipe de la evue estima vite que « la cause surréaliste, dans 'art comme dans la vie, est la cause même de la iberté » (Suzanne Césaire). Dans cet effort de ibération, *Tropiques* enrichit et creusa les thèmes naugurés par *Légitime Défense* et *L'Étudiant Noir* : nécessité du ré-enracinement et de la econquête culturelle, par l'étude et la pratique les civilisations africaines et de leurs prolonge-nents caraïbes (plusieurs articles furent consacrés ıu folklore antillais), nécessité aussi de donner naissance à une néo-culture nègre éventuellement écondée d'apports étrangers (surréalistes par xemple).

A Paris même, la libération de Senghor en 1941 permit aux jeunes intellectuels de reformer un groupe de réflexion, enrichi de nouvelles recrues, dont le futur poète malgache Jacques Rabemananjara.

La guerre terminée, Senghor publia *Chants d'ombre* (1945) (1), poèmes qu'il polissait depuis dix ans. Aux colères, aux éruptions, aux interrogations de Damas et Césaire répond la voix souveraine d'un Africain resté, par-delà son long séjour en France, charnellement lié à sa terre natale, baigné des traditions du pays sérère et retournant sans effort vers des sources qui, pour lui, ne s'étaient jamais taries : « Me voici cherchant l'oubli de l'Europe au cœur pastoral du Sine » (2) *(Tout le long du jour...)*. Si Senghor peut dénoncer avec violence esclavage et colonisation, « les mains sûres qui (l)'ont livré à la solitude à la haine », qui « abattirent les forêts d'Afrique pour sauver la Civilisation, parce qu'on manquait de matière première humaine » *(Neige sur Paris)*, il n'est pas, comme ses amis antillais, rongé par la sensation du déracinement; il est de vieille souche sénégalaise, il parle et a étudié des langues africaines, il est armé d'une solide double culture. A l'opposé de la crispation césairienne, il déploie sereinement des versets « au rythme processionnel » (L. Kesteloot) — il n'a jamais nié ses affinités électives avec Saint-John Perse et Claudel — ponctués de mots africains, et animés du souci de renouer, en langue française, avec la poésie chantée des griots (3) : « Elé-yâye! De nouveau je chante un noble sujet; que m'accompagnent kôras et balafongs ! » (4). Plusieurs poèmes sont destinés à recevoir un accompagnement musical traditionnel, où Senghor, avec une sensualité profonde et maîtrisée, chante la femme noire, les ancêtres, les masques, la grandeur de l'Afrique immémoriale. Mais la spécificité du poète est une tentation humaniste du métissage, l'acceptation critique des valeurs étrangères, une constante volonté de rendre fécond un mélange culturel que l'Histoire fait inévitable et que l'avenir rend nécessaire : « j'ai rêvé d'un monde de soleil dans la fraternité de mes frères aux yeux bleux » *(Le retour de l'enfant prodigue)*.

A la libération, la Négritude éprouva le besoin d'une action autre que littéraire : Senghor au Sénégal, Césaire à la Martinique, Damas en

1. In *Poèmes*, Seuil.
2. Sa province natale.
3. Troubadours traditionnels.
4. kôra : harpe de 16 ou 32 cordes.
   balafong : grand xylophone.

Guyane, Rabemananjara à Madagascar furent élus députés et se firent en commun militants anticolonialistes. Il leur manquait une tribune tant politique que culturelle; Alioune Diop fonda en 1947 *Présence Africaine*, revue destinée à « définir l'originalité africaine et hâter son insertion dans le monde moderne ». Paraissant à Dakar et Paris, pauvre et mal faite — par souci d'indépendance financière — elle pouvait se prévaloir de l'appui d'intellectuels français tels Balandier, Leiris, Mounier, Gide, Sartre, Camus, et cherchait à unir dans un même front tous ceux qui, quelle que fût leur nationalité, leur couleur, leur religion, voire leur idéologie politique, voulaient mettre fin à l'écrasement des peuples dits d'outre-mer. Doublée deux ans plus tard d'une maison d'édition, *Présence Africaine* révéla au public la plupart des écrivains noirs de la première génération, tandis qu'en 1948 Sartre, intitulant *Orphée Noir* sa longue préface à l'*Anthologie de la nouvelle poésie nègre et malgache de langue française* ([1]) de Senghor, donnait à la jeune littérature nègre des armes idéologiques précises et célèbres (et fort contestées depuis) : « la Négritude n'est pas un état, elle est pur dépassement d'elle-même, elle est amour ». Damas avait publié un an auparavant *Poètes d'expression française* ([2]), autre anthologie moins rigoureuse et cohérente que celle de Senghor qui, rééditée en 1969, propose encore l'image la plus expressive et la plus mouvante d'une poésie dont le combat n'a pas pris fin.

Romans et révoltes

L'âge d'or du roman africain commença quelques années plus tard; sans que les cris des poètes se fussent tus, de jeunes prosateurs relayèrent les fondateurs illustres, pour décrire et dénoncer le sort des colonisés, ou exalter l'Afrique pré-coloniale préservée des érosions blanches. Camara Laye (1928-1980), Guinéen et ouvrier à Poissy, fit de ses souvenirs d'enfance un récit remarqué, *L'enfant noir* (1953) ([3]). Camara a vécu à l'ombre des siens une enfance idyllique, inscrite dans les faits et gestes, les pratiques et les rituels d'une société paysanne parfaitement harmonieuse : jeunesse rythmée par les fêtes et les saisons, l'initiation et la circoncision, la moisson du riz et le travail de l'or... Tout cela décrit dans un français exemplaire, riche de tournures élaborées et de subjonctifs archaïsants. Camara s'attira les foudres d'Alexandre Biyidi qui dans *Présence Africaine* condamna le caractère idyllique de l'œuvre (« Afrique noire, littérature rose »), pour lui hors de saison au moment où la répression coloniale était plus virulente que jamais. A son tour, Biyidi, sous le pseudonyme d'Eza Boto, entra en littérature avec *Ville cruelle* (1954) ([1]), histoire sans tendresse d'un homme perdu par la désagrégation coloniale. *Le pauvre Christ de Bomba* (1956) ([2]), sous le nouveau pseudonyme de Mongo Béti, confirma les dons naturalistes et polémiques du romancier camerounais (né en 1932). Par le regard naïvement corrosif du boy d'un missionnaire, qui tient son journal, la société coloniale des années 30 surgit dans sa fausseté, son aliénation, sa violence ouverte ou latente : tableau impitoyable de l'échec d'une religion importée et du heurt stérile de deux civilisations. Dans ses romans ultérieurs, *Mission terminée* (1957) ([3]) et *Le roi miraculé* (1958) ([3]), Mongo Béti a prolongé cette dénonciation salubre, l'élevant jusqu'à une interrogation de l'homme en proie à des forces historiques qui lui échappent et le broient sans recours.

Un autre Camerounais, Ferdinand Oyono (né en 1929) complète sur un mode différent la satire inquiète de Béti. Deux romans parus la même année (1956), *Une vie de boy* ([4]) et *Le vieux nègre et la médaille* ([5]) tracent avec une acidité comique un portrait destructeur des pratiques coloniales. L'un et l'autre héros — le jeune boy Toundi et le vieux villageois Meka — sont victimes de leur contact avec des Blancs imbéciles, d'une sinistre hypocrisie, pantins odieux auxquels les clichés racistes tiennent lieu de pensée. Seul l'instituteur français échappe à la règle, mais il s'entend reprocher : « vous dressez les indigènes contre nous... vous leur racontez qu'ils sont des hommes comme nous, comme s'ils n'avaient pas déjà assez de prétentions comme cela »! Ici encore, le rôle désagrégateur de l'action missionnaire est dénoncé sans cesse; les prêtres y sont les complices et les relais de l'oppression politique et économique.

Mais les héros de Béti et Oyono ont été qualifiés de « négatifs » : ils ne réussissent pas à engager la lutte contre le système qui les ronge

1. P.U.F.
2. Seuil
3. Livre de Poche.

1. Présence Africaine.
2. Robert Laffont.
3. Buchet-Chastel.
4. Presses-Pocket.
5. 10/18.

u les tue; leurs rébellions sont incomplètes, poradiques ou illusoires; ils incarnent une évolte qui se cherche parce qu'elle ne réussit pas se faire collective. Avec Sembene Ousmane né en 1923, Sénégal), un pas est franchi; à la ifférence d'Oyono et Béti, fils des écoles chréennes puis étudiants en France, Sembene est n autodidacte confronté très jeune aux réalités e la vie ouvrière; ses deux premiers romans, *e docker noir* (1956) (1) et *O pays mon beau euple* (1957) (2), dans leurs maladresses et leur incérité, en témoignent. *Les bouts de bois de Dieu* 1960) (3) sont une fresque magnifique où revit ans toutes ses dimensions la grève qui, en 1947-8, opposa les cheminots de la ligne Dakar-Niger à leurs patrons blancs. Le combat des iches et des pauvres y est décrit sans manihéisme; des scènes intimistes éclairent les proongements individuels de la révolte collective. embene dépasse les considérations raciales our montrer que ce sont deux classes — et non eux races — qui se combattent; et, loin d'exalter ans nuance la société traditionnelle, il en dénonce ertains travers, en particulier la pesanteur de Islam et la complicité de ses dignitaires avec les utorités coloniales. La finesse et la profondeur e l'analyse, le souffle révolutionnaire qui emorte le roman, la maîtrise de l'écriture font des *outs de bois de Dieu* la meilleure œuvre de embene. L'équilibre était trouvé entre didacsme politique et investigation psychologique.

L'aventure ambiguë (1961) (4) de Cheik Hamiou Kane (né en 1928, Sénégal), autre roman ignificatif, impressionne le lecteur par son xceptionnelle densité et la hauteur du débat qui anime. L'aventure est celle d'un jeune Peuhl levé tout entier dans un Islam rigoureux et nystique et qui, envoyé pour ses études en France, 'y trouve torturé par le matérialisme occidental, e pouvant ni l'accepter ni en réaliser la synthèse vec son idéalisme coranique. Sans grande épaiseur humaine, les personnages de l'œuvre sont vant tout des voix qui soutiennent des opinions t expriment des conflits fondamentaux, outreassant largement les effets spécifiques du coloialisme : l'aventure est celle de toute valeur, de oute culture, de toute civilisation heurtées à 'autres que l'Histoire rend provisoirement ominantes, et donc menaçantes. Roman âpre et tendu dont chaque phrase soulève une montagne d'interrogations : « il faut aller apprendre chez eux (les Blancs) l'art de vaincre sans avoir raison »...

1. Présence Africaine.
2. Amiot-Dumont.
3. Presses-Pocket.
4. 10/18.

Pour différents qu'ils soient, tous ces romans participent d'un même militantisme, celui de la prise en considération de l'Afrique et des Africains par l'Europe colonialiste. Ils sont tournés vers le public occidental, et conçus pour troubler son confort intellectuel et moral. Les autres romans notables de ces années 50 manifestent des préoccupations identiques; ainsi *Un piège sans fin* (1960) (1) du Dahoméen Olympe Bhêly-Quenum (né en 1928), *Sous l'orage* (écrit en 1954, publié en 1963) (2) du Malien Seydou Badian (né en 1928) ou *Climbié* (1956) (3) de l'Ivoirien Bernard Dadié (né en 1916). Affirmer, comme le critique antillais René Ménil, que « la littérature africaine n'accorde pas une place suffisante à l'individu » est méconnaître le caractère extroverti d'œuvres lucidement placées sous la dépendance féconde d'une collectivité opprimée en marche vers sa libération.

Sources orales

Pour certains écrivains le « retour aux sources », dans ces mêmes années, fut une démarche empirique. Conscients de l'existence en Afrique d'une littérature orale très riche et diversifiée, enracinée depuis des temps immémoriaux dans la vie quotidienne des villages ou des cours royales, et menacée par l'irruption des Européens et de leurs langues et civilisations écrites, ils s'attachèrent à recueillir, à transcrire, à traduire en français ces témoignages solides de la culture traditionnelle. Ainsi parurent plusieurs recueils auxquels la phrase célèbre du vieil humaniste malien Amadou Hampaté Bâ, « en Afrique, tout vieillard qui meurt est une bibliothèque qui se consume » pourrait servir d'épigraphe. La profession de Birago Diop (1906-1989, Sénégal), vétérinaire itinérant, lui permit la récolte fructueuse, dans les villages de brousse soudanais, des nombreux contes rassemblés dans *Les contes d'Amadou Koumba* (1947), *Les nouveaux contes d'Amadou Koumba* (1958), *Contes et lavanes* (1963) (2). Plus bas vers la côte, ses lagunes et ses forêts, Bernard Dadié, avec *Légendes Africaines* (1953) et *Le pagne noir* (1955) (2), a redonné au folklore

1. Stock.
2. Tous chez Présence Africaine.
3. Seghers.

sa plénitude. Nulle part mieux que dans ces textes spontanés, pétillants de vie, à l'abri de toute contamination étrangère, le lecteur ne peut entendre la voix des paysans et participer par l'esprit à la vie des villages. Car, bien que les héros en soient le plus souvent des animaux (Leuk le Lièvre chez Diop, Kacou Ananzé l'Araignée chez Dadié), ce sont les hommes qui s'y trouvent racontés, ridiculisés, exaltés, et surtout conseillés, quand surgissent des proverbes d'une sagesse sans âge ni continent : « quand la mémoire va chercher du bois mort, elle rapporte le fagot qui lui plaît » ou « Qui suspend son bien déteste celui qui regarde en haut » (Diop)... Une morale de la solidarité et du respect de l'autre imprègne ces récits; y est toujours puni celui qui, d'une manière ou d'une autre, s'est exclu de la collectivité. Ce qui frappe aussi, c'est l'importance du surnaturel : les hommes ne sont jamais seuls, ne cessant de côtoyer des lutins, des génies bien ou mal intentionnés dont les actes justifient l'inexplicable (ainsi, verser sans précaution de l'eau bouillante sur le sol, c'est risquer de blesser les génies de la terre, qui se vengeront en vous rendant fou). La coexistence des êtres et des forces visibles et invisibles est ininterrompue, dans un univers « composé de vases communicants, de forces vitales solidaires, qui émanent toutes de Dieu » (Senghor).

Ces constantes se retrouvent dans les contes de Benjamin Matip (Camerounais, *A la belle étoile*, 1962), d'André Raponda-Walker (*Contes gabonais*, 1967), de Joseph-Brahim Seïd (*Au Tchad sous les étoiles*, 1962), de Boubou Hama (*Contes et légendes du Niger*, 1972) (1).

Le Guinéen Djibril Tamsir Niane (né en 1932) donna une dimension historique à la littérature orale transcrite grâce à *Soundjata ou l'épopée mandingue* (1960) (2), l'une des versions populaires de l'histoire du souverain qui, au XIIIe siècle, conquit, fonda et organisa l'immense empire du Mali (de la Guinée à la Haute-Volta actuelles). Image sans pitié d'une société féodale guerrière et rude (le texte de Niane est sans cesse exploité par les historiens), mais aussi élan démesuré d'une épopée où interviennent héros surhumains et forces suprahumaines. Œuvre vivante, éminemment africaine et qui, ouverte sur la littérature du monde, suscite des parallèles avec, par exemple, les épopées de l'Occident médiéval.

1. Tous chez Présence Africaine; voir aussi les différents recueils des Éditions CLE.
2. Présence Africaine.

Cet intérêt vital pour ce que la littératur d'Afrique noire a de plus authentique (c'est-à dire préservé des contacts étrangers) va croissar depuis quelques années. Plusieurs éditeurs (1 confient à des spécialistes, africains ou non, l publication de textes couvrant tous les champ de la littérature orale : dictons, contes, fable poèmes religieux, épopées, récits d'initiation. La pluralité des genres, la variété des inspiration traduisent la vigueur d'une parole que tant d déboires historiques n'ont pas tuée, mais qu doit être fixée et étudiée au plus vite, tant le organisations sociales traditionnelles et leur modes de communication s'effritent rapidement

Développements

La littérature négro-africaine de ces année d'avant l'indépendance diversifia donc considé rablement ses secteurs de création, portée pa le passé, appelant l'avenir et militant dans l présent. A l'ombre, souvent, de Senghor e Césaire, restés initiateurs et maîtres. Le premie par une multiplicité d'articles, d'essais, de dis cours et de conférences (2) s'efforce de creuse l'idée de Négritude, fouillant ce qu'il considèr comme la spécificité nègre, exaltant l'humanism traditionnel en restant soucieux d'y découvri des points de convergence, et surtout de comple mentarité, avec les cultures non-africaines « la négritude, ensemble des valeurs culturelles d monde noir » doit participer à la « civilisatio de l'universel ». Effort — ou plutôt désir théor que qui seconde trois recueils poétiques éch lonnés de 1948 à 1961 *(Hosties noires, Ethi piques, Nocturnes)* (3). L'expérience personnel de la guerre, des camps nazis, de la solitude e Europe n'y est jamais dissociée d'une volon de pardon et de fraternité; à l'Europe qui enter le levain des nations et l'espoir des races nou velles » *(Luxembourg 1939)* se conjoint la *Priè de Paix* « d'un cœur catholique » auquel les sou frances de l'Histoire ne font pas perdre la fo en la réconciliation et la collaboration des peuple « Car le poète est comme la femme en gésine il lui faut enfanter » des vers munificents, lour de bruits et de couleurs, d'Afrique et d'Europ il lui faut « boire toutes les mers d'un seul tra nègre sans césure non sans accents » *(Élégie d saudades)*. Reproches et dénonciations accabler

1. A Colin, Julliard, F. Nathan, Klincksieck...
2. Rassemblés dans les 2 tomes de *Liberté*, 1964 1971, Seuil.
3. Rassemblés dans *Poèmes*, 1964, Seuil.

:nghor depuis quelques années : suppôt de la
lonisation, fossoyeur de l'identité africaine,
éco-latin impénitent, pantin manipulé par les
éologues européens... A ses détracteurs, il
:ut opposer une image de marque internationale,
:lle d'un grand poète nourri de valeurs tra-
tionnelles, à la recherche d'un syncrétisme
ouveau, orfèvre pleinement responsable d'un
liage que l'alchimie du verbe ne peut à elle seule
- évidemment — fondre. Senghor reste l'homme
:s contraires, et le constant chercheur de leur
liance.

La négritude césairienne est moins férue de
nvergence et de sérénité. En 1955 le militant
artiniquais, dans un des plus brillants pamph-
ts de ce siècle, *Discours sur le colonialisme* (1),
gla sans merci son compte à l'Occident :
qu'a fait l'Europe bourgeoise? Elle a sapé les
vilisations, détruit les patries, ruiné les nationa-
:és, extirpé la « racine de diversité » (...) L'heure
t arrivée du Barbare. Du barbare moderne.
'heure américaine. Violence, démesure, gas-
llage, mercantilisme, bluff, grégarisme, la
:tise, la vulgarité, le désordre ». Un an plus
rd, rompant avec le parti communiste, il signe
ie *Lettre à Maurice Thorez* (1) : « ce que je veux,
est que marxisme et communisme soient mis
ı service des peuples noirs, et non les peuples
oirs au service du marxisme et du communisme ».
on activité poétique n'avait jamais été inter-
mpue depuis le *Cahier*; *Les Armes miracu-
uses* (1946) (2), *Soleil cou coupé* (1948) (3),
orps perdu (1949) (3), *Ferrements* (1959) (3), *Ca-
stre* (1961) (3), érigent des symboles flamboyants
rfois difficiles, appels tendus à la révolte des
primés. Une même question féconde toute la
ésie de Césaire : « mon peuple/quand/quand
nc cesseras-tu d'être le jouet sombre/au car-
val des autres/ou dans les champs d'autrui/
pouvantail désuet »? *(Ferrements)*. Césaire
nte aussi de répondre à cette interrogation en
amaturge; *Et les chiens se taisaient* (1956) (1),
ı tragédie du roi Christophe (1963) (1), *Une
ison au Congo* (1967) (3), *Une tempête* (1969) (3),
ués avec succès en Europe et en Afrique, sont
ores et déjà des classiques, dont le langage
ıagé, syncopé, ardent, est celui d'un grand
ète politique.

La stature de Senghor et Césaire, indéniable-

1. Présence Africaine.
2. Gallimard.
3. Seuil. *Cadastre* est une réédition groupée de *Soleil u coupé* et *Corps perdu*.

ment, fait un peu pâlir les œuvres des poètes qui publièrent en même temps qu'eux. On ne peut cependant oublier Lamine Diakhaté (né en 1929, Sénégal) (1), Birago Diop et Bernard Dadié (les deux conteurs sont aussi bons poètes, l'un avec *Leurres et Lueurs*, 1960 (1), l'autre avec *La ronde des jours*, 1956 (1), le Mauricien Édouard Maunick (né en 1931) (1), les trois Malgaches Rabearivelo (1903-1937) (2), Ranaivo (né en 1914) (2), Rabemananjara (né en 1913 et fidèle compagnon de route de la Négritude) (2), et le Haïtien René Depestre (1), héritier virulent de Roumain et Césaire. Beaucoup d'espoirs avaient été fondés sur le jeune sénégalais David Diop, dont l'unique recueil *Coups de pilon* (1961) (1), nerveux, nostalgique, agressif ou tendre, a eu une influence considérable par la puissance de sa simplicité. Il mourut à trente-quatre ans dans un accident d'avion (1937-1961). Le lyrisme le plus personnel, le plus neuf, est sans doute celui de Tchicaya U Tam'si (1931-1988, Congo — son nom signifie en bantou « petite feuille qui parle de son pays »), « avec ses déchirures fulgurantes, ses retournements soudains, ses cris de passion » (Senghor) : « j'ai donc bercé/ma crasse à moi/ma crasse de nègre-juif/ma race de juif-nègre errant/dans le désert au cœur de mon pays » *(Les lignes de la main)* (3).

Soleils et nuées des indépendances

Avec l'indépendance des colonies françaises sembla prendre fin vers 1960 « cette civilisation de racisme dont le poète noir est l'enfant monstrueux » « (Stanislas Adotevi). Le combat paraissait gagné, et nombreux sont ceux qui, y ayant participé, et accédant dans leurs pays à des fonctions gouvernementales ou diplomatiques, se sont tus.

Favorisée par la création de nouvelles maisons d'édition (dont CLE au Cameroun et Pierre-Jean Oswald en France), la relève est assurée par une vague de jeunes auteurs dont beaucoup sont soucieux de secouer la Négritude devenue pour eux poussière ou carcan; car « la Négritude, qui a eu le mérite historique d'affirmer notre dignité et a eu un rôle d'électrochoc, n'est plus du tout opératoire et ne peut en aucune manière aider à résoudre les problèmes de l'Afrique » (Daniel Boukman). Dorénavant, il s'agit en effet, non plus de tendre à l'Occident le miroir de ses injus-

1. Présence Africaine.
2. Collection « Littérature malgache », Nathan.
3. Plusieurs recueils chez P.-J. Oswald.

tices et de son oppression, ni de lui opposer l'image d'une Afrique et d'une race grandes et belles qu'il a souillées, mais de militer pour que les Africains prennent authentiquement en charge leur destin et luttent contre leurs propres faiblesses. Littérature engagée, lucide, sans indulgence ni démagogie, dont le souci d'efficacité immédiate se traduit par l'emploi prioritaire de la prose romanesque ou dramatique. Des théoriciens comme Frantz Fanon (1925-1961, Martinique), psychiatre et combattant de la révolution algérienne, critique rigoureux du colonialisme et du racisme (*Peaux noires, masques blancs*, 1952 ([1]), *Les damnés de la terre*, 1961 ([2])) ont été pour beaucoup dans ce changement de préoccupations, donnant l'exemple d'une réflexion résolument supra-raciale : « Le Nègre n'est pas. Pas plus que le Blanc. Tous deux ont à s'écarter des voies inhumaines qui furent celles de leurs ancêtres respectifs afin que naisse une authentique communication. » Nombreux sont les jeunes intellectuels d'aujourd'hui qui voient en lui un maître à penser l'Histoire non en termes de races, mais de forces et d'événements.

Les difficultés de l'Afrique actuelle sont bel et bien énormes. Des sociologues comme Georges Balandier, Mahjemout Diop, Jean-Pierre N'Diaye les analysent; les romanciers les peignent en termes de conflits et de déchirements. Sembene Ousmane (qui est aussi devenu le plus grand cinéaste africain) observe dans *Vehi-Ciosane* (1966) ([3]) la dégénérescence d'un village sénégalais tenu à l'écart du courant économique, où la pauvreté envahissante incite les hommes à se replier sur eux-mêmes, à s'accrocher fébrilement à des valeurs religieuses et morales vidées de leur substance (on retrouve ici l'hostilité de l'auteur envers l'Islam institutionnalisé). Avec plus de didactisme et de pesanteur *Afrika Ba'a* (1969) ([4]) de Rémy Médou Mvomo (né en 1938, Cameroun) propose des solutions à une même déchéance; quelques jeunes gens réagissent et lancent leur village dans une expérience d'auto-financement communautaire et de diversification des cultures, créant une sorte de phalanstère de brousse dont la réussite fait tache d'huile, et renouant ainsi, par le dynamisme de l'action, avec les traditions ancestrales de collectivisme et de solidarité.

1. Seuil.
2. Maspero.
3. Présence Africaine.
4. CLE.

Mais le ton dominant, lorsqu'il est question d paysans, est à l'inquiétude, car une bête pro férante les menace : la ville. La ville où se diss vent les relations familiales et tribales; o fascinés, les jeunes des campagnes se réfugie dans l'espoir souvent déçu de trouver du trav et de l'argent; la ville qui déploie impudemme ses richesses d'Occident, ses villas, ses voitur ses gadgets, qui exhibe mauvais westerns films de karaté; la ville où règnent une bou geoisie avide et une bureaucratie sans conscien Monstre hypnotique qui broie *Maïmouna* (195 ([1]), « l'enfant de l'Afrique paysanne » héroï du roman d'Abdoulaye Sadji (mort en 196 Sénégal), le chômeur Ibrahima Dieng du *Mana* (1966) ([1]) de Sembene, et beaucoup d'autr jeunes et vieux, qui se rencontrent sur ce terra mouvant où les contradictions s'exacerbe Luttes entre jeunes lettrés formés à l'école oc dentale, en rupture de tradition, et ancie acharnés à conserver leurs prérogatives (*Bu Tilleen, roi de la Médina*, 1972 ([1]) de Cheik Ali Ndao, Sénégal); entre jeunes couples voula dépasser les barrières tribales ou raciales et vie conservateurs obtus (*Mon amour en noir et blan* 1971 ([2]) de Rémy M. Mvomo/*Ah Appoline*, u des nouvelles de *Tribaliques*, 1971 ([2]), recueil Congolais Henri Lopes, né en 1937); ent nouveaux riches et pauvres de toujours (*Trib liques*/nouvelles de *Voltaïque*, 1962, ([1]) de Se bene/*Xala*, 1973 ([1]) de Sembene/*La plaie*, 19 ([3]) de Malick Fall, Sénégal/*Sur la terre en pa sant*, 1966 ([1]) de François B. M. Evembe, Cam roun).

L'observation critique des mœurs sociales politiques, ou leur mise en accusation ouver sont aussi les préoccupations dominantes d nouveaux dramaturges. Écrivain plurivale Bernard Dadié se livre dans *Monsieur Thôg gnini* (1970) ([2]) à une satire farcesque et viruler de l'arrivisme d'un bourgeois africain que l'Oc dent hypnotise, et que les Blancs bernent à to propos, jusqu'à le convaincre de faire grav (moyennant finances) son nom sur « le marb vert des vespasiennes des provinces » de Franc Guillaume Oyono-Mbia (né en 1939, Camerou jette sur les paysans un regard narquois et tend à la fois, mettant en lumière les difficultés qu' ont à s'adapter à un monde dont l'évoluti leur échappe; un villageois imagine ainsi la v d'un parent bureaucrate en ville : « il n'aur

1. Présence Africaine.
2. CLE.
3. Albin Michel.

ème pas besoin de travailler! Il n'aurait qu'à re à son adjoint de dire à son planton de dire public aligné devant son bureau de repasser même jour à la même heure la semaine suinte! »... (*Trois prétendants, un mari*, 1968 [1], squ'à *nouvel avis*, 1970 [2]). Plus directement litique, le théâtre percutant de Daniel Boukman é en 1936, Martinique) s'en prend à la Négritude stituée (*Chants pour hâter la mort des Orphée*, 70 [3]), au néo-colonialisme (*Ventres pleins, ntres creux*, 1971 [2]), et à la nouvelle « traite s nègres » vers l'Europe qu'il suscite (*Les griers*, 1971 [2]). L'Ivoirien Zégoua Nokan é en 1936, par ailleurs romancier et poète) veloppe également le thème de l'émigration ns *La traversée de la nuit dense* (1972) [2], signant à la jeune littérature africaine, sous ine de ne pas être, une tâche révolutionnaire cessaire « à la lutte de tous les opprimés pour e ville meilleure ».

Illustrant le mot d'ordre de Cheik Ndoa, mon but est d'aider à la création de mythes qui lvanisent le peuple et portent en avant », autres pièces, puisant dans le passé de l'Afrique, tirent des leçons de dignité, de courage, de cidité pour le présent; ainsi *Béatrice du Congo* 970) [3] de Dadié, *L'exil d'Albouri* (1969) [2] Cheik Ndao *Sikasso* et *Chaka* (1971) de Djibril msir Niane [2].

erspectives

Romanesque, dramatique ou poétique (encore e la poésie, faute de véritables ténors, soit puis quelques années reléguée au second plan) littérature négro-africaine actuelle est donc vace et, presque unanimement, militante. Deux mans la dominent, dont chacun marque, à sa nière, un tournant. *Le devoir de violence* (Prix enaudot 1968) [4] de Yambo Ouologuem (né en 40, Mali), fresque torrentielle et sarcastique un empire africain à peine imaginaire, prend olemment le contrepied de toutes les idées ues sur l'Afrique et ses rapports avec l'Occident. in de considérer que les peuples noirs ont été victimes des seuls blancs, Ouologuem estime 'ils ont été avant tout mis en coupe réglée r leurs propres féodaux, incarnés ici par le oce et rusé Saïf ben Isaac el Héït, qui sait fort n exploiter la cruauté ou la crédulité des envahisseurs à son profit exclusif. Cette « aventure sanglante de la négraille », pour l'auteur, se prolonge aujourd'hui, puisque « Saïf, pleuré trois millions de fois, renaît sans cesse à l'Histoire, sous les cendres chaudes de plus de trente Républiques africaines »... Ouologuem a voulu faire œuvre de provocation, raillant Islam et christianisme, Noirs et Blancs, conquérants et conquis; la cruauté et l'érotisme furieux qui baignent l'ensemble, dans leur excès même, expriment le pessimisme rageur d'un homme que l'Histoire désespère et qui se moque de sa propre détresse. *Le devoir de violence* est aussi un manifeste littéraire, refusant tout compromis avec les formes dominantes du romanesque français (telles que Laye, Oyono, C. H. Kane, par exemple, les ont respectées) : « cette œuvre, dont l'auteur pourfend nos chimères et nos mythes, est la plus africaine qui puisse être (...). D'entrée de jeu, Yambo retrouve les techniques les plus fécondes du conteur ou du chroniqueur de l'Afrique traditionnelle » (Mohamadou Kane); l'improvisation semble constante, comme celle du griot jouant avec les personnages et les événements, les commentant, feignant d'en être étonné, s'exclamant, annonçant les épisodes à venir. Parole libre, rythmée, nouvelle.

Ahmadou Kourouma (né en 1927, Côte-d'Ivoire) porte encore plus avant cette révolution stylistique avec *Les soleils des Indépendances* (1968) [1]. Car il pétrit deux langues, le français et le malinké (sa langue maternelle) pour modeler un nouveau langage, déroutant, détonant, mouvementé comme l'est la rencontre de Fama, prince de la société traditionnelle, avec l'univers de la nouvelle Afrique en mutation. L'aventure personnelle de ce héros déchu s'inscrit dans une amère peinture expressionniste des injustices et des tares de la société actuelle. Que Fama, dans la capitale de la République des Ébènes, doive s'abaisser au point de mendier pour vivre, ou que dans son ancien fief de brousse il traque avidement les vestiges de sa splendeur passée, il est égaré dans un dédale de valeurs moribondes, terrassé par les ambitions frénétiques des nouveaux princes noirs. Il a milité pour l'indépendance :

« Comme la feuille avec laquelle on a fini de se torcher, les Indépendances une fois acquises, Fama fut oublié et jeté aux mouches. Passaient encore les postes de députés, d'ambassadeurs, pour lesquels lire et écrire n'est pas aussi futile

1. CLE.
2. P.-J. Oswald.
3. Présence Africaine.
4. Seuil.

1. Seuil.

que des bagues pour un lépreux. On avait pour ceux-là des prétextes de l'écarter, Fama demeurant analphabète comme la queue d'un âne. Mais quand l'Afrique découvrit d'abord le parti unique (le parti unique, le savez-vous? ressemble à une société de sorcières, les grandes initiées dévorent les enfants des autres) puis les coopératives qui cassèrent le commerce, il y avait quatre-vingts occasions de contenter et de dédommager Fama ».

Rien n'est venu; Fama est rongé par la rancune et les tourments que lui cause la stérilité de sa femme :

« La tranquillité et la paix fuiront toujours le cœur et l'esprit de Fama tant que Salimata séchera de la stérilité, tant que l'enfant ne germera pas. Allah! fais donc que Salimata se féconde! ».

Tableau social, satire politique, enquête psychologique fondus dans cette langue truculente, gorgée de mots, de tournures, de proverbes, de louanges et d'imprécations traduits littéralement du malinké, *Les soleils des Indépendances* occupent une place prééminente dans la littérature d'aujourd'hui.

D'ailleurs, une réflexion sur les perspectives de la littérature africaine ne doit-elle pas nécessairement passer par l'œuvre de Kourouma? Alors que se développe une critique littéraire africaine (avec, entre autres, Mohamadou Kane, Thomas Melone, Marcien Towa), alors que plusieurs langues d'Afrique sont désormais fixées, écrites, enseignées (wolof, bambara, peuhl...), de plus en plus nombreux sont ceux qui estiment qu'il ne saurait y avoir de littérature africaine authentique qu'en langue africaine. Force est de constater que si des œuvres en langue française, de tout premier plan, ont acquis une audience internationale, la production africaine pâtit encore de l'existence de dizaines d'écrits anodins, pâles copies ou caricatures consternantes de modèles français. L'innovation de Kourouma (et, à un titre moindre, de Ouologuem) est donc fondamentale : il suscite un rejet vigoureux de l'imitation, ouvre la voie à des œuvres en langues nationales, qui puissent échapper à l'ombre souvent stérilisante des maîtres non-africains : « enfin, on comprend qu'il faut d'abord être soi, avant de prétendre à une quelconque forme d'universalité » (M. Kane). De même, au théâtre, de jeunes troupes cherchent à renouer avec les styles ancestraux, privilégiant le masque, le jeu, l'expression gestuelle, associant la musique (le rythme surtout) à l'expression dramatique. Période critique et passionnante où l'art africain est à la poursuite de sa spécificité, où les embûches mêmes prouvent que les Gaulois, une fois pour toutes, ont cessé d'être les ancêtres des Africains.

BIBLIOGRAPHIE

ŒUVRES : La plupart des auteurs publient dans les nombreuses collections de Présence africaine, Paris, Pierre-Jean Oswald (Honfleur) et C.L.E. (Yaoundé). D'autres (et non des moindres) sont édités, en particulier par le Seuil, mais aussi Albin Michel, Seghers, Gallimard...

Depuis quelques années, Présence africaine réédite les « classiques » en format de poche, tandis que des collections économiques s'ouvrent aux auteurs africains. Le Livre de Poche (CAMARA LAYE) « 10-18 » (OYONO, C.-H. KANE, AMADOU H. BA, BOUBOU HAMA, ADOTEVI...), Presses Pocket (OYONO, SEMBENE), Poésie/Gallimard (CÉSAIRE).

ANTHOLOGIES : L'*Anthologie négro-africaine* de Lilyan KESTELOOT (Marabout, 1967) a besoin d'être remise à jour, mais demeure l'initiation la plus diverse et la plus complète. Voir aussi *La littérature négro-africaine* de Jean-Pierre GOURDEAU, anthologie thématique et critique (Hatier, 1973).

ÉTUDES GÉNÉRALES : Vivante, documentée, fondamentale, la thèse de Lilyan KESTELOOT, *Les écrivains noirs de langue française, naissance d'une littérature* (Université de Bruxelles, 1961). Ambitieux et précis, *Muntu* (Seuil, 1961) et *Manuel de littérature néo-africaine* (Resma, 1969) de JANHEINZ JAHN. Succincte et pratique, la *Littérature négro-africaine* de Robert PAGEARD (Le Livre africain), 1969. Furieuse et fertile, une analyse satirique, *Négritude et négrologues,* de STANISLAS ADOTEVI (« 10-18 », 1972). Parfois obscure, mais neuve, la *Sociologie du roman africain de* SUNDAY O. ANOZIÉ (Aubier, 1970). Jacques CHEVRIER, *Littérature nègre,* A. Colin, 1980.

ÉTUDES D'AUTEURS : Monographies (biographie et extraits commentés) des collections « Littérature africaine » et « Littérature malgache » de Fernand Nathan. Sur Senghor, les études et les louanges d'Armand GUIBERT *(Senghor,* « Poètes d'aujourd'hui », n° 82, Seghers, 1966; *Senghor,* Présence africaine, 1969) et l'analyse sévère de Marcien TOWA *(L. S. Senghor, négritude ou servitude?* C.L.E., 1971). Sur Césaire, la sympathie lucide de L. KESTELOOT (*Césaire,* « Poètes d'aujourd'hui », n° 85, Seghers, 1970), l'analyse exhaustive de L. KESTELOOT et B. KOTCHY (*Césaire, l'homme et l'œuvre,* Présence africaine, 1973). Sur de nombreux écrivains, les commentaires inspirés mais parfois contestables de SENGHOR (*Liberté 1, négritude et humanisme,* Seuil, 1964).

ACTUALITÉ : Les revues *Jeune Afrique* et *Afrique-Asie* (hebdomadaires), *Bingo* (mensuel), *Présence africaine* (trimestriel) ont des chroniques qui suivent l'actualité littéraire africaine.

UNE AUTRE LITTÉRATURE

N'est-il pas vain de vouloir évaluer la dignité ılturelle et esthétique de genres que leur grande iffusion semble condamner — par décret 'idéologie élitiste — à la médiocrité? Recon-aissons plutôt que romans policiers, d'espion-age, de science-fiction, chansons et bandes des-nées, dans la mesure même où ils sont des pro-uits de grande consommation, constituent un hénomène significatif. Amplement « consom-iés », et par toutes les classes ou castes de la ociété, ils révèlent des habitudes, des désirs, des onditionnements sociaux, psychologiques et tistiques. Et si beaucoup de ces produits, qu'on pute plutôt propices à l'évasion, se contentent e ressasser et par là même de renforcer des éréotypes et des mythologies, il en est pour les ontester ou, plus subtilement, pour les dévoiler. 'étalage servile des valeurs régnantes et la naïve u ironique mise à nu des mécanismes qui fon-ent leur règne suffisent à faire de cette « sous ttérature », comme on dit avec un mépris par-is injustifié, un champ privilégié d'analyse des nsions culturelles d'une époque [1].

e roman policier, d'espionnage, de science-tion

C'est au début du XXe siècle qu'apparaissent s premiers « classiques » français du roman olicier. Formes nouvelles du roman populaire, s œuvres françaises n'ignorent pas les grands odèles anglo-saxons d'Edgar Poe et de Conan oyle, mais s'en distinguent, parfois avec hu-iour (*Arsène Lupin contre Herlock Sholmès*, par xemple). Gaston Leroux (1868-1927) avec *Le ystère de la chambre jaune* (1907), *Le parfum la dame en noir* (1909), Maurice Leblanc 864-1941) avec *Arsène Lupin, gentleman cam-ioleur* (1907), Pierre Souvestre (1874-1914) Marcel Allain (1895-1969) avec *Fantômas* 911), créent des personnages de détectives et e bandits restés mythiques, Rouletabille, Arsène upin, Fantômas et Juve, reliant en séries de ultiples aventures, rééditées avec succès de os jours. Mystères et activités criminelles orga-isent un univers où l'audace élégante, l'anar-chisme distingué, l'habilité déductive et le pa-triotisme se mêlent, reconstituant pour le lecteur d'aujourd'hui une vision amusée de la « belle époque ».

L'influence anglo-saxonne devient ensuite déci-sive avec le type du « roman problème », plus court, plus propice au plaisir intellectuel de la participation à la résolution d'une énigme qu'au plaisir de l'identification fantaisiste à un héros fabuleux. Les œuvres de la romancière anglaise Agatha Christie représentent les modèles de ce type de roman policier.

La première enquête du commissaire Maigret, publiée en 1930 par Georges Simenon (1903-1989), est l'indice d'une rupture. La longue série qui suit l'accomplit. Au fonctionnement des « petites cellules grises » d'un Hercule Poirot (détective d'Agatha Christie), à l'exploitation de méthodes rigoureuses, au confinement du local clos, Simenon substitue l'intuition, l'en-quête tâtonnante sur le terrain, l'espace urbain et sociologique. Ancien étudiant en médecine, le commissaire Maigret demeure dans ses fonc-tions policières un médecin généraliste, traitant les maux sociaux et familiaux, compréhensif et énergique, sans préjugés : « un raccommodeur de destinées » dit Simenon [2]. L'enquête devient alors moins une recherche du criminel qu'une recherche, toujours renouvelée, sur la crimina-lité : une exploration humaine. L'intrigue poli-cière n'est plus qu'un schéma autour duquel s'organise l'évocation, souvent nostalgique, d'un monde toujours aux limites du normal et du marginal, qui dénonce la précarité de ces caté-gories. L'étude des milieux humains, qui carac-térise aussi de nombreux romans de Simenon d'où Maigret est absent, remplace l'étude scienti-fique des indices et des faits, le quotidien, le banal sont l'inépuisable réserve de l'exceptionnel.

1. Pour l'ensemble de ce chapitre, voir Bersani, *La littérature en France depuis 1945*, chapitre 28, le premier ouvrage d'ensemble, à notre connaissance, qui ait accordé une aussi large place à cette *autre littérature*.

2. Cité par J.-J. Tourteau, *D'Arsène Lupin à San Antonio*.

Georges Simenon.

Un langage « pour tous », très dépouillé, simplifié jusqu'à la négligence, sert une entreprise, saluée par plusieurs écrivains « reconnus », qui demeure fidèle aux fonctions les plus classiques du roman.

Après la Seconde Guerre mondiale, une nouvelle influence étrangère pèse sur le roman policier français : celle du roman « noir » américain, largement diffusé par la N.R.F. depuis 1947 dans la célèbre « Série Noire ». Violence, whisky, femmes de rêve, deviennent les poncifs d'une vision stéréotypée de l'Amérique. Un réalisme mythique trouve sa version proprement française avec l'exploration du « milieu » proposée par Auguste Le Breton *(Du rififi chez les hommes)*, Albert Simonin *(Touchez pas au grisbi)* ou José Giovanni *(L'excommunié)*. L'usage de l'argot est la première révélation initiatique d'un monde marginal, aux règles et aux valeurs spécifiques, qui apparaît à la fois comme une résurgence de l'univers clos de la tragédie et comme l'envers documentaire des faits divers authentiques qu relate la presse. L'effet de terreur que peut dév lopper l'univers de la violence est autreme utilisé par Boileau et Narcejac *(Celle qui n'éta plus ; Les visages de l'ombre)*. A l'écart du mon institutionnel du crime, l'intrigue et son « su pense » se constituent en une véritable poétiq de la peur que les deux auteurs ont remarqu blement analysée dans un essai théorique, *roman policier* (1964).

Parfaitement constitué, doté de mythes re sassés, utilisant un langage « codé », des techn ques narratives souvent usées, le roman policie pas plus que le roman classique, n'est à l'ab de crises. Et il est fort tentant de voir dans ce taines productions les répliques amusantes amusées des « anti » ou des « nouveaux » romans Viard et Zacharias parodient simultaném — et ainsi révèlent les étroits rapports qui l lient — quelques grands mythes littéraires schémas policiers, réinterprétant *L'Iliade* da *Le roi des Mirmidous* et *Lorenzaccio* dans *Mytheux*. San Antonio (alias Frédéric Da auteur de nombreux romans policiers de qualit en tant que héros et narrateur de l'histoire (qu anime et domine donc à la fois) révèle avec h mour les « ficelles » qu'il utilise : les procéd du suspense, les mécanismes de compositi sont allégrement dénoncés, cependant que langage mêle les divers argots aux jeux infir sur les mots. Ces techniques particulières l'univers fantaisiste et attachant qu'elles crée (avec ses personnages inoubliables : le gr Béru, le débris Pinuche, la tendre Félicie) fin sent par constituer un genre tout à fait spé fique.

Le roman d'espionnage

Depuis ses origines, qu'il s'agisse en Fran d'Arsène Lupin, en Angleterre de Sherlock Ho mes, le roman policier a enrichi ses intrigu d'une forme particulière de criminalité l'espionnage. Mais si *Double crime sur la lign Maginot* (1936), de Pierre Nord, intégrait chasse à l'espion dans le cadre d'un problèm policier à résoudre, un genre nouveau n'a p tardé à se constituer, qui semble actuellem rivaliser victorieusement avec le domaine pol cier classique. L'intérêt tout moderne des le teurs pour la réinterprétation fantaisiste d'u politique internationale menaçante et secrèt pour la vulgarisation scientifico-politiqu s'accommode bien, trop bien peut-être, des fac

:és d'un genre souvent animé par les stéréoty-
ɛs de la plus basse propagande, pimentée
'érotisme sans imagination et de violence
adique.

Pierre Nord est l'une des références de Vladi-
ıir Volkhoff (né en 1932), avec Graham
reene, Rémy, Fleming et Le Carré, dans la
remière page d'un roman publié en 1979, *Le*
·tournement. Salué comme un chef-d'œuvre du
›man de contre-espionnage par une partie de la
itique, ce livre est plutôt un contre-roman de
›ntre-espionnage, et particulièrement réussi.
'opération « Couleuvrine », improvisée par le
eutenant Volsky qui était accusé de ne rien
ıire, est à elle seule un roman, et ce roman
ɔoutirait bien mieux que des opérations soi-
ıeusement montées si elle ne se heurtait pas à
. concurrence d'un projet officiel qui lui est
nalement préféré. L'espion soviétique Popov,
ı lieu d'être retourné, devra être abattu.
olsky aura découvert non seulement que l'art
u contre-espionnage est celui-là même du
›mancier, mais encore que sa vocation est
'être romancier. Il pourra devenir Volkhoff...

L'époque contemporaine, marquée par d'in-
ssantes révolutions scientifiques et techniques,
ırtagée entre l'optimisme et l'angoisse qu'elles
›ulèvent, devrait assurer à la science-fiction une
ıdience considérable. Mais si cette audience
t indéniable, on ne peut que constater la fai-
esse, en quantité et en qualité, de la production
ançaise. Malgré un passé brillant — Jules
ɛrne! — les œuvres des bons écrivains d'anti-
pation (mais, significativement, cette appellation
ançaise a été supplantée par l'américanisme
science-fiction ») comme René Barjavel, Gérard
lein, Jacques Sternberg, restent exceptionnelles
isolées dans l'abondance des traductions
œuvres étrangères, essentiellement américaines :
tte délégation de l'imaginaire du futur aux
andes puissances scientifiques et économiques
tuelles n'est pas sans signification idéologique...

.a chanson

Héritière des romances folkloriques chères à
:erval, des ballades médiévales, la chanson
ɔntemporaine joue un rôle d'initiation : pour
public pressé d'aujourd'hui elle véhicule une
oésie authentique. Parfois la rencontre d'un
ıterprète de talent avec un poète permet à ce
ɛrnier de gagner un vaste public qui l'aurait
›ujours ignoré : Brassens chantant Hugo
Gastibelza) ou Villon *(Ballade des pendus)*,

© Jean-Pierre Leloir

© J. Andanson-Gamma Deux poètes de la chanson: à gauche, Georges Brassens évoquant, le 19 janvier 1972, pour son premier spectacle public télévisé, vingt ans de chanson, en direct de Bobino.
A droite, Jacques Brel.

Ferré illustrant musicalement *Les fleurs du mal* ou *Une saison en enfer*, Ferrat interprétant Éluard ou Aragon *(Que serais-je sans toi?)* ont fait mieux que mettre en musique des textes poétiques; ils les ont commentés, imposant une « lecture » personnelle dont il est difficile de se libérer par la suite.

Loin de dédaigner la chanson, nombre d'écrivains modernes ont apporté leur contribution à ce genre populaire : Prévert et ses *Feuilles mortes* (musique de Kosma), Sartre avec *La rue des Blancs Manteaux*, Queneau et la fillette de *Si tu t'imagines...*

Quelques grands noms émergent par leur originalité, leur style et leur personnalité. Auteurs-compositeurs-interprètes, ils atteignent un public plus ou moins vaste selon la difficulté de leur « écriture » : un Marc Ogeret, une Hélène Martin, un Gianni Esposito sont goûtés d'une minorité d'initiés que l'hermétisme de leurs compositions ne rebute pas.

Charles Trenet fut le premier à tenter de sortir la chanson de la médiocrité qui semblait devoir être son lot; par l'alliance du rythme et de textes finement écrits il nous entraîne dans un univers merveilleux *(Le jardin extraordinaire)* miraculeusement protégé des folies humaines. Dans son sillage, la chanson d'après-guerre s'est régénérée. Mais le ton a changé : Georges Brassens et sa guitare ont su imposer un monde de gentillesse bourrue, isolée d'une société conformiste où règnent les « croquants »; Léo Ferré et ses stridences musicales s'attachent à noyer l'auditeur sous un déluge verbal souvent cruel; Jacques Brel scrute avec minutie la réalité pour en extraire uns scène de tendresse ou d'ironie; Jean Ferrat, Guy Béart, Barbara, d'autres encore, traduisent, chacun selon son tempérament, la même insatisfaction et la même inquiétude.

La jeune génération paraît poursuivre la tradition de ses aînés : Renaud retrouve la gouaille d'un Bruant dans des couplets zonards teintés d'une tendresse dont un Yves Duteil a fait son inspiration exclusive ; Pierre Perret — par ailleurs auteur d'un dictionnaire d'argot, *Le petit Perret illustré* (1980) — s'amuse à créer des scènes qu'un Brassens n'aurait pas reniées tandis qu'un Gainsbourg — lui aussi tenté par la littérature et auteur d'un minuscule récit scatologique, *Evguéni Sokolov* (1979) — poursuit une œuvre marquée de plus en plus par les recherches rythmiques à travers des chansons où le son du mot importe plus que le sens qu'il véhicule. Voie ouverte par Claude Nougaro dans les années 60 et dans laquelle se sont engouffrés des tempéraments aussi différents que Julien Clerc ou Jacques Higelin.

La bande dessinée

Mode d'expression connu de longue date, la bande dessinée est entrée récemment dans les mœurs françaises : d'abord simple distraction enfantine, elle s'est peu à peu acquis par ses recherches graphiques ou ses intentions satiriques un nouveau public d'adultes. Depuis 1971, un cours dans une université parisienne sur « l'Histoire et l'Esthétique de la Bande dessinée » lui a définitivement donné ses lettres de noblesse en la consacrant comme un « neuvième art » (1).

Comme dans la chanson, le texte, dans la bande dessinée, a besoin d'un support qui est ici le graphisme. Cependant, l'évolution du genre montre que, de plus en plus, texte et dessin sont indissolublement liés et forment une véritable unité d'expression. Si dans les premiers essais le commentaire se présentait au-dessous de l'image — *La famille Fenouillard* de Christophe (1889) — l'introduction du texte dans le dessin par l'inte[r]médiaire des bulles a permis de passer de l'his[-]toire en images à la bande dessinée moderne.

Sans prétendre rivaliser avec les « comi[cs] strips » américains, les bandes dessinées frança[i]ses sont maintenant suffisamment élaborées (1) et nombreuses pour qu'il soit possible d'y dis[-]cerner de grands courants d'inspiration.

A côté des séries moralisantes pour adoles[-]cents (2) qui reprennent la plupart des héros d[e] romans populaires (surhommes, justiciers a[u] grand cœur...) trouvent place les parodies [:] *Astérix* (né en 1961) d'Uderzo et Goscinny, *Lucky Luke* (1947) du Belge Morris se présen[-]tent comme une démystification d'un univer[s] qui se veut établi. Les nombreux anachronisme[s] sont autant de clins d'œil au lecteur modern[e] pour l'aider à découvrir derrière le graphisme l[a] signification d'un divertissement plus sérieu[x] qu'il ne paraît.

Plus élaborées dans le trait, riches en trouvail[-]les de détail, les séries de Marcel Gotlib — *Le[s] Dingodossiers* (1959) puis la *Rubrique-à-bra[c]* (1967) et encore *Trucs-en-vrac* (1985) — offren[t] une vision corrosive de la réalité déformée par l[e] rire absurde : le retour de personnages typés, l[e] constant dédoublement du sujet par l'intrusio[n] de l'auteur (soit directement soit indirectemen[t] au moyen d'une mini-coccinelle) créent un uni[-]vers de dérision. Gaston Lagaffe et ses inven[-]tions farfelues, Achille Talon et son vocabulair[e] hyperbolique participent du même esprit e[n] nous présentant, comme dans la littératur[e] moderne, des héros de l'anti-héroïsme.

Depuis 1968 la bande dessinée est devenue u[n] mode d'expression à part entière, reconnu a[u] même titre que les autres médias (3) : l'intro[-]duction, en feuilletons, dans des supports auss[i] sérieux que *Le Monde* ou *Le Nouvel Observa[-]teur* du futur *Lucky Luke* ou du nouvel *Astéri[x]* témoigne de la rapide évolution d'un publi[c] jusqu'alors réticent à la consécration de cett[e] « culture mâchée » à l'américaine. Parallèle[-]ment, le graphisme est devenu aussi un com[-]

1. Sur tous les problèmes posés par le sujet, on lira les essais que Francis Lacassin a regroupés dans son ouvrage : *Pour un 9e art, la bande dessinée* (10/18, 1971).

1. Voir en particulier l'influence des techniques ci[né]matographiques dans le domaine du graphisme et de [la] coloration.

2. Telles furent en particulier les premières grand[es] bandes de langue française de l'après-guerre : *Tin[tin]* (créé par Hergé en 1929) ou *Spirou*, les ingénieux héro[s] d'histoires démarquées des récits policiers.

3. Témoin la page hebdomadaire du *Monde* qui ne crai[nt] pas de citer *Charlie Hebdo* dans les commentaires signi[fi]catifs de la presse !

LA RUBRIQUE-A-BRAC

CONTE ANGLAIS

127 A

Marcel Gotlib, « La Rubrique-à-brac », dans *Pilote*.

mentaire de l'actualité, et il n'est plus guère d'hebdomadaire qui ne dispose de son illustrateur — ici Claire Brétecher, la seule femme créatrice de B.D., et ses *Frustrés,* là Faizant ou Piem pour aborder de manière acide ou caricaturale le très sérieux domaine de l'information.

1968 est venu bouleverser le monde de la B.D. : tandis que les éditeurs les plus importants — Dargaud par exemple — donnaient à leurs albums l'apparence de respectables ouvrages de bibliothèque, alors que les supports traditionnels évoluaient vers le news-magazine pour adolescents, les mensuels se multipliaient, animés souvent par des dessinateurs venus des hebdomadaires classiques : *L'écho des savanes, Fluide glacial, A suivre,* donnaient la parole à de nouveaux talents, indifférents aux tabous, indifférents souvent à la trame narrative. Non que le scénario disparaisse de telles planches ; mais il n'est plus pensé en fonction d'un dessin destiné à l'illustrer, plutôt comme indissociable de lui. Ainsi s'explique cette rupture d'avec le réel dont témoigne une part non négligeable des nouveaux « bédéistes » : Edika et ses fantoches (*Débiloff profondikoum,* 1983), Foerster... Et lorsque le réel demeure, il n'est là que pour être ridiculisé (Binet et ses Bidochons). Preuve que la B.D. se veut, comme la littérature, conscience de son temps — et donc critique — ou refuge de l'imaginaire — et donc, lieu d'évasion.

La variété des media

Roman policier, roman d'espionnage et roman de science-fiction connaissent aujourd'hui une diffusion considérable : le livre est devenu l'un des grands moyens de communication de masse *(mass media)*, avec la presse, l'affiche, le cinéma, la radio, la bande dessinée, le disque, la télévision. Jamais il ne s'est vendu autant de livres, mais en même temps le livre a perdu la suprématie qu' avait conquise depuis Gutenberg. Quel ser l'avenir du livre, et en particulier de la littérature

Le sociologue canadien Marshall Mac Luha dans ses ouvrages fondamentaux *La galax Gutenberg* (1962) et *Pour comprendre les med* (1964), propose une synthèse hardie de l'évolutio sociale : après le stade tribal, où le mediu dominant était la parole et où jouait to le clavier des sensations (ouïe, toucher... l'écriture alphabétique a, si on l'en croit, habitu l'humanité au règne exclusif de la vue, à la régu larité, à la parcellisation du réel. Ce stade scrib a connu un paroxysme avec la découverte d l'imprimerie, à partir du XVe siècle. Dès lo l'homme a tout conçu selon le modèle typogr phique : philosophies mécanistes, primat de l perspective en peinture, division du travai urbanisme, enseignement atomisé, individua lisme... L'être humain a été modelé à son ins par le medium dominant, le livre : cet unive dominé par le livre, Mac Luhan l'appelle « l galaxie Gutenberg ». Mais dès la fin d XIXe siècle commence l'essor de nouveaux medi Nous entrons dans « la galaxie Marconi » : l télévision est aujourd'hui le medium dominan suivie par la radio. Ces media électriques tende à faire de toute la planète un village tribal c'est le retour au jeu de l'ensemble des sensation la mise en cause de la parcellisation, la nostalg de la fête...

Dans cette extraordinaire panoplie des medi modernes, l'ouvrage littéraire (poésie, roma essai...) a son rôle assigné : medium par excellenc de l'intériorité et de la réflexion, medium l plus maniable et le moins coûteux, le pl résistant à toutes les censures, instrument d'u communication lente et profonde, il ne peut êt remplacé. Mais une culture moderne suppo l'ouverture à tous les moyens de la communic tion humaine.

BIBLIOGRAPHIE

ÉTUDES : Romans policiers, d'espionnage, de science-fiction : BOILEAU et NARCEJAC, *Le roman policie* Payot, 1964. — FEREYDOUN HOVEYDA, *Histoire du roman policier,* Ed. du Pavillon, 1965. — Jean-Jacque TOURTEAU, *D'Arsène Lupin à San-Antonio, Le roman policier français de 1900 à 1970,* Mame, 1970. — Jea GATTÉGNO, *La science-fiction,* coll. « Que sais-je ? », n° 1426. — Alain REY, *Les spectres de la bande — ess sur la B.D.,* Ed. de Minuit, coll. « Critique », 1979.

CHRONOLOGIE

DES

LITTÉRATURES FRANCOPHONES

Abréviations : (R) roman, récit, nouvelles, contes. (E) essai, étude, critique, etc. (P) poème. (T) théâtre (joué ou simplement publié).

	FRANCE	BELGIQUE	SUISSE
1945	André BRETON, *Arcane 17* (P). Jacques PRÉVERT, *Paroles* (P). Jean GIRAUDOUX, *La folle de Chaillot* (T). Jean-Paul SARTRE, *Les chemins de la liberté* (R). Louis ARAGON, *La Diane française* (P). Julien GRACQ, *Un beau ténébreux* (R).	Marcel THIRY, *Échec au temps* (R). Pierre NOTHROMB, *L'égrégore* (R). Thomas OWEN, *La cave aux crapauds* (R). Louis SCUTENAIRE, *Mes inscriptions* (P). Herman CLOSSON, *Borgia* (T).	Blaise CENDRARS, *L'homme foudroyé* (R). Catherine COLOMB, *Châteaux en enfance* (R). Charles-François LANDRY, *Sortilèges de Paris* (R). Albert BÉGUIN, *Gérard de Nerval* (E).
1946	Jacques AUDIBERTI, *Le mal court* (T). Georges BERNANOS, *Monsieur Ouine* (R). René CHAR, *Feuillets d'Hypnos* (P). André PIEYRE DE MANDIARGUES, *Le musée noir* (R). Maurice MERLEAU-PONTY, *Humanisme et terreur* (E).	Création à Paris du *Burlador* de Suzanne LILAR. Dominique ROLIN, *Deux sœurs* (R). Franz HELLENS, *Moreldieu* (R). 1946-1948 Charles PLISNIER, *Mères* (R). Edmond VANDERCAMMEN, *Grand combat* (P).	Blaise CENDRARS, *La main coupée* (R).
1947	Albert CAMUS, *La peste* (R). Jean GENET, *Les bonnes* (T). André MALRAUX, *Le musée imaginaire* (1947-1950) (E). Henry de MONTHERLANT, *Le maître de Santiago* (T). Boris VIAN, *L'écume des jours* (R). Fondation de la revue *Les Temps modernes*.	*Hop Signor!* de GHELDERODE joué au Théâtre de l'Œuvre à Paris. Albert AYGUESPARSE, *L'heure de vérité* (R). Robert GOFFIN, *Le temps des noires épines* (P). Lucienne DESNOUES, *Le jardin délivré* (P). Françoise MALLET-JORIS, *Poèmes du dimanche* (P). Louis SCUTENAIRE, *Les vacances d'un enfant* (P). Maurice CARÊME, *La lanterne magique* (P).	Mort de RAMUZ Maurice ZERMATTEN, *Connaissance de Ramuz* (E). Jean MERCANTON, *Poètes de l'univers* (E).
1948	Hervé BAZIN, *Vipère au poing* (R). Maurice BLANCHOT, *L'arrêt de mort* (R). René CHAR, *Fureur et mystère* (P). Pierre REVERDY, *Le livre de mon bord* (P). Jean-Paul SARTRE, *Les mains sales* (T). Marcel JOUHANDEAU, *Mémorial* (R). Francis PONGE, *Proêmes* (P).	Béatrice BECK, *Barny* (R). Georges SIMENON, *Pedigree* (R). Marcel THIRY, *Juste ou la quête d'Hélène* (R). Franz HELLENS, *Naître et mourir* (R). Dominique ROLIN, *Moi qui ne suis qu'amour* (R). David SCHEINERT, *L'apprentissage inutile* (autobiogr.) Georges LINZE, *Poème de la ville survolée par les rêves* (P). Edmond VANDERCAMMEN, *La nuit fertile* (P). Suzanne LILAR, *Tous les chemins mènent au ciel* (T). Théo FLEISCHMAN, *Le soleil de minuit et autres jeux radiophoniques*.	Blaise CENDRARS, *Bourlinguer* (R).
1949	Simone de BEAUVOIR, *Le deuxième sexe* (E). Georges BERNANOS, *Dialogues des carmélites* (T). Maurice BLANCHOT, *Lautréamont et Sade* (E). Émile-Michel CIORAN, *Précis de décomposition* (E). Louis ARAGON, *Les communistes* (R).	Saison 1948-1949 : GHELDERODE joué à Paris *(Escurial, Mademoiselle Jaïre, Fastes d'enfer)*. José-André LACOUR, *Châtiment des victimes* (R). Charles PARON, *Marche-avant* (R). 1949-1968 Georges POULET, (né en Belgique, installé en Suisse), *Études sur le temps humain* (E).	Blaise CENDRARS, *Le lotissement du ciel* (R).

CANADA	AFRIQUE NOIRE	MAGHREB
Gabrielle ROY, *Bonheur d'occasion* (R). Germaine GUÈVREMONT, *Le survenant* (R). Berthelot BRUNET, *Les hypocrites* (R). Pierre BAILLARGEON, *Les médisances de Claude Perrin* (R). Alain GRANDBOIS, *Avant le chaos* (nouvelles). Jovette BERNIER, *Mon deuil en rouge* (P).		Frères ZENATI, *Bou el Nouar, le jeune Algérien* (R).
Éloi de GRANDMONT, *Le voyage d'Arlequin* (R). Alphonse PICHÉ, *Ballades de la petite extrace* (P). Gilles HÉNAULT, *Théâtre en plein air* (P).	Aimé CÉSAIRE, *Les armes miraculeuses* (P).	Yacine KATEB, *Soliloques* (P). Jean AMROUCHE, *L'éternel Jugurtha* (E).
Gabrielle ROY : Prix fémina pour *Bonheur d'occasion.* Lionel GROULX fonde la *Revue d'histoire de l'Amérique française.* Germaine GUÈVREMONT, *Marie-Didace* (R). Isabelle LEGRIS, *Ma vie tragique* (R). Clément MARCHAND, *Les soirs rouges* (P). Rita LASNIER, *Chant de la montée* (P). Claude GAUVREAU, *Bien-être* (T).	Aimé CÉSAIRE, *Cahier d'un retour au pays natal* (P). Flavien RANAIVO, *L'ombre et le vent* (P). Birago DIOP, *Les contes d'Amadou Koumba* (R).	Marguerite TAOS AMROUCHE, *Jacinthe noire* (R). Djemila DEBECHE, *Leila, jeune fille d'Algérie* (R).
BORDUAS, *Refus global* (manifeste du mouvement « automatiste », décisif en peinture). Félix-Antoine SAVARD, *La minuit* (R). Roger LEMELIN, *Les plouffes* (R). Jean-Jules RICHARD, *Neuf jours de haine* (R). Alain GRANDBOIS, *Rivages de l'homme* (P). Paul-Marie LAPOINTE, *Le vierge incendié* (P). Gratien GÉLINAS, *Tit-coq* (T).	Aimé CÉSAIRE, *Soleil cou coupé* (P). Léon-Gontran DAMAS, *Poèmes nègres sur des airs africains* (P). Léopold-Sédar SENGHOR, *Anthologie de la nouvelle poésie nègre et malgache de langue française.* Ousmane SOCÉ, *Karim, roman sénégalais* (R).	Naissance de la revue *Algéria.*
Françoise LORANGER, *Mathieu* (R). Roland GIGUÈRE, *Trois pas* (P).		

	FRANCE	BELGIQUE	SUISSE
1949 *(Suite)*		Géo NORGE, *Les râpes* (P). Edmond VANDERCAMMEN, *L'étoile du berger* (P). Maurice CARÊME, *Petites légendes* (P).	
1950	Marguerite DURAS, *Un barrage contre le Pacifique* (R). Julien GREEN, *Moïra* (R). Eugène IONESCO, *La cantatrice chauve* (T). Roger NIMIER, *Le hussard bleu* (R). Boris VIAN, *L'herbe rouge* (R).	Marcel THIRY, *Juste ou la quête d'Hélène* (R). Fernand CROMMELYNCK, *Monsieur Larose est-il l'assassin?* (R). Émilie NOULET, *Paul Valéry* (E). Robert GOFFIN, *Le voleur de feu* (P). Pierre NOTHOMB, *Le pater alterné* (P). 1950-1957 Publication du *Théâtre complet* de Michel de GHELDERODE Suzanne LILAR, *Le roi lépreux* (T).	Fondation de la revue *Rencontre* (195 1953). Albert BÉGUIN, *Patience de Ramuz* (E
1951	Albert CAMUS, *L'homme révolté* (R). Samuel BECKETT, *Molloy* (R). Jean GIONO, *Le hussard sur le toit* (R). Julien GRACQ, *Le rivage des Syrtes* (R). André MALRAUX, *Les voix du silence* (E). Marguerite YOURCENAR, *Les mémoires d'Hadrien* (R).	Françoise MALLET-JORIS, *Le rempart des béguines* (R). Charles PLISNIER, *Beauté des laides* (R). Georges SION, *La princesse de Chine* et *Le voyageur de Forceloup* (T). Raymond GÉRÔME, *Mauve et le jitterbug* (T). Paul WILLEMS, *Peau d'ours* (T).	Maurice ZERMATTEN, *Le jardin des oliviers* (R). Charles-François LANDRY, *La devinai* (R).
1952	Samuel BECKETT, *En attendant Godot* (T). Eugène IONESCO, *Les chaises* (T).	Mort de Charles PLISNIER Béatrice BECK, *Léon Morin prêtre* (Prix Goncourt). Daniel GILLÈS, *Mort la douce* (Prix Rossel). Dominique ROLIN, *Le souffle* (Prix Fémina) et *Les enfants perdus* (nouvelles). Albert AYGUESPARSE, *Notre ombre nous précède* (R). Lucienne DESNOUES, *Les racines* (P). Gaston COMPÈRE, *Le sagittaire* (P). Michel de GHELDERODE, *Marie la misérable* (dernière création théâtrale).	*Blaise CENDRARS parle,* propos recuei par M. Manoll. Georges BORGEAUD, *Le préau* (Prix d critiques).
1953	Yves BONNEFOY, *Du mouvement et de l'immobilité de Douve* (P). Roland BARTHES, *Le degré zéro de l'écriture* (E). Alain ROBBE-GRILLET, *Les gommes* (R). Jean ANOUILH, *L'alouette* (T).	Michel de GHELDERODE, *La Flandre est un songe* (souvenirs). Paul-Aloïse DE BOCK, *Terre basse* (R). Jacques STERNBERG, *La géométrie dans l'impossible* (R). Géo NORGE, *Les oignons* (P). Maurice CARÊME, *Le semeur de rêves* (P). Jean SIGRID, *Pitié pour Violette* (T). Edmond KINDS, *Le valet des songes* (T).	Fondation de la revue *Pays du Lac* (remplaçant *Rencontre*). Maurice CHAPPAZ, *Le testament du h Rhône* (R). Corinna BILLE, *Florilège alpestre* (R). Catherine COLOMB, *Les esprits de la terre* (R). Jean-Pierre MONNIER, *L'amour diffic* (R). Philippe JACCOTTET, *L'effraie et autre poésies.*
1954	Simone de BEAUVOIR, *Les mandarins* (R). Pierre KLOSSOWSKI, *Roberte ce soir* (R). Henry de MONTHERLANT, *Port-Royal* (T). Françoise SAGAN, *Bonjour tristesse* (R). Michel BUTOR, *Passage de Milan* (R).	Albert AYGUESPARSE, *Une génération pour rien* (R). Daniel GILLÈS, *Jeton de présence* (R). Dominique ROLIN, *Les quatre coins* (R). Franz HELLENS, *Les mémoires d'Elseneur* (R).	Mort de Charles CINGRIA. Jacques CHESSEX, *Le jour proche* (P). Jean ROUSSET, *La littérature de l'âge baroque en France* (E).

CANADA	AFRIQUE NOIRE	MAGHREB
Anne HÉBERT, *Le torrent* (R). Fondation de la revue *Cité libre.* Gabrielle ROY, *La petite poule d'eau* (nouvelles). Bertrand VAC, *Louise Genest* (R). Yves THÉRIAULT, *Le marcheur* (R).	Bernard DADIÉ, *Afrique debout* (P). Aimé CÉSAIRE, *Corps perdu* (P).	Mouloud FERAOUN, *Le fils du pauvre* (R).
Fondation du Théâtre du Nouveau-Monde. Léon-Paul DESROSIERS, *L'ampoule d'or* (R). Roger VIAU, *Au milieu de la montagne* (R). André LANGEVIN, *Évadé de la nuit* (R). François HERTAL, *Mes naufrages* (P). Sylvain GARNEAU, *Objets trouvés* (P).		
Sylvain GARNEAU, *Les trouble-fête* (P). P. Ernest GAGNON, *L'homme d'ici* (E).	Léon-Gontran DAMAS, *Graffiti* (P). René DEPESTRE, *Traduit du grand large* (P). Frantz FANON, *Peaux noires, masques blancs* (E).	Mouloud MAMMERI, *La colline oubliée* (R). Mohammed DIB, *La grande maison* (R).
Fondation des éditions de l'Hexagone. Wilfrid LEMOINE, *Pas sur terre* (R). André LANGEVIN, *Poussière sur la ville* (P). Robert CHOQUETTE, *Suite marine* (P). Anne HÉBERT, *Le tombeau des rois* (P) Roland GIGUÈRE, *Les images apprivoisées* (P). Gilles HÉNAULT, *Totems* (P). Jean-Guy PILON, *La fiancée du matin* (P). Marcel DUBÉ, *Zone* (T).	Camara LAYE, *L'enfant noir* (R). Bernard DADIÉ, *Légendes africaines* (R).	Ismaïl AÏT DJAFFER, *Complainte des mendiants arabes de la Casbah et de la petite Yasmina tuée par son père* (P). Mouloud FERAOUN, *La terre et le sang* (R). Albert MEMMI, *La statue de sel* (R).
Gabrielle ROY, *Alexandre Chênevert, caissier* (R). Yves THÉRIAULT, *Aaron* (R). Roland GIGUÈRE, *Les armes blanches* (P). Gatien LAPOINTE, *Jour malaisé* (P).	Camara LAYE, *Le regard du roi* (R). Ezra BOTO, *Ville cruelle* (R). Jean MALONGA, *La légende de M'pfoumou ma Mazono* (R).	Mohammed DIB, *L'incendie* (R). Driss CHRAIBI, *Le passé simple* (R). Malek BENNABI, *Vocation de l'Islam* (E).

	FRANCE	BELGIQUE	SUISSE
1954 *(Suite)*		José-André LACOUR, *La mort en ce jardin* (R). Suzanne LILAR, *Journal de l'analogiste* (Essai. Prix Sainte-Beuve). Lilane WOUTERS, *La marche forcée* (P). Adrien JANS, *La colonne ardente* (P). 1954-1960. Revue poétique *Les lèvres nues.* Fernand CROMMELYNCK, *Le chevalier de la lune* (T). Herman CLOSSON, *Sire Halewijn* (T).	
1955	Maurice BLANCHOT, *L'espace littéraire* (E). Arthur ADAMOV, *Ping-pong* (T). André DHÔTEL, *Le pays où l'on n'arrive jamais* (R). Claude LÉVI-STRAUSS, *Tristes tropiques* (E). Pierre TEILHARD DE CHARDIN, *Le phénomène humain* (E).	Dominique ROLIN, *Le gardien* (R). Françoise MALLET-JORIS, *La chambre rouge* (R). Jean MUNO, *Le baptême de la ligne* (R). Jean TORDEUR, *Prière de l'attente, La corde, Lazare, Le vif* (P). Jean MOGIN, *La fille à la fontaine* (T). Paul WILLEMS, *Off et la lune* (T).	Albert BÉGUIN, *Léon Bloy mystique de la douleur* (E) et *L'Eve de Péguy* (E).
1956	Michel BUTOR, *L'emploi du temps* (R). Jean GENET, *Le balcon* (T). Albert CAMUS, *La chute* (R). Nathalie SARRAUTE, *L'ère du soupçon* (E). Henri MICHAUX, *Misérable miracle* (P). Romain GARY, *Les racines du ciel* (R).	Michel de GHELDERODE, *Les entretiens d'Ostende.* Françoise MALLET-JORIS, *Cornelia* (nouvelles) et *Les Mensonges* (R). Daniel GILLÈS, *Coupon 44* (R). Maurice CARÊME, *Le voleur d'étincelles* (P). Félicien MARCEAU, *L'œuf* (T). 1956-1965 Paul DRESSE, *Chronique de la tradition perdue* (saga liégeoise).	Jean-Pierre MONNIER, *La clarté de la nuit* (R).
1957	Roland BARTHES, *Mythologies* (E). Georges BATAILLE, *L'érotisme* (E). Michel BUTOR, *La modification* (R). Alain ROBBE-GRILLET, *La jalousie* (R). Gaston BACHELARD, *La poétique de l'espace* (E). Roger VAILLAND, *La loi* (R).	Alexis CURVERS, *Tempo di Roma* (R). Stanislas d'OTREMONT, *La Polonaise* (R). Albert AYGUESPARSE, *Le vin noir de Cahors; Encre couleur de sang* (P). Géo LIBRECHT, *Mon orgue de Barbarie* (P). Marcel THIRY, *Usine à penser des choses tristes* (P). Roger BODART, *Le Nègre de Chicago* (P). Claude SPAAK, *Carmagnola* (T).	Gonzague de REYNOLD : achèvement de *La formation de l'Europe* (1944-1957). Mort d'Albert BÉGUIN. Jean STAROBINSKI, *Jean-Jacques Rousseau : la transparence et l'obstacle* (E). Georges HALDAS, *Cantique de l'aube; Peine capitale* (P).
1958	Yves BONNEFOY, *Hier régnant désert* (P). Simone de BEAUVOIR, *Mémoires d'une jeune fille rangée* (R). Marguerite DURAS, *Moderato cantabile* (R). Claude OLLIER, *La mise en scène* (R). René BARJAVEL, *Le voyageur imprudent* (R). Jean GENET, *Les nègres* (T). Julien GRACQ, *Un balcon en forêt* (R). Louis ARAGON, *La semaine sainte* (R). Claude LÉVI-STRAUSS, *Anthropologie structurale* (E).	Constant BURNIAUX, *Les sœurs de notre solitude* (R). Françoise MALLET-JORIS, *L'empire céleste* (Prix Fémina). Marcel THIRY, *Nouvelles du grand possible* (R). Francis WALDER, *La négociation* (Prix Goncourt). Gustave CHARLIER et Joseph HANSE, *Histoire des lettres françaises de Belgique.* Robert GOFFIN, *Œuvres poétiques; Le roi du Colorado* (P). Lucienne DESNOUES, *La fraîche* (P). Charles BERTIN, *Christophe Colomb* (T).	

CANADA	*AFRIQUE NOIRE*	*MAGHREB*
Gabrielle ROY, *Rue Deschambault* (nouvelles). Gatien LAPOINTE, *Otages de la joie* (P). Fernand OUELLETTE, *Ces anges de sang* (P).	Jacques RABEMANANJARA, *Rites millénaires* (P). TCHICAYA U'TAMSI, *Le mauvais sang* (P). Bernard DADIÉ, *Le pagne noir* (R). Aimé CÉSAIRE, *Discours sur le colonialisme* (E). Cheikh Anta DIOP, *Nations nègres et culture* (E).	Mouloud MAMMERI, *Le sommeil du juste* (R). Djamila DEBECHE, *Aziza* (R). Driss CHRAIBI, *Les boucs* (R). Albert MEMMI, *Agar* (R).
André LANGEVIN, *Le temps des hommes* (R). Jacques GODBOUT, *Carton-pâte* (R). GAUVREAU, *Brochuges* (P). Rita LASNIER, *Présence de l'absence* (P). Jacques LANGUIRAND, *Les insolites* (T).	Bernard DADIÉ, *La ronde des jours* (P). Léon-Gontran DAMAS, *Black Label* (P). Ferdinand OYONO, *Une vie de boy* (R), *Le vieux nègre et la médaille* (R). Mongo BETI, *Le pauvre Christ de Bomba* (R). Sembene OUSMANE, *Le docker noir* (R). Aimé CÉSAIRE, *Et les chiens se taisaient* (T).	Malek HADDAD, *Le malheur en danger* (P). Yacine KATEB, *Nedjma* (R). Malek OUARY, *Le grain dans la meule* (R). Driss CHRAIBI, *L'âne* (R).
Roland GIGUÈRE, *Le défaut des ruines est d'avoir des habitants* (prose poétique). Alain GRANDBOIS, *L'étoile pourpre* (P). Marcel DUBÉ, *Un simple soldat* (T). Jacques LANGUIRAND, *Les grands départs* (T).	TCHICAYA U'TAMSI, *Feu de brousse* (P). Mongo BETI, *Mission terminée* (R). Sembene OUSMANE, *O pays mon beau peuple* (R).	Jean SÉNAC, *Le soleil sous les armes* (P). Mouloud FERAOUN, *Les chemins qui montent* (R). Mohammed DIB, *Le métier à tisser* (R). Assia DJEBAR, *La soif* (R).
Yves THÉRIAULT, *Agakuk* (R). Anne HÉBERT, *Chambres de bois* (R). Jacques GODBOUT, *Les pavés secs* (R). Gérard BESSETTE, *La bagarre* (R). Claire MARTIN, *Avec ou sans amour* (nouvelles). Fernand OUELLETTE, *Séquence de l'aile* (P). Jacques FERRON, *Les grands soleils* (T).	TCHICAYA U'TAMSI, *A triche cœur* (P). Birago DIOP, *Les nouveaux contes d'Amadou Koumba* (R).	Assia DJEBAR, *Les impatients* (R). Henri ALLEG, *La question* (E).

	FRANCE	BELGIQUE	SUISSE
1959	Eugène IONESCO, *Rhinocéros* (T). Jean ANOUILH, *Becket* (T). François MAURIAC, *Mémoires intérieurs* (R). Raymond QUENEAU, *Zazie dans le métro* (R). Maurice BLANCHOT, *Le livre à venir* (E). SAINT-JOHN PERSE prix Nobel.	Jean MUNO, *Saint Bedon* (R). Paul-Aloïse DE BOCK, *Litanies pour les gisants* (T).	Georges BORGEAUD, *La vaisselle des évêques* (R). Henri DEBLUË, *Force de la loi* (T). Yves VELAN, *Je* (T).
1960	Claude SIMON, *La route des Flandres* (R). Henry de MONTHERLANT, *Le cardinal d'Espagne* (T). SAINT-JOHN PERSE, *Chronique* (P). Fondation de la revue *Tel Quel.* Julien GREEN, *Chaque homme dans sa nuit* (R).	Henri CORNÉLUS, *L'homme de proue* (R). Gabrielle ROLIN, *Le secret des autres* (R). [Suzanne LILAR] *La confession anonyme* (R). Daniel GILLÈS, *La termitière* (R). Georges SIMENON, *Une vie comme neuve* (R). Dominique ROLIN, *Le lit* (R). Victor MISRAHI, *Les routes du nord* (R). Suzanne LILAR, *Le divertissement portugais* (R). David SCHEINERT, *Le Flamand aux longues oreilles* (fable). Jacques-Gérard LINZE, *Confidentiel* (P). Liliane WOUTERS, *Le bois sec* (P). Robert GOFFIN, *Archipel de la sève* (P). Géo NORGE, *Les quatre saisons* (P). Adrien JANS, *D'arrache-cœur* (P).	Maurice ZERMATTEN : Prix Schiller suisse. Charles-François LANDRY, *Charles de Bourgogne* (E).
1961	Eugène GUILLEVIC, *Carnac* (P). Francis PONGE, *Le grand recueil* (P). Christiane ROCHEFORT, *Les petits enfants du siècle* (R). Philippe SOLLERS, *Le parc* (R). Marie NOËL, *Chants d'arrière-saison* (P).	Paul-Aloïse DE BOCK, *Les chemins de Rome* (R). Françoise MALLET-JORIS, *Les personnages* (R). Jacques STERNBERG, *La banlieue* (R). Jeanine MOULIN, *Rue chair et pain* (P). Robert GUIETTE, *Les seuils de la nuit* (P).	Mort de Blaise CENDRARS. Denis de ROUGEMONT, *Vingt-huit siècles de l'Europe* (E). Jean STAROBINSKI, *L'Œil vivant* (E).
1962	Eugène IONESCO, *Le roi se meurt* (T). René CHAR, *La parole en archipel* (P). Robert PINGET, *L'inquisitoire* (R). Jean-Claude RENARD, *Incantation du temps* (P). Georges PERROS, *Poèmes bleus* (P). Claude LÉVI-STRAUSS, *La pensée sauvage* (E).	Mort de Michel de GHELDERODE. Albert AYGUESPARSE, *Selon toute vraisemblance* (R). Daniel GILLÈS, *Les brouillards de Bruges* (R) Maud FRÈRE, *Les jumeaux millénaires* (R). Dominique ROLIN, *Le for intérieur* (R). Jacques-Gérard LINZE, *Par le sable et par le feu* (R). Jean MUNO, *L'hipparion* (R). Raymond DUESBERG, *Les grenouilles* (roman-poème). Hubert JUIN, *Chroniques sentimentales* (E). Marcel LOBET, *Écrivains en aveu* (E). Claude SPAAK, *Trois le jour* (T). Paul WILLEMS, *Il pleut dans ma maison* (T).	Corinna BILLE, *Le pays secret* (R). Jacques CHESSEX, *La tête ouverte* (prose). Gonzague de REYNOLD, *Synthèse du XVII*[e] *siècle : France classique et France baroque* (E). Henri DEBLUË, *Le procès de la truie* (T). Marc EIGELDINGER, *Jean-Jacques Rousseau et la réalité de l'imaginaire.* (E).

CANADA	*AFRIQUE NOIRE*	*MAGHREB*
Fondation des revues *Liberté, La revue socialiste, Situations.* Marie-Claire BLAIS, *La belle bête* (R). Pierre CÉLINAS, *Les vivants, les morts et les autres* (R). Roland GIGUÈRE, *Adorable femme des neiges* (P). Gilles HÉNAULT, *Voyage au pays de mémoire* (P). Gilbert LANGEVIN, *A la gueule du jour* (P).	Bernard DADIÉ, *Un nègre à Paris* (R).	Yacine KATEB, *Le cercle des représailles* (T). Nourredine MEZIANE, *Un Algérien raconte* (E). Frantz FANON, *L'an V de la révolution algérienne* (E).
Jean-Paul DESBIENS, *Les insolences du frère Untel* (pamphlet). Gérard BESSETTE, *Le libraire* (R). Gabrielle ROY, *La montagne secrète* (R). Yves THÉRIAULT, *Ashini* (R). Claude JASMIN, *Et puis tout est silence* (R). Gilles LECLERC, *Le journal d'un inquisiteur* (E). Anne HÉBERT, *Poèmes.*	Aimé CÉSAIRE, *Ferrements* (P). Sembene OUSMANE, *Les bouts de bois de Dieu* (R). Ferdinand OYONO, *Chemin d'Europe* (R). Olympe BHÊLY-QUENUM, *Un piège sans fin* (R). Djibril Tamsir NIANE, *Soundjata ou l'épopée mandingue* (R). Aimé CÉSAIRE, *Toussaint-Louverture* (E).	Djamal AMRANI, *Le témoin* (E).
Robert CHARBONNEAU, *Aucune créature* (R). Yves THÉRIAULT, *Cul-de-sac* (R). Gérard BESSETTE, *Les pédagogues* (R). Jean LE MOYNE, *Convergences* (E).	Birago DIOP, *Leurres et lueurs* (P). David DIOP, *Coups de pilon* (P). Aimé CÉSAIRE, *Cadastre* (P). Cheik Hamidou KANE, *L'aventure ambiguë* (R). Seydou BADIAN, *Chaka* (T). Frantz FANON, *Les damnés de la terre* (E).	Jean SÉNAC, *Matinale de mon peuple* (P). Mohammed DIB, *Ombre gardienne* (P) Henri KREA, *Djamal* (R). Driss CHRAIBI, *La foule* (R). Malek HADDAD, *Les zéros tournent en rond* (E).
Marie-Claire BLAIS, *Le jour est noir* (R). Pierre BAILLARGEON, *Le scandale est nécessaire* (R). Jacques FERRON, *Contes du pays incertain.* Pierre VADEBONCŒUR, *La ligne de risque* (E). Gilles MARCOTTE, *Une littérature qui se fait* (E). Gilles HÉNAULT, *Sémaphore* et *Voyage au pays de mémoire* (P). Gatien LAPOINTE, *Le temps premier* (P). Paul CHAMBERLAND, *Genèses* (P). G. DEROME, *Qui est Dupressin?* (T).	Flavien RANAIVO, *Le retour au bercail* (P). TCHICAYA U'TAMSI, *Epitome* (P). Nazi BONI, *Crépuscules des temps anciens* (R). Sembene OUSMANE, *Voltaïque* (R).	Nordine TIFADI, *Le toujours de la patrie* (P). Mohammed DIB, *Qui se souvient de la mer* (R). Assia DJEBAR, *Les enfants du nouveau monde* (R). Driss CHRAIBI, *Succession ouverte* (R). Henri KREA, *Théâtre algérien* (T). Mouloud MAMMERI, *Le foehn* (T). Mouloud FERAOUN, *Journal* (posthume).

	FRANCE	BELGIQUE	SUISSE
1963	Alain Robbe-Grillet, *Pour un nouveau roman* (E). Jean-Marie Le Clézio, *Le procès-verbal* (R). Samuel Beckett, *Oh! les beaux jours* (T). Jean Cayrol, *Le froid du soleil* (R). Roland Barthes, *Sur Racine* (E). Pierre Boule, *La planète des singes* (R).	Hubert Juin, *Le chaperon rouge* (R). Jean Muno, *L'homme qui s'efface* (R). Marcel Thiry, *Simul et autres cas* (R). Suzanne Lilar, *Le couple* (E). Françoise Mallet-Joris, *Lettre à moi-même* (E) et *Marie Mancini* (E). Jacques-Gérard Linze, *Trois tombeaux* (P) Marcel Thiry, *Le festin d'attente* (P). Edmond Vandercammen, *Les abeilles de septembre* (P). Géo Librecht, *M'naccordeion* (P).	Catherine Colomb, *Le temps des anges* (R). Philippe Jaccottet, *Les semaisons, carnets 1954-1962* (Journal). 1963-1968 Blaise Cendrars, *Œuvres complètes* (posthumes).
1964	René Char, *Commune présence* (P). Jean-Paul Sartre, *Les mots* (R). Violette Leduc, *La bâtarde* (R). François Billetdoux, *Comment va le monde, Môssieu?* (T).	Paul-Aloïse de Bock, *Les chemins de Rome* (R). Albert Henry, *Amers de Saint-John Perse, une poésie en mouvement* (E). Robert Goffin, *Corps combustible* (P). Liliane Wouters, *Oscarine ou les tournesols* (T).	Fondation de la revue *Écriture*, succédant à *Pays du Lac*. Pierre-Olivier Walzer, *Anthologie jurassienne*. Marcel Raymond, *Vérité et poésie* (E). Walter Weideli, *Le banquier sans visage* (T).
1965	Georges Pérec, *Les choses* (R). Jean-Pierre Duprey, *La fin et la manière* (P). Jean Genet, *Les paravents* (T). Joyce Mansour, *Carré blanc* (P). Robert Pinget, *Quelqu'un* (R).	Jacques-Gérard Linze, *La conquête de Prague* (nouveau roman). Albert Ayguesparse, *Simon la bonté* (R). Dominique Rolin, *La maison, la forêt* (R). Andrée Sodenkamp, *Femmes de longs matins* (P). Hélène Prigogine, *Ponts suspendus* (P). Adrien Jans, *La tunique de Dieu,* (P).	Mort de Le Corbusier. Maurice Chappaz, *Le chant de la grande Dixence* et *Le portrait des Valaisans en légende et en vérité*. Edmond Gilliard, *Œuvres complètes*.
1966	Jacques Lacan, *Écrits* (E). Michel Foucault, *Les mots et les choses* (E). Julien Green, *Terre lointaine* (R). Marguerite Duras, *Le vice-consul* (R). Jean-Claude Renard, *La terre du sacre* (P).	Robert Montal, *Le jeu du prince et du printemps* (R). Hubert Juin, *Prélude à une apocalypse* (P). Jacques-Gérard Linze, *Le fruit de cendre* (R). Françoise Mallet-Joris, *Les signes et les prodiges* (R). Paul Willems, *La ville à voile* (prix Mazzotto). Pierre Nothomb , *Le buisson ardent* (P). Lucienne Desnoues, *Les ors* (P). Christian Hubin, *Prélude à une apocalypse* (P). Marcel Thiry, *Nondum jam non* (P). Edmond Vandercammen, *Le jour est provisoire* (P).	Georges Haldas, *Boulevard des philosophes* (chronique). Jacques Chessex, *Je jeûne de huit nuits* (P).

CANADA	AFRIQUE NOIRE	MAGHREB
Fondation de *Parti pris*, revue culturelle et poétique (durera jusqu'en 1968). Wilfrid LEMOINE, *Sauf-conduits* (R). Éloi de GRANDMONT, *Une saison en chansons* (R). Andrée MAILLET, *Le lendemain n'est pas sans amour* (R). Claude MATHIEU, *Simone en déroute* (R). Gatien LAPOINTE, *Ode au Saint-Laurent* (P). *Poèmes* d'Alain GRANDBOIS. Rita LASNIER, *Les gisants* (P). *Anthologie de littérature canadienne* par Gérard BESSETTE. Jacques FERRON, *La tête du roi* (T).	Lamine DIAKHATÉ, *Primordiale du sixième jour* (P). Seydou BADIAN, *Sous l'orage* (R). Birago DIOP, *Contes et lavanes* (R). Aimé CÉSAIRE, *La tragédie du roi Christophe* (T).	
Fondation des revues : *Socialisme québécois* et *Révolution québécoise*. Troisième version de *Menaud, maître graveur* de Félix-Antoine SAVARD (R.) Laurent GIROUARD, *La ville inhumaine* (R). Jean BASILE, *La jument des Mongols* (R). Paul CHAMBERLAND, *Terre Québec* (P). Paul-Marie LAPOINTE, *Pour les âmes* (P). Nathalie FONTAINE, *Maudits Français* (E).	Léopold-Sédar SENGHOR, *Poèmes* (P). TCHICAYA U'TAMSI, *Le ventre* (P). Bernard DADIÉ, *Patron de New York* (R). Sembene OUSMANE, *L'harmattan* (R). Guillaume OYONO-MBIA, *Trois prétendants, un mari* (T). Léopold-Sédar SENGHOR, *Liberté I* (E). Seydou BADIAN, *Les dirigeants africains face à leurs peuples* (E).	Réda FALAKI, *Le milieu et la marge* (R).
Hubert AQUIN, *Prochain épisode* (R). Marie-Claire BLAIS, *Une saison dans la vie d'Emmanuel* (R). Wilfrid LEMOINE, *Le funambule* (R). Gérard BESSETTE, *L'incubation* (R). Claire MARTIN, *Dans un gant de fer* (mémoires). Jacques BRAULT, *Mémoire* (P). Fernand OUELLETTE, *Le soleil sous la mort* (P). Paul CHAMBERLAND, *L'afficheur hurle* (P). Denis VANIER, (âgé de quinze ans), *Je* (P). Françoise LORANGER, *Une maison... un jour...* (T).	Fodéba KEITA, *Aube africaine* (P). Olympe BHÊLY-QUENUM, *Le chant du lac* (R). Sembene OUSMANE, *Vehi-Ciosane,* suivi du *Mandat* (R).	Mouloud MAMMERI, *L'opium et le bâton* (R).
Claire MARTIN, *La joue droite* (R). Gabrielle ROY, *La route d'Altamont* (R). Prix Médicis décerné à Marie-Claire BLAIS pour *Une saison dans la vie d'Emmanuel.* Réjean DUCHARME, *L'avalée des avalées* (P). Roland GIGUÈRE, *Pouvoir du noir* (P). Gérald GODIN, *Les cantouques* (P). Raoul DUGUAY, *Ruts* (P). Luc RACINE, *Les dormeurs* (P). Robert GURIK, *Les louis d'or* (T).	Amadou Moustapha WADE, *Présence* (P). Camara LAYE, *Dramouss* (R). François EVEMBE, *Sur la terre en passant* (R).	Création de la revue *Souffles* par Abdellatif LAÂBI. Ahmed TALEB, *Lettres de prison.*

	FRANCE	*BELGIQUE*	*SUISSE*
1967	Michel Tournier, *Vendredi ou les limbes du Pacifique* (R). Louis Aragon, *Blanche ou l'oubli* (R). André Malraux, *Antimémoires* (R). Jean-Marie Le Clézio, *L'extase matérielle* (R) Francis Ponge, *Le nouveau recueil* (P).	Constant Burniaux, *L'odeur du matin* (R). Edmond Kinds, *Le temps des apôtres* (R). Jacques-Gérard Linze, *L'étang-cœur* (R). Suzanne Lilar, *A propos de Sartre et de l'amour* (E). Louis Scutenaire, *Pour Balthazar* (P). Anne-Marie Kegels, *Les doigts verts* (P). Liliane Wouters, *La porte* (T).	Georges Piroué, *Pirandello* (E). Jean-Pierre Monnier, *L'âge ingrat du roman* (E). Alexandre Voisard, *Liberté à l'aube* (manifeste en faveur du séparatisme jurassien). 1967-1968 Blaise Cendrars, *Poésies* (posthumes).
1968	Albert Cohen, *Belle du Seigneur* (R). Patrick Modiano, *La place de l'Étoile* (R). Marguerite Yourcenar, *L'œuvre au noir* (R). Bernard Clavel, *Les fruits de l'hiver* (R).	Hubert Juin, *Les trois cousines* (R). Constant Burniaux, *D'humour et d'amour* (nouvelles). Georges Simenon, *Le déménagement* (R). Jacques-Gérard Linze, *La fabulation* (nouveau roman). Franz Weyergans, *L'opération* (R). Georges Linze, *Poème de la grande invention* (P). Géo Librecht, *A l'oukète* (P). Jacques Crickillon, *La défendue* (P). Jean-Claude van Itallie, *America hurrah!* (joué à l'Open Theater de New York).	Maurice Chappaz, *Le match Valais-Judée* (E). Corinna Bille, *La fraise noire* (nouvelles). Richard Garzarolli, *Brigands du Jorat* (R). Georges Haldas, *Sans feu ni lieu* (P).
1969	Claude Simon, *La bataille de Pharsale* (R). Fernando Arrabal, *Le jardin des délices* (T). François Mauriac, *Un adolescent d'autrefois* (R). Samuel Beckett, prix Nobel.	Achille Chavée, *Le grand cardiaque* (R). Dominique Rolin, *Le corps* (R). Pierre Mertens, *L'Inde ou l'Amérique* (R). Suzanne Lilar, *Le malentendu du « Deuxième sexe »* (E). Jacques Sojcher, *La démarche poétique* (E). Marcel Thiry, *Le jardin fixe* (P). Françoise Descarte, *Sables* (P). Gaston Compère, *Géométrie de l'absence* (P).	Georges Haldas, *Italiques* (R) et *Le jardin des espérances* (chronique). Alice Rivaz, *L'alphabet du matin* (R). Jacques Chessex, *Portrait des Vaudois.* Anne Cuneo, *Mortelle maladie* (R). Alexandre Voisard, *Deux versants de la solitude* (R). Philippe Jaccottet, *Leçons* (P).
1970	Michel Tournier, *Le roi des aulnes* (R). Michel Butor, *Le génie du lieu* (E). Roger Caillois, *L'écriture des pierres* (E). Julien Gracq, *La presqu'île* (R).	Mort de Fernand Crommelynck. Robert Montal, *La traque* (R). Paul Werrie, *La souille* (R). Robert Goffin, *Phosphores chanteurs* (P). Anne-Marie Kegels, *Les chemins sont en feu* (P). Jean Sigrid, *Quoi de neuf, Aruspice?* et *Mort d'une souris* (T). René Kalisky, *Skandalon* (T).	Émile Gardaz, *Frères comme ça* (R). Anne-Lise Grobéty, *Pour mourir en février* (R). Georges Piroué, *Le réduit national* et *La surface des choses.*

CANADA	*AFRIQUE NOIRE*	*MAGHREB*
Fondation de la revue *Voix et images du pays*. Jacques GODBOUT, *Salut, Galarneau* (R). Marie-Claire BLAIS, *David Sterne* (R). Jacques BENOÎT, *Jos Carbone* (R). Yves PRÉFONTAINES, *Pays sans parole* (P). Réjean DUCHARME, *Le nez qui voque* (P). Pierre MORENCY, *Poèmes de la froide merveille de vivre* (P). Gatien LAPOINTE, *Le premier mot* (P). Fernand OUELLETTE, *Dans le sombre* (P). Claude PÉLOQUIN, *Infra* (manifeste).	René DEPESTRE, *Un arc-en-ciel pour l'Occident chrétien* (P). Bernard DADIÉ, *Hommes de tous les continents* (P). Francis BEBEY, *Le fils d'Agatha Moudio* (R). Malik FALL, *La plaie* (R). Aimé CÉSAIRE, *Une saison au Congo* (T).	Assia DJEBAR, *Les alouettes naïves* (R). Mohammed KHAIR-EDDINE, *Agadir* (R). Driss CHRAIBI, *Un ami viendra vous voir* (R).
Fondation des revues *Études littéraires, Herbes rouges*. Marie-Claire BLAIS, *Les manuscrits de Pauline Archange* (R). Hubert AQUIN, *Trou de mémoire* (R). Victor-Lévy BEAULIEU, *Mémoires d'outre-tonneau* (R). Pierre VALLIÈRES, *Nègres blancs d'Amérique* (E). Réjean DUCHARME, *L'océantume* (P). Roland GIGUÈRE, *Naturellement* (P). Suzanne PARADIS, *L'œuvre de Pierre* (P). Paul CHAMBERLAND, *L'inavouable* (P). Michel TREMBLAY, *Les belles-sœurs* (T). Antonine MAILLET, *Les crasseux* (T).	Jean-Baptiste TATI-LOUTARD, *Les racines congolaises* (P). Amadou KOUROUMA, *Les soleils des indépendances* (R). Yambo OUOLOGUEM, *Le devoir de violence* (R). Olympe BHÊLY-QUENUM, *Liaison d'un été* (R). Bernard DADIÉ, *La ville où nul ne meurt* (R).	Mohammed DIB, *La danse du roi* (R). Mourad BOURBOUNE, *Le muezzin* (R). Jean AMROUCHE, *Histoire de ma vie* (posthume).
Marie-Claire BLAIS, *Vivre! vivre!* (R). Jovette BERNIER, *Non, Monsieur* (R). Yves THÉRIAULT, *Tayaout fils d'Agakuk* (R). Jacques FERRON, *Le ciel de Québec* (Prose). Pierre VADEBONCŒUR, *La dernière heure et la première* (E). Réjean DUCHARME, *La fille de Christophe Colomb* (P). Jean-Guy PILON, *Comme eau retenue* (P). Michel TREMBLAY, *En pièces détachées* et *La duchesse de Langeais* (T).	Maxime N'DEBEKA, *Soleils neufs* (P). Rémy Medou MVOMO, *Afrika Ba'a* (R). Yoro DIAKITÉ, *Une main amie* (R). Guy MENGA, *La palabre stérile* (R). Aimé CÉSAIRE, *Une tempête* (T). F. N'SOUGAN AGBLEMAGNON, *Sociologie des sociétés orales africaines* (E).	Abdellatif LAÂBI, *L'œil et la nuit* (P). Rachid BOUDJEDRA, *La répudiation* (R). Albert MEMMI, *La scorpion* (R). Mouloud FERAOUN, *Lettres à ses amis* (posthume). Albert MEMMI, *Anthologie des écrivains français du Maghreb*.
Nuit de la poésie au Gesù à Montréal. Fondation des revues *Critères* et *Mainmise*. Marie-Claire BLAIS, *Les apparences* (R). Gilbert LAROQUE, *Le nombril* (R). Jacques FOLCH-RIBAS, *Le démolisseur* (R). Anne HÉBERT, *Kamouraska* (R). Gabrielle ROY, *Nouvelles esquimaudes*. Fernand OUELLETTE, *Les actes retrouvés* (E). Michel BEAULIEU, *Charmes de la fureur* (P). Nicole BROSSARD, *Le centre blanc* et *Suite logique* (P). Gaston MIRON, *L'homme rapaillé* (P).	TCHICAYA U'TAMSI, *Arc musical* (P). Olympe BHÊLY-QUENUM, *Un enfant d'Afrique* (R). Jean-Pierre MAKOUTA-MBOUKOU, *Les initiés* (R), *En quête de liberté* (R). Bernard DADIÉ, *Béatrice du Congo* (T), *Les voix dans le vent* (T). Daniel BOUKMAN, *Chants pour hâter la mort du temps des Orphée* (T).	Mohammed DIB, *Formulaire* (P), *Dieu en Barbarie* (R). Ali BOUMAHDI, *Le village des asphodèles* (R). Nabile FARES, *Yahia, pas de chance* (R). Yacine KATEB, *L'homme aux sandales de caoutchouc* (T).

	FRANCE	BELGIQUE	SUISSE
1971	Philippe JACCOTTET, *Poésies 1946-1967* (P).	Daniel GILLÈS, *La rouille* (R). Charles SPAAK, *L'ordre et le désordre* (R). Pierre MERTENS, *La fête des anciens* (R). Hubert JUIN, *L'usage de la critique* (E). Lucienne DESNOUES, *La plume d'oie* (P). Georges LINZE, *Poème des bonheurs insolites* (P). Géo NORGE, *Les oignons et cœtera* (P). Jacques IZOARD, *Des laitiers, des scélérats* (P).	Corinna BILLE, *Journal de Cecilia* et *Masques* (R), et *Juliette éternelle* (nouvelle). Henri DEBLUË, *La visite, L'insecte* (R). Jacques CHESSEX, *Carabas* (autoportrait baroque). Philippe JACCOTTET, *Carnets 1954-1967* (Journal). Jean-Pierre MONNIER, *L'arbre un jour* (E). Marcel RAYMOND, *La poésie française et le maniérisme* (E et anthologie). Germain CLAVIEN, *La montagne et la mer* (P).
1972	Henri MICHAUX, *Emergence résurgence* (P).	Mort de Franz HELLENS. Gabrielle ROLIN, *Le mot de la fin* (R). Herman CLOSSON, *Halewijn* (R). Jean MUNO, *L'île des pas perdus* et *Le joker* (R). Émilie NOULET, *Le ton poétique* (E). Jacques-Gérard LINZE, *Mieux connaître Constant Burniaux* (E). Jacques SOJCHER, *La question du sens. Esthétique de Nietzsche* (E). Henri MICHAUX, *Emergences. Résurgences.* Hubert JUIN, *L'automne à Lacaud* et *Cinquième poème* (P). Edmond VANDERCAMMEN, *Le chant vulnérable* (P).	Anne CUNEO, *Poussière du réveil* (R). Alexandre VOISARD, *Louve* (R).
1973	Roland BARTHES, *Le plaisir du texte* (E). Edmond JABÈS, *Le livre des questions* (dernier volume) (P). Jacques ROUBAUD, *Trente et un au cube* (P). Paul GADENNE, *Les hauts quartiers* (R).	Constant BURNIAUX, *Kalloo le village imaginé* (R). Françoise MALLET-JORIS, *Le jeu du souterrain* et *La maison de papier* (R). David SCHEINERT, *Le voyage en Palestine* (fable). François WEYERGANS, *Le pitre* (R). Jean MUNO, *La brèche* (nouvelles). Jean-Pierre OTTE, *Six poèmes.* Françoise WANSON, *La robe de Léda Lidoine* (P). Jacques IZOARD, *La patrie empaillée* (P).	Jacques CHESSEX, *L'ogre* (Prix Goncourt). Yves VELAN, *La statue de Condillac retouchée* (R). Corinna BILLE, *Cent petites histoires cruelles.*
1974	Annie LECLERC, *Parole de femme* (E). Marguerite YOURCENAR, *Souvenirs pieux* (R). Création des éditions « Des Femmes ».	Albert AYGUESPARSE, *Les armes de la guérison* (R). Gaston COMPÈRE, *Sept machines à rêver* (R). Conrad DETREZ, *Ludo* (R). Hubert JUIN, *Paysage avec rivière* (R). Daniel GILLÈS, *Le festival de Salzbourg* (R). Jacques-Gérard LINZE, *Passé midi* et *Cinq poèmes sur la mort* (P). Paul WILLEMS, *Les miroirs d'Ostende* (T). Pascal VREBOS, *Tête de truc* (T). René KALISKY, *Le pique-nique de Claretta* (T).	Maurice CHAPPAZ, *La haute route* (R). Georges BORGEAUD, *Le voyage à l'étranger* (Prix Th. Renaudot). Germain CLAVIEN, *Lettres à l'imaginaire* (R). Jean MERCANTON, *L'été des sept dormants* (R). Yves VELAN, *Onir* (R). Corinna BILLE, *La demoiselle sauvage* (nouvelles).

CANADA	*AFRIQUE NOIRE*	*MAGHREB*
Gilbert LANGEVIN, *Origines* (R). Gérard BESSETTE, *Le cycle* (nouveau roman). Emmanuel COCKE, *Va voir au ciel si j'y suis* (R). Henri BÉLANGER, *Place à l'homme : éloge du français québécois* (E). Antonine MAILLET, *Rabelais et les traditions populaires en Acadie* (thèse de doctorat). Gilbert LANGEVIN, *Origines, stress* et *Ouvrir le feu* (P). Juan GARCIA, *Corps de gloire* (P). Jacques BRAULT, *La poésie ce matin* (P). Antonine MAILLET, *La sagouine* (T). Michel TREMBLAY, *A toi pour toujours, ta Marie-Lou* (T).	Henri LOPES, *Tribaliques* (R). Guillaume OYONO-MBIA, *Chroniques de Mvoutessi* (R). Djibril Tamsir NIANE, *Sikasso ou la dernière citadelle,* (T). Léopold-Sédar SENGHOR, *Liberté II* (E).	*Anthologie de la nouvelle poésie algérienne.* Nabile FARES, *Un passager de l'Occident* (R). Abdelkébir KHATIBI, *La mémoire tatouée* (R).
Première rencontre québécoise internationale des écrivains, organisée par la revue *Liberté.* Dominique de PASQUALE, *On n'est pas sorti du bois* (R). Félix-Antoine SAVARD, *Le bouscueil* (R). Jean-Guy PILON, *Silences pour une souveraine* (R). Antonine MAILLET, *Don l'orignal* (R). Gabrielle ROY, *Cet été qui chantait* (contes). Paul CHAMBERLAND, *Éclats de la pierre noire d'où rejaillit ma vie* (P). Luc RACINE, *Le pays saint* (P). Triomphe posthume au théâtre de *Les oranges sont vertes* de Claude GAUVREAU (†1971).	Patrice KAYO, *Paroles intimes* (P). Alioum FANTOURÉ, *Le cercle des tropiques* (R). Sylvain BEMBA, *L'homme qui tua le crocodile* (T). Mongo BETI, *Main basse sur le Cameroun* (E). Amadou Hampaté BÂ, *Aspects de la civilisation africaine* (E).	Tahar BEN JELLOUN, *Cicatrices du soleil* (P). Malek OUARY, *Poèmes et chants de Kabylie* (P). Rachid BOUDJEDRA, *L'insolation* (R). Nabile FARES, *Le champ des oliviers* (R). Boudjema BOUHADA, *La terre battue* (T).
Antonine MAILLET, *Mariaagelas* (R). Jacques FERRON, *Les confitures de coings* (R). André BROCHU, *Adéodat* (R). Jean MARCEL, *Le joual de Troie* (E). Réjean DUCHARME, *L'hiver de force* (P).	Léopold-Sédar SENGHOR, *Lettres d'hivernage,* (P). Amadou Hampaté BÂ, *L'étrange destin de Wangrin* (R). Sembe OUSMANE, *Xala* (R). Bernard DADIÉ, *Iles de tempête* (T).	Mohammed DIB, *Le maître de chasse* (R). Tahar BEN JELLOUN, *Harrouda* (R). Mouloud MAMMERI, *Le banquet* (T).
Michèle LALONDE, *Speak white* (poème-pamphlet). Yves BEAUCHEMIN, *L'enfirouapé* (R) (Prix France-Québec 1975).	Lamine DIAKHATÉ, *Nigérianes* (P). Mongo BETI, *Remember Ruben* (R), *Perpétue et l'habitude du malheur* (R). Saïdou BOKUM, *Chaîne* (R). Jean-Pierre MAKOUTA MBOUKOU, *Les exilés de la forêt vierge* (R).	Tahar BEN JELLOUN, *Le discours du chameau* (P). Nabile FARES, *Mémoire de l'absent* (R).

	FRANCE	*BELGIQUE*	*SUISSE*
1975	AJAR-GARY, *La vie devant soi* (R). Roland BARTHES, *Roland Barthes* (E). Marie CARDINAL, *Les mots pour le dire* (R). Henri MICHAUX, *Face à ce qui se dérobe* (P).	Mort de Constant BURNIAUX. Gaston COMPÈRE, *La femme de Putiphar* (R). Dominique ROLIN, *Deux* et *Lettres au vieil homme* (R). Conrad DETREZ, *Les plumes du coq* (R). Jean-Pierre OTTE, *Le cœur dans sa gousse* (R). Suzanne LILAR, *Une enfance gantoise* (autobiographie). Raymond TROUSSON, *Voyage au pays de nulle part : histoire de la pensée utopique* (E). Géo LIBRECHT, *Passages à gué; Minotaure* (P). Robert GOFFIN, *Chroniques d'outre-chair* (P). Christian HUBIN, *La parole sans lieu* (P). Marcel THIRY, *L'encore* (P). Robert BODART, *La longue marche* (P). Jacques CRICKILLON, *La guerre sainte* (P).	Anne-Lise GROBÉTY, *Zéro positif* (R). Michel VIALA, *Hans Baldung Grien* (T) et *La remplaçante* (T).
1976	André MALRAUX, *L'intemporel* (E). André PIEYRE DE MANDIARGUES, *Sous la lame* (R). Michel FOUCAULT, *La volonté de savoir* (E).	Paul-Aloïse DE BOCK, *Le sucre filé* (R). Jean MUNO, *Ripple-marks* (R). Gabriel DEBLANDER, *L'oiseau sous la cheminée* (R). Jacques SOJCHER, *Itinerrer* (E). Jacques-Gérard LINZE, *Humanisme et judaïsme chez David Scheinert* (E). Hubert JUIN, *Les guerriers du Chalco* (P). Liliane WOUTERS, *Panorama de la poésie française de Belgique.*	*Correspondance Marcel Raymond-Albert Béguin (1920-1975).* Georges BORGEAUD, *Sépias* (R). Pierre-Paul CLÉMENT, *Jean-Jacques Rousseau. De l'éros coupable à l'éros glorieux* (E).
1977	René CHAR, *Les chants de la Balandrane* (P). Michel TOURNIER, *Le vent Paraclet* (E). Hélène CIXOUS, *Angst* (R).	Dominique ROLIN, *Dulle Griet* (R). Jean-Pierre OTTE, *Julienne et la rivière* (R). Vera FEYDER, *La derelitta* (Prix Rossel). Edmond VANDERCAMMEN, *Pouvoir de flamme* (P). Jean-Baptiste BARONIAN, *Scènes de la vie obscure* (P). Jean LOUVET, *Conversation en Wallonie* (T).	Corinna BILLE, *Les invités de Moscou* (R). Jacques CHESSEX, *Le séjour des morts* (R). Henri DEBLUË, *Et Saint-Gingolph brûlait* (R). Georges HALDAS, *L'état de poésie* (E). Philippe JACCOTTET, *A la lumière d'hiver* (P) et *Journées. Carnets 1968-1975* (Journal).
1978	Georges PÉREC, *La vie mode d'emploi* (R). Alain ROBBE-GRILLET, *Souvenirs du triangle d'or* (R). Roger CAILLOIS, *Le fleuve Alphée* (E. R). Patrick MODIANO, *Rue des boutiques obscures* (R).	Gaston COMPÈRE, *Le fort de Glaise* et *Portrait d'un roi dépossédé* (Prix Rossel). Conrad DETREZ, *L'herbe à brûler* (Prix Renaudot). Jacques SOJCHER, *Un roman* et *La mise en quarantaine* (R). Daniel GILLÈS, *Le spectateur brandebourgeois* (R). Françoise MALLET-JORIS, *Madame Guyon* (biographie). Jacques IZOARD, *Vêtu, dévêtu, libre* (P).	Corinna BILLE, *Cent petites histoires d'amour.* Gustave ROUD, *Haut-Jorat.*

CANADA	AFRIQUE NOIRE	MAGHREB
Fondation des revues *Chroniques* et *Dérive*. Marie-Claire BLAIS, *Une liaison parisienne* (R). Gabrielle ROY, *Un jardin du bout du monde* (nouvelles). François CHARRON, *Pirouette par hasard* (P). A. YON, *Le Canada vu de France* (E).	Maxime N'DEBEKA, *L'oseille, les citrons* (P). Djibril Tamsir NIANE, *Mery* (R). Charles NOKAN, *Violent était le vent* (R). M.a.M. NGAL, *Giambattista Viko ou le viol du discours africain* (R). Bernard DADIÉ, *Papassidi, maître-escroc* (T).	Mohammed DIB, *Omneros* (P). Rachid BOUDJEDRA, *Topographie idéale* (R). Driss CHRAIBI, *Mort au Canada* (R).
Fondation des revues : *Estuaire, Jeu, Lettres québécoises, Possibles.* Réjean DUCHARME, *Les enfantômes* (P). Jean-Claude GERMAIN, *Un pays dont la devise est : Je m'oublie* (T).	Paul DAKEYO, *Le cri pluriel* (P). Seydou BADIAN, *Le sang des masques* (R). Henri LOPES, *La nouvelle romance* (R). Vunki Yoka MUDIMBE, *Le bel immonde* (R).	Tahar BEN JELLOUN, *La réclusion solitaire* (R). Jamel Eddine BENCHEIKH, *Poétique arabe* (E).
Fondation de l'union des écrivains québécois. Louis CARON, *L'emmitouflé* (R). Claude GAUVREAU, *Œuvres créatrices complètes* (posthumes). Antonine MAILLET, *Les cordes de bois* (R) et *La veuve enragée* (T).	Paul DAKEYO, *Soweto, soleils fusillés* (P). TCHICAYA U'TAMSI, *La veste d'intérieur,* (P). Léopold-Sédar SENGHOR, *Liberté III* (E).	Rachid BOUDJEDRA, *L'escargot entêté* (R). Mohammed DIB, *Habel* (R).
Jacques POULIN, *Les grandes marées* (R). Antonine MAILLET, *Le bourgeois gentleman* (R). Gabrielle ROY, *Ces enfants de ma vie* (R). Marie-Claire BLAIS, *Les nuits de l'underground* (R). Jacques BENOÎT, *Patience et Firlipon* (R). Denise BOUCHER, *Les fées ont soif* (T). (Cette pièce féminine et laïque provoque un scandale.)	Théophile OBENGA, *Stèles pour l'avenir* (P). Lamine DIAKHATÉ, *Chalys d'Harlem* (R). Kollin NOAGA, *Le retour au village* (R).	Tahar BEN JELLOUN, *Moha le fou, Moha le sage* (R).

	FRANCE	*BELGIQUE*	*SUISSE*
1979	Vladimir VOLKOFF, *Le retournement* (R). Émile-Michel CIORAN, *Écartèlement* (E). Henri MICHAUX, *Saisir* (P).	Béatrice BECK, *La décharge* (R). François WEYERGANS, *Berlin mercredi* (R). Paul EMOND, *La danse du fumiste* (R). Jean MUNO, *Les contes naïfs* et *Histoires singulières* (Prix Rossel). Marcel MARIËN, *Figures de poupe* (« minimythes »). Gaston COMPÈRE, *Le grand bestiaire* (P). Jacques CRICKILLON, *Colonel de la mémoire* (P). Liliane WOUTERS, *Vie et mort de mademoiselle Shakespeare* (T). Jacques DE DECKER, *Jeu d'intérieur* (T).	Jean-Pierre MONNIER, *Écrire en Suisse romande* (E).
1980	Maurice BLANCHOT, *L'écriture du désastre* (E). Jean-Marie LE CLÉZIO, *Désert* (R). Angelo RINALDI, *La dernière fête de l'Empire* (R). Robert PINGET, *L'apocryphe* (R).	Suzanne LILAR prix Europalia (Communauté européenne). Béatrice BECK, *Devancer la nuit* (R). Dominique ROLIN, *L'infini chez soi* (R). Conrad DETREZ, *La lutte finale* (R). Françoise MALLET-JORIS, *Dickie-roi* (R). Jacques SOJCHER, *Un Belge peu naturel* (autobiogr.). Hubert JUIN, *Victor Hugo* (E) et *L'arbre au féminin* (P). Cahier de l'Herne consacré à Jean RAY.	Yvette Z'GRAGGEN, *Un temps de colère et d'amour* (R). *A contre temps. Huitante textes vaudois de 1980 à 1380.* Gustave ROUD, *Poèmes en vers et en versets.* 1980-1982 Maurice CHAPPAZ, *Œuvres poétiques.*
1981	Henri MICHAUX, *Poteaux d'angle* (P). Claude SIMON, *Les géorgiques* (R). Annie ERNAUX, *La femme gelée* (R). Françoise CHANDERNAGOR, *L'allée du Roi* (R).	Paul-Aloïse DE BOCK, *Le Pénitent* (R). Conrad DETREZ, *Le dragueur de Dieu* (R). François WEYERGANS, *Macaire le Copte* (R). Robert KANTERS, *A perte de vue* (souvenirs). Jean-Baptiste BARONIAN, *Jean Ray, l'archange fantastique* (E).	Mort de Marcel RAYMOND. « Guy de Pourtalès. Exposition du centenaire » à Genève. Henri DEBLUË, *Job* (T).
1982	Fondation de la revue *Corps écrit.*	Roger FOULON, *Barrages* (R). Dominique ROLIN, *Le gâteau des mots* (R). Michel de GHELDERODE, *Correspondance générale* (posthume). Jacques BREL, *Œuvre intégrale* (P). Liliane WOUTERS, *Alphabet des lettres belges de langue francaise*	Jacques CHESSEX, *Judas le transparent* (R). Monique LAEDRACH, *La femme séparée. La partition* (P). Pierre CHAPPUIS, *Décalages.* Georges HALDAS, *L'état de poésie.* Jean STAROBINSKI, *Montaigne en mouvement* (E).
1983	Roger MARTIN DU GARD, *Le lieutenant-colonel de Maumort* (posthume) (R). Philippe SOLLERS, *Femmes* (R).	Anne ROTSCHILD, *Sept branches* (prix Max-Pol Fouchet 1983). François WEYERGANS, *Le radeau de la Méduse* (R). Mort d'HERGÉ.	Jean-Rodolphe de SALIS, *Parler au papier. Carnets 1981-1983.* José-Flore TAPPY, *Errer mortelle* (P). Michel DENTAN, *Le texte et son lecteur* (E).
1984	Marguerite DURAS, *L'amant* (R). Michel FOUCAULT, *L'usage des plaisirs* et *Le souci de soi* (E).	Mort d'Henri MICHAUX. Viviane DUMONT, *Ruelle du Paradis* (R).	Jacques CHESSEX, *Feux d'orée* (P). Alexandre VOISARD, *L'année des treize lunes* et *Les rescapés et autres poèmes.* Georges HALDAS, *Rêver avant l'aube (Journal 1982).*

CANADA	AFRIQUE NOIRE	MAGHREB
Victor-Lévy BEAULIEU, *Monsieur Melville* (R). Antonine MAILLET, *Pélagie-la-charrette* (Prix Goncourt) (R). Marie-Claire BLAIS, *Le Sourd dans la ville* (R). Robert MELANÇON, *Peinture aveugle* (P).	Léopold-Sédar SENGHOR, *Elégies majeures* (P). Mongo BETI, *La ruine presque cocasse d'un polichinelle* (R). Olympe BHÊLY-QUENUM, *L'initié* (R). TCHICAYA U'TAMSI, *Le destin glorieux du maréchal Nnikon Nniku, prince consort* (T).	Mohammed DIB, *Feu beau feu* (P). Rachid BOUDJEDRA, *Les mille et une années de la nostalgie* (R). Abdelkébir KHATIBI, *Le livre du sang* (R).
Seconde nuit de la poésie. Michel TREMBLAY, *Pierrette et Thérèse à l'école des saints anges* (R) (Prix France-Québec, 1981). Pierre NEPVEU, *Couleur chair* (P). André ROY, *Les passions du samedi* et *Supplément aux passions* (P). Yves THÉRIAULT, *Ashini* (P).	Jean-Marie ADIAFFI, *D'éclairs et de foudre* (P). Massa Makan DIABATÉ, *Le coiffeur de Kouta* (R). Yves-Emmanuel DOGBE, *L'incarcéré* (R). TCHICAYA U'TAMSI, *Les cancrelats* (R), *La main sèche* (R).	Assia DJEBAR, *Femmes d'Alger dans leur appartement* (R). Mohammed CHOUKRI, *Le pain nu* (R). Mohammed DIB, *Mille hourras pour une gueuse* (T).
Yves BEAUCHEMIN, *Le matou* (R). Josette PRATTE, *Et je pleure* (R). Prix Québec-Paris à Laurent MAILHOT et Pierre NEPVEU pour leur Anthologie de la poésie québécoise. Michel SAVARD, *Forages* (P). Réjean DUCHARME, *Ha ha!...* (T).	Sembene OUSMANE, *Le dernier de l'empire* (R). Alpha-Mandé DIARRA, *Sahel, sanglante sècheresse* (R). Cheikh Anta DIOP, *Civilisations en barbarie* (E).	Abdellatif LÂABI, *Sous le bâillon* (P). Rachid BOUDJEDRA, *Le démantèlement* (R).
Marie-Claire BLAIS, *Les visions d'Anna* (Prix David 1982). Anne HÉBERT, *Les fous de Bassan* (Prix Fémina). Michel TREMBLAY, *La duchesse et le roturier* (R). Roger FOURNIER, *Le cercle des arènes* (Prix Québec-Paris). Lise GAUVIN et Laurent MAILHOT, *Guide culturel du Québec.*	Jean-Baptiste TATI-LOUTARD, *Le dialogue des plateaux* (P). Sylvain BEMBA, *Le soleil est parti à M'Pemba* (R). Henri LOPES, *Le pleurer-rire* (R). TCHICAYA U'TAMSI, *Les méduses ou les orties de mer* (R).	Rachid MINOUNI, *Le fleuve détourné* (R).
Mort de Gabrielle ROY. Alain LESSARD, *Comme parfois respire la pierre* (Prix Molson de l'Académie canadienne française). Gabrielle POULIN, *Les mensonges d'Isabelle* (R). Rina LASNIER, *Chant perdu* (P). Nicole BROSSARD, *Picture Theory* (E; texte en français).	Aimé CÉSAIRE, *Moi, laminaire...* (P). Patrice KAYO, *Chansons populaires bamilaké,* suivies de *Déchirements* (P). Mongo BETI, *Les deux mères de Guillaume Ismaël Dzewatama* (R). Léopold-Sédar SENGHOR, *Liberté IV* (E).	Tahar BEN JELLOUN, *Les amandiers sont morts de leurs blessures,* suivi de *A l'insu du souvenir; L'écrivain public* (R) Rachid BOUDJEDRA, *La greffe* (R).
Gilbert CHOQUETTE, *La flamme et la forge* (R). Roger FOURNIER, *Pour l'amour de Sawine* (R). Jacques SAVOIE, *Les portes tournantes* (Prix France-Acadie). Marie-José THÉRIAULT, *Les demoiselles de Numidie* (R). Gilles ARCHAMBAULT, *Le regard oblique* (E). Lise GAUVIN, *Lettres d'une autre* (E).	Sylvain BEMBA, *Le dernier des Cargonautes* (R).	Mohammed DIB, *Au café* (R). Rachid BOUDJEDRA, *La macération* (R).

	FRANCE	BELGIQUE	SUISSE
1985	Claude SIMON, prix Nobel. Henri MICHAUX, *Déplacements, dégagements* (posthume) (P). Michel SERRES, *Les cinq sens* (E). Michel LEIRIS, *Langage, tangage* (P). Hector BIANCIOTTI, *Sans la miséricorde du christ* (R).	Mort de Robert KANTERS. Jacques DE DECKER, *La grande roue* (R). Françoise MALLET-JORIS, *Le rire de Laura* (R).	Mort de Denis de ROUGEMONT. Juan MARTINEZ, *Traité des nuits blanches* (P). G. SALEM et J. GARCIN, *Dossier Chessex* (biographie). Jean-Courvoisier, *Le mythe du rameur* (E). Georges-André CHEVALLAZ, *La Suisse est-elle gouvernable?* (E).
1986	Mort de Marcel ARLAND, de Jean GENET, de Simone de BEAUVOIR. Marie-Claire BANCQUART, *Opportunité des oiseaux* (P). Pascal QUIGNARD, *Le salon de Wurtemberg* (R). Patrick MODIANO, *Dimanches d'août* (R). Bernard-Marie KOLTES, *Dans la solitude des champs de coton* (T).	F. WEYERGANS, *La vie d'un bébé* (R). M. MOREAU, *Issue sans issue* (R). C. DETREZ, *La mélancolie du voyeur* (R). H. BAUCHAU, *Poésie* (P). BOSQUET DE THORAN, *Traité du reflet* (E).	M. LAEDERACH, *Trop petite pour dieux* (R). J. P. MONNIER, *Ecrire en Suisse romande* (E). M. CHAPPAZ, *Octobre* 1979 (R). A. PASQUALI, *Les portes d'Italie* (R).
1987	Mort de Marguerite YOURCENAR et de Jean ANOUILH. Yves BONNEFOY, *Ce qui fut sans lumière* (P), *Récits en rêve* (E). Jean-Claude RENARD, *Quand le poème devient prière* (E). Philippe SOLLERS, *Le cœur absolu* (R). Robert PINGET, *L'ennemi* (R).	P. MERTENS, *Les éblouissements* (R). M. QUAGHEBEUR, *L'outrage* (P).	J. CHESSEX, *Jonas* (R). E. BARILLIER, *Les petits camarades* (E).
1988	Mort de René CHAR et de Francis PONGE. Marie-Claire BANCQUART, *Opéra des limites* (P). Pierre OSTER, *Les morts* (P). Marguerite YOURCENAR, *Quoi? L'éternité* (posth.). Alain ROBBE-GRILLET, *Angélique ou l'enchantement* (R). Philippe SOLLERS, *Les folies françaises* (R). Yves BONNEFOY, *La vérité de parole* (E).	W. LAMBERSY, *L'arche et la cloche* (P). H. BAUCHAU, *L'écriture et la circonstance* (E). G. COMPÈRE, *Anne de Chantraine ou la naissance d'une ombre* (R). Mort de Jean MUNO.	L. WEIBEL, *Arrêt sur image* (E). A. PASQUALI, *Un amour irrésolu* (R). V. GODEL, *Exclus inclus* (E).
1989	Mort de Samuel BECKETT. Claude SIMON, *L'acacia* (R). Philippe SOLLERS, *Le lys d'or* (R). Patrick MODIANO, *Vestiaire de l'enfance* (R).	F. WEYERGANS, *Rire et pleurer* (R), *Je suis un écrivain* (R). P. WILLEMS, *La vita breve* (T). M. LOREAU, *L'épreuve* (P). M. MOREAU, *Mille voix rauques* (E). Mort de Georges SIMENON.	M. CHAPPAZ, *Le garçon qui croyait au Paradis* (R). CHAPPUIS, *Un cahier de nuages.* A. PLUME, *La mort des forêts, ni plus ni moins* (R).
1990	Mort de Philippe SOUPAULT et de Michel LEIRIS. Jean-Claude RENARD, *Sous de grands vents obscurs* (P). Georges SAINT-CLAIR, *Côté ouvert* (P). Yves BONNEFOY, *Entretiens sur la poésie* (E). Jean ROUAUD, *Les champs d'honneur* (R). Jean-Noël PANCRAZI, *Les quartiers d'hiver* (R). Michel VINAVER, *Le dernier sursaut* (T).	P. MERTENS, *Les chutes centrales* (R). H. BAUCHAU, *Œdipe sur la route* (R). J. DE DECKER, *Parades amoureuses* (R). F. JACQMIN, *Le livre de la neige* (P). J. P. VERHEGGEN, *Folies-belgères* (P). A. BOSQUET, *La mémoire ou l'oubli* (E). Mort de NORGE.	J. CHESSEX, *Morgane Madrigal* (E). S. ROCHE, *Le salon Pompadour* (R). J. VUILLEMIER, *La déposition* (R).

CANADA	AFRIQUE NOIRE	MAGHREB
Denise BOMBARDIER, *Une enfance à l'eau bénite* (autobiographie). Pauline HARVEY, *Encore une partie pour Berri* (Prix Molson de l'Académie canadienne française). René LAPIERRE, *L'été Rebecca* (R). Josette PRATTE, *Les persiennes* (R).	Jean METELLUS, *Voyance* (P). Sony Labou TANSI, *Les sept solitudes de Lorsa Lopez* (R).	Tahar BEN JELLOUN, *L'enfant de sable* (R). Assia DJEBAR, *L'amour, la fantasia* (R). Mohammed DIB, *Les terrasses d'Orsol* (R).
C. BEAUSOLEIL, *Il y a des nuits que nous habitons tous* (P). G. ROY, *La détresse et l'enchantement* (E). M. LA RUE, *La cohorte fictive* (R).	Tch. TCHIVELLA, *L'exil ou la tombe* (P). T. MONENEMBO, *Les écailles du ciel* (R). S. DABLA, *Nouvelles écritures africaines* (E). L. MATESO, *La littérature africaine et sa critique* (E).	Kateb YACINE, *L'œuvre en fragments* (E). El MALEH, *Mille ans un jour* (R). D. CHRAÏBI, *Naissance de l'aube* (R). A. LAÂBI, *L'écorché vif* (P).
M. TREMBLAY, *Le cœur découvert* (R). F. NOËL, *Myriam première* (R). A. VACHON, *Toute la terre à dévorer* (R). A. MAILLET, *Le huitième jour* (R). C. BEAUSOLEIL, *Extase et déchirure* (E). F. OUELLETTE, *Les heures* (P).	Tchicaya U'TAMSI, *Ces fruits si doux de l'arbre à pain* (R). A. SOW FALL, *L'ex-père de la nation* (R). Calixthe BEYALA, *C'est le soleil qui me brûle* (R). E. DONGALA, *Le feu des origines* (R).	T. BEN JELLOUN, *La nuit sacrée* (R). Assia DJEBAR, *Ombre sultane* (R). M. DIB, *O vive* (P). T. DJAOUT, *L'invention du désert* (R).
J. POULIN, *Volkswagen blues* (R, éd. française). J. GODBOUT, *Une histoire américaine* (R). R. LALONDE, *Le fou du père* (R). A. HÉBERT, *Le premier jardin* (R). P. CHAMBERLAND, *Phœnix intégral* (P).	S. Labou TANSI, *Les yeux du volcan* (R). TCHICAYA U'TAMSI : représentation du *Bal de Ndinga* (T). I. LY, *Les noctuelles vivent de larmes* (R). B. NDJEHOYA, *Le nègre Potemkine* (R). Mort de TCHICAYA U'TAMSI. R. DEPESTRE, *Hadrianna dans tous mes rêves* (R, Antilles).	A. MEMMI, *Le pharaon* (R). M. TLILI, *La montagne du lion* (R). T. BEKRI, *Le cœur rompu aux océans* (P).
M. TREMBLAY, *Les anciennes odeurs* (T). L. GAUVIN, G. MIRON, *Ecrivains contemporains du Québec* (E). Y. BEAUCHEMIN, *Juliette Pomerleau* (R). J. ETHIER-BLAIS, *Fragment d'une enfance* (R). J. GODBOUT, *L'aquarium* (R).	H. LOPES, *Chercheur d'Afriques* (R). P. DAKEYO, *La femme où j'ai mal* (P). F. BEBEY, *La lune dans un seau tout rouge* (R). Wéréwéré LIKING, *L'amour cent vies* (R).	A. LAÂBI, *Les rides du lion* (R). R. MIMOUNI, *L'honneur de la tribu* (R). M. DIB, *Le sommeil d'Eve* (R). M. CHAREF, *Le harki de Mériem* (R). Mort de Kateb YACINE et de Mouloud MAMMERI.
A. HÉBERT, *La cage ; L'île de la demoiselle* (T). R. DUCHARME, *Le dévadé* (R). R. BAILLIE, *La nuit de la Saint-Basile* (R).	A. KOUROUMA, *Monnè, Outrages et défis* (R). E. J. MAUNICK, *Toi laminaire* (P, Maurice).	T. DJAOUT, *Les vigiles* (R). R. MIMOUNI, *La ceinture de l'ogresse* (R). A. KHATIBI, *Un été à Stockholm* (R). T. BEN JELLOUN, *Jours de silence à Tanger* (R).

INDEX

Sont imprimés en italique les noms d'écrivains de langue étrangère. Pour ne pas alourdir cet index, nous n'avons pas mentionné les auteurs des ouvrages critiques cités. Pour la même raison, l'index ne renvoie pas à la *Chronologie des littératures francophones.*

TABLE DES MATIÈRES

LE XIXe SIÈCLE

LE XXe SIÈCLE

LA LITTÉRATURE DE LA « BELLE ÉPOQUE »

LA LITTÉRATURE DE L'ENTRE-DEUX-GUERRES

LA LITTÉRATURE APRÈS 1939

Imprimerie GAUTHIER-VILLARS, Paris
Dépôt légal, Imprimeur, n° 4772

Dépôt légal : octobre 1996 *Imprimé en France*

Dépôt légal 1re édition : 3e trimestre 1977